HEINRICH AUGUST WINKLER

Weimar
1918–1933

HEINRICH AUGUST WINKLER

Weimar 1918–1933

Die Geschichte der ersten deutschen Demokratie

Verlag C. H. Beck München

Dieses Werk wurde gefördert durch einen einjährigen
Forschungsaufenthalt am Historischen Kolleg in München.
Träger des Historischen Kollegs sind der
Stiftungsfonds Deutsche Bank zur Förderung der Wissenschaft
in Forschung und Lehre und der
Stifterverband für die Deutsche Wissenschaft.

Die Deutsche Bibliothek – CIP Einheitsaufnahme

Winkler, Heinrich August:
Weimar 1918–1933 : die Geschichte der ersten deutschen
Demokratie / Heinrich August Winkler. – Durchges.
Aufl., 15.-20. Tsd. der Gesamtaufl. – München : Beck,
1998
ISBN 3-406-43884-9

Durchgesehene Auflage. 1998
15. bis 20. Tausend der Gesamtauflage

ISBN 3 406 43884 9 (für die gebundene Ausgabe)

Satz: Fotosatz Otto Gutfreund GmbH, Darmstadt
Druck- und Bindearbeiten: Ebner, Ulm
Gedruckt auf säurefreiem, aus chlorfrei gebleichtem
Zellstoff hergestelltem Papier
Printed in Germany

Unseren Warschauer Freunden
Bronislaw und Hanna Geremek
Jerzy und Barbara Holzer

Inhalt

Vorbemerkung

Dieses Buch habe ich in den Jahren 1990 bis 1992 geschrieben. Ich konnte mich dabei auf eigene Vorarbeiten stützen, darunter vor allem meine dreibändige Geschichte der Arbeiter und der Arbeiterbewegung in der Weimarer Republik, die zwischen 1984 und 1987 im Verlag J. H. W. Dietz Nachf., Berlin und Bonn, erschienen ist.

Große Teile des Textes sind 1990/91 während eines Forschungsaufenthalts am Historischen Kolleg in München entstanden. Sehr viel habe ich aus dem wissenschaftlichen Kolloquium „Die deutsche Staatskrise 1930–1933. Handlungsspielräume und Alternativen" gelernt, zu dem ich im Januar 1991 Fachleute aus dem In- und Ausland an das Historische Kolleg einladen konnte. Der Band mit den Beiträgen zu dieser Tagung ist Ende 1992 im R. Oldenbourg Verlag, München, erschienen. Für die großzügigen Arbeitsmöglichkeiten in der Münchner Kaulbach-Villa danke ich dem Historischen Kolleg, dem Stiftungsfonds Deutsche Bank zur Förderung der Wissenschaft in Forschung und Lehre und dem Stifterverband für die Deutsche Wissenschaft.

Nach dem Ende des Münchner Jahres wechselte ich die Hochschule: Nach 19 Jahren Lehrtätigkeit an der Albert-Ludwigs-Universität Freiburg im Breisgau nahm ich im Oktober 1991 einen Ruf auf die Professur für Neueste Geschichte an der Humboldt-Universität zu Berlin an. In Berlin habe ich das Buch abgeschlossen. Meine Mitarbeiterinnen und Mitarbeiter am Institut für Geschichtswissenschaften der Humboldt-Universität waren mir dabei eine große Hilfe. Mein Dank gilt besonders Herrn Jörg Judersleben, der mich beim Lesen der Korrekturen unterstützt und das Personenregister erstellt hat.

Danken möchte ich weiter Frau Gretchen Klein, die meine handschriftliche Vorlage kritisch gelesen und in ein druckreifes Manuskript verwandelt hat. Dank gebührt auch einem anderen aufmerksamen Leser, dem Cheflektor der C. H. Beck'schen Verlagsbuchhandlung, Herrn Dr. Ernst-Peter Wieckenberg, der dieses Buch angeregt hat. Für das, was der Band trotz ihrer beider Mühen noch an Irrtümern und Fehlern enthält, bin nur ich verantwortlich.

Berlin, im April 1993 — Heinrich August Winkler

Einleitung

Wenige Kapitel der deutschen Geschichte sind so umstritten wie die vierzehn Jahre zwischen Kaiserreich und „Drittem Reich". Die Weimarer Republik: das war das große Laboratorium der klassischen Moderne, eine Zeit des kulturellen Aufbruchs, der Befreiung von hohlen Konventionen, der großen Triumphe einer weltoffenen künstlerischen und intellektuellen Avantgarde. Mit der ersten deutschen Republik verbindet sich aber auch die Erinnerung an gewaltsame Umsturzversuche und galoppierende Inflation, an Massenarbeitslosigkeit und politischen Radikalismus, an die Krisen und den Untergang einer Demokratie, der in den Augen vieler Deutschen von Anfang an der nationale Makel anhaftete, daß sie aus der militärischen Niederlage Deutschlands im Ersten Weltkrieg erwachsen war.

Was auf Weimar folgte, war so schrecklich, daß wir das Scheitern der ersten deutschen Republik zu den großen Katastrophen der Weltgeschichte rechnen müssen. Weil dem so ist, steht im Hintergrund aller Betrachtungen über Weimar unverrückbar die Frage, warum es zu 1933 kommen konnte. Geschichtsschreibung über Weimar ist damit notwendigerweise immer auch Trauerarbeit.

Vom Scheitern Weimars auszugehen, heißt nicht, die Unvermeidbarkeit dieses Scheiterns zu unterstellen. Vielmehr ist die Frage nach den Ursachen des Untergangs unlösbar verknüpft mit der Frage nach Handlungsspielräumen und Alternativen – mit der Frage also, wie offen vergangene Entscheidungsituationen wirklich waren. Beantworten läßt sich diese Doppelfrage nur, wenn wir so quellennah wie nur möglich an unser Thema herangehen. Zugleich zwingt die Fragestellung zur Konzentration auf das, was im Sinne der Frage wesentlich ist. Infolgedessen kann und will dieses Buch keine „Totalgeschichte" der Weimarer Republik sein; es ist nicht enzyklopädisch angelegt, sondern als Problemgeschichte. Im Vordergrund steht die Politik.

Weimar war nicht nur die Vorgeschichte des „Dritten Reiches", sondern auch die Nachgeschichte des Kaiserreiches. Beides läßt sich nicht voneinander trennen, aber in beidem geht Weimar nicht auf. Weimar war *auch* die erste große Chance der Deutschen, parlamentarische Demokratie zu lernen, und insofern gehört Weimar zur Vorgeschichte der „alten" Bundesrepublik, der zweiten Lehrzeit in Sachen Demokratie. Die Auseinandersetzung mit Weimar war prägend für Bonn, auf radikal andere Weise aber auch für den zweiten Nachfolgestaat des Deutschen Reiches, die Deutsche Demokratische Republik. Das seit 1990 vereinigte Deutschland ist wieder, was bis dahin nur die Weimarer Republik war oder zumindest nach dem Willen ihrer Gründer sein sollte: ein demokratischer deutscher Nationalstaat.

Zweifel, ob in Deutschland beides zusammenpaßt, die Demokratie und ein Nationalstaat, sind drinnen und draußen zu vernehmen. Ist nicht, so fragen manche, die Bonner Republik deswegen zu einer so erfolgreichen Demokratie geworden, weil sie sich zunehmend als ein „postnationales", an universalen Werten orientiertes, „verfassungspatriotisches" Gemeinwesen verstand? Das vereinigte Deutschland kann sich in der Tat nicht mehr als „postnationaler" Staat definieren. Aber es ist auch kein klassischer Nationalstaat mehr, sondern ein von vornherein in supranationale Gemeinschaften integrierter, mithin postklassischer Nationalstaat. Der Konflikt zwischen Demokratie und Nation, der Weimar belastet hat, braucht sich nicht zu wiederholen. Er *wird* sich nicht wiederholen, wenn die Erfahrungen der ersten Republik präsent bleiben und das ganze Deutschland sich aneignet, was Jürgen Habermas 1986, im Zuge des „Historikerstreits", als *die* große intellektuelle Errungenschaft der Nachkriegszeit bezeichnet hat: die „vorbehaltlose Öffnung der Bundesrepublik gegenüber der politischen Kultur des Westens".

Die Weimarer Demokratie in den Gang der Geschichte des deutschen Nationalstaates einzuordnen: darum geht es im folgenden. Die vierzehn Jahre der ersten deutschen Republik waren eine dramatische Zeit. Der Historiker sollte nicht versuchen, sie zu entdramatisieren. Er sollte sich auch nicht der Erkenntnis verweigern, daß es in der Geschichte tragische Situationen geben *kann*: Situationen, in denen Akteure besten Willens, überzeugte Verteidiger von Demokratie und Rechtsstaat beispielsweise, nicht mehr die Wahl zwischen „richtigen" und „falschen" Entscheidungen haben, sondern nur noch zwischen dem, was ihnen als größeres oder kleineres Übel erscheint. Die Folgen können fatal sein, aber es ist kein Fatalismus, dies auszusprechen. Wer historische Situationen auf ihre Offenheit hin befragt, darf redlicherweise nicht ausschließen, daß sie sich im konkreten Fall als weniger offen erweisen, als der rückblickende Betrachter sich das wünscht.

Manchem Leser mag altmodisch erscheinen, daß in diesem Buch mehr von Ereignissen als von Strukturen die Rede ist und daß erzählt wird. Aber bis zu einem gewissen Grad lassen sich Strukturen in Ereignissen sichtbar machen, und Erzählung kann auch Analyse sein. Beides setzt freilich voraus, daß die Darstellung sich von einer Frage leiten läßt. Auf die Frage, warum es zu 1933 kommen konnte, gibt es den Versuch einer Antwort erst am Ende des Buches. Ob dieser Versuch überzeugt oder nicht: darüber entscheidet der Leser.

1.

Das zwiespältige Erbe

Im März 1921, knapp zweieinhalb Jahre nach dem Zusammenbruch des deutschen Kaiserreiches, schloß der sozialdemokratische Theoretiker Eduard Bernstein sein Buch „Die deutsche Revolution, ihr Ursprung, ihr Verlauf und ihr Werk" ab. Es war ein Versuch des damals Einundsiebzigjährigen, sich und den Zeitgenossen klar zu machen, warum die Staatsumwälzung in Deutschland ganz anders, nämlich viel weniger radikal abgelaufen war als alle großen Revolutionen der Geschichte. Bernstein sah für den gemäßigten Charakter der deutschen Revolution vor allem zwei Gründe. Der erste war der Grad der gesellschaftlichen Entwicklung. Je weniger ausgebildet Gesellschaften seien, lautete Bernsteins These, desto leichter vertrügen sie Maßnahmen, die auf ihre radikale Umbildung abzielten. „Je vielseitiger aber ihre innere Gliederung, je ausgebildeter die Arbeitsteilung und das Zusammenarbeiten ihrer Organe bereits sind, umso größer die Gefahr schwerer Schädigung ihrer Lebensmöglichkeiten, wenn versucht wird, sie mit Anwendung von Gewaltmitteln in kurzer Zeit in bezug auf Form und Inhalt radikal umzubilden. Gleichviel ob sie sich darüber theoretisch Rechenschaft ablegten oder nicht, haben die maßgebenden Führer der Sozialdemokratie dies aus Einsicht in die tatsächlichen Verhältnisse begriffen und ihre Praxis in der Revolution danach eingerichtet."

Der zweite Grund der Mäßigung war Bernstein zufolge der in Deutschland erreichte Grad an Demokratie: „So rückständig Deutschland durch den Fortbestand halbfeudaler Einrichtungen und die Machtstellung des Militärs in wichtigen Fragen seines politischen Lebens auch war, so war es doch als Verwaltungsstaat auf einer Stufe der Entwicklung angelangt, bei der schon die einfache Demokratisierung der vorhandenen Einrichtungen einen großen Schritt zum Sozialismus hin bedeutete. In Ansätzen hatte sich das schon vor der Revolution angezeigt. Das Stück Demokratie, das in Reich, Staaten und Gemeinden zur Verwirklichung gelangt war, hatte sich unter dem Einfluß der in die Gesetzgebungs- und Verwaltungskörper eingedrungenen Arbeitervertreter als ein wirkungsvoller Hebel zur Förderung von Gesetzen und Maßnahmen erwiesen, die auf der Linie des Sozialismus liegen, so daß selbst das kaiserliche Deutschland auf diesen Gebieten mit politisch vorgeschritteneren Ländern sich messen konnte."[1]

Für eine radikale Umwälzung war Deutschland mithin, so läßt sich Bernsteins These knapp zusammenfassen, zum einen zu industrialisiert und zum anderen zu demokratisch. Wenden wir uns zunächst dem ersten Glied dieses Doppelarguments zu. Alle „klassischen" Revolutionen des Westens, die englische des 17. Jahrhunderts, die amerikanische von 1776 und die französische von 1789, hatten in der Tat *vor* dem Durchbruch der industriellen Produktionsweise, also in überwiegend agrarischen Gesellschaften stattgefunden, und von den großen Revolutionen des Ostens, der russischen wie der chinesischen, gilt dasselbe. In Agrargesellschaften kann sich die Mehrheit der Bevölkerung mit den lebenswichtigen Gütern eine Zeitlang selbst versorgen. Eine radikale Auswechslung des Staatsapparates ist in solchen Gesellschaften möglich, ohne daß ein wirtschaftliches und soziales Chaos ausbricht. Anders in komplexen, arbeitsteiligen Industriegesellschaften. Die Mehrheit ist hier von den Dienstleistungen des Staates und der Kommunen so existentiell abhängig, daß ein Zusammenbruch des öffentlichen Dienstes das Leben der Gesellschaft insgesamt lähmen muß. Die Folge ist das, was ein neuerer Autor, Richard Löwenthal, treffend den revolutionsfeindlichen „Anti-Chaos-Reflex" industrieller Gesellschaften genannt hat.[2]

Man mußte kein Anhänger der Mehrheitssozialdemokraten um Friedrich Ebert sein, um bereits Ende 1918 zu ganz ähnlichen Einschätzungen zu gelangen wie der notorische Marxkritiker Eduard Bernstein, der sich aus Opposition gegen die Bewilligung der Kriegskredite 1917 von der SPD getrennt und vorübergehend der Unabhängigen Sozialdemokratischen Partei Deutschlands, der USPD, angeschlossen hatte. So schrieb beispielsweise der „Volksfreund", das Organ der braunschweigischen USPD, am 23. November 1918: „Das Wirtschaftsleben bedeutet eine Organisation, wie etwa eine Maschine. Alle Teile stehen in einem inneren Zusammenhang untereinander... Der Organismus eines zivilisierten Volkes ist ungeheuer kompliziert. Stockungen irgendwelcher Art kann er nicht verkraften, ohne nach kurzer Zeit zusammenzubrechen."[3]

Im gleichen Sinne äußerte sich 1920 Heinrich Ströbel, ein führender Repräsentant des rechten Flügels der Unabhängigen Sozialdemokraten. „Die Rätediktatur und die sofortige Vollsozialisierung waren in Deutschland völlig ausgeschlossen, und es war eine verhängnisvolle Verkennung der ökonomischen und politischen Möglichkeiten, daß die äußerste proletarische Linke sich einbildete, das russische Vorbild ohne weiteres in Deutschland nachahmen zu können. Das Agrarland Rußland, in dem nur ein Zehntel des Volkes von der Industrie lebt, vermochte auch eine zeitweilige Lähmung und Zerrüttung seiner industriellen Produktion zu ertragen, ohne daß es zur Katastrophe kam. Die beschäftigungslosen Arbeiter fanden auf dem platten Lande oder aber in der Roten Armee Unterschlupf. In Deutschland aber leben zwei Drittel des Volkes von der Industrie und dem Handel – und wovon hätten sie existieren, wo hätten diese mehr als 40 Millionen bleiben sollen, wenn eine übereilte planlose Sozialisierung der Produktion die ganze industrielle Maschinerie ins Stocken gebracht hätte?"[4]

Daß Deutschland zu den hochindustrialisierten Ländern gehörte, setzte also aus der Sicht kritischer Zeitgenossen einer Revolution von vornherein Grenzen. Aber zugleich war die Industrialisierung eine Voraussetzung der Revolution, die 1918/19 stattfand. Es war der Widerspruch zwischen der fortgeschrittenen gesellschaftlichen Verfassung und dem rückständigen politischen System, der das Kaiserreich prägte und schon lange vor 1914 in eine Dauerkrise gestürzt hatte. Ohne diesen Widerspruch wäre es zum Versuch einer revolutionären Krisenlösung gar nicht erst gekommen.

Der Grundwiderspruch des Kaiserreichs war die Logik seiner Gründung. 1848/49 war der Versuch der Liberalen und Demokraten gescheitert, gleichzeitig die Einheit und Freiheit Deutschlands zu verwirklichen. Die „Revolution von oben", die Bismarck zwischen 1866 und 1871 durchführte, war eine Antwort auf den Fehlschlag der Revolution von unten. Die Reichsgründung brachte den Deutschen die ersehnte Einheit. Aber die Freiheit im Sinne eines parlamentarischen Systems und damit der politischen Vorherrschaft des liberalen Bürgertums konnte und wollte Bismarck den Deutschen nicht gewähren. Er erfüllte nach dem Sieg über Österreich im Jahre 1866 jene liberalen Forderungen, die mit den Interessen der altpreußischen Führungsschicht – Dynastie, Adel, Armee und hohes Beamtentum – vereinbar waren. Das liberale Bürgertum konnte sich in Kultur und Wirtschaft frei entfalten und der Gesetzgebung weitgehend seinen Stempel aufdrücken. Das Zentrum der staatlichen Macht jedoch, die eigentliche Regierungsgewalt, blieb ihm im Bismarckreich versperrt.

Die zivile Regierungsgewalt des zweiten Deutschen Kaiserreiches war durch die Verfassung gebunden: Anordnungen des Monarchen bedurften der ministeriellen Gegenzeichnung. Die militärische Kommandogewalt des preußischen Königs aber, der zugleich Deutscher Kaiser war, blieb vom konstitutionellen Erfordernis der ministeriellen Gegenzeichnung frei, und auf diese Weise ragte ein Stück Absolutismus in die Verfassungswirklichkeit des Kaiserreichs hinein. Beides, das Fehlen der parlamentarischen Verantwortlichkeit des Reichskanzlers und die vorkonstitutionelle Sonderrolle des Königs als Obersten Kriegsherrn, machte das Kaiserreich zum Obrigkeitsstaat – zu einem Staat, der sich qualitativ von den parlamentarisch regierten Ländern Nord- und Westeuropas unterschied.

Doch im Begriff „Obrigkeitsstaat" geht das politische System des kaiserlichen Deutschland nicht auf. Das allgemeine, gleiche und direkte Wahlrecht für Männer, das Bismarck 1867 im Norddeutschen Bund und 1871 im Deutschen Reich einführte, machte Deutschland in einer bestimmten Hinsicht sogar demokratischer als das Mutterland des Parlamentarismus, England. Die Massen hatten, was das Stimmrecht anging, in Bismarcks Reich ein höheres Maß an politischer Teilhabe erreicht als in irgendeiner der parlamentarischen Monarchien.

Es war diese Teildemokratisierung des Kaiserreichs – allgemeines gleiches Männerwahlrecht ohne parlamentarisches Regierungssystem –, die das zweite Glied in Bernsteins These bildete. Weil es in Deutschland einen verbrieften Anspruch auf politische Teilhabe gab, konnte es 1918 nur um eine Erweiterung dieses Rechts gehen, nicht aber um eine Beschränkung. Der Ruf nach einer „Diktatur des Proletariats" mochte in einem Polizeistaat wie dem russischen Zarenreich auf fruchtbaren Boden fallen. In einem Land, das seit einem halben Jahrhundert einen aus allgemeinen gleichen Wahlen hervorgegangenen Reichstag kannte, ließ sich allenfalls eine Minderheit der Arbeiterschaft für diese Parole gewinnen.

Erweiterung der politischen Teilhaberechte hieß nach Meinung der maßgeblichen Sozialdemokraten Ersetzung des preußischen Dreiklassenwahlrechts durch das allgemeine gleiche Wahlrecht, Frauenstimmrecht und Parlamentarisierung des Reiches. Schon 1893 hatte Karl Kautsky, wenig später Bernsteins orthodoxer Widersacher im Streit um eine Revision des Marxismus, in der Einführung eines parlamentarischen Systems englischen Musters den einzigen Grund gesehen, der unter Umständen eine Revolution in Deutschland rechtfertigen konnte. Für den führenden Theoretiker der deutschen Sozialdemokratie war es die historische Aufgabe des Proletariats, das nachzuholen, was die deutsche Bourgeoisie in ihrer Feigheit versäumt habe, nämlich ein wirkliches parlamentarisches Regime zu schaffen. Auf den Begriff „Diktatur des Proletariats" wollte der Marxist Kautsky gleichwohl nicht verzichten. „Für die Diktatur des Proletariats kann ich mir aber eine andere Form nicht denken als die eines kraftvollen Parlaments nach englischem Muster mit einer sozialdemokratischen Mehrheit und einem starken und bewußten Proletariat hinter sich. Der Kampf um einen wirklichen Parlamentarismus wird meines Erachtens zum Entscheidungskampf der sozialen Revolution werden, denn ein parlamentarisches Regime bedeutet in Deutschland den Sieg des Proletariats, aber auch umgekehrt."[5]

Ähnlich wie die Sozialdemokraten erstrebten auch die Linksliberalen, die sich 1910 in der Fortschrittlichen Volkspartei zusammengeschlossen hatten, eine Parlamentarisierung des Kaiserreiches. Aber obwohl die SPD im 1912 gewählten letzten kaiserlichen Reichstag die stärkste Fraktion stellte, gab es noch nicht einmal eine einfache Mehrheit für den Übergang zur parlamentarischen Regierungsweise, von der notwendigen verfassungsändernden Zweidrittelmehrheit ganz zu schweigen. Die beiden konservativen Parteien waren strikte Gegner einer Machtverlagerung zugunsten des Reichstags; die Nationalliberalen wollten die bestehende Gewaltenteilung zumindest nicht grundsätzlich in Frage stellen, und das katholische Zentrum war im konstitutionellen System in eine Schlüsselposition hineingewachsen, die es im Falle einer formellen Parlamentarisierung zu verlieren fürchtete. Von einer unaufhaltsamen Parlamentarisierung des Deutschen Reiches vor 1914 konnte also keine Rede sein. Wohl hatte sich das politische Gewicht des Reichstags seit der Bismarckzeit vergrößert. Aber für die Umwandlung der konstitutionellen in eine parlamentarische Monarchie fehlte die wichtigste Voraussetzung: eine parlamentarische Mehrheit, die das wirklich wollte.

In gewisser Weise stand selbst bei den Sozialdemokraten das Bekenntnis zur Parlamentarisierung nur auf dem Papier. Solange sie nicht über die absolute Mehrheit der Reichstagssitze verfügten, und davon waren sie auch nach dem großen Wahlerfolg von 1912 noch weit entfernt, hätten sie nur zusam-

HEINRICH AUGUST WINKLER

Weimar
1918–1933

HEINRICH AUGUST WINKLER

Weimar 1918–1933

Die Geschichte der ersten deutschen Demokratie

Verlag C. H. Beck München

Dieses Werk wurde gefördert durch einen einjährigen
Forschungsaufenthalt am Historischen Kolleg in München.
Träger des Historischen Kollegs sind der
Stiftungsfonds Deutsche Bank zur Förderung der Wissenschaft
in Forschung und Lehre und der
Stifterverband für die Deutsche Wissenschaft.

Die Deutsche Bibliothek – CIP Einheitsaufnahme

Winkler, Heinrich August:
Weimar 1918–1933 : die Geschichte der ersten deutschen
Demokratie / Heinrich August Winkler. – Durchges.
Aufl., 15.-20. Tsd. der Gesamtaufl. – München : Beck,
1998
ISBN 3-406-43884-9

Durchgesehene Auflage. 1998
15. bis 20. Tausend der Gesamtauflage

ISBN 3 406 43884 9 (für die gebundene Ausgabe)

Satz: Fotosatz Otto Gutfreund GmbH, Darmstadt
Druck- und Bindearbeiten: Ebner, Ulm
Gedruckt auf säurefreiem, aus chlorfrei gebleichtem
Zellstoff hergestelltem Papier
Printed in Germany

Unseren Warschauer Freunden
BRONISLAW und HANNA GEREMEK
JERZY und BARBARA HOLZER

Inhalt

Vorbemerkung

Dieses Buch habe ich in den Jahren 1990 bis 1992 geschrieben. Ich konnte mich dabei auf eigene Vorarbeiten stützen, darunter vor allem meine dreibändige Geschichte der Arbeiter und der Arbeiterbewegung in der Weimarer Republik, die zwischen 1984 und 1987 im Verlag J.H.W. Dietz Nachf., Berlin und Bonn, erschienen ist.

Große Teile des Textes sind 1990/91 während eines Forschungsaufenthalts am Historischen Kolleg in München entstanden. Sehr viel habe ich aus dem wissenschaftlichen Kolloquium „Die deutsche Staatskrise 1930–1933. Handlungsspielräume und Alternativen“ gelernt, zu dem ich im Januar 1991 Fachleute aus dem In- und Ausland an das Historische Kolleg einladen konnte. Der Band mit den Beiträgen zu dieser Tagung ist Ende 1992 im R. Oldenbourg Verlag, München, erschienen. Für die großzügigen Arbeitsmöglichkeiten in der Münchner Kaulbach-Villa danke ich dem Historischen Kolleg, dem Stiftungsfonds Deutsche Bank zur Förderung der Wissenschaft in Forschung und Lehre und dem Stifterverband für die Deutsche Wissenschaft.

Nach dem Ende des Münchner Jahres wechselte ich die Hochschule: Nach 19 Jahren Lehrtätigkeit an der Albert-Ludwigs-Universität Freiburg im Breisgau nahm ich im Oktober 1991 einen Ruf auf die Professur für Neueste Geschichte an der Humboldt-Universität zu Berlin an. In Berlin habe ich das Buch abgeschlossen. Meine Mitarbeiterinnen und Mitarbeiter am Institut für Geschichtswissenschaften der Humboldt-Universität waren mir dabei eine große Hilfe. Mein Dank gilt besonders Herrn Jörg Judersleben, der mich beim Lesen der Korrekturen unterstützt und das Personenregister erstellt hat.

Danken möchte ich weiter Frau Gretchen Klein, die meine handschriftliche Vorlage kritisch gelesen und in ein druckreifes Manuskript verwandelt hat. Dank gebührt auch einem anderen aufmerksamen Leser, dem Cheflektor der C.H. Beck'schen Verlagsbuchhandlung, Herrn Dr. Ernst-Peter Wieckenberg, der dieses Buch angeregt hat. Für das, was der Band trotz ihrer beider Mühen noch an Irrtümern und Fehlern enthält, bin nur ich verantwortlich.

Berlin, im April 1993 — Heinrich August Winkler

Einleitung

Wenige Kapitel der deutschen Geschichte sind so umstritten wie die vierzehn Jahre zwischen Kaiserreich und „Drittem Reich". Die Weimarer Republik: das war das große Laboratorium der klassischen Moderne, eine Zeit des kulturellen Aufbruchs, der Befreiung von hohlen Konventionen, der großen Triumphe einer weltoffenen künstlerischen und intellektuellen Avantgarde. Mit der ersten deutschen Republik verbindet sich aber auch die Erinnerung an gewaltsame Umsturzversuche und galoppierende Inflation, an Massenarbeitslosigkeit und politischen Radikalismus, an die Krisen und den Untergang einer Demokratie, der in den Augen vieler Deutschen von Anfang an der nationale Makel anhaftete, daß sie aus der militärischen Niederlage Deutschlands im Ersten Weltkrieg erwachsen war.

Was auf Weimar folgte, war so schrecklich, daß wir das Scheitern der ersten deutschen Republik zu den großen Katastrophen der Weltgeschichte rechnen müssen. Weil dem so ist, steht im Hintergrund aller Betrachtungen über Weimar unverrückbar die Frage, warum es zu 1933 kommen konnte. Geschichtsschreibung über Weimar ist damit notwendigerweise immer auch Trauerarbeit.

Vom Scheitern Weimars auszugehen, heißt nicht, die Unvermeidbarkeit dieses Scheiterns zu unterstellen. Vielmehr ist die Frage nach den Ursachen des Untergangs unlösbar verknüpft mit der Frage nach Handlungsspielräumen und Alternativen – mit der Frage also, wie offen vergangene Entscheidungsituationen wirklich waren. Beantworten läßt sich diese Doppelfrage nur, wenn wir so quellennah wie nur möglich an unser Thema herangehen. Zugleich zwingt die Fragestellung zur Konzentration auf das, was im Sinne der Frage wesentlich ist. Infolgedessen kann und will dieses Buch keine „Totalgeschichte" der Weimarer Republik sein; es ist nicht enzyklopädisch angelegt, sondern als Problemgeschichte. Im Vordergrund steht die Politik.

Weimar war nicht nur die Vorgeschichte des „Dritten Reiches", sondern auch die Nachgeschichte des Kaiserreiches. Beides läßt sich nicht voneinander trennen, aber in beidem geht Weimar nicht auf. Weimar war *auch* die erste große Chance der Deutschen, parlamentarische Demokratie zu lernen, und insofern gehört Weimar zur Vorgeschichte der „alten" Bundesrepublik, der zweiten Lehrzeit in Sachen Demokratie. Die Auseinandersetzung mit Weimar war prägend für Bonn, auf radikal andere Weise aber auch für den zweiten Nachfolgestaat des Deutschen Reiches, die Deutsche Demokratische Republik. Das seit 1990 vereinigte Deutschland ist wieder, was bis dahin nur die Weimarer Republik war oder zumindest nach dem Willen ihrer Gründer sein sollte: ein demokratischer deutscher Nationalstaat.

Zweifel, ob in Deutschland beides zusammenpaßt, die Demokratie und ein Nationalstaat, sind drinnen und draußen zu vernehmen. Ist nicht, so fragen manche, die Bonner Republik deswegen zu einer so erfolgreichen Demokratie geworden, weil sie sich zunehmend als ein „postnationales", an universalen Werten orientiertes, „verfassungspatriotisches" Gemeinwesen verstand? Das vereinigte Deutschland kann sich in der Tat nicht mehr als „postnationaler" Staat definieren. Aber es ist auch kein klassischer Nationalstaat mehr, sondern ein von vornherein in supranationale Gemeinschaften integrierter, mithin postklassischer Nationalstaat. Der Konflikt zwischen Demokratie und Nation, der Weimar belastet hat, braucht sich nicht zu wiederholen. Er *wird* sich nicht wiederholen, wenn die Erfahrungen der ersten Republik präsent bleiben und das ganze Deutschland sich aneignet, was Jürgen Habermas 1986, im Zuge des „Historikerstreits", als *die* große intellektuelle Errungenschaft der Nachkriegszeit bezeichnet hat: die „vorbehaltlose Öffnung der Bundesrepublik gegenüber der politischen Kultur des Westens".

Die Weimarer Demokratie in den Gang der Geschichte des deutschen Nationalstaates einzuordnen: darum geht es im folgenden. Die vierzehn Jahre der ersten deutschen Republik waren eine dramatische Zeit. Der Historiker sollte nicht versuchen, sie zu entdramatisieren. Er sollte sich auch nicht der Erkenntnis verweigern, daß es in der Geschichte tragische Situationen geben *kann*: Situationen, in denen Akteure besten Willens, überzeugte Verteidiger von Demokratie und Rechtsstaat beispielsweise, nicht mehr die Wahl zwischen „richtigen" und „falschen" Entscheidungen haben, sondern nur noch zwischen dem, was ihnen als größeres oder kleineres Übel erscheint. Die Folgen können fatal sein, aber es ist kein Fatalismus, dies auszusprechen. Wer historische Situationen auf ihre Offenheit hin befragt, darf redlicherweise nicht ausschließen, daß sie sich im konkreten Fall als weniger offen erweisen, als der rückblickende Betrachter sich das wünscht.

Manchem Leser mag altmodisch erscheinen, daß in diesem Buch mehr von Ereignissen als von Strukturen die Rede ist und daß erzählt wird. Aber bis zu einem gewissen Grad lassen sich Strukturen in Ereignissen sichtbar machen, und Erzählung kann auch Analyse sein. Beides setzt freilich voraus, daß die Darstellung sich von einer Frage leiten läßt. Auf die Frage, warum es zu 1933 kommen konnte, gibt es den Versuch einer Antwort erst am Ende des Buches. Ob dieser Versuch überzeugt oder nicht: darüber entscheidet der Leser.

I.

Das zwiespältige Erbe

Im März 1921, knapp zweieinhalb Jahre nach dem Zusammenbruch des deutschen Kaiserreiches, schloß der sozialdemokratische Theoretiker Eduard Bernstein sein Buch „Die deutsche Revolution, ihr Ursprung, ihr Verlauf und ihr Werk“ ab. Es war ein Versuch des damals Einundsiebzigjährigen, sich und den Zeitgenossen klar zu machen, warum die Staatsumwälzung in Deutschland ganz anders, nämlich viel weniger radikal abgelaufen war als alle großen Revolutionen der Geschichte. Bernstein sah für den gemäßigten Charakter der deutschen Revolution vor allem zwei Gründe. Der erste war der Grad der gesellschaftlichen Entwicklung. Je weniger ausgebildet Gesellschaften seien, lautete Bernsteins These, desto leichter vertrügen sie Maßnahmen, die auf ihre radikale Umbildung abzielten. „Je vielseitiger aber ihre innere Gliederung, je ausgebildeter die Arbeitsteilung und das Zusammenarbeiten ihrer Organe bereits sind, umso größer die Gefahr schwerer Schädigung ihrer Lebensmöglichkeiten, wenn versucht wird, sie mit Anwendung von Gewaltmitteln in kurzer Zeit in bezug auf Form und Inhalt radikal umzubilden. Gleichviel ob sie sich darüber theoretisch Rechenschaft ablegten oder nicht, haben die maßgebenden Führer der Sozialdemokratie dies aus Einsicht in die tatsächlichen Verhältnisse begriffen und ihre Praxis in der Revolution danach eingerichtet.“

Der zweite Grund der Mäßigung war Bernstein zufolge der in Deutschland erreichte Grad an Demokratie: „So rückständig Deutschland durch den Fortbestand halbfeudaler Einrichtungen und die Machtstellung des Militärs in wichtigen Fragen seines politischen Lebens auch war, so war es doch als Verwaltungsstaat auf einer Stufe der Entwicklung angelangt, bei der schon die einfache Demokratisierung der vorhandenen Einrichtungen einen großen Schritt zum Sozialismus hin bedeutete. In Ansätzen hatte sich das schon vor der Revolution angezeigt. Das Stück Demokratie, das in Reich, Staaten und Gemeinden zur Verwirklichung gelangt war, hatte sich unter dem Einfluß der in die Gesetzgebungs- und Verwaltungskörper eingedrungenen Arbeitervertreter als ein wirkungsvoller Hebel zur Förderung von Gesetzen und Maßnahmen erwiesen, die auf der Linie des Sozialismus liegen, so daß selbst das kaiserliche Deutschland auf diesen Gebieten mit politisch vorgeschritteneren Ländern sich messen konnte.“[1]

Für eine radikale Umwälzung war Deutschland mithin, so läßt sich Bernsteins These knapp zusammenfassen, zum einen zu industrialisiert und zum anderen zu demokratisch. Wenden wir uns zunächst dem ersten Glied dieses Doppelarguments zu. Alle „klassischen“ Revolutionen des Westens, die englische des 17. Jahrhunderts, die amerikanische von 1776 und die französische von 1789, hatten in der Tat *vor* dem Durchbruch der industriellen Produktionsweise, also in überwiegend agrarischen Gesellschaften stattgefunden, und von den großen Revolutionen des Ostens, der russischen wie der chinesischen, gilt dasselbe. In Agrargesellschaften kann sich die Mehrheit der Bevölkerung mit den lebenswichtigen Gütern eine Zeitlang selbst versorgen. Eine radikale Auswechslung des Staatsapparates ist in solchen Gesellschaften möglich, ohne daß ein wirtschaftliches und soziales Chaos ausbricht. Anders in komplexen, arbeitsteiligen Industriegesellschaften. Die Mehrheit ist hier von den Dienstleistungen des Staates und der Kommunen so existentiell abhängig, daß ein Zusammenbruch des öffentlichen Dienstes das Leben der Gesellschaft insgesamt lähmen muß. Die Folge ist das, was ein neuerer Autor, Richard Löwenthal, treffend den revolutionsfeindlichen „Anti-Chaos-Reflex" industrieller Gesellschaften genannt hat.[2]

Man mußte kein Anhänger der Mehrheitssozialdemokraten um Friedrich Ebert sein, um bereits Ende 1918 zu ganz ähnlichen Einschätzungen zu gelangen wie der notorische Marxkritiker Eduard Bernstein, der sich aus Opposition gegen die Bewilligung der Kriegskredite 1917 von der SPD getrennt und vorübergehend der Unabhängigen Sozialdemokratischen Partei Deutschlands, der USPD, angeschlossen hatte. So schrieb beispielsweise der „Volksfreund", das Organ der braunschweigischen USPD, am 23. November 1918: „Das Wirtschaftsleben bedeutet eine Organisation, wie etwa eine Maschine. Alle Teile stehen in einem inneren Zusammenhang untereinander... Der Organismus eines zivilisierten Volkes ist ungeheuer kompliziert. Stockungen irgendwelcher Art kann er nicht verkraften, ohne nach kurzer Zeit zusammenzubrechen."[3]

Im gleichen Sinne äußerte sich 1920 Heinrich Ströbel, ein führender Repräsentant des rechten Flügels der Unabhängigen Sozialdemokraten. „Die Rätediktatur und die sofortige Vollsozialisierung waren in Deutschland völlig ausgeschlossen, und es war eine verhängnisvolle Verkennung der ökonomischen und politischen Möglichkeiten, daß die äußerste proletarische Linke sich einbildete, das russische Vorbild ohne weiteres in Deutschland nachahmen zu können. Das Agrarland Rußland, in dem nur ein Zehntel des Volkes von der Industrie lebt, vermochte auch eine zeitweilige Lähmung und Zerrüttung seiner industriellen Produktion zu ertragen, ohne daß es zur Katastrophe kam. Die beschäftigungslosen Arbeiter fanden auf dem platten Lande oder aber in der Roten Armee Unterschlupf. In Deutschland aber leben zwei Drittel des Volkes von der Industrie und dem Handel – und wovon hätten sie existieren, wo hätten diese mehr als 40 Millionen bleiben sollen, wenn eine übereilte planlose Sozialisierung der Produktion die ganze industrielle Maschinerie ins Stocken gebracht hätte?"[4]

Daß Deutschland zu den hochindustrialisierten Ländern gehörte, setzte also aus der Sicht kritischer Zeitgenossen einer Revolution von vornherein Grenzen. Aber zugleich war die Industrialisierung eine Voraussetzung der Revolution, die 1918/19 stattfand. Es war der Widerspruch zwischen der fortgeschrittenen gesellschaftlichen Verfassung und dem rückständigen politischen System, der das Kaiserreich prägte und schon lange vor 1914 in eine Dauerkrise gestürzt hatte. Ohne diesen Widerspruch wäre es zum Versuch einer revolutionären Krisenlösung gar nicht erst gekommen.

Der Grundwiderspruch des Kaiserreichs war die Logik seiner Gründung. 1848/49 war der Versuch der Liberalen und Demokraten gescheitert, gleichzeitig die Einheit und Freiheit Deutschlands zu verwirklichen. Die „Revolution von oben", die Bismarck zwischen 1866 und 1871 durchführte, war eine Antwort auf den Fehlschlag der Revolution von unten. Die Reichsgründung brachte den Deutschen die ersehnte Einheit. Aber die Freiheit im Sinne eines parlamentarischen Systems und damit der politischen Vorherrschaft des liberalen Bürgertums konnte und wollte Bismarck den Deutschen nicht gewähren. Er erfüllte nach dem Sieg über Österreich im Jahre 1866 jene liberalen Forderungen, die mit den Interessen der altpreußischen Führungsschicht – Dynastie, Adel, Armee und hohes Beamtentum – vereinbar waren. Das liberale Bürgertum konnte sich in Kultur und Wirtschaft frei entfalten und der Gesetzgebung weitgehend seinen Stempel aufdrücken. Das Zentrum der staatlichen Macht jedoch, die eigentliche Regierungsgewalt, blieb ihm im Bismarckreich versperrt.

Die zivile Regierungsgewalt des zweiten Deutschen Kaiserreiches war durch die Verfassung gebunden: Anordnungen des Monarchen bedurften der ministeriellen Gegenzeichnung. Die militärische Kommandogewalt des preußischen Königs aber, der zugleich Deutscher Kaiser war, blieb vom konstitutionellen Erfordernis der ministeriellen Gegenzeichnung frei, und auf diese Weise ragte ein Stück Absolutismus in die Verfassungswirklichkeit des Kaiserreichs hinein. Beides, das Fehlen der parlamentarischen Verantwortlichkeit des Reichskanzlers und die vorkonstitutionelle Sonderrolle des Königs als Obersten Kriegsherrn, machte das Kaiserreich zum Obrigkeitsstaat – zu einem Staat, der sich qualitativ von den parlamentarisch regierten Ländern Nord- und Westeuropas unterschied.

Doch im Begriff „Obrigkeitsstaat" geht das politische System des kaiserlichen Deutschland nicht auf. Das allgemeine, gleiche und direkte Wahlrecht für Männer, das Bismarck 1867 im Norddeutschen Bund und 1871 im Deutschen Reich einführte, machte Deutschland in einer bestimmten Hinsicht sogar demokratischer als das Mutterland des Parlamentarismus, England. Die Massen hatten, was das Stimmrecht anging, in Bismarcks Reich ein höheres Maß an politischer Teilhabe erreicht als in irgendeiner der parlamentarischen Monarchien.

Es war diese Teildemokratisierung des Kaiserreichs – allgemeines gleiches Männerwahlrecht ohne parlamentarisches Regierungssystem –, die das zweite Glied in Bernsteins These bildete. Weil es in Deutschland einen verbrieften Anspruch auf politische Teilhabe gab, konnte es 1918 nur um eine Erweiterung dieses Rechts gehen, nicht aber um eine Beschränkung. Der Ruf nach einer „Diktatur des Proletariats" mochte in einem Polizeistaat wie dem russischen Zarenreich auf fruchtbaren Boden fallen. In einem Land, das seit einem halben Jahrhundert einen aus allgemeinen gleichen Wahlen hervorgegangenen Reichstag kannte, ließ sich allenfalls eine Minderheit der Arbeiterschaft für diese Parole gewinnen.

Erweiterung der politischen Teilhaberechte hieß nach Meinung der maßgeblichen Sozialdemokraten Ersetzung des preußischen Dreiklassenwahlrechts durch das allgemeine gleiche Wahlrecht, Frauenstimmrecht und Parlamentarisierung des Reiches. Schon 1893 hatte Karl Kautsky, wenig später Bernsteins orthodoxer Widersacher im Streit um eine Revision des Marxismus, in der Einführung eines parlamentarischen Systems englischen Musters den einzigen Grund gesehen, der unter Umständen eine Revolution in Deutschland rechtfertigen konnte. Für den führenden Theoretiker der deutschen Sozialdemokratie war es die historische Aufgabe des Proletariats, das nachzuholen, was die deutsche Bourgeoisie in ihrer Feigheit versäumt habe, nämlich ein wirkliches parlamentarisches Regime zu schaffen. Auf den Begriff „Diktatur des Proletariats" wollte der Marxist Kautsky gleichwohl nicht verzichten. „Für die Diktatur des Proletariats kann ich mir aber eine andere Form nicht denken als die eines kraftvollen Parlaments nach englischem Muster mit einer sozialdemokratischen Mehrheit und einem starken und bewußten Proletariat hinter sich. Der Kampf um einen wirklichen Parlamentarismus wird meines Erachtens zum Entscheidungskampf der sozialen Revolution werden, denn ein parlamentarisches Regime bedeutet in Deutschland den Sieg des Proletariats, aber auch umgekehrt."[5]

Ähnlich wie die Sozialdemokraten erstrebten auch die Linksliberalen, die sich 1910 in der Fortschrittlichen Volkspartei zusammengeschlossen hatten, eine Parlamentarisierung des Kaiserreiches. Aber obwohl die SPD im 1912 gewählten letzten kaiserlichen Reichstag die stärkste Fraktion stellte, gab es noch nicht einmal eine einfache Mehrheit für den Übergang zur parlamentarischen Regierungsweise, von der notwendigen verfassungsändernden Zweidrittelmehrheit ganz zu schweigen. Die beiden konservativen Parteien waren strikte Gegner einer Machtverlagerung zugunsten des Reichstags; die Nationalliberalen wollten die bestehende Gewaltenteilung zumindest nicht grundsätzlich in Frage stellen, und das katholische Zentrum war im konstitutionellen System in eine Schlüsselposition hineingewachsen, die es im Falle einer formellen Parlamentarisierung zu verlieren fürchtete. Von einer unaufhaltsamen Parlamentarisierung des Deutschen Reiches vor 1914 konnte also keine Rede sein. Wohl hatte sich das politische Gewicht des Reichstags seit der Bismarckzeit vergrößert. Aber für die Umwandlung der konstitutionellen in eine parlamentarische Monarchie fehlte die wichtigste Voraussetzung: eine parlamentarische Mehrheit, die das wirklich wollte.

In gewisser Weise stand selbst bei den Sozialdemokraten das Bekenntnis zur Parlamentarisierung nur auf dem Papier. Solange sie nicht über die absolute Mehrheit der Reichstagssitze verfügten, und davon waren sie auch nach dem großen Wahlerfolg von 1912 noch weit entfernt, hätten sie nur zusammen mit den Parteien der bürgerlichen Mitte, der Fortschrittlichen Volkspartei und dem Zentrum, die Basis einer parlamentarischen Mehrheitsregierung bilden können. Eine Koalition mit bürgerlichen Parteien aber widersprach dem Bekenntnis zum proletarischen Klassenkampf, einem zentralen Bestandteil der offiziellen Parteidoktrin. Hätte sich die Parteiführung oder die Reichstagsfraktion über diese Maxime hinweggesetzt, wäre die Sozialdemokratie daran zerbrochen.

Das Verfassungssystem des Kaiserreichs spiegelte sich in seinem Parteiensystem wider. Weil die Parteien von der Regierungsverantwortung ausgeschlossen waren, standen sie auch nicht unter dem Zwang, Kompromisse miteinander zu schließen. Sie konnten sich damit begnügen, die Interessen ihres „Milieus" parlamentarisch zu vertreten und weltanschaulich zu überhöhen. Durch ebendiese Ausrichtung verfestigten die Parteien die Segmentierung der deutschen Gesellschaft – ihre Aufspaltung in ein sozialdemokratisches, ein katholisches und diverse bürgerliche, mittelständische und ländliche Milieus, die sich mehr oder minder fest gegeneinander abschotteten.

Die Milieugrenzen deckten sich nicht mit den Klassengrenzen. Das sozialdemokratische Milieu war überwiegend proletarisch, aber längst nicht alle Arbeiter waren Sozialdemokraten. Das katholische Milieu war ein sozialer Mikrokosmos für sich, in dem Angehörige aller sozialen Schichten ihren Platz fanden. Beide Milieus waren nicht zuletzt deshalb besonders festgefügt, weil Sozialdemokraten und Katholiken unter Bismarck als „Reichsfeinde" verfolgt worden waren und viele Diskriminierungen, bei den Sozialdemokraten sehr viel stärker als bei den Katholiken, bis zum Ende des Kaiserreichs fortbestanden. In der Abgrenzung von der Sozialdemokratie war sich die bürgerliche Gesellschaft weithin einig; man könnte zugespitzt sagen, daß sich das Bürgertum erst durch diesen Gegensatz als „Klasse" bewies. Aber daneben gab es andere und ältere Trennlinien, die in der wilhelminischen Gesellschaft wirksam blieben: die Gegensätze zwischen den Konfessionen, zwischen Stadt und Land, zwischen den „Gebildeten" und den „einfachen Leuten", zwischen den satisfaktionsfähigen Kreisen und dem Rest des Volkes. Die deutsche Gesellschaft vor 1914 war eine Klassengesellschaft, und sie war eine Gesellschaft des kulturellen Partikularismus.[6]

Den inneren Zusammenhalt dieser zerklüfteten Gesellschaft sollte das Bekenntnis zur Nation stiften. Bis in die Reichsgründungszeit war die nationale Parole ein Kampfruf der Liberalen und Demokraten gewesen. Für die deutsche Einheit eintreten, das hieß aus der Sicht des liberalen Bürgertums, aber auch der jungen Arbeiterbewegung, für Freiheit und Fortschritt, gegen die vielen Dynastien und ihren adligen Anhang sein. Nach der Gründung des Kaiserreichs begann der freiheitliche Glanz der nationalen Parole rasch zu verblassen. Zuerst diente sie, während des „Kulturkampfes", der Ausgrenzung der Katholiken, dann, unter dem Sozialistengesetz von 1878, dem Kampf gegen die Sozialdemokraten, schließlich, im Zeichen des Übergangs zu Schutzzöllen für Eisen und Getreide im Jahre 1879, der Niederringung der liberalen Freihandelslehre. National sein hieß fortan in erster Linie antiinternational sein. Binnen weniger Jahre hatte sich der Begriff „national" von einer liberalen und demokratischen in eine eher „rechte", konservative Parole verwandelt.

Die liberalen Nationalisten suchten die Zweckentfremdung „ihrer" Parole dadurch zu hintertreiben, daß sie ganz auf die Karte einer deutschen Weltpolitik setzten. Eine Weltmacht Deutschland würde, so ihr Kalkül, nicht umhin können, sich im Innern zu modernisieren – was auf eine Schwächung des preußischen Junkertums und eine Stärkung des deutschen Bürgertums hinauslaufen mußte. Bei den Katholiken kam die Neigung zu einer anderen Spielart von kompensatorischem Nationalismus auf: Weil sie nicht als Deutsche zweiter Klasse betrachtet werden wollten, bemühten sich viele, besonders gute Patrioten zu sein. Nur die Sozialdemokraten schien es nicht anzufechten, wenn man sie „vaterlandslose Gesellen" nannte. Sie hielten an ihrem Bekenntnis zur internationalen Solidarität des Proletariats mit derselben Entschiedenheit fest wie an der Lehre vom Klassenkampf.[7]

Das galt bis zum 4. August 1914. An diesem Tag stimmten die Sozialdemokraten wie alle anderen Fraktionen des Reichstags den von der Reichsleitung verlangten Kriegskrediten zu. Es war nicht so, daß die Abgeordneten der SPD, anders als noch in den letzten Tagen vor dem Ausbruch des Krieges, nun plötzlich von der Friedfertigkeit des Deutschen Reiches überzeugt gewesen wären. Vielmehr stand auch für engagierte Befürworter der Kreditbewilligung außer Frage, daß Deutschland nach der Ermordung des österreichischen Thronfolgers in Sarajewo Österreich-Ungarn in den Krieg mit Serbien gedrängt und dadurch den europäischen Krieg ausgelöst hatte. Aber nachdem dieser Krieg zur Tatsache geworden war, sah die Sozialdemokratie keine Alternative mehr zum innerstaatlichen „Burgfrieden" und zur Unterstützung der militärischen Anstrengungen des Reiches. Daß Rußland zu den Gegnern Deutschlands gehörte, erleichterte den Sozialdemokraten die Entscheidung, war doch das Zarenreich seit der Revolution von 1848/49 für Marx, Engels und die gesamte Linke stets die eigentliche Vormacht der europäischen Reaktion gewesen. Zum Haß auf Rußland kam die Hoffnung auf innere Reformen in Deutschland. Die nationale Solidarität sollte, so erwartete es zumindest die Parteiführung, die Hindernisse aus dem Weg räumen, die der sozialen und politischen Gleichberechtigung der Arbeiter nach wie vor entgegenstanden.[8]

Die Entscheidung vom 4. August 1914 machte aber auch schlagartig sichtbar, in welchem Maß die sozialdemokratische Arbeiterschaft bereits in die bestehende Gesellschaft hineingewachsen war. Das Bekenntnis zur internationalen Solidarität des Proletariats war eines, das Gefühl der Verbundenheit mit dem eigenen Volk ein anderes. Steigende Löhne, soziale Verbesserungen, politische Mitwirkungsrechte: das alles wog nicht weniger stark als die Diskriminierungen, denen Sozialdemokraten noch immer ausgesetzt waren. Die deutschen Arbeiter hatten um 1914 sehr viel mehr zu verlieren als nur ihre Ketten, und entsprechend groß war bei den meisten von ihnen die Bereitschaft, ihren Beitrag zum Sieg des Vaterlandes zu leisten.

Es gab freilich auch 1914 Sozialdemokraten, die sich der neuen patriotischen Parteilinie widersetzten. Die meisten Dissidenten hatten schon vor dem Krieg auf dem linken oder, wie Rosa Luxemburg und Karl Liebknecht, auf dem äußersten linken Flügel der Partei gestanden. Aber auch Männer des „marxistischen Zentrums" wie Hugo Haase, zusammen mit Friedrich Ebert Vorsitzender der SPD, und Karl Kautsky, ja selbst der „rechte" Eduard Bernstein gehörten zu den frühen Kritikern des offiziellen Kurses. Von der deutschen Kriegsschuld überzeugt, stimmte als erster sozialdemokratischer Reichstagsabgeordneter am 2. Dezember 1914 Karl Liebknecht gegen die Kriegskredite. Im Dezember 1915 folgten weitere 19 Parlamentarier diesem Beispiel. Nach einem neuerlichen „Disziplinbruch", den die Mehrheit mit dem Ausschluß aus der Fraktion beantwortete, konstituierte sich die Opposition als „Sozialdemokratische Arbeitsgemeinschaft". Es war die Keimzelle der im April 1917 gegründeten USPD.

Die Gegner der Kriegskreditbewilligung konnten sich auf Positionen berufen, die in der Zweiten Internationale bis 1914 unumstritten gewesen waren; sie hatten gute Gründe, in der These vom „Verteidigungskrieg" eine Täuschung der Öffentlichkeit zu sehen und ihrerseits von einem imperialistischen Krieg zu sprechen. Die Mehrheitspartei bot vielfachen Anlaß, ihr eine Abkehr von den Bekenntnissen der Vorkriegszeit, ja ein Abdriften in die Bahnen des bürgerlichen Nationalismus vorzuhalten. Und doch war es verfehlt, die Abstimmung vom 4. August 1914 als „Verrat" zu brandmarken. Die patriotische Stimmung hatte große Teile der Anhängermassen und der gewählten Vertreter der SPD erfaßt. Noch vor der Reichstagsfraktion hatte die Generalkommission der Freien Gewerkschaften sich zur Zusammenarbeit mit der Regierung bekannt. Lehnte die SPD die Kriegskredite ab, mußte sie nicht nur mit einer Parteispaltung, mit massiver staatlicher Repression und Ächtung durch die öffentliche Meinung rechnen. Die Sozialdemokraten hätten objektiv auf der Seite der Kriegsgegner Deutschlands gestanden und damit die Gefahr eines Bürgerkrieges heraufbeschworen. Es war der Instinkt der Selbsterhaltung, der die SPD vor diesem Abgrund zurückscheuen ließ.[9]

Je länger der Krieg dauerte, desto deutlicher wurde, daß es sich nicht bloß um einen deutschen Verteidigungskampf handelte. Die Alldeutschen und die Schwerindustrie wollten immer größere Teile Europas und Afrikas erobern, und was von diesen Kriegszielen in die offizielle Politik einging, hätte genügt, um Deutschland die Vorherrschaft über den Kontinent zu sichern. Erst als der Glaube an einen deutschen Sieg zu schwinden begann, versuchten gemäßigte Kräfte, eine innere Front gegen die Verfechter einer schrankenlosen Eroberungspolitik aufzubauen. In der bürgerlichen Mitte war es vor allem der Zentrumsabgeordnete Matthias Erzberger, in den ersten Kriegsjahren selbst ein überzeugter Annexionist, der sich um eine parlamentarische Mehrheit für einen Verständigungsfrieden bemühte. Im Juli 1917 einigten sich Sozialdemokraten, Zentrum und Fortschrittliche Volkspartei auf eine Entschließung, die einen Frieden ohne „erzwungene Gebietsabtretungen, politische, wirtschaftliche und finanzielle Vergewaltigungen" forderte. Diese „Friedensresolution" markierte den Beginn einer engen Zusammenarbeit der drei Parteien, die im Reichstag über die Mehrheit der Sitze verfügten und darum weder von der zivilen Reichsleitung noch von der Obersten Heeresleitung, der „OHL", als Machtfaktor ignoriert werden konnten.

Gegen die neue Reichstagsmehrheit machten sogleich die Anhänger eines „Siegfriedens" mobil. Die 1917 gegründete „Deutsche Vaterlandspartei", die sich zu einem ausufernden Eroberungsprogramm bekannte und einen starken Rückhalt bei den führenden Militärs besaß, wuchs binnen kurzem zu einer Massenbewegung an. Gleichzeitig radikalisierte sich die Stimmung in der kriegsmüden Arbeiterschaft. Zu den ersten Massenstreiks war es bereits im April 1917 gekommen. Sie waren ein Echo auf die russische „Februarrevolution", die tatsächlich im März jenes Jahres stattgefunden hatte, und ein Protest gegen alles, was den Arbeitern seit langem zugemutet wurde: die materiellen Entbehrungen, die im Steckrübenwinter von 1916/17 extreme Formen angenommen hatten, die immer krasser in Erscheinung tretende Ungleichheit in der Verteilung der Kriegslasten, das Hinauszögern überfälliger Reformen wie der Demokratisierung des preußischen Wahlrechts. Die „wilden" Streiks vom Frühjahr 1917 waren überdies ein Alarmzeichen für die Gewerkschaften: Ihre Einbindung in die Kriegswirtschaft, durch das Vaterländische Hilfsdienstgesetz vom Dezember 1916 in rechtsverbindliche Form gebracht, hatte sie in den Augen vieler Arbeiter als Interessenvertretung unglaubwürdig gemacht.[10]

Wie die Aprilstreiks von 1917 hatte auch der große Streik der Berliner Rüstungsarbeiter vom Januar 1918 etwas mit den Ereignissen in Rußland zu tun. Die Oktoberrevolution der friedenswilligen Bolschewiki hatte den beiden Mittelmächten, Deutschland und Österreich-Ungarn, die Chance eröffnet, den Krieg im Osten zu beenden. Als am 12. Januar bei den Friedensverhandlungen in Brest-Litowsk, die auf Drängen der Bolschewiki öffentlich stattfanden, General Hoffmann mit einem Faustschlag auf den Tisch seine Feststellung unterstrich, Deutschland sei nun einmal der Sieger und diese Tatsache gelte es zu berücksichtigen, gab er damit ungewollt das Signal zu einem Massenausstand. In Berlin wurde die Bewegung von den Revolutionären Obleuten der Metallindustrie ausgelöst, die in der Regel Anhänger der USPD waren. Der Streik, an dem sich allein in der Reichshauptstadt Ende Januar eine halbe Million Arbeiter beteiligte, war zum einen ein Protest gegen den Krieg, den wachsenden Einfluß der Vaterlandspartei und die schlechte Ernährungslage, zum anderen ein Ausdruck der Sympathie mit den russischen Arbeitern und der Oktoberrevolution. In den Streikausschuß waren auch drei führende Mehrheitssozialdemokraten – Friedrich Ebert, Philipp Scheidemann und Otto Braun – delegiert worden. Ihre Absicht war es, den Ausstand so rasch wie möglich zu beenden. Am 3. Februar war dieses

Ziel erreicht: Nach Massenverhaftungen und Tausenden von Einberufungen zum Heeresdienst brachen die Revolutionären Obleute die aussichtslose Aktion ab.[11]

Der Januarstreik machte deutlich, daß der Rückhalt für die Politik des „Burgfriedens" bei den Arbeitern weiter geschrumpft war. Reichskanzler Graf Hertling, ein konservativer Zentrumspolitiker, trug das Seine zu der zunehmenden Polarisierung bei: Er ließ Behauptungen der Vaterlandspartei unwidersprochen, daß er mit den Zielen dieser Gruppierung einverstanden sei. Tatsächlich war die Politik, die die Regierung nach dem Diktatfrieden von Brest-Litowsk im Osten verfolgte, ganz im Sinne der nationalistischen Rechten. Hertlings Nähe zu den Positionen der radikalen Annexionisten mußte aber auch die SPD ins Zwielicht rücken, die mit der Partei des Kanzlers parlamentarisch eng zusammenarbeitete. Den Nutzen hatte die USPD: Ihre Anziehungskraft auf die Arbeiter wuchs.[12]

Was die Beurteilung der russischen Ereignisse anging, lagen die beiden Arbeiterparteien indes nicht weit auseinander. Die Mehrheitssozialdemokraten hatten die Machtergreifung der Bolschewiki im November 1917 zunächst begrüßt, weil sie den Frieden näherzubringen versprach. Aber seitdem die Anhänger Lenins am 19. Januar 1918 die freigewählte Konstituante auseinandergejagt hatten, stand das Urteil der SPD fest: Was die Bolschewiki betrieben, war nicht Sozialismus oder Demokratie, sondern Putschismus und Anarchie. Die Politik der Leninisten mußte in jenen blutigen Bürgerkrieg führen, der Rußland seit dem Frühjahr 1918 heimsuchte. Deutschland ein solches Schicksal zu ersparen, erschien den Mehrheitssozialdemokraten fortan als eine ihrer vordringlichsten Aufgaben.

Auf dem rechten Flügel der Unabhängigen Sozialdemokraten war das Urteil über die Politik der Bolschewiki nicht weniger kritisch als bei der Mehrheitspartei. Eine Diktatur des Proletariats könne nur als Herrschaft der Volksmehrheit über eine Minderheit ersprießlich werden, lautete Kautskys Verdikt. Der Marxismus habe den Weg zur Versöhnung der Diktatur des Proletariats mit der Demokratie gezeigt. Die Diktatur einer Minderheit aber wirke reaktionär und bahne die Gegenrevolution an. Selbst in der Spartakusgruppe, die den äußersten linken Flügel der USPD bildete, waren die Meinungen über das Vorgehen der Bolschewiki geteilt. Rosa Luxemburg und Karl Liebknecht, die während des Umsturzes in Rußland Haftstrafen verbüßten, hielten sich in ihren ersten Äußerungen nach der Oktoberrevolution zurück. Die Auflösung der Konstituante nahm Rosa Luxemburg zum Anlaß, Lenin und Trotzki vorzuwerfen, sie verschütteten durch die Beseitigung der Demokratie den lebendigen Quell der Revolution. Zwei andere Mitbegründer des Spartakusbundes, Clara Zetkin und Franz Mehring, schlugen sich dagegen auf die Seite Lenins, ebenso die außerhalb der USPD stehenden Hamburger und Bremer „Linksradikalen". Für sie war der Gewaltakt vom 19. Januar 1918 geradezu ein willkommener Beitrag zur Zerstörung demokratischer Illusionen im deutschen Proletariat.[13]

In der Arbeiterschaft äußerte sich 1917/18 der Überdruß am Krieg am kräftigsten, aber eine allgemeine Unzufriedenheit hatte längst schon weitere Teile der deutschen Gesellschaft erfaßt. Bereits im August 1917 behauptete der bayerische Minister Ritter von Brettreich, der Mittelstand zeige „zur Zeit eine schlechtere Stimmung wie (!) alle anderen Kreise". Bei den Behörden häuften sich Klagen über die Benachteiligung des Handwerks bei der Rohstofflieferung und den allgemeinen Rückgang an Aufträgen und Absatz. Dazu kamen Beschwerden über Kreditnot, Mietrückstände, Personalmangel, Höchstpreisregelungen und Strafbestimmungen gegen Preistreiberei. Im Sommer 1918 politisierte sich die Mißstimmung. Der Religionsphilosoph Ernst Troeltsch beobachtete im August selbst bei „patriotischen" und „kriegsgläubigen" Bauern und Käsefabrikanten des Allgäu einen „geradezu fanatischen Haß, der hier ganz allgemein gegen das Offizierskorps als den Inbegriff aller Ungerechtigkeit und Bevorzugung losbrach". Und am 23. September 1918 berichtete der badische Reichstagsabgeordnete Oscar Geck auf einer gemeinsamen Sitzung von Fraktion und Parteiausschuß der SPD, in Süddeutschland gebe es eine „ungeheure Erbitterung gegen Preußen, nicht gegen das preußische Volk, sondern gegen die Junker und die Militärkaste. Es herrscht bei uns die Stimmung: Preußen muß kaputt gehen, und wenn Preußen nicht kaputt geht, geht Deutschland an Preußen kaputt."[14]

In der gleichen Sitzung vom 23. September, in der der Abgeordnete Geck die Stimmungslage südlich des Mains schilderte, zog Friedrich Ebert, der Vorsitzende der Mehrheitsozialdemokraten, praktische Schlußfolgerungen aus dem Autoritätsverfall der alten Gewalten. Er stellte seine Parteifreunde vor eine klare Alternative: „Wollen wir jetzt keine Verständigung mit den bürgerlichen Parteien und der Regierung, dann müssen wir die Dinge laufen lassen, dann greifen wir zur revolutionären Taktik, stellen uns auf die eigenen Füße und überlassen das Schicksal der Partei der Revolution. Wer die Dinge in Rußland erlebt hat, der kann im Interesse des Proletariats nicht wünschen, daß eine solche Entwicklung bei uns eintritt. Wir müssen uns im Gegenteil in die Bresche werfen, wir müssen sehen, ob wir genug Einfluß bekommen, unsere Forderungen durchzusetzen und, wenn es möglich ist, sie mit der Rettung des Landes zu verbinden, dann ist es unsere verdammte Pflicht und Schuldigkeit, das zu tun."

Für Ebert war die Frage „Mehrheitsregierung oder Revolution?" mithin nur noch eine rhetorische. Das russische Beispiel hatte aus seiner Sicht der Option „Revolution" vollends den Boden entzogen. Wer jetzt noch eine Revolution begann, mußte damit rechnen, daß sie denselben Verlauf nahm wie in Rußland, also in Gewaltherrschaft, Bürgerkrieg und Chaos mündete. Wer das nicht wollte, mußte auf eine Politik friedlicher Reformen setzen. Diese ließen sich in Deutschland nur durch eine Regierung der Mehrheitsparteien oder, marxistisch gesprochen, einen Klassenkompromiß mit den gemäßigten Teilen des Bürgertums verwirklichen. Vor dem Krieg hätte die Sozialdemokratie eine solche Taktik als unmarxistisch verworfen. Auf dem

Hintergrund der Politik aber, die die Partei seit 1914 und vor allem seit 1917 verfolgte, erschien der Übergang zum offenen Regierungsbündnis mit der bürgerlichen Mitte fast schon als logische Konsequenz längst getroffener Entscheidungen. Parteiausschuß und Reichstagsfraktion ließen sich denn auch von der Linie des Parteivorstands überzeugen und billigten sie mit deutlichen Mehrheiten.[15]

Wie die SPD sahen auch die Mittelparteien in einer Regierungsbeteiligung der Sozialdemokraten die einzige Chance, einer revolutionären Zuspitzung der inneren Krise vorzubeugen, und zugleich eine notwendige Voraussetzung, um zu einem erträglichen Frieden zu gelangen. Doch in die Regierung des Grafen Hertling wollte die SPD unter keinen Umständen eintreten; statt dessen verlangte sie Verfassungsänderungen mit dem Ziel der Parlamentarisierung. Mit dieser Forderung war wohl die Fortschrittliche Volkspartei, nicht aber das Zentrum einverstanden. Erst als der aus den drei Parteien gebildete Interfraktionelle Ausschuß über diesen Streit in eine ernste Krise zu geraten drohte, gab Hertlings Zentrumspartei zu erkennen, daß sie notfalls bereit war, von dem umstrittenen Reichskanzler abzurücken. Hertling, nunmehr parlamentarisch isoliert, zog die Konsequenzen und reichte seinen Rücktritt ein, den der Kaiser am 30. September annahm.[16]

Der anschließende Übergang zur ersten parlamentarischen Regierung in Deutschland war freilich nicht das alleinige Werk der Mehrheitsparteien. Ausschlaggebend war vielmehr, daß Ende September 1918 auch der Erste Generalquartiermeister Erich Ludendorff, seit 1916 zusammen mit dem Generalfeldmarschall von Hindenburg, Chef der Obersten Heeresleitung, eine Parlamentarisierung für erforderlich hielt. Die militärische Situation der Mittelmächte war mittlerweile hoffnungslos: Seit dem 8. August 1918, dem „schwarzen Tag" von Amiens, wußte auch Ludendorff, daß die feindliche Übermacht nicht mehr zu schlagen war; am 14. September bot Österreich-Ungarn den Westmächten auf eigene Faust Friedensverhandlungen an; am 29. September nahm ein anderer Verbündeter, Bulgarien, die Waffenstillstandsbedingungen der Entente an. Am gleichen Tag überzeugte Ludendorff Wilhelm II., daß Deutschland so rasch wie möglich ein Waffenstillstands- und Friedensangebot an den amerikanischen Präsidenten Wilson richten müsse. Die Verantwortung hierfür sollte jedoch nicht die Oberste Heeresleitung, sondern eine von den Mehrheitsparteien des Reichstags getragene Regierung übernehmen.

Sein Eintreten für die Parlamentarisierung verband Ludendorff mit einer Dolchstoßlegende: „Ich habe S. M. (=Seine Majestät) gebeten, jetzt auch diejenigen Kreise an die Regierung zu bringen, denen wir es in der Hauptsache zu danken haben, daß wir soweit gekommen sind. Wir werden also diese Herren jetzt in die Ministerien einziehen sehen. Die sollen nun den Frieden schließen, der jetzt geschlossen werden muß. Sie sollen die Suppe jetzt essen, die sie uns eingebrockt haben."[17]

Hertlings Nachfolger, Prinz Max von Baden, war bisher weder als Anhänger des parlamentarischen Systems noch als Befürworter der Friedensresolution vom Juli 1917 hervorgetreten. Er war von Politikern der Fortschrittlichen Volkspartei als Reichskanzler ins Gespräch gebracht worden und fand schließlich, da keiner der zunächst in Aussicht genommenen Parlamentarier das Amt antreten wollte, die widerwillige Zustimmung des Interfraktionellen Ausschusses. Den Sozialdemokraten fiel die Hinnahme dieser Lösung besonders schwer. Der Fraktionsvorsitzende Philipp Scheidemann, der sich am 23. September noch nachdrücklich für eine Mehrheitsregierung mit Beteiligung der SPD ausgesprochen hatte, meinte am 2. Oktober, es könne den Sozialdemokraten nicht zugemutet werden, daß ein Prinz an der Spitze des Kabinetts stehe, und es sei unangebracht, im Augenblick der schlimmsten Verhältnisse eine Verantwortung zu übernehmen, die die Partei wohl kaum zu tragen in der Lage sei. Es war Friedrich Ebert, der mit einem Appell an das Verantwortungsbewußtsein der Sozialdemokratie die große Mehrheit der Fraktion schließlich dazu brachte, dem Eintritt in das Kabinett des Prinzen Max zuzustimmen.[18]

Eine andere Entscheidung war zu diesem Zeitpunkt auch schwer denkbar. Durch ihre Regierungsbeteiligung konnte die SPD hoffen, die doppelte Gefahr einer Militärdiktatur und einer dadurch ausgelösten Revolution zu vermeiden und den Weg zu einem Verständigungsfrieden zu ebnen. Der Entschluß der Sozialdemokraten lief auf den Versuch hinaus, das Nahziel des Friedens nicht nur unter den Vorzeichen des monarchischen Staates, sondern auch unter dem derzeit regierenden Staatsoberhaupt zu erreichen. Ob dieser Versuch gelingen würde, hing freilich von einer Reihe innen- und außenpolitischer Faktoren ab, auf die die SPD und ihre bürgerlichen Verbündeten keinen oder nur einen sehr geringen Einfluß hatten.

Die erste Amtshandlung des am 3. Oktober gebildeten neuen Kabinetts war eine Note an Präsident Wilson, die unter dem massiven Druck der Obersten Heeresleitung noch in der Nacht zum 4. Oktober abgesandt wurde. Darin bat Deutschland um Verhandlungen über einen Waffenstillstand. Der amerikanische Präsident hatte sich durch seine „Vierzehn Punkte" vom Januar 1918 als Anwalt eines gerechten Friedens zu erkennen gegeben. Auf seine wiederholten Erklärungen gründete sich die Hoffnung, ein parlamentarisch regiertes Deutschland werde günstigere Friedensbedingungen aushandeln können als der bisherige Obrigkeitsstaat. Wenn Kanzler und Kabinett dennoch zögerten, dem Drängen des Militärs nachzugeben, dann hatte das einen triftigen Grund: Die überstürzte Bitte um Waffenstillstand war ein Eingeständnis der unabwendbaren Niederlage, das die Moral des Feldheeres schwächen und die Entente ermutigen mußte, die Front noch weiter in Richtung Deutschland vorzuschieben.

Die endgültige Antwort des amerikanischen Staatssekretärs Lansing vom 23. Oktober, Ergebnis langwieriger Beratungen mit den Alliierten, war geeignet, verbliebene Illusionen zu zerstören: Sie verlangte die militärische Kapitulation des Reiches und, in kaum verschlüsselter Form, die Abdankung des Kaisers. Die Oberste Heeresleitung vollzog nun eine neuerliche Kehrtwendung. Sie stellte sich ganz auf den militärischen Ehrenstandpunkt, erklärte die Forderung nach Kapitulation für unannehmbar und forderte das Feldheer am 24. Oktober in einem Rundtelegramm an die Truppenführer zum Weiterkämpfen auf – nach Lage der Dinge also zu einem Kampf bis zum Untergang.

Die Reichsleitung hatte gar keine andere Wahl, als diese gezielte Herausforderung massiv zu kontern. Am 25. Oktober forderte Prinz Max den Kaiser auf, entweder durch einen „Personenwechsel in der Obersten Heeresleitung das Ende der Doppelregierung" herbeizuführen oder ihn, den Reichskanzler, zu entlassen. Wilhelm entschied sich für eine halbe Lösung. Am 26. Oktober mußte Ludendorff seinen Abschied nehmen; Hindenburg, der andere Chef der OHL, blieb hingegen im Amt. Am gleichen Tag verabschiedete der Reichstag jene Änderungen der Reichsverfassung von 1871, die notwendig waren, um Deutschland in eine parlamentarische Monarchie zu verwandeln. Am 28. Oktober trat das Gesetz zur Abänderung der Reichsverfassung in Kraft.

Doch das parlamentarische System stand auf tönernen Füßen. Ludendorffs Entlassung beendete nicht die Doppelherrschaft von ziviler Reichsleitung und militärischer Führung. Der Armeebefehl vom 24. Oktober war lediglich der Auftakt zu weiteren Versuchen, die Verhandlungen über einen Waffenstillstand und damit zugleich die parlamentarische Monarchie zum Scheitern zu bringen. Am 29. Oktober, einen Tag nachdem er das verfassungsändernde Gesetz unterzeichnet hatte, verließ Wilhelm II. auf Anraten Hindenburgs Berlin und begab sich ins Große Hauptquartier im belgischen Spa. „Über die Bedeutung dieses Schrittes kann es keinen Zweifel geben", urteilt der Historiker Wolfgang Sauer. „Im ersten Augenblick mag es sich dabei nur um eine Instinktreaktion gehandelt haben, mit der die Hohenzollernsche Monarchie in der Stunde der Gefahr wieder zu ihren militärischen Ursprüngen zurückstrebte. Aber der Schritt bedeutete zugleich, daß die alten Gewalten nun das soeben mühsam geknüpfte Band der Volksregierung zerrissen und sich auf den unbesonnenen Versuch eingelassen hatten, die alte Militärmonarchie wiederherzustellen."

Noch massiver wurde die zivile Reichsleitung durch die Seekriegsleitung herausgefordert. Der Befehl zum Auslaufen der Hochseeflotte, der am 30. Oktober erging, hatte zwar die Zustimmung des Kaisers, nicht aber die des Reichskanzlers erhalten. Was immer eine, in jedem Fall verlustreiche Seeschlacht mit englischen Verbänden zu diesem Zeitpunkt militärisch noch bewirkt haben würde, die politische Zielsetzung des geplanten Flottenvorstoßes war eindeutig: Es ging der Seekriegsleitung darum, die Machtverschiebung im Innern rückgängig zu machen und dem Militär wieder zu jener beherrschenden Stellung zu verhelfen, auf die es einen historischen Anspruch zu haben meinte.

Man mag darüber streiten, ob die Parlamentarisierung Deutschlands im Oktober 1918 eine „Revolution von oben" war. Da die Reichstagsmehrheit zu dieser Wendung aktiv beigetragen hatte, geht es nicht an, in den Verfassungsänderungen lediglich den Vollzug einer Weisung Ludendorffs zu sehen. Aber ebenso sicher ist doch, daß der starke Mann des deutschen Militärs an dieser Entwicklung einen entscheidenden Anteil hatte. Insofern kann man in dem Systemwechsel ein in sich widersprüchliches Ergebnis von parlamentarischen Reformbestrebungen einerseits, einer von der OHL ausgelösten „Revolution von oben“ andererseits sehen. Die Versuche von Armeeführung und Seekriegsleitung, diese Entwicklung zu revidieren, setzten in dem Augenblick ein, als klar wurde, daß die Parlamentarisierung viel weiterreichende Folgen haben würde, als Ludendorff sie Ende September ins Auge gefaßt hatte. Die Aktivitäten zumindest von Teilen des Militärs liefen ab Ende Oktober auf nichts Geringeres als den Versuch einer Gegenrevolution hinaus. Mit dem Kaiser an der Spitze hofften die Frondeure, das Blatt in der Heimat noch einmal wenden zu können. Wenn der Krieg fürs erste auch nicht mehr zu gewinnen war, so vielleicht doch ein Bürgerkrieg, der als Kampf gegen die drohende Bolschewisierung Deutschlands geführt wurde.[19]

Gemäßigtere Militärs setzten darauf, daß Reichsleitung und Reichstagsmehrheit einen energischen Kampf gegen den Bolschewismus ebenfalls für unvermeidbar hielten und sich in diesem Anliegen mit der Obersten Heeresleitung treffen würden. In der Kabinettssitzung vom 5. November erklärte der württembergische General Wilhelm Groener, Ludendorffs Nachfolger in der OHL und von seinem Naturell her alles andere als ein Scharfmacher, es sei seine und Hindenburgs Gesamtauffassung: „Der schlimmste Feind, dessen das Heer sich zu erwehren hat, ist die Entnervung durch die Einflüsse der Heimat, ist der drohende Bolschewismus.“ Niemand widersprach. Der Sozialdemokrat Philipp Scheidemann, der dem Kabinett als Staatssekretär ohne Portefeuille angehörte, versicherte sogar ausdrücklich, auch er wünsche, daß die Front gehalten werde und intakt bleibe, und der Bolschewismus erscheine ihm jetzt als die größere Gefahr als der äußere Feind.

Im Gegensatz zu Groener aber waren Scheidemann und mit ihm die Sozialdemokratie mittlerweile der Meinung, daß sich der Kampf gegen den Bolschewismus nur dann erfolgreich würde führen lassen, wenn der Kaiser abdankte. Wilhelm II. galt nicht nur in der Arbeiterschaft als das Haupthindernis des Friedensschlusses. Bereits am 31. Oktober konnte Scheidemann im engeren Kriegskabinett feststellen, eigentlich habe sich auch in Bürger- und Bauernkreisen kein Verteidiger für den Kaiser gefunden, und was ihn am meisten überrasche, sei die Stellungnahme des Beamtentums: „Ich hätte nie für möglich gehalten, daß diese Leute so glatt umfallen.“ Zwar verwies der Fraktionsvorsitzende des Zentrums, Adolf Groeber, in der gleichen Sitzung auf Resolutionen aus seiner Partei, die sich für Kaiser und Dynastie ausgesprochen hätten. Aber sein Parteifreund Karl Trimborn, seit Anfang Oktober Staatssekretär des Reichsamtes des Innern (und damit, da es „Reichsminister“ nicht gab, Leiter dieser Behörde), unterstützte Scheidemann mit der Bemerkung, die Strömung in der öffentlichen Meinung, die die Abdankung verlange, habe ungemein zugenommen.

Innerhalb der Reichstagsmehrheit waren es vor allem Sozialdemokratie und Fortschrittliche Volkspartei, die unter dem Eindruck der amerikanischen Note vom 23. Oktober auf den Thronverzicht des Kaisers wie auch des politisch stark belasteten Kronprinzen drängten. In der Sitzung des Interfraktionellen Ausschusses vom 5. November erklärte Ebert, nicht mehr das Kaisertum sei das einigende Band, sondern die Demokratie. Für einen freiwilligen Rücktritt sei es noch nicht zu spät; allerdings erfordere die Lage, daß man etwas nachhelfe. „Wenn man die Dinge laufen läßt, dann gehen wir dem Untergang entgegen." Der Abgeordnete der Fortschrittlichen Volkspartei, Otto Wiemer, wünschte ebenfalls die freiwillige Thronentsagung Wilhelms und seines ältesten Sohnes. Das entspreche der Stimmung vor allem in Süddeutschland. In Preußen allerdings könne auch eine starke Gegenbewegung einsetzen. „Das kommt um so eher, wenn militärische Kreise sich dahinterstellen. Das ist nicht ganz leicht zu nehmen. Das gibt den Bürgerkrieg. Das muß jetzt unter allen Umständen vermieden werden."

Für die Sozialdemokraten war die Forderung nach der Abdankung Wilhelms II. und dem Thronverzicht des Kronprinzen ein Stück Realpolitik. Sie stellten damit einen sehr viel weiterreichenden Programmpunkt, die Errichtung der Republik, auf absehbare Zeit zurück. Der „Vorwärts" begründete am 5. November den Vernunftmonarchismus der SPD mit einem nüchternen Ausblick in die überschaubare Zukunft. Die Sozialdemokratie sei, so schrieb das Zentralorgan, „eine grundsätzlich demokratische Partei, die aber – siehe Bebel – auf die bloße Form der repräsentativen Spitze bisher nie entscheidenden Wert gelegt hat. Die Aussicht, sich in einer jungen Republik vielleicht dreißig Jahre lang mit royalistischen Don Quichotes herumschlagen zu müssen und dadurch notwendige innere Entwicklungen gestört zu sehen, gehört ja auch nicht zu den angenehmsten." Und noch am 6. November versicherte Ebert dem Nachfolger Ludendorffs, zwar sei er ebenso wie Scheidemann ein überzeugter Republikaner, „aber die Frage: Monarchie oder Republik habe vorläufig für sie nur eine theoretische Bedeutung. In der Praxis würden auch sie sich mit der Monarchie mit parlamentarischem System abfinden. Er rate daher dem General Groener dringend, die letzte Gelegenheit zur Rettung der Monarchie zu ergreifen und die schleunige Beauftragung eines der kaiserlichen Prinzen mit der Regentschaft zu veranlassen."[20]

Während in Berlin noch über die Abdankung des Kaisers und die Rettung der Monarchie gestritten wurde, war die Revolution längst in vollem Gange. Seit dem 29. Oktober hatten sich auf den Hochseegeschwadern die Dienstverweigerungen gehäuft. Immer mehr Matrosen lehnten es ab, ihr Leben für eine Unternehmung aufs Spiel zu setzen, die nur als Anschlag auf die Friedensbemühungen der Reichstagsmehrheit verstanden werden konnte. In der Marine, die seit der Skagerakschlacht vom Mai 1916 kaum noch zum militärischen Einsatz gekommen war, hatte es bereits im Sommer 1917 die ersten Meutereien gegeben. Das Zusammenleben auf engem Raum, die Eintönigkeit des Dienstes, der provozierende Gegensatz in den Lebensbedingungen von Mannschaften und Offizieren riefen ein Klima von Frustration und Aggressivität hervor. „Bei der Marine sei die Sache sehr schlimm, weil die Leute zum Teil 7 Jahre bereits in der Front (Fron?) seien und auf den Schiffen wie in einer Hölle lebten", urteilte Scheidemann am 4. November im Kriegskabinett. Die Vorbereitungen zum Auslaufen der Hochseeflotte waren der Funke, der den angesammelten Zündstoff zur Explosion brachte.[21]

Am 1. November griff die Rebellion auf das Festland, nach Kiel, über. Der Versuch der Regierung des Prinzen Max, die Bewegung durch zwei Abgesandte, den Staatssekretär Conrad Haußmann von der Fortschrittlichen Volkspartei und den Marinereferenten der sozialdemokratischen Reichstagsfraktion, Gustav Noske, einzudämmen, mißlang. Zwar konnte Noske, der sich am 7. November zum Gouverneur von Kiel wählen ließ, die Lage in der Ostseestadt einigermaßen stabilisieren. Aber eine Ausbreitung des Aufruhrs vermochte er nicht zu verhindern. Am 4. November war lediglich Kiel in den Händen der meuternden Matrosen gewesen. Zwei Tage später hatten sie bereits in fünf weiteren Städten – Lübeck, Brunsbüttel, Hamburg, Bremen und Cuxhaven – die Macht übernommen. Am 7. November schlossen sich in Braunschweig die örtlichen Regimenter einer größeren Zahl aus Kiel eingetroffener Matrosen an und brachten die Stadt unter ihre Kontrolle. Am gleichen Tag erreichten 200 Kieler Matrosen Köln, wo am 8. November ein Arbeiter- und Soldatenrat gebildet wurde, dem der betont kooperative Oberbürgermeister Konrad Adenauer sogleich Büroräume im Rathaus zur Verfügung stellte.

Zu diesem Zeitpunkt war schon der erste deutsche Thron gestürzt: der wittelsbachische. Bayern, wo der Haß auf Preußen und den preußischen Militarismus besonders groß war, vollzog als erster deutscher Staat den Übergang zur Republik. Am Nachmittag des 7. November zogen nach einer gemeinsamen Kundgebung beider sozialdemokratischer Parteien Tausende von Soldaten und Zivilisten mit dem maßgeblichen Mann der bayerischen USPD, Kurt Eisner, und dem Führer des radikalen Flügels im Bayerischen Bauernbund, Ludwig Gandorfer, an der Spitze zu den Kasernen im Westen und Nordwesten Münchens. Die dort kasernierten Soldaten schlossen sich dem Demonstrationszug an und wirkten an der Besetzung zahlreicher öffentlicher Gebäude mit. Im Mathäserbräu am Stachus bildeten sich ein Soldaten- und, unter Eisners Führung, ein Arbeiterrat. Die königliche Familie verließ auf Empfehlung des Innenministers die Hauptstadt. Am späten Abend eröffnete Eisner im Landtag die konstituierende Sitzung der bayerischen Arbeiter-, Bauern- und Soldatenräte, die ihn zum Präsidenten wählten. In einem Aufruf an die Bevölkerung, der am Morgen des folgenden Tages erschien, erklärte Eisner Bayern zum Freistaat, kündigte die Wahl einer konstituierenden Nationalversammlung an und proklamierte das Ende des sozialistischen Bruderkriegs.[22]

„Die Physiognomie der Revolution beginnt sich abzuzeichnen", notierte der liberale Diplomat Harry Graf Kessler am 7. November in sein Tagebuch. „Allmähliche Inbesitznahme, Ölfleck, durch die meuternden Matrosen von der Küste aus. Sie isolieren Berlin, das bald nur noch eine Insel sein wird. Umgekehrt wie in Frankreich revolutioniert die Provinz die Hauptstadt, die See das Land: Wikingerstrategie." Tags darauf faßten die Nachrichten des preußischen Kriegsministeriums die Entwicklung wie folgt zusammen: „9 Uhr vormittags: *Magdeburg* schwere Unruhen. 1 Uhr mittags: Im Bereich des Stellvertretenden *Generalkommandos* VII. Armeekorps drohen Unruhen auszubrechen. 5 Uhr nachmittags: *Halle* und *Leipzig* rot. Abends: *Düsseldorf*, *Haltern*, *Osnabrück*, *Lüneburg* rot; *Magdeburg*, *Stuttgart*, *Oldenburg*, *Braunschweig*, *Köln* rot. 7 Uhr nachmittags: Stellvertretendes Generalkommando XVIII. Armeekorps in Frankfurt a. M. abgesetzt."[23]

In Berlin lag seit dem Abend des 7. November ein sozialdemokratisches Ultimatum auf dem Tisch des Kriegskabinetts. Bis zum Nachmittag des 8. November verlangten die Vorstände der SPD und ihrer Reichstagsfraktion erstens die Aufhebung des Verbots von Versammlungen der USPD, das der Oberbefehlshaber in den Marken, General von Linsingen, verhängt hatte, zweitens äußerste Zurückhaltung seitens der Polizei und des Militärs, drittens eine Umbildung der preußischen Regierung im Sinne der Reichstagsmehrheit, viertens die Verstärkung des sozialdemokratischen Einflusses in der Reichsregierung und fünftens die Abdankung des Kaisers und den Thronverzicht des Kronprinzen.

Prinz Max von Baden sah durch das Ultimatum einen „Pakt" aufgekündigt, den er am Vormittag desselben Tages mit Friedrich Ebert geschlossen zu haben meinte. Auf seine Frage, ob er an seiner, des Prinzen Seite gegen die soziale Revolution kämpfen werde, hatte Ebert, jedenfalls nach der Darstellung des Kanzlers, geantwortet, wenn der Kaiser nicht abdanke, dann sei die soziale Revolution unvermeidlich. „Ich aber will sie nicht, ja ich hasse sie wie die Sünde." Am Abend des 7. November dachte Ebert gewiß nicht anders als am Vormittag. Aber es wurde nun immer deutlicher, daß sich die sozialdemokratische Unterscheidung zwischen Monarch und Monarchie nicht mehr lange aufrechterhalten ließ. Die Empörung der Massen untergrub eine derart ausgeklügelte Taktik und zwang die SPD, radikaler aufzutreten.

Prinz Max wollte das sozialdemokratische Ultimatum zunächst mit seinem Rücktritt beantworten, konnte aber von diesem Schritt noch einmal abgehalten werden, nachdem Scheidemann am Abend des 7. November im Kriegskabinett versichert hatte, die Sozialdemokraten würden es vor Abschluß des Waffenstillstands nicht zum Bruch kommen lassen. Die bürgerlichen Parteien waren über das Vorgehen der SPD verärgert, schickten sich aber rasch in das Unvermeidliche. Zentrum und Fortschrittliche Volkspartei forderten nun ihrerseits die Abdankung des Kaisers, und selbst die Nationalliberalen ließen erkennen, daß sie einen Thronverzicht begrüßen würden. Die Schlüsselposition der SPD unterstrich ein nicht namentlich genannter führender Abgeordneter der Fortschrittlichen Volkspartei, der gegenüber der „B. Z. am Mittag" erklärte: „In diesen Zeiten kann in Deutschland ohne Sozialdemokratie nicht regiert werden, sie ist zur Mehrheitsbildung unbedingt notwendig, sonst geht die Revolution nicht auf geordnetem und friedlichem Wege, sondern auf bolschewistischem Wege mit allen Schrecken des Bürgerkrieges vor sich."

Am Abend des 8. November war Wilhelm II. noch immer Deutscher Kaiser und König von Preußen. Dennoch erklärten die Sozialdemokraten nunmehr öffentlich, was Scheidemann tags zuvor schon im Kriegskabinett zugestanden hatte: „Die Partei wolle nicht vor Abschluß des Waffenstillstands aus der Regierung ausscheiden. (Mit diesem Abschluß war, nachdem die deutschen Unterhändler Berlin am 6. November verlassen, das alliierte Hauptquartier aber noch nicht erreicht hatten, erst in den nächsten Tagen zu rechnen.) Immerhin konnte die SPD, als sie ihr Ultimatum verlängerte, auf einige Erfolge verweisen, die sie in Verhandlungen mit der Regierung und den Mehrheitsparteien erreicht hatte: Das gleiche Wahlrecht für Preußen und alle Bundesstaaten auf der Grundlage der Verhältniswahl werde durch Reichsgesetz eingeführt, die sofortige Parlamentarisierung Preußens sei gesichert, ebenso die Verstärkung des sozialdemokratischen Einflusses in der Reichsregierung. Außerdem würden die jüngsten Einberufungen zum Militär, die die Öffentlichkeit sehr erregt hatten, rückgängig gemacht.[24]

Als der „Vorwärts" am Morgen des 9. November 1918 mit ebendieser Erklärung von Parteivorstand und Reichstagsfraktion der SPD erschien, hatte die Revolution bereits die Reichshauptstadt erreicht. Die Verhaftung eines der Führer der Revolutionären Obleute, Ernst Däumig, am 8. November wirkte aufreizend, desgleichen die von dem Oberbefehlshaber in den Marken angeordnete Aufstellung von Sicherheitswachen in den Großbetrieben. Am Abend des 8. November erfuhren die Führer der SPD durch ihre Vertrauensleute, daß nun auch die Berliner Arbeiter auf die Straße drängten. Daraufhin verkündete am folgenden Tag um 9 Uhr der Berliner Parteisekretär Otto Wels namens der SPD den Generalstreik und rief die Arbeiter zum „Entscheidungskampf unter dem alten gemeinsamen Banner" auf. Eine Stunde später erklärte Scheidemann seinen Rücktritt als Staatssekretär.

Zur gleichen Zeit trat die sozialdemokratische Reichstagsfraktion zu einer Sitzung zusammen. Ebert konnte mitteilen, daß es bereits Verhandlungen mit den Unabhängigen Sozialdemokraten und Vertretern der Arbeiter gegeben habe. Bei einer notwendigen Aktion wolle die SPD gemeinsam mit den Arbeitern und Soldaten vorgehen. „Die Sozialdemokratie solle dann die Regierung ergreifen, gründlich und restlos, ähnlich wie in München, aber möglichst ohne Blutvergießen." Unmittelbar im Anschluß an die Fraktionssitzung sollte mit den Arbeiter- und Soldatenvertretern verhandelt und dann die Regierung aufgefordert werden, „uns die Macht zu übergeben". Geschehe das nicht, müsse die Aktion weitergeführt werden. Nach einer Aussprache, an der sich auch fast sämtliche der anwesenden Arbeitervertreter beteiligten, stimmte die Reichstagsfraktion den Vorschlägen des Vorstands einstimmig zu.

Anders als die Mehrheitssozialdemokraten waren die Unabhängigen Sozialdemokraten am 9. November nur begrenzt handlungsfähig: Ihr Vorsitzender Hugo Haase hielt sich in Kiel auf, und ohne ihn wollte die Partei keinerlei Festlegungen gegenüber der MSPD treffen. Die Revolutionären Obleute, die auf dem linken Flügel der USPD standen, hatten, obwohl Karl Liebknecht auf einen früheren Termin drängte, erst den 11. November als Tag einer großen Aktion vorgesehen. Die Mehrheitssozialdemokraten konnten also am Morgen des 9. November ein organisatorisches und strategisches Vakuum füllen, und sie nutzten ihre Chance.

Für die SPD war es ein doppelter Glücksfall, daß es am 9. November in Berlin außer drei Jägerbataillonen keinerlei Fronttruppen gab und daß die Naumburger Jäger – ein Bataillon, das erst vor wenigen Tagen in die Hauptstadt verlegt worden war und als besonders kaisertreu galt – von sich aus den Wunsch äußerten, ein Mitglied des sozialdemokratischen Parteivorstands möge ihnen die Lage erläutern. Dieser Aufforderung kam, mit durchschlagendem Erfolg, Otto Wels nach. Sein Aufruf, die Soldaten sollten sich auf die Seite des Volkes und der Sozialdemokratischen Partei stellen, wurde mit begeisterter Zustimmung aufgenommmen.

Die Nachricht, daß die Naumburger Jäger zu den Aufständischen übergegangen seien, überzeugte Prinz Max, daß seine Regierung nicht mehr zu halten war. Auch in Spa tat die Kunde ihre Wirkung. Gegen 11 Uhr wurde dem Kanzler telefonisch mitgeteilt, der Kaiser sei zur Abdankung entschlossen. Als eine halbe Stunde später die offizielle Erklärung Wilhelms II. immer noch nicht vorlag, gab Prinz Max dem Wolffschen Telegraphenbüro die Absicht des Kaisers und Königs, dem Thron zu entsagen, bekannt. Gleichzeitig ließ der Kanzler verlautbaren, er werde solange im Amt bleiben, bis die mit der Abdankung des Kaisers und dem Thronverzicht des Kronprinzen und der Einsetzung der Regentschaft verbundenen Fragen geklärt seien. Es sei seine Absicht, dem Regenten die Ernennung des Abgeordneten Ebert zum Reichskanzler sowie die Vorlage eines Gesetzesentwurfs über sofortige allgemeine Wahlen zu einer verfassunggebenden Nationalversammlung vorzuschlagen, die dann die künftige Staatsform des deutschen Volkes endgültig festlegen solle.

Aber für den Versuch, die Monarchie über eine Regentschaft zu retten, war es zu spät. Gegen 12 Uhr 35 erschien bei Prinz Max und den um ihn versammelten Staatssekretären eine von Ebert angeführte Delegation der SPD, um, entsprechend dem Fraktionsbeschluß vom Vormittag, die Übergabe der Macht zu fordern. Dieser Schritt, so erläuterte Ebert, sei notwendig, um Ruhe und Ordnung zu bewahren und Blutvergießen zu vermeiden. Die Unabhängigen stünden in dieser Frage hinter der Mehrheitspartei und würden sich möglicherweise auch an der neuen Regierung beteiligen. Gegen die Aufnahme von Vertretern der bürgerlichen Richtung gebe es keine Bedenken, sofern das Übergewicht der Sozialdemokratie gesichert sei. Auf die Bemerkung des Kanzlers, nun müsse noch die Frage der Regentschaft geregelt werden, erwiderte der Vorsitzende der SPD, dafür sei es zu spät. Daraufhin schlug Prinz Max vor, daß Ebert den Posten des Reichskanzlers annehmen solle. Den Aufzeichnungen des Prinzen Max zufolge erklärte Ebert nach einem Moment des Bedenkens: „Es ist ein schweres Amt, aber ich werde es übernehmen."

Außer dem Reichskanzler wünschten die Sozialdemokraten auch den preußischen Kriegsminister und den Oberbefehlshaber in den Marken zu stellen, dem Berlin militärisch unterstand. Als jedoch der anwesende preußische Kriegsminister Scheüch unter Hinweis auf die Versorgung des Feldheeres und die laufenden Verhandlungen über den Waffenstillstand erklärte, er bleibe auf seinem Posten, erklärte sich Ebert einverstanden. Scheüch akzeptierte seinerseits, daß ihm auf Vorschlag Scheidemanns ein sozialdemokratischer Unterstaatssekretär zur Seite gestellt werden sollte. Auch dem von ihm für den Posten des Oberbefehlshaber in den Marken vorgesehenen General könne ein Sozialdemokrat beigeordnet werden, ohne dessen Unterschrift keine Anordnung herausgehen solle. Scheidemann bezeichnete das als gangbaren Weg. Ebenso wie Scheüch erklärte auch der Staatssekretär des Auswärtigen Amtes, Solf, seine Bereitschaft, im Amt zu bleiben. Nach einer kurzen internen Beratung zwischen Kanzler und Staatssekretären folgte dann jener Vorgang, den Ebert in seinem ersten Aufruf an die deutschen Bürger wie folgt umschrieb: „Der bisherige Reichskanzler Prinz Max von Baden hat mir unter Zustimmung der sämtlichen Staatssekretäre die Wahrnehmung der Geschäfte des Reichskanzlers übertragen."

Die Politik, die die Sozialdemokraten am 9. November verfolgten, entsprach ganz der von Scheidemann schon drei Tage vorher ausgegebenen Devise: „Jetzt heißt's sich an die Spitze der Bewegung stellen, sonst gibt's doch anarchische Zustände im Reich." Die SPD hatte sich durchaus nicht über Nacht von der Regierungspartei, die sie seit Anfang Oktober war, in eine revolutionäre Bewegung verwandelt. Sie blieb vielmehr Ordnungskraft. Noch immer ging es ihr um jenen „Leitgedanken", zu dem Ebert sich am 5. November im Interfraktionellen Ausschuß bekannt hatte: „Wie halten wir das Reich aufrecht und die Wirtschaft in Ordnung?" Um dieses Zieles willen hatten die Sozialdemokraten, wie Scheidemann zwei Tage später im Kriegskabinett beteuerte, alles getan, was sie konnten, „um die Massen bei der Stange zu halten". Am 9. November aber war die Geduld der Massen endgültig erschöpft. Jetzt kam es darauf an, die Bewegung der Soldaten und Arbeiter in eine Richtung zu lenken, die dem Leitgedanken Eberts nicht zuwiderlief. Nachdem es den Sozialdemokraten nicht gelungen war, die Revolution zu verhindern, galt es, sie zu bändigen und sicherzustellen, daß sie nicht, wie die russische, in Chaos und Bürgerkrieg umschlug. Das war die Richtschnur, die am 9. November 1918 und in den Wochen danach das Handeln Eberts und der anderen führenden Sozialdemokraten bestimmte.[25]

2.

Die gebremste Revolution

Als Philipp Scheidemann am frühen Nachmittag des 9. November 1918 von einem Balkon des Reichstags aus die „Deutsche Republik" ausrief, tat er es, ohne von Friedrich Ebert dazu autorisiert zu sein. Der eben ernannte „Reichskanzler" hätte es vorgezogen, die Frage „Republik oder Monarchie?" der Verfassunggebenden Nationalversammlung zu überlassen. Aber Scheidemann hatte ein sicheres Gespür dafür, daß der Tropfen monarchischen Öls, mit dem Prinz Max von Baden den sozialdemokratischen Parteiführer gesalbt hatte, vielleicht die Militärs und höheren Beamten, nicht jedoch die breiten Massen beeindrucken konnte. Was die revoltierenden Soldaten und Arbeiter von den maßgebenden Sozialdemokraten erwarteten, war ein demonstrativer Bruch mit dem verhaßten „preußischen Militarismus". Die Ausrufung der Republik hatte diese Signalwirkung. Sie war so stark, daß auch Karl Liebknecht sie nicht mehr abschwächen konnte, als er, zwei Stunden nach Scheidemann, vom Balkon des Berliner Schlosses aus die „freie sozialistische Republik Deutschland" proklamierte.[1]

Mit seiner, von den meisten als Flucht empfundenen Abreise nach Spa hatte Wilhelm II. dem monarchischen Gefühl vieler Deutscher einen schweren, ja tödlichen Schlag versetzt. Außerhalb der preußischen Kernlande gab es kaum noch Gefühle der Anhänglichkeit an den letzten Hohenzollern, und selbst in den altpreußischen Gebieten war es nur eine konservative Minderheit kirchentreuer Lutheraner, die ihrem Landesherrn über seinen Sturz hinaus die Treue hielt. Den gläubigen Protestanten fiel der Abschied von der Monarchie auch in den anderen deutschen Staaten schwerer als den Katholiken, stand doch der jeweilige Landesherr zugleich als „summus episcopus" an der Spitze der evangelischen Kirche. Doch zunächst waren die verbliebenen Anhänger der Monarchie, ob evangelisch oder katholisch, wie betäubt. Die Niederlage Deutschlands schmerzte sie noch mehr als die Ausrufung der Republik, und die Abdankung der Dynasten ließ ihnen gar keine andere Wahl, als die neue Staatsform einstweilen hinzunehmen.[2]

Für die große Mehrheit der Deutschen verband sich mit der Republik die Hoffnung auf einen gerechten Frieden und einen innenpolitischen Neuanfang. Scheidemanns Worte „Das alte Morsche ist zusammengebrochen; der Militarismus ist erledigt!" trafen die Gefühlslage des 9. November genau. Die Fürsten und Generäle hatten ihren Kredit verspielt; sie standen für die Enttäuschungen und Entbehrungen des verlorenen Krieges; sie verkörperten eine Gesellschaft des „Oben" und „Unten", die in Wirklichkeit längst aus den Fugen geraten war. Es war folglich an der Zeit, den bisher Herrschenden den Gehorsam aufzukündigen und das Volk selbst zum Herrn seiner Geschicke zu machen. Was immer Demokratie konkret bedeuten mochte: dem Obrigkeitsstaat erschien sie allemal überlegen, und, was mit das Wichtigste war, sie konnte als Brücke zu den demokratischen Nationen des Westens dienen, mit denen nun die Bedingungen des Friedens ausgehandelt werden mußten.

Was für die Heimat galt, traf auch für Front und Etappe zu: Einen aktiven Rückhalt für die Monarchie gab es kaum noch. Die Offiziere, die am 9. November daran dachten, mit dem Kaiser an der Spitze in die Heimat zurückzukehren und die Revolution oder, wie es bei ihnen hieß, den „Bolschewismus" niederzuwerfen, waren hoffnungslos in der Minderheit. Die große Mehrheit scharte sich hinter Groener, der seinerseits Hindenburg davon überzeugen konnte, daß der „Plan eines Vormarsches gegen die Heimat" nicht nur den Bürgerkrieg, sondern auch die Fortsetzung des Krieges mit der Entente bedeuten würde und schon deshalb völlig aussichtslos sei. Groener war es auch, der Wilhelm II. am Vormittag des 9. November in Spa die Wahrheit ins Gesicht sagte: „Das Heer wird unter seinen Führern und Kommandierenden Generalen in Ruhe und Ordnung in die Heimat zurückmarschieren, aber nicht unter dem Befehl Eurer Majestät; denn es steht nicht mehr hinter Eurer Majestät!"

In der Absage an den Bürgerkrieg traf sich Groener mit Ebert, der in einer seiner ersten und letzten Amtshandlungen als „Reichskanzler" Behörden und Beamten versicherte, die neue Regierung habe die Führung der Geschäfte übernommen, „um das deutsche Volk vor Bürgerkrieg und Hungersnot zu bewahren und seine berechtigten Forderungen auf Selbstbestimmung durchzusetzen". Eberts Appell an die Beamten, auf ihren Posten zu bleiben, ließ keinen Zweifel daran aufkommen, welches Ziel für ihn angesichts des Zusammenbruchs der alten Staatsordnung und der militärischen Niederlage oberste Priorität besaß: „Ein Versagen der Organisation in dieser schweren Stunde würde Deutschland der Anarchie und dem schrecklichsten Elend ausliefern." Es kam mithin vor allem darauf an, die Funktionsfähigkeit der öffentlichen Einrichtungen aufrechtzuerhalten oder, in den Worten von Eberts Amtsvorgänger Max von Baden, „unter allen Umständen den Zusammenbruch der Regierungsmaschine zu verhindern" und „von Legalität und Kontinuität zu retten, was noch zu retten war".[3]

Im Hinblick auf das Ziel, Chaos und Bürgerkrieg zu vermeiden, gab es also einen Grundkonsens zwischen den sozialdemokratischen Führern und den nüchtern urteilenden Vertretern der bisherigen zivilen und militärischen Staatsgewalt. Aber erreichen ließ sich dieses Ziel nur, wenn es gelang, das Zusammenwirken von neuen Machthabern und alten Funktionseliten nach „links" abzusichern. Der Massenrückhalt der Mehrheitssozialdemokraten reichte nicht aus, um die Revolution vor einer Entgleisung zu bewahren, wie sie sich, aus der Sicht der SPD, ein Jahr zuvor in Rußland ereignet hatte. Es war nicht einmal sicher, ob ein Pakt mit den Unabhängigen Sozialdemokraten dieser Möglichkeit einen Riegel vorschieben würde. Gewiß war nur, daß es zum Versuch einer Verständigung mit der USPD keine vernünftige Alternative gab. Auf eine Unterstützung durch die Arbeiterschaft konnte die neue Regierung nur hoffen, wenn sie sich entschlossen zeigte, den sozialdemokratischen Bruderkampf zu beenden.

Der Gegensatz zwischen oppositionellen und „Regierungssozialisten" war in den letzten Monaten des Krieges immer tiefer geworden und hatte mittlerweile auch die zwischenmenschlichen Beziehungen stark beeinträchtigt: Die Mitglieder des sozialdemokratischen Parteivorstandes wurden von den Abgeordneten der USPD nicht einmal mehr gegrüßt. Am 9. November aber zählten persönliche Empfindlichkeiten nicht mehr. Nachdem bereits am frühen Vormittag, noch vor der entscheidenden Sitzung der sozialdemokratischen Reichstagsfraktion, maßgebende Vertreter beider Parteien ein erstes Gespräch über die Bildung einer gemeinsamen Regierung geführt hatten, schlug Ebert am Nachmittag der USPD vor, es solle „ein zu gleichen Teilen aus Mehrheitlern und Unabhängigen zusammengesetztes Kabinett gebildet werden, dem Mitglieder der bürgerlichen Parteien der Linken als Fachminister zur Seite stehen könnten". Das hieß: Beteiligung der bürgerlichen Mehrheitsparteien an der Regierung, aber keine Gleichberechtigung mit den beiden sozialdemokratischen Parteien, denen die politische Führungsrolle zufiel und die ihrerseits die Macht auf der Grundlage der Parität ausüben sollten.[4]

Personelle Bedingungen stellte die MSPD nicht; selbst einer Aufnahme Karl Liebknechts in das Kabinett wollte Ebert sich nicht widersetzen. Umgekehrt gab es bei der USPD starke Vorbehalte gegen die drei Politiker, die die MSPD in die Regierung entsandt hatte, nämlich Ebert, Scheidemann und den Abgeordneten Otto Landsberg. Von den sachlichen Bedingungen, die die Unabhängigen an einen Eintritt in das Kabinett knüpften, war vor allem eine für die Mehrheitspartei unannehmbar. Auf die von Liebknecht und den Revolutionären Obleuten diktierte Forderung, die gesamte exekutive, legislative und rechtsprechende Macht solle ausschließlich in den Händen von gewählten Vertrauensmännern der gesamten werktätigen Bevölkerung und der Soldaten liegen, antwortete die SPD mit einem politischen Glaubensbekenntnis: „Ist mit diesem Verlangen die Diktatur eines Teils einer Klasse gemeint, hinter dem nicht die Volksmehrheit steht, so müssen wir diese Forderung ablehnen, weil sie unseren demokratischen Grundsätzen widerspricht." Ebenso eindeutig reagierte die Mehrheitspartei auf das Verlangen der Unabhängigen, der Regierung dürften keine bürgerlichen Mitglieder angehören. Die SPD lehnte dieses Ansinnen ab, weil andernfalls die Volksernährung erheblich gefährdet, wenn nicht unmöglich gemacht würde.

Eine Einigung kam erst am frühen Nachmittag des 10. November, nach der Rückkehr des Parteivorsitzenden der USPD, Hugo Haase, aus Kiel zustande. Unter seinem mäßigenden Einfluß nahmen die Unabhängigen die Forderungen zurück, die für die MSPD nicht zumutbar waren. Die Unabhängigen erklärten sich nun auch mit bürgerlichen Fachministern einverstanden, die freilich nur technische Gehilfen des eigentlichen, rein sozialistischen Kabinetts sein durften und denen je ein Mitglied der beiden sozialdemokratischen Parteien als Kontrolleur zur Seite zu stellen war. Über die von der Mehrheitspartei geforderte Konstituierende Versammlung wollte die USPD erst später, nach „Konsolidierung der durch die Revolution geschaffenen Zustände", entscheiden. Der Punkt, der für die MSPD die größten Probleme aufwarf, lautete: „Die politische Gewalt liegt in den Händen der Arbeiter- und Soldatenräte, die zu einer Vollversammlung aus dem ganzen Reich alsbald zusammenzuberufen sind." Aber so radikal und „russisch" diese Forderung klang, die Mehrheitssozialdemokraten konnten hoffen, in einer deutschen Räteversammlung über die Mehrheit zu verfügen und damit Konflikte zwischen der Regierung und dem vorläufigen Parlamentsersatz zumindest in engen Grenzen zu halten: Entscheidend war, daß die Unabhängigen die Konstituante nicht grundsätzlich ablehnten und nichts mehr forderten, was auf eine „Diktatur des Proletariats" hinauslief. Aus ebendieser Sicht hielten es die Führer der MSPD für gerechtfertigt und geboten, den abgemilderten Forderungen der USPD zuzustimmen.

Noch bevor sich das neue Kabinett, der „Rat der Volksbeauftragten", formell konstituierte, mußten die Regierungsmitglieder der USPD bereits ihre erste politische Entscheidung treffen: Sie nahmen die Waffenstillstandsbedingungen der Entente an, die am 10. November um 12 Uhr in einer gemeinsamen Sitzung der drei neuen sozialdemokratischen Regierungsmitglieder und der alten Staatssekretäre beraten worden waren. Am folgenden Tag unterzeichnete die von Matthias Erzberger geführte deutsche Delegation im Wald von Compiègne das Waffenstillstandsabkommen. Am 11. November 1918 um 11 Uhr endete der Erste Weltkrieg.

Der „Rat der Volksbeauftragten" – der von den Unabhängigen gewünschte, aus Rußland stammende Begriff „Volkskommissare" war auf Vorschlag Landsbergs verdeutscht worden – setzte sich aus sechs Mitgliedern zusammen. Die Vertreter der Mehrheitssozialdemokraten waren der 1871 in Heidelberg geborene Friedrich Ebert, gelernter Sattler, ab 1893 Redakteur der Bremer Parteizeitung und seit 1913 als Nachfolger August Bebels Vorsitzender der SPD; der Vorsitzende der Reichstagsfraktion, Philipp Scheidemann, 1865 in Kassel geboren und von Beruf Buchdrucker, bevor auch er Redakteur wurde; als dritter der 1869 im oberschlesischen Rybnik geborene Rechtsanwalt Otto Landsberg, seit 1912 Mitglied des Reichstags. Die USPD vertraten Hugo Haase, Rechtsanwalt aus Königsberg, 1863 im ostpreußischen Allenstein geboren, seit 1913 erst zusammen mit Bebel, von 1913 bis 1916 dann mit Ebert Vorsitzender der SPD; Wilhelm Dittmann aus Eutin, Jahrgang 1874, Tischler und später Parteisekretär, nach dem Berliner Metallarbeiterstreik vom Januar 1918 zu fünf Jahren Festungshaft verurteilt; schließlich, als Vertrauensmann der Revolutionären Obleute, Emil Barth, 1879 in Heidelberg geboren und Metallarbeiter von Beruf. Zwei der Volksbeauftragten, Haase und Landsberg, stammten aus jüdischen Familien.

Außer Haase, der sich zur mosaischen Religion bekannte, bezeichneten sich alle Volksbeauftragten als „Dissidenten", das heißt als keiner Religionsgemeinschaft zugehörig. Ebert und Haase waren die nominell gleichberechtigten Vorsitzenden des Gremiums; die tatsächliche Leitung lag von Anfang an in den Händen Eberts.

Die politischen Entscheidungen vom 9. und 10. November wurden von den Führungen der beiden sozialdemokratischen Parteien getroffen. Die Revolutionären Obleute, die linke Vorhut aus den Metallbetrieben der Reichshauptstadt, waren von den Ereignissen zunächst völlig überrollt worden. Erst in der Nacht zum 10. November gelang es zweien ihrer Führer, Emil Barth und Richard Müller, auf einer Versammlung der spontan gebildeten Berliner Soldatenräte eine Entschließung durchzubringen, wonach tags darauf in allen Fabriken und Kasernen der Hauptstadt neue Arbeiter- und Soldatenräte zu wählen waren, die dann am 10. November um 17 Uhr im Zirkus Busch zu einer Vollversammlung zusammentreten und dort die provisorische Regierung wählen sollten. Ordnungsgemäße Wahlen waren innerhalb einer so kurzen Frist gar nicht möglich, zumal der 10. November ein Sonntag war. Wieder war es Otto Wels, der durch entschlossenes Handeln seiner Partei einen Startvorsprung verschaffte. Er ließ ein Flugblatt drucken, in dem er die Berliner Soldaten zur Wahl von Soldatenräten aufrief. Die 148 gewählten Soldatenvertreter schwor Wels anschließend auf die mehrheitssozialdemokratische Linie, und das hieß vor allem: auf eine paritätisch zusammengesetzte Regierung, ein. An die Berliner Arbeiter appellierte der „Vorwärts" am 10. November mit einer Parole, die einer verbreiteten Stimmung entsprach. Die Schlagzeile des Parteiorgans lautete: „Kein Bruderkampf!"

In der Versammlung der etwa 3 000 Arbeiter- und Soldatenräte im Zirkus Busch hatten die Radikalen keine Mehrheit. Ebert erhielt viel Zustimmung, als er von der Bildung des Rates der Volksbeauftragten berichtete. Dagegen gab es massive Proteste, vor allem von seiten der Soldaten, die Wels in die Versammlung geführt hatte, als Liebknecht scharfe Angriffe gegen Ebert richtete. Zum Eklat kam es, als Barth zur Wahl eines Aktionsausschusses aufrief und dafür eine von den Revolutionären Obleuten aufgestellte Liste vorschlug. Ebert erklärte einen solchen Ausschuß für überflüssig; wenn er aber gewählt werde, müsse er, wie die Regierung, paritätisch zusammengesetzt sein. Als anschließend Anhänger des Spartakusbundes Ebert persönlich bedrohten, verließ dieser die Versammlung und vergewisserte sich in der Reichskanzlei beim preußischen Kriegsminister Scheüch, daß dieser die neue Regierung gegebenenfalls schützen werde.

In ernste Gefahr geriet der neugebildete Rat der Volksbeauftragten, als Haase, über den Vorstoß der Radikalen verärgert, im Zirkus Busch mitteilte, unter den gegebenen Umständen könne er in die Regierung nicht eintreten. Es bedurfte der ultimativen Drohung der Soldatenvertreter, sie würden, falls das Prinzip der Parität nicht beachtet werde, die Regierung allein bilden, um die Revolutionären Obleute zum Rückzug zu bewegen. Mit großer Mehrheit wählte die Versammlung schließlich ein aus vierzehn Mitgliedern bestehendes Aktionskomitee des Arbeiterrates, dem je sieben Vertreter von MSPD und USPD angehörten. Die meisten Mitglieder des ebenfalls vierzehnköpfigen Aktionskomitees der Soldaten waren parteilos. Zusammen bildeten die beiden Aktionskomitees den „Vollzugsrat des Arbeiter- und Soldatenrates Großberlin", der sich tags darauf unter dem Vorsitz Richard Müllers von den Revolutionären Obleuten konstituierte. Auf Müllers Vorschlag wurde der Rat der Volksbeauftragten in seiner am frühen Nachmittag vereinbarten Zusammensetzung bestätigt. Auch die beiden sozialdemokratischen Parteien bekräftigten nach dem Ende der Versammlung im Zirkus Busch nochmals ausdrücklich, was sie einige Stunden zuvor miteinander vereinbart hatten.

Die Führer der Mehrheitssozialdemokraten hatten am Abend des 10. November Grund, mit dem Lauf der Dinge zufrieden zu sein. Es sprach alles dafür, daß sich die Regierung gegenüber dem Berliner Vollzugsrat, der bis zum Zusammentritt einer deutschen Räteversammlung die Volksbeauftragten kontrollieren sollte, im Zweifelsfall durchsetzen würde. Da die Arbeiter- und Soldatenräte nicht nur in Berlin, sondern auch im übrigen Reich überwiegend für die Regierung der Volksbeauftragten waren, ja zumeist loyal die Linie der Mehrheitssozialdemokraten befolgten, war es ganz unwahrscheinlich, daß sich in Deutschland eine Doppelherrschaft nach dem russischen Muster von 1917 – hier radikale Räte, dort provisorische Regierung – entwickeln würde. Die deutschen Arbeiter- und Soldatenräte von 1918 verlangten anders als die russischen nicht alle Macht für sich, sondern wollten in ihrer Mehrheit nur für eine Übergangszeit, bis zur Wahl demokratisch legitimierter Volksvertretungen, die alten Behörden kontrollieren. Das galt jedenfalls für diejenigen örtlichen Räte, in denen die MSPD das Übergewicht hatte, aber auch für die meisten, die vom gemäßigten Flügel der USPD beherrscht wurden. Die deutschen Arbeiter- und Soldatenräte vom November 1918 verstanden sich in der Regel als institutionelle Notbehelfe, aber nicht als Modelle einer künftigen „reineren" Demokratie.[5]

Die wichtigste Machtgrundlage der Mehrheitssozialdemokraten war in den kritischen Stunden des 9. und 10. November der Rückhalt, den sie bei den revoltierenden Soldaten hatten. Wenn der als „Fachminister" weiter amtierende preußische Kriegsminister Scheüch Ebert am 10. November seine Unterstützung zusicherte, dann hatte das eher symbolische Bedeutung. Dasselbe galt von dem Vorschlag eines antibolschewistischen „Bündnisses", den Generalquartiermeister Groener Ebert in einem legendenumwobenen Telefongespräch vom Abend desselben Tages unterbreitet haben will. Ebert brauchte die Hilfe der Obersten Heeresleitung bei der Heimführung der Truppen. Aber ein „Bündnis" zur Bekämpfung des Bolschewismus konnten Groener und Ebert schon deswegen nicht schließen, weil die OHL über das erforderliche Kräftepotential am 10. November gar nicht verfügte. Entscheidend war die Haltung der Soldatenräte, und die waren im November 1918 sehr viel eher geneigt, auf Ebert und Wels als auf Groener und Hindenburg zu hören.[6]

Das Geschick, mit dem die Mehrheitssozialdemokraten am 9. November die Soldaten auf ihre Seite herüberzogen, trug viel dazu bei, Blutvergießen zu verhindern. Schon in den Mittagsstunden jenes Tages wies der Oberbefehlshaber in den Marken die Truppen an, von den Waffen keinen Gebrauch mehr zu machen. Wenig später erhielt auch die Berliner Polizei, die als besonders kaisertreu galt, von ihrem Präsidenten von Oppen den Befehl, nicht mehr zu schießen. Sein Amt übergab Oppen dem Unabhängigen Sozialdemokraten Emil Eichhorn. Am Nachmittag des 9. November wurde noch am Marstall und an der Universität heftig gekämpft, wo sich einige Offiziere verschanzt hatten, die in die demonstrierende Menge schossen. Die revolutionären Arbeiter und Soldaten hatten in Berlin am Tage des Umsturzes insgesamt fünfzehn Tote zu beklagen.[7]

Die geringe Zahl der Opfer zeigte, wie wenig Rückhalt das kaiserliche Deutschland selbst bei seinen vermeintlich zuverlässigsten Stützen noch hatte. Einen Tag nach dem Abgang des Kaisers und der Ausrufung der Republik schien in Berlin schon wieder die Normalität zurückzukehren. Am Sonntag, dem 10. November, gingen, wie Ernst Troeltsch notierte, wie gewöhnlich die Bürger im Grunewald spazieren. „Keine eleganten Toiletten, lauter Bürger, manche wohl absichtlich einfach angezogen. Alles etwas gedämpft wie Leute, deren Schicksal irgendwo weit in der Ferne entschieden wird, aber doch beruhigt und behaglich, daß es so gut abgegangen war. Trambahnen und Untergrundbahnen gingen wie sonst, das Unterpfand dafür, daß für den unmittelbaren Lebensbedarf alles in Ordnung war. Auf allen Gesichtern stand geschrieben: Die Gehälter werden weitergezahlt."[8]

Für die Volksbeauftragten begann der Alltag der Regierungsarbeit am 11. November. Die Haltung, mit der die Mehrheitssozialdemokraten an ihre Aufgabe herangingen, umschrieb Friedrich Ebert rückblickend am 6. Februar 1919 in der Verfassunggebenden Nationalversammlung in Weimar: „Wir waren im eigentlichen Wortsinne die Konkursverwalter des alten Regimes: alle Läger waren leer, alle Vorräte gingen zur Neige, der Kredit war erschüttert, die Moral tief gesunken. Wir haben, gestützt und gefördert vom Zentralrat der Arbeiter- und Soldatenräte, unsere beste Kraft eingesetzt, die Gefahren und das Elend der Übergangszeit zu bekämpfen. Wir haben der Nationalversammlung nicht vorgegriffen. Aber wo Zeit und Not drängten, haben wir die dringlichsten Forderungen der Arbeiter zu erfüllen uns bemüht. Wir haben alles getan, um das wirtschaftliche Leben wieder in Gang zu bringen... Wenn der Erfolg nicht unseren Wünschen entsprach, so müssen die Umstände, die das verhinderten, gerecht gewürdigt werden."[9]

Nicht als Gründerväter einer Demokratie also, sondern als Konkursverwalter des kaiserlichen Deutschland begriffen sich die regierenden Sozialdemokraten in den zehn Wochen zwischen dem Sturz der Monarchie und der

Wahl der Nationalversammlung. Als Demokraten meinten sie, ohne ein ausdrückliches Mandat des deutschen Volkes keine grundlegenden Neuerungen in Angriff nehmen zu dürfen. Für die Verwirklichung des Sozialismus schien ihnen die Notzeit zwischen Krieg und Frieden ohnehin denkbar ungeeignet. Anstatt durch überstürzte Experimente der Idee des Sozialismus Schaden zuzufügen, galt es, die unmittelbaren Nöte des Tages zu bewältigen, und das hieß vor allem die Wirtschaft wieder in Gang zu bringen und die Einheit des Reiches zu bewahren. Aber auch diese Ziele waren nach Meinung der Mehrheitssozialdemokraten am sichersten zu erreichen, wenn die Regierung sich auf einen unbezweifelbaren Auftrag des Volkes stützen konnte. Alles sprach also dafür, die Amtszeit der revolutionären Übergangsregierung tunlichst zu beschränken und die Wahlen zur Verfassunggebenden Nationalversammlung möglichst früh, etwa im Januar 1919, stattfinden zu lassen.

Von den Volksbeauftragten der Unabhängigen Sozialdemokraten waren die gemäßigten, Haase und Dittmann, für einen deutlich späteren Wahltermin, nämlich im April oder Mai des kommenden Jahres. Formell ließ sich ein solcher Aufschub damit begründen, daß im Frühjahr 1919 auch die zur Zeit noch im Osten befindlichen Soldaten und die Kriegsgefangenen an der Wahl teilnehmen könnten. Die tieferen Gründe, die den rechten Flügel der USPD veranlaßten, dem von der MSPD geforderten frühen Termin zu widersprechen, legte Rudolf Hilferding, einer der führenden Theoretiker der Unabhängigen, am 18. November im Parteiorgan „Freiheit" dar. Die Übergangsregierung müsse mit aller Energie darangehen, „die Taten zu setzen, die das Proletariat überzeugen, daß es kein Zurück mehr gibt, sondern nur ein Vorwärts. Die Demokratie muß so verankert werden, daß eine Reaktion unmöglich wird, die Verwaltung darf nicht zum Tummelplatz konterrevolutionärer Bestrebungen dienen. Vor allem müssen wir aber beweisen, daß wir nicht nur Demokraten, sondern auch Sozialisten sind. Die Durchführung einer Reihe wichtiger sozialistischer Übergangsmaßnahmen ist ohne weiteres möglich; sie müssen vollzogen werden, damit auch hier Stellungen geschaffen werden, die jedem kapitalistischen Gegenangriff uneinnehmbar sind."

Die erstrebte Demokratie verlangte also, so durfte man Hilferding interpretieren, vorbeugende gesellschaftliche Eingriffe, die kraft revolutionären Rechts vorzunehmen waren, weil durchaus nicht sicher war, daß sich bei der Wahl zur Nationalversammlung eine Mehrheit für das erforderliche Maß an Sozialismus finden würde. Ein enger politischer Freund Hilferdings, Karl Kautsky, war keineswegs der Ansicht, daß es eines späten Wahltermins bedurfte, um die Demokratie sozial zu untermauern; umgekehrt könne eine Hinauszögerung des Wahltags die Anziehungskraft des Sozialismus sogar schwächen. Viel grundsätzlicher war der Widerspruch, auf den die Position der gemäßigten Unabhängigen beim linken Flügel der Partei stieß. Die Revolutionären Obleute wollten keine Konstituante, von der sie ein politisches Übergewicht des Bürgertums erwarteten, sondern die Allein- oder doch Vorherrschaft der Räte und damit der Arbeiterklasse. Noch eindeutiger fiel das Bekenntnis zur „Diktatur des Proletariats“ bei der Spartakusgruppe aus.[10]

Über die Frage, ob der Handlungsspielraum der Volksbeauftragten wirklich so eng war, wie Ebert und seine Freunde behaupteten, wird bis heute leidenschaftlich gestritten. Sicher ist, daß eine Politik im Sinne der radikalen Linken eine militärische Intervention der Alliierten ausgelöst hätte. Zwischen den Mehrheitssozialdemokraten und den „alten Eliten“ auf der einen, den Amerikanern und Engländern auf der anderen Seite gab es einen antibolschewistischen Grundkonsens, der sich unter anderem darin niederschlug, daß gemäß dem Waffenstillstandsabkommen deutsche Truppen mit Billigung der Alliierten im umkämpften Baltikum verblieben, um dort eine Machtübernahme der Bolschewiki zu verhindern. Die Franzosen nahmen insofern eine Sonderrolle ein, als ihnen ein gewisses Maß an „Chaos“ im Reich ein geeignetes Argument erschien, um ihrer Forderung auf das Gebiet links des Rheins Nachdruck zu verleihen. Aber nichts spricht dafür, daß eine Demokratisierung von Militär und Bürokratie oder eine Vergesellschaftung bestimmter Schlüsselindustrien, eine Politik auf der Linie der gemäßigten USPD also, die Entente auf den Plan gerufen hätte.[11]

Dagegen ist durchaus wahrscheinlich, daß es zu einer gefährlichen Polarisierung im Innern gekommen wäre, hätte der Rat der Volksbeauftragten die Wahlen zur Nationalversammlung bewußt verzögert. Ein spätes Wahldatum war im übrigen keineswegs erforderlich, um die Zeit bis zur Wahl für gesellschaftspolitische Reformen zu nutzen. Die Gegner der Demokratie verfügten nach wie vor über starke Machtbastionen, und es war realistisch anzunehmen, daß sie nur auf die Gelegenheit warteten, diese auszubauen. Die gemäßigten Unabhängigen hatten mithin gute Gründe, wenn sie den Rat der Volksbeauftragten vor eine doppelte Aufgabe gestellt sahen: die Lösung der dringendsten Gegenwartsprobleme *und* die vorsorgliche Sicherung der künftigen Demokratie.[12]

Die Meinungsverschiedenheiten über den Wahltermin belasteten den Rat der Volksbeauftragten, aber sie machten die Regierungsarbeit nicht unmöglich. Über die vordringlichsten Tagesaufgaben konnten sich die Vertreter der MSPD und der gemäßigten USPD in der Regel verständigen. Die Unabhängigen setzten auch durchaus nicht auf eine Konfrontation mit den bürgerlichen Staatssekretären. Diese wurden von den „Beigeordneten“ der USPD ebensowenig kontrolliert wie von denen der Mehrheitspartei, sondern konnten sich als die tatsächlichen Ressortchefs fühlen. Der Staatssekretär des Auswärtigen Amtes etwa, Wilhelm Heinrich Solf, ließ den ihm zugeteilten Beigeordneten Kautsky Schriftstücke nur dann einsehen, wenn er es für zweckmäßig hielt. Wichtige Aktionen liefen an Kautsky und wohl auch an dem für Außenpolitik formell zuständigen Volksbeauftragten Haase vorbei – so auch eine geheime Botschaft Solfs an die Ententemächte vom 13. November, in der er die Siegerstaaten um eine ausdrückliche Erklärung bat, sie würden bei einem Überhandnehmen der radikalen Kräfte vor einer militärischen Invasion Deutschlands nicht zurückschrecken.[13]

An die Spitze des Reichsamts des Innern beriefen die Volksbeauftragten am 15. November den linksliberalen Berliner Staatsrechtler Hugo Preuß, der auch den Auftrag erhielt, den Entwurf einer deutschen Reichsverfassung auszuarbeiten. Damit war von Anfang an klar, daß diese Verfassung keinen spezifisch sozialdemokratischen Stempel tragen würde. Auch auf dem wichtigsten Gebiet der wirtschaftlichen Demobilmachung verzichteten die beiden sozialdemokratischen Parteien darauf, die Schlüsselposition mit einem Mann aus den eigenen Reihen zu besetzen: Staatssekretär des zuständigen neuen Reichsamtes wurde, wie noch vom vorangegangenen Kabinett des Prinzen Max beschlossen, ein militärischer Fachmann, der Oberstleutnant Joseph Koeth. MSPD und USPD stellten jeweils nur einen Staatssekretär: Der „rechte" Mehrheitssozialdemokrat August Müller übernahm das Reichswirtschaftsamt, der gemäßigte Unabhängige Emanuel Wurm das Reichsernährungsamt.

Bei den Sozialdemokraten beiderlei Richtung gab es, schon weil sie jahrzehntelang keine Positionen im öffentlichen Dienst hatten bekleiden können, bei weitem nicht genug Sachverstand, um 1918 sämtliche Kommandohöhen in Staat und Wirtschaft zu besetzen. Die Volksbeauftragten waren folglich auf die Hilfe „bürgerlicher" Experten angewiesen. Soweit diese Experten Befürworter demokratischer Reformen oder gar überzeugte Anhänger des parlamentarischen Systems waren, warf die Zusammenarbeit mit ihnen in der Regel keine Probleme auf. Schwierig gestaltete sich dagegen das Verhältnis zu jenen höheren Beamten, die noch ganz den Denkvorstellungen des alten Systems verhaftet waren. Ein solcher Fall war der Staatssekretär des Auswärtigen Amts. Am 13. Dezember reichte Solf sein Abschiedsgesuch ein, nachdem er vier Tage vorher einen Eklat verursacht hatte. Er weigerte sich, dem Volksbeauftragten Haase die Hand zu geben, weil dieser laut Aussage des früheren Sowjetbotschafters Joffe von russischen Geldzuweisungen an die USPD gewußt hatte, mit denen die Revolution in Deutschland finanziert werden sollte.[14]

Ein Rücktritt wie der von Solf war jedoch die Ausnahme. Beamte, Staatsanwälte und Richter blieben auch dann in ihren Ämtern, wenn sie als engagierte Parteigänger des bisherigen Regimes und eingeschworene Gegner der Demokratie bekannt waren. In Preußen amtierten die königlichen Landräte weiter, als habe es einen 9. November 1918 nicht gegeben. Wenn örtliche Arbeiterräte sich über das illoyale Verhalten von Landräten beschwerten, wurden ihre Klagen in der Regel vom mehrheitssozialdemokratischen Innenminister Wolfgang Heine abgewiesen oder einfach ignoriert. Auch wenn konservative Landräte selbst um ihre Entlassung baten, legte Heine ihnen im Interesse der Aufrechterhaltung der Ordnung nahe, im Amt zu bleiben. Nach dem Novemberumsturz vergingen noch acht Monate, bis die nach dem Dreiklassenwahlrecht gebildeten Selbstverwaltungskörper durch neue ersetzt wurden.

Für ein erhebliches Maß an Kontinuität im Bereich der zivilen Verwaltung gab es gute Gründe. Deutschland wäre im Chaos versunken, hätten die Revolutionsregierungen Beamte, Richter und Staatsanwälte in großer Zahl aus ihren Positionen entfernt. Da die beiden Arbeiterparteien nicht über das Personal verfügten, das die freiwerdenden Stellen hätte füllen können, blieb den neuen Machthabern gar nichts anderes übrig, als die bisherigen Amtsinhaber aufzufordern, ihren Dienst weiter zu versehen. Aber es war keineswegs erforderlich, daß extrem monarchistische Funktionsträger in Schlüsselstellungen verblieben. Einige exemplarische Entlassungen hätten eine warnende Wirkung auf Beamte ausgeübt, denen es schwerfiel, sich zur Republik zu bekennen. Im übrigen waren ja nicht nur die neuen Autoritäten auf die alten Bürokraten angewiesen. Es gab, stellte man die sozialen Folgen des Ausscheidens aus dem Amt in Rechnung, auch eine umgekehrte Abhängigkeit. Eine begrenzte Demokratisierung des öffentlichen Dienstes wäre im Herbst 1918 durchaus möglich gewesen. Sie unterblieb, weil sie den regierenden Sozialdemokraten nicht als vordringliche Aufgabe erschien.[15]

Ähnliches läßt sich über das Verhältnis der Sozialdemokraten zur bewaffneten Macht sagen. Schon in der ersten Woche seiner Tätigkeit entwickelte der Berliner Vollzugsrat Pläne zur Schaffung einer freiwilligen Volkswehr. Am 16. November wurden sie im Rat der Volksbeauftragten beraten; konkrete Beschlüsse faßte das Gremium jedoch nicht. Erst am 6. Dezember nahm die Regierung den von Ebert drei Tage zuvor vorgelegten Entwurf eines Gesetzes zur Bildung einer freiwilligen Volkswehr an. Diese Truppe sollte zunächst 11 000 Mann stark sein und auf dem Prinzip der Führerwahl durch die Mannschaften beruhen. Doch anstatt selbst für die Durchführung des Gesetzes zu sorgen, übertrugen die Volksbeauftragten diese Aufgabe dem preußischen Kriegsministerium, das seinerseits die Oberste Heeresleitung einschaltete. Das Ergebnis der Bemühungen beider Stellen konnte kaum überraschen: Das Gesetz blieb ein Stück Papier.

Die Nachlässigkeit der Volksbeauftragten war *ein* Grund, weshalb es in Deutschland, anders als in Österreich, 1918 nicht zum Aufbau einer loyalen republikanischen Schutztruppe kam. Aber es gab noch einen anderen Grund. Anders als in Österreich war die Arbeiterbewegung in Deutschland politisch gespalten. Der Gegensatz zwischen MSPD und USPD bildete eine schwere Vorbelastung aller Volkswehrpläne. Es erschien durchaus ungewiß, ob eine aus Anhängern beider sozialdemokratischer Parteien gebildete Freiwilligentruppe geschlossen in Aktion treten würde, wenn es um die Abwehr von Putschaktionen der äußersten Linken ging. Am 10. November hatte der „Vorwärts" an die Arbeiter appelliert, sich nicht in einen „Sonderkampf" verstricken zu lassen. Eine bewaffnete Auseinandersetzung mit Anhängern der Revolutionären Obleute und der Spartakusgruppe wäre ein Bruderkampf gewesen, und schon deshalb wird man die Bereitschaft von Sozialdemokraten, sich in eine solche Schlacht zu werfen, nicht überschätzen dürfen. Dazu kam der allgemeine Antimilitarismus der Arbeiter: Nach vier Jahren

Krieg waren nicht viele geneigt, sich auch nur vorübergehend auf eine neue Art des Soldatseins einzulassen.

Doch was immer dem Aufbau einer Volkswehr entgegenstand, die militärpolitischen Entscheidungen der Volksbeauftragten lassen sich nicht einfach aus Wünschen und Abneigungen der Arbeiter erklären. Am 11. November entsprach die Revolutionsregierung einer Bitte Groeners und ersuchte die OHL in einem Telegramm, „für das gesamte Feldheer anzuordnen, daß die militärische Disziplin, Ruhe und straffe Ordnung im Heer unter allen Umständen aufrechtzuerhalten sind, daß daher den Befehlen der militärischen Vorgesetzten bis zur erfolgten Entlassung unbedingt zu gehorchen ist und daß eine Entlassung von Heeresangehörigen aus dem Heere nur auf Befehl der militärischen Vorgesetzten zu erfolgen hat". Die Vorgesetzten hatten Waffen und Rangabzeichen zu behalten. Wo sich Soldaten- oder Vertrauensräte gebildet hatten, sollten sie die Offiziere bei der Aufrechterhaltung von Zucht und Ordnung „rückhaltlos" unterstützen. In ausführlicherer Form bestätigte am folgenden Tag ein weiterer Beschluß der Volksbeauftragten diese Anweisung.

Damit galt wieder uneingeschränkt die Befehlsgewalt der Offiziere, während sich die Soldatenräte auf eine untergeordnete Rolle zurückgedrängt sahen. Die Oberste Heeresleitung konnte zufrieden sein: Die Volksbeauftragten hatten mit ihrer Unterschrift die Wiederherstellung der vorrevolutionären Ordnung im Militärbereich gebilligt. Die Soldatenräte dagegen mußten sich durch die offenkundige Stützung des „preußischen Militarismus" herausgefordert fühlen. Auch sie bestritten nicht, daß bei der Rückführung und Auflösung des Feldheeres Disziplin vonnöten war. Aber die Restauration des früheren Zustandes war diesem Zweck nach ihrer Ansicht nicht dienlich.

Am 1. und 2. Dezember wurden auf einem Kongreß der Feld- und Soldatenräte in Bad Ems von den Versammelten einstimmig jene Reformen gefordert, die sie zur Überwindung des obrigkeitsstaatlichen Militärsystems für erforderlich hielten: Wegfall des Grußzwangs außer Dienst, Schließung der Offizierskasinos, gleiche Ernährungsbedingungen für Offiziere, Beamten und Mannschaften, ferner ein Mitwirkungsrecht der Soldatenräte bei allen wirtschaftlichen und sozialen Fragen der Truppe sowie bei der Verhängung von Disziplinarstrafen und bei Beschwerden. Der Dienst sollte „in regelmäßiger Fühlung mit den Soldatenräten" geregelt werden.

Die Oberste Heeresleitung erhob schärfsten Protest und hatte damit Erfolg. Ebert erklärte am 14. Dezember sein grundsätzliches Einverständnis mit der Position von Groener und Hindenburg, wies aber zugleich auf die Schwierigkeiten hin, die sich aus der einmütig oppositionellen Haltung der Soldaten ergäben. Das Zurückweichen Eberts machte deutlich, daß es der OHL bereits einen Monat nach dem Umsturz gelungen war, zum gleichberechtigten Partner der Regierung aufzusteigen. Die oppositionelle Stimmung unter den Soldaten konnte unter diesen Umständen nur noch weiter anwachsen. Die Mehrheitssozialdemokraten waren dabei, jenen Rückhalt bei den Soldatenräten zu verlieren, der es ihnen am 10. November erlaubt hatte, sich gegenüber den radikaleren Kräften in der Arbeiterschaft zu behaupten.[16]

Neben Beamtentum und Offizierskorps zählten auch die Unternehmer zu den „alten Eliten", mit denen die regierenden Sozialdemokraten, ob sie dabei ideologische Skrupel hatten oder nicht, im Herbst 1918 zusammenarbeiten mußten. Eine ihrer wichtigsten Aufgaben sahen die Volksbeauftragten darin, die Millionen heimgekehrter Soldaten wieder in die Produktion einzugliedern. Gelöst werden konnte diese Aufgabe nur durch gemeinsame Anstrengungen von Staat, Unternehmern und Gewerkschaften. Für die industriellen Arbeitgeber bedeutete das Zusammenwirken mit den Organisationen der Arbeitnehmer aber zugleich auch eine soziale Rückversicherung gegenüber zwei Gefahren: der Sozialisierung auf der einen, dem Staatsdirigismus auf der anderen Seite. Ähnlich sahen es die sozialdemokratisch orientierten Freien Gewerkschaften. Sie versprachen sich von einer Anerkennung durch die Unternehmer eine Aufwertung ihrer Position, und zwar sowohl gegenüber dem Staat als auch gegenüber den neugebildeten Räten, die sie als unliebsame Konkurrenz empfanden.

Bereits im Oktober 1918 hatte es erste Gespräche zwischen Vertretern der elektrotechnischen, bald darauf auch der Schwerindustrie und den Gewerkschaften gegeben. Beide Seiten waren sich einig, daß die bevorstehende Demobilmachung die aktive Mitwirkung der Organisationen von Arbeitgebern und Arbeitnehmern verlangte. Die Errichtung des Reichsamtes für die wirtschaftliche Demobilmachung war das Ergebnis eines gemeinsamen Vorstoßes von Gewerkschaften und Unternehmerverbänden, ebenso die Bildung paritätisch zusammengesetzter Fachkommissionen, die dem neuen Amt beigegeben wurden.

Einer umfassenderen „Arbeitsgemeinschaft" standen in den Spitzengesprächen, die vor dem 9. November stattfanden, nur noch zwei Hindernisse entgegen: Es war den Gewerkschaften bislang nicht gelungen, die Arbeitgeber zu einer deutlichen Arbeitszeitverkürzung und zu einer Preisgabe der „gelben", unternehmerfreundlichen Werkvereine zu bewegen. Der politische Umsturz ließ es den Unternehmern geraten erscheinen, den Gewerkschaften in diesen umstrittenen Fragen ein Stück entgegenzukommen. Am 15. November wurde das sogenannte „Stinnes-Legien-Abkommen" unterzeichnet – benannt nach den beiden Verhandlungsführern, dem Schwerindustriellen Hugo Stinnes und dem Vorsitzenden der Generalkommission der Freien Gewerkschaften, Carl Legien.

In diesem Dokument erkannten die Unternehmer die Gewerkschaften als berufene Vertretung der Arbeiterschaft an. Sie bestätigten den aus dem Heeresdienst zurückkehrenden Arbeitnehmern einen Anspruch auf ihren früheren Arbeitsplatz, akzeptierten die Regelung der Arbeitsbedingungen durch Tarifverträge mit den Gewerkschaften, stimmten der Bildung von Arbeiterausschüssen in Betrieben mit mindestens 50 Beschäftigten zu, setzten das

Höchstmaß der regelmäßigen täglichen Arbeitszeit auf acht Stunden fest und erklärten eine Verdienstschmälerung infolge der kürzeren Arbeitszeit für nicht statthaft. Den organisatorischen Rahmen der künftigen Zusammenarbeit sollte die paritätisch zusammengesetzte und nach ebendiesem Grundsatz fachlich gegliederte „Zentralarbeitsgemeinschaft der industriellen und gewerblichen Arbeitgeber- und Arbeitnehmerverbände Deutschlands", kurz ZAG genannt, bilden.

Die Gewerkschaften schienen mit dem Stinnes-Legien-Abkommen am Ziel langgehegter Wünsche angelangt. Das galt vor allem für ihre Anerkennung als Tarifpartner und die Einführung des Achtstundentages bei vollem Lohnausgleich. Aber die Abmachung hatte auch ihre Widerhaken. Die Unternehmer gaben zu Protokoll, daß der Achtstundentag in Deutschland nur dann Bestand haben werde, wenn sich alle Kulturländer durch internationale Vereinbarung auf dieselbe Arbeitszeit festlegen würden. Was die „gelben" Werkvereine anging, so hatte Legien den Arbeitgebern am 5. November selbst zugesichert, wenn diese Organisationen sich ohne Zwang und finanzielle Zuwendungen sechs Monate lang aus eigener Kraft behaupten sollten, könne man über ihre Zuziehung zur ZAG verhandeln.

Für die Arbeitgeber wogen die Zugeständnisse an das Gewerkschaftslager wenig, wenn man sie mit dem Nutzen verglich, den die Zentralarbeitsgemeinschaft abwarf. Das Wichtigste war, daß das Abkommen vom 15. November 1918 einem Vertrag gegen die Sozialisierung gleichkam. Indem die Gewerkschaften die Unternehmer als Partner akzeptierten, erkannten sie zugleich die bestehende Gesellschafts- und Wirtschaftsordnung an. In der Tat lag den Freien Gewerkschaften im November 1918 nichts ferner als der Gedanke an eine Vergesellschaftung der Schlüsselindustrien. Die Gewerkschaften handelten als wirtschaftliche Interessenvertretung der Arbeitnehmer, aber aus ebendiesem begrenzten Selbstverständnis heraus machten sie hohe Politik. Sie banden in gewisser Weise auch dem Rat der Volksbeauftragten die Hände. Eine aktive Sozialisierungspolitik wäre, selbst wenn die Regierung sie gewollt hätte, gegen die Gewerkschaften kaum durchsetzbar gewesen.[17]

Im Rat der Volksbeauftragten drängten die Unabhängigen Sozialdemokraten auf eine rasche Sozialisierung wichtiger Wirtschaftszweige. Die Mehrheitssozialdemokraten sahen in einer Änderung der Eigentumsverhältnisse eine Gefahr für den wirtschaftlichen Wiederaufbau, mochten sich aber auch keinen Verrat an ihrem grundsätzlichen Bekenntnis zum Sozialismus vorwerfen lassen. Einen Ausweg aus diesem Dilemma schien ihnen der Beschluß zu bieten, den die Volksbeauftragten am 18. November faßten. Danach sollten zwar diejenigen Industriezweige, „die nach ihrer Entwicklung zur Sozialisierung reif sind, sofort sozialisiert werden". Zuvor aber sollte eine „Kommission namhafter Nationalökonomen" berufen werden, „um unter Hinzuziehung der Praktiker aus den Reihen der Arbeiter und Unternehmer die Einzelheiten festzulegen".

In die Sozialisierungskommission wurden neben Vertretern der beiden sozialdemokratischen Parteien und der Gewerkschaften auch einige „bürgerliche“ Wissenschaftler, darunter der Ökonom Joseph Schumpeter, berufen. Am 5. Dezember trat die Kommission unter dem Vorsitz Karl Kautskys zu ihrer ersten Sitzung zusammen. Aber an eine zügige Arbeit war nicht zu denken. Der Staatssekretär des Reichswirtschaftsamtes, August Müller, dem die „Betreuung“ des Gremiums oblag, war ein geschworener Gegner jedweder Sozialisierung; Ende Dezember bezeichnete er eine etwaige Verstaatlichung des Kohlenbergbaus als Verbrechen und Dummheit. Durch äußerste Zurückhaltung bei der Vergabe von Räumen, Hilfskräften und Geldmitteln versuchte Müller, die Arbeit der Kommission nach Kräften zu erschweren. Es ging zu einem erheblichen Teil auf das Konto solcher administrativen Behinderungen, daß die Sachverständigen erst Mitte Februar 1919 einen vorläufigen Bericht zur Sozialisierung des Steinkohlenbergbaus vorlegen konnten.[18]

Einer umfassenden Vergesellschaftung der deutschen Wirtschaft konnten Ende 1918 nur wirklichkeitsfremde Doktrinäre das Wort reden. Weder in den Arbeiterparteien noch in den Gewerkschaften noch in der staatlichen Bürokratie gab es das Personal, das die Stelle der kapitalistischen Unternehmer und ihrer Manager hätte einnehmen können. Enteignungen auf breiter Front hätten daher unweigerlich zu einem Zusammenbruch der Volkswirtschaft geführt. Wirtschaftlich vertretbar war eine Sozialisierung nur in einem Bereich wie dem Steinkohlenbergbau, wo die Marktgesetze weitgehend außer Kraft gesetzt waren und der Staat als Besitzer zahlreicher Zechen bereits über unternehmerische Erfahrung verfügte. Wichtig aber war ein politisches Argument, das für eine Sozialisierung des Steinkohlenbergbaus, im damaligen Deutschland die Schlüsselindustrie schlechthin, sprach. Die Zechenherren hatten sich nicht nur als rigorose Gegner der Gewerkschaften, sondern auch als hartnäckige Widersacher einer Demokratisierung des Kaiserreiches hervorgetan. Eine Vergesellschaftung des Steinkohlenbergbaus hätte folglich einen Einbruch in die Front der antirepublikanischen Kräfte bedeutet. Als die mehrheitssozialdemokratischen Volksbeauftragten die Fragen der Sozialisierung auf die lange Bank schoben, verzichteten sie mithin zugleich auf ein Stück vorsorglicher Festigung der parlamentarischen Demokratie.

So vehement wie die rheinisch-westfälische Schwerindustrie hatte im Kaiserreich nur *eine* gesellschaftliche Gruppe jedwede Art von Demokratisierung bekämpft: die ostelbischen Rittergutsbesitzer. Der Sturz der Monarchie bedeutete für sie eine dramatische Minderung ihres *politischen* Einflusses. Aber die *soziale* Machtstellung der Junker war 1918/19 sehr viel weniger bedroht als die der Zechenherren. Es gab keine Bewegung von Landarbeitern und landarmen Bauern, die ihre Enteignung forderte, und weder die deutsche noch die preußische Revolutionsregierung erwog eine Umwälzung der Eigentumsverhältnisse auf dem platten Land. Was die regierenden Sozialdemokraten davon abhielt, eine radikale Agrarreform in Angriff zu nehmen, war vor allem die Furcht, einschneidende Maßnahmen könnten die Lebensmittelversorgung gefährden. Eine Aufteilung des Gutsbesitzes zugunsten von Kleinbauern und Landarbeitern wäre in der Tat mit unabsehbaren wirtschaftlichen Risiken verbunden gewesen. Denkbar war allenfalls eine „staatskapitalistische" Lösung: Die Länder Preußen, Mecklenburg-Schwerin und Mecklenburg-Strelitz hätten die großen Güter selbst in Besitz nehmen und qualifizierten Pächtern zur Bewirtschaftung übergeben können. Aber nirgendwo ist 1918 ein solcher Weg auch nur erörtert worden.

Überhaupt waren Agrarfragen nicht gerade die starke Seite der Sozialdemokratie. Theoretisch galt nach wie vor der Grundsatz, daß in der Landwirtschaft ebenso wie in der Industrie der Großbetrieb rationeller war als der kleine und der letztere darum keine Überlebenschancen hatte. In der Praxis ließ sich aus dieser Sichtweise 1918 eine Hinnahme des bestehenden Zustandes in Ostelbien rechtfertigen. Auf Drängen des „Kriegsausschusses der deutschen Landwirtschaft", in dem die Großagrarier maßgeblich vertreten waren, versicherte der Rat der Volksbeauftragten am 12. November die „ländliche Bevölkerung" seines Schutzes „vor allen Eingriffen Unberufener in ihre Eigentums- und Produktionsverhältnisse". Wenig später willigten die Volksbeauftragten in die Bildung gemeinsamer Räte von Großgrundbesitzern, Mittel- und Kleinbauern sowie Landarbeitern ein. Von der Wirkung her war das nichts anderes als eine pauschale Garantie der bestehenden Eigentumsverhältnisse auf dem Lande und eine weitgehende politische Neutralisierung der noch schwachen Landarbeiterbewegung.

Zu einer Arbeitsgemeinschaft nach dem Vorbild des Stinnes-Legien-Abkommens kam es zwischen den selbständigen Landwirten und den Landarbeitern nicht. Die Agrarier weigerten sich, den beiden Landarbeitergewerkschaften – der sozialdemokratischen und der christlichen – ein Monopol für die Vertretung der ländlichen Arbeiter zuzugestehen. Eine revolutionäre Errungenschaft konnten aber auch die Landarbeiter verbuchen. Die Vorläufige Landarbeitsordnung vom 24. Januar 1919 sicherte ihnen zu, was ihnen im Kaiserreich verwehrt worden war: das Recht auf gewerkschaftliche Betätigung und tarifliche Lohnvereinbarung. Doch die Rechte der Landarbeiter waren weit weniger abgesichert als die Errungenschaften der Industriearbeiter. Bereits im Frühjahr 1919 traf der pommersche Landbund Anstalten, die Landarbeitergewerkschaften mit paramilitärischen Mitteln zu zerschlagen. Es sollte bald noch deutlichere Anzeichen dafür geben, daß die gesellschaftliche Macht der Junker durch den Novemberumsturz nicht gebrochen worden war.[19]

Wäre es nach Friedrich Ebert gegangen, hätte bis zur Wahl der Nationalversammlung auf sämtlichen Gebieten der Politik der Grundsatz gegolten, der Nationalversammlung nicht vorzugreifen und alle Kraft auf die Lösung der unabweisbaren Tagesfragen zu richten. Im Rat der Volksbeauftragten konnte Ebert sich mit dieser Linie weitgehend durchsetzen. Aber sein Einfluß reichte nicht aus, um auch die andere Berliner Regierung, das preußische Kabinett, das ebenfalls paritätisch aus Mitgliedern der MSPD und der USPD zusammengesetzt war, auf denselben Kurs festzulegen. Die größte Prominenz unter den preußischen Ministern erlangte binnen kurzem der Unabhängige Adolf Hoffmann, der sich mit dem sehr viel weniger agilen Mehrheitssozialdemokraten Konrad Haenisch in die Leitung des Kultusministeriums teilte.

Als Autor eines scharf antiklerikalen Buches über die Zehn Gebote unter dem Spitznamen „Zehn-Gebote-Hoffmann" bekannt geworden, begann der radikale Atheist seine Amtszeit mit der Ankündigung, in Preußen werde es künftig eine von politischer und kirchlicher Bevormundung freie Einheitsschule und eine strikte Trennung von Staat und Kirche geben. Ende November erließ Hoffmann zwei Verordnungen, die die Reste der geistlichen Schulaufsicht in den Volksschulen und den Religionsunterricht als Schulfach beseitigten.

Mit seinen antikirchlichen Erlassen löste Hoffmann einen kurzen, aber heftigen Kulturkampf aus. Proteste kamen von evangelischer wie von katholischer Seite; im Rheinland und in Oberschlesien gab der ministerielle Antiklerikalismus einer Los-von-Berlin-Stimmung Auftrieb, die sich gegen Preußen, teilweise aber auch gegen das Reich richtete; das Zentrum fand in der Abwehr der Politik Adolph Hoffmanns die zündende Wahlkampfparole, die ihm bislang gefehlt hatte. Auf dem rechten Flügel des politischen Spektrums zog die monarchistische Deutschnationale Volkspartei, die Nachfolgerin der konservativen Parteien des Kaiserreichs, Nutzen aus der Mobilisierung der kirchentreuen Protestanten. Am Neujahrstag 1919 zogen 60000 Menschen, aufgerufen vom Zentrum und von evangelischen Kreisen Berlins, vor das preußische Kultusministerium, um gegen die Schul- und Kirchenpolitik des größten deutschen Staates zu protestieren. Die Mehrheitssozialdemokraten, die sich zu spät und nur halbherzig von Hoffmann distanziert hatten, mußten zur Kenntnis nehmen, daß ihre Politik nicht nur Widerstand von links, sondern auch von rechts und von der Mitte hervorrief.[20]

Friedrich Ebert blieb von „rechten" Protesten vorläufig noch verschont. Der Vorsitzende des Rates der Volksbeauftragten galt als härtester Widersacher der äußersten Linken und damit als natürlicher Verbündeter der Kräfte, die rechts von den Mehrheitssozialdemokraten standen. Anfang Dezember arbeiteten hohe Offiziere und Beamte einen Plan aus, wonach Ebert, gestützt auf das Militär, vorläufig die Reichspräsidentenschaft mit diktatorischen Vollmachten übernehmen und die Arbeiter- und Soldatenräte mit dem Berliner Vollzugsrat an der Spitze auflösen sollte. Am 6. Dezember marschierten bewaffnete Angehörige von Ersatzbataillonen des Infanterieregiements „Kaiser Franz", Matrosen der Volksmarinedivision sowie Mitglieder einer Studentenwehr zur Reichskanzlei und brachten dort Ebert eine Ovation dar. Der Sprecher der Demonstranten forderte Wahlen zur Nationalversammlung noch im Dezember, polemisierte gegen die „Mißwirtschaft" des Berliner Vollzugsrates und rief schließlich Ebert zum Präsidenten der Republik aus. Ebert antwortete vorsichtig abwiegelnd. Wenige Stunden später, nach einer putschartigen Aktion derselben Demonstranten gegen den Vollzugsrat, kam es zu Schießereien zwischen regulären Soldaten und Spartakusanhängern, von denen sechzehn getötet und zwölf schwer verwundet wurden.

Vier Tage danach, am 10. Dezember, zogen, auf Grund einer Absprache zwischen der Obersten Heeresleitung und Ebert, die Gardetruppen in Berlin ein. Nach Meinung Groeners waren nur diese Frontverbände in der Lage, die Zivilbevölkerung zu entwaffnen und die Reichshauptstadt von den Spartakisten zu säubern. Darüber hinaus sollten die Gardetruppen den Anspruch der OHL unterstreichen, der wichtigste innenpolitische Ordnungsfaktor zu sein. Die Hoffnungen, die Groener mit dem Truppeneinmarsch verband, erfüllten sich freilich nicht: Der Drang der Soldaten heimzukehren, war so groß, daß die zehn Divisionen, die in Berlin eingezogen waren, für Säuberungsaufgaben weitgehend ausfielen. Aber es war doch ein erheblicher psychologischer Gewinn für das Militär, daß Ebert vor den heimgekehrten Truppen am 11. Dezember eine Ansprache hielt, die in dem fatalen, scheinbar die Dolchstoßlegende rechtfertigenden Satz gipfelte: „Kein Feind hat Euch überwunden."[21]

Vom 16. bis 21. Dezember tagte in Berlin der Erste Allgemeine Kongreß der Arbeiter- und Soldatenräte. Das entsprach einem Beschluß des Berliner Vollzugsrates, der sich selbst nur als provisorische Spitze der deutschen Arbeiter- und Soldatenräte sah. Die SPD konnte schon vor Beginn des Kongresses beruhigt feststellen, daß sie über die Mehrheit der 514 Delegierten verfügen würde. Etwa 300 Abgesandte der örtlichen und regionalen Räte rechneten sich der SPD, ungefähr 100 der USPD zu; der Rest tendierte zum linksliberalen Lager oder war parteilos. Rosa Luxemburg und Karl Liebknecht, die beiden führenden Mitglieder der Spartakusgruppe, hatten kein Mandat erhalten; ein Antrag, sie als Gäste mit beratender Stimme zuzulassen, wurde gleich zu Beginn der Tagung mit großer Mehrheit abgelehnt.

Infolge der soliden sozialdemokratischen Mehrheit war die wichtigste Frage des Kongresses bereits vor seiner Eröffnung entschieden: Die Wahl der Nationalversammlung würde zu einem frühen Zeitpunkt erfolgen; weder die Anhänger eines späten Wahltermins noch gar die des „reinen Rätesystems" hatten eine Chance. Es half nichts, daß der Vorsitzende des Berliner Vollzugsrats, Richard Müller, der schon am 19. November auf einer Versammlung der Berliner Arbeiterräte den vielzitierten Ausspruch getan hatte: „Der Weg zur Nationalversammlung geht über meine Leiche" und der seitdem den Spottnamen „Leichenmüller" trug, abermals warnte: „Das Bestreben der bürgerlichen Kreise, so schnell als möglich eine Nationalversammlung einzuberufen, soll die Arbeiter um die Früchte der Revolution bringen." Auch das große Plädoyer, in dem Ernst Däumig von den Revolutionären Obleuten für das „reine Rätesystem" und die Selbstverwaltung des arbeitenden Volkes eintrat, konnte die Delegierten nicht umstimmen.

Mit 344 gegen 98 Stimmen taten die Teilnehmer des Kongresses am 19. Dezember das, was Däumig im voraus das „Todesurteil" über die Revolution genannt hatte: Sie lehnten seinen Antrag ab, am Rätesystem als Grundlage der Verfassung der sozialistischen Republik festzuhalten und den Arbeiter- und Soldatenräten die höchste gesetzgebende und vollziehende Gewalt zuzugestehen. Mit etwa 400 zu 50 Stimmen wurde dagegen der Antrag des Mehrheitssozialdemokraten Max Cohen-Reuß angenommen, die Wahlen zur Nationalversammlung am 19. Januar 1919 durchzuführen. Das war ein deutlich früherer Termin als der, auf den sich am 29. November der Rat der Volksbeauftragten schließlich verständigt hatte: der 16. Februar.

Die radikale Linke tat den konservativen Kräften durchaus kein Unrecht, wenn sie ihnen das Kalkül unterstellte, durch eine baldige Wahl der Nationalversammlung die Revolution abschließen und ihre Ergebnisse zumindest teilweise wieder rückgängig machen zu können. Aber das „reine Rätesystem", wie Däumig es entworfen hatte, beruhte auf einer Illusion. Es ging von der Annahme aus, in einer hochentwickelten arbeitsteiligen Industriegesellschaft könnten die Massen auf Dauer mobilisiert werden, um die Mandatsträger ständig zu überwachen. Da die wenigsten Arbeitnehmer die freie Zeit hatten, die erforderlich war, um diese Aufgabe zu erfüllen, war abzusehen, daß das „reine Rätesystem" bald zur Herrschaft einer kleiner werdenden, privilegierten Minderheit über die große Mehrheit werden würde. Schlimmer noch: die Beseitigung der „bürgerlichen" Gewaltenteilung zwischen Gesetzgebung, Regierung und Rechtsprechung machte die Räteherrschaft faktisch unkontrollierbar. Mochten manche Anhänger des „reinen Rätesystems" auch eine Parteidiktatur, wie sie sich in Sowjetrußland unter dem Deckmantel der Räteregierung bereits herausgebildet hatte, verabscheuen, so waren ihre Vorstellungen von direkter Demokratie doch durch nichts davor gefeit, einer höchst undemokratischen Wirklichkeit den Weg zu ebnen.

Hinweise auf das abschreckende sowjetische Beispiel trugen viel zu der Wirkung bei, die Cohen-Reuß, Däumigs Korreferent, mit seiner Kampfrede für die Nationalversammlung erzielte. Nicht weniger eindrucksvoll war, was der Sprecher der Mehrheitssozialdemokraten über die mutmaßlichen außen- und innenpolitischen Folgen einer Räteherrschaft in Deutschland ausführte. Aber auch ohne den brillanten Beitrag von Cohen-Reuß wäre die Entscheidung für das parlamentarische und gegen das Rätesystem wohl kaum sehr viel anders ausgefallen. Da das deutsche Volk seit einem halben Jahrhundert auf Reichsebene das allgemeine gleiche Wahlrecht für Männer besaß, war es für die große Mehrheit der Arbeiter undenkbar, daß eine demokratische Revolution diese demokratische Errungenschaft wieder abschaffte. Die Revolution sollte mehr und nicht weniger Demokratie bringen: Das war der eindeutige Wille der großen Mehrheit des ersten deutschen Rätekongresses.

So erfreulich für die MSPD die Abstimmungsergebnisse in den wichtigsten Fragen des Kongresses waren, in anderen Bereichen bezogen die Delegierten Positionen, die „links“ von der Linie der mehrheitssozialdemokratischen Volksbeauftragten lagen. So gab es eine große Mehrheit für den Antrag, die Regierung solle unverzüglich mit der Sozialisierung aller hierzu reifen Industrien, insbesondere des Bergbaus, beginnen. Noch unangenehmer mußten Ebert die „Hamburger Punkte“, eine von den Hamburger Soldatenräten ausgearbeitete, vom Kongreß einstimmig angenommene Vorlage zur Militärpolitik, sein. Die Entschließung sah vor, daß die militärische Kommandogewalt von den Volksbeauftragten unter Kontrolle des neu zu wählenden Zentralrats der Arbeiter- und Soldatenräte ausgeübt wurde. Als „Symbol der Zertrümmerung des Militarismus und der Abschaffung des Kadavergehorsams“ wurden alle Rangabzeichen beseitigt und das außerdienstliche Waffentragen verboten. Die Soldaten wählten ihre Führer selbst; für die Aufrechterhaltung der Disziplin waren künftig die Soldatenräte verantwortlich. Schließlich sollte das stehende Heer abgeschafft und der Aufbau einer Volkswehr beschleunigt werden.

Mit der Annahme der „Hamburger Punkte“ reagierte der Kongreß vor allem auf Versäumnisse der Regierung. Hätten die Volksbeauftragten die gemäßigten Forderungen aufgegriffen, die die Feld- und Soldatenräte am 1. Dezember in Bad Ems erhoben hatten, wäre es zu der hektischen Beschlußfassung auf dem Rätekongreß wohl gar nicht erst gekommen. Die „Hamburger Punkte“ waren in manchen Teilen, vor allem was die Führerwahl und die Abschaffung sämtlicher Rangabzeichen anging, undurchdacht und undurchführbar. Aber es gab von seiten der führenden Sozialdemokraten weder Versuche, entsprechende Änderungen durchzusetzen, noch Bemühungen, dem Beschluß den Charakter bloßer Richtlinien zu geben, die noch konkreter Ausführungsbestimmungen bedurften.

Die Korrekturen erfolgten erst nachträglich, unter dem ultimativen Druck der Obersten Heeresleitung, und sie veränderten die „Hamburger Punkte“ im Kern. Der Beschluß des Rätekongresses sollte nun lediglich für das Heimatheer, nicht aber für das Feldheer gelten. Die Ausführungsbestimmungen, die am 19. Januar 1919 erlassen wurden, hätten durchaus noch den Aufbau einer republikanischen Reichswehr gestattet, stellten aber, im Gegensatz zu den „Hamburger Punkten“, klar, daß die Kommandogewalt ausschließlich bei den Offizieren lag. Im Gesetz über die Bildung einer vorläufigen Reichswehr, das die Nationalversammlung am 6. März 1919 verabschiedete, waren nicht einmal mehr Spuren der militärpolitischen Entschließung des ersten Rätekongresses zu erkennen.

Bei der Beschlußfassung über die „Hamburger Punkte“ hatten die Volksbeauftragten der MSPD Führungsschwächen erkennen lassen. Ihre Kollegen von der USPD lieferten auf dem Kongreß den Nachweis, daß sie „Offiziere ohne Soldaten“ waren. Am 18. Dezember stellten die Mehrheitssozialdemokraten den Antrag, dem Rat der Volksbeauftragten „bis zur anderweitigen Regelung durch die Nationalversammlung“ die gesetzgebende und vollziehende Gewalt zu übertragen. Der vom Kongreß zu wählende Zentralrat sollte die Volksbeauftragten bestellen und parlamentarisch überwachen. Den Begriff der parlamentarischen Überwachung erläuterte Haase auf Rückfragen seiner Parteifreunde in dem Sinne, daß dem Zentralrat alle Gesetze vorzulegen, die wichtigeren mit ihm zu beraten seien. Die Delegierten der USPD aber wollten mehr, nämlich das „volle Recht“ des Zentralrats, Gesetzen vor ihrer Verkündung zuzustimmen oder sie abzulehnen. Die Mehrheitssozialdemokraten bestanden dagegen auf politischer Bewegungsfreiheit für die Volksbeauftragten und drohten für den Fall, daß der Kongreß den Antrag der USPD annehmen sollte, mit dem Rücktritt der sozialdemokratischen Volksbeauftragten, Staatssekretäre und preußischen Minister. Nachdem der Kongreß mit großer Mehrheit dem Begriff „parlamentarische Überwachung“ Haases Auslegung gegeben hatte, setzte der radikale linke Flügel der USPD in der Fraktion den Boykott der Wahlen zum Zentralrat durch.

In den 17 Mitglieder umfassenden „Zentralrat der Deutschen Sozialistischen Republik“ wurden infolgedessen ausschließlich Mehrheitssozialdemokraten gewählt. Die Rolle eines Gegengewichts zur Regierung konnte der Zentralrat damit noch sehr viel weniger spielen als der Berliner Vollzugsrat. Die innere Zerrissenheit der USPD war vor aller Welt deutlich geworden. Die Volksbeauftragten der Unabhängigen verloren durch den Beschluß ihrer Fraktion die Arbeitsgrundlage. Der offene Bruch zwischen den Regierungspartnern vom 10. November 1918 war unausweichlich geworden.[22]

Den letzten Anstoß zur Aufkündigung der Koalition gaben die sogenannten „Berliner Weihnachtskämpfe“. Sie waren der dramatische Höhepunkt eines seit zwei Wochen schwelenden Streits um die Volksmarinedivision. Aus einem Konflikt um die Löhnung der Matrosen und die Räumung des von diesen besetzten Stadtschlosses wurde seit dem 23. Dezember ein offener Machtkampf zwischen dem Rat der Volksbeauftragten und einer Truppe, die sich zunehmend den Positionen der Linksradikalen angenähert hatte. Am Tag vor dem Heiligen Abend setzten die revoltierenden Matrosen, nachdem zwei von ihnen in einem Kampf mit Soldaten der Republikanischen Soldatenwehr, einer regierungsloyalen Formation, getötet worden waren, die Regierung fest und bemächtigten sich der Telefonzentrale der Reichskanzlei. Außerdem stürmten sie die Stadtkommandantur und setzten, neben anderen, Otto Wels, der das Amt des Stadtkommandanten bekleidete, im Marstall fest.

Als Ebert in der Nacht zum 24. Dezember erfuhr, daß Wels von seinen Bewachern mißhandelt werde und sein Leben bedroht sei, wandte er sich über eine geheime, von den Rebellen nicht kontrollierte Telefonleitung an das preußische Kriegsministerium und bat um militärische Hilfe. Vom Sitz der OHL in Kassel aus setzte sich Groener seinerseits über eine andere, ebenfalls nicht überwachte Telefonleitung mit Ebert in Verbindung und ersuchte ihn um eine Vollmacht zum militärischen Vorgehen gegen die Matrosen. Die drei Volksbeauftragten der MSPD erteilten daraufhin dem preußischen Kriegsminister einen entsprechenden Befehl. Kurz vor 8 Uhr morgens begann das Kommando Lequis Schloß und Marstall mit Artillerie zu beschießen – was Wels und seine Mitgefangenen in unmittelbare Lebensgefahr brachte. Das Schloß fiel zunächst in die Hände des Kommandos Lequis, wurde dann aber, nachdem die Sicherheitswehr des Polizeipräsidenten Eichhorn, die Rote Soldatenwehr und bewaffnete Arbeiter den Matrosen zur Hilfe geeilt waren, von dieser zurückerobert. Daraufhin gab Ebert den Befehl zur Einstellung der Kämpfe.

Die Aktion des Kommandos Lequis endete mit einer militärischen Niederlage der Soldaten und einer politischen Niederlage der Regierung. Die Volksbeauftragten mußten mit den meuternden Soldaten erneut verhandeln, um die Freilassung von Wels und die Räumung von Schloß und Marstall zu erreichen. Der Preis, der hierfür entrichtet wurde, war hoch. Die Regierung gestand der Volksmarinedivision zu, daß sie in ihrer gegenwärtigen Stärke bestehen blieb und als Ganzes in die Republikanische Soldatenwehr eingegliedert wurde. Außerdem konnten die Matrosen durchsetzen, daß Wels seinen Rücktritt als Stadtkommandant erklärte.

Der Hilferuf, den die mehrheitssozialdemokratischen Volksbeauftragten an das Militär gerichtet hatten, entsprang einer extremen Zwangslage; er war nach Lage der Dinge unvermeidbar. Leichtfertig war es dagegen, daß sie die Durchführung der Aktion nicht im einzelnen mit dem preußischen Kriegsminister besprachen und sich dadurch völlig in die Hände des Militärs begaben. Erst in den Weihnachtstagen von 1918 ist das politische Bündnis Ebert-Groener endgültig besiegelt worden. In der gemeinsamen Sitzung von Rat der Volksbeauftragten und Zentralrat vom 28. Dezember, in der die Vorkommnisse vom 23. und 24. Dezember erörtert wurden, monierte Haase mit Recht, daß seine mehrheitssozialdemokratischen Kollegen dem Militär ohne Not eine Blankovollmacht gegeben hätten. Als der Zentralrat die Frage der Unabhängigen, ob er die Weisung an den Kriegsminister billige, bejahte, nahmen die Volksbeauftragten Haase, Dittmann und Barth das zum Anlaß, aus der Regierung auszuscheiden.

So berechtigt die Kritik war, die Haase an der Art des Zusammenspiels zwischen Ebert, Scheidemann und Landsberg auf der einen, Groener und Scheüch auf der anderen Seite übte, so trugen die Volksbeauftragten der USPD doch selbst ein gerüttelt Maß an Schuld daran, daß es keine hinreichend starke, zuverlässige republikanische Sicherheitswehr gab und der Rat der Volksbeauftragten nur noch von regulären Truppen geschützt werden konnte. In den Wochen zuvor waren nicht nur die mehrheitssozialdemokratischen, sondern auch die unabhängigen Volksbeauftragten auf militärpolitischem Gebiet passiv geblieben. Die letzteren hatten auf dem Rätekongreß auch nichts getan, um die Fraktion der USPD davon abzuhalten, die Wahl des Zentralrats zu boykottieren. Dieser Beschluß und nicht das militärische Debakel vom 24. Dezember war der eigentliche Grund für das Zerbrechen der Koalition der beiden sozialdemokratischen Parteien.

An die Stelle der drei unabhängigen Volksbeauftragten rückten am 29. Dezember zwei Mehrheitssozialdemokraten: der gelernte Maschinenbauer und langjährige Leiter des Zentralarbeitersekretariats der Freien Gewerkschaften, Rudolf Wissell, 1869 in Göttingen geboren, dem der Bereich Sozial- und Wirtschaftspolitik übertragen wurde, und der ein Jahr ältere Gustav Noske aus Brandenburg, ein gelernter Holzarbeiter, der später Redakteur einer Parteizeitung geworden war und sich in der Reichstagsfraktion als Marinereferent einen Namen gemacht hatte. Noske wurde für den Militärbereich zuständig, und in dieser Eigenschaft sollte er schon kurz nach seinem Amtsantritt folgenschwere politische Entscheidungen treffen.

Mit der Bildung einer rein mehrheitssozialdemokratischen Regierung und der Ernennung Noskes rückte die Exekutivgewalt ein kräftiges Stück nach rechts. Bei Teilen der Berliner Arbeiterschaft lösten die Weihnachtskämpfe einen nicht minder deutlichen Ruck nach links aus. Der Einsatz des Militärs schien in den Augen nicht weniger Arbeiter die Behauptung der Spartakusgruppe zu bestätigen, die sozialdemokratischen Volksbeauftragten seien zu Verbündeten der Gegenrevolution geworden. Die Beerdigung der gefallenen Matrosen wurde zu einer politischen Großkundgebung der radikaleren Kräfte im Proletariat der Reichshauptstadt. Wem die Demonstranten die Schuld an den Kämpfen um Schloß und Marstall gaben, konnte man auf den mitgeführten Schildern lesen: „Des Matrosenmordes klagen wir an Ebert, Landsberg und Scheidemann!“[23]

Zwei Tage nach dem Zerbrechen der Regierungskoalition begann in Berlin der Gründungsparteitag der Kommunistischen Partei Deutschlands. Sie entstand aus zwei verschiedenen politischen Strömungen: einmal der Spartakusgruppe, die bislang den äußersten linken Flügel der USPD gebildet hatte, zum anderen den Internationalen Kommunisten Deutschlands, hervorgegangen aus den Hamburger und Bremer Linksradikalen, von denen die letzteren über Karl Radek, den Deutschlandexperten der Bolschewiki, in Verbindung mit Lenin standen. Radek, der sich seit dem 19. Dezember als Vertreter der sowjetischen Führung illegal in Berlin aufhielt, war es auch, der die Internationalen Kommunisten zur Vereinigung mit der Spartakusgruppe drängte. Den Führern der Spartakusgruppe, Karl Liebknecht, Rosa Luxemburg und Leo Jogiches, fiel die Trennung von der USPD nicht leicht. Aber nachdem sie am 15. Dezember auf einer Generalversammlung der Berliner Unabhängigen mit ihrem Versuch gescheitert waren, die USPD auf einen Austritt aus dem Rat der Volksbeauftragten und die Parole „Alle Macht den Räten“ festzulegen, schwanden die Bedenken gegen die Gründung einer selbständigen Partei immer mehr dahin.

Die meisten Delegierten des Gründungsparteitags der KPD waren qualifizierte Arbeiter und Intellektuelle, vor allem solche der jüngeren Generation, und diese soziale und altersmäßige Zusammensetzung war für die junge Partei insgesamt kennzeichnend. Die Anhänger der KPD waren zumeist in der Tradition der Sozialdemokratie verwurzelt, aber daneben gab es, vor allem in Berlin, auch Mitglieder, die erst durch die Revolution politisiert worden waren. Sie waren besonders anfällig für jene utopisch-radikale Stimmung, die den Parteitag prägte. Die marxistisch geschulten Führer vermochten gegen diese Tendenzen wenig auszurichten; Karl Liebknecht, der gerne mit der „Basis" ging, wollte das wohl auch gar nicht. Nur Rosa Luxemburg bot den ultralinken Kräften die Stirn. „Ich habe die Überzeugung", rief sie den lärmenden Delegierten zu, „Ihr wollt Euch Euren Radikalismus ein bißchen bequem und rasch machen, namentlich die Zurufe, ‚Schnell abstimmen!' beweisen das."

In das Parteiprogramm durfte Rosa Luxemburg schreiben: „Der Spartakusbund wird nie anders die Regierungsgewalt übernehmen als durch den klaren unzweideutigen Willen der großen Mehrheit der proletarischen Masse in Deutschland, nie anders als kraft ihrer bewußten Zustimmung zu den Ansichten, Zielen und Kampfmethoden des Spartakusbundes." Aber in der Praxis herrschte auf dem Parteitag, was der Historiker Arthur Rosenberg, selbst bis 1927 Mitglied der KPD, in seiner 1935 erschienenen „Geschichte der Deutschen Republik" den „Geist eines fanatischen Utopismus" nannte. Das zeigte sich vor allem in der wichtigsten Streitfrage des Kongresses, der Stellung zur Nationalversammlung. Die Parteiführer waren, trotz ihres grundsätzlichen Bekenntnisses zum Rätesystem, für die Beteiligung an den Wahlen, weil sie darin ein Mittel zur Schulung und Erziehung der Massen sahen. Aber mit 62 gegen 23 Stimmen stimmten die Delegierten einem Antrag des Delegierten Otto Rühle aus Pirna zu, die Wahlen zur Konstituante zu boykottieren.

Rosenberg hat zu diesem Beschluß bemerkt, er sei „indirekt ein Aufruf zu putschistischen Abenteuern" gewesen, der mit dem Programm Rosa Luxemburgs nichts gemein gehabt habe. Dennoch fügten sich Luxemburg wie Liebknecht der Mehrheitsentscheidung und machten sich damit zu Gefangenen einer Strömung, die sie aus guten Gründen für einen Ausdruck von unpolitischem Radikalismus hielten. Die Revolutionären Obleute, Vertreter einer gewerkschaftlich geschulten Facharbeiterschaft, wurden vor allem durch den doktrinären Antiparlamentarismus der KPD davon abgehalten, sich der neuen Partei anzuschließen. Die Kommunisten schienen auf dem besten Weg, zu einer von der Masse der Arbeiterklasse abgehobenen Sekte zu werden.[24]

Am 4. Januar 1919 trat jenes Ereignis ein, das den – zu Unrecht – so genannten „Spartakusaufstand" auslöste: Der preußische Ministerpräsident Hirsch entließ den Berliner Polizeipräsidenten Emil Eichhorn, der zum linken Flügel der USPD gehörte. Nachdem tags zuvor die USPD-Mitglieder der preußischen Regierung, dem Beispiel der drei unabhängigen Volksbeauftragten folgend, zurückgetreten waren, hatte Hirsch zunächst versucht, auch Eichhorn zum Verzicht auf sein Amt zu bewegen. Da dieser dazu nicht bereit war, enthob ihn der Ministerpräsident seiner Funktion. Angesichts der Rolle, die Eichhorn bei den Weihnachtskämpfen gespielt hatte, war seine

Entlassung überfällig. Keine Regierung konnte die Polizei der Hauptstadt einem Mann überlassen, der selbst auf den Sturz dieser Regierung hinarbeitete.

Die radikale Linke sah das anders: Sie empfand die Amtsenthebung Eichhorns als gezielte Provokation. Noch am Abend des 4. Januar beschloß der Vorstand der Berliner USPD zusammen mit den Revolutionären Obleuten, am folgenden Tag eine Protestdemonstration gegen Eichhorns Entlassung durchzuführen. Den entsprechenden Aufruf unterzeichnete auch die Zentrale der KPD. Sowohl was die Zahl der Teilnehmer wie auch den Kampfgeist anging, übertraf die Demonstration vom 5. Januar die Erwartungen der Veranstalter bei weitem. Aber schon an diesem Tag gerieten die Ereignisse außer Kontrolle. Während im Berliner Polizeipräsidium die Revolutionären Obleute mit Mitgliedern der Berliner USPD und der kommunistischen Parteizentrale noch über das weitere Vorgehen berieten, besetzten bewaffnete Demonstranten die Druckereien des „Vorwärts" und des „Berliner Tageblatts", dazu die Verlagsgebäude von Mosse, Scherl und Ullstein, die Druckerei Büxenstein und das Wolffsche Telegraphenbüro.

In die Beratungen im Polizeipräsidium platzte die – wie sich bald herausstellen sollte: falsche – Mitteilung des Anführers der Volksmarinedivision, Dorrenbach, nicht nur seine Truppe, sondern alle Berliner Regimenter ständen hinter den Revolutionären Obleuten und seien bereit, die Regierung Ebert-Scheidemann mit Waffengewalt zu stürzen. Auf Grund dieser und zusätzlicher, ebenso falscher Behauptungen über den militärischen Rückhalt der Protestbewegung erklärte schließlich Karl Liebknecht, „daß bei diesem Stand der Dinge nicht nur der Schlag gegen Eichhorn abgewehrt werden müsse, sondern der Sturz der Regierung Ebert-Scheidemann möglich und unbedingt notwendig sei". Gegen die Proteste von Richard Müller und Ernst Däumig sprach sich eine Mehrheit der Versammelten dafür aus, die Besetzung der Zeitungsbetriebe aufrechtzuerhalten, die Berliner Arbeiter zum Generalstreik aufzurufen und den Kampf gegen die Regierung bis zu deren Sturz aufzunehmen.[25]

Die Januarerhebung von Teilen der Berliner Arbeiterschaft war von Anfang an führerlos. Nicht die *Zentrale* der KPD hatte den Sturz der Regierung geplant, vielmehr forderten ihn die *Anhänger* der Revolutionären Obleute und die Kommunisten, wobei die ersteren weit in der Überzahl waren. Aber nachdem mit der Besetzung von Druckereien und Zeitungsredaktionen die Schwelle zur Gewaltanwendung überschritten war, wollte keine der revolutionären Gruppen weniger radikal sein als die anderen. Von den Führern der KPD fügte sich Karl Liebknecht als erster dem Druck von unten. Etwas später kapitulierte Rosa Luxemburg, eine entschiedene Gegnerin putschistischer Aktionen, vor jener Spontaneität der Massen, in der sie stets die wichtigste Triebkraft der Geschichte gesehen hatte. Leo Jogiches dagegen wünschte, daß sich die Partei öffentlich von Liebknecht distanzierte, und Karl Radek erklärte am 6. Januar auf der Sitzung der KPD-Zentrale den

Aufruf zum Sturz der Regierung für falsch und forderte drei Tage später, die Partei möge sich aus dem aussichtslosen Kampf zurückziehen.

Die Volksbeauftragten antworteten auf die Aktionen der äußersten Linken ihrerseits mit einem Aufruf zum Generalstreik. In großer Zahl eilten am Morgen des 6. Januar Anhänger der SPD ins Regierungsviertel, um sich als lebender Schutzschild vor den Rat der Volksbeauftragten zu stellen. Aber da außer dem Zeitungsviertel inzwischen auch das Haupttelegrafenamt und die Reichsdruckerei in den Händen der Radikalen war, kamen Regierung und Sozialdemokratie nicht umhin, auch härtere Formen der Gegenwehr zu organisieren. Die Erhebung der äußersten Linken war offensichtlich ein Versuch, die Wahlen zur Nationalversammlung zu verhindern, also der Mehrheit den Willen einer kleinen Minderheit aufzuzwingen. Der Vergleich mit Rußland lag nahe: Hatten die Bolschewiki ein Jahr zuvor die gewählte Konstituante auseinandergejagt, so schickten sich ihre deutschen Gefolgsleute nun an, die Konstituante im voraus unmöglich zu machen. Ein solcher Anschlag auf die Demokratie mußte abgewehrt, Gewalt notfalls mit Gewalt beantwortet werden.

Auf der Seite der Regierung standen bei Beginn des Januaraufstandes einige Berliner Ersatzbataillone sowie Teile der Republikanischen Soldatenwehr und der Charlottenburger Sicherheitswehr. Dazu trat der eben erst ins Leben gerufene „Freiwillige Helferdienst der Sozialdemokratischen Partei". Aus diesen Freiwilligen und aus Angehörigen der (nach ihrem Formationsführer benannten) „Gruppe Liebe" wurden am 8. Januar die Regimenter „Liebe" und „Reichstag" gebildet. Den Gegenpol zu diesen überwiegend sozialdemokratisch orientierten Verbänden bildeten zwei politisch rechtsstehende Freikorps: das „Freischützenkorps Berlin", das sich auf Grund des Regierungsaufrufs „Freiwillige vor!" vom 7. Januar gebildet hatte und aus Angehörigen der 1. Gardedivision zusammensetzte, sowie das sehr viel größere „Freiwilligenregiment Reinhard" unter dem – später bei den Nationalsozialisten aktiven – Oberst Wilhelm Reinhard. Nicht ganz eindeutig einzuordnen war zunächst das „Regiment Potsdam", das über schwere Maschinengewehre, leichte Feldhaubitzen und Feldkanonen verfügte. Während der Januarkämpfe geriet dieser Verband immer stärker unter den Einfluß von Gardeoffizieren und nannte sich später „Freikorps Potsdam". Andere Freiwilligentruppen der Obersten Heeresleitung wurden erst nach dem 8. Januar in Richtung Berlin beordert und in der Nähe der Hauptstadt für den Einsatz bereitgestellt.

Mit den berühmten Worten „Meinetwegen! Einer muß der Bluthund werden, ich scheue die Verantwortung nicht!" übernahm am 7. Januar 1919 der Volksbeauftragte Gustav Noske den Oberbefehl über die Regierungstruppen in und um Berlin. Bereits zu diesem Zeitpunkt war klar, daß der Rat der Volksbeauftragten die stärkeren Bataillone auf seiner Seite hatte. Keiner der militärischen Verbände, die nach Dorrenbachs Behauptung vom 5. Januar die Erhebung angeblich unterstützten, war tatsächlich ins Lager der äußersten

Linken übergetreten. Selbst die Volksmarinedivision, Dorrenbachs eigene Truppe, verhielt sich neutral.

Ob es zu einem bewaffneten Kampf kommen würde, war nicht von Anfang an sicher. Am 6. Januar trat das Regierungslager auf Vorschlag des Vorstands der USPD in Verhandlungen mit den Aufständischen ein. Die Mehrheitssozialdemokraten und die gemäßigten Unabhängigen waren sich darin einig, daß die Pressefreiheit in vollem Umfang wiederhergestellt werden mußte. Für die MSPD war diese Forderung von geradezu existentieller Bedeutung, da sie infolge der Besetzung des „Vorwärts" praktisch mundtot gemacht worden war. Ebert vertrat daher den Standpunkt, daß Verhandlungen zwecklos seien, wenn nicht die Druckereien und Redaktionen sofort von den Aufständischen geräumt würden. Kautsky dagegen versuchte zu vermitteln: Zentralrat und Rat der Volksbeauftragten sollten im voraus erklären, daß die Verhandlungen als gescheitert zu betrachten seien, wenn sie nicht zur vollen Wiederherstellung der Pressefreiheit führten. Dieser Vorschlag war die letzte Chance, einen blutigen Bruderkampf innerhalb der Arbeiterbewegung zu vermeiden. Ob die Aufständischen auf Kautskys Kompromiß eingegangen wären, ist allerdings höchst ungewiß. Ihre mutmaßliche Gegenforderung, die Wiedereinsetzung Eichhorns, war unerfüllbar. Aber der Vermittlungsversuch wurde ihnen gar nicht erst offiziell unterbreitet. Ebert und seine Freunde fürchteten, durch ein Abrücken von der einmal bezogenen Position an Ansehen zu verlieren. Die Berliner Parteiorganisation der SPD, der der „Vorwärts" auch als örtliches Organ diente, drängte ebenfalls auf eine harte Linie gegenüber den Radikalen. Auch der Zentralrat machte sich diese Auffassung zu eigen. Am 7. Januar lehnte er den Vorschlag Kautskys mit großer Mehrheit ab. Damit waren die Würfel für eine gewaltsame Lösung des Konflikts endgültig gefallen.

Am Morgen des 11. Januar begann das „Regiment Potsdam" mit dem Angriff auf den „Vorwärts", wobei auch Feldkanonen eingesetzt wurden. Nach einem mehrstündigen Bombardement gaben die Besetzer auf. Fünf Parlamentäre, die über die Übergabe verhandeln sollten, wurden gefangengenommen, in die Dragonerkaserne in der Belle-Alliance-Straße gebracht und dort standrechtlich erschossen. Dasselbe Schicksal erlitten drei Arbeiter, die sich den Besetzern als Kuriere zur Verfügung gestellt hatten. Der Hauptschuldige an diesem Mord, Major von Stephani, wurde nach dreizehnmonatiger Untersuchung freigesprochen.

Am gleichen Tag, an dem der „Vorwärts" erobert wurde, nahmen Regierungstruppen auch die anderen besetzten Pressehäuser ein. Am selben 11. Januar begannen auf Anordnung Noskes die von der Obersten Heeresleitung zusammengestellten und von General von Lüttwitz befehligten Freikorps gegen Berlin aufzumarschieren. Da der Aufstand bereits am 12. Januar endgültig niedergeschlagen war, gab es für den Einzug der Freikorps in Berlin am 15. Januar keinerlei militärisch zwingende Gründe mehr. Zu den ersten Opfern der Freikorps gehörten Karl Liebknecht und Rosa Luxemburg. Beide wurden am 15. Januar von Offizieren ermordet. In der Presse hieß es tags darauf, Liebknecht sei auf der Flucht erschossen, Rosa Luxemburg von der Menge getötet worden. Die Leiche Rosa Luxemburgs, die die Täter in den Landwehrkanal geworfen hatten, wurde erst über vier Monate später gefunden.

Einige der unmittelbar an den Morden beteiligten Offiziere wurden im Mai 1919 von einem Kriegsgericht freigesprochen. Gegen zwei weitere Mittäter verhängte das Gericht milde Haftstrafen, denen sich einer der beiden jedoch durch die Flucht ins Ausland entziehen konnte. Die auftraggebende „Mörderzentrale" im Eden-Hotel, darunter der Hauptmann Waldemar Pabst, blieb ungeschoren. Obwohl die Rechtsbeugungen des Kriegsgerichts auch bei maßgeblichen Sozialdemokraten auf scharfe Kritik stießen, unterzeichnete Gustav Noske als Reichswehrminister schließlich das Urteil.

Die ermordeten kommunistischen Führer trugen in hohem Maß die Verantwortung für das Blut, das in den Januarkämpfen vergossen wurde. Karl Liebknecht hatte wider alle Vernunft die Parole „Stürzt die Regierung" ausgegeben; Rosa Luxemburg war in ihren letzten Artikeln für das kommunistische Parteiorgan, die „Rote Fahne", den Verhandlungen zwischen Aufständischen und Regierung scharf entgegengetreten. Als die „Massen" handelten, verstummte Luxemburgs Kritik am linken Radikalismus. Der Januaraufstand *war* der Putschversuch einer radikalen Minderheit. Wäre sein unmittelbares Ziel, der Sturz der Regierung Ebert-Scheidemann, erreicht worden, hätte das einen blutigen Bürgerkrieg in ganz Deutschland und eine militärische Intervention der Alliierten ausgelöst. Die Regierung mußte also dem Aufstand entgegentreten, und wenig sprach dafür, daß sie auf dem Verhandlungswege die Rebellen zum Aufgeben hätte bewegen können. Dennoch wäre es sinnvoll gewesen, Kautskys Vermittlungsversuch eine Chance zu geben. Denn die Folgen einer gewaltsamen Niederschlagung der Erhebung waren absehbar: Die Gefahr einer auf reguläres Militär und Freikorps gestützten Gegenrevolution wuchs, und die Spaltung zwischen den gemäßigten und den radikaleren Kräften in der Arbeiterbewegung mußte zum Abgrund werden.

Außerhalb Berlins gab es während der Januarkämpfe wohl eine Reihe größerer Demonstrationen und auch einige blutige Zusammenstöße zwischen Anhängern der Aufständischen und Regierungstruppen. Aber ein kommunistischer Umsturzversuch fand nur in Bremen statt. Dort proklamierte am 10. Januar die KPD mit Unterstützung der USPD eine Räterepublik, die die Macht des Senats brechen, das Zusammentreten des vier Tage zuvor neugewählten Arbeiterrates, in dem die SPD die absolute Mehrheit hatte, verhindern und nicht zuletzt die kämpfenden Revolutionäre in Berlin unterstützen sollte. Die Folge war ein politisches und administratives Chaos. Als am 16. Januar die Banken der Räteregierung jeden Kredit kündigten, gab diese nach und sicherte die Wahl einer Bremer Konstituante zu. Am 28. Januar war der Entwurf einer Verordnung über die Wahlen zur bremischen Volksvertretung fertiggestellt.

Obwohl die Räterepublik sich zu diesem Zeitpunkt bereits in voller Auflösung befand, legte es Noske darauf an, in Bremen ein Exempel zu statuieren. Er wies alle Vermittlungsvorschläge zurück und ließ am 4. Februar die „Division Gerstenberg" in die Hansestadt einrücken. Das Blutbad, das die Freischärler dort anrichteten, war von Noske gewiß nicht gewollt. Aber der sozialdemokratische Volksbeauftragte hatte sich die militärstrategische Denkweise „seiner" Generäle inzwischen soweit angeeignet, daß für ihn die Innenpolitik zur Fortsetzung des Krieges mit kriegerischen Mitteln geworden war. Das längerfristige Ergebnis der Bremer Episode war infolgedessen nicht die Einsicht, daß das „reine Rätesystem" zu chaotischen Verhältnissen führen mußte, sondern Haß auf den „weißen Terror" und seine Urheber.[26]

Anders als die Bremer Räterepublik stand die beginnende Sozialisierungsbewegung an Rhein und Ruhr zunächst in keiner direkten Beziehung zu den Berliner Januarkämpfen. Der erste eindeutige Beleg dafür, daß nicht nur Aktivisten der Arbeiterbewegung, sondern auch „einfache" Arbeiter die revolutionäre Situation für eine Vergesellschaftung von Produktionsmitteln nutzen wollten, stammt vom 21. Dezember 1918. An diesem Tag forderte eine Versammlung streikender Bergleute in Hamborn, das heute ein Teil von Duisburg ist, von den Volksbeauftragten die sofortige Sozialisierung des Kohlenbergbaus. Im Vordergrund standen freilich in den folgenden Tagen auch für die Hamborner Kumpel andere, konkretere Fragen wie das Verlangen nach höheren Löhnen und niedrigeren Schichtzeiten. Erst am 9. Januar 1919 kam die Sozialisierung des Bergbaus wieder, und diesmal dauerhaft, auf die Tagesordnung der Ruhrarbeiter. Der Essener Arbeiter- und Soldatenrat, dem in gleicher Zahl Vertreter von SPD, USPD und KPD angehörten, bildete einen gleichfalls paritätisch aus Vertretern der drei Arbeiterparteien zusammengesetzten Ausschuß, die „Neunerkommission". Diese forderte Arbeiter und leitende Angestellte der Zechen auf, einträchtig die Sozialisierung des Bergbaus im rheinisch-westfälischen Industriegebiet durchzuführen. Am 11. Januar besetzte die Neunerkommission das Kohlensyndikat und den Bergbaulichen Verein, um das Geschäftsgebaren der Zechenherren und des Kohlengroßhandels ihrer Kontrolle zu unterwerfen.

Der Ruf nach einer Sozialisierung des Kohlenbergbaus war ein Alarmzeichen. Offenkundig waren erhebliche Teile der Arbeiterschaft, bis weit in die Reihen der Mehrheitssozialdemokraten hinein, mit der bisherigen Politik der Volksbeauftragten unzufrieden. An den gesellschaftlichen Machtverhältnissen hatte sich seit dem 9. November nur wenig verändert; die Unternehmer waren nach wie vor die Herren der Betriebe, und der Einfluß der Generäle war wieder im Steigen begriffen. Die Niederwerfung des Berliner Januaraufstandes gab der Furcht vor einer gegenrevolutionären Offensive zusätzliche Nahrung. Die Parole, daß die Arbeiter die Umgestaltung von Wirtschaft und Gesellschaft nunmehr selbst in die Hand nehmen müßten, fand daher Anfang des Jahres 1919 mehr Zustimmung als in den ersten Wochen nach dem politischen Umsturz. Eine zweite Welle der Revolution begann sich abzuzeichnen, die radikaler zu werden versprach als die erste.[27]

Wenn die politischen Kräfte rechts von der Sozialdemokratie in irgendeinem Punkt übereinstimmten, dann darin, daß es eine solche Entwicklung nach links unter allen Umständen zu verhindern galt. Das politische Übergewicht der Arbeiterbewegung nach dem 9. November 1918 erschien so erdrückend, daß es für das Bürgertum kein wichtigeres Ziel geben konnte, als den Einfluß der Sozialisten zurückzudrängen. Die Chance, dieses Ziel zu erreichen, mußte sich erheblich verbessern, wenn es gelang, die überkommene Zersplitterung des bürgerlichen Parteiwesens zu überwinden.

Aber eine wirkliche Konzentration der Kräfte erreichten nur diejenigen, die im Spätjahr 1918 am meisten Anlaß hatten, zu meinen, daß sie mit dem Rücken zur Wand stünden: die Konservativen. Am 24. November 1918 wurde die Deutschnationale Volkspartei gegründet, in der die Deutschkonservative und die Freikonservative Partei des Kaiserreichs aufgingen. Zuzug erhielt die DNVP ferner aus den Kreisen der Christlichsozialen, der Deutschvölkischen und anderer antisemitischer Gruppen. Ein offenes Bekenntnis zur Monarchie vermieden die Deutschnationalen in ihrem Gründungsaufruf noch; sie erklärten vielmehr, daß sie bereit und entschlossen seien, „auf dem Boden jeder Staatsform mitzuarbeiten, in der Recht und Ordnung herrschen", und bezeichneten die parlamentarische Regierungsform als die „nach den letzten Ereignissen allein mögliche". Sie bekannten sich grundsätzlich zur Privatwirtschaft, wollten aber in bestimmten Fällen auch „gemeinwirtschaftliche Betriebsformen" fördern. Die DNVP hatte ihren stärksten Rückhalt in den evangelischen Gebieten Altpreußens. Sie war die Partei des ostelbischen Großgrundbesitzes und des äußersten rechten Flügels der Schwerindustrie. Ihre Anhänger gewann sie vor allem bei monarchistisch gesinnten Akademikern, Bauern, kleinen Gewerbetreibenden sowie „nationalen" Angestellten und Arbeitern.

Im liberalen Lager kam es zu keiner vergleichbaren Bündelung getrennter Parteien. Am 16. November 1918 erschien im „Berliner Tageblatt" ein Aufruf zur Gründung einer „Deutschen Demokratischen Partei", den 60 Persönlichkeiten, darunter vor allem Journalisten und Professoren, unterzeichnet hatten, an ihrer Spitze der Chefredakteur des Tageblatts, Theodor Wolff, und der Soziologe Alfred Weber, ein Bruder des noch berühmteren Max Weber. Der Aufruf bekannte sich eindeutig zur republikanischen Staatsform und demokratischen Erneuerung der Gesellschaft, empfahl sogar, „für monopolistisch entwickelte Wirtschaftsgebiete die Idee der Sozialisierung aufzunehmen", und sagte allen Formen des Terrors, „bolschewistischen" sowohl wie „reaktionären", den Kampf an. Der Fortschrittlichen Volkspartei, der einige der Unterzeichner angehörten, fiel es leicht, sich auf den Boden dieser Plattform zu stellen. Um eine liberale Sammlung zuwegezubringen, wäre aber auch ein Zusammengehen zumindest mit einem großen Teil der Nationalliberalen Partei erforderlich gewesen. Diese Erweiterung scheiterte zum einen daran, daß es bei den „Demokraten" um Wolff starke Vorbehalte gegenüber dem Vorsitzenden der nationalliberalen Reichstagsfraktion, Gustav Stresemann, gab, der bis 1917 ein Befürworter umfassender deutscher Annexionen gewesen war, zum anderen an Stresemanns Abneigung gegen die linken Tendenzen des Wolff-Kreises. Der Deutschen Demokratischen Partei, die am 20. November formell gegründet wurde, schlossen sich infolgedessen nur einige, in der Mehrzahl „linke" Nationalliberale an, nicht aber das Gros der Partei.

Die Erbschaft der Nationalliberalen Partei trat die von Stresemann geführte Deutsche Volkspartei an, die am 15. Dezember 1918 endgültig gegründet wurde. Von der DDP unterschied sich die DVP durch eine stärkere Betonung des nationalen Moments, eine schärfere Abgrenzung von der Sozialdemokratie und durch Forderungen zugunsten der bäuerlichen Landwirtschaft. Was die Sozialisierung anging, erklärte sich die DVP in ihrem Wahlkampfaufruf vom 15. Dezember bereit, „einer Überführung dazu geeigneter Betriebszweige in die Leitung und das Eigentum der öffentlichen Gewalt ... zuzustimmen, sofern dadurch für die Allgemeinheit ein höherer Ertrag und für die Arbeitnehmer bessere Lebensbedingungen geschaffen werden". Die Deutsche Volkspartei bekannte sich zwar zur Wiederaufrichtung des Kaisertums, falls das Volk dies wünschte, bekundete aber auch ihre Bereitschaft, „innerhalb der jetzigen Staatsform" mitzuarbeiten.

In ihrem sozialen Profil waren sich die beiden liberalen Parteien ähnlich: Sie sprachen vor allem die Bildungsschicht, die selbständigen Unternehmer, Handwerker und Kaufleute, Beamte und Angestellte an. Die DVP gewann einen starken, finanzkräftigen Rückhalt bei der Schwerindustrie, während die DDP sich der Unterstützung führender Unternehmer der elektrotechnischen Industrie und des Handels sowie einiger Banken erfreuen konnte. Sie war *die* Partei des liberalen jüdischen Bürgertums und genoß die Sympathie einiger großer Berliner und überregionaler Blätter wie der „Vossischen Zeitung", des „Berliner Tageblatts" und der „Frankfurter Zeitung".

Der politische Katholizismus zog nicht mehr als einheitliche Partei in den ersten Wahlkampf der deutschen Republik. Am 12. November 1918 verselbständigte sich die Zentrumspartei in Bayern zur Bayerischen Volkspartei. Die Gründung der BVP war eine vorbeugende föderalistische Verwahrung gegen den Schub in Richtung Zentralismus, den man von einer Koalition des Zentrums mit Sozialdemokraten und Linksliberalen und ganz allgemein von einer Politik auf der Linie Matthias Erzbergers erwartete. Sorge erregte in Bayern auch, daß der „linke" Arbeitnehmerflügel des Zentrums immer mehr an Einfluß gewann und damit das Gewicht der konservativen, insbesondere der bäuerlichen Wählerschichten zurückdrängte. Die BVP sah infolgedessen ihren Platz deutlich rechts vom Zentrum. In ihrem Gründungsprogramm ließ sie keinen Zweifel daran, daß sie mit der „Art", wie die Münchner Ereignisse vom 8. und 9. November herbeigeführt worden seien, nicht einverstanden war, räumte aber immerhin ein, daß der neue Zustand „eine gegebene geschichtliche Tatsache" sei, die sich nur auf dem Wege von Recht und Gesetz ändern lasse. Das betont föderalistische Programm enthielt massive Angriffe auf „eine einseitige, rücksichtslose, preußische Hegemonie", verlangte, daß Berlin nicht Deutschland und Deutschland nicht Berlin werden dürfe, und faßte das wichtigste Anliegen der neuen Partei in der Parole „Bayern den Bayern" zusammen.

Die Mutterpartei, das Zentrum, erörterte in den ersten Wochen nach dem Umsturz die Frage, ob sie sich zu einer interkonfessionellen, auch für Protestanten offenen christlichen Volkspartei wandeln sollte, blieb dann aber doch bei der überkommenen Ausrichtung als Partei der Katholiken aller Stände. Adolph Hoffmanns antiklerikale Kulturpolitik trug viel dazu bei, daß im Zentrum die beharrenden Kräfte die Oberhand gewannen und die Partei sich im Wahlkampf mit besonderer Schärfe gegen die Sozialdemokratie wandte. Das Bekenntnis zur Republik fiel sehr verhalten aus. „Durch gewaltsamen Umsturz ist die alte Ordnung Deutschlands zerstört, sind die bisherigen Träger der Staatsgewalt teils beseitigt, teils lahmgelegt worden", hieß es im Aufruf des Reichsausschusses der Zentrumspartei vom 30. Dezember 1918. „Eine neue Ordnung ist auf dem Boden der gegebenen Tatsachen zu schaffen; diese Ordnung darf nach dem Sturz der Monarchie nicht die Form der sozialistischen Republik erhalten, sondern muß eine demokratische Republik werden."[28]

Schon vor der Wahl zur Verfassunggebenden Deutschen Nationalversammlung gab es einige Anzeichen, daß sich die bürgerlichen Parteien gut behaupten und die sozialdemokratischen Parteien keine Mehrheit gewinnen würden. Bei den sechs Landtagswahlen, die zwischen dem 9. November 1918 und dem 19. Januar 1919 stattfanden, erhielten die beiden sozialdemokratischen Parteien nur in zwei Fällen mehr Mandate als die bürgerlichen Parteien. Bei der Wahl in Anhalt am 15. Dezember erzielten die SPD 22, die DDP 12 und die DNVP 2 Sitze; in Braunschweig, wo eine Woche später gewählt wurde, kamen die SPD auf 17 und die USPD auf 14 Sitze, während auf die bürgerlichen Parteien zusammen 29 Sitze entfielen. In Mecklenburg-Strelitz gab es am 15. Dezember ein Patt: Die SPD, die als einzige Arbeiterpartei in den Landtag gelangte, erhielt mit 21 Sitzen ebenso viele Mandate wie die bürgerlichen Parteien. Bei den Wahlen zur badischen Nationalversammlung am 5. Januar 1919 wurde das Zentrum zur stärksten Partei; die SPD kam auf den zweiten, die DDP auf den dritten Platz; die USPD erhielt kein Mandat. Eine Woche später fanden in Bayern und Württemberg Landtagswahlen statt. In Bayern erhielt die BVP die relative Mehrheit. Die Mehrheitssozialdemokraten wurden die zweitstärkste Partei, während die USPD des Ministerpräsidenten Kurt Eisner lediglich auf drei Mandate kam. In Württemberg wurde die MSPD die stärkste Partei, gefolgt von der DDP und dem Zentrum. In Baden standen den 36 Abgeordneten der SPD 71 „bürgerliche" Volksvertreter gegenüber; in Bayern gab es 101 „bürgerliche" Abgeordnete und 55 Sozialisten; in Württemberg war das Verhältnis 94 zu 56.[29]

Die zentrale Revolutionsregierung, der mittlerweile rein mehrheitssozialdemokratisch zusammengesetzte Rat der Volksbeauftragten, konnte, als die parlamentslose Übergangszeit zu Ende ging, auf einige beachtliche Leistungen zurückblicken. Ein erheblicher Teil der acht Millionen Soldaten, die bei Kriegsende noch unter Waffen standen, war Ende Januar 1919 wieder in den Produktionsprozeß eingegliedert; von den etwa drei Millionen Rüstungsarbeitern hatten viele wieder eine neue Beschäftigung erhalten. Im Februar 1919 gab es noch 1,1 Million unterstützte Erwerbslose, im April waren es 830 000. Die wirtschaftliche Demobilmachung wurde durch eine Reihe von Zwangsmaßnahmen vorangetrieben. Die Unternehmer waren verpflichtet, Arbeitnehmer wiedereinzustellen, die vor dem 1. August 1914 bei ihnen beschäftigt gewesen waren. Um dieses Ziel zu erreichen, durfte die Arbeit notfalls gestreckt werden. Die Kehrseite der Wiedereinstellungspflicht war der Zwang, Arbeitnehmer zu entlassen, die nicht unbedingt auf Erwerbstätigkeit angewiesen waren. Betroffen waren in erster Linie Frauen. Die Volksbeauftragten hoben die Pflichtgrenze der Krankenversicherung an, führten eine Erwerbslosenfürsorge ein und taten erste Schritte auf dem Gebiet der staatlichen Arbeitsvermittlung. Sie entmilitarisierten das Schlichtungswesen in der gewerblichen Wirtschaft, wie es das Vaterländische Hilfsdienstgesetz vom Dezember 1916 geschaffen hatte: Es blieb bei den paritätischen Ausschüssen, in denen eine gleich große Zahl von Vertretern der Arbeitgeber und Arbeitnehmer saß; der von ihnen zu wählende Unparteiische war aber fortan kein Offizier mehr, sondern eine Zivilperson. Das Reichsarbeitsministerium erhielt die Befugnis, auf Antrag Tarifverträge für allgemeinverbindlich zu erklären. Arbeiterausschüsse, die das Hilfsdienstgesetz für Betriebe mit mehr als 50 Beschäftigten vorgesehen hatte, mußten nunmehr auch in kleineren Betrieben mit mehr als 20 Arbeitnehmern eingerichtet werden.

„Sozialistisch" im engeren Sinn war keine dieser Maßnahmen; alle ließen sich mit den Vorstellungen bürgerlicher Sozialreformer vereinbaren. Die Erlasse der Volksbeauftragten waren geprägt von dem Wunsch, den Übergang von der Kriegs- zur Friedenswirtschaft möglichst reibungslos zu gestalten und so die revolutionäre Unruhe zu dämpfen. Diesem vorrangigen Ziel wurden nicht nur Veränderungen der Eigentumsverhältnisse untergeordnet, sondern auch ein altes sozialistisches Ideal wie das der Frauenemanzipation: Die massenhafte Entlassung von Arbeiterinnen im Zuge der wirtschaftlichen Demobilmachung widersprach strikt dem Prinzip der sozialen Gleichstellung von Mann und Frau.

Gewissermaßen als Ausgleich wurde den Frauen die politische Gleichberechtigung zugestanden: Das Programm der Volksbeauftragten vom 12. November 1918 sagte „allen mindestens zwanzig Jahre alten männlichen und weiblichen Personen" das gleiche, geheime, direkte und allgemeine Wahlrecht zu. Gewählt werden sollte nach dem Verhältniswahlrecht. Die Sozialdemokraten versprachen sich davon eine Beseitigung der Ungerechtigkeiten des bisher geltenden Mehrheitswahlrechts: Bei den Stichwahlen des zweiten

Wahlganges hatten bürgerliche Kandidaten in der Regel sehr viel bessere Chancen als die Bewerber der politisch isolierten Sozialdemokratie. Nicht weniger ungerecht war die Wahlkreiseinteilung, die das platte Land zu Lasten der großen Städte begünstigte. Das Wahlgesetz vom 30. November 1918 räumte mit dieser Verzerrung auf, indem es einen Abgeordneten auf 150000 Einwohner vorsah. Die 38 Wahlkreise, in die das Deutsche Reich aufgeteilt wurde, waren zwar keineswegs gleich groß, sie entsandten aber je nach ihrer Bevölkerungszahl eine unterschiedliche Zahl von Abgeordneten in die Nationalversammlung.[30]

Einer der 38 Wahlkreise war nur der Form halber in das Gesetz aufgenommen worden: Elsaß-Lothringen war von den Franzosen besetzt, und niemand konnte damit rechnen, daß dieses 1871 annektierte Gebiet bei Deutschland verbleiben würde. Höchst ungewiß war weiter, solange kein Friedensvertrag vorlag, das künftige Schicksal der überwiegend polnisch besiedelten Gebiete Posens, Westpreußens und Oberschlesiens, in denen am 19. Januar 1919 gewählt werden sollte. Klar war hingegen, daß es einen Anschluß der Republik Deutsch-Österreich an das Deutsche Reich, wie ihn die Provisorische Nationalversammlung in Wien am 12. November 1918 einstimmig beschlossen hatte, nicht geben würde. Als auf der Reichskonferenz der deutschen Länder in Berlin am 25. November der österreichische Gesandte den Beitrittswunsch seines Landes vortrug, erhob Staatssekretär Solf vom Auswärtigen Amt unter Hinweis auf die Friedensverhandlungen Einspruch. Von den Volksbeauftragten unterstützte keiner den österreichischen Vorstoß, und das aus gutem Grund: Eine Vergrößerung des Reichsgebietes, wie sie der Anschluß Österreichs bedeutet hätte, wäre von den Alliierten als feindseliger Akt bewertet und entsprechend beantwortet worden.

Vor der Wahl der Nationalversammlung zeichnete sich auch bereits ab, daß Österreichs historischer Widersacher, Preußen, als Staat bestehen bleiben und Deutschland kein Einheitsstaat werden würde. Hugo Preuß, den die Volksbeauftragten mit dem Entwurf einer Reichsverfassung beauftragt hatten, plante einen scharf zentralistischen Staatsaufbau, gegen den sich alsbald, ganz entgegen der sozialdemokratischen Doktrin, die neuen, meist von SPD und USPD beherrschten Landesregierungen wandten. In Bayern traf sich der traditionelle Selbständigkeitsdrang mit dem Willen Eisners, möglichst wenig Macht an die Regierung des Reiches abzutreten. Preuß' Absicht, den größten deutschen Staat in mehrere Einzelstaaten aufzulösen, fand im Rat der Volksbeauftragten nur einen Befürworter: Friedrich Ebert. Die meisten anderen führenden Sozialdemokraten waren Gegner einer territorialen Neuordnung Deutschlands und insbesondere einer Zerstückelung Preußens. Schon in Anbetracht der von Frankreich geförderten separatistischen Bestrebungen im Rheinland wollten sie Preußen als starke Klammer zwischen dem Osten und dem Westen des Reiches erhalten. Der sozialdemokratische Ministerpräsident Preußens, Paul Hirsch, erklärte am 25. Januar 1919, Preußen müsse als Staat bestehen bleiben, damit sich der konfessionelle Gegensatz nicht bis zur Gründung eigener Republiken im Westen und Osten verschärfe. Außerdem diene eine verstärkte Kleinstaaterei nur den französischen Interessen.[31]

Unausgesprochen stand hinter solchen Warnungen die Furcht, eine Abspaltung von Preußen werde nur der erste Schritt zu einer Loslösung vom Reich sein. Diese Furcht war keineswegs unbegründet. Da Frankreich seinen Anspruch auf das Gebiet westlich des Rheins nicht aufgegeben hatte und das neuerstandene Polen nach einem möglichst breiten Zugang zur Ostsee strebte, war die Einheit des Reiches von zwei Seiten her bedroht. Kleinere deutsche Länder hätten einem massiven Druck von außen wahrscheinlich weniger widerstehen können als der „Großstaat" Preußen. Aber so zwingend die außenpolitischen Argumente waren, die für die Erhaltung Preußens sprachen, so führten sie doch nicht zu einer Lösung des inneren Problems, das dieses Gebilde aufwarf. Preußen umfaßte rund drei Fünftel der deutschen Bevölkerung und des deutschen Territoriums. Aber da die personelle Verzahnung an der Spitze von Staat und Regierung der Vergangenheit angehörte, war die hegemoniale Position des republikanischen Preußen sehr viel weniger ausgeprägt als die des monarchischen. Alles, was sich zu Beginn der Republik vorhersagen ließ, war, daß eine harmonische Entwicklung des Verhältnisses zwischen dem Reich und dem größten Einzelstaat für beide Seiten wichtig, aber institutionell in keiner Weise gesichert war.[32]

Für das hohe Maß an Kontinuität, das die revolutionäre Übergangszeit zwischen dem Sturz der Monarchie und der Wahl der Nationalversammlung prägte, gab es, wie der Fall Preußen zeigt, neben innenpolitischen auch außenpolitische Gründe. Der Handlungsspielraum der Volksbeauftragten war durch die internationalen Rahmenbedingungen der deutschen Politik ebenso beschränkt wie durch die gesellschaftliche Entwicklung und die politischen Traditionen Deutschlands. Ein totaler Bruch mit der Vergangenheit, wie ihn die radikale Linke forderte, konnte unter solchen Bedingungen nicht vollzogen werden. Vorgezeichnet war durch den Willen der Mehrheit die Verwirklichung der parlamentarischen Demokratie, und auf dem Weg zu diesem Ziel durfte der Wille der Mehrheit nicht mißachtet werden. Der Sozialdemokrat Max Cohen-Reuß traf den Kern des Problems, als er auf dem ersten Rätekongreß den Delegierten zurief, es werde „nicht mehr Sozialismus durchführbar sein, als die Mehrheit des Volkes will".[33]

Aber auch für einige durchgreifende Reformen hätte es im Winter 1918/19 einen ausreichenden Rückhalt in der deutschen Gesellschaft gegeben. Weder im Militär noch in der zivilen Verwaltung mußten die bestehenden Verhältnisse so weitgehend erhalten werden, wie es tatsächlich geschah, und mit einer Vergesellschaftung des Steinkohlenbergbaus hätten sich in den ersten Monaten nach dem Umsturz auch die Parteien der bürgerlichen Mitte abgefunden. Wenn diese Eingriffe unterblieben, so deshalb, weil sie den regierenden Sozialdemokraten entweder nicht vordringlich oder zu gefährlich erschienen. Als Marxisten hatten sie gelernt, daß die Geschichte den gesellschaftlichen Fortschritt mit innerer Notwendigkeit hervorbringen werde. Gleichzeitig waren sie Produkte des deutschen Kaiserreichs. Sie hatten den Rechtsstaat und das konstitutionelle System in einem Grad verinnerlicht, der die Durchführung einer Revolution in ihren Augen geradezu widersinnig machte. Als die Macht ihnen im November 1918 unverhofft zufiel, war ihre erste Sorge die demokratische Legitimierung und Verrechtlichung der neuen Verhältnisse. Der Gedanke, daß die erstrebte Demokratie gesellschaftlicher Veränderungen bedurfte, hatte demgegenüber keine Durchschlagskraft. Deswegen blieben die – wenn auch nur begrenzten – Chancen ungenutzt, die der Umbruch von 1918/19 einer Demokratisierung der deutschen Gesellschaft bot.

3.

Die bedrängte Mehrheit

Aus den Wahlen zur Verfassunggebenden Deutschen Nationalversammlung am 19. Januar 1919 gingen die Mehrheitssozialdemokraten mit 37,9% der Stimmen als die mit Abstand stärkste Partei hervor. Aber auch zusammen mit der USPD, die 7,6% erhielt, ergab sich keine sozialistische Mandatsmehrheit. Gegenüber der letzten Reichstagswahl von 1912, bei der die Sozialdemokraten 34,8% der Stimmen erlangt hatten, konnte die MSPD einen erheblichen, aber nicht gerade dramatischen Zuwachs verbuchen. Erst wenn man den Stimmenanteil der USPD und die Gewinne der SPD zusammenzählte, konnte der Eindruck eines großen Sprungs nach vorn entstehen.

Die erfolgreichste bürgerliche Partei war die DDP, die 18,5% der Stimmen und damit 6,2% mehr erhielt als ihre Vorgängerin, die Fortschrittliche Volkspartei, im Jahre 1912. Gewinne erzielten auch die beiden katholischen Parteien, Zentrum und BVP: Sie kamen zusammen auf 19,7% und damit auf 3,3% mehr, als 1912 auf das Zentrum entfallen waren. Zu den Verlierern zählten die Deutschnationalen, die mit 10,3% deutlich schlechter abschnitten als die konservativen, agrarischen und antisemitischen Parteien, die bei der vorangegangenen Reichstagswahl auf einen Anteil von 15,1% gelangt waren. Markant war auch der Rückgang der rechtsliberalen Stimmen: Die Nationalliberalen hatten 1912 13,6% erreicht, die Deutsche Volkspartei Gustav Stresemanns kam 1919 lediglich auf 4,4%.

Die Mehrheitssozialdemokraten verdankten ihren Stimmenzuwachs in erster Linie den ländlichen Gebieten Ostelbiens und hier vor allem den Landarbeitern – einer Gruppe, zu der Sozialdemokratie und Gewerkschaften im Kaiserreich kaum Zugang gefunden hatten. Die Unabhängigen Sozialdemokraten hatten einige wenige ausgeprägte Hochburgen, die alle nördlich des Mains und meist in Mitteldeutschland lagen. Stark war die USPD in Industriestädten mit alter sozialdemokratischer Tradition, in denen während des Krieges die Führung mitsamt der lokalen Parteizeitung die linke Opposition unterstützt hatte. In zwei Wahlkreisen, die diese Merkmale aufwiesen, konnten die Unabhängigen die Mehrheitspartei sogar überflügeln: in Leipzig und Merseburg. Im Regierungsbezirk Merseburg, wo die USPD mit 44,1% ihr reichsweit bestes Ergebnis erzielte, lag einer der wichtigsten deutschen Rüstungsbetriebe, die neu errichteten Leunawerke. Neben dem Faktor „linke Tradition“ schlug bei hohen Stimmenanteilen der USPD demnach auch die Zusammenballung von Arbeitern in neuen Riesenbetrieben zu Buche.

Die Stimmengewinne des Zentrums waren ohne die unfreiwilligen Hilfsdienste des preußischen Kultusministers Adolph Hoffmann kaum zu erklären: In der Abwehr seiner kirchenfeindlichen Politik befestigte sich das katholische Milieu, das seit längerem von Auflösungstendenzen bedroht war. Auch die Deutschnationale Volkspartei hatte Anlaß, Hoffmann dankbar zu sein. Die Verluste des konservativen Lagers wären gewiß noch stärker ausgefallen, hätte die preußische Schul- und Kirchenpolitik nicht manche der bewußt evangelischen Wähler nach rechts getrieben. Die Stimmengewinne der Deutschen Demokratischen Partei gingen zum Teil auch darauf zurück, daß die rechtsliberale Konkurrentin, die DVP, erst Mitte Dezember 1918 gegründet worden war und zum Zeitpunkt der Wahl in großen Teilen Deutschlands noch über keine verläßliche Organisation verfügte. Wichtiger war, daß viele Wähler fest mit einer Koalition zwischen SPD und DDP rechneten und durch eine Stimmabgabe für die linksliberale Partei das bürgerliche Element in der künftigen Regierung zu kräftigen hofften. Die DDP folgte ebendiesem Kalkül, als sie der SPD im Wahlkampf die Absicht unterstellte, sie wolle alle Produktionsmittel in das Eigentum der Gesellschaft überführen, und für sich selbst als Beschützerin des privaten Eigentums warb. Sie hatte damit namentlich bei selbständigen Unternehmern, Handwerkern und Kaufleuten Erfolg, zog aber auch den „neuen Mittelstand" der Beamten und Angestellten an, die auf eine deutliche Abgrenzung von den Handarbeitern Wert legten.

Die Wahlbeteiligung lag mit 83% etwas niedriger als bei den Reichstagswahlen von 1912, wo sie 84,9% betragen hatte. Gleichzeitig aber war die Zahl der Wahlberechtigten durch die Einführung des Frauenstimmrechts und die Herabsetzung des aktiven Wahlalters von 25 auf 20 Jahre gewaltig gestiegen – um fast 20 Millionen oder um 167%. Der entschiedensten Vorkämpferin des Frauenstimmrechts, der Sozialdemokratie, kam dieser Einsatz nicht zugute: In den Stimmbezirken, in denen nach Geschlechtern getrennt abgestimmt wurde, stimmten sehr viel mehr Männer als Frauen für die SPD. In Köln beispielsweise erhielten die Sozialdemokraten 46,1% der männlichen, aber nur 32,2% der weiblichen Stimmen. In überwiegend katholischen Gegenden profitierten 1919 in erster Linie Zentrum und BVP, in überwiegend evangelischen Gebieten DDP und DNVP vom Frauenstimmrecht.[1]

Am 6. Februar 1919 trat die Nationalversammlung in Weimar zu ihrer konstituierenden Sitzung zusammen. Die Wahl des Tagungsortes war zunächst ein Votum gegen das krisengeschüttelte Berlin, in dem den Volksbeauftragten eine kontinuierliche Parlamentsarbeit vorerst nicht möglich erschien. Aber es gab auch positive Gründe, die für die thüringische Stadt sprachen. Weimar lag in der Mitte Deutschlands, und davon erhoffte sich Ebert eine Stärkung des deutschen Einheitsgedankens. Außerdem, so erklärte er in der Kabinettssitzung vom 14. Januar, werde es „in der ganzen Welt angenehm empfunden werden, wenn man den Geist von Weimar mit dem Aufbau des neuen Deutschen Reiches verbinde".[2]

Das Wahlergebnis ließ nur eine Art von Regierungsbündnis aussichtsreich erscheinen: eine neuerliche Zusammenarbeit der drei Mehrheitsparteien des alten Reichstags, die schon im Oktober 1918 das erste Koalitionskabinett, die Regierung des Prinzen Max von Baden, getragen hatten. Theoretisch wären noch zwei andere Möglichkeiten denkbar gewesen: eine Minderheitsregierung der beiden sozialdemokratischen Parteien und eine „soziallibe-rale" Koalition von SPD und DDP. Gegen die erste Variante sprachen die tiefen Gegensätze zwischen Mehrheitssozialdemokraten und Unabhängigen und die fehlende Bereitschaft der bürgerlichen Mitte, ein rein sozialistisches Kabinett zu tolerieren. Die zweite Konstellation hätte die Linksliberalen einem massiven Übergewicht der Sozialdemokratie ausgesetzt. Aus ebendiesem Grund schlugen die Linksliberalen schon bei den ersten Gesprächen mit der SPD am 1. Februar das Zentrum als weiteren Koalitionspartner vor. Am 8. Februar beschloß das Zentrum, das mit der Bayerischen Volkspartei eine Fraktionsgemeinschaft eingegangen war, sich an einer Regierung mit SPD und DDP zu beteiligen.

Für die Mehrheitssozialdemokraten bedeutete die Entscheidung zugunsten der „Weimarer Koalition" mit Linksliberalen und Zentrum eine Bestätigung des Kurses, den sie im Juli 1917 mit dem Votum für die Friedensresolution des Reichstages eingeschlagen hatten. Da sie eine parlamentarische Demokratie wollten, mußten sie mit den gemäßigten Kräften des Bürgertums zusammenarbeiten. Ein frontaler Kampf gegen die „Bourgeoisie", wie ihn die USPD zu einer Bedingung ihres Eintritts in die Regierung machte, war mit den demokratischen Zielen der Mehrheitspartei und den Erfordernissen einer parlamentarischen Demokratie unvereinbar. Niemand sah das schärfer als Eduard Bernstein, der Anfang 1919 wieder in seine alte Partei eintrat und dann für die Dauer einiger Wochen, um ein Signal für die Wiedervereinigung von MSPD und USPD zu setzen, beiden sozialdemokratischen Parteien angehörte. „Die Republik", so schrieb er in seinem 1921 erschienenen Buch über die deutsche Revolution, „konnte wohl mit *bestimmten* bürgerlichen Parteien und Klassen, nicht aber mit *allen* den Kampf aufnehmen, ohne sich in eine unhaltbare Lage zu bringen. Sie konnte die große, auf sie gefallene Last nur tragen, wenn sie erhebliche Teile des Bürgertums an ihrem Bestand und ihrer gedeihlichen Entwicklung interessierte. Selbst wenn die Sozialdemokratie bei den Wahlen zur Nationalversammlung die ziffernmäßige Mehrheit erhalten hätte, wäre die Heranziehung der bürgerlich-republikanischen Parteien zur Regierung ein Gebot der Selbsterhaltung der Republik gewesen. Sie war aber auch zugleich eine Lebensnotwendigkeit für Deutschland als Nation."[3]

Die erste wichtige Entscheidung der Nationalversammlung war die Verabschiedung des vom Staatssekretär des Innern, Hugo Preuß, vorgelegten Entwurfs eines Gesetzes über die vorläufige Reichsgewalt, der provisorischen Verfassung also, am 10. Februar 1919. Am Tag darauf wählten die Parlamentarier mit großer Mehrheit Friedrich Ebert zum vorläufigen Reichspräsidenten. Der erste Mann der Mehrheitssozialdemokraten hatte sich als Vorsitzender des Rats der Volksbeauftragten Achtung auch in bürgerlichen Kreisen erworben; er selbst mochte hoffen, als Inhaber des höchsten Amtes der

Republik die staatstragende Rolle der Sozialdemokratie verkörpern und die von ihm für unbedingt notwendig gehaltene Zusammenarbeit zwischen den gemäßigten Kräften in Arbeiterschaft und Bürgertum gewährleisten zu können. Ein Mann kühner gedanklicher Entwürfe oder gar der charismatischen Ausstrahlung war Ebert nicht; seine öffentlichen Reden wirkten eher bieder als mitreißend. Was ihn auszeichnete, waren Nüchternheit, Fleiß und Beharrlichkeit – „bürgerliche" Tugenden, die es den Mittelparteien erleichterten, ihm ihre Stimme zu geben und darauf zu vertrauen, daß er sein Amt unparteiisch führen werde. Viele konservative Bürger empfanden es freilich als Zumutung, daß der Nachfolger des Kaisers ein ehemaliger Sattlergeselle war, der nur die Volksschule besucht hatte. Die breite Bildung, die Autodidakten wie Ebert und andere führende Sozialdemokraten sich selbst erarbeitet hatten, zählte nicht: Von Anfang an mußte der Reichspräsident Ebert mit dem Dünkel derer leben, die Leuten aus dem „Volk" die Fähigkeit zur Bekleidung hoher Ämter rundweg absprachen.

Den Auftrag zur Regierungsbildung erteilte Ebert noch am 11. Februar, dem ersten Tag seiner Amtszeit, dem bisherigen Volksbeauftragten Philipp Scheidemann. Im Unterschied zu Ebert war Scheidemann ein glänzender Redner, der große Massen ebenso zu beeindrucken verstand wie kleinere Auditorien. Konflikten wich der erfahrene Parlamentarier lieber aus; in der Regel setzte er sich für eine Sache nur dann ein, wenn er wußte, daß er damit Erfolg haben würde. Als Reichsministerpräsident, wie sein offizieller Titel lautete, moderierte er eher, als daß er führte. Den Koalitionspartnern der Sozialdemokraten kam Scheidemann mit dieser Amtsführung sehr entgegen: Anlaß zu Beschwerden bot ihnen der erste parlamentarische Regierungschef der Republik so gut wie nie.[4]

Die größte innenpolitische Herausforderung für das Kabinett Scheidemann war die Streikbewegung, die Deutschland in den ersten Monaten des Jahres 1919 erschütterte. Für die ganz überwiegende Mehrzahl der Arbeiter hatte der Krieg zu einer dramatischen Minderung der Realeinkommen geführt. Es verstand sich für sie von selbst, daß die sozialen Errungenschaften des „Stinnes-Legien-Abkommens", allen voran der Achtstundentag, nur eine erste Abschlagszahlung auf weitere Verbesserungen sein konnten. Vordringlich war eine fühlbare Erhöhung der Löhne – eine Forderung, auf die sich Gewerkschaften und Unternehmer meist rasch verständigten, weil beide darin ein geeignetes Mittel sahen, die soziale Unruhe einzudämmen. Da die Lohnsteigerungen mit Preiserhöhungen einhergingen, konnten die Arbeitgeber ihre Zugeständnisse verschmerzen. Die inflationären Wirkungen der Lohn-Preis-Spirale waren allen Beteiligten bewußt. Im April 1919 bemerkte ein Berichterstatter des für Preiserhöhungen zuständigen Demobilmachungsamtes, was den gegenwärtig hohen Stand der Löhne betreffe, so sei dieser an sich nicht bedenklich. „Die Erhöhung der Löhne trägt ihr Korrektiv in sich selbst, weil eben der Kaufwert des Geldes so gesunken ist."[5]

Doch was immer an Lohnerhöhungen und Arbeitszeitverkürzungen zwischen den Tarifpartnern ausgehandelt wurde, es blieb in der Regel weit hinter den Erwartungen der Belegschaften zurück. Besonders groß war die Unzufriedenheit bei den Bergleuten, die als Schwerstarbeiter von der Einführung des Achtstundentages vergleichsweise wenig profitiert hatten. Sie wurden im Winter 1918/19 zu den ersten Bannerträgern der „Sozialisierung", worunter sie allerdings, je nach ihrer politischen Orientierung, höchst Unterschiedliches verstanden. Die von Hamborn ausgehende syndikalistische Richtung wollte die Zechen unmittelbar der Regie der Arbeiter unterstellen, während für die am 9. Januar gebildete Essener „Neunerkommission" die Kontrolle der – sei es privaten, sei es staatlichen – Zechen durch gewählte Arbeiterräte im Vordergrund stand.

Mit der Forderung nach dem wirtschaftlichen Rätesystem, der umfassenden Kontrolle der Produktion durch Betriebsräte, begann im Januar 1919 eine zweite Phase der Revolution. In der ersten war es um politische Demokratisierung gegangen – ein Ziel, zu dem sich neben den Arbeitern auch breite bürgerliche Schichten bekannten. In der zweiten Phase schrumpfte die Basis der Revolution auf Teile des Industrieproletariats; die Forderungen wurden materieller und radikaler. Die wirtschaftliche Rätebewegung verfocht Ziele, die bei den Wahlen zur Nationalversammlung keine Mehrheit gefunden hatten. Wo Syndikalisten und Kommunisten das Sagen hatten, verliefen die Streikaktionen für die Sozialisierung häufig äußerst gewalttätig. Ein Konflikt mit dem Koalitionskabinett Scheidemann war daher unausweichlich.

Die Regierung antwortete auf die Unruhen und wilden Streiks mit dem Einsatz von Freikorps – den neuen, von jungen Offizieren geführten, oft aus studentischen Kriegsteilnehmern gebildeten, politisch fast durchweg weit rechtsstehenden Freiwilligenverbänden zur Bekämpfung des „Bolschewismus". Am 14. Februar beispielsweise besetzte auf Veranlassung des kommandierenden Generals des VII. Armeekorps in Münster, Watter, das Freikorps Lichtschlag unter blutigen Kämpfen Hervest-Dorsten, wo vier Tage zuvor ein konservativer Bürovorsteher von Linksradikalen ermordet worden war. Ein daraufhin von Kommunisten und Linksradikalen ausgerufener Generalstreik erreichte am 20. Februar, als sich etwas mehr als die Hälfte der Ruhrkumpel im Ausstand befanden, seinen Höhepunkt; wenige Tage später versackte die Aktion.

Sehr viel größere Ausmaße hatte der nächste Generalstreik im Ruhrgebiet, der im April stattfand. Vorausgegangen waren Vereinbarungen zwischen Bergarbeiterverbänden und Arbeitgebern über eine gestaffelte Verkürzung der Schichtzeit: Sie sollte zunächst von acht auf siebeneinhalb, ab 1921 auf sechs Stunden herabgesetzt werden. Doch die Hoffnung der Gewerkschaften, dieser Kompromiß werde beruhigend wirken, erfüllte sich nicht. Am 24. und 25. März war es in Witten zu blutigen Zusammenstößen zwischen Arbeitern und Polizei gekommen; es gab elf Tote und zahlreiche Verwundete. Die Wittener Unruhen lösten eine Streikwelle im Gebiet zwischen

Bochum und Dortmund aus. Die Streikenden forderten die Anerkennung der Arbeiter- und Soldatenräte, die umgehende Durchführung der militärpolitischen Beschlüsse des Rätekongresses, die sofortige Einführung der Sechsstundenschicht und die Entwaffnung der Polizei im Industriegebiet und in ganz Deutschland. Am 30. März trat in Essen eine Schachtdelegiertenkonferenz zusammen, die vollständig von USPD und KPD kontrolliert wurde. Gegen wenige Stimmen beschlossen die Delegierten den Austritt aus den Gewerkschaften und die Gründung einer „Allgemeinen Bergarbeiterunion", die auf dem Rätesystem beruhen sollte. An die Stelle der Essener Neunerkommission trat ein Zentralzechenrat. Außerdem wurde einstimmig der unbefristete Generalstreik beschlossen. Am 1. April streikten mehr als ein Drittel, am 10. April fast drei Viertel aller Belegschaften.

Für die Regierung Scheidemann war die Situation äußerst bedrohlich. Der Steinkohlenbergbau war *der* Schlüsselsektor der deutschen Wirtschaft; ein längerer Generalstreik der Ruhrkumpel mußte zum wirtschaftlichen Zusammenbruch des Reiches führen. Am 31. März verhängte das Kabinett den Belagerungszustand über das Ruhrgebiet und kündigte den Einmarsch von Truppen an. Streikende Arbeiter sollten, so beschloß die Regierung weiter, keine Zuschüsse aus Nahrungsmitteleinfuhren erhalten; dagegen waren steigende Lebensmittelzulagen solchen Belegschaften zuzuteilen, die die geltende Arbeitszeit von siebeneinhalb Stunden einhielten. Am 7. April wurde Carl Severing, Redakteur der sozialdemokratischen „Volkswacht" in Bielefeld, Reichstagsabgeordneter seit 1907 und Mitglied der Nationalversammlung, von der Reichs- und der preußischen Regierung als Staatskommissar in das Industriegebiet entsandt. Das Geschick, mit dem der gelernte Schlosser und spätere Gewerkschaftssekretär seine Aufgabe erfüllte, trug viel dazu bei, daß der Generalstreik Ende April abflaute. Am 2. Mai 1919 verlief die Kohlenförderung im Ruhrgebiet wieder normal.

Das rheinisch-westfälische Industrierevier war im Frühjahr 1919 nur einer von mehreren Unruheherden. Ein anderer war die mitteldeutsche Bergbauregion um Halle und Merseburg. Anders als im Ruhrgebiet war hier von Anfang an *eine* sozialistische Richtung die treibende Kraft der Sozialisierungsbewegung, nämlich der linke Flügel der USPD. In der Sache lag das, was die Wortführer der Aktionen verlangten, nahe bei den Vorstellungen der Essener Neunerkommission: Die gewählten Betriebsräte sollten bei Lohn- und Gehaltsfragen wie bei Entlassungen ebensoviel Einfluß haben wie die Betriebsleitungen und überdies unbeschränkten Einblick in alle betrieblichen, wirtschaftlichen und kaufmännischen Vorgänge des Unternehmens erhalten. Über Streitigkeiten zwischen Betriebsrat und Werkleitungen hatten die regionalen Arbeiterräte zu entscheiden. Eine Sozialisierung, wie sie der linken USPD vorschwebte, hätte, vorerst jedenfalls, nicht die Enteignung, wohl aber die Entmachtung der Unternehmer bedeutet.

Mitte Februar fanden Verhandlungen zwischen den mitteldeutschen Bergarbeitern und der Reichsregierung in Weimar statt. Das Ergebnis war aus der

Sicht Wilhelm Koenens, des eigentlichen Kopfes der Betriebsrätebewegung, so unbefriedigend, daß er die Gespräche für gescheitert erklärte. Am 23. Februar beschloß ein Bergarbeiterkongreß in Halle, dessen Teilnehmer zur Hälfte der USPD, zu je einem Viertel der SPD und der KPD angehörten, den Generalstreik. Tags darauf begann in Sachsen, Thüringen und Anhalt der Ausstand. Den Arbeitern der Kohlen- und Kalibergwerke schlossen sich die Belegschaften der großen chemischen und Elektrizitätswerke sowie die Eisenbahner an. Am 27. Februar, dem Höhepunkt der Bewegung, streikten drei Viertel der mitteldeutschen Arbeiter.

Das Kabinett Scheidemann ließ daraufhin Halle durch Regierungstruppen besetzen, begnügte sich aber nicht mit dieser militärischen Aktion, sondern begann gleichzeitig eine propagandistische Offensive. In zwei Aufrufen unter den Überschriften „Die Sozialisierung marschiert!“ und „Die Sozialisierung ist da!“ versprach die Regierung in den ersten Märztagen schnelle und durchgreifende Schritte zur Demokratisierung der Wirtschaft, darunter die gesetzliche Einführung von Betriebsräten und die Sozialisierung der Kohlen- und Kalisyndikate. Das Kabinett reagierte damit auch auf den Bericht der im November 1918 eingesetzten Sozialisierungskommission, die sich Mitte Februar mehrheitlich für eine Vergesellschaftung des Kohlenbergbaus ausgesprochen hatte.

Am 3. März begannen Verhandlungen mit den Streikenden. Die Regierung ging dabei über das, was sie Mitte Februar den Bergleuten versprochen hatte, ein gutes Stück hinaus: Die grundsätzlich bereits akzeptierten Betriebsräte sollten in der Verfassung verankert werden, nicht auf den Bergbau beschränkt bleiben und ein erweitertes Informationsrecht erhalten. Als Ausgleich wurde den Unternehmern, die an den Verhandlungen teilnahmen, zugesichert, daß sie das alleinige Recht hatten, den Betrieb zu leiten. Dem Betriebsrat mußte Einblick in alle wirtschaftlichen Vorgänge des Unternehmens gewährt werden, aber nur insoweit, als dadurch keine Betriebsgeheimnisse gefährdet wurden. Im Hinblick auf die Einstellung und Entlassung von Arbeitskräften sollten Gewerkschaften und Arbeitgeberverbände Grundsätze vereinbaren, an die sich Betriebsleitung und Betriebsrat zu halten hatten. Gegen eine starke Minderheit nahm eine Delegiertenversammlung der Streikenden dieses Angebot an. Am 8. März war der mitteldeutsche Generalstreik zu Ende.[6]

In Berlin dagegen gingen die Kämpfe, die am 4. März ebenfalls mit einem Generalstreik begonnen hatten, weiter. Sie unterschieden sich von den großen Streiks im Ruhrgebiet und in Mitteldeutschland durch zweierlei: Einmal standen sie von Anfang an stärker unter politischen als unter wirtschaftlichen Vorzeichen, zum anderen waren hier mehr als andernorts Mehrheitssozialdemokraten an einem Ausstand beteiligt, der sich gegen die Politik einer sozialdemokratisch geführten Regierung richtete. Um „Sozialisierung“ konnte es in der deutschen Hauptstadt schon deswegen nicht gehen, weil es hier keine Industrien gab, die als „sozialisierungsreif“ galten. Die Forderungen der Berliner Streikenden zielten auf die Anerkennung der Arbeiter- und Soldatenräte, die sofortige Durchführung der „Hamburger Punkte", also der militärpolitischen Beschlüsse des Rätekongresses, die Bildung einer revolutionären Arbeiterwehr und die Aufnahme von politischen und wirtschaftlichen Beziehungen zu Sowjetrußland.

Aus der Einheitsfront der Streikenden brachen am 7. März, nach Verhandlungen mit der Regierung in Weimar, die Mehrheitssozialdemokraten und die Freien Gewerkschaften aus. Sie begründeten diese Entscheidung damit, daß die Vollversammlung der Arbeiter- und Soldatenräte tags zuvor beschlossen hatte, den Streik auf die lebenswichtigen Versorgungsbetriebe auszudehnen, die am 3. März ausdrücklich vom Ausstand ausgenommen worden waren. Am 8. März zog sich auch die USPD aus der Streikleitung zurück.

Der „Generalstreik", der keiner mehr war, wurde fortan nur noch von den Kommunisten weitergeführt, und er nahm immer mehr die Züge eines lokalen Bürgerkrieges an. Am 3. März hatte die sozialdemokratisch geführte preußische Koalitionsregierung über den Landespolizeibezirk Berlin, den Stadtbezirk Spandau und die Landkreise Teltow und Niederbarnim den Belagerungszustand verhängt. Inhaber der vollziehenden Gewalt war seit diesem Tag in dem fraglichen Gebiet Reichswehrminister Gustav Noske. Am 9. März erließ Noske den berüchtigten, durch kein Gesetz gedeckten Befehl: „Jede Person, die mit Waffen in der Hand gegen Regierungstruppen kämpfend angetroffen wird, ist sofort zu erschießen." Der Befehl beruhte auf der Meldung, in Lichtenberg hätten Spartakisten 60 Polizisten ermordet. Zwar stellte sich diese Nachricht alsbald als falsch heraus, die Weisung des Wehrministers blieb aber dessenungeachtet bis zum 16. März in Kraft. Zu den rund 1 000 Opfern der Berliner Märzkämpfe gehörten neben 26 unbewaffneten Matrosen und zahllosen Unbeteiligten auch der kommunistische Parteiführer und Redakteur der „Roten Fahne", Leo Jogiches, der, obwohl er nicht an den Kämpfen teilgenommen hatte, verhaftet und danach von einem Polizisten erschossen wurde.[7]

Außer im Ruhrgebiet, in Mitteldeutschland und Berlin gab es in den ersten vier Monaten des Jahres 1919 Massenstreiks in Oberschlesien, Württemberg und Magdeburg. In Mannheim und Braunschweig wurde sogar die Räterepublik ausgerufen, die sich in beiden Fällen aber nur einen Tag lang an der Macht behaupten konnte. Viel stärker haben sich in das Bewußtsein der Zeitgenossen wie der Nachlebenden die beiden Münchner Räterepubliken eingegraben, die wie keine andere Episode der deutschen Revolution die Furcht hervorriefen, nun würden auch in Deutschland „russische Zustände" einkehren und erst Bayern, dann das Reich in einen blutigen Bürgerkrieg stürzen.

Die zweite Phase der bayerischen Revolution begann mit einem politischen Mord. Am 21. Februar 1919 erschoß ein Jurastudent und beurlaubter Leutnant, Anton Graf Arco-Valley, den Ministerpräsidenten Kurt Eisner.

Der Vorsitzende der bayerischen USPD war gerade auf dem Weg in den Landtag, wo er seinen Rücktritt vom Amt des Regierungschefs bekanntgeben wollte. Dieser Schritt war, angesichts der verheerenden Niederlage der Unabhängigen bei den Landtagswahlen vom 12. Januar, seit langem überfällig. Aber Eisner war den Rechtskreisen, zu denen Graf Arco gehörte, nicht nur deswegen verhaßt, weil er sich wochenlang über den Willen der Mehrheit hinweggesetzt hatte. Haß zog Eisner auch als jüdischer Literat aus Berlin und als Pazifist auf sich, und durch nichts hatte er das „nationale" Deutschland mehr herausgefordert als durch die auszugsweise Veröffentlichung bayerischer Dokumente zum Kriegsausbruch von 1914, die die Reichsleitung schwer belasteten. Daß Eisner dabei wichtige Passagen wegließ, setzte ihn freilich auch bei nüchtern urteilenden Menschen dem Verdacht der Manipulation aus und beraubte die Aktenpublikation weithin ihrer aufklärenden Wirkung.

Das Attentat auf Eisner zog sogleich eine weitere Gewalttat nach sich. Ein kommunistisches Mitglied des Revolutionären Arbeiterrates, der Metzger Alois Lindner, schoß, um den Mord zu rächen, im Landtag auf Erhard Auer, den Vorsitzenden der bayerischen Mehrheitssozialdemokraten, verwundete diesen schwer und brachte einem Referenten des Militärministeriums, der sich dem Attentäter entgegenstellte, eine tödliche Verletzung bei. Bei der anschließenden Schießerei wurde, vermutlich ebenfalls durch Lindner, ein Abgeordneter der BVP getötet.

Noch am gleichen Tag, dem 21. Februar 1919, erklärte der Vollzugsausschuß der Münchner Arbeiterräte den Belagerungszustand und beschloß einen dreitägigen Generalstreik. Für den 22. Februar wurde eine allgemeine Münchner Räteversammlung einberufen. Diese wählte einen Zentralrat der bayerischen Republik, der sich aus Vertretern von MSPD, USPD, KPD und der Bauernräte zusammensetzte. Den Vorsitz übernahm der Augsburger Lehrer Ernst Niekisch, ein linker Sozialdemokrat. Gegen scharfen Widerspruch der äußersten Linken erkannte der Zentralrat die Rechte des Landtags ausdrücklich an und stellte seine erneute Einberufung in Aussicht. Als am 28. Februar ein vom Zentralrat einberufener Kongreß der bayerischen Räte mit großer Mehrheit die Proklamation der sozialistischen Republik ablehnte, traten einige der radikalen Linken, darunter der Kommunist Max Levien, aus dem Zentralrat aus.

Auf Widerspruch stieß der Kongreß aber auch bei den bayerischen Mehrheitssozialdemokraten. Die größte Arbeiterpartei lehnte eine Beteiligung an der vom Rätekongreß eingesetzten provisorischen Regierung ab und beharrte darauf, daß ein funktionsfähiges Kabinett nur aus der freigewählten Volksvertretung hervorgehen könne. Diesem Votum beugte sich schließlich auch der Kongreß. Am 17. März wählte der Landtag, auf Grund einer Absprache zwischen den Parteien, den bisherigen Kultusminister Johannes Hoffmann von der MSPD zum neuen Ministerpräsidenten. Hoffmann bildete ein Kabinett aus Politikern der beiden sozialdemokratischen Parteien und des Bayerischen Bauernbundes sowie aus parteilosen Fachleuten, das sich auf die Tolerierung durch BVP und DDP stützen konnte. Am 18. März verabschiedete der Landtag ein Ermächtigungsgesetz, das der Regierung außerordentliche Vollmachten gewährte, und vertagte sich dann auf unbestimmte Zeit.

Einige Tage lang schien es, als sei die innere Krise, die mit der Ermordung Eisners begonnen hatte, beendet. Aber was die Führung der USPD mit den Mehrheitssozialdemokraten vereinbart hatte, fand durchaus nicht den Beifall der Parteibasis – schon gar nicht in der Landeshauptstadt, wo die Unabhängigen ihre meisten Anhänger hatten. Eine plötzliche Kältewelle, die München am 22. März erreichte, vergrößerte die Not der Arbeitslosen und gab der Agitation der äußersten Linken neue Nahrung. Zur gleichen Zeit kamen aus Budapest Nachrichten, die den Radikalen Mut machten: Die Kommunisten unter Béla Kun hatten zusammen mit den Sozialisten in Ungarn eine Räterepublik errichtet, die mit dem bürgerlichen Parlamentarismus radikal brechen und eine sozialistische Gesellschaft aufbauen wollte.

Am 3. April sprachen sich als erste die Augsburger Räte in Anwesenheit von Ernst Niekisch für eine Räterepublik Bayern aus, die sich mit den Sowjetregierungen Rußlands und Ungarns verbünden und mit der „Vollsozialisierung" beginnen sollte. Tags darauf wandte sich der Zentralrat in München gegen das Zusammentreten des Landtags, der für den 8. April zu einer Sitzung einberufen worden war, und drohte mit einem Generalstreik für ganz Bayern. In Abwesenheit von Ministerpräsident Hoffmann, der in Berlin weilte, gab das Kabinett dem Druck der Räte nach. Am 4. April zeigte sich auf einer Mitgliederversammlung der Münchner SPD, daß es mittlerweile auch unter den Mehrheitssozialdemokraten Anhänger der Parole „Räterepublik" gab. Selbst zwei Kabinettsmitglieder, Innenminister Segitz und Militärminister Schneppenhorst, befürworteten eine Verständigung mit der radikalen Linken. In den Verhandlungen mit USPD und KPD am späten Abend des 4. April sprach sich Schneppenhorst sogar, um die MSPD nicht zu isolieren, für die Errichtung der Räterepublik und ein Zusammenwirken der drei Arbeiterparteien aus.

Die entschiedensten Befürworter einer bayerischen Räterepublik waren nicht die Kommunisten, sondern die Unabhängigen Sozialdemokraten und die Anarchisten. Die Münchner KPD, die seit Anfang März von dem aus Rußland stammenden Eugen Leviné geführt wurde, lehnte es ab, eine Räterepublik zusammen mit der MSPD zu errichten. Die Mehrheitssozialdemokraten konnten sich nicht zu einer klaren Linie durchringen. Ein außerordentlicher Gautag in München am 5. und 6. April erklärte sich mit einer Räterepublik einverstanden, sofern sie von allen drei Arbeiterparteien getragen werde. Die Landeskonferenz der SPD in Nürnberg lehnte dagegen am 6. April mit 47 gegen 6 Stimmen aus politischen wie aus wirtschaftlichen Gründen die Errichtung der Räterepublik ab.

An den Beratungen der in München anwesenden Mitglieder des Zentralrats in der Nacht vom 6. zum 7. April nahmen keine prominenten Funktionäre der MSPD mehr teil. Die Versammlung beschloß die Ausrufung der Räterepublik und ernannte elf provisorische „Volksbeauftragte". Ein von Niekisch unterzeichneter Aufruf erklärte den Landtag, „das unfruchtbare Gebilde des überwundenen bürgerlich kapitalistischen Zeitalters", für aufgelöst und gab den Rücktritt der Regierung Hoffmann bekannt. Zum Schutz der bayerischen Räterepublik gegen reaktionäre Versuche von außen und von innen werde sofort eine Rote Armee gebildet. „Die bayerische Räterepublik folgt dem Beispiel der russischen und ungarischen Völker. Sie nimmt sofort die brüderliche Verbindung mit diesen Völkern auf. Dagegen lehnt sie jedes Zusammenarbeiten mit der verächtlichen Regierung Ebert-Scheidemann-Noske-Erzberger ab, weil diese unter der Flagge einer sozialistischen Republik das imperialistisch-kapitalistisch-militaristische Geschäft des in Schmach zusammengebrochenen deutschen Kaiserreiches fortsetzt. Sie ruft alle deutschen Brudervölker auf, den gleichen Weg zu gehen."

Die erste Münchner Räterepublik, die nur eine Woche alt wurde, war eine tragikomische Farce. Angesichts eines überwiegend konservativen Umlands und der tatsächlichen Mehrheitsverhältnisse in Bayern und dem übrigen Deutschland war sie von vornherein zum Scheitern verurteilt. Sie war möglich geworden durch die Aufheizung des politischen Klimas in München seit der Ermordung Eisners, eine eher intellektuelle als proletarische Radikalität in der Münchner USPD und bei den Anarchisten, schließlich durch den Opportunismus maßgeblicher bayerischer Sozialdemokraten. Durch ihre Erklärungen und Ankündigungen machte sich die Räterepublik binnen weniger Tage selbst zum Gegenstand allgemeinen Gespötts. Der Anarchist Silvio Gesell versprach als Volksbeauftragter für Finanzen die Überwindung des Kapitalismus durch „Freigeld"; der für Außenpolitik zuständige Dr. Franz Lipp, ein Mitglied der USPD, ließ dem Reich den Abbruch der diplomatischen Beziehungen und Lenin per Telegramm die Einigung des oberbayerischen Proletariats mitteilen.

So skurril das Schwabinger Literatenregiment aber auch wirkte, es war aus einem Putsch gegen die gewählten Staatsorgane hervorgegangen und mußte daher beseitigt werden. Die Regierung Hoffmann, die nach Bamberg ausgewichen war, bemühte sich zunächst, die Macht mit eigenen, bayerischen Kräften zurückzugewinnen. Am Palmsonntag, den 13. April, unternahm die Republikanische Soldatenwehr den mit der Regierung abgesprochenen Versuch, das Räteregime zu stürzen. Die Kämpfe forderten zwanzig Tote und über hundert Verwundete. Sie endeten mit einem Sieg der zahlenmäßig überlegenen Roten Armee.

Die Räterepublik schien gerettet. Aber noch am Abend des 13. April übernahmen die Kommunisten, die sich der „Scheinräterepublik" in den ersten Tagen verweigert und erst seit dem 11. April als „Berater" zur Verfügung gestellt hatten, die Macht in München. Sie schrieben sich das Hauptverdienst daran zu, daß der „Putsch" der Regierungstruppen niedergeschlagen worden war, und deuteten den örtlichen Erfolg als Beweis dafür, daß die Gegenrevolution besiegt und Bayern zu einem Bollwerk der mitteleuropäischen, ja der Weltrevolution werden könne. „Heute endlich hat Bayern die Diktatur des Proletariats errichtet", hieß es in einem Aufruf des neuen, von Eugen Leviné geleiteten Vollzugsrates der Betriebs- und Soldatenräte Münchens. „Die Sonne der Weltrevolution ist aufgegangen! Es lebe die Weltrevolution! Es lebe die bayerische Räterepublik! Es lebe das Proletariat! ... Es lebe der Kommunismus!"

Die Münchner Kommunisten um Leviné hatten auf eigene Faust, ohne Anweisungen aus Berlin oder Moskau, gehandelt. Die Zentrale der KPD war noch am 11. April mit der Erklärung, das Heil des deutschen Proletariats könne nur aus einer deutschen, nicht aus einer bayerischen, württembergischen oder braunschweigischen Räterepublik entstehen, ultraradikalen Elementen in den eigenen Reihen entgegengetreten. Nachdem Leviné losgeschlagen hatte, erhielt er auch den Segen Lenins. Der erste Mann der russischen Bolschewiki telegraphierte am 27. April nach München, er begrüße von ganzem Herzen die Räterepublik in Bayern. Über einige Details der Machtergreifung wollte Lenin genauer Bescheid wissen. Ihn interessierte besonders, ob der Wohnraum der Bourgeoisie für die sofortige Einweisung von Arbeitern in die Wohnungen der Reichen beschränkt, alle Banken in Besitz genommen und Geiseln aus der Bourgeoisie festgesetzt worden seien.

Die Bamberger „Exilregierung" zog aus den Vorgängen des 13. April den Schluß, daß die bayerischen Kräfte nicht ausreichten, um die Räterepublik zu beseitigen. Hilfe erhielt die Regierung Hoffmann von Reichswehrminister Noske und von württembergischen Freikorps. Zusammen verfügten die Verbände, die der „Roten Armee" entgegentreten wollten, über etwa 35 000 Mann. Gegen dieses Aufgebot hatten die Verteidiger der Räterepublik keine Chance. Überdies verschlechterte sich die wirtschaftliche Lage Münchens von Tag zu Tag. Die bayerische Landeshauptstadt war durch eine militärische Blockade von der Außenwelt fast vollständig abgeschnitten; ein zehntägiger Generalstreik, den die neue Räteregierung am 14. April ausgerufen hatte, legte die industrielle Produktion lahm. Am 25. April mußte der Verbrauch von Milch verboten werden; die Vorräte an Nahrungsmitteln waren nahezu erschöpft. Um seine Zahlungsfähigkeit zu sichern, ordnete der Vollzugsrat die Öffnung aller Geldschränke und Bankfächer an. Als auch das nichts half, gab er einer Dachauer Papierfabrik den Auftrag, Banknoten der Bayerischen Staatsbank in Höhe von mehreren Millionen Mark zu drucken.

Dachau war am 16. April durch eine Abteilung der „Roten Armee" unter dem Befehl des Schriftstellers Ernst Toller den „Weißen" entrissen worden. Dieser Sieg trug erheblich dazu bei, daß die führenden Kommunisten sich weiterhin Illusionen über die wirklichen Kräfteverhältnisse machten. Als zwei Tage später jedoch die österreichische Volkswehr einen kommunistischen Aufstand in Wien niederschlug und damit die Hoffnungen auf eine revolutionäre Achse München-Wien-Budapest zerstörte, spaltete sich die

Regierung der zweiten Räterepublik. Die gemäßigten Führer, darunter die Unabhängigen Sozialdemokraten Ernst Toller, Emil Maenner und Gustav Klingelhöfer, drängten nun auf Verhandlungen mit der Regierung Hoffmann. Sie erreichten auch, daß eine Versammlung der Münchner Betriebs- und Soldatenräte dem Vollzugsrat am 27. April das Mißtrauen aussprach und ihn zum Rücktritt zwang. Die Kommunisten traten daraufhin auch aus dem Aktionsausschuß, dem „Parlament“ der Räterepublik, aus. An seine Spitze trat Toller, der sich sogleich um Kontakte mit der Regierung in Bamberg bemühte. Doch auf Noskes Anweisung hin lehnte diese jedweden Kompromiß ab und bestand auf der bedingungslosen Kapitulation der Räterepublik. Ebenso unnachgiebig war der Münchner „Stadtkommandant“ und Oberbefehlshaber der Roten Armee, der sechsundzwanzigjährige Matrose Rudolf Egelhofer. Von der KPD unterstützt, erklärte er, das Oberkommando der Roten Armee werde das revolutionäre Proletariat, koste es, was es wolle, gegen die weiße Garde verteidigen.

Es folgte ein Ende mit Schrecken. Am 30. April wurden, wahrscheinlich auf Befehl Egelhofers, im Luitpoldgymnasium zehn Geiseln, Mitglieder der deutsch-völkischen Thule-Gesellschaft, von Rotgardisten ermordet. Die kurz darauf in München einrückenden Freikorps, die von dem Verbrechen übertreibende und entstellende Nachrichten erhielten, übten blutige Vergeltung. Männer, die Waffen trugen, wurden oft ohne jede Vernehmung erschossen. Erschossen wurden auch 53 kriegsgefangene Russen, die bei der Roten Armee Wachdienst getan hatten, zwölf Einwohner von Perlach, die von politischen Gegnern denunziert worden waren und meist der Sozialdemokratie angehörten, und 21 Mitglieder des Katholischen Gesellenvereins St. Joseph, die irrtümlich für Spartakisten gehalten worden waren. Als München am 3. Mai wieder „befreit“ war, zählte man insgesamt 606 Tote, die während der Kampfhandlungen umgekommen waren. 38 davon entfielen auf die Regierungstruppen; 335 waren Zivilisten.

Von den Räteführern gelang nur Max Levien die Flucht. Egelhofer und der anarchistische Schriftsteller Gustav Landauer, der der ersten Räterepublik als Volksbeauftragter für Volksaufklärung angehört hatte, wurden von Freikorpssoldaten ermordet. Eugen Leviné wurde wegen Hochverrats angeklagt und trotz seiner eindrucksvollen Verteidigung zum Tode verurteilt. Seine Hinrichtung am 5. Juni 1919 löste einen Proteststurm und in Berlin einen vierundzwanzigstündigen Generalstreik aus. Toller wurde zu fünf Jahren, der anarchistische Schriftsteller Erich Mühsam, der zusammen mit Landauer die Proklamation der ersten Räterepublik entworfen hatte, zu fünfzehn Jahren Haft verurteilt. Mit zwei Jahren Haft kam Ernst Niekisch davon.[8]

Auf große Teile der deutschen Bevölkerung wirkten die beiden Münchner Räterepubliken wie ein Menetekel. Erstmals war es der extremen Linken gelungen, über mehrere Wochen hinweg eine deutsche Großstadt ihrer Herrschaft, der Diktatur einer kleinen Minderheit, zu unterwerfen. Folgerichtig wurden die Freikorps, als sie München eroberten, von breiten Schichten und vor allem vom Bürgertum der Landeshauptstadt als Befreier begrüßt, ihre Gewaltexzesse von vielen gleichgültig hingenommen oder gar gebilligt. Der Haß auf Marxismus und Bolschewismus nahm in München seit dem Frühjahr 1919 fanatischere Formen an als in irgendeiner anderen deutschen Großstadt. Daß Eisner, Toller, Mühsam und Landauer aus jüdischen Familien stammten und die beiden Kommunistenführer Levien und Leviné aus Rußland eingewanderte Ostjuden waren, gab dem ohnehin schon starken Antisemitismus mächtigen Auftrieb. Selbst die Regierung Hoffmann sprach in einem Aufruf vom 9. Mai von den gestürzten Machthabern als „landfremden gewissenlosen Menschen". Der begabteste antisemitische Agitator, Adolf Hitler, der seine politische Laufbahn im Sommer 1919 als Vertrauensmann des Bayerischen Reichswehrgruppenkommandos begann, fand im nachrevolutionären München den idealen Nährboden für die Verbreitung seiner politischen Ideen.[9]

Mit der Niederwerfung der zweiten Münchner Räterepublik endete die zweite Phase der Revolution von 1918/19. An ihrem Beginn hatte Unzufriedenheit mit den Ergebnissen der ersten Phase gestanden. Viele Arbeiter wollten sich nicht mit dem begnügen, was ihnen die politische Umwälzung vom November 1918 gebracht hatte, nämlich einige soziale Errungenschaften auf dem Boden der kapitalistischen Gesellschaftsordnung und die Aussicht auf eine parlamentarische Demokratie. Der Ruf nach einer Sozialisierung der Schlüsselindustrien und nach umfassender betrieblicher und überbetrieblicher Mitbestimmung war der gemeinsame Nenner der Rätebewegung, von der man im engeren Sinn erst ab Januar 1919 sprechen kann. Das „reine Rätesystem", eine politische Ordnung nach dem Grundsatz „Alle Macht den Räten", strebte auch im Frühjahr 1919 nur eine Minderheit der Arbeiter an. Und nur eine Minderheit innerhalb dieser Minderheit hielt angesichts der Radikalisierung der Arbeiterschaft die Stunde der proletarischen Revolution für gekommen. Die Niederschlagung der zweiten Münchner Räterepublik war in erster Linie die Niederlage dieser äußersten Linken, aber noch keineswegs das Ende der Betriebsrätebewegung oder des proletarischen Radikalismus. Die linkskommunistischen, syndikalistischen und anarchistischen Tendenzen in Teilen der deutschen Arbeiterschaft blieben stark. Deswegen bedeutete das Debakel von München auch nur ein vorläufiges Ende der gewaltsamen Umsturzversuche von links, die mit dem Berliner Januaraufstand begonnen hatten.

Die Zentrale der KPD konnte sich durch die Münchner Ereignisse in ihrer ablehnenden Haltung gegenüber lokalen und regionalen Räterepubliken bestätigt fühlen. Zum maßgeblichen Mann der Zentrale war nach der Ermordung von Leo Jogiches immer mehr Paul Levi aufgestiegen, der sich als geistiger Testamentsvollstrecker Rosa Luxemburgs verstand. Der aus einer besitzbürgerlichen jüdischen Familie stammende Rechtsanwalt, ein glänzender Analytiker und brillanter Redner, sah in den zum Putschismus neigenden linksradikalen Kräften das größte Problem der KPD. Die Trennung von diesen Elementen hielt er für die einzige Chance, die KPD zu einer revolutionären Massenpartei zu machen und der USPD, die bisher allein aus der wachsenden Unzufriedenheit der Arbeiter Nutzen gezogen hatte, den Rang abzulaufen. Einen ersten Erfolg konnte Levi auf einer illegalen Reichskonferenz, die Mitte Juni 1919 in Berlin stattfand, verbuchen: Die KPD setzte sich scharf vom Syndikalismus ab, weil dieser die Notwendigkeit einer straff zentralistisch organisierten proletarischen Partei nicht anerkenne und allenfalls zu örtlichen Putschen in der Lage sei, die die Kommunistische Partei ablehne.[10]

Die USPD war, verglichen mit der KPD, ein politischer Riese, aber noch ungleich zerstrittener als diese. Polarisierend wirkte im Frühjahr 1919 vor allem der Streit um das Rätesystem. Auf dem Berliner „Revolutionsparteitag" im März konnte Ernst Däumig, der entschiedenste Fürsprecher des „reinen Rätesystems", in der „Programmatischen Kundgebung" einen Passus durchsetzen, der das Rätesystem als Kampforganisation der proletarischen Revolution und die Diktatur des Proletariats als Vorbedingung für die Verwirklichung des Sozialismus bezeichnete. In ihren aktuellen Forderungen dagegen, die die Handschrift des gemäßigten Parteivorsitzenden Hugo Haase trugen, verlangte die USPD lediglich die „Einordnung des Rätesystems in die Verfassung" mit dem Ziel, den Räten eine „entscheidende Mitwirkung" bei der Gesetzgebung, der Staats- und Gemeindeverwaltung sowie in den Betrieben zu sichern. Der Widerspruch zwischen beiden Auslegungen des Rätesystems war so offenkundig, daß die Delegierte Clara Zetkin, die sich inzwischen der KPD angeschlossen hatte und der USPD nur noch aus taktischen Gründen angehörte, ironisch anmerken konnte, das „Nebeneinanderwirken von Rätesystem und Parlamenten" komme einer Ehe zwischen einem Kaninchen und einem Karpfen gleich.[11]

Weniger widersprüchlich fielen die Versuche von Mehrheitssozialdemokraten und Freien Gewerkschaften aus, Rätesystem und parlamentarische Demokratie miteinander zu versöhnen. Beide Organisationen gelangten im Frühjahr 1919 zu der Einsicht, daß gewisse Zugeständnisse an den Rätegedanken unvermeidbar waren, wenn man die Radikalisierung der Arbeiterschaft eindämmen wollte. Bei den Gewerkschaften setzte sich im April eine Gruppe jüngerer Funktionäre um den Vorsitzenden des Holzarbeiterverbandes, Theodor Leipart, durch, die die bisherige Konfrontation zwischen Gewerkschaften und Räten für schädlich hielten und durch ein neues Konzept ersetzen wollten: die Integration der Betriebsräte in die Gewerkschaften und die Schaffung einer „Betriebsdemokratie" durch die gemeinsame Anstrengung beider. Die Mehrheitsozialdemokraten verabschiedeten im Juni 1919 auf ihrem ersten Parteitag nach dem Krieg in Weimar Leitsätze, die die Schaffung von Wirtschaftsräten neben den politischen Parlamenten vorsahen. Die Wirtschaftsräte sollten das Recht der Gesetzesinitiative und der gutachtlichen Tätigkeit, nicht aber ein Vetorecht gegenüber der Volksvertretung haben. Der absolute Vorrang des politischen Parlaments war damit gewährleistet, die Absage an das „reine Rätesystem" so eindeutig wie nur möglich.

Während sich für Betriebsräte und Wirtschaftsräte somit eine rechtlich gesicherte Zukunft abzeichnete, waren die Tage der örtlichen Arbeiter- und Soldatenräte gezählt. Diese frühen Räte hatten sich zunächst nur als Platzhalter künftiger Volksvertretungen betrachtet. Als die Parlamente zusammentraten, war jedoch eine der wichtigsten Aufgaben, die sich die Räte gestellt hatten, noch ungelöst: die Demokratisierung von Militär und ziviler Verwaltung. Um dieses Zieles willen und weil sie den Volksvertretungen die nötige Energie offenbar nicht zutrauten, verlangten im Frühjahr 1919 auch gemäßigte Arbeiter- und Soldatenräte eine dauerhafte Absicherung ihrer Rechte durch die Verfassung. Eine solche Doppelherrschaft von örtlichen Arbeiter- und Soldatenräten einerseits, demokratisch gewählten Gemeinde- und Kreisräten andererseits verbot sich jedoch schon aus finanziellen Gründen. In Preußen weigerten sich daher schon bald nach den Wahlen zur Verfassunggebenden Landesversammlung am 26. Januar 1919 viele Gemeindevertretungen und Stadtverordnetenversammlungen, den örtlichen Räten noch Geld zu bewilligen. Beschwerden hiergegen wurden vom sozialdemokratischen Innenminister Heine regelmäßig abgewiesen. Eine Kontrollfunktion der Räte nahm Heine bis Mitte Juni 1919 nur in den Landkreisen hin. Erst zu diesem Zeitpunkt nämlich, acht Monate nach dem Novemberumsturz, wurden die auf Grund des Dreiklassenwahlrechts gebildeten Kreisausschüsse durch neue, demokratisch legitimierte ersetzt.

Der Zentralrat der Deutschen Sozialistischen Republik, der sich im Februar 1919 noch dazu bekannt hatte, die Arbeiterräte solange fortbestehen zu lassen, bis die Verwaltung demokratisiert war, fügte sich im Herbst ins Unvermeidliche. Nachdem das preußische Finanzministerium mitgeteilt hatte, daß es im Haushaltsplan für 1920 keine Mittel für Arbeiterräte mehr geben werde, sagte der Zentralrat die seit langem geplanten Neuwahlen der Arbeiterräte ab – für immer. Im Herbst und Winter 1919 lösten sich fast alle der noch verbliebenen Räte auf. Die „reinen" Soldatenräte waren schon im Frühjahr 1919, im Zuge der Abwicklung der kaiserlichen Militärmaschine, von der Bildfläche verschwunden. Dagegen behaupteten sich vielerorts die Ende 1918 entstandenen „Bürgerräte": gemeinsame Ausschüsse bürgerlicher Verbände, die auf Arbeitsniederlegungen häufig mit „Gegenstreiks", der Schließung von Betrieben, Geschäften und Arztpraxen, antworteten.[12]

Die Sozialisierung, für die große Arbeitermassen im Frühjahr 1919 gestreikt hatten, machte unter der Regierung Scheidemann keine Fortschritte. Der sozialdemokratische Reichswirtschaftsminister Rudolf Wissell übernahm von seinem Staatssekretär Wichard von Moellendorff Vorstellungen von „Gemeinwirtschaft", die ausgeprägt konservative, ja autoritäre Züge aufwiesen. Moellendorff erstrebte eine „zugunsten der Volksgemeinschaft planmäßig betriebene und gesellschaftlich kontrollierte Volkswirtschaft", in der das Privateigentum an den Produktionsmitteln grundsätzlich erhalten, aber durch ein System korporativer Selbstverwaltung und öffentlicher Kontrollen gezügelt werden sollte. Zügeln wollten Moellendorff und Wissell aber auch die Arbeitnehmer, denen, vorerst für die Dauer eines Jahres, in einigen der wichtigsten Bereiche der Wirtschaft das Streikrecht de facto genommen werden sollte.

Die „Gemeinwirtschaft", wie Wissell und Moellendorff sie verstanden, rief innerhalb des Koalitionskabinetts sowohl sozialistischen als auch liberalen Widerspruch hervor. Der sozialdemokratische Ernährungsminister Robert Schmidt stellte klar, Sozialismus im Sinne des Erfurter Programms der SPD von 1891 bedeute nicht nur die Kontrolle der Betriebe, sondern die Überführung des Besitzes aus Privateigentum in gesellschaftliches Eigentum. Aus einer ganz anderen Richtung kamen die Einwände des Reichsschatzministers Georg Gothein, der der DDP angehörte. Für ihn lief Wissells „geregelte Planwirtschaft" auf die „Verewigung der Zwangswirtschaft in kapitalistisch-zünftlerischer Form" hinaus.

Eine gewisse Konkretisierung erfuhr das Projekt „Gemeinwirtschaft" durch zwei Gesetze, die aus dem Reichswirtschaftsministerium stammten und im März und April von der Nationalversammlung verabschiedet wurden: das Kohlenwirtschafts- und das Kaliwirtschaftsgesetz. Beide tasteten das Privateigentum nicht an, sondern verwandelten lediglich zwei bereits hochgradig kartellierte Wirtschaftszweige in Zwangssyndikate. Sowohl im Reichskohlen- wie im Reichskalirat waren die Unternehmer wesentlich stärker vertreten als die Arbeitnehmer. Daß in der Preispolitik Entscheidungen gegen die Unternehmer fallen würden, war bei dieser Konstruktion sehr unwahrscheinlich. Die politische Macht der Bergbauunternehmer wurde durch die beiden Gesetze jedenfalls nicht geschmälert. Ebensowenig vermochte ein von der SPD eingebrachtes Sozialisierungsgesetz, das am 13. März 1919 von der Nationalversammlung gegen die Stimmen der Rechten angenommen wurde, an den gesellschaftlichen Machtverhältnissen etwas zu ändern. Das Reich durfte danach bestimmte, zur Vergesellschaftung geeignete Unternehmungen durch Gesetz und gegen angemessene Entschädigung in „Gemeinwirtschaft" überführen. Aber eine Verpflichtung, einen Produktionszweig zu vergesellschaften, enthielt das Gesetz nicht.

Den scharfsinnigsten Beitrag zur Sozialisierungsdebatte, den Bericht der Sozialisierungskommission zur Vergesellschaftung des Kohlenbergbaus von Mitte Februar, leitete die Regierung Scheidemann der Nationalversammlung erst zu, nachdem diese die beiden Gesetzentwürfe Wissells verabschiedet, über die Sozialisierungsfrage also bereits entschieden hatte. Die Mehrheit der Sachverständigen begründete ihr Eintreten für eine Vergesellschaftung des Kohlenbergbaus damit, daß die Kohle nicht nur die Grundlage des gesamten Wirtschaftslebens bilde, sondern durch ihre monopolistische Stellung eine Macht ausübe, die seit langem ein öffentliches Eingreifen erheische. Unter „Sozialisierung" verstand die Kommission allerdings nicht Verstaatlichung. Vielmehr sah sie als Träger des Eigentums einen selbständigen Wirtschaftskörper, die Deutsche Kohlengemeinschaft, vor. In das Kontrollorgan, den Kohlenrat, sollten in gleicher Zahl Vertreter der Betriebsleitungen, der Arbeiter, des Reiches und der „Konsumenten", darunter auch der industriellen Abnehmer der Kohle, berufen werden. Von den 25 Vertretern des Reiches sollten zehn durch das Parlament gewählt und höchstens fünf Beamte sein. Von der Kohlengemeinschaft als selbständiger juristischer Person versprach sich die Kommission einen besonderen Vorteil: Im Unterschied zu Staatseigentum würde die Kohlengemeinschaft nicht zu den „öffentlichen Werten" gehören, die die Entente, entsprechend den Waffenstillstandsbedingungen, als Sicherheit für ihre Reparationsforderungen betrachtete. Durch diese Konstruktion hofften die Sachverständigen eines der Standardargumente der Sozialisierungsgegner entkräften zu können.

Eine Vergesellschaftung des Kohlenbergbaus, wie die Sozialisierungskommission sie anstrebte, hätte die gesellschaftlichen Machtverhältnisse in Deutschland wesentlich verändert. Das Modell der Experten unterschied sich positiv von syndikalistischen und bürokratischen Lösungsvorschlägen; es gewährleistete die öffentliche Kontrolle des wichtigsten Sektors der deutschen Wirtschaft, tat seiner Produktivität keinen Abbruch und trug dem Anspruch der Arbeitnehmer auf Mitbestimmung Rechnung. Wäre das Modell verwirklicht worden, hätte eine Machtelite an Einfluß verloren, die zu großen Teilen dem neuen demokratischen Staat ablehnend gegenüberstand. Weniger sicher ist, ob die radikalisierten Teile der Arbeiterschaft sich von einer Lösung hätten beeindrucken lassen, die mit Ideen von proletarischer Selbstverwaltung nichts gemein hatte. Aber es sprach doch alles dafür, daß die Republik eine Chance hatte, ihren Rückhalt bei den Arbeitern zu vergrößern, wenn sie deren entschiedensten Gegnern ein Stück ihrer Macht entwand.[13]

Die Vergesellschaftung des Kohlenbergbaus scheiterte nicht in erster Linie an den Mehrheitsverhältnissen in der Nationalversammlung. Hätte sich die Sozialdemokratie die Vorschläge der Sozialisierungskommission zu eigen gemacht, wäre die Koalition mit den bürgerlichen Mittelparteien daran wohl kaum zerbrochen. Entscheidend war, daß Sozialdemokraten und Freie Gewerkschaften die Zeit für eine Änderung der Eigentumsverhältnisse nicht für gekommen hielten. Erst wirtschaftlicher Wiederaufbau, dann Sozialisierung: An dieser Reihenfolge hielt die größte deutsche Partei auch dann noch fest, als längst absehbar war, daß die Zeit gegen die Sozialisierung des Bergbaus arbeitete. Die Befestigung der Machtpositionen der Zechenherren stärkte den rechten Flügel des Unternehmerlagers, was wiederum dazu beitrug, daß sich in der Arbeiterschaft eine analoge Kräfteverschiebung nach links vollzog. Das Nachsehen hatten die gemäßigten Kräfte in Bürgertum und Arbeiterschaft, auf deren Zusammenarbeit nicht nur die Weimarer Koalition, sondern die Republik insgesamt beruhte.

4.

Der unbewältigte Friede

Sowenig wie einen gesellschaftlichen Bruch hat es 1918/19 einen moralischen Bruch mit dem Kaiserreich gegeben. Eine Chance hierfür bestand durchaus: Die historische Wahrheit über die Auslösung des Ersten Weltkrieges lag bereits im Frühjahr 1919 weitgehend offen zutage. Im November 1918 hatten die Volksbeauftragten dem Unabhängigen Sozialdemokraten Karl Kautsky, Beigeordneter im Auswärtigen Amt, und dem Mehrheitssozialdemokraten Max Quarck, der dieselbe Funktion im Reichsamt des Innern ausübte, den Auftrag erteilt, die deutschen Akten zum Kriegsausbruch zu sammeln und herauszugeben. Nach dem Bruch zwischen MSPD und USPD bat Ebert Anfang Januar 1919 Kautsky, sich weiterhin der Herausgabe der deutschen Akten zu widmen. Als Quarck wenig später aus seinem Amt als Beigeordneter ausschied, war die Vorbereitung der Aktenpublikation allein Kautskys Sache.

Kurz bevor Kautsky seine Arbeit abschloß, befaßte sich am 22. März 1919 das Kabinett Scheidemann in Anwesenheit Eberts mit der Kriegsschuldfrage. Bei den Pariser Friedensverhandlungen sei, so bemerkte der Reichspräsident, eine klare Stellungnahme hierzu erforderlich. Nachdem England eine Prüfung dieser Frage durch Neutrale abgelehnt habe, müsse Deutschland selbst die Prüfung vornehmen. Dabei gelte es, „die Sünden der alten Regierung aufs schärfste (zu) verurteilen" und die Stellung der neuen Regierung in einer Denkschrift niederzulegen. Ebert befürwortete überdies die Bildung eines Staatsgerichtshofes, der die Schuld der maßgebenden Personen am Krieg feststellen solle.

Die meisten Minister stimmten dem Reichspräsidenten zu – mit einer bezeichnenden Ausnahme. Reichsfinanzminister Eugen Schiffer, der früher zu den Nationalliberalen gehört und sich im November 1918 der DDP angeschlossen hatte, warnte vor einem „Schuldbekenntnis, das unserem Volk (die) letzte Selbstachtung nimmt und (die) Gegner triumphieren läßt". Den Krieg wertete Schiffer als „Präventivkrieg", und in dem Versuch Deutschlands, aus der „Einkreisung" auszubrechen, „die uns in ein bis zwei Jahren (die) Schlinge um den Hals legen sollte", vermochte er kein „Verschulden" zu erblicken. Eine Veröffentlichung deutscher Dokumente zum Kriegsausbruch werde „uns im Innern und draußen nur schaden". Die Antwort Eduard Davids, des sozialdemokratischen Reichsministers ohne Geschäftsbereich, war nicht minder bezeichnend. Was in den deutschen Dokumenten an Belastendem enthalten sei, sagte er, kenne die Entente ohnehin schon. Aber „wenn wir mit Schiffer (einen) Präventivkrieg zugeben, geben wir alles zu, was uns (die) Entente vorwirft". Reichsministerpräsident

Philipp Scheidemann hielt es nicht für notwendig, sich an der Kontroverse zu beteiligen.

Am 18. April 1919 befaßte sich das Kabinett erneut mit der Kriegsschuldfrage. Kautskys Aktensammlung lag nunmehr vor, und die Regierung mußte entscheiden, was mit ihr zu geschehen hatte. Die Dokumente des Auswärtigen Amtes ließen keinen Zweifel daran, daß die Reichsleitung in der Julikrise von 1914 Österreich-Ungarn zum Krieg gegen Serbien gedrängt und damit die Hauptverantwortung für die Auslösung des Weltkrieges auf sich geladen hatte. Reichsjustizminister Johannes Bell, der dem Zentrum angehörte, sprach sich als Berichterstatter gegen die Veröffentlichung der Akten aus: Sie würden ein einseitiges, für Deutschland ungünstiges Bild ergeben. Die Dokumente beträfen nur die letzten kurzen Abschnitte vor dem Krieg, und das meiste sei nur zu verstehen in Verbindung mit der weiteren Vorgeschichte des Krieges, der Einkreisungspolitik Englands, der Revanchepolitik Frankreichs, der panslawistischen und der großserbischen Politik.

David hingegen, Bells Korreferent, setzte sich für die Publikation ein, denn unter den gegenwärtigen Umständen helfe nur „völlige Klarheit und Wahrheit". Man müsse sich darauf berufen, daß die jetzt an der Regierung beteiligten Personen das Material bei Ausbruch des Krieges und während seiner Dauer nicht gekannt hätten und daß Deutschland das alte System restlos beseitigt habe. Im übrigen liege auch nach seiner Ansicht eine gewisse Entlastung in der Vorgeschichte des Krieges, die den Präventivkrieg zwar nicht rechtfertige, aber doch wenigstens erkläre. Eine Einigung im Kabinett kam nicht zustande. Scheidemann, der in die Debatte nicht eingriff, empfahl am Ende, gegen den Widerspruch Davids, „von der Veröffentlichung der Dokumente z. Zt. abzusehen".

Am 11. Juni 1919 wurde dann doch eine Auswahl deutscher Aktenstücke publiziert. Aber das vom Auswärtigen Amt herausgegebene „Weißbuch betr. die Verantwortlichkeit der Urheber am Kriege" ließ nach dem begründeten Urteil Kautskys „alles andere als einen Bruch mit der Politik des gestürzten Regimes erkennen". Die ausführlicheren, auf Kautskys Sammlung zurückgehenden „Deutschen Dokumente zum Kriegsausbruch" erschienen erst Ende 1919 – zu spät, um noch das deutsche Urteil über die Friedensbedingungen oder gar diese selbst zu beeinflussen. Auch der Versuch einer juristischen Klärung der Kriegsschuld schlug fehl. Ein Gesetzentwurf der Reichsregierung, der die Bildung eines außerordentlichen Staatsgerichtshofes vorsah, wurde am 16. August 1919 vom Verfassungsausschuß der Nationalversammlung abgelehnt. Statt dessen schlug das Gremium die Bildung eines Untersuchungsausschusses vor, der sich insbesondere der Frage nach den Ursachen des Krieges und seiner Verlängerung sowie den Gründen der deutschen Niederlage widmen sollte. Das Plenum nahm diesen Antrag am 20. August an. Aber die Hoffnung, der Untersuchungsausschuß werde historische Streitfragen ihrer politischen Brisanz berauben, trog. Am 18. November 1919 konnte Hindenburg vor ebendiesem Ausschuß einem ungenannt bleibenden englischen General das in den Mund legen, was er selbst sagen wollte: Die deutsche Armee sei von hinten erdolcht worden. Die Dolchstoßlegende hatte damit ihren klassischen Ausdruck gefunden.[1]

Eine rückhaltlose Aufdeckung des deutschen Anteils am Kriegsausbruch von 1914 hätte im Frühjahr 1919 gewaltigen Mut verlangt. Wer für die Veröffentlichung der deutschen Dokumente eintrat, hoffte in der Regel, durch eine Offensive der Ehrlichkeit die Entente beeindrucken und ihr mildere Friedensbedingungen abringen zu können. Diejenigen, die der Publikation widersprachen, fürchteten die gegenteilige Wirkung: die Legitimierung eines Straffriedens durch die Deutschen selbst. Tatsächlich stand für die Alliierten die Kriegsschuld der Mittelmächte fest, und es spricht wenig dafür, daß die Friedensbedingungen durch deutsche Schuldeingeständnisse noch beeinflußt worden wären. Allenfalls längerfristig konnte ein Deutschland, das einen demonstrativen Bruch mit seinem bisherigen politischen System vollzog, auf positive Wirkungen in den Siegerstaaten hoffen. Ansatzpunkte für solche Bemühungen gab es immerhin schon im Sommer 1919: Es waren die Proteste, mit denen die sozialistischen Parteien in Italien, England und Frankreich auf den Friedensvertrag von Versailles antworteten.

Schwer abzuschätzen waren auch die mutmaßlichen innenpolitischen Folgen einer offenen Darlegung der deutschen Kriegsschuld. Mit Sicherheit hätte die Aufdeckung des Ablaufs der Julikrise polarisierend gewirkt. Wäre Kautskys Dokumentensammlung im April 1919 veröffentlicht worden, hätten sich Reichsregierung und Weimarer Koalition den Vorwurf des mangelnden Patriotismus, ja des Verrats an deutschen Interessen zugezogen. Aber die Auseinandersetzung mit dem radikalen Nationalismus war ohnehin unvermeidbar, und die Kriegsschuldfrage bot auch die Möglichkeit, offensiv gegen die Parteigänger des Krieges und der Kriegsverlängerung vorzugehen. Andererseits hatten auch die jetzt regierenden Parteien die deutschen Kriegsanstrengungen unterstützt. Wie standen diese Parteien da, wenn sie zugaben, daß sie sich vier Jahre lang von Militär und ziviler Reichsleitung hatten täuschen lassen? Wie mußte es wirken, wenn sie nachträglich jenen recht gaben, die schon bald nach Kriegsausbruch die deutsche Behauptung vom Verteidigungskrieg in das Reich der Legende verwiesen hatten? Es war nicht zuletzt die Furcht vor solchen Eingeständnissen, die die Mehrzahl der Akteure vor einer rückhaltlosen Aufhellung der historischen Wahrheit zurückschrecken ließ.

Am 7. Mai 1919 wurden der deutschen Friedensdelegation in Versailles die „Friedensbedingungen der alliierten und assoziierten Regierungen" übergeben. Von der Reichsregierung auf die absehbaren schweren Opfer nicht im mindesten vorbereitet, reagierte die deutsche Öffentlichkeit mit einem Aufschrei der Empörung. Erwartet hatten die Deutschen in ihrer überwältigenden Mehrheit einen „Wilson-Frieden" – einen Friedensschluß im Zeichen von Ausgleich und Verständigung, beruhend auf dem Selbstbestimmungsrecht aller Völker, also auch des deutschen. Die Friedensbedingungen aber lasen sich auf den ersten Blick so, als habe nicht der amerikanische Präsident, sondern der Geist der „Erbfeindschaft" den siegreichen Mächten die Feder geführt.

Von den umfangreichen Gebietsabtretungen, die Deutschland auferlegt wurden, trafen diejenigen im Osten das Reich am härtesten. Polen sollte ganz Oberschlesien, Posen und den Hauptteil Westpreußens erhalten, wodurch Ostpreußen vom übrigen Reich abgeschnitten wurde. Das Memelgebiet fiel an die Entente; Danzig wurde zu einer Freien Stadt unter einem Kommissar des neu zu errichtenden Völkerbunds erklärt. Wäre nach dem Selbstbestimmungsrecht verfahren worden, so hätte es nur im Fall Posens keinen Zweifel an einem eindeutigen Votum für Polen gegeben. Das Recht der Bevölkerung, sich für Deutschland oder Polen zu entscheiden, wurde zunächst jedoch nur dem südlichen Ostpreußen und den östlich der Weichsel gelegenen Teilen Westpreußens um Marienburg und Marienwerder zugestanden. Vorrangig war für die Sieger die Errichtung eines lebensfähigen Polen mit einem starken Industriepotential und einem direkten Zugang zur Ostsee. Die demokratische Legitimierung der Gebietsverschiebungen hatte demgegenüber zurückzutreten.

Als sehr viel weniger schockierend wurde der größte Gebietsverlust im Westen empfunden: Daß Elsaß-Lothringen zu Frankreich zurückkehren würde, stand im Frühjahr 1919 längst außer Frage. Im Fall des Kreises Eupen-Malmedy, der an Belgien abgetreten wurde, gab es immerhin eine, wenn auch massiv manipulierte und darum kaum aussagekräftige Abstimmung. Das Saargebiet, das Frankreich sich hatte einverleiben wollen, wurde für die Dauer von 15 Jahren einem Völkerbundsregime unterstellt. Danach sollte die Bevölkerung über das Schicksal des Gebiets entscheiden.

Auch im Hinblick auf das Rheinland mußte Frankreich zurückstecken: Die linksrheinischen Gebiete wurden nicht von Deutschland abgetrennt und auch nicht einer ständigen militärischen Kontrolle durch die Entente unterstellt. Vielmehr sahen die Friedensbedingungen eine nach Zonen gestaffelte, auf 5, 10 und 15 Jahre befristete Besetzung und dauerhafte „Entmilitarisierung" des linksrheinischen Deutschland vor. Im äußersten Norden Deutschlands kam das Selbstbestimmungsrecht zum Zuge: Die Bevölkerung Nordschleswigs sollte sich in einer Abstimmung zwischen Deutschland und Dänemark entscheiden. In einem anderen Fall schoben die Friedensbestimmungen dem Selbstbestimmungsrecht dagegen einen Riegel vor: Ein Anschluß Deutsch-Österreichs an Deutschland wurde verboten.

Um künftigen Angriffen auf die Nachbarn des Reiches vorzubeugen, erlegten die Sieger Deutschland auf militärischem Gebiet einschneidende Beschränkungen auf. Die Wehrpflicht wurde abgeschafft, das Heer auf 100 000 und die Marine auf 15 000 längerdienende Berufssoldaten beschränkt. Eine Luftwaffe und Unterseeboote durfte das Reich künftig nicht mehr unterhalten, ebensowenig Panzer und Gaswaffen. Der Generalstab wurde aufgelöst. Die Hochseeflotte war bis auf geringe Reste auszuliefern (eine Bestimmung, der die Marine durch die Selbstversenkung der Flotte bei Scapa Flow am 21. Juni 1919 zuvorkam).

Insgesamt verlor Deutschland im Gefolge des Friedensvertrags ein Siebtel seines Gebietes und ein Zehntel seiner Bevölkerung. Wirtschaftlich schlug besonders zu Buche, daß das Reich (wenn man die Teilung Oberschlesiens 1921 mitberücksichtigt) ein Drittel seiner Kohlen- und drei Viertel seiner Erzvorkommen einbüßte. Dazu kam der Verlust der Kolonien. Was die Forderung nach Wiedergutmachung von Kriegsschäden und Kriegsverlusten anging, konnten sich die Sieger auf eine abschließende Reparationssumme nicht einigen. Das Problem wurde einer künftigen Regelung vorbehalten. Bei einigen Reparationsleistungen legten die Alliierten dagegen den Umfang sofort fest. Deutschland mußte seine Fernkabel, 90% seiner Handelsflotte und 11% seines Rinderbestandes ausliefern. Zehn Jahre lang sollte es jährlich rund 40 Millionen Tonnen Kohle an Frankreich, Belgien, Luxemburg und Italien liefern. Die Begründung der Reparationsforderung lieferte der „Kriegsschuldartikel" 231: Darin wurden Deutschland und seine Verbündeten als Urheber des Krieges bezeichnet und für alle Verluste und Schäden zur Verantwortung gezogen, die die alliierten und assoziierten Mächte erlitten hatten.[2]

Im Regierungslager hatten zunächst diejenigen die Oberhand, die die Friedensbedingungen für unannehmbar hielten und dies auch frühzeitig öffentlich erklären wollten. Als erstes Mitglied des Kabinetts Scheidemann bezog der parteilose, aber der DDP nahestehende Reichsaußenminister, Graf Brockdorff-Rantzau, eine Position, die, zu Ende gedacht, nur eine Ablehnung des Friedensvertrags erlaubte. Der liberale Berufsdiplomat machte seinen Standpunkt schon am 7. Mai bei der Überreichung der Friedensbedingungen in Versailles klar, als er von der „Macht des Hasses" sprach, „die mir hier entgegentritt", und sich mit Vehemenz gegen die These von der deutschen Alleinschuld am Weltkrieg wandte. Am 12. Mai ging der Reichsministerpräsident noch einen Schritt weiter. In einer Kundgebung der Nationalversammlung in der Aula der Berliner Universität stellte Scheidemann die rhetorische Frage: „Welche Hand müßte nicht verdorren, die sich und uns in diese Fessel legt?" Scheidemanns Parteifreund, der preußische Ministerpräsident Paul Hirsch, gab die Parole aus „Lieber tot als Sklave!", und der Präsident der Nationalversammlung, der Zentrumsabgeordnete Konstantin Fehrenbach, drohte der Entente gar einen zweiten Weltkrieg an: „Dieser Vertrag... ist die Verewigung des Krieges. Und jetzt wende ich mich an unsere Feinde in einer Sprache, die auch sie verstehen und sage: Memores estote, inimici, ex ossibus ultor (Seid eingedenk, ihr Feinde, aus den Gebeinen [der Gefallenen] wird ein Rächer erstehen). Auch in Zukunft werden deutsche Frauen Kinder gebären und diese Kinder werden die Sklavenketten zerbrechen und die Schmach abwaschen, die unserem deutschen Antlitz zugefügt werden soll."

Im Protest gegen die Friedensbedingungen schien sich zeitweilig eine Einheitsfront von den Deutschnationalen bis zu den Sozialdemokraten zusammenzuschließen. Die Spitzenverbände der Unternehmer und die Gewerkschaften bezeichneten am 20. Mai in einer gemeinsamen Erklärung den Vertragsentwurf von Versailles als „Todesurteil für das deutsche Wirtschafts- und Volksleben". Seit Weltgedenken sei an keinem so großen, so arbeitsamen und gesitteten Volk ein solches Verbrechen verübt worden, wie es gegen Deutschland geplant sei. Die ausgreifenden Kriegsziele der deutschen Industrie hinderten die Unternehmerverbände nicht, nunmehr zusammen mit den Gewerkschaften gegen den „Raub unserer Kolonien und aller unserer ausländischen Besitztümer" zu protestieren und zu versichern, sie hätten „einen Frieden des Rechts, der Freiheit, der Völkerversöhnung" erwartet.[3]

Innerhalb der Regierung waren es vor allem die Minister der DDP, die das Kabinett auf eine Ablehnung des Vertrages festlegen wollten. Unterstützung erhielten sie von den sozialdemokratischen Ministern für Justiz und Arbeit, Otto Landsberg und Gustav Bauer, sowie von Postminister Giesberts, einem Politiker des Zentrums. Die Verfechter der harten Linie hofften, durch ihre Haltung der deutschen Friedensdelegation den Rücken zu stärken, die sich in Versailles um eine Milderung der Friedensbedingungen bemühte. Im Falle der DDP spielte auch das Kalkül eine Rolle, die Partei könne sich ein Nein gefahrlos leisten, da es in der Nationalversammlung auch ohne die Demokraten eine Mehrheit für die Annahme geben werde. Die Gegenposition bezogen Matthias Erzberger, Vorsitzender der deutschen Waffenstillstandskommission und Reichsminister ohne Geschäftsbereich, und seine sozialdemokratischen Kollegen David und Noske. Für diese „Realpolitiker" stand fest, daß die Alliierten bei einer Ablehnung des Friedensvertrages das ganze Reich besetzen würden, ohne daß Deutschland sie mit seinen schwachen militärischen Kräften daran zu hindern vermochte. Noske konnte darauf verweisen, daß diese Einschätzung sich völlig mit derjenigen Groeners, des Ersten Generalquartiermeisters, deckte, was den Argumenten des Reichswehrministers zusätzliches Gewicht gab.[4]

Von den Regierungsparteien bezog also nur eine, die DDP, eine einheitliche, nämlich ablehnende Haltung zum Friedensvertrag. SPD und Zentrum waren in sich gespalten. Die sozialdemokratische Fraktion in der Nationalversammlung hatte sich, entgegen den Empfehlungen des designierten Parteivorsitzenden Hermann Müller, am 12. Mai gegen nur fünf Stimmen dafür ausgesprochen, den Friedensvertrag für unannehmbar zu erklären; im Zentrum standen sich Anhänger der Positionen Erzbergers und Giesberts gegenüber. Seit dem 16. Juni aber gerieten die Fronten in beiden Parteien in neue Bewegung. An diesem Tag antworteten die Alliierten auf die Gegenvorschläge zum Friedensvertrag, die ihnen die deutsche Delegation am 28. Mai unterbreitet hatte. Der wichtigste Fortschritt gegenüber den Friedensbedingungen vom 7. Mai lag darin, daß in Oberschlesien eine Volksabstimmung über die Zugehörigkeit des Gebiets zu Polen oder Deutschland entscheiden sollte. Für das Rheinland sahen die Alliierten ein vorzeitiges Ende der Besetzung im Falle deutschen Wohlverhaltens vor. In einer Mantelnote wiesen die

Siegermächte die deutsche Darstellung zur Kriegsschuldfrage ebenso scharf wie ausführlich zurück. Der deutsche Protest hatte in diesem Punkt also lediglich zu einer Verhärtung des alliierten Standpunktes geführt. Den Deutschen wurde eine Frist von fünf Tagen eingeräumt, innerhalb deren sie über Annahme oder Ablehnung des Vertragswerks zu entscheiden hatten.[5]

Die deutsche Friedensdelegation mit Brockdorff-Rantzau an der Spitze empfahl der Reichsregierung sofort die Ablehnung des Friedensvertrags. Die DDP, die sich bereits am 4. Juni darauf festgelegt hatte, im Fall der Unterzeichnung aus dem Kabinett auszutreten, beharrte am 19. Juni auf dieser Linie. Die Zentrumsfraktion beschloß am gleichen Tag mit einer Vierfünftel-Mehrheit, „unter gewissen Voraussetzungen und unter Protest" den Vertrag anzunehmen. Auch bei den Sozialdemokraten zeichnete sich eine klare Mehrheit für die Annahme ab. Obwohl Scheidemann und Landsberg der Fraktion am 19. Juni mit dem Rücktritt drohten, falls sie nicht bei ihrem „Unannehmbar" bleibe, stimmten am gleichen Tag in einer vorläufigen Probeabstimmung 75 Abgeordnete für und 39 gegen die Unterzeichnung. Ein wesentlicher Grund für diesen Stimmungsumschwung waren die Berichte von Reichswehrminister Noske über die aussichtslose militärische Situation Deutschlands und von Ernährungsminister Robert Schmidt über die nicht minder trostlose Lage bei der Versorgung mit Lebensmitteln. Im Kabinett hatte es einige Stunden zuvor ein Patt zwischen den sieben Befürwortern und den sieben Gegnern der Unterzeichnung gegeben. In einer weiteren Kabinettssitzung am späten Abend des 19. Juni, in der die Gegensätze abermals hart aufeinanderprallten, entschloß sich Scheidemann endgültig, seine Drohung wahrzumachen. Zusammen mit Brockdorff-Rantzau und Landsberg zeigte er am frühen Morgen des 20. Juni dem Reichspräsidenten den Rücktritt des Kabinetts an.[6]

Scheidemanns voreilige Festlegung auf ein „Nein" zum Friedensvertrag ließ ihm zuletzt keine andere Wahl als die Demission. Hätte er sich durchgesetzt, wäre Deutschland von Entente-Truppen besetzt worden und die Einheit des Reiches zerbrochen. Im Rheinland und in der Pfalz waren separatistische Bewegungen aktiv, die sich der Unterstützung der französischen Besatzungsmacht erfreuten, und im Osten mußte man mit einem polnischen Angriff rechnen. Wenn die alliierte Besatzung militärisch auch nicht zu verhindern war, hätte sie doch mit Sicherheit zu blutigen Kämpfen geführt. Gewalttaten der nationalistischen Rechten waren ebenso wahrscheinlich wie neue Umsturzversuche der äußersten Linken. Krieg und Bürgerkrieg wären also ineinander übergegangen und hätten Deutschland in jenes Chaos gestürzt, das zu verhindern bislang die Hauptsorge der Sozialdemokraten und der bürgerlichen Mitte gewesen war.

Freilich war auch die Unterzeichnung des Friedensvertrages mit großen inneren Risiken verbunden. In den preußischen Ostprovinzen waren für den Fall, daß Deutschland sich den Friedensbedingungen der Entente beugen sollte, Pläne für die Errichtung eines selbständigen „Oststaates" ausgearbeitet worden. Dieses Staatsgebilde sollte, so sahen es etwa der preußische Kriegsminister, General Reinhardt, und der auf dem äußersten rechten Flügel der SPD stehende Reichskommissar für Ost- und Westpreußen, August Winnig, zur Keimzelle einer späteren nationalen Erhebung ganz Deutschlands werden. Einige hohe Militärs, darunter die Generäle von Loßberg und von Below, wollten mit entsprechenden Aktionen nicht warten, sondern gleich nach einer Annahme des Friedensvertrages vom Osten aus mit dem bewaffneten Kampf um die Befreiung Deutschlands beginnen. Der Erste Generalquartiermeister, Wilhelm Groener, war ein entschiedener Gegner solcher Pläne, die er für einen Ausdruck militärischen Abenteurertums hielt. Aber auch Groener hätte sich auf dem Höhepunkt der Regierungskrise nicht dafür verbürgen können, daß die militärische Fronde die Unterzeichnung des Friedensvertrages nicht mit einem Putsch beantworten würde.[7]

Zum Nachfolger Scheidemanns ernannte Ebert am 21. Juni einen Parteifreund und persönlichen Vertrauten: den bisherigen Reichsarbeitsminister und vormaligen zweiten Vorsitzenden der Generalkommission der Freien Gewerkschaften, Gustav Bauer, der im vorangegangenen Kabinett einer der politisch unauffälligsten Ressortchefs gewesen war. Der neunundvierzigjährige Ostpreuße hatte sich in den Wochen zuvor gegen eine Unterzeichnung des Friedensvertrages gewandt, war aber mittlerweile zu einer besseren Einsicht gelangt. Seinem Kabinett gehörten nur noch Mitglieder von SPD und Zentrum an, also jener beiden Parteien der Weimarer Koalition, die sich mehrheitlich für eine bedingte Annahme des Friedensvertrages entschieden hatten. Die DDP zog es vor, ihr neuerworbenes nationales Profil zu pflegen, und verzichtete auf die Mitwirkung in einem Kabinett, zu dessen ersten Aufgaben die Unterzeichnung des Vertrags von Versailles gehören mußte. Aus den Reihen derer, die diesen Schritt für unvermeidlich hielten, kamen die vier wichtigsten Kabinettsmitglieder: von den Sozialdemokraten der einige Tage zuvor zum Parteivorsitzenden gewählte Hermann Müller, der das Auswärtige Amt übernahm, Gustav Noske, der Reichswehrminister blieb, und Eduard David, nunmehr Reichsminister des Innern, sowie vom Zentrum Matthias Erzberger, der als Reichsfinanzminister in das Kabinett Bauer eintrat.[8]

Die Frist des alliierten Ultimatums lief, nachdem die Entente es wegen der Regierungskrise in Deutschland um zwei Tage verlängert hatte, am 23. Juni ab. Am 22. Juni erklärte sich die Nationalversammlung in namentlicher Abstimmung mit 237 gegen 138 Stimmen bei 6 Enthaltungen mit der Unterzeichnung des Friedensvertrages einverstanden. In diese Zustimmung stillschweigend eingeschlossen war allerdings der von der Regierung selbst formulierte Vorbehalt, daß Deutschland weder seine alleinige Kriegsschuld anerkennen noch die Verpflichtung übernehmen könne, deutsche Kriegsverbrecher an die Sieger auszuliefern. Noch am Abend desselben Tages traf die Antwort der Alliierten ein. Sie bestanden auf der vorbehaltlosen Unterzeichnung und lehnten die von den Deutschen erbetene Verlängerung des Ultimatums um 48 Stunden ab.

Unter dem Eindruck dieser Nachricht schien es am 23. Juni einige Stunden lang, als werde es in der Nationalversammlung keine Mehrheit für die bedingungslose Annahme des Friedensvertrages geben. In der Fraktionssitzung des Zentrums erklärte der für die militärische Sicherheit in Weimar zuständige General Maercker, daß das Offizierskorps im Fall der Annahme des Vertrags nicht hinter der Regierung stehen werde und daß damit die Aufrechterhaltung der inneren Ordnung nicht mehr gewährleistet sei. Als Noske, der ebenfalls in der Zentrumsfraktion erschien, diese Mitteilung „tieferschüttert" bestätigte und sich nunmehr selbst für die Verweigerung der deutschen Unterschrift aussprach, bekamen die Gegner der Unterzeichnung das Übergewicht. In einer Probeabstimmung gegen 12 Uhr stimmten 68 Abgeordnete einschließlich der vier Minister des Zentrums gegen und nur 14 für die Annahme des Vertrages. Das Votum bedeutete zugleich die Aufkündigung der neuen schwarz-roten Koalition, die ja nur gebildet worden war, damit es eine deutsche Regierung gab, die den Friedensvertrag unterzeichnen konnte.

Sicher war zu diesem Zeitpunkt nur, daß die beiden sozialdemokratischen Fraktionen, MSPD und USPD, entschlossen waren, dem Vertrag zuzustimmen. Da die beiden Rechtsparteien, die DNVP und die DVP, nicht das geringste Interesse daran hatten, selbst Regierungsverantwortung zu übernehmen, setzten nunmehr von ihrer Seite her Versuche ein, eine größere Zahl von Zentrumsabgeordneten zur Zustimmung zu bewegen. Die Deutschnationalen und die Deutsche Volkspartei waren auch bereit, dem Wunsch des Zentrums nachzukommen und eine Erklärung abzugeben, daß sie die „vaterländischen Gründe" derjenigen Abgeordneten anerkannten, die sich für die Annahme des Friedensvertrags aussprechen wollten. Für die Meinungsbildung im Zentrum mindestens ebenso wichtig waren zwei andere Verlautbarungen: ein Versuch Noskes, seine pessimistische Lagebeurteilung abzuschwächen, und ein Telegramm Groeners an Ebert, in dem der Erste Generalquartiermeister versicherte, die Aufnahme militärischer Kampfhandlungen sei aussichtslos, und wenn Noske in einem öffentlichen Aufruf die Notwendigkeit der Unterzeichnung darlege, bestehe Aussicht, „daß das Militär sich hinter ihn stellt und damit jede neue Umsturzbewegung im Innern, sowie Kämpfe nach außen im Osten verhindert werden".

Im Lichte dieser Erklärungen entschloß sich eine knappe Mehrheit des Zentrums, der bedingungslosen Annahme des Vertrags zuzustimmen. Damit war die Regierung Bauer gerettet und die Mehrheit in der Nationalversammlung für die Unterzeichnung gesichert. In nichtnamentlicher Abstimmung erklärte das Parlament gegen die Stimmen der DNVP, der DVP, der Mehrheit der DDP und eines Teiles der Zentrumsfraktion die Auffassung der Regierung für zutreffend, daß diese nach wie vor ermächtigt sei, den Friedensvertrag zu unterzeichnen. Am 28. Juni setzten Außenminister Müller und Verkehrsminister Bell im Spiegelsaal von Versailles ihre Unterschriften unter den Vertrag.[9]

In keinem Punkt war sich Nachkriegsdeutschland fortan so einig wie in der Empörung über das „Diktat“ der Sieger. Was im Vertrag von Versailles stand, wurde nicht an dem gemessen, was Deutschland selbst an Kriegszielen verfolgt und, im Vertrag von Brest-Litowsk, durchgesetzt hatte. Maßstab der Beurteilung waren allein jene Vorstellungen von einem gerechten Frieden, die sich mit den Vierzehn Punkten Woodrow Wilsons verknüpften. Das Selbstbestimmungsrecht der Völker, Wilsons wirkungsvollste Parole, wurde durch den Vertrag von Versailles in der Tat nachhaltig verletzt. Das galt vor allem im Hinblick auf die deutsche Ostgrenze. Aber gab es irgendeine Chance, Polen, dem die staatliche Existenz seit eineinhalb Jahrhunderten brutal verweigert worden war, mit deutscher Zustimmung zu einem lebensfähigen, unabhängigen Staat zu machen? War im östlichen Mittel- und in Südosteuropa, in Gebieten mit nationaler Gemengelage also, das Selbstbestimmungsrecht des einen Volkes überhaupt durchsetzbar, ohne das anderer Völker zu beeinträchtigen? Und was das Selbstbestimmungsrecht der Österreicher anging: Wie hätten die Völker in den Siegerstaaten reagiert, wenn das geschlagene Deutschland durch einen Anschluß Deutsch-Österreichs mit einem beträchtlichen Gewinn an Land und Leuten aus dem Krieg hervorgegangen wäre?

Die Erwartungen ihrer eigenen Völker setzten die Staatsmänner der Siegerstaaten in jeder Hinsicht unter massiven Druck. Für die Kriegskosten würden die Deutschen aufkommen: Das war den Franzosen während des Krieges von der Regierung in Paris immer wieder versichert worden, und dieses Versprechen galt es nun einzulösen. Die Reparationen, deren Höhe noch immer nicht absehbar war, mußten Deutschland auf das schwerste belasten und eine „Rückkehr zur Normalität“ auf Jahre hinaus unmöglich machen. Aber in Frankreich wie in England wäre jede Regierung, die die Folgelasten des Krieges nicht den „Boches“ oder „Krauts“, sondern dem eigenen Volk auferlegt hätte, durch einen Sturm der Entrüstung aus dem Amt gefegt worden.

Erwartet wurde von den Regierungen der Entente auch, daß sie einen Frieden zustande brachten, der eine deutsche Revanche für alle Zeit ausschloß. Am weitesten ging in dieser Hinsicht die französische Regierung. Aber sie vermochte sich, wie bereits vermerkt, mit ihren Maximalzielen gegen die Angelsachsen nicht durchzusetzen. Englands Premierminister Lloyd George wollte einer französischen Hegemonie auf dem Kontinent einen Riegel vorschieben, Präsident Wilson seine politische Glaubwürdigkeit nicht über Gebühr strapazieren. Dem angloamerikanischen Widerstand hatte es Deutschland zu verdanken, daß das Rheinland beim Reich verblieb und nicht auf Dauer von Ententetruppen besetzt wurde. Frankreich sollte für dieses Weniger an Sicherheit durch eine gemeinsame Beistandsgarantie Großbritanniens und der USA entschädigt werden. Dem entsprechenden Vertrag stimmte zwar das Unterhaus in London, nicht aber der Senat in Washington zu, womit auch die britische Beistandspflicht entfiel. Zusammen mit den gesamten Pariser Vorortsverträgen verweigerte der amerikanische Senat auch dem Lieblingsprojekt Wilsons, dem Völkerbund, die Zustimmung. Dem „System von Versailles" fehlte damit der Eckstein: die Rückversicherung bei den Vereinigten Staaten. Es war absehbar, daß Frankreich nun versuchen würde, seine Sicherheitsinteressen gegenüber Deutschland auf andere Weise durchzusetzen.

Deutschland fühlte sich durch den Vertrag von Versailles auf den Platz einer Nation zweiten Ranges zurückgeworfen. Vom Völkerbund, der zunächst ein Areopag der Siegermächte und der Neutralen blieb, war es fürs erste ausgesperrt; seine Souveränität war drastisch eingeschränkt, sein Territorium geschrumpft, seine Wirtschaftskraft geschwächt, sein militärisches Potential nur noch ein schwacher Abglanz dessen, was der Hohenzollernstaat einst besessen hatte. Aber das Reich bestand fort; es war noch immer das bevölkerungsreichste Land westlich der russischen Grenzen und die wirtschaftlich stärkste Macht Europas.

Auch außenpolitisch war Deutschlands Lage keineswegs hoffnungslos. Mochte Frankreich in Polen und den Staaten der „Kleinen Entente" von 1920/21 – der Tschechoslowakei, Jugoslawien und Rumänien – seine natürlichen Partner finden, so verblieb Deutschland die Chance, besonders enge Beziehungen zum übrigen „Zwischeneuropa", von Finnland über das Baltikum bis Bulgarien, aufzubauen. Wichtiger noch war, daß von einer „Einkreisung" Deutschlands, wenn es sie denn je gegeben hatte, nach dem Ersten Weltkrieg keine Rede mehr sein konnte. Zwischen den Westmächten und Sowjetrußland klaffte ein Abgrund; die alliierte Intervention zugunsten der „Weißen" endete erst im Spätjahr 1920. Das republikanische Deutschland hatte zwar die diplomatischen Beziehungen zu Moskau, die von der Regierung des Prinzen Max von Baden am 5. November 1918, aus Protest gegen russische Geldzuwendungen an deutsche Revolutionäre, abgebrochen worden waren, nicht wieder aufgenommen. Aber eine Annäherung der beiden „Parias" der Friedensordnung von 1919 lag in der Logik der Entwicklung. Deutschlands Aussichten, wieder zu einer europäischen Großmacht aufzusteigen, waren durch den Vertrag von Versailles keineswegs zerstört worden.

Innenpolitisch wurde „Versailles" alsbald zu einer Waffe der Rechten. Die Versicherungen von DNVP und DVP, die parlamentarische Mehrheit, die für die Unterzeichnung stimmte, habe sich von patriotischen Beweggründen leiten lassen, gerieten rasch in Vergessenheit. Die republikanischen Kräfte mußten mit dem Vorwurf leben, sie hätten durch die Unterschrift unter den Vertrag die Hand zur Erniedrigung Deutschlands gereicht. Seit im Mai 1919 die Friedensbedingungen der Alliierten bekannt geworden waren, hatten auch jene Mahner keine Chance mehr, die eine kritische Durchleuchtung des deutschen Anteils am Kriegsausbruch von 1914 verlangten. Als Eduard Bernstein Mitte Juni auf dem Parteitag der SPD in Weimar die „Frage der Schuld und der Verantwortung" aufwarf und seine Genossen bat, sich nicht mehr zu Gefangenen jener Abstimmung vom 4. August 1914 zu machen, in der die sozialdemokratische Reichstagsfraktion die Kriegskredite bewilligt hatte, wurde er von der Parteiführung und den Delegierten förmlich niedergemacht. Im Kampf gegen die „Kriegsschuldlüge" fanden sich Vertreter unterschiedlichster Richtungen zusammen; das Auswärtige Amt förderte entsprechende Aktivitäten, und die deutsche Geschichtswissenschaft stellte sich nahezu geschlossen in den Dienst der vermeintlich guten Sache. Aus der Abwehr der falschen These, Deutschland sei allein schuld am Weltkrieg, erwuchs binnen kurzem eine deutsche Kriegsunschuldlegende. Sie trug kaum weniger als ihre Zwillingsschwester, die Dolchstoßlegende, dazu bei, jenes nationalistische Klima zu erzeugen, in dem sich das politische Leben der Weimarer Republik entwickelte.[10]

5.

Die hingenommene Verfassung

Als die Verfassunggebende Deutsche Nationalversammlung Ende Februar 1919 ihre Hauptaufgabe, die Ausarbeitung einer neuen Reichsverfassung, in Angriff nahm, waren bereits zwei wichtige Vorentscheidungen gefallen. Erstens stand fest, daß die Verfassung keine sozialistische, sondern eher eine liberale Handschrift tragen würde. Der linksliberale Staatsrechtler Hugo Preuß, dem die Volksbeauftragten am 15. November 1918 den Auftrag zur Ausarbeitung eines Verfassungsentwurfs erteilten, hatte tags zuvor in einem Zeitungsaufsatz unter dem Titel „Volksstaat oder verkehrter Obrigkeitsstaat?" die Sozialdemokratie aufgefordert, das liberale Bürgertum an der Neuordnung Deutschlands verantwortlich zu beteiligen. Die beiden sozialdemokratischen Parteien verfolgten zwar bestimmte verfassungspolitische Einzelziele, besaßen aber keine Gesamtkonzeption einer Verfassung. Indem sie Preuß, dem neuen Staatssekretär des Reichsamtes des Innern, die Federführung in Sachen Verfassung überließen, erkannten sie auf diesem Feld den überlegenen Sachverstand des liberalen Lagers an. Zweitens war abzusehen, daß die Verfassung weniger zentralistisch sein würde, als es Preuß' Absicht entsprach: Über den „Staatenausschuß", der seit dem 27. Januar 1919 den Entwurf von Preuß beriet, setzten die Länder, die sozialdemokratisch geführten in vorderster Front, eine Revision im föderalistischen Sinn durch.[1]

Das Verhältnis zwischen Reich und Ländern war in der Folgezeit einer der Hauptstreitpunkte bei den parlamentarischen Beratungen der Reichsverfassung. Innerhalb der Weimarer Koalition fühlte sich das Zentrum mehrheitlich als Gralshüter des Föderalismus, während SPD und DDP unitarisch ausgerichtet waren. Aber bei den Sozialdemokraten wog der Besitz von Staatsmacht schwerer als die ideologische Tradition: Die Reichstagsfraktion konnte sich mit dem Versuch, das Reich auf Kosten der Länder zu stärken, nicht gegen die sozialdemokratischen Ministerpräsidenten durchsetzen. Die Forderung der SPD, den Reichsrat von einer Vertretung der Regierungen in eine Vertretung der Landtage umzuwandeln, wurde ebensowenig verwirklicht wie die vom Verfassungsausschuß der Nationalversammlung angestrebte wesentliche Vermehrung der Reichskompetenzen. Die Reichsregierung wollte es auf einen Konflikt mit den wichtigsten Ländern nicht ankommen lassen und bewog die Koalitionsparteien immer wieder zum Nachgeben.

Für sein Vorhaben, Preußen in kleinere Staaten aufzulösen, fand Preuß freilich auch bei den Fraktionen der Weimarer Koalition nicht viel Unterstützung. Vom Hauptgrund dieser Zurückhaltung war bereits die Rede: Die meisten Abgeordneten waren sich der Gefahren bewußt, die eine territoriale

Neuordnung für die Einheit des Reiches mit sich bringen konnte. Das galt vor allem für den Westen Deutschlands. Preußen schien eher in der Lage, den von Frankreich geförderten Separatismus in Schach zu halten, als ein dem Reich als selbständiger Einzelstaat angehörendes Rheinland, wie es die regionale Autonomiebewegung forderte. Am Ende der Verfassungsberatungen standen dabei Bestimmungen, die eine grundlegende Neugliederung des Reiches zwar nicht unmöglich, aber doch unwahrscheinlich machten. Einer preußischen Hegemonie suchte die Verfassung einen doppelten Riegel vorzuschieben: Zum einen durfte Preußen, das rund drei Fünftel der deutschen Bevölkerung des Reiches umfaßte, nur zwei Fünftel aller Sitze im Reichsrat einnehmen. Zum anderen wurde die Bestimmung, wonach die Länder im Reichsrat durch Mitglieder ihrer Regierungen vertreten waren, im Fall Preußens durchbrochen: Die preußische Vertretung im Reichsrat bestand zu einer Hälfte aus Regierungsmitgliedern, zur anderen aus Delegierten der preußischen Provinzialverwaltungen.

Im Endergebnis war das Reich unitarischer, als es die Föderalisten, und föderalistischer, als es die Unitarier gewünscht hatten. Die Länder waren mehr als bloße Selbstverwaltungskörper und das Reich nicht der Einheitsstaat, der Preuß vorgeschwebt hatte. Die Entkoppelung von preußischer und Reichsregierung bedeutete ein Stück Entprivilegierung des größten deutschen Staates. Aber auf der anderen Seite hatte der Reichsrat ein ungleich geringeres Gewicht als der Bundesrat im Kaiserreich. Die süddeutschen Länder verloren die „Reservatrechte“ auf dem Gebiet des Militärs, der Post und des Abgabewesens, die ihnen Bismarck eingeräumt hatte. Von diesen Einbußen war Bayern am meisten betroffen, und es sprach wenig dafür, daß sich der süddeutsche Freistaat mit der Minderung seines Status dauerhaft abfinden würde.[2]

Ähnlich umstritten wie das Verhältnis zwischen Reich und Ländern war das zwischen Parlament und Staatsoberhaupt. Preuß wollte an die Spitze des Reiches einen starken, vom Volk direkt gewählten Präsidenten stellen. In Übereinstimmung mit dem Soziologen Max Weber, der zu Preuß' engsten Beratern gehörte, gedachte der Staatssekretär des Reichsamtes des Innern dem Präsidenten die Rolle eines Gegengewichts zum Reichstag zu. Ein solches Gegengewicht war aus bürgerlicher Sicht schon deswegen erforderlich, weil die sozialistischen Parteien durchaus Chancen hatten, eine Mehrheit im Parlament zu erobern. In Preuß' Warnung vor einem „Parlaments-Absolutismus“ spiegelte sich seine Hoffnung, der direkt gewählte Reichspräsident werde eine vergleichsweise konservativere Politik treiben als die Mehrheit der Volksvertretung. Dem zur Überparteilichkeit verpflichteten Präsidenten trauten Preuß und die bürgerlichen Mittelparteien überdies ein hohes Maß an Integrationsfähigkeit zu. Das war vor allem im Hinblick auf das Berufsbeamtentum wichtig, das keine Beute der Parteien werden, sondern dem Staat als ganzem dienen sollte. Der starke Reichspräsident als Garant eines starken, überparteilichen Staates und damit von staatlicher Kontinuität: das war der Sinn der Konstruktion, die Preuß der Nationalversammlung am 24. Februar 1919 unterbreitete.

Bei den Sozialdemokraten stieß der liberale „Verfassungsvater" damit auf scharfen Widerspruch. In der Fraktionssitzung vom 25. Februar sprach der Parteiveteran Hermann Molkenbuhr vom Reichspräsidenten als einem „Kaiserersatz" und monierte den „echt napoleonischen Trick der Präsidentenwahl durch das Volk". In der ersten Lesung des Verfassungsentwurfs im Plenum am 28. Februar erklärte der sozialdemokratische Sprecher, Richard Fischer, die Vorlage gebe dem Reichspräsidenten eine höhere, weniger eingeschränkte Macht, als sie der Präsident der Französischen Republik oder der Präsident der Vereinigten Staaten von Amerika besitze. „Wir dürfen uns hierbei auch nicht von dem Gedanken beeinflussen lassen, daß jetzt auf dem Posten des Reichspräsidenten ein Sozialdemokrat steht. War die frühere Reichsverfassung auf den Leib des Kanzlers Bismarck zugeschnitten – die jetzige Verfassung soll nicht auf den Leib des Reichspräsidenten Ebert zugeschnitten sein. Wir müssen mit der Tatsache rechnen, daß eines Tages ein anderer Mann aus einer anderen Partei, vielleicht aus einer reaktionären, staatsstreichlüsternen Partei an dieser Stelle stehen wird. Gegen solche Fälle müssen wir uns doch vorsehen, zumal die Geschichte anderer Republiken höchst lehrreiche Beispiele in dieser Beziehung geliefert hat."[3]

Bei den bürgerlichen Parteien fanden solche Bedenken, die in schärferer Form auch von der USPD geäußert wurden, keinen Widerhall. Aber auch bei den Mehrheitssozialdemokraten selbst wuchs unter dem Eindruck der bürgerkriegsähnlichen Auseinandersetzungen im Frühjahr 1919 die Neigung, einen starken Präsidenten als unvermeidbar anzusehen. Die SPD fand sich, entgegen ihrer ursprünglichen Absicht, mit der langen, siebenjährigen Amtsdauer des Reichspräsidenten ab, und sie nahm es hin, daß die bürgerlichen Parteien die außerordentlichen Vollmachten des Präsidenten im Notstandsfall sogar noch erweiterten: In der dritten Lesung am 30. Juli 1919 fiel die vom Verfassungsausschuß noch am 18. Juni vorgesehene Bestimmung, der zufolge Maßnahmen des Reichspräsidenten nach dem „Notverordnungsartikel" 48 der Zustimmung des Reichstags bedurften. Statt dessen genügte es nun, wenn der Reichspräsident dem Reichstag von seinen Maßnahmen unverzüglich Kenntnis gab. Das Recht des Reichstags, die Maßnahmen des Reichspräsidenten außer Kraft zu setzen, wurde durch diese Änderung freilich nicht berührt.

Das Prinzip der repräsentativen Demokratie, für das der Reichstag stand, wurde nicht nur durch den direkt gewählten Reichspräsidenten eingeschränkt. Als Gesetzgeber trat der Reichstag vielmehr auch mit dem Volk in Konkurrenz. Bei der Einführung von Volksbegehren und Volksentscheid waren die Sozialdemokraten die treibende Kraft. Zwar gab es auch in ihren Reihen Bedenken gegen eine Volksgesetzgebung: In der Fraktionssitzung vom 25. Februar 1919 meinte der Abgeordnete Richard Fischer, ein Volk, das in seiner Gesamtheit auftrete, erweise sich immer als reaktionäre Macht, und alle Länder hätten den Beweis erbracht, daß Volksabstimmungen stets gegen fortschrittliche Neuerungen ausfielen. Aber die große Mehrheit der Sozialdemokraten wollte doch auf der Linie aller bisherigen Parteiprogramme bleiben und die direkte Gesetzgebung durch das Volk in der Verfassung verankern. Mit etwas geringerem Nachdruck als die beiden sozialdemokratischen Parteien unterstützte die DDP Volksbegehren und Volksentscheid. Die DVP dagegen lehnte beides als Instrumente einer radikaldemokratischen Politik ab und fand sich darin mit einem Teil der DNVP in Übereinstimmung. Ein anderer Teil der Deutschnationalen versprach sich von Volksbegehren und Volksentscheid konservative Wirkungen und stimmte für das Referendum. Das Zentrum nahm zunächst keine Stellung.

Am Ende langer Beratungen stand ein Kompromiß. Die von dem Sozialdemokraten Wilhelm Keil geforderte Volksabstimmung über die Verfassung und das Volksbegehren über die Auflösung des Reichstags fanden im Verfassungsausschuß keine Mehrheit. Dagegen einigte man sich darauf, daß ein Volksentscheid herbeizuführen war, wenn ein Zehntel der Stimmberechtigten dies durch ein Volksbegehren forderte. Außerdem sollte ein vom Reichstag beschlossenes Gesetz dem Volksentscheid unterworfen werden, wenn ein Zwanzigstel der Stimmberechtigten es verlangte und zuvor ein Drittel des Reichstags der Verkündung des Gesetzes widersprochen hatte. In der dritten Lesung erhielt ein Antrag von SPD, DDP und Zentrum die Mehrheit, wonach ein Beschluß des Reichstags nur dann durch Volksentscheid außer Kraft gesetzt werden konnte, wenn sich die Mehrheit der Stimmberechtigten an der Abstimmung beteiligte. Auf diese Weise sollte es dem Reichspräsidenten erschwert werden, sich gegen den Reichstag zu stellen. Denn entgegen den Vorschlägen Keils hatte der Verfassungsausschuß dem Reichspräsidenten (und, im Fall von Verfassungsänderungen, dem Reichsrat) das Recht eingeräumt, einen Volksentscheid gegen ein vom Reichstag beschlossenes Gesetz herbeizuführen.[4]

Eine weitere Konkurrenz auf dem Feld der Gesetzgebung blieb dem Reichstag erspart: ein Wirtschaftsparlament, das der Volksvertretung wesentliche Rechte hätte streitig machen können. Entsprechende Forderungen kamen von höchst unterschiedlichen Seiten. Auf dem Zweiten Kongreß der Arbeiter-, Bauern- und Soldatenräte Deutschlands, der vom 8. bis 14. April 1919 in Berlin stattfand, verabschiedeten die Delegierten einen Antrag der beiden „rechten" Sozialdemokraten Max Cohen-Reuß und Julius Kaliski, der eine dem politischen Parlament gleichberechtigte „Kammer der Arbeit" verlangte. Dieser Vorschlag stieß auf Ablehnung bei der Partei der Antragsteller, aber auf Zustimmung bei der äußersten Rechten. Am 21. Juli 1919 erklärte der deutschnationale Abgeordnete und frühere kaiserliche Staatssekretär Clemens von Delbrück in der Nationalversammlung, in der Räteidee liege ein Gedanke, der auch bei seiner Partei Anklang gefunden habe. Es sei dies der Gedanke einer berufsständischen Kammer, in dem seine Freunde und er schon immer „ein Gegengewicht gegen die Überspannung des Parlamentarismus und gegen die Herrschaft des Parlaments“ gesehen hätten.[5]

Bei der Mehrheit der Nationalversammlung gab es keine Sympathien für ein wie immer geartetes zusätzliches Gesetzgebungsorgan. Was im „Räteartikel“ 165 der Weimarer Verfassung seinen Niederschlag fand, schränkte die Befugnisse der allgemeinen Volksvertretungen in keiner Weise ein. Die Arbeiter und Angestellten sollten eigene Räte bilden und zusammen mit allen wichtigen Berufsgruppen in Wirtschaftsräten vertreten sein, die auf Bezirks- wie auf Reichsebene einzurichten waren. Dem Reichswirtschaftsrat stand das Recht der Gesetzesinitiative und der Begutachtung von Gesetzesvorlagen, aber kein Vetorecht gegen Gesetze zu. Er war der einzige der in Artikel 165 genannten Räte, der tatsächlich, auf Grund einer Verordnung vom 4. Mai 1920, das Licht der Welt erblickte. Eine reale politische Bedeutung hat aber auch der Vorläufige Reichswirtschaftsrat nicht erlangt.

Das Wichtigste am Artikel 165 blieb sein erster Absatz: Er proklamierte das Prinzip der Parität von Kapital und Arbeit und sicherte den Tarifpartnern und ihren Vereinbarungen die staatliche Anerkennung zu. Das war konkreter als das meiste, was die Verfassung sonst zu den Fragen von Wirtschaft und Gesellschaft sagte. Zum Thema „Sozialisierung“ enthielt sie Kann-Bestimmungen, die über das Sozialisierungsgesetz vom 23. März 1919 nicht hinausgingen. Die Verfassung gewährte „jedermann und allen Berufen“ die „Vereinigungsfreiheit zur Wahrung der Arbeits- und Wirtschaftsbedingungen“, was indes keine Anerkennung des Streikrechts bedeutete. Wäre das Streikrecht in der Verfassung verankert worden, dann hätten auch seine Grenzen geregelt werden müssen. Beide Fragen waren so umstritten, daß der Verfassunggeber es vorzog, auf eine verbindliche Entscheidung zu verzichten.[6]

Einige höchst umstrittene Fragen mußte die Nationalversammlung jedoch lösen, weil sonst überhaupt keine Verfassung zustande gekommen wäre. Kontrovers war bereits ihr Titel: Sollte es „Verfassung des Deutschen Reiches“ oder „Verfassung der Deutschen Republik“ heißen? Die beiden sozialistischen Parteien waren für die zweite Überschrift, konnten sich damit aber gegen die geschlossene Front der bürgerlichen Parteien nicht durchsetzen. In der nicht minder symbolträchtigen Flaggenfrage wollte die USPD rot als Reichsfarbe, während sich die Mehrheitssozialdemokraten, anknüpfend an das Erbe von 1848/49, zu Schwarz-Rot-Gold bekannten. Diese Farben wurden auch von der Mehrheit des Zentrums und einer Minderheit der DDP bevorzugt. Die beiden Rechtsparteien, die Mehrheit der Demokraten und die Minderheit des Zentrums wollten Schwarz-Weiß-Rot, die Farben des Bismarckreiches, beibehalten. Anfang Juli spitzte sich der Flaggenstreit derart zu, daß die Sozialdemokraten zeitweilig erwogen, mit den Unabhängigen für rot zu stimmen, falls sich keine Lösung zugunsten von Schwarz-Rot-Gold erreichen ließ. Der Kompromiß, der in der zweiten Lesung schließlich eine Mehrheit fand, erklärte Schwarz-Rot-Gold zu den Reichsfarben. Angeblich wegen der besseren Sichtbarkeit auf See wurde aber eine Sonderregelung für die Handelsflagge getroffen: Sie zeigte die Farben Schwarz-Weiß-Rot mit einer schwarz-rot-goldenen Gösch in der oberen inneren Ecke. Es war offenkundig, daß nicht nur die Rechte dem Kaiserreich nachtrauerte, sondern auch ein Teil der „Weimarer" Parteien.[7]

Die schärfsten Meinungsverschiedenheiten entbrannten um die Schulartikel der Verfassung. Im Juli 1919 schien es eine Zeitlang sogar, als könne daran der gesamte Grundrechtsteil scheitern. Den Sozialdemokraten lag vor allem daran, durch eine Neuordnung des Schulwesens bessere soziale Chancen für die unteren Bevölkerungsschichten zu erreichen; dem Zentrum ging es vorrangig um die Zulassung konfessioneller Schulen in allen Teilen des Reiches; die Liberalen schließlich wollten den Einfluß der Kirchen auf die Schulen überall zurückdrängen. Die einzige Gemeinsamkeit zwischen den „Weimarer" Parteien war demnach das Interesse daran, daß es überhaupt zu einer einheitlichen Regelung des Schulwesens für das ganze Reich kam. Die Mehrheit im Verfassungsausschuß einigte sich zunächst darauf, daß die Kinder ungeachtet ihres Bekenntnisses eine für alle gemeinsame Schule besuchen sollten. Die Entscheidung darüber, ob auf Antrag der Erziehungsberechtigten auch konfessionelle Schulen errichtet werden konnten, sollte dann der Gesetzgeber fällen.

Mit dieser Lösung war aber das Zentrum nicht zufrieden, und auch bei den Sozialdemokraten gab es Widerspruch. Das Zentrum, seit dem 21. Juni der einzige Koalitionspartner der SPD, wollte die konfessionellen Schulen durch die Verfassung absichern; bei den Sozialdemokraten plädierte der Abgeordnete Keil dafür, lieber die Verfassung abzulehnen als konfessionellen Schulen zuzustimmen. Am 3. Juli erklärte sich die SPD zu neuen Verhandlungen mit dem Zentrum bereit, gab aber ihren Unterhändlern die Weisung mit, auf dem Ergebnis der bisherigen Beratungen zu bestehen und, wenn das beim Zentrum nicht durchzusetzen war, auf den Grundrechtsteil ganz zu verzichten. Ein solcher Verzicht war für das Zentrum völlig undenkbar, da zu dem zweiten Hauptteil „Grundrechte und Grundpflichten der Deutschen" auch der Abschnitt über Religion und Religionsgesellschaften gehörte. Die Sozialdemokraten mußten folglich, wenn sie die Koalition nicht platzen lassen wollten, nachgeben. In der zweiten Lesung stimmte die Nationalversammlung einem zwischen SPD und Zentrum ausgehandelten Kompromiß mit den Stimmen beider Parteien zu: Danach war es Sache der Erziehungsberechtigten, darüber zu entscheiden, ob die Schulen in einer Gemeinde für alle Bekenntnisse gemeinsam, getrennt oder bekenntnisfrei sein sollten. Hiergegen lehnten sich nun aber die Demokraten auf, so daß neue Verhandlungen erforderlich wurden. Aus ihnen ging schließlich die Lösung hervor, die in der dritten Lesung verabschiedet wurde: Fortan war die für alle Bekenntnisse gemeinsame „Simultanschule" die Regelschule; an ihre Stelle konnte jedoch auf Antrag der Erziehungsberechtigten eine konfessionelle oder bekenntnisfreie Schule treten.[8]

Der Schulkompromiß sicherte der Weimarer Verfassung eine breite Mehrheit. Am 31. Juli fand die Schlußabstimmung statt: Die Reichsverfassung wurde mit 262 gegen 75 Stimmen bei einer Enthaltung angenommen. Für die Verfassung stimmten SPD, Zentrum und DDP, gegen sie USPD, DNVP und DVP. Am 11. August 1919 unterzeichnete Reichspräsident Friedrich Ebert die Verfassung; drei Tage später trat sie durch Verkündung im Reichsgesetzblatt in Kraft.

Eduard David, der sozialdemokratische Reichsinnenminister, feierte die Verabschiedung der Verfassung am 31. Juli 1919 mit den Worten, nirgends in der Welt sei die Demokratie konsequenter durchgeführt als in dieser Verfassung; die deutsche Republik sei fortan „die demokratischste Demokratie der Welt". Es waren vor allem die Elemente direkter Demokratie, die David zu solchen Superlativen veranlaßten. Wer nach dem Zweiten Weltkrieg auf Weimar zurückblickte, konnte ein derart hochgemutes Urteil nicht mehr unterschreiben. Vielfach neigten Kritiker sogar dazu, gerade in den von David gelobten plebiszitären Bestandteilen der Weimarer Verfassung einen wesentlichen Grund ihres Scheiterns zu sehen. Was Volksbegehren und Volksentscheid anbelangt, läßt sich eine solche Auffassung kaum halten. Keines der Volksbegehren, die zwischen 1919 und 1933 stattfanden, hat zum gewünschten Erfolg geführt, auch nicht das zum Young-Plan von 1929, dessen Bedeutung für den Aufstieg des Nationalsozialismus oft überschätzt wird. Aber richtig ist doch, daß sich gerade an diesem Beispiel die demagogische Nutzbarkeit von Plebisziten ablesen läßt. Ein anderes Volksbegehren, das zur Fürstenenteignung von 1926, wird von den Befürwortern direkter Demokratie gern als Beleg für die Fortschrittlichkeit einer Volksgesetzgebung ins Feld geführt. Doch es wird noch zu zeigen sein, daß die Massenmobilisierung, die den Urhebern dieses Referendums gelang, für die parlamentarische Demokratie alles andere als ein Gewinn war. In der Gesamtbilanz bietet Weimar mithin zumindest keine Argumente *für* eine plebiszitäre „Auflockerung" der repräsentativen Demokratie.[9]

Viel schwerer als Volksbegehren und Volksentscheid liegt in der Waagschale der Kritik ein anderes Element der plebiszitären Demokratie von Weimar: der direkt gewählte Reichspräsident. Das Mandat durch das Volk gab den Befugnissen des Präsidenten, wie immer er sie nutzte, eine demokratische Legitimation, die leicht mit derjenigen des Reichstags in Konkurrenz und Konflikt geraten konnte. Zu den verfassungsmäßigen Kompetenzen des Reichspräsidenten gehörten der Oberbefehl über die gesamte Wehrmacht des Reiches, sein Recht, Volksentscheide anzuordnen und den Reichstag aufzulösen, sein freies Ermessen bei der Ernennung und Entlassung des Reichskanzlers, der zwar des Vertrauens des Reichstags bedurfte, aber von diesem nicht gewählt wurde, schließlich eine diktatorische Machtfülle in dem keineswegs klar umrissenen Fall, daß „im Deutschen Reiche die öffentliche Sicherheit und Ordnung erheblich gestört oder gefährdet wird" (Artikel 48^{II}). Aus der Sicht der Nationalversammlung konnte die Situation, in der sich die Macht vom Parlament auf den Präsidenten verlagerte, nur der Ausnahmezustand sein. Aber das Ausführungsgesetz zum Artikel 48, das den Ernstfall soweit wie möglich normieren sollte, kam nie zustande. Die Grenze zwischen Ausnahmezustand und Normalität blieb infolgedessen unscharf.

Die Väter und Mütter der Weimarer Verfassung übernahmen, wie der Politikwissenschaftler Ernst Fraenkel urteilt, die Institution des plebiszitär gewählten Präsidenten aus den Vereinigten Staaten, verkannten dabei aber die Tatsache, „daß das Fehlen des parlamentarischen Regierungssystems und die damit verbundenen Besonderheiten des amerikanischen Parteiwesens maßgeblich dazu beigetragen haben, den Kongreß stark zu machen und ein Gleichgewicht zwischen den plebiszitären und repräsentativen Komponenten des amerikanischen Regierungssystems herzustellen".

In Deutschland schwächten die plebiszitären Elemente der Verfassung, allen voran der starke Präsident, das Parlament. Nicht daß der Exekutive im Notstandsfall große Befugnisse zufielen, war das Bedenkliche, sondern daß es sich um einen Machtzuwachs des faktisch unkontrollierbaren Reichspräsidenten handelte. Die Weimarer Verfassung enthielt keinerlei Vorkehrungen, die die Regierung vor regierungsunfähigen Parlamentsmehrheiten hätten schützen können. Wenn das parlamentarische System nicht funktionierte, sprang der Präsident ein. Dadurch wurde den Parteien die Flucht aus der Verantwortung außerordentlich erleichtert. Fraenkel hat diesen Geburtsfehler der neuen parlamentarischen Ordnung mit der gebotenen Schärfe kommentiert: „Im Denken der Väter der Weimarer Verfassung spukt noch die Vorstellung, daß das Haupt der Exekutive dazu berufen sei, das Volksganze zu symbolisieren und das Gesamtinteresse wahrzunehmen. Dank ihres Unverständnisses für die repräsentativen Aufgaben eines Parlaments schufen sie eine plebiszitär-autoritäre Verfassung. Ein Volk, das seinem Parlament nicht die Fähigkeit zur Repräsentation zutraut, leidet an einem demokratischen Minderwertigkeitskomplex. Die angeblich demokratischste Verfassung der Welt war das Produkt obrigkeitsstaatlichen Denkens."[10]

Zu den Schwächen des politischen Systems von Weimar haben spätere Kritiker auch das von der Verfassung festgeschriebene Verhältniswahlrecht gerechnet. Das Verhältnis- oder Proportionalwahlrecht, so lautete eine in den fünfziger Jahren weitverbreitete These, habe die Zersplitterung des Parteiensystems und den Aufstieg des Nationalsozialismus ermöglicht; ein relatives Mehrheitswahlrecht hätte beides verhindert. Tatsächlich bedeutete das Verhältniswahlrecht 1919 ein erhebliches Stück Demokratisierung des Wahlrechts: Es gewährleistete eine Sitzverteilung, die dem Wählerwillen in viel höherem Maß entsprach als das Mehrheitswahlrecht des Kaiserreichs, und es schloß insbesondere aus, daß eine Minderheit der Wähler zu einer parlamentarischen Mehrheit gelangte. Wären die Anfänge der parlamentarischen Demokratie von Weimar mit einer derartigen Verzerrung des Wählerwillens (vermutlich zugunsten der Linken) belastet worden, hätte das polarisierend und nicht stabilisierend gewirkt. Die Zersplitterung des Parteiwesens hätte sich auch durch eine angemessene Sperrklausel verhindern lassen, die freilich dem Demokratieverständnis der Zeitgenossen strikt widersprach und daher nicht zu Debatte stand. Daß ein relatives Mehrheitswahlrecht dem Aufstieg des Nationalsozialismus einen Riegel vorgeschoben hätte, ist reine Spekulation. Denkbar erscheint auch, daß ein solches Wahlrecht die Partei Hitlers nach 1930 begünstigt hätte. „Beweisen" läßt sich weder die eine noch die andere These. Sicher ist nur, daß der Untergang der Weimarer Republik nicht aus der Wahlrechtsentscheidung von 1919 abgeleitet werden kann.[11]

Die Weimarer Verfassung war ein Kompromiß zwischen unterschiedlichen weltanschaulichen Lagern, die sich darin einig waren, daß sie ihre Gegensätze nur im Rahmen dieser Verfassung austragen wollten. Im Hinblick auf die Gesellschaftsordnung konnte die Verfassung keine Entscheidung zwischen „Kapitalismus" und „Sozialismus" treffen, sondern nur einen Minimalkonsens festhalten: Grundlage der künftigen Gesetzgebung war die bestehende, auf dem Privateigentum beruhende Ordnung, die jedoch sozial auszugestalten war und, die entsprechenden Mehrheiten in den Gesetzgebungsorganen vorausgesetzt, im sozialistischen Sinn verändert werden konnte. War diese Lösung ein echter Kompromiß, so gab es daneben auch unechte oder, wie der Staatsrechtler Carl Schmitt 1928 in seiner „Verfassungslehre" formulierte, „dilatorische Formelkompromisse", die den Dissens nur zum Schein auflösten. Schmitt rechnete den Artikel über die Gemeinschaftsschule als Regelschule dieser Kategorie von Kompromissen ebenso zu wie die Bestimmungen über das Verhältnis von Staat und Kirche, die dem Staatskirchentum zwar eine Absage erteilten, eine eindeutige Trennung zwischen Staat und Kirche aber nicht vollzogen. (Ironischerweise sind diese „dilatorischen" Artikel der Weimarer Verfassung die einzigen, die, infolge ihrer Übernahme ins Grundgesetz von 1949, noch heute gelten.) Mit noch größerem Recht wird man den Begriff des dilatorischen Formelkompromisses auf jene Scheinlösung der Flaggenfrage anwenden können, die den Streit um die Farben des Staates nicht beilegte, sondern eher schürte.[12]

Als sich in der Endphase der Weimarer Republik die Mehrheit der Wähler für Parteien entschied, die den bestehenden Staat ablehnten, griff Carl Schmitt 1932 die zunehmende „funktionalistisch-formalistische Entleerung des parlamentarischen Gesetzgebungsstaates" an. Sie habe zu einem „inhaltlich indifferenten, selbst gegen seine eigene Geltung neutralen, von jeder materiellen Gerechtigkeit absehenden Legalitätsbegriff" geführt. Die Inhaltslosigkeit der bloßen Mehrheitsstatistik nehme der Legalität jede Überzeugungskraft; die Neutralität sei vor allem Neutralität gegen den Unterschied von Recht und Unrecht. Der herrschenden Staatsrechtslehre warf Schmitt vor, sie öffne den legalen Weg zur Beseitigung der Legalität selbst; sie gehe in ihrer Neutralität also bis zum Selbstmord. „Jedes noch so revolutionäre oder reaktionäre, umstürzlerische, staatsfeindliche, deutschfeindliche oder gottlose Ziel ist zugelassen und darf der Chance, auf legalem Wege erreicht zu werden, nicht beraubt werden."[13]

Schmitts Kritik traf die Weimarer Verfassung an ihrer schwächsten Stelle. Aus dem Bewußtseinshorizont von 1919 war freilich an eine abwehrbereite Demokratie, die ihren Feinden vorsorglich den Kampf ansagte, gar nicht zu denken. Wenige Monate nach dem Zusammenbruch des Kaiserreiches wäre jeder Versuch, die Entscheidungen der Wähler an konstitutionelle Vorgaben zu binden, als Rückfall in den Obrigkeitsstaat erschienen. Die Einschränkungen des Mehrheitsprinzips und des Wählerwillens, die das Grundgesetz der Bundesrepublik Deutschland vornahm, waren nur möglich, weil der Parlamentarische Rat eine Erfahrung vor Augen hatte, die den Vätern und Müttern der Verfassung von 1919 noch abging: das Scheitern von Weimar.[14]

Von den meisten Deutschen wurde die Weimarer Reichsverfassung mehr hingenommen als angenommen. Da sie nur ein Kompromiß sein konnte, war auch keine der Parteien, die ihr zugestimmt hatten, ganz mit ihr zufrieden. Zu einem Symbol der Republik wurde sie erst im Gefolge von Haßkampagnen und Gewalttaten der radikalen Rechten. Sie machten den staatstragenden Parteien bewußt, daß der Kampf um die Verfassung mit ihrer Verabschiedung nicht beendet, sondern nur in eine neue Phase eingetreten war.

6.

Die fehlgeschlagene Gegenrevolution

Seit dem Sommer 1919 schien sich in Deutschland eine gewisse politische Beruhigung abzuzeichnen. Mit der Unterzeichnung des Vertrages von Versailles und der Verabschiedung der Weimarer Reichsverfassung lagen die äußeren und die inneren Rahmenbedingungen der deutschen Politik zunächst einmal fest. Damit traten einige besonders drängende Probleme der inneren Neuordnung wieder in den Vordergrund, die zeitweilig in den Schatten der „großen Politik" getreten waren.

Für das Kabinett Bauer begann der Alltag der Regierungsgeschäfte unmittelbar nach der Ratifizierung des Friedensvertrags. Eine der ersten wichtigen Entscheidungen der schwarz-roten Rumpfkoalition betraf die Grundrichtung der Wirtschaftspolitik: Am 8. Juli sprach sich das Kabinett gegen die Plan- und Gemeinwirtschaftsprojekte des sozialdemokratischen Reichswirtschaftsministers Rudolf Wissell aus, was dieser vier Tage später mit seinem Rücktritt quittierte. Sein Nachfolger, Robert Schmidt, war Wissells härtester Widersacher in der SPD und im Gegensatz zu diesem ein Anhänger traditioneller Vorstellungen von Sozialismus. Da der gesetzliche Rahmen von Sozialisierungsgesetzen inzwischen vorgegeben war, bedeutete die Ernennung Schmidts aber durchaus keinen Linksruck. Die Demission Wissells räumte vielmehr eine Barriere gegen eine Wiederherstellung der Weimarer Koalition beiseite: Die DDP, die am 20. Juni aus Protest gegen den Versailler Vertrag aus der Regierung Scheidemann ausgeschieden war, konnte sich eine Zusammenarbeit mit dem konziliianten Schmidt allemal leichter vorstellen als mit dem missionarischen Dirigisten Wissell.[1]

Am gleichen 8. Juli, an dem das Kabinett sich gegen Wissells Gemeinwirtschaft entschied, legte Reichsfinanzminister Matthias Erzberger der Nationalversammlung ein ganzes Bündel von einschneidenden Steuergesetzen vor. Der streitbare Zentrumspolitiker, 1875 in einem oberschwäbischen Dorf geboren, von Beruf Volksschullehrer, also ein „Selfmademan", war im Gegensatz zum Gros seiner Partei ein überzeugter Unitarier. Um eine Stärkung des Reiches ging es ihm denn auch bei der Reichsfinanzreform, die zu Recht seinen Namen trägt. Die Einzelstaaten, deren „Kostgänger" das Reich in der Bismarckzeit gewesen war, hatten ihre Vormachtstellung im Bereich der öffentlichen Finanzen schon vor dem Krieg, dann verstärkt während des Krieges eingebüßt. Erzberger war entschlossen, diesen Prozeß weiterzutreiben und dem Reich die ausschließliche Finanzhoheit zu sichern. Diesem Zweck dienten die Schaffung einer reichseinheitlichen Steuerverwaltung, die „Verreichlichung" des Eisenbahnwesens und die Gesamtheit von Erzbergers Steuergesetzen. Die „Opfer" seiner Reichsfinanzreform waren die Länder und Gemeinden. Die Länder waren, da ihre eigenen Steuereinnahmen für die Erfüllung ihrer Aufgaben bei weitem nicht ausreichten, fortan auf Zuschüsse des Reiches angewiesen; die von den sozialen Nöten der Nachkriegszeit besonders betroffenen Gemeinden wurden durch die Umwälzung des Steuersystems mehr als zuvor auf den Anleiheweg verwiesen.

Neben die unitarische Absicht trat die soziale. Erzberger wollte über seine Steuerreform die „Kriegsgewinnler" zur Kasse bitten und eine Umverteilung großen Stils, von den reichen zu den ärmeren Bevölkerungsschichten, in Gang setzen. Von den Steuern, die er im Juli 1919 vorschlug und durchsetzte, waren drei, die Kriegsabgaben auf Einkommen und Vermögen sowie die Erbschaftssteuer, ganz auf dieses Ziel hin ausgerichtet. Im Dezember 1919 folgte eine einmalige Vermögensabgabe, das Reichsnotopfer – das umstrittenste Gesetz Erzbergers, das bei den Rechtsparteien und im besitzenden Bürgertum eine Welle der Empörung auslöste. Den Abschluß bildete das Gesetz über die Reichseinkommenssteuer, das die Nationalversammlung im März 1920 annahm. Es führte Steuersätze ein, die damals als sehr hoch galten und, ebenso wie das Reichsnotopfer, dazu beitrugen, daß Erzberger auf der Rechten in den Geruch eines konfiskatorischen Sozialisten geriet.

Die Dringlichkeit einer Reichsfinanzreform war unbestritten. Erzberger fand, als er sein Amt antrat, eine geradezu katastrophale Finanzlage vor. Die Staatsschuld, die 1913 etwa 5 Milliarden Mark betragen hatte, belief sich nunmehr auf 153 Milliarden; davon waren 72 Milliarden Mark schwebende Schulden, mußten also entweder binnen kurzem zurückgezahlt oder fundiert werden. Das kaiserliche Deutschland hatte den Krieg weitgehend über Anleihen finanziert – und sich dabei in der Hoffnung gewiegt, diese aus Reparationen der besiegten Gegner zurückzahlen zu können. Die Kreditpolitik der Reichsbank hatte das Ihre dazu getan, die Währung zu zerrütten: Der Papiergeldumlauf einschließlich der Reichsbanknoten stieg von 2 Milliarden Mark im Jahre 1913 auf 45 Milliarden im Jahre 1919. Erzbergers Erwartung, er könne über eine konfiskatorische Besteuerung die Inflation eindämmen oder gar rückgängig machen, erfüllte sich jedoch nicht. Da das Ausgabenniveau extrem hoch blieb und die Zeit bis zum Eingang der neuen Steuererträge überbrückt werden mußte, befriedigte das Reich seinen Finanzbedarf wie bisher aus Anleihen. Die Folge war ein weiterer Verfall der Währung.

Aber auch die Steuern selbst trieben die Inflation voran. Höhere Abgaben auf Vermögen und Einkommen wurden von den Unternehmern auf die Preise abgewälzt. Bei der Steuerzahlung waren die Selbständigen gegenüber den Lohn- und Gehaltsempfängern schon deswegen priviligiert, weil bei diesen der Steuerabzug sofort erfolgte, während jene bei der späteren Entrichtung von Steuern von der inzwischen eingetretenen Geldwertminderung profitierten. Erzbergers Bemühen um soziale Gerechtigkeit wurde durch die Geldentwertung also weitgehend durchkreuzt. Was von seiner Reichsfinanzreform blieb, war die Vereinheitlichung des Steuerwesens und der Finanzverwaltung. Aber auch diese Leistung hatte ihre Kehrseite: Die finanzpolitische Entmachtung der Länder belastete ihr Verhältnis zum Reich; die hohe Verschuldung der Gemeinden, eine Folge der drastischen Beschränkung ihrer Finanzquellen durch Erzberger, wurde zu einer Hauptursache der finanziellen Labilität Deutschlands in den späten zwanziger und frühen dreißiger Jahren.[2]

Ebensoviel politischen Zündstoff wie die Steuerpolitik enthielt ein anderes Reformvorhaben des Kabinetts Bauer: die gesetzliche Verankerung der Betriebsräte. Da SPD und Freie Gewerkschaften sich im Frühjahr 1919 für die Einrichtung von Betriebsräten ausgesprochen hatten, mußte sich auch die Reichsregierung mit dieser Materie befassen. Eine Gesetzesvorlage, die nach langwierigen Vorarbeiten am 9. August 1919 im „Reichsanzeiger" veröffentlicht wurde, sah Betriebsräte für Unternehmen mit mindestens 20 Beschäftigten vor. Die Betriebsräte sollten unter anderem bei der Einstellung und Entlassung von Arbeitnehmern mitentscheiden und von den Arbeitgebern Aufschlüsse über alle Betriebsvorgänge erhalten, die die Verhältnisse der Arbeitnehmer berührten; in größeren Betrieben kam außerdem noch die Vorlegung einer Bilanz und einer Gewinn- und Verlustrechnung sowie eine Vertretung der Arbeitnehmer im Aufsichtsrat hinzu. Diese Rechte gingen vor allem der unternehmerfreundlichen DDP viel zu weit. Einer ihrer maßgeblichen Politiker, der preußische Handelsminister Fischbeck, meinte bei einer internen Beratung am 5. August, der Entwurf bedeute den „organisierten Bolschewismus". Nachdem die DDP am 3. Oktober 1919 wieder in die Regierung eingetreten war, bemühte sie sich nach Kräften, die Vorlage in ihrem Sinne umzugestalten.

Ende November spitzten sich die Auseinandersetzungen dramatisch zu. Reichskanzler Bauer (diesen Titel führte er seit Inkrafttreten der Verfassung) drohte mit seinem Rücktritt, falls die DDP sich nicht auf den Boden der Regierungsvorlage stelle. Das Zentrum forderte die Demokraten ultimativ auf, entweder nachzugeben oder aus dem Kabinett auszuscheiden. Am Ende stand ein Kompromiß in den zwei besonders umstrittenen Fragen: Den Vertretern der Arbeitnehmer sollte zwar eine Betriebsbilanz, nicht aber deren Grundlagen vorgelegt und erläutert werden; die Vertretung des Betriebsrates im Aufsichtsrat blieb einem besonderen Gesetz vorbehalten.

Die Zugeständnisse an die Liberalen waren für die SPD nur schwer erträglich. Am 13. Januar 1920, während der zweiten Lesung des Gesetzes, versuchten die Sozialdemokraten ein letztes Mal, die Vorlage in ihrem Sinn abzuändern. Am 15. Januar warnte Paul Löbe, der Fraktionsvorsitzende der SPD, seine Parteifreunde, das Gesetz dürfe auf keinen Fall scheitern, da sonst die Regierung auseinanderbrechen würde. Einen entsprechenden Beschluß hatte das Kabinett in der Tat bereits am 25. November einstimmig gefaßt. Gegen fünf Stimmen sprach sich daraufhin die sozialdemokratische Fraktion am 18. Januar dafür aus, dem Betriebsrätegesetz in dritter Lesung zuzustimmen. Gegen die Stimmen von DNVP, DVP und USPD nahm die Nationalversammlung am gleichen Tag die Vorlage an.

Die zweite und die dritte Lesung des Betriebsrätegesetzes wurden durch die blutigen Unruhen überschattet, die sich am 13. Januar vor dem Reichstagsgebäude in Berlin abspielten. Zum Marsch auf den Reichstag, der seit Ende September Tagungsort der Nationalversammlung war, hatte neben dem „Roten" Berliner Vollzugsrat die Bezirksleitung der USPD aufgerufen. Von der außerparlamentarischen Aktion erwarteten die Unabhängigen, sie werde die Arbeitermassen wieder mit revolutionärem Geist erfüllen. Einen Sturm auf die Nationalversammlung hatten die Veranstalter nicht beabsichtigt, aber die Aktion entglitt völlig ihren Händen. Als einzelne Gruppen sich anschickten, in das Reichstagsgebäude einzudringen, versuchte die aus ehemaligen Soldaten und Freikorpskämpfern gebildete Berliner Sicherheitspolizei zunächst, sie mit aufgepflanzten Bajonetten zurückzudrängen. Die ersten Schüsse fielen dann offenbar aus den Reihen der Demonstranten. Die Ordnungskräfte schossen sogleich, ohne vorherige Warnung, zurück. 42 Menschen wurden getötet, 105 verletzt. Am gleichen Tag noch verhängte Reichspräsident Ebert den Ausnahmezustand über alle Teile des Reiches außer Bayern, Sachsen, Württemberg und Baden. Die vollziehende Gewalt für Berlin und die Mark Brandenburg übernahm Reichswehrminister Noske.[3]

An dem Blutbad vor dem Reichstag trug, neben der Sicherheitspolizei, auch die USPD ein gerüttelt Maß an Schuld. Mochte das Betriebsrätegesetz auch weit hinter den Erwartungen der Arbeiterparteien zurückbleiben, so brachte es doch ein erstes wichtiges Stück innerbetrieblicher Mitbestimmung. Angesichts der Mehrheitsverhältnisse in der Nationalversammlung war seitens der Sozialdemokratie mehr nicht durchzusetzen gewesen. Aber den linken Unabhängigen, die die Aktion vom 13. Januar vorbereitet hatten, ging es eben darum: nachzuweisen, daß die Bedürfnisse des Proletariats im parlamentarischen System nicht zu befriedigen waren. Die Opfer waren nicht eingeplant, wurden aber doch in Kauf genommen: Sie halfen der Sache der Revolution und galten daher als gerechtfertigt.

In der USPD hatte sich im Verlauf des Jahres 1919 ein deutlicher Ruck nach links vollzogen. Die Frage, an der sich die Geister schieden, war die Haltung zu einer der beiden konkurrierenden Internationalen: der „alten" Zweiten Internationale, die sich schon bald nach dem Krieg um einen politischen Neuanfang bemühte, und der im März 1919 in Moskau gegründeten Kommunistischen oder Dritten Internationale, der als erste Partei die KPD beigetreten war. Die gemäßigten Unabhängigen um Rudolf Hilferding lehnten einen Anschluß an die neue Internationale strikt ab, weil sie ein bloßes Instrument der russischen Bolschewiki sei. Der linke Flügel, an seiner Spitze Walter Stoecker, der Generalsekretär der USPD, war für den Beitritt zur Dritten Internationale. Auf der Berliner Reichskonferenz im September 1919 verteidigte Stoecker die Politik der Bolschewiki gegen Hilferdings Kritik und nannte es eine „schöne Illusion" und „ganz unrevolutionär", eine Diktatur des Proletariats ohne Bürgerkrieg errichten zu wollen. Ein außerordentlicher Parteitag der USPD, der Anfang Dezember 1919 in Leipzig stattfand, beschloß die Trennung von der Zweiten und die Aufnahme von Verhandlungen mit der Dritten Internationale. Der endgültige Bruch zwischen den gemäßigten und den radikalen Kräften in der USPD war nur noch eine Frage der Zeit.[4]

Die Radikalisierung der Unabhängigen Sozialdemokraten erfüllte die deutschen Kommunisten mit großen Hoffnungen. Wenn Paul Levi, der Vorsitzende der KPD, die äußerste Linke innerhalb seiner eigenen Partei rigoros bekämpfte und schließlich den offenen Bruch mit ihr erzwang, dann deswegen, weil es ihm um die Gewinnung jener proletarischen Massen ging, die einstweilen noch hinter der USPD standen. Levis linksradikale Widersacher sahen in der Taktik des Parteiführers eine Art verkappten Reformismus und ein Abweichen vom geraden Pfad der proletarischen Revolution. Nach ihrem Ausschluß aus der KPD im Februar 1920 gründeten sie im April eine eigene Partei, die Kommunistische Arbeiterpartei Deutschlands (KAPD), die ein betont maximalistisches Programm verfocht: die sofortige Beseitigung der bürgerlichen Demokratie durch die Diktatur des Proletariats. Mehr als mit dem bürgerlichen Klassenfeind schien die extreme Linke Deutschlands vorerst mit sich selbst beschäftigt: Ihre Energien wurden vor allem durch den Streit darüber in Anspruch genommen, was in der gegenwärtigen Situation die richtige revolutionäre Strategie und Taktik war.[5]

Buntscheckig war auch das Bild der radikalen Rechten. Im Februar 1919 war auf Initiative des Alldeutschen Verbandes der Deutsche Schutz- und Trutzbund gegründet worden, dessen erklärte Absicht es war, mit Hilfe antisemitischer Parolen Massen gegen die demokratische Republik zu mobilisieren. Die Juden waren bereits in den letzten Kriegsjahren verstärkten Angriffen ausgesetzt gewesen; seit der Revolution wurden sie von den völkischen Kreisen als Drahtzieher von Niederlage und Umsturz angeprangert. Im Oktober 1919 schloß sich der Deutsche Schutz- und Trutzbund mit einer anderen antisemitischen Organisation, dem Deutschvölkischen Bund, zum Deutschvölkischen Schutz- und Trutzbund zusammen. Im gleichen Monat übersprang die Mitgliederzahl die magische Zahl von 100 000. Der Kampf gegen die „Judenrepublik" wurde zum Schlachtruf, der vor allem bei kleinen Selbständigen, Angestellten und Beamten lebhaften Anklang fand. Ende Januar 1920 kündigte der Schutz- und Trutzbund in einem auch als Flugblatt verbreiteten Brief an Reichspräsident Ebert für den Fall, daß Deutschland die alliierte Forderung nach Auslieferung von „Kriegsverbrechern" erfüllen sollte, Vergeltung an jenen „widervölkischen und undeutschen Mächten" an, die nach Überzeugung weiter Volkskreise die Auslieferung betrieben hätten und zur Tat werden ließen.[6]

Die völkische Bewegung reichte bis weit in die Deutschnationale Volkspartei hinein. Um politische Respektabilität bemüht, versuchte die DNVP den Forderungen der Antisemiten Rechnung zu tragen, ohne selbst in den Geruch eines rassischen Radikalismus zu geraten. Im Oktober 1919 verabschiedete der Hauptvorstand der Partei einen Beschluß, der „jeden zersetzenden undeutschen Geist, mag er von jüdischen oder anderen Kreisen ausgehen", den Kampf ansagte und sich gegen die „Vorherrschaft des Judentums" wandte, die „mit der Revolution in Regierung und Öffentlichkeit immer verhängnisvoller" hervorgetreten sei. Im April 1920 nahm die DNVP diese Aussagen in ihr endgültiges Parteiprogramm auf und ergänzte sie um eine gegen die Einwanderung von Ostjuden gerichtete Forderung: „Der Zustrom Fremdstämmiger über unsere Grenzen ist zu unterbinden."[7]

Eine bevorzugte Zielgruppe der rechtsradikalen Agitation war die Reichswehr. Im Februar 1920 mußte Noske gegen einen General einschreiten, der die Verbreitung jenes Flugblattes des Deutschvölkischen Schutz- und Trutzbundes genehmigt hatte, das zur Selbstjustiz gegenüber „widervölkischen und undeutschen Mächten" aufrief. Ein anderes Anzeichen für republikfeindliche Bestrebungen in der Reichswehr waren wiederholte Konflikte um die Flaggenfrage. Nach der Annahme der Reichsverfassung erklärte etwa der Kommandeur des Reichswehrregiments 29, das aus dem vierten Garderegiment zu Fuß hervorgegangen war, er und sein Offizierskorps würden den Eid auf die Verfassung ablegen unter dem Vorbehalt, „daß 1. uns gestattet wird, die bisherige schwarz-weiß-rote Kokarde weiterzutragen, 2. wir nicht gezwungen werden, den Eid auf die schwarz-rot-goldene Fahne zu leisten, 3. niemals auf unseren Gebäuden die schwarz-rot-goldene Fahne gehißt wird". Der Infanterieführer 15, Oberst Wilhelm Reinhard, schloß sich dieser Erklärung an. Am 1. September 1919 äußerte sich der Kommandierende General des Reichswehrkommandos I in Berlin, Walther von Lüttwitz, Noske gegenüber in einer Weise, die nur als Solidarisierung mit den Frondeuren verstanden werden konnte.

Die Reichswehr bestand seit dem Sommer 1919 im wesentlichen aus früheren Freikorps. Diese Verbände waren von der Obersten Heeresleitung seit der Jahreswende 1918/19 für die Grenzkämpfe im Osten und zur Bekämpfung von Unruhen im Innern gebildet worden. Nur ein Teil dieser Freikorps wurde auf Grund des Gesetzes über die vorläufige Reichswehr vom 6. März 1919 in die Reichswehr übernommen. Außerhalb der Reichswehr blieben die beiden Marinebrigaden II und III, nach ihren Anführern Brigade Ehrhardt und Brigade Loewenfeld benannt, außerdem die „Baltikumer" – Freiwilligenverbände, die mit Billigung der Alliierten im Baltikum gegen die Bolschewiki kämpften.

Ein erheblicher Teil der „Baltikumer" blieb auch nach der Niederwerfung der Bolschewiki, die Ende Mai 1919 im wesentlichen abgeschlossen war, in Estland und Lettland. Sie pochten nunmehr auf die Einlösung eines vermeintlichen Versprechens der lettischen Regierung, wonach ihnen das Recht zustehen sollte, lettische Staatsbürger zu werden und Grund und Boden in Lettland zu erwerben. Doch die lettische Regierung wollte von einer solchen Zusage nichts wissen, und die Reichsregierung sah sich nicht in der Lage, den Standpunkt der Freischärler durchzusetzen. Diese beteiligten sich mittlerweile aktiv am neu entbrannten Bürgerkrieg in Lettland und kämpften zeitweise auch auf der Seite russischer Antibolschewisten um Oberst Bermondt. Als die letzen „Baltikumer" im Dezember 1919 nach Deutschland zurückkehrten, waren sie entschlossen, ihren Kampf dort fortzusetzen – gegen die Republik, von der sie sich verraten glaubten.

Ein anderer Teil der „Baltikumer" war bereits im Sommer 1919 ins Reich zurückgekehrt und in die Dienste von Gutsbesitzern in Pommern, Ostpreußen und Schlesien getreten. Die Freischärler ersetzten dort gewerkschaftlich organisierte Landarbeiter, die nach einem regionalen Generalstreik in Pommern im Juli 1919 massenweise entlassen worden waren. Der Generalstreik war die Antwort auf den Belagerungszustand, den das II. Armeekommando in Stettin auf Betreiben des Pommerschen Landbundes, des Interessenverbandes der Großagrarier, am 12. Juli über Pommern verhängt hatte. Zahlreiche Gutshöfe verwandelten sich mit aktiver Hilfe der Stettiner Militärs in Waffendepots. Gestützt auf ihre neuen Hilfstruppen, weigerten sich die Großgrundbesitzer, die tariflichen Vereinbarungen mit den Verbänden der Landarbeiter einzuhalten. Anfang September 1919 konnte der preußische Landwirtschaftsminister, der Sozialdemokrat Otto Braun, durch eine Notverordnung die tarifliche Regelung der ländlichen Arbeitsbedingungen erzwingen. Aber Innenminister Wolfgang Heine, ein Parteifreund Brauns, maß den Nachrichten über die gegenrevolutionären Aktivitäten des Pommerschen Landbundes kein Gewicht bei und dachte auch nicht daran, auf Brauns Ersuchen einzugehen und Landräte abzusetzen, die sich durch ihre engen Beziehungen zum Landbund kompromittiert hatten. Die „Baltikumer", ohne die die Rittergutsbesitzer ihren Konfrontationskurs nicht hätten durchhalten können, waren endgültig ein Bestandteil der deutschen Innenpolitik geworden.[8]

An der Spitze des regulären Militärs gab es im Sommer und Frühherbst 1919 wichtige personelle Veränderungen. Am 25. Juni beantwortete Hindenburg die Unterzeichnung des Vertrags von Versailles mit der Niederlegung des Oberbefehls; am gleichen Tag reichte Generalquartiermeister Groener sein Rücktrittsgesuch ein. Am 4. Juli wurde die Oberste Heeresleitung aufgelöst. Am 20. August übertrug Reichspräsident Ebert die Ausübung des Oberbefehls über die gesamte Reichswehr dem Reichswehrminister Gustav Noske. Die Reichswehrbefehlsstelle Preußen übernahm Oberst Walther Reinhardt, der am 13. September von seinem Amt als preußischer Kriegsminister zurücktrat. Seine neue Position verwandelte Reinhardt binnen kurzem in die eines Chefs der Heeresleitung. In dieser Funktion war er dem neuen Chef des Truppenamtes im Reichswehrministerium, Generalmajor Hans von Seeckt, übergeordnet. Zwischen dem Württemberger Reinhardt und dem Preußen Seeckt herrschte von Anfang an ein gespanntes Verhältnis: Während Reinhardt entschlossen war, die Reichswehr auf Loyalität gegenüber der Republik festzulegen, stand Seeckt dem neuen Staat in kühler Distanz gegenüber. Ihm ging es darum, die Reichswehr so stark zu machen, daß Deutschland rasch wieder zur Großmacht aufsteigen konnte. Deswegen bekämpfte Seeckt alle Einflüsse und Kräfte, die dieses Ziel in Gefahr bringen konnten.

Zu den aus Seeckts Sicht gefährlichen Kräften innerhalb der Reichswehr gehörte der Republikanische Führerbund, eine Vereinigung sozialdemokratisch orientierter Offiziere und Unteroffiziere, die die antirepublikanischen Umtriebe im Militär aufmerksam verfolgten und wiederholt publik machten. Am 28. Oktober 1919 erhielt einer ihrer Vertreter, der Leutnant Müller-Brandenburg, Gelegenheit, vor der sozialdemokratischen Fraktion der Nationalversammlung vorzutragen, was der Republikanische Führerbund an der Reichswehr und damit auch an der Politik des sozialdemokratischen Reichswehrministers auszusetzen hatte: Der Reaktion, personifiziert durch den General von Lüttwitz, sei es gelungen, die Reichswehr fast völlig in ihre Hand zu bekommen; republikanisch gesinnte Offiziere würden systematisch entfernt; Noske habe zwar „ungeheuer Großes geleistet, aber in seiner Umgebung seien Leute, die ihm sein Werk unter den Händen sabotierten". In der Fraktion fand das Plädoyer des jungen Offiziers ein lebhaftes Echo. Der Abgeordnete Katzenstein warf Noske vor, im Hinblick auf die im Baltikum kämpfenden deutschen Freikorpsverbände seine Parteifreunde „belogen und betrogen" zu haben; der Fraktionsvorsitzende Löbe hielt das „ganze Offizierskorps für zuverlässig gegenrevolutionär"; der Abgeordnete Voigt machte „unser passives Verhalten in den ersten Revolutionsmonaten und das wahnsinnige Wüten von links" verantwortlich für die jetzigen Zustände in der Reichswehr. Noskes ausweichende Antwort konnte die Empörung nicht dämpfen. Am 13. November forderte der Parteivorstand die sozialdemokratischen Kabinettsmitglieder auf, angesichts der steigenden Gefahr einer gewaltsamen reaktionären Erhebung das Steuer in der Militär- und Sicherheitspolitik herumzuwerfen.

Praktische Auswirkungen hatten die Vorstöße von Fraktion und Parteivorstand nicht. Reichskanzler Bauer verwahrte sich gegen die Kritik, die er als persönlichen Affront empfand; der Reichswehrminister konterte am 13. Dezember im Parteiausschuß Scheidemanns Vorwurf, er, Noske, habe die reaktionäre Gefahr in der Truppe unterschätzt, mit der Behauptung, nach seiner ehrlichen Überzeugung werde diese Gefahr von Tag zu Tag geringer. Die Regierung teilte offensichtlich auch nicht die Meinung Scheidemanns und Otto Wels', seit Juni einer der beiden Vorsitzenden der SPD, erst der in weiten Teilen des Reiches geltende Ausnahmezustand habe die Entfaltung der antirepublikanischen Kräfte in der Reichswehr ermöglicht. Am 5. Dezember wurde der Belagerungszustand zwar für Groß-Berlin, wo er seit Anfang 1919 gegolten hatte, von der preußischen Regierung aufgehoben. Für das Ruhrgebiet ließ ihn die Reichsregierung jedoch weiter bestehen; im Zusammenhang mit einem Eisenbahnerstreik verschärfte sie ihn am 11. Januar 1920 sogar noch. Nach den blutigen Ausschreitungen vor dem Reichstag erging zwei Tage später jene Notverordnung des Reichspräsidenten, die den Ausnahmezustand über den größten Teil des Reiches verhängte. Die

Anhänger einer Politik der harten Hand waren ihren Zielen ein Stück näher gerückt.[9]

Das Ereignis, das in den ersten Monaten des Jahres 1920 die öffentliche Aufmerksamkeit am meisten in Anspruch nahm, war ein Beleidigungsprozeß, den Reichsfinanzminister Erzberger gegen den früheren Staatssekretär des Reichsamtes des Innern, Karl Helfferich, angestrengt hatte. Anlaß des Verfahrens war eine Broschüre Helfferichs unter dem Titel „Fort mit Erzberger!" Darin warf der nunmehrige deutschnationale Politiker dem prominentesten Mann des Zentrums nicht nur politisches Fehlverhalten zum Nachteil Deutschlands, sondern auch notorische Unwahrhaftigkeit und eine ständige Vermischung von Geschäftsinteressen und Politik vor. Kein republikanischer Politiker war der deutschen Rechten so verhaßt wie Erzberger, der Initiator der Friedensresolution vom Juli 1917, Unterzeichner des Waffenstillstands vom November 1918 und Urheber der die Besitzenden belastenden Reichsfinanzreform von 1919/20. Helfferich, einer der besten Köpfe des konservativen Lagers, versuchte mit seinem Angriff auf Erzberger bewußt, die Republik im ganzen zu treffen. Ob er mit dieser Absicht Erfolg haben würde, hing weitgehend von der Haltung der Justiz ab.

Zweimal wurde der Rechtsstreit durch Geschehnisse in den Hintergrund gedrängt, die in unmittelbarem Zusammenhang mit dem Prozeß standen. Am 26. Januar schoß ein zwanzigjähriger entlassener Offiziersanwärter, Oltwig von Hirschfeld, auf Erzberger, als dieser gerade aus der Verhandlung vor der 6. Strafkammer des Landgerichts I in Berlin-Moabit kam. Der Minister wurde an der rechten Schulter erheblich verletzt, nahm aber kurz darauf wieder an dem Prozeß teil. Der Täter wurde am 21. Februar – nicht etwa wegen Mordversuchs, sondern nur wegen gefährlicher Körperverletzung – zu achtzehn Monaten Gefängnis verurteilt, wobei ihm das Gericht eine ideale Gesinnung als mildernden Umstand anrechnete. Am 22. Februar veröffentlichten die rechtsstehenden „Hamburger Nachrichten" eine persönliche Steuererklärung Erzbergers, die unter Beihilfe von Berliner Finanzbeamten gestohlen worden war. Die Erklärung legte auf den ersten Blick den Verdacht der Steuerhinterziehung nahe. Das öffentliche Echo war so verheerend, daß Erzberger sich zwei Tage später genötigt sah, eine Untersuchung gegen sich selbst zu veranlassen und sich von der Wahrnehmung seiner Dienstgeschäfte vorläufig entbinden zu lassen.

Der Prozeß gegen Helfferich förderte einiges zutage, was geeignet war, Erzberger zu belasten. Er hatte sich als Abgeordneter wiederholt zugunsten von Unternehmungen eingesetzt, in deren Aufsichtsrat er saß oder deren Aktionär er war; er hatte bei manchen Transaktionen wohl auch aus amtlich erworbenen Kenntnissen Nutzen gezogen. Für den Nebenkläger Erzberger besonders fatal war, daß die Staatsanwälte während des Verfahrens die Seite wechselten und sich die Argumente des Angeklagten Helfferich weitgehend zu eigen machten. Helfferich wurde am 12. März 1920 wegen übler Nachrede und formaler Beleidigung zu einer Geldstrafe von 300 Mark, ersatzweise zu einer Gefängnisstrafe von dreißig Tagen, verurteilt. Der eigentliche Verlierer des Prozesses war jedoch Erzberger. Das Gericht attestierte Helfferich, der Wahrheitsbeweis für seine Behauptungen sei ihm im wesentlichen gelungen, und er habe aus „vaterländischen Beweggründen" gehandelt. Im einzelnen hielten die Richter Erzberger in zwei Fällen des Meineids und in sieben Fällen der Vermischung persönlicher Geldinteressen mit Politik für schuldig.

Erzberger trat noch am gleichen Tag von seinem Amt als Reichsfinanzminister zurück. Obwohl das Reichsgericht im Dezember 1920 seinen Antrag auf Revision des Urteils ablehnte, gelang ihm in zwei besonders wichtigen Punkten die Rehabilitierung: Das von ihm angestrengte Meineidsverfahren gegen sich selbst wurde nicht eröffnet, weil die Beweise hierfür nicht ausreichten; im August 1921, wenige Tage vor seiner Ermordung, erfuhr Erzberger noch, daß eine Voruntersuchung der Anschuldigungen wegen Steuerhinterziehung und gesetzwidriger Kapitalflucht ihn von allen Vorwürfen entlastet habe. Die politische Laufbahn Erzbergers aber war mit dem 12. März 1920 beendet. Selbst die liberale Frankfurter Zeitung kommentierte seinen Rücktritt mit der Feststellung, als Minister und Führer habe Erzberger auf lange Zeit ausgespielt. „Er hat das nicht gewahrt, was die Demokratie, und zwar sie mehr als jede andere Staatsform, als erste Voraussetzung jedes öffentlichen Wirkens fordern muß: die Reinlichkeit des persönlichen, privaten Wandels."[10]

Am gleichen 12. März 1920, an dem die deutsche Rechte über den Ausgang des Erzberger-Helfferich-Prozesses triumphierte, erfuhr das Reichskabinett aus dem Munde von Reichswehrminister Gustav Noske, sicheren Nachrichten zufolge fänden seit einiger Zeit in einem engen Kreis regelmäßige Besprechungen statt „mit dem Ziel, eine andere Zusammensetzung der Reichsregierung herbeizuführen". Das jetzige Kabinett sei nach Ansicht dieses Zirkels zu schwach; Anstoß nehme man vor allem am preußischen Landwirtschaftsminister Otto Braun und an Reichsaußenminister Hermann Müller, deren Politik als „besonders verderblich" gelte. Gefordert würden eine Direktwahl des Reichspräsidenten und Neuwahlen zum Reichstag. Vor zwei Wochen schon, so hielt der Protokollant Noskes Bericht fest, habe man in diesen Kreisen überlegt, die Wilhelmstraße, also den Regierungssitz, zu besetzen und die Umbildung des Kabinetts herbeizuführen. „Die Bestrebungen würden geleitet von Generallandschaftsdirektor Kapp und dem Hauptmann Pabst. Er, der Reichswehrminister, habe es für richtig gehalten, die in Bildung begriffene Organisation sofort zu sprengen. Er habe deshalb die Verhaftung der Hauptbeteiligten angeordnet. Zur Zeit gehe das Gerücht um, daß gewisse Truppenteile, insbesondere die Marinebrigade (Ehrhardt), mit der Absicht umgingen, die dargelegten Pläne in der kommenden Nacht zu verwirklichen. Er habe deshalb den Alarmzustand und verschärfte Bewachung angeordnet."[11]

Was Noske, seit dem 13. Januar auch Inhaber der vollziehenden Gewalt für Berlin und die Mark Brandenburg, seinen Kollegen mitteilte, entsprach den Tatsachen. Seit der Versailler Vertrag am 10. Januar 1920 in Kraft getreten war, steuerten Teile der Reichswehr auf einen Konflikt mit der Regierung zu. Unerträglich war für große Teile des Offizierskorps die Vorstellung, das Reich könne der alliierten Forderung nachkommen, deutsche „Kriegsverbrecher" wenn schon nicht an die Sieger auszuliefern, so doch durch ein deutsches Gericht aburteilen zu lassen. Ebenso unzumutbar erschien vielen Offizieren die im Vertrag von Versailles vorgesehene Reduzierung der Heeresstärke auf 100000 Mann. Der Termin für die Erreichung dieser Höchststärke war zwar von der Entente mittlerweile vom 31. März auf den 10. Juli 1920 verschoben worden. Doch das änderte nichts an der ablehnenden Haltung der militärischen Fronde. Im Januar 1920 umfaßte die Reichswehr einschließlich der Freiwilligenverbände noch über 250000 Mann. Die Erfüllung der alliierten Forderung bedeutete in jedem Fall die Auflösung der Freikorps, darunter der „Baltikumer", aus denen inzwischen zu einem großen Teil auch die von Noske erwähnte Marinebrigade Ehrhardt, die schlagkräftigste militärische Einheit überhaupt, bestand. Daß die Reichsregierung es in dieser Frage auf keine Kraftprobe mit den Siegern ankommen lassen wollte, reichte aus, das Kabinett Bauer in den Augen der Freikorps gänzlich zu disqualifizieren.

Als Schutzherr der Freikorps trat der Kommandierende General des Reichswehr-Gruppenkommandos I in Berlin, Freiherr von Lüttwitz, auf. Am 10. März trug Lüttwitz dem Reichspräsidenten in Gegenwart Noskes ultimativ seine Forderungen vor: sofortige Auflösung der Nationalversammlung und Neuwahlen zum Reichstag (einen gleichgerichteten Antrag der beiden Rechtsparteien hatte die Nationalversammlung tags zuvor abgelehnt); die Einsetzung von „Fachministern" im Auswärtigen Amt, im Wirtschafts- und Finanzministerium; seine, Lüttwitz', Ernennung zum Oberbefehlshaber der gesamten Reichswehr und die Ablösung des regierungsloyalen Generals Reinhardt; schließlich die Rücknahme des von Noske am 29. Februar erlassenen Befehls, die Marinebrigaden aufzulösen. Ebert und Noske lehnten die Erfüllung dieser Forderungen ab. Aber anstatt den offenkundig putschwilligen General wegen der Vorbereitung eines hochverräterischen Unternehmens zu verhaften, begnügte sich der Reichswehrminister damit, ihm den Abschied nahezulegen und ihn tags darauf zu beurlauben. Lüttwitz war daher in der Lage, noch am 10. März das weitere Vorgehen mit Korvettenkapitän Ehrhardt, dem Kommandeur der nach ihm benannten Marinebrigade, zu besprechen und mit den wichtigsten übrigen Mitverschwörern Kontakt aufzunehmen.

Lüttwitz und Ehrhardt standen an der Spitze des militärischen Flügels der rechten Fronde. Er umfaßte zum einen reguläre Reichswehroffiziere, vor allem aus dem preußischen Adel, die die Unterzeichnung und Durchführung des Versailler Vertrags als mit ihren Ehrbegriffen unvereinbar verwarfen, zum anderen aus den von der Auflösung bedrohten Freikorps-Soldaten, die ihr Kriegserlebnis verlängern wollten und nicht mehr ins bürgerliche Leben zurückfanden. Den zivilen Flügel der aktiven Verschwörergruppe bildeten Politiker der äußersten Rechten, die meist aus dem konservativen evangelischen Bürgertum der altpreußischen Provinzen kamen. Ihren wichtigsten Rückhalt fanden sie bei jener Schicht, aus der viele putschbereite Offiziere stammten: dem ostelbischen Großgrundbesitz. Die Rittergutsbesitzer hatten ihren Besitzstand zwar über die Revolution hinwegretten können. Aber aus dem Zentrum der Macht waren sie seit dem November 1918 verbannt, und in der wichtigsten revolutionären Errungenschaft der Landarbeiter, dem Recht auf gewerkschaftlichen Zusammenschluß, sahen sie eine unerträgliche Zumutung.

Die Schaltstelle der Verschwörung war die im Oktober 1919 unter dem Patronat Ludendorffs gegründete Nationale Vereinigung in Berlin. Zu ihrem Führungskern gehörten neben dem ehemaligen Generalquartiermeister der als künftiger Regierungschef in Aussicht genommene ostpreußische Generallandschaftsdirektor Wolfgang Kapp, 1917 zusammen mit dem Großadmiral von Tirpitz Gründer der Deutschen Vaterlandspartei und später Vorstandsmitglied der DNVP, Oberst Max Bauer, wie schon im Krieg der engste politische Berater Ludendorffs, Hauptmann Waldemar Pabst, verantwortlich für die Morde an Karl Liebknecht und Rosa Luxemburg, sowie einige deutschnationale Politiker, die vorher in der Vaterlandspartei aktiv gewesen waren. Zweck der Nationalen Vereinigung war die Vorbereitung des Umsturzes. Ziel des Umsturzes war die Errichtung eines autoritären, vorerst aber noch nicht monarchischen Regimes, das nach außen eine aktive Revisionspolitik treiben sollte.

Taktische Differenzen gab es unter den Verschwörern vor allem im Hinblick auf ihr Verhältnis zu den Sozialdemokraten und den Zeitpunkt der Aktion. Die meisten, aber nicht Kapp, hielten es für wünschenswert, daß Sozialdemokraten des rechten Flügels wie Noske und Heine, ferner der preußische Finanzminister Albert Südekum und der Reichs- und Staatskommissar für Westfalen, Carl Severing, sich an der neuen Regierung beteiligten. Kapp, Ludendorff und Bauer wollten den Umsturz so früh wie möglich stattfinden lassen. Lüttwitz dagegen, mit dem die Verschwörer seit Oktober 1919 in enger Verbindung standen, hielt den Staatsstreich nur in einer Situation für gerechtfertigt, in der er fest auf die Unterstützung der Truppenkommandeure zählen konnte. Während Kapp eine Verfassung mit stark ständestaatlichen Zügen anstrebte, wollte Lüttwitz sich mit der Umbildung der Regierung, baldigen Reichstagswahlen und, eventuell, einer Direktwahl des Reichspräsidenten – mit Hindenburg als Kandidaten der Rechten – begnügen.

Auf eine einheitliche Massenorganisation glaubten die Verschwörer verzichten zu können. In gewisser Weise wurde sie durch die Einwohnerwehren ersetzt – paramilitärische, meist aus dem Bürgertum sich rekrutierende „Selbstschutzverbände", die von Reich und Ländern als eine Art Ausgleich für den Abbau des regulären Militärs betrachtet und gefördert wurden, sich aber mittlerweile vielfach zu Sammelbecken antirepublikanischer Kräfte entwickelt hatten. Unabdingbar war hingegen eine intensive nationalistische Öffentlichkeitsarbeit als psychologische Vorbereitung des Staatsstreichs. Diesem Zweck dienten die Propagierung der Dolchstoßlegende, die Hindenburg und Ludendorff im Oktober 1919 vor dem Untersuchungsausschuß der Nationalversammlung gewissermaßen offiziell zu Protokoll gegeben hatten, der organisierte Protest gegen die Auslieferung oder Aburteilung deutscher „Kriegsverbrecher" und, nicht zuletzt, die von Helfferich eingeleitete Kampagne gegen Erzberger.

Nach seinem Zusammenstoß mit Ebert und Noske am 10. März sah sich Lüttwitz in Zugzwang versetzt. Vor dem 13. März aber konnten die Verschwörer nicht losschlagen, weil die Marinebrigade Ehrhardt sich erst an diesem Tag technisch in der Lage sah, das Regierungsviertel zu besetzen. Am 13. März stand auch immer noch Wolfgang Kapp als neuer „Reichskanzler" zur Verfügung: Der von Noske zwei Tage zuvor angeordneten Verhaftung hatte er sich, aus dem Berliner Polizeipräsidium vorgewarnt, ebenso entziehen können wie Bauer und Pabst.

Es waren mehr als nur Pannen, die Noskes Abwehrmaßnahmen zu einem einzigen Fehlschlag machten. Der Chef des Truppenamtes, General von Seeckt, hatte den Reichswehrminister erst sehr spät über die Absichten des Generals von Lüttwitz unterrichtet; über die Aktivitäten der Marinebrigade Ehrhardt in ihrem Standort Döberitz bei Berlin waren Noske aus der Reichswehr bewußt verharmlosende Berichte zugegangen; der preußische Staatskommissar für die Überwachung der öffentlichen Ordnung, Herbert von Berger, ein weit rechtsstehender Beamter, hatte die ihm bekannten Putschpläne von Kapp und Lüttwitz den zuständigen Stellen des Reiches und Preußens verschwiegen. Am 13. März 1920 rächte sich die Fahrlässigkeit, mit der die sozialdemokratischen Minister Noske und Heine über alle Warnungen vor gegenrevolutionären Aktionen hinweggegangen waren. Schlagartig wurde sichtbar, daß militärische Führung und zivile Verwaltung mit Elementen durchsetzt waren, die einem Staatsstreich der Rechten zumindest nicht feindlich gegenüberstanden.[12]

Die Brigade Ehrhardt war bereits im Anmarsch auf Berlin, als Noske in der Nacht zum 13. März gegen ein Uhr die Lage mit den führenden Militärs beriet. Der Standpunkt des Reichswehrministers, daß Gewalt mit Gewalt beantwortet werden müsse, wurde nur vom Chef der Heeresleitung, General Reinhardt, geteilt. Alle anderen Generäle, darunter der Chef des Truppenamtes, General von Seeckt, hielten eine militärische Gegenwehr gegen die von Lüttwitz und Ehrhardt befehligten Putschtruppen für aussichtslos. Es ist nicht nachgewiesen, daß Seeckt bei dieser Gelegenheit tatsächlich die vielzitierten Worte gesprochen hat „Reichswehr schießt nicht auf Reichswehr" oder „Truppe schießt nicht auf Truppe". In der Sache aber war die Haltung Seeckts klar. Es ging ihm vor allem um eines: Er wollte die Reichswehr als innenpolitisches Machtinstrument intakt erhalten. Deshalb weigerte er sich, Truppen gegen die Rebellen einzusetzen, und bezog damit im Kampf zwischen der verfassungsmäßigen Regierung und den Aufständischen faktisch eine neutrale Position. Die Berliner Sicherheitspolizei, die noch am 13. März zu den Putschisten überging, war ebenfalls nicht bereit, die Regierung zu stützen.

Gegen vier Uhr früh trat die Reichsregierung zu einer Sitzung zusammen, an der auch Mitglieder der preußischen Regierung und zeitweilig die Generäle von Seeckt und von Oldeshausen teilnahmen. Unter den gegebenen Umständen sah das Kabinett keine andere Wahl, als auf militärischen Widerstand zu verzichten und die Truppen aus dem Regierungsviertel abrücken zu lassen. Ein Ultimatum Ehrhardts, in dem der Kommandeur der Marinebrigade nochmals Lüttwitz' Forderungen vom 10. März wiederholte und zusätzlich die Ersetzung Noskes durch einen General sowie Straffreiheit für alle Beteiligten verlangte, wurde abgelehnt. Nicht einig war das Kabinett im Hinblick auf die Frage, ob es in Berlin bleiben solle. Reichspräsident Ebert, der an der Sitzung teilnahm, Reichskanzler Bauer und Eduard David, seit dem 3. Oktober 1919 Reichsminister ohne Geschäftsbereich, sahen in der Flucht einen Autoritätsverlust und wollten daher die Hauptstadt nicht verlassen; Noske und zwei der drei im Oktober in das Kabinett eingetretenen Politiker der DDP, nämlich Justizminister Eugen Schiffer, der zugleich das Amt des Vizekanzlers innehatte, und Innenminister Erich Koch-Weser, hielten einen erfolgreichen Kampf gegen die Putschisten nur für möglich, wenn Reichspräsident und Regierung ihn außerhalb Berlins organisierten. Die Befürworter der zweiten Lösung hatten die besseren Argumente auf ihrer Seite: Nachdem die legitimen Staatsorgane nicht gewagt hatten, der widerstrebenden Reichswehr den Befehl zum militärischen Widerstand zu erteilen, waren sie in Berlin der Gefahr ausgesetzt, entweder ausgeschaltet oder erpreßt zu werden. Das Kabinett einigte sich schließlich auf einen mittleren Weg: Ebert, Bauer und die meisten Minister gingen nach Dresden (den dort kommandierenden General Maercker hielt Noske für loyal); die restlichen Minister blieben, mit Vizekanzler Schiffer an der Spitze, in Berlin.[13]

Am Morgen des 13. März – die Regierung hatte die Hauptstadt bereits verlassen und Kapp von der Reichskanzlei Besitz ergriffen – erschien in Berlin ein Aufruf, der den „Generalstreik auf der ganzen Linie" proklamierte und die Proletarier zur Einigung aufforderte. Der Text trug die Unterschriften von Ebert, den sozialdemokratischen Reichsministern und dem Parteivorsitzenden der SPD, Otto Wels. Noch am gleichen Tag distanzierten sich die Minister, von General Maercker in Dresden mit Vorwürfen überschüttet, von dem Aufruf. Tatsächlich widersprach er allem, was man bisher von Ebert, Bauer und Noske gehört hatte. Eine Aufforderung zum Generalstreik bedeutete eine völlige Kehrtwendung der bis zum 13. März 1920 befolgten Politik. Gleichwohl hat Noske den von Ulrich Rauscher, dem Pressechef der Reichsregierung, verfaßten Text, wie wir aus seinem eigenen Zeugnis wissen, im voraus gekannt und gebilligt. Bei den anderen sozialdemokratischen Ministern und Ebert war dies wohl nicht der Fall. Von Otto Wels hingegen ist anzunehmen, daß er von dem Aufruf vor seiner Veröffentlichung wußte und ihn für politisch richtig hielt.[14]

Die Proklamation des Generalstreiks war mit großen Risiken verbunden und dennoch das Gebot der Stunde. Die Sozialdemokraten mußten damit rechnen, daß die radikale Linke den Ausstand für ihre Zwecke nutzen und damit der SPD den Kampf an einer zweiten Front aufzwingen würde. Aber wenn das Wirtschaftsleben wie gewohnt weiterging, hatten zum einen die Putschisten keinen Anlaß, rasch den Rückzug anzutreten. Zum zweiten war anzunehmen, daß ein erheblicher Teil der Beamten sich auf den Boden der neuen Tatsachen stellen würde, wenn die Arbeiter den Loyalitätsappellen von Reichspräsident und Reichsregierung keinen Nachdruck verliehen. Schließlich wären die Arbeiter in hellen Scharen zu den Unabhängigen und den Kommunisten übergegangen, wenn die SPD sie nicht zu einem massiven Einsatz für die Republik aufgefordert hätte. So gesehen, gab es zum Generalstreik am 13. März gar keine Alternative.

Die Federführung in Sachen Generalstreik lag jedoch nicht bei der SPD, sondern beim Allgemeinen Deutschen Gewerkschaftsbund (das war der neue Name der Dachorganisation der Freien Gewerkschaften seit ihrem ersten Nachkriegskongreß im Juli 1919). Innerhalb der sozialdemokratischen Gewerkschaften waren die oppositionellen, zur USPD tendierenden Kräfte seit dem November 1918 in einem Maß erstarkt, das es der Führung verbot, sie weiterhin zu ignorieren. Die Gewerkschaften verkörperten im Frühjahr 1920 geradezu die verbliebene Einheit der Arbeiterbewegung. Außerdem mußten sie auf die Regierung weniger Rücksicht nehmen als die SPD. Was für die Sozialdemokraten galt, traf erst recht auf die Gewerkschaften zu: Wenn sie nicht den Kampf gegen die Putschisten aufnahmen, war die Einheit der Organisation bedroht. Für den ADGB wie für seinen Schwesterverband, die Arbeitsgemeinschaft freier Angestelltenverbände (AfA), bedurfte es am 13. März daher keiner großen Überlegungen: Die Ausrufung des Generalstreiks war unausweichlich.

Eine Abstimmung mit den Arbeitgebern, mit denen sie seit dem November 1918 in Arbeitsgemeinschaften zusammenwirkten, hielten die Gewerkschaften nicht für erforderlich. Das Verhältnis zwischen Kapital und Arbeit war im Frühjahr 1920 längst nicht mehr so harmonisch, wie es bei der Gründung der Zentralarbeitsgemeinschaft geschienen hatte. Die stärkste Einzelgewerkschaft, der Deutsche Metallarbeiterverband, war, um ein Zeichen für eine offensivere Vertretung der Arbeitnehmerinteressen zu setzen, im Oktober 1919 aus der ZAG ausgetreten. Durch ihren Kampf gegen das Betriebsrätegesetz hatten die Unternehmer ihrerseits deutlich gemacht, daß sie zu weiteren Zugeständnissen an die organisierten Arbeitnehmer nicht bereit waren. Zustimmung zu einem Generalstreik konnte man von den Unternehmern auch dann nicht erwarten, wenn sie, was der Regelfall war, den Putsch der extremen Rechten ablehnten. Andererseits war es auch wenig wahrscheinlich, daß die Arbeitgeber den politischen Streik zum Anlaß nehmen würden, die ZAG aufzukündigen. Doch selbst wenn sie hierzu entschlossen gewesen wären, hätte das an der Linie der Gewerkschaften nichts geändert.

Nach links wollte der Vorsitzende des ADGB, Carl Legien, die Aktion dadurch absichern, daß er die USPD in die Streikleitung einbezog. Ein entsprechender Vorschlag scheiterte jedoch an der Weigerung der Unabhängigen, mit den Mehrheitssozialdemokraten zusammenzuarbeiten. Dafür schloß sich am 16. März der Deutsche Beamtenbund der von ADGB und AfA gebildeten Streikzentrale an. Die radikale Linke schuf sich eine eigene „Zentralstreikleitung von Groß-Berlin“: Ihr gehörten die Berliner Gewerkschaftskommission, KPD und USPD, der „rote“ Berliner Vollzugsrat sowie die Zentrale der Betriebsräte an.

Über das Ziel des Generalstreiks gab es zwischen Gemäßigten und Radikalen sehr unterschiedliche Auffassungen. Während SPD und Gewerkschaften das verfassungsmäßige Kabinett Bauer wieder ins Amt bringen wollten, strebte die USPD eine rein sozialistische Regierung an. Die KPD erwies sich, da Paul Levi gerade eine Haftstrafe verbüßte, als orientierungslos. Ihre Zentrale erklärte am 13. März zunächst, das revolutionäre Proletariat werde „keinen Finger rühren für die in Schmach und Schande untergegangene Regierung der Mörder Karl Liebknechts und Rosa Luxemburgs“. Da sich aber vielerorts Kommunisten von Anfang an am Generalstreik beteiligten, gab die Partei tags darauf eine neue Direktive aus. In ihrem zweiten Aufruf bezeichnete die KPD den Generalstreik als Eröffnung des Kampfes gegen die Militärdiktatur. In einem Rundschreiben wurden die Kommunisten sogar gemahnt, sie müßten sich nicht nur über die eigenen letzten Ziele klar sein, sondern auch darüber, „daß sie in Aktionen gebunden sind und begrenzt sind durch Ziele, die die Mehrheit der Arbeiter sich vorläufig steckt“. Das war nicht mehr und nicht weniger als ein Aufruf zur Aktionseinheit von Kommunisten, Unabhängigen und Mehrheitsozialdemokraten – also das Gegenteil dessen, was die KPD am 13. März verkündet hatte.[15]

Der aktive Rückhalt von Kapp und Lüttwitz war von Anfang an auf einen engen Ausschnitt der deutschen Gesellschaft beschränkt. Es war vor allem das konservative Milieu Ostelbiens, das sich im März 1920 gegen seine Entmachtung auflehnte: Großgrundbesitzer, Offiziere und Angehörige des beamteten Bildungsbürgertums in den altpreußischen Gebieten bildeten das Rückgrat der Rebellion. Anders als die Rittergutsbesitzer sahen die meisten Unternehmer den Putsch als politisch verfehlt an, weil er zu schweren volkswirtschaftlichen Erschütterungen führen mußte. Das galt selbst von Industriellen, die die Nationale Vereinigung ihres militanten Antikommunismus wegen finanziell gefördert hatten. Auch in der Reichswehrführung überwogen die Kräfte, die als unmittelbare Folge eines Staatsstreichs der äußersten Rechten einen massenhaften Zulauf zur radikalen Linken erwarteten. Die Risiken einer solchen Polarisierung schienen den realpolitisch denkenden

Reichswehrgenerälen größer als die Vorteile, die eine Rechtsdiktatur für sie abwerfen mochte. In der Bürokratie lagen die Dinge ähnlich. Nur in den preußischen Ostprovinzen machte ein erheblicher Teil der Beamten – darunter viele Landräte – gemeinsame Sache mit den Putschisten. Die Ministerialbeamten des Reichs und Preußens folgten fast ausnahmslos dem Beschluß ihrer Unterstaatssekretäre, Weisungen nur von der verfassungsmäßigen Regierung entgegenzunehmen. Die meisten fühlten sich schon durch ihren Diensteid gehindert, mit Kapp zusammenzuarbeiten, bei vielen kam die Furcht vor einem Erstarken des „Bolschewismus" hinzu, bei wenigen republikanische Gesinnung. Unterhalb der Ebene der Ministerien verhielten sich die Beamten meist abwartend; die Reserve gegenüber den Putschisten nahm in dem Maß zu, wie ihr Sieg unwahrscheinlich wurde.

Bei den beiden Rechtsparteien gab es sowohl Sympathien für die Putschisten als auch Bedenken gegen ihr Vorgehen. Die Reichsleitung der DNVP stand dem Unternehmen reservierter gegenüber als ihre in den Putsch verwickelten nordöstlichen Landesverbände. Ähnlich wie die großindustriell ausgerichtete DVP drängte die Deutschnationale Volkspartei auf eine nachträgliche Legalisierung des Staatsstreiches: Entsprechend dem Antrag der beiden Parteien, den die Nationalversammlung am 9. März abgelehnt hatte, sollten unverzüglich Neuwahlen abgehalten werden. Die Deutsche Volkspartei versuchte nach dem 13. März überdies, zwischen der „alten" und der „neuen Regierung" zu vermitteln. Eindeutig ablehnend war dagegen die Haltung, die Zentrum und DDP gegenüber dem Putschistenregime bezogen. In den liberalen Hochburgen Württemberg und Baden war der Rückhalt für die Regierung Bauer besonders stark, aber auch sonst schadete es den Rebellen, daß sie als Vertreter eines spezifischen Preußentums galten.

Bereits in den ersten Tagen des Putsches kam es in einigen Teilen des Reiches zu bewaffneten Kämpfen zwischen Arbeitern und Militär – und nicht immer handelte es sich bei den angegriffenen Reichswehreinheiten um Verbände, die zu Kapp und Lüttwitz übergelaufen waren. In Pommern und Mecklenburg beschafften sich Land- und Industriearbeiter Waffen aus den illegalen Depots der Gutsbesitzer; die Reichswehrtruppen, die hier wie fast überall in Ostelbien auf der Seite der Putschisten standen, mußten in einigen Fällen Niederlagen hinnehmen und wurden so davon abgehalten, in den „roten" Regionen des Reiches, in der Mitte wie im Westen, gegen aufständische Arbeiter zu kämpfen. Zu den heftigsten Kämpfen kam es im Industrierevier an Rhein und Ruhr. Schon am 13. März bildeten sich hier „Aktionsausschüsse", die sich nach der Entmachtung von Reichswehr und Sicherheitspolizei meist in „Vollzugsräte" umbenannten. In einigen Städten des Ruhrgebiets gehörten ihnen alle drei Arbeiterparteien, in anderen nur USPD und KPD an. Der bewaffnete Arm der Vollzugsräte waren örtliche Arbeiterwehren, aus denen sich nach den ersten erfolgreichen Gefechten mit den neu ins Industrierevier eingerückten Freikorps die Rote Ruhrarmee herausbildete. Die Waffen stammten zunächst aus Beständen der örtlichen Einwohnerwehren, bald auch aus denen der geschlagenen Freikorps. Am 16. März vernichteten Rotarmisten das besonders verhaßte Freikorps Lichtschlag in Dortmund; zwei Tage später eroberten sie Essen. Am 22. März, eine Woche nach dem Beginn der bewaffneten Kämpfe, war das ganze Ruhrgebiet in der Hand der Roten Ruhrarmee.[16]

In Berlin war der Putsch von Kapp und Lüttwitz zu diesem Zeitpunkt längst zusammengebrochen. Es half den Rebellen nichts, daß sie sich auf eine Anzahl von Überläufern stützen konnten: viele Beamte auf dem platten Land in Ostelbien, den für die Polizei zuständigen Regierungsrat Doyé im preußischen Innenministerium und die Berliner Sicherheitswehr. Der Generalstreik und die Weigerung der Ministerialbeamten, Befehle der neuen Machthaber zu befolgen, ließen die Aufrufe des „Reichskanzlers" Kapp wirkungslos verpuffen und entzogen jeder tatsächlichen Regierungstätigkeit der Putschisten den Boden. Am 15. März bereits ließ Kapp einen selbsternannten Vermittler, den General Maercker, wissen, daß er zu einer Verständigung mit der inzwischen nach Stuttgart ausgewichenen Regierung Bauer bereit sei. In Berlin erhielt währenddessen die DVP aus den Reihen der Mehrheitsparteien Unterstützung für ihren Vorschlag, daß beide „Regierungen" zugunsten eines Koalitionskabinetts zurücktreten und so schnell wie möglich Reichstagswahlen und die Direktwahl des Reichspräsidenten stattfinden sollten. Dieselben Versprechungen machte auch Vizekanzler Schiffer am 16. März in Gegenwart und mit Zustimmung mehrerer preußischer Minister, darunter der Sozialdemokraten Hirsch und Südekum, dem Hauptmann Pabst als Vertreter der Putschisten für den Fall, daß Kapp als „Reichskanzler" und Lüttwitz als „Oberbefehlshaber" zurückträten. Außerdem sagte Schiffer eine baldige Umbildung des Kabinetts und Bemühungen um eine allgemeine Amnestie zu.

Für die Regierung Bauer in Stuttgart kamen jedoch Kompromisse mit Kapp und Lüttwitz aus zwei Gründen nicht in Frage. Zum einen war das Regime der Putschisten offenkundig bereits gescheitert, so daß es keinerlei Grund gab, mit ihm zu verhandeln. Zum anderen war jedes Arrangement mit den Rebellen ein sicheres Mittel, die Arbeiter weiter zu radikalisieren. Die Hartnäckigkeit der geflüchteten Kabinettsmehrheit zahlte sich aus. Unter dem Druck des Militärs traten am 17. März zuerst Kapp und dann Lüttwitz zurück. Kapp begründete seinen Schritt damit, daß die äußerste Not des Vaterlandes jetzt den „einheitlichen Zusammenschluß aller gegen die vernichtende Gefahr des Bolschewismus" verlange. Lüttwitz ließ sich von den bürgerlichen Parteien – mit Zustimmung des Sozialdemokraten Südekum – versichern, seine Forderungen nach Neuwahlen, Volkswahl des Reichspräsidenten, Umbildung der Regierung und Amnestie würden erfüllt. Von Schiffer erhielt Lüttwitz überdies noch den Abschied unter Gewährung der Pensionsansprüche. Mit Ausnahme von Lüttwitz verließen die meisten prominenten Putschisten Berlin noch am 17. März mit gefälschten Pässen; Kapp flüchtete nach Schweden. Die Marinebrigade Ehrhardt richtete bei ihrem Abzug aus der Reichshauptstadt am 18. März ein Blutbad an. Als die Brigade in ihrer üblichen Montur („Hakenkreuz am Stahlhelm, schwarz-weiß-rotes Band/ Die Brigade Ehrhardt werden wir genannt") unter den Klängen des Deutschlandliedes zum Brandenburger Tor zog, wurden Proteste aus der Menge laut. Die Soldaten eröffneten sogleich das Feuer, zwölf Menschen wurden getötet und dreißig verletzt. Es war nicht die letzte Vergeltung, die die Freikorps für das Scheitern ihres Putsches übten.[17]

Die Kapitulation der Putschisten war noch nicht das Ende des Generalstreiks. Am 18. März beschlossen ADGB, AfA und Deutscher Beamtenbund vielmehr, den Ausstand solange fortzusetzen, bis folgende Forderungen erfüllt waren: Noske, der für den Abfall großer Teile der Reichswehr verantwortlich gemacht wurde, durfte nicht wieder als Oberbefehlshaber der Truppen nach Berlin zurückkehren; die unzuverlässigen militärischen Einheiten waren restlos zu entfernen und zu entwaffnen; die Neuorganisation der Truppen mußte so erfolgen, daß für die Zukunft jeder militärische Putsch unmöglich war. Außerdem verlangten die drei Verbände „entscheidende Mitwirkung bei der Neuordnung der Verhältnisse". Dieser Erklärung folgte am gleichen Tag ein Neunpunkteprogramm, in dem die Verbände der Arbeitnehmer zusätzlich die Bestrafung aller am Putsch beteiligten Personen, eine gründliche Demokratisierung der Verwaltungen, die sofortige Sozialisierung des Bergbaus und der Energiegewinnung sowie einen neuen, von der organisierten Arbeitnehmerschaft getragenen Sicherheitsdienst forderten. Außer Noske sollten diesem Programm zufolge auch zwei Mitglieder des preußischen Kabinetts zurücktreten: der sozialdemokratische Innenminister Heine, dem der Beamtenbund unverantwortliche Duldsamkeit gegenüber reaktionären Kräften vorwarf, und der zur DDP gehörende Verkehrsminister Oeser, der nach Meinung der Eisenbahnergewerkschaft der Putschregierung nicht mit der nötigen Härte entgegengetreten war.[18]

Noch am 18. März fanden auf der Grundlage der neun Punkte Verhandlungen der Gewerkschaften mit Vertretern der Mehrheitsparteien sowie der Reichs- und der preußischen Regierung statt. Überschattet wurden die Gespräche durch eine ultimative Drohung Legiens: Wenn die gewerkschaftlichen Forderungen nicht erfüllt würden, könne das Kabinett Bauer nicht nach Berlin zurückkehren. Gegen diese Erklärung protestierte nicht nur die DDP; auch die SPD, die den neun Punkten inhaltlich weitgehend zustimmte, distanzierte sich von dem Ultimatum. Reichspräsident Ebert, der telefonisch von dem Ablauf des Gesprächs informiert wurde, äußerte sogleich schwere Bedenken gegen die von den Gewerkschaften geforderte „Mitbestimmung bei der Regierung". Immerhin wollte Ebert akzeptieren und unterstützen, worauf sich der Parteivorstand der SPD geeinigt hatte: daß nämlich die Vertreter der Koalition sich verpflichten sollten, die „Personenfrage" bei der Kabinettsbildung „im Einvernehmen mit den gewerkschaftlichen Arbeiterorganisationen" zu lösen.

Zwei Tage später, am 20. März, konnten die Gewerkschaften eine Reihe von Erfolgen verbuchen: Die Minister Noske und Heine hatten mittlerweile ihre Rücktrittsgesuche eingereicht; die bürgerlichen Parteien stimmten einem sozialdemokratischen Vorschlag zu, wonach Verbände der Sicherheitspolizei, die der Verfassung nicht treu geblieben waren, aufzulösen und durch Formationen aus der republikanisch zuverlässigen Bevölkerung, namentlich der organisierten Arbeiter, Angestellten und Beamten, zu ersetzen waren; schließlich sollte die Sozialisierungskommission sofort einberufen werden, um die Sozialisierung der dafür reifen Wirtschaftszweige vorzubereiten. Obwohl damit noch längst nicht alle ihre Forderungen erfüllt waren, sahen ADGB und AfA das Ergebnis der Verhandlungen als insgesamt zufriedenstellend an und erklärten den Generalstreik für beendet. Die USPD jedoch war anderer Ansicht und erzwang neuerliche Verhandlungen, in deren Verlauf Reichskanzler Bauer sich am 22. März für seine Person verpflichtete, Arbeiter in die Sicherheitspolizei aufzunehmen, mit den Mehrheitsparteien über die Bildung einer „Arbeiterregierung" zu verhandeln und den verschärften Belagerungszustand in Berlin aufzuheben. Außerdem sagte Bauer zu, daß es keinen Angriff auf die bewaffneten Arbeiter des Ruhrgebiets geben solle. Auf Grund dieser Zugeständnisse stimmte jetzt auch die USPD einem Aufruf zu, der den Generalstreik mit Beginn des 23. März für beendet erklärte.[19]

Die Umbildung der Reichsregierung war am 27. März abgeschlossen. An die Stelle des farblosen Reichskanzlers Bauer, der durch den Putsch weiter an Ansehen verloren hatte, trat der bisherige Außenminister Hermann Müller, neben Otto Wels einer der beiden Vorsitzenden der SPD. Sein politisches Geschick und seine geistigen Fähigkeiten machten ihn seinem Vorgänger weit überlegen. Der gebürtige Mannheimer vom Jahrgang 1876 hatte als junger Handlungsgehilfe einige Fremdsprachen gelernt, was ihm politisch zustatten kam: Lange bevor er im Juni 1919 Reichsaußenminister wurde, war Müller bereits eine Art informeller Außenminister der deutschen Sozialdemokratie, ihr Sprecher bei Treffen mit Bruderparteien des westlichen Auslands, gewesen.

Das Kabinett, dem Müller vorstand, bedeutete jedoch keineswegs den von großen Teilen der SPD und der Gewerkschaften erhofften politischen Neubeginn. Nur mit großer Mühe gelang es Müller, die Demokraten und das Zentrum zu einer Haltung zu bewegen, die wenigstens nicht als Absage an die mit den Gewerkschaften getroffenen Vereinbarungen verstanden werden mußte. Wer einen Aufbruch zu neuen Ufern erwartet hatte, den konnte auch der Wechsel an der Spitze des Reichswehrministeriums nur enttäuschen. Nachdem Otto Wels es abgelehnt hatte, die Nachfolge des diskreditierten Noske anzutreten, verzichtete die SPD ganz auf das ungeliebte Ressort. Neuer Reichswehrminister wurde der bisherige Wiederaufbauminister Otto Geßler, der auf dem rechten Flügel der DDP stand. Der frühere Oberbürgermeister von Nürnberg, ein überzeugter Anhänger der Wittelsbacher, berichtet selbst, er habe Ebert, als dieser ihm das Reichswehrministerium anbot, erklärt: „Jedenfalls ist mir die Republik nicht Herzenssache; ich bin höchstens Vernunftrepublikaner, während doch jetzt allenthalben Herzensbekenntnisse zur Republik gefordert werden." Die Antwort des Reichspräsidenten war frappierend: Der von Geßler vertretene Standpunkt lasse ihn besonders geeignet erscheinen für die „Überwindung der Schwierigkeiten, die das Amt im Augenblick mit sich bringe". Nach ähnlichen Gesichtspunkten wurde auch der Chef der Heeresleitung ausgewechselt: An die Stelle von General Reinhardt, der am 25. März aus Solidarität mit Noske um seinen Abschied bat, trat am 2. April, zunächst provisorisch, ein Mann, der sich in den Putschtagen auf das Lavieren zwischen Regierung und Rebellen beschränkt hatte: General Hans von Seeckt.[20]

Daß das Kabinett Bauer durch eine „Arbeiterregierung" ersetzt werden könne, war zu keiner Zeit eine realistische Annahme gewesen. Legien, der diesen Vorschlag am 17. März der USPD unterbreitete, wollte damit in erster Linie wohl die Gegensätze zwischen Führung und Opposition in den eigenen Reihen mildern, also den Zusammenhalt der Gewerkschaften stärken. Einer rein sozialistischen Regierung, wie sie manchen linken Gewerkschaftlern vorschwebte, fehlten die elementarsten Voraussetzungen: bei SPD und USPD der Wille, eine Koalition einzugehen, und im Reichstag die dafür erforderliche Mehrheit. Die bürgerlichen Parteien dachten nicht daran, eine solche Regierung zu tolerieren, und ebensowenig konnte man sie zwingen, fortan nur noch Arbeitnehmer in ein Kabinett der Weimarer Koalition zu entsenden.

Wäre der Anspruch auf politische Mitsprache, den die Freien Gewerkschaften im März 1920 erhoben, eingelöst worden, hätte sich Weimar in einen Gewerkschaftsstaat verwandelt – ein System, das mit der Verfassung von 1919 nicht zu vereinbaren war. Wenn die bürgerlichen Mittelparteien und die gemäßigten Sozialdemokraten mit Ebert an der Spitze sich solchen Forderungen widersetzten, hatten sie nicht nur das Verfassungsrecht, sondern auch die ungeschriebenen Gesetze der parlamentarischen Demokratie auf ihrer Seite. Aber es war eines, an der Verfassung festzuhalten, und ein anderes, auf praktische Schlußfolgerungen aus dem Kapp-Lüttwitz-Putsch zu verzichten. Auf Reichsebene sah es zwei Wochen nach dem Generalstreik der extremen Rechten nicht danach aus, daß die regierenden Parteien den Lehrstückcharakter des Umsturzversuchs begriffen hätten. Die Entscheidung der Sozialdemokraten, den Posten des Reichswehrministers nicht mehr mit einem Mann aus ihren Reihen zu besetzen, bedeutete einen Rückzug aus der politischen Verantwortung. Die SPD stellte damit die Weichen für eine Entwicklung, die ihr die Identifikation mit der von ihr geschaffenen Republik erschweren mußte.

Anders als im Reich wurde der Kapp-Lüttwitz-Putsch in Preußen zu einer tiefen politischen Zäsur. Nach dem Zusammenbruch der Rebellion wechselte die Sozialdemokratie im größten deutschen Staat ihr Führungspersonal weitgehend aus und schuf so die Voraussetzungen dafür, daß aus Preußen binnen weniger Jahre das vielgerühmte „Bollwerk" der deutschen Demokratie werden konnte. An die Stelle des profillosen Ministerpräsidenten Paul Hirsch trat der bisherige Landwirtschaftsminister, der agile Ostpreuße Otto Braun, der, von kurzen Unterbrechungen abgesehen, bis 1932 an der Spitze des preußischen Staates stand. Den kompromittierten Innenminister Wolfgang Heine löste Carl Severing ab, bisher Kommissar des Reiches und Preußens im unruhigen rheinisch-westfälischen Industriegebiet. Finanzminister Albert Südekum, wie Heine ein Mann des äußersten rechten Flügels der SPD, der sich in den Märztagen zusammen mit Hirsch auf direkte Gespräche mit den Putschisten eingelassen hatte, räumte seinen Platz zugunsten des eher linken Hermann Lüdemann.

Was die neuen Männer von ihren Vorgängern abhob, waren vor allem Zielklarheit und Energie. Sie brauchten diese Eigenschaften, um einiges von dem nachzuholen, was in den knapp eineinhalb Jahren seit dem Sturz der Monarchie versäumt worden war. Im März 1920 waren nur die preußischen Oberpräsidenten fast durchweg Mitglieder der Weimarer Parteien; von den Regierungspräsidenten waren noch zwei Drittel, von den Landräten sogar über neun Zehntel Beamte aus der Kaiserzeit. Während des Putsches gab es ein deutliches West-Ost-Gefälle der Staatsloyalität: Im Westen Preußens hielten fast alle Landräte, wenn auch manchmal nur unter dem Druck der Arbeiter, der verfassungsmäßigen Regierung die Treue; in Ostpreußen, Pommern, Brandenburg und der Grenzmark Posen-Westpreußen erkannte fast ein Fünftel der Landräte die Kapp-Regierung in persönlichen Erklärungen an.

Severing begann die überfällige Demokratisierung der preußischen Verwaltung mit der Entlassung der Schuldigen. Von den insgesamt elf Oberpräsidenten wurden drei aus ihren Ämtern entfernt, von den 33 Regierungspräsidenten ebenfalls drei, von den 480 Landräten 88, die fast alle aus den östlichen Provinzen kamen. Zu den entlassenen Oberpräsidenten gehörte auch der Sozialdemokrat August Winnig, der in seinem ostpreußischen Wirkungsbereich schon lange vor dem Putsch Verbindungen zur extrem nationalistischen Rechten geknüpft und sich am 13. März zusammen mit dem Wehrkreiskommandeur, General von Estorff, zur „neuen Regierung" bekannt hatte. Entlassen wurden ferner der sozialdemokratische Oberpräsident von Schlesien, Ernst Philipp, und sein Parteifreund, der Breslauer Polizeipräsident Friedrich Voigt – beide, weil sie vor dem 13. März gegenrevolutionären Aktivitäten nicht energisch genug entgegengetreten waren. Voigts Berliner Kollege Eugen Ernst, auch er ein Sozialdemokrat, mußte gehen, weil er – mit Genehmigung Heines – in den Putschtagen im Amt geblieben war.

An die Stelle der Entlassenen traten Männer, denen Severing die Bereitschaft zur entschlossenen Verteidigung der Republik zutraute. Zielstrebig besetzte der neue Innenminister die Schlüsselpositionen der inneren Verwaltung, darunter die Polizeipräsidien der großen Städte, mit Mitgliedern der

Weimarer Parteien und nicht zuletzt seiner eigenen Partei, der SPD. Den Vorwurf, er führe einen neuen Typ von Parteibuchbeamten ein, konnte Severing gelassen ertragen: Gerade der Kapp-Lüttwitz-Putsch hatte gezeigt, daß das traditionelle Berufsbeamtentum keineswegs überall fest auf dem Boden der Republik stand.[21]

Den absoluten Gegenpol zu Preußen bildete Bayern. Während der größte deutsche Einzelstaat nach dem Kapp-Lüttwitz-Putsch republikanischer wurde, erlebte der zweitgrößte im März 1920 eine antirepublikanische Wende. Am 14. März fand in München die bayerische Variante eines Staatsstreichs statt. In Absprache mit monarchistischen Politikern wie dem Landeshauptmann der bayerischen Einwohnerwehren, Forstrat Escherich, dem oberbayerischen Regierungspräsidenten Ritter von Kahr, und dem Münchner Polizeipräsidenten Pöhner, verlangte der Kommandeur der Reichswehrgruppe IV, General Ritter von Möhl, von dem sozialdemokratischen Ministerpräsidenten Hoffmann, er möge ihm, Möhl, im Interesse von Ruhe und Ordnung die vollziehende Gewalt übertragen. Die bayerische Koalitionsregierung, ein von BVP und DDP toleriertes Minderheitskabinett aus SPD, Bayerischem Bauernbund und Parteilosen, fügte sich; Hoffmann, der der Entscheidung widersprach, trat zurück. Am 16. März wählte der Landtag mit einer Stimme Mehrheit Gustav von Kahr zum Ministerpräsidenten. Der neuen Regierung gehörten Politiker von Bayerischer Volkspartei, Bayerischem Bauernbund und DDP an. Die Sozialdemokraten gingen in die Opposition und blieben dort bis zum Ende der Weimarer Republik. Bayern konnte sich zur rechten „Ordnungszelle" entwickeln – einer Schutzburg aller Kräfte, die darauf aus waren, die verhaßte Republik so rasch und so gründlich wie möglich zu beseitigen.[22]

Die Umbildung der Regierungen im Reich, in Preußen und Bayern war noch nicht der Schlußstrich unter das Kapitel, das mit dem Putsch von Kapp und Lüttwitz begonnen hatte. Das blutige Ende folgte an der Ruhr. Zwar hatte Reichskanzler Bauer am 22. März in den Verhandlungen mit Gewerkschaften, SPD und USPD versprochen, daß die bewaffneten Arbeiter, insbesondere des Ruhrgebiets, nicht angegriffen werden sollten. Aber Bauer sprach damit, was seine Gesprächspartner nicht wußten, nur für seine Person und nicht für die Reichsregierung. Und selbst wenn alle Minister sich Bauers Versprechen zu eigen gemacht hätten, war doch klar, daß die Reichsregierung das Industriegebiet nicht unter der Kontrolle der Roten Ruhrarmee belassen konnte. Seit die legitime Regierung wieder im Besitz der Macht war, stellte die „rote" Herrschaft an der Ruhr, rechtlich gesehen, eine Insurrektion gegen die verfassungsmäßige Staatsgewalt dar. Bauers Zusage konnte also nur bedeuten, daß Berlin sich zunächst um eine friedliche Beilegung des Konflikts bemühen wollte, ehe, falls dieser Versuch scheiterte, Gewalt angewandt werden würde.

Auf dem Höhepunkt der Kämpfe konnte die Rote Ruhrarmee auf mindestens 50000 bewaffnete Arbeiter zählen. Von den gewerkschaftlich Organisierten gehörte eine knappe Mehrheit freigewerkschaftlichen Verbänden, eine starke Minderheit der syndikalistischen Freien Arbeiter-Union an; bei den Mitgliedern politischer Parteien lag die USPD mit knapp 60% weit vor der KPD, der sich 30% zurechneten; 10% gehörten der SPD an. Wenn Gegner auf der Rechten die Kämpfer der Roten Ruhrarmee als bewaffnete „Spartakisten" bezeichneten, war das also eine propagandistische Verzerrung. Die Rote Ruhrarmee war der militärische Arm einer weit über den Anhang der KPD hinausreichenden proletarischen Massenbewegung – der größten, die es bis dahin in Deutschland gegeben hatte.

Die Rote Ruhrarmee besetzte Rathäuser und Gefängnisse; sie requirierte Kraftfahrzeuge, Vieh und Lebensmittel bei privaten Eigentümern in Stadt und Land; sie unterwarf die bürgerliche Presse einer „roten" Pressezensur. Eine einheitliche Kommandozentrale besaß die Aufstandsbewegung nicht. Der Zentralrat in Essen konnte seine Autorität nicht im ganzen Ruhrgebiet durchsetzen; die relativ gemäßigte Hagener Zentrale war ebenso unabhängig von ihm wie der besonders radikale, von den Syndikalisten beherrschte Mülheimer Vollzugsrat. Keinerlei Kontrolle übten überörtliche Räte über Duisburg aus, wo am 26. März eine anarchistische Gewaltherrschaft errichtet wurde, von der sich bald auch die Kommunisten distanzierten. Generell waren die östlichen und südlichen Teile des Reviers, in denen wirtschaftlich die metallverarbeitende Industrie und politisch die USPD dominierte, weniger radikal als die Bergbaugebiete des „wilden Westens", die Hochburgen der Syndikalisten und Linkskommunisten.[23]

Die politischen Unterschiede innerhalb der Aufstandsbewegung boten den Regierenden in Berlin eine Chance: Sie konnten versuchen, einen Keil zwischen die gemäßigten und die radikalen Kräfte zu treiben. Am 21. März wurden Reichspostminister Giesberts vom Zentrum und der sozialdemokratische Landwirtschaftsminister Preußens, Otto Braun, ins Revier entsandt, um der Bevölkerung mitzuteilen, daß die erhofften Lebensmittel aus Holland geliefert würden, wenn es im Industriegebiet keine kommunistische Herrschaft mehr gebe. Giesberts und Braun vertraten das Reich und Preußen am 23. und 24. März auch auf einer Konferenz in Bielefeld, an der neben Vollzugsräten, Stadtverwaltungen und Regierungspräsidenten die Gewerkschaften und die politischen Parteien von der bürgerlichen Mitte bis zu den Kommunisten teilnahmen. Ziel des Treffens war es, wie Severing, zu diesem Zeitpunkt noch Reichs- und preußischer Kommissar im Ruhrgebiet, einleitend erklärte, zu einer Verständigung über die Abrüstung der Roten Ruhrarmee und die Organisation der Waffenablieferung zu gelangen.

Tatsächlich arbeitete eine von der Konferenz eingesetzte Kommission eine Vereinbarung über einen Waffenstillstand zwischen Reichswehr und Roter Ruhrarmee aus. Am 24. März verabschiedete dieselbe Kommission das „Bielefelder Abkommen". Es wiederholte das, worauf sich vier Tage zuvor in Berlin die Gewerkschaften mit den Mehrheitsparteien geeinigt hatten, enthielt aber auch einige zusätzliche Punkte. Sie sahen eine weitgehende

Amnestie für Gesetzesverstöße vor, die bei der Abwehr des Putsches vorgekommen waren. Die Abgabe von Waffen sollte durch Vollzugsräte und Gemeindebehörden gemeinsam geregelt werden. Beide waren auch für die Aufstellung republikanischer Ortswehren zuständig. Wurden diese Vereinbarungen loyal befolgt, sollte ein Einmarsch der Reichswehr in das rheinisch-westfälische Industriegebiet nicht erfolgen.

Das Bielefelder Abkommen war auf den ersten Blick ein vielversprechender Versuch, den Konflikt an der Ruhr doch noch friedlich zu lösen. Die von Severing erhoffte Teilung der Fronten trat ein: Die gemäßigten Kräfte bis hin zur USPD und der Hagener Zentrale stellten sich auf den Boden der Vereinbarung; der Essener Zentralrat und die KPD verlangten neue Verhandlungen mit der Reichsregierung; die Vollzugsräte von Mülheim und Hamborn lehnten einen Waffenstillstand ab. Denselben Standpunkt bezogen die Kampfleiter der Roten Ruhrarmee: Sie wollten die militärische Kraftprobe und zogen im Zweifelsfall einen ehrenvollen Untergang einem vermeintlich faulen Kompromiß vor.[24]

Wären nicht die chaotischen Verhältnisse in Duisburg gewesen, hätte sich die neue Reichsregierung unter Hermann Müller vielleicht auf neue Verhandlungen, wie sie der Essener Zentralrat forderte, eingelassen. Die Lage dieser Stadt war jedoch so bedrohlich, daß dem Reichskabinett wie auch Severing Unnachgiebigkeit angezeigt erschien. Am 28. März beantwortete die Regierung den Essener Vorstoß mit einem bis zum Mittag des 30. März befristeten Ultimatum. Diesem Aufruf fügte der regionale Befehlshaber, Generalleutnant von Watter, am 29. März ohne Rücksprache mit Severing oder der Reichsregierung Zusätze über die Ablieferung der Waffen und die Auflösung der Roten Ruhrarmee hinzu – Bedingungen, die bis zum Mittag des folgenden Tages erfüllt sein mußten und daher technisch gar nicht durchführbar waren. Der Essener Zentralrat antwortete darauf mit der Proklamation eines neuen Generalstreiks. Am 29. März streikten über 330000 Ruhrkumpel oder mehr als drei Viertel aller Belegschaften.

Watters eigenmächtige Zusätze machten eine grundlegende Schwäche des Bielefelder Abkommens sichtbar: Das Militär war keine der vertragsschließenden Parteien und folglich in seiner Vorgehensweise weitgehend frei. Das Kabinett Müller äußerte zwar am 29. März einige Erwartungen an die von Watter befehligten Verbände: Hagen und das Bergische Land sollten möglichst unberührt bleiben, der Truppenabmarsch „ohne Provokation" erfolgen, die Soldaten tunlichst schwarz-rot-goldene Abzeichen tragen. Daß die Truppen, die zum Einmarsch ins Ruhrgebiet bereitstanden, diese Wünsche erfüllen würden, war jedoch unwahrscheinlich. Denn zum größten Teil handelte es sich dabei um Freikorps, die eben noch den schwarz-weiß-roten Putsch von Kapp und Lüttwitz unterstützt hatten. Seeckt, inzwischen designierter Chef der Heeresleitung, war sogar bereit, die Marinebrigade Ehrhardt gegen die Rote Ruhrarmee kämpfen zu lassen. Zu diesem Einsatz kam es dann nicht mehr. Dafür erhielt die Marinebrigade Loewenfeld, die ebenfalls zu den Putschtruppen der ersten Stunde gehörte, Gelegenheit, im Industrierevier ihren Beitrag zum „Kampf gegen den Bolschewismus" zu leisten.

Am 31. März unternahm Severing, nunmehr auch preußischer Innenminister, einen letzten Versuch, unnötiges Blutvergießen zu verhindern. In Münster erläuterte er Vertretern der Vollzugsräte und der Parteien die Beschlüsse der Reichsregierung und fand dafür bei seinen Gesprächspartnern Zustimmung. Eine anschließend getroffene Vereinbarung verlängerte die Frist für die Ablieferung der Waffen und den Abbau der Fronten bis zum 2. April, 12 Uhr mittags; die Reichswehr sollte bis dahin jede Vorwärtsbewegung einstellen. Auf einer Vollversammlung des Essener Vollzugsrates hielten am 1. April auch die dort anwesenden Kampfleiter der Roten Ruhrarmee die Fortsetzung des Kampfes für sinnlos. Aber ihre Armee war inzwischen in einzelne Haufen zerfallen; es gab im Ruhrgebiet keine proletarische Autorität mehr, die ihren Weisungen noch hätte Geltung verschaffen können. Severing übertrieb nicht, als er rückblickend schrieb: „Die Mitteilungen von Erpressungen und Brandschatzungen, von Mißhandlungen und Erschießungen mehrten sich in erschreckendem Maße. Die Notrufe der Bevölkerung, der Stadtverwaltungen und der Führer der politischen Parteien wurden immer dringender." Bis zum Abend des 2. April wurden, den Berichten der Regierungspräsidenten zufolge, die Waffen der Roten Ruhrarmee nicht oder nur in geringen Mengen abgeliefert. Da die Vereinbarung von Münster also nicht erfüllt war, begann die Reichswehr mit der Besetzung des Ruhrgebiets.[25]

Der Vormarsch des Militärs war von Gewalttaten und Grausamkeiten begleitet, die den „roten Terror" in den Schatten stellten. Bei Pelkum erschossen am 2. April Angehörige der Brigade Epp bewaffnete Arbeiter, die in dem vorangegangenen Gefecht verwundet worden waren. Zahllose Rotarmisten wurden „auf der Flucht erschossen", also hinterrücks umgebracht. Die Gesamtzahl der Toten, die die Ruhrarbeiter zu beklagen hatten, ist niemals genau ermittelt worden. Sie lag mit Sicherheit weit über 1 000. Die meisten von ihnen wurden erst nach ihrer Gefangennahme getötet. Die Reichswehr zählte 208 Tote und 123 Vermißte, die Sicherheitspolizei 41 Tote. Ein noch größeres Blutvergießen verhinderte die Reichsregierung am 3. April durch den Beschluß, die militärischen Standgerichte abzuschaffen. Sie hatten bis zu diesem Zeitpunkt 205 Todesurteile gefällt, von denen 50 vollstreckt wurden. Auf Monate hinaus blieben aber an der Ruhr außerordentliche Kriegsgerichte tätig, die sich um die Amnestiebeschlüsse der Regierung wenig kümmerten. Von kürzerer Dauer war eine andere Folge der Ruhraktion: Auf den Einmarsch der Reichswehr in Gebiete, die zur entmilitarisierten Zone des Rheinlands gehörten, antwortete Frankreich am 6. April mit der Besetzung des Maingaus einschließlich der Stadt Frankfurt. Am 17. Mai, kurz nach dem Ende der militärischen Exekution im Ruhrgebiet, zog Paris seine Truppen wieder zurück.[26]

Die Erhebung des Ruhrproletariats war die letzte der Massenbewegungen, die mit den wilden Streiks des Jahres 1917 begonnen hatten. Der Protest der radikalen Arbeiter richtete sich in erster Linie gegen das politische und gesellschaftliche System, das sie für den Krieg verantwortlich machten, und gegen jene, die nach 1918 dieses System wiederherstellen wollten. In zweiter Linie waren die Massenbewegungen ein Protest gegen diejenigen Arbeiterorganisationen, die im Laufe der Zeit in die bestehende Gesellschaftsordnung hineingewachsen waren. Aber die Gewerkschaften und Mehrheitssozialdemokraten, gegen die dieser Vorwurf erhoben wurde, hatten ihrerseits Arbeiter hinter sich, und zwar immer noch mehr als Syndikalisten, Kommunisten und USPD. Der Riß ging also durch die Arbeiterschaft hindurch. Der gemäßigte Flügel, der sich auf die besser qualifizierten und darum auch besser situierten Arbeiter stützte, wollte seine Ziele durch schrittweise Verbesserungen erreichen. Der radikale Flügel, der seinen Massenanhang nicht nur, aber überwiegend bei ungelernten Arbeitern hatte, strebte eine möglichst rasche und vollständige Umwälzung der gesellschaftlichen Verhältnisse an. Die Niederschlagung des Ruhraufstands wirkte nicht nur auf die unmittelbar beteiligten Arbeiter ernüchternd. In den folgenden Jahren kam es noch zu mehreren Erhebungen der radikalen Linken, aber es waren keine Massenrevolten mehr, sondern lediglich kommunistische Putschversuche, die von kleinen Minderheiten getragen wurden. Die Zeit der revolutionären Massenkämpfe ging mit dem Ruhraufstand zu Ende – und mit ihr die Revolutionszeit im weitesten Sinn.[27]

Der Generalstreik erwies sich im März 1920 als ein zweischneidiges Schwert. Einerseits trug er wesentlich zum Sturz des gegenrevolutionären Regimes bei und war insoweit ein voller Erfolg. Andererseits entwickelte er eine Eigendynamik, der die Gewerkschaften und die Sozialdemokraten machtlos gegenüberstanden. Die Bedingungen für einen Generalstreik waren im Frühjahr 1920 geradezu optimal: In Deutschland herrschte praktisch Vollbeschäftigung; die Streikenden mußten also nicht befürchten, daß Erwerbslose ihre Arbeitsplätze einnehmen würden. Überdies standen die Arbeiter, solange der Ausstand sich gegen das Regime der Putschisten richtete, in einer Front mit der legitimen Staatsgewalt. Dennoch hinterließ der Generalstreik bei den Gewerkschaften bittere Erinnerungen, die mit dazu beitrugen, daß dieses Kampfmittel in der Endkrise der Weimarer Republik nicht mehr ernsthaft erwogen, geschweige denn eingesetzt wurde: Die radikale Linke hatte den Generalstreik von 1920 gegen den Willen der Gewerkschaften in einen bewaffneten Kampf verwandelt, aus dem nicht die Arbeiterschaft, sondern das Militär als Sieger hervorging.[28]

Nach dem Sieg über die Rote Ruhrarmee mußte freilich auch die Reichswehr ein Stück zurückstecken. Am 6. April 1920 beschloß die Reichsregierung ein Verfahren für den Ausnahmezustand, das den zivilen Gewalten den Primat vor dem Militär zuerkannte. Die Reichswehr konnte damit nicht mehr so demonstrativ, ja nahezu exklusiv wie bisher als innenpolitische

Ordnungsmacht auftreten. General von Seeckt, der im Juni 1920 auch formell das Amt des Chefs der Heeresleitung übernahm, nutzte die Neuverteilung der Gewichte, um die Reichswehr in seinem Sinne zu konsolidieren und zum „Staat im Staat" auszubauen. Der Kapp-Lüttwitz-Putsch hatte ihn in seiner Einschätzung bestätigt, daß die Interessen der Reichswehr nicht in der Konfrontation mit der verfassungsmäßigen Ordnung, sondern nur im Zusammenspiel mit der zivilen Exekutive durchzusetzen waren. Eine formale Anerkennung der bestehenden Staatsordnung war daher aus Seeckts Sicht unerläßlich. In einem Erlaß vom 18. April 1920 zog er diese Konsequenz. Die Heeresleitung, erklärte er, frage nicht nach der politischen Färbung des Einzelnen, „aber von jedem, der jetzt noch in der Reichswehr dient, muß ich annehmen, daß er seinen Eid ernst nimmt und sich freien Willens und als ehrlicher Soldat auf den Boden der Reichsverfassung gestellt hat. Wer den unglücklichen Märzumsturz nicht verurteilt, wer gar glaubt, daß von seiner Wiederholung irgendetwas anderes als neues Unheil für Volk und Reichswehr entstehen könnte, der sollte selbst das Gefühl haben, daß für ihn kein Platz mehr im Heer ist."

Die Wirklichkeit in der Reichswehr sah weniger republikanisch aus, als diese Worte klangen. Im Sommer 1920 wurden Mannschaften aus der Reichswehr entfernt, die sich gegen Offiziere mit „kappistischer" Gesinnung gestellt hatten. Offiziere, die den Putsch unterstützt hatten, konnten dagegen auf Grund einer Amnestie von August 1920 in die endgültige Reichswehr übernommen werden. Die Reichsmarine ging noch einen Schritt weiter. Sie übernahm die Brigaden Ehrhardt und Loewenfeld, die den Putsch ausgelöst hatten, und verwandte sie als Stamm für ihren Personalaufbau. Seeckts Devise vom 18. April 1920, „politische Betätigung jeder Art" müsse vom Heer ferngehalten werden, richtete sich vorrangig gegen eine Betätigung im Sinne der Republik. Eine entschieden antirepublikanische Gesinnung wurde weder von der Reichswehr noch von der Reichsmarine als störend empfunden.[29]

Auch die Justiz ging schonend mit den Putschisten um. Die meisten Führer konnten zunächst ohnehin nicht belangt werden, weil sie sich, wie Kapp und Lüttwitz, ins Ausland abgesetzt hatten. Wegen Hochverrats standen schließlich vor dem Reichsgericht nur der frühere Berliner Polizeipräsident Traugott von Jagow, in den Märztagen Kapps Innenminister, der ehemalige Vorsitzende des Bundes der Landwirte, Konrad von Wangenheim, den Kapp zum preußischen Landwirtschaftsminister hatte machen wollen, sowie der als Wirtschaftsminister vorgesehene Mittelstandspolitiker Georg Wilhelm Schiele. Am 21. Dezember 1921 fand die Urteilsverkündung statt. Verurteilt wurde nur ein Angeklagter: Jagow. Er erhielt wegen Beihilfe zum Hochverrat fünf Jahre Festungshaft, wobei ihm das Gericht „selbstlose Vaterlandsliebe" als mildernden Umstand anrechnete. Im Dezember 1924 wurde er begnadigt und erhielt, nachdem er einen Prozeß gegen den preußischen Staat gewonnen hatte, seine Pension nachgezahlt. Lüttwitz, der 1921 aus dem Exil in Ungarn zurückkehrte, erstritt sich ebenfalls seine Pension, und zwar rückwirkend von den Putschtagen ab. Gegen eine Kaution entging er der Untersuchungshaft; ein Prozeß gegen ihn fand nicht statt. Gegen Ludendorff wurde nicht einmal Anklage erhoben. Der steckbrieflich gesuchte Kapitänleutnant Ehrhardt konnte, von den Behörden gedeckt, in der „Ordnungszelle" Bayern die nächste Etappe der Gegenrevolution vorbereiten. Kapp kehrte im Frühjahr 1922 aus Schweden zurück und wurde festgenommen. Er starb im Juni 1922, ohne zuvor verurteilt worden zu sein. 1925 erließ Eberts Nachfolger Hindenburg eine Amnestie, die auch für Urheber und Führer des Kapp-Lüttwitz-Putsches galt. Die noch schwebenden Verfahren wurden daraufhin eingestellt und die Haftbefehle aufgehoben.[30]

Die Zusagen, die die Reichsregierung den streikenden Arbeitern zwischen dem 20. und 24. März gemacht hatte, wurden nur zum geringsten Teil eingelöst. Die Sozialisierung des Steinkohlenbergbaus scheiterte auch im zweiten Anlauf. Monatelang beriet ein gemeinsamer Ausschuß des Vorläufigen Reichswirtschaftsrates und des Reichskohlenrates die beiden alternativen Entwürfe, die Ende Juli 1920 aus den Arbeiten der neu einberufenen Sozialisierungskommission hervorgegangen waren: einen Vorschlag, der die sofortige Vollsozialisierung des Kohlenbergbaus und seine Übertragung auf eine öffentlich-rechtliche Kohlengemeinschaft vorsah, und einen Gegenvorschlag, der den Kohlenbergbau erst allmählich, innerhalb von dreißig Jahren, in Gemeineigentum überführen wollte. Im Februar 1921 fiel die Entscheidung: gegen jede Art von Sozialisierung. Ein gemeinsames Gutachten von Auswärtigem Amt und Reichsjustizministerium kam zu dem Ergebnis, daß durch eine Sozialisierung staatlicher Besitz geschaffen würde, den die Alliierten zur Deckung der Reparationen heranziehen könnten. Doch selbst wenn das Gutachten anders ausgefallen wäre, hätte sich im Reichstag schwerlich eine Mehrheit für eine Vergesellschaftung des Kohlenbergbaus gefunden.[31]

Zu einer Auflösung unzuverlässiger Polizeiformationen, einem anderen Versprechen der Reichsregierung, kam es zunächst nur dort, wo die Sozialdemokraten die Macht dazu hatten. Allerdings gab es auch außenpolitische Gründe, die das Reich zwangen, auf diesem Gebiet tätig zu werden. Am 12. März 1920 hatte die Interalliierte Militärkommission die Auflösung der Einwohnerwehren und der von der Reichswehr geschaffenen Zeitfreiwilligenverbände bis zum 10. April 1920 verlangt. Preußen, das von einem Kabinett der Weimarer Koalition regiert wurde, ordnete zwei Tage vor Ablauf dieser Frist die Abschaffung der Einwohnerwehren und ihre Ersetzung durch Ortswehren an, die sich aus der republikanisch gesinnten Bevölkerung zusammensetzen sollten. Ähnlich verfuhren die meisten anderen Landesregierungen.

Die Hoffnung, daß sich Arbeiter in größerer Zahl den neuen Ortswehren anschließen würden, erwies sich jedoch als trügerisch. Infolgedessen änderte sich an der sozialen Zusammensetzung der Selbstschutzverbände nur wenig.

Erfolgreicher war die Reichsregierung bei dem Versuch, die Einwohnerwehren zu entmilitarisieren und sie in eine Art Orts- und Flurschutz umzuwandeln. *Ein* Land jedoch widersetzte sich hartnäckig dieser Linie: Bayern. Der Konflikt zwischen Bayern und Reich zog sich bis zum Frühjahr 1921 hin. Ohne den massiven Druck der Alliierten wäre nicht Berlin, sondern München als „Sieger" aus dieser Auseinandersetzung hervorgegangen. Doch davon wird an anderer Stelle noch ausführlicher die Rede sein.[32]

Wenige Wochen nach dem Putsch erfüllte die Reichsregierung eine Forderung der Rechten: Am 30. April beschloß das Kabinett Hermann Müller, die ersten Reichstagswahlen am 6. Juni 1920 abzuhalten. Vor dem Umsturz hatten Regierung und Mehrheitsparteien sich für einen Wahltermin im Herbst 1920 ausgesprochen und dafür unter anderem den Grund genannt, daß bis dahin die staatsrechtliche Zukunft der meisten Gebiete geklärt sein würde, in denen nach dem Versailler Vertrag Abstimmungen stattfinden mußten. In einem Fall, Schleswig, war die Abstimmung zwar bereits im Februar und März 1920 durchgeführt worden – mit dem Ergebnis, daß sich im Norden eine Mehrheit für Dänemark, im Süden eine für Deutschland aussprach. Die Grenzziehung zwischen beiden Staaten war jedoch noch nicht erfolgt. In Westpreußen östlich der Weichsel, im südlichen Ostpreußen und in Oberschlesien standen die Abstimmungen noch aus. In allen Abstimmungsgebieten mußten die Wahlen folglich zu einem späteren Zeitpunkt abgehalten werden. Regierung und Mehrheit nahmen diesen Nachteil in Kauf, weil sie den Eindruck vermeiden wollten, als fürchteten sie das Urteil der Wähler. Staatsrechtlich war ohnehin gegen die Forderung nach Reichstagswahlen nichts einzuwenden. Die Nationalversammlung hatte ihren Zweck, die Erarbeitung der Reichsverfassung, längst erfüllt. Sie war nur deswegen bisher nicht aufgelöst worden, weil viele dringliche Gesetzgebungsaufgaben nach Meinung der Mehrheit keinen Aufschub duldeten.

Der Ausgang der Reichstagswahl vom 6. Juni 1920 bedeutete für die Weimarer Koalition eine schwere Enttäuschung. Die eindeutigen Gewinner waren die beiden Rechtsparteien und die USPD, die Verlierer vor allem SPD und DDP. Die Weimarer Koalition büßte ihre Mehrheit ein – für immer, wie man rückblickend hinzufügen muß. Die Sozialdemokraten sanken von den 37,9 %, die sie bei der Wahl der Nationalversammlung im Januar 1919 erzielt hatten, auf 21,6 % ab, während die USPD ihren Anteil von 7,6 % auf 18,6 % steigern konnte. Die KPD, die erstmals kandidierte, erreichte ganze 1,7 %. Relativ gering waren die Verluste des Zentrums: 1919 hatte es (ohne die BVP) 15,1 % erhalten; jetzt kam es auf 13,6 %. Die DDP sank von 18,5 % auf 8,4 %, während die DVP fast gleich viel dazugewann: Ihr Anteil stieg von 4,4 % auf 13,9 %. Die Deutschnationalen verbesserten sich von 10,3 % auf 14,4 % der abgegebenen Stimmen.

Genauere Untersuchungen bestätigen den ersten Eindruck: Die SPD hatte Wähler vor allem an die USPD verloren, die DDP an die DVP. Besonders groß waren die Gewinne der Unabhängigen Sozialdemokraten und entsprechend die Verluste der Mehrheitssozialdemokraten in den Großstädten. Stimmeneinbußen mußte die SPD aber auch auf dem platten Land, vor allem in Ostpreußen, hinnehmen, wo die Wahlen am 20. Februar 1921 nachgeholt wurden. Landarbeiter, die 1919 für die Sozialdemokraten gestimmt hatten, wählten 1921 in beträchtlicher Zahl die Deutschnationalen. Die Gründe für den Stimmungsumschwung im liberalen Lager, die Wählerwanderung von der DDP zur DVP Gustav Stresemanns, brachte der demokratische Abgeordnete Anton Erkelenz auf eine plastische Formel. 1919, schrieb er, habe eine Mitgliedskarte der DDP als „Lebensversicherungspolice bei der befürchteten Bartholomäusnacht" gegolten; 1920 hätten viele Leute in der Mitgliedskarte der DVP einen „Versicherungsschein gegen Aufteilung des Vermögens" gesehen.

Die Quintessenz dessen, was die erste Reichstagswahl sichtbar machte, war ein Linksruck bei den Arbeitern und ein Rechtsruck im Bürgertum. Politisch belohnt wurden die Kräfte, die den Klassenkompromiß, auf dem Weimar beruhte, bisher nicht mitgetragen hatten. Die Gemäßigten beiderseits der Mitte dagegen wurden für das bestraft, was sie seit Anfang 1919 geleistet oder nicht geleistet hatten: Links verübelte man den Regierungen der Weimarer Koalition, daß sie die Kräfte der Reaktion wieder hatte erstarken lassen; von rechts wurde der bisherigen Mehrheit alles angelastet, was die nationale Ehre verletzt und die Besitzinteressen beeinträchtigt hatte. Nicht nur die Märzkämpfe, sondern auch Versailles und die Steuerreform gingen in die Wählerentscheidung ein. Angesichts der Polarisierung der Wählerschaft war nach dem 6. Juni 1920 nur klar, daß so wie bisher nicht mehr weiterregiert werden konnte. Aber eine neue Mehrheit, die an die Stelle der Weimarer Koalition hätte treten können, war nicht in Sicht.

Für die Sozialdemokraten, die immer noch stärkste Partei, schied eine Große Koalition, ein Zusammengehen mit der DVP, von vornherein aus. Stresemann und seine Partei hatten während des Kapp-Lüttwitz-Putsches eine ausgesprochen opportunistische Politik betrieben; den Wahlkampf bestritt die DVP mit einer massiv antisozialdemokratischen Parole: „Von roten Ketten macht uns frei allein die Deutsche Volkspartei." Bei den Sozialdemokraten wäre es zu einem Aufstand gekommen, hätte sich die Führung auf eine Koalition mit der Volkspartei eingelassen. Eine Minderheitsregierung der Weimarer Koalition, die auf 225 von 466 Sitzen zählen konnte, wäre auf die Unterstützung von BVP und DVP oder auf die der Unabhängigen angewiesen gewesen. In einer derart prekären Lage sozialdemokratisches Profil zu zeigen, war nahezu ausgeschlossen. So blieb im Grunde nur eine Lösung übrig, die freilich auch der Stimmungslage der Partei am ehesten entsprach: Die SPD beteiligte sich nicht mehr an der Regierung und machte einem bürgerlichen Minderheitskabinett Platz.

Am 25. Juni 1920 ernannte Reichspräsident Ebert den bisherigen Präsidenten der Nationalversammlung, Konstantin Fehrenbach, zum Reichskanzler. Der achtundsechzigjährige Zentrumspolitiker, ein aus dem Hochschwarzwald stammender Freiburger Rechtsanwalt, stand einem Kabinett vor, dem Minister aus Zentrum, DDP und DVP sowie zwei Parteilose angehörten. Die erste Regierung seit dem Oktober 1918, in der die SPD nicht mehr vertreten war, konnte gleichwohl auf die parlamentarische Unterstützung der Sozialdemokraten rechnen. Obwohl sie aus der Regierungsverantwortung ausgeschieden war, konnte die SPD doch nicht in ihre „klassische" Oppositionsrolle zurückfallen. Wenn die Republik regierbar bleiben sollte, *mußten* die Sozialdemokraten das neue bürgerliche Kabinett tolerieren. Soviel sich durch das Wahlergebnis vom 6. Juni 1920 auch geändert hatte: *Gegen* die Sozialdemokratie konnte in Deutschland vorerst Politik noch nicht gemacht werden.[33]

Nichtsdestoweniger befand sich die deutsche Arbeiterbewegung in der zweiten Hälfte des Jahres 1920 in einer sehr viel schwächeren Position als in der Zeit unmittelbar nach Kriegsende. Zwar war der gewaltsame Umsturzversuch der radikalen Rechten abgeschlagen worden, aber gescheitert waren auch alle Versuche der reformistischen und der radikalen Linken, die Ergebnisse der Revolution zu ihren Gunsten zu verändern. Die Gewinner des großen Kräftemessens vom Frühjahr 1920 waren die gemäßigten Rechten, die am Unternehmen von Kapp und Lüttwitz weniger die Ziele als die Mittel auszusetzen hatten.

Rückschläge mußte die sozialistische Arbeiterbewegung in den Jahren 1919 und 1920 aber nicht nur in Deutschland hinnehmen. In Österreich, wo 1918/19 eine vergleichsweise gründlichere Revolution stattgefunden hatte als in Deutschland, wurden die Sozialisten bei den Nationalratswahlen vom Oktober 1920 von den Christlich-Sozialen überrundet und in die Opposition gedrängt. In Ungarn, wo die einzige nationale Räterepublik westlich der russischen Grenzen errichtet worden war, hatten schon im August 1919 die gegenrevolutionären Kräfte, von der Entente unterstützt, gesiegt und Anfang 1920 eine „weiße" Diktatur unter dem Reichsverweser Nikolaus von Horthy errichtet. In den neutralen und den neugegründeten Staaten waren die Sozialisten nirgendwo in den Besitz der Staatsmacht gelangt. Dasselbe galt von den Siegerländern. In Großbritannien hatten die Wahlen vom Dezember 1918 die liberal-konservative Koalition unter Lloyd George im Amt bestätigt. Die großen Streiks der Jahre seit 1918 hatten die bürgerliche Ordnung nicht ernsthaft erschüttert. In Frankreich war der Bloc national der Rechts- und Mittelparteien unter Georges Clemenceau aus der Wahl vom November 1918 als Sieger hervorgegangen. Die schwerste soziale Erschütterung der Nachkriegszeit, der Generalstreik der Eisenbahner im Mai 1920, endete mit einer Niederlage der Gewerkschaften. Labil war die Lage in Italien, das formell zu den Siegermächten gehörte, sich jedoch von seinen Verbündeten um die Früchte des Sieges betrogen fühlte. Die Wahlen vom November 1919 hatten die Sozialisten zur stärksten Partei gemacht, aber nicht an die Regierung gebracht. Die Folge waren die sozialen Unruhen, Streiks und Generalstreiks des „biennio rosso" – gipfelnd in den Fabrikbesetzungen vom August und September 1920. Das Ziel der Fabrikkontrolle wurde indes nicht erreicht; die Gewerkschaften begnügten sich vielmehr mit der Zusage von Mitbestimmungsrechten durch Arbeitgeber und Regierung. Für die faschistische Bewegung Benito Mussolinis war diese Erfahrung ermutigend: Die Linke war offensichtlich schwächer, als ihre Aufmärsche und Aktionen vermuten ließen.

Die Mißerfolge der sozialistischen Arbeiterbewegung hatten eine Radikalisierung des Proletariats zur Folge. In Italien setzte die Mehrheit der Sozialisten schon auf dem Parteitag von Bologna im Herbst 1919 den Anschluß an die Dritte Internationale durch; in Deutschland sprach sich die Mehrheit der USPD auf dem Parteitag zu Halle im Oktober 1920 für den gleichen Schritt aus, und in Frankreich entschied sich eine Zweidrittelmehrheit der Sozialistischen Partei im Dezember 1920 in Tours für den Beitritt zur Komintern und die Umwandlung der sozialistischen in eine kommunistische Partei. Nachdem die Kommunistische Internationale auf ihrem Zweiten Weltkongreß in Moskau im Sommer 1920 in den „21 Bedingungen" den bolschewistischen Parteityp und die bolschewistische Methode des Machterwerbs als allgemeinverbindlich für alle kommunistischen Parteien festgelegt hatte, bedeutete der Eintritt in die Dritte Internationale einen radikalen Bruch mit den Traditionen des demokratischen Sozialismus. Ein Teil der marxistischen Arbeiterbewegung – in Italien und Frankreich zunächst die Mehrheit, in Deutschland eine starke Minderheit – erklärte damit der pluralistischen Demokratie und dem „Reformismus" innerhalb der Arbeiterschaft den Krieg. Das Modell, an dem sich der radikale Flügel der Arbeiterbewegung fortan orientierte, war Sowjetrußland – das einzige Land, das eine, wie es schien, erfolgreiche sozialistische Revolution durchgeführt hatte und daher als Alternative zum kapitalistischen System gelten konnte.

Die Gegenrevolution in Sowjetrußland war seit dem Winter 1919/20 im wesentlichen niedergeschlagen: Als während des polnisch-russischen Krieges sowjetische Armeen im Sommer 1920 große Teile Polens überrannten, schien einen Augenblick lang die Ausweitung der kommunistischen Revolution auf Mitteleuropa nochmals in den Bereich des Möglichen zu rücken. Der polnische Sieg vom August 1920, das „Wunder an der Weichsel", durchkreuzte die Hoffnungen der Bolschewiki. Aber im eigenen Land hatten sie sich behauptet, und das gab ihnen die Gewißheit, daß die Weltrevolution, wenn auch in langsamerem Tempo als bisher angenommen, weitergehen und schließlich siegen werde.[34]

Die deutsche Haltung gegenüber der Vormacht der Revolution blieb gespalten. Auf der einen Seite war Sowjetrußland das Zentrum einer Bewegung, die die bestehende Gesellschaftsordnung umstürzen wollte, und folglich ein gefährlicher Gegner. Auf der anderen Seite war es der Widerpart der Westmächte und vor allem Polens, mit dessen Existenz sich die alten Führungsschichten Deutschlands nicht abfinden wollten. Am Vorabend des polnisch-russischen Krieges, Anfang Februar 1920, legte General von Seeckt sein Credo in einer Denkschrift nieder: „Nur im festen Anschluß an ein Groß-Rußland hat Deutschland die Aussicht auf Wiedergewinnung seiner Weltmachtstellung... Nun und nimmermehr kann Preußen-Deutschland sich mit einem Bromberg, Graudenz, Thorn, (Marienburg), Posen in polnischer Hand abfinden und wie ein Wunder Gottes erscheint jetzt am Horizont die Hülfe für uns in unserer tiefen Not. In diesem Augenblick soll niemand Deutschland zumuten, auch nur den kleinen Finger zu rühren, wenn das Unheil über Polen hereinbricht."

Während des polnisch-russischen Krieges erklärte sich Deutschland am 20. Juli 1920 offiziell für neutral. Wenig später erließ die Reichsregierung Verordnungen, die die Durchfuhr von Waffen und Kriegsmaterial nach dem Osten verhindern sollten. In der Sache stellte sich Deutschland damit gegen Polen und seine westlichen Verbündeten, allen voran Frankreich, und indirekt auf die Seite Sowjetrußlands. In ersten Umrissen zeichnete sich somit bereits im Sommer 1920 ein internationales Zusammenspiel der beiden Parias der Weltpolitik ab. Die treibende Kraft bei dieser Annäherung war auf deutscher Seite eine Machtelite, die sich im Innern an militantem Antikommunismus von keiner anderen übertreffen ließ: die Reichswehrführung.[35]

7.

Die vertagte Krise

Wirtschaftlich erlebte Deutschland in den Jahren 1920 und 1921 eine Sonderentwicklung: Während die anderen Industrieländer in eine Nachkriegsdepression gerieten, die mit Fug und Recht als eine Weltwirtschaftskrise bezeichnet werden kann, erfreute sich Deutschland einer Phase der Hochkonjunktur und, damit verbunden, eines Zustands der Vollbeschäftigung. In Frankreich wuchs die Industrieproduktion 1920 gegenüber dem Vorjahr um 8 %, um dann 1921 um 12 % zu sinken; für die USA lauten die entsprechenden Zahlen +3 und –22 %, für Großbritannien 0 und –31 %. Die Arbeitslosigkeit unter den gewerkschaftlich organisierten Arbeitnehmern stieg im gleichen Zeitraum in Großbritannien von 6,9 auf 17 %, in Schweden von 20,1 auf 28,3 % und in Norwegen von 11,7 auf 23,4 %. In Deutschland dagegen wuchs die Industrieproduktion von 1920 auf 1921 um 45 % und im Jahr darauf nochmals um 20 %, während die Arbeitslosigkeit von 4,5 % der Gewerkschaftsmitglieder im Januar 1921 auf ein Rekordtief von 0,9 % im April 1922 fiel.[1]

Die Hauptursache der deutschen Sonderkonjunktur war die Inflation. Diese darf man sich freilich nicht als Prozeß einer kontinuierlich wachsenden Geldentwertung vorstellen. Es gab vielmehr einige sich deutlich voneinander unterscheidende Phasen. Einer Periode der rapiden Geldentwertung vom Mai 1919 bis zum Februar 1920 – der amerikanische Dollar, der vor dem Krieg 4,20 Mark wert gewesen war, stieg in diesem Zeitraum von 12,85 auf 99,11 Mark – folgte, gefördert durch entsprechende Operationen der Reichsbank, ein Intervall der relativen Stabilisierung, das bis zum Juni 1921 dauerte. Für den Dollar mußten in dieser Zwischenphase durchschnittlich etwas über 60 Mark bezahlt werden. Daß kapitalkräftige Amerikaner in diesen knapp eineinhalb Jahren, auf eine weitere Verstärkung der Position der Mark hoffend, Spekulationsgelder nach Deutschland fließen ließen, war nicht erstaunlich. Seit dem August 1921 begann dann der Außenwert der Mark wieder zu sinken. Die Periode der eigentlichen Hyperinflation setzte im Herbst 1922 ein und erreichte ihren Höhepunkt ein Jahr später.[2]

Von den Ursachen der Inflation war schon die Rede. Sie begann mit der deutschen Kriegsfinanzierung, die in viel höherem Maß als bei den Ententestaaten über Anleihen erfolgte. Dazu kam die im hohen Maß unsolide Geldpolitik der Reichsbank. Diese hatte schon im August 1914 Schatzanweisungen und Schatzwechsel, reine Finanzwechsel also, den Handelswechseln gleichgestellt und neben Gold zur „Deckung" der Mark herangezogen. Der Geldschöpfung durch die Reichsbank waren seitdem faktisch keine Grenzen mehr gesetzt; die Anleihen hätten nur noch aus Reparationszahlungen der

Kriegsgegner Deutschlands zurückgezahlt werden können. Nach der deutschen Niederlage verdeckte der Grundsatz „Mark gleich Mark" die weitgehende Enteignung von Millionen Sparern, die Kriegsanleihen gezeichnet hatten.

Eine andere Ursache der Geldentwertung war die kräftige Steigerung von Löhnen, Gehältern und Sozialleistungen nach dem Krieg. Staat, Gewerkschaften und schließlich auch Unternehmer sahen in diesen Zuwächsen ein Mittel, um soziale Unzufriedenheit zu dämpfen und der politischen Radikalisierung entgegenzuwirken. Für die Zeit zwischen Frühjahr 1919 und Frühjahr 1921 kann man geradezu von einem „Inflationskonsens" der wichtigsten gesellschaftlichen Gruppen sprechen. Die bewußte Geldentwertung wirkte als Prämie auf den deutschen Export, den Hauptfaktor des international atypischen deutschen Wirtschaftswachstums der Jahre 1920 und 1921. Ob eine prinzipiell andere Politik damals möglich gewesen wäre, ist sehr fraglich. Die Inflation hat, soviel steht fest, Deutschland zunächst das Schicksal einer schweren Depression mit Massenarbeitslosigkeit und damit eine Entwicklung erspart, die die junge Demokratie von Weimar wohl kaum überlebt hätte.

Schließlich trieben die Reparationen die Inflation voran. Sie waren nicht, wie damals wohl die meisten Deutschen annahmen, *die* Ursache der Geldentwertung schlechthin, aber sie belasteten den Reichshaushalt in einer Höhe, die eine „normale" Aufbringung, in Gestalt von Steuern, undenkbar machte. Einer zuverlässigen Schätzung zufolge benötigte das Reich in den Inflationsjahren 10% des Volkseinkommens zur Erfüllung seiner Reparationsverpflichtungen. Der Anteil der Reparationen an den Gesamtausgaben des Reiches belief sich nach den Berechnungen von Carl-Ludwig Holtfrerich 1919 auf 51,4%, ging 1920 auf 17,6% zurück, um 1921 auf 32,7% und 1922 auf 69% zu steigen. Daß die Höhe der Reparationen durch den Versailler Vertrag noch nicht festgelegt worden war, wirkte sich für Deutschland fatal aus: Da die anhaltende Ungewißheit über den Umfang der Reparationsverpflichtungen potentiellen privaten Kreditgebern die Möglichkeit nahm, die Kreditwürdigkeit des Empfängerlandes realistisch einzuschätzen, konnte Deutschland keine langfristigen Auslandsanleihen mehr aufnehmen. In ebendieser Wirkung des ungelösten Reparationsproblems lag, wenn man den Einfluß aller Faktoren gegeneinander abwägt, zwischen 1919 und 1923 die Hauptursache für die Destabilisierung der öffentlichen Finanzen.[3]

Die sozialen Folgen der Inflation werden uns noch ausführlicher beschäftigen. Schon lange vor dem Übergang in die Hyperinflation im Herbst 1922 lagen einige Wirkungen klar zutage. Die Geldentwertung privilegierte die Sachwertbesitzer und ruinierte die Sparer; sie förderte die Konzentration von Vermögen in wenigen starken Händen und schwächte damit die selbständigen Mittelschichten; innerhalb der Gruppe der abhängig Beschäftigten wirkte sie nivellierend: Ein höherer Beamter verdiente im letzten Vorkriegsjahr 1913 siebenmal, am 1. Februar 1922 nur noch doppelt soviel wie ein ungelernter Arbeiter. Daß die Arbeiter von der Geldentwertung im Durchschnitt weniger hart getroffen wurden als die Beamten, lag zum einen an den Gewerkschaften, die den Beamtenverbänden, was die organisatorische Durchschlagskraft anging, weit überlegen waren. Zum anderen war die relative Begünstigung der Arbeiter und zumal der schlechter verdienenden unter ihnen ein Stück bewußter Krisenpolitik: Die Nachkriegsregierungen wollten sozialen Zündstoff entfernen, bevor er Staat und Gesellschaft in Gefahr brachte. Aus dem gleichen Grund blieben wichtige Teile des „Kriegssozialismus" auch nach 1918 in Kraft, darunter die Zwangsbewirtschaftung des Wohnraums und die staatliche Kontrolle der Lebensmittelpreise.

Nichts wäre jedoch verfehlter, als in der Arbeiterschaft eine Gewinnerin der Inflation zu sehen. Die meisten Arbeiter hatten in den Nachkriegsjahren erheblich geringere Realeinkommen als 1913. Die schwindende Kaufkraft der Mark verschob die Balance zwischen den organisierten Arbeitnehmern und Arbeitgebern zugunsten der letzteren. Spätestens seit dem Sommer 1921 wußten die Gewerkschaften und die Sozialdemokratie, daß die sozialen Nachteile der Geldentwertung ihre Vorteile bei weitem überwogen und eine Sanierung der Finanzen nur über eine „Erfassung der Sachwerte" zu erreichen war. Der Inflationskonsens zerbrach in dem Maß, wie sich diese Erkenntnis durchsetzte. Aber solange der Sachwertbesitz von der Inflation profitierte, hatte eine derartige Forderung keine Chance, Gehör zu finden.[4]

Die Weltwirtschaftskrise der Jahre 1920/21 war eine typische Nachkriegskrise: Sie resultierte aus den Schwierigkeiten beim Übergang von der Kriegs- zur Friedenswirtschaft. Der Krieg hatte die internationalen Handelsströme ebenso radikal verändert wie die Schwerpunkte der heimischen Produktion und die Versorgung der Bevölkerung. Die Anpassung an die neuen Bedingungen konnte nicht ohne krisenhafte Erschütterungen vor sich gehen. In Deutschland wurde die Krise, die die anderen Industrieländer kurz nach dem Krieg durchmachten, mittels der Inflation vertagt, und diese Vertagung forderte ihren Preis. Kurzfristig erleichterte der inflationsbedingte Nachkriegsboom zwar die Lösung vieler sozialer Probleme: Er ermöglichte es, daß die heimkehrenden Soldaten rasch in den Wirtschaftsprozeß eingegliedert wurden; Lohnerhöhungen trugen dazu bei, das revolutionäre Potential in der Arbeiterschaft einzudämmen, ja zu neutralisieren. Aber das niedrige Produktivitätsniveau, das von der Inflation nur überdeckt wurde, mußte auf längere Sicht wachstumshemmend wirken. Am Ende des ersten Nachkriegsjahrfünfts hatte sich das weltwirtschaftliche Gewicht Deutschlands deutlich verringert. 1925, als der Weltindustrieindex um 21 Punkte über dem Stand von 1913 lag, erreichte Deutschland erst 95 % seines Vorkriegsniveaus. 1929 hatte sich die industrielle Erzeugung Deutschlands gegenüber 1913 um 13 % erhöht, die französische dagegen um 38 %, die amerikanische um 70 % und die japanische um das Dreifache. Zusammen mit Großbritannien gehörte Deutschland, auch wenn es wieder zu der nach den USA zweitgrößten Industrienation der Welt geworden war, zu den Verlierern des industriellen

Wettlaufs der Nachkriegszeit. Der geringe Zuwachs an Produktivität, eine Folge des Krieges und der Inflationskonjunktur, war eine der Ursachen dafür, daß die deutsche Volkswirtschaft während der Gesamtdauer der zwanziger Jahre aus einem Zustand relativer Stagnation nicht hinausgelangte.[5]

Wäre es 1920/21 zu einer realistischen, der deutschen Wirtschaftskraft Rechnung tragenden Reparationsregelung gekommen – die Inflation wäre wohl nicht in die Hyperinflation umgeschlagen. Aber zu einer solchen Regelung war vor allem Frankreich nicht bereit. Auf der internationalen Konferenz von Spa im Juli 1920, bei der es um die Durchführung des Vertrags von Versailles ging, spielten die Reparationen im engeren Sinn nur eine untergeordnete Rolle. Im Vordergrund standen neben der deutschen Abrüstung die Kohlenlieferungen, zu denen Deutschland sich im Friedensvertrag verpflichtet hatte. Gegen die Zusage, sechs Monate lang jeweils 2 Millionen Tonnen Kohle besonders guter Qualität an die Alliierten zu liefern, konnte Deutschland die Siegermächte zwar zu einigen finanziellen Zugeständnissen bewegen, darunter einer Prämie von 5 Goldmark pro Tonne für die Versorgung der Bergleute mit Lebensmitteln. Aber für das deutsche Wirtschaftsleben brachte das Kohleabkommen von Spa schwere Belastungen mit sich: Eisenbahnen, Hütten- und kohleverarbeitende Industrie waren am meisten betroffen. Und es konnte leicht noch schlimmer kommen: Für den Fall, daß die deutschen Lieferungen sich verzögerten, drohten die Alliierten mit der Besetzung des Ruhrgebiets.

Einige Monate später schien es, als bahnten sich sachliche Verhandlungen über die Reparationsfrage an: Auf einer Sachverständigenkonferenz in Brüssel im Dezember 1920 kamen sich deutsche und alliierte Experten im Bemühen um praktikable Lösungen bemerkenswert nahe. Aber die französische Regierung wollte die Aufstellung eines Reparationsplans und die Festlegung der Höhe der Annuitäten, also der jährlich zu zahlenden Beträge, nicht den Sachverständigen überlassen, und sie setzte sich damit bei ihren Verbündeten durch. In ihrer Pariser Note vom 29. Januar unterbreiteten die Alliierten einen „Vorschlag", der einem Ultimatum nahekam. Deutschland sollte insgesamt 226 Milliarden Goldmark innerhalb von 42 Jahren zahlen. Dazu kam eine zusätzliche Reparationsleistung von 12% der deutschen Ausfuhr. Um die Erfüllung dieser Bedingungen sicherzustellen, sollte die deutsche Währungs- und Finanzpolitik einer strengen Kontrolle unterworfen werden. An die deutsche Regierung erging die Aufforderung, bevollmächtigte Vertreter zu einer Konferenz zu entsenden, die Ende Februar in London stattfinden sollte.

Am 1. März 1921 begann die Londoner Konferenz. Die deutsche Delegation unterbreitete Teile eines Gegenvorschlags, der eine Gesamtsumme von 50 Milliarden Goldmark vorsah, auf die allerdings die deutschen Vorleistungen in Höhe von 30 Milliarden angerechnet werden sollten. Am 3. März lehnten die Alliierten die deutschen Gegenvorschläge ab und drohten mit

Sanktionen, falls Deutschland nicht innerhalb von vier Tagen die Pariser „proposition" annahm. Da Deutschland sich diesem Ultimatum nicht fügte, traten am 8. März die angedrohten Sanktionen in Kraft: Alliierte Truppen besetzten Düsseldorf, Duisburg und Ruhrort, und die Interalliierte Rheinlandkommission übernahm die Zollverwaltung für das gesamte besetzte Gebiet.[6]

Es ist fraglich, ob es Frankreich gelungen wäre, seine Verbündeten auf die harte Linie von Ultimaten und militärischen Sanktionen festzulegen, hätte es nicht zur gleichen Zeit noch einen anderen deutsch-alliierten Konflikt gegeben: den Streit um die Einhaltung der Militärklauseln des Versailler Vertrages. Im Sommer 1920 wurden die Freikorps aufgelöst, wobei viele der entlassenen Soldaten und manche Formationen auch geschlossen von Reichsheer und Reichsmarine übernommen wurden. Andere Freikorpskämpfer traten in Polizeiverbände und „Landarbeitsgemeinschaften" ein, die den Grenzschutz an der polnischen Grenze verstärkten und geheime Waffenlager der Reichswehr bewachten. Die Reichswehr hätte auf Grund einer alliierten Note vom 18. Februar 1920 bis zum 10. Juli desselben Jahres auf den im Versailler Vertrag vorgesehenen Umfang von 100000 Mann reduziert werden müssen. Auf der Konferenz von Spa versuchte die Reichsregierung vergeblich, den inzwischen erreichten Stand von 200000 Mann beizubehalten. Alles, was die Verhandlungen erbrachten, war eine Verlängerung der Frist für den Abbau: Die Verminderung auf 100000 Mann mußte bis zum 1. Januar 1921 abgeschlossen sein.

Noch unnachgiebiger waren die Alliierten im Hinblick auf zwei paramilitärische Formationen, die kasernierte Sicherheitspolizei und die Einwohnerwehren: Das Protokoll von Spa verlangte ihre sofortige Entwaffnung. Mit der Entmilitarisierung der Einwohnerwehren, einer alten Forderung der Entente, hatten die meisten Länder bereits begonnen. Die „Ordnungszelle" Bayern jedoch leistete zähen Widerstand. Im August 1920 rief der Schöpfer der bayerischen Einwohnerwehren, Forstrat Georg Escherich, die „Organisation Escherich", kurz „Orgesch" genannt, ins Leben, die sich als Dachverband aller „antibolschewistischen" Selbstschutzverbände verstand. Am antirepublikanischen Standort des Verbandes ließ die Satzung kaum einen Zweifel aufkommen: Die „Orgesch" forderte unter anderem die „Ablehnung aller auf Zersetzung des Volkes gerichteten Bestrebungen", die moralische und körperliche Ertüchtigung der Jugend, die Förderung des Arbeitswillens und die Erziehung zur Arbeitspflicht. Der preußische Innenminister Severing reagierte sofort. Am 15. August richtete er einen Erlaß an die Oberpräsidenten, wonach die „Orgesch" gegen die Verfügung zur Auflösung der Einwohnerwehren verstoße und daher zu verbieten beziehungsweise aufzulösen sei. Die erstrebte staatliche Anerkennung wurde der „Orgesch" von allen Ländern bis auf eines verweigert. Die Ausnahme war Bayern.

Die Auflösung der Einwohnerwehren lehnte Bayern auch noch ab, als die Sprache der Allierten um die Jahreswende 1920/21 schärfer wurde. In der gleichen Pariser Note vom 29. Januar 1921, in der die Siegermächte in ultimativer Form eine Reparationsregelung vorschlugen, verlangten sie auch gesetzliche Bestimmungen über die Auflösung der Einwohnerwehren bis zum 15. März und die Auflösung selbst bis zum 30. Juni 1921. Am 19. März nahm der Reichstag ein entsprechendes Gesetz an. Bayern aber verweigerte den Vollzug; Vizekanzler Heinze, ein Politiker der DVP, der am 24. März nach München fuhr, um die Regierung von Kahr auf die drohenden alliierten Sanktionen hinzuweisen, erhielt keine Gelegenheit, den Standpunkt des Reiches gegenüber den bayerischen Ministern zu erläutern. Da an eine Reichsexekution gegen Bayern nicht zu denken war, ließ sich seit Ende März 1921 absehen, wie der Konflikt zwischen Bayern und Reich schließlich gelöst werden würde: durch einen Machtspruch der Allierten.[7]

Daß die antibolschewistischen Parolen der „Orgesch" zwischen Herbst 1920 und Frühjahr 1921 auf einen besonders fruchtbaren Boden fielen, lag an Entwicklungen auf der äußersten Linken. Im Oktober 1920 trat in Halle ein Parteitag der USPD zusammen, der über den Anschluß an die Kommunistische Internationale zu bestimmen hatte. Die Delegierten gingen aus Urwahlen hervor, die praktisch ein Plebiszit über diese Frage waren. Das Ergebnis stand daher schon vor dem Parteitag fest: Eine Mehrheit von knapp 58% war für den Beitritt und damit auch für die Vereinigung mit der KPD. Die Befürworter des Anschlusses waren meist um einiges jünger als die Gegner; sie waren häufig ungelernte Arbeiter und Neulinge in ihrem Beruf. Während die „Ja-Sager" ihre Hochburgen in Gebieten hatten, in denen Bergbau und chemische Industrie das Wirtschaftsleben bestimmten, überwog in Bezirken, die von der Textilindustrie geprägt waren, das Nein. Die Bereitschaft, sich der Dritten Internationale anzuschließen, war besonders stark ausgeprägt bei Arbeitern, die nicht in die sozialdemokratische Tradition hineingeboren, sondern erst spät, in Kriegs- oder Nachkriegszeit, politisiert worden waren, weiter bei Arbeitern, denen der Krieg Beruf und Lebensmittelpunkt zugewiesen hatte, schließlich bei solchen Arbeitern, die besonders drückende Not zum Protest gegen das herrschende wirtschaftliche und politische System trieb. Die „positive" Kehrseite diese Protests war die Bewunderung für Sowjetrußland – das einzige Land, in dem die sozialistische Revolution gesiegt hatte. Der Anschluß an die Komintern schien das sicherste Mittel, den russischen Klassenbrüdern und zugleich sich selbst zu helfen.

Für die Annahme der 21 Bedingungen, die der Zweite Weltkongreß der Kommunistischen Internationale im Juli und August 1920 in Moskau zur Voraussetzung eines Beitritts gemacht hatte, sprachen sich 236 Delegierte aus, dagegen 156. Die Mehrheit votierte damit für die völlige Übernahme des bolschewistischen Parteityps – für den „demokratischen Zentralismus", also die Willensbildung von oben nach unten, für den Aufbau eines illegalen Apparates, regelmäßige Säuberungen der Parteiorganisation und eiserne Disziplin. Die Minderheit, für die Rudolf Hilferding im Rededuell mit Grigorij J. Sinowjew, dem Generalsekretär der Kommunistischen Internationale, nochmals ein Bekenntnis zur Einheit von Demokratie und Sozialismus ablegte, wählte unmittelbar nach der Abstimmung eine neue Parteiführung. An die Spitze der Rest-USPD traten als gleichberechtigte Vorsitzende Artur Crispien und Georg Ledebour. Crispien hatte im November 1919 die Nachfolge des Parteivorsitzenden Hugo Haase angetreten, der den Folgen eines Revolverattentats erlegen war, das ein Geistesgestörter auf ihn verübt hatte; Ledebour war einer der Gründer der USPD und ein Vertreter der Revolutionären Obleute. In einem Manifest an das deutsche Proletariat sagte die Minderheit der rechtssozialistischen Politik des Reformismus, der Koalition mit den bürgerlichen Parteien und den Arbeitsgemeinschaften mit dem Unternehmertum ebenso den Kampf an wie den Kommunisten, die die Arbeiterschaft „mit täglich wechselnden Parolen in neue Putsche" hineinhetzten und „durch Täuschung über die wirklichen Machtverhältnisse unerfüllbare Illusionen" weckten.[8]

Der linke Rumpfparteitag wählte Ernst Däumig, den Hauptvertreter des „reinen" Rätesystems, und den ehemaligen preußischen Kultusminister Adolph Hoffmann zu gleichberechtigten Vorsitzenden der „USPD (Linke)", wie sich die Mehrheit der Unabhängigen fortan bis zur Fusion mit der KPD nannte. Vollzogen wurde die Vereinigung auf einem gemeinsamen Parteitag, der Anfang Dezember 1920 in Berlin stattfand. Erst durch diesen Zusammenschluß wurde die KPD – oder vielmehr, wie sie sich nun zunächst offiziell nannte: VKPD – zur Massenpartei. Vor der Vereinigung hatten der KPD rund 80000 Mitglieder angehört, der USPD-Linken knapp 430000 – weniger als die Hälfte des Mitgliederbestandes, den die USPD vor der Spaltung gehabt hatte. Anfang Juli 1921 zählte die Vereinigte Kommunistische Partei Deutschlands nicht ganz 450000 Mitglieder. Ein beträchtlicher Teil der ehemaligen linken Unabhängigen muß demnach den Anschluß an die Kommunisten verweigert haben.

Wie die „rechte" und die „linke" USPD wählte auch die VKPD zwei formell gleichberechtigte Vorsitzende: Paul Levi, den Vorsitzenden der Zentrale der KPD, und Ernst Däumig als Vertreter der ehemaligen Unabhängigen. Levi, der seit langem systematisch auf den Zusammenschluß mit dem linken Flügel der Unabhängigen hingearbeitet hatte, schien als Parteiführer in einer unanfechtbaren Position. Aber der Schein trog. In der Führung der Kommunistischen Internationale dominierten „Linke" wie Sinowjew, Nikolai Bucharin und der Pole Samuel Guralski, die in Levi, dem Schüler und Freund Rosa Luxemburgs, einen Bremser der Weltrevolution sahen. Als die VKPD Anfang Januar 1921 den anderen Arbeiterparteien und den Gewerkschaften in einem Offenen Brief eine enge Zusammenarbeit zur Erreichung konkreter sozialer und politischer Ziele vorschlug, warfen sowohl eine linke Oppositionsgruppe innerhalb der KPD als auch die maßgeblichen Kräfte im Exekutivkomitee der Komintern, dem EKKI, der Parteiführung eine Politik des Opportunismus vor. Das EKKI hätte den Offenen Brief ausdrücklich verurteilt, wäre es nicht von Lenin daran gehindert worden. Der Führer der russischen Bolschewiki vollzog zu dieser Zeit eine dramatische Kehrtwende. Sowjetrußland hatte sich zwar im Kampf gegen die alliierte Intervention und gegen die „weißen“ Konterrevolutionäre behauptet, stand aber wirtschaftlich vor dem Zusammenbruch. Lenin zog daraus die Konsequenz, daß es nun galt, mit den Gewaltmethoden des Kriegskommunismus zu brechen, das privatkapitalistische Unternehmertum in begrenztem Umfang wiederherzustellen und der bäuerlichen Landwirtschaft wesentliche Erleichterungen zu verschaffen. Die Neue Ökonomische Politik (NEP), die der Parteitag der Kommunistischen Partei Rußlands Anfang März 1921 beschloß, war auch ein Angebot an das ausländische Privatkapital. In dieses Konzept paßte aus Lenins Sicht eine elastische Einheitsfrontpolitik, wie Levi sie betrieb, sehr viel besser als kommunistische Umsturzversuche in westlichen Industrieländern.

Auf der anderen Seite betrieb Lenin nicht minder entschieden als die Linken im EKKI die Gleichschaltung aller Mitgliedsparteien der Dritten Internationale. Auf seine Weisung hin verlangten die Vertreter der Komintern im Januar 1921 auf dem Parteitag der italienischen Sozialisten in Livorno zuerst den Ausschluß des rechten Parteiflügels um Turati und dann, als sich die Mehrheit um Serrati dagegen wehrte, auch ihren Ausschluß aus der Partei. Die italienischen Sozialisten hatten sich bereits im Herbst 1919 der Dritten Internationale angeschlossen. Jetzt spalteten sie sich. Nur eine Minderheit konstituierte sich in Livorno als Kommunistische Partei Italiens und vollzog, auf der Grundlage der 21 Bedingungen, erneut den Beitritt zur Komintern.

Die Spaltung der italienischen Sozialisten war der unmittelbare Anlaß einer schweren Krise im deutschen Kommunismus. Paul Levi, der als Gastdelegierter am Parteitag in Livorno teilgenommen und sich dort für die Position Serratis eingesetzt hatte, hielt die von der Komintern verfolgte Politik für katastrophal. Von außen befohlene Parteispaltungen mußten aus seiner Sicht die revolutionäre Arbeiterbewegung in eine Sekte zurückverwandeln. Seine vorsichtige Kritik in der „Roten Fahne“ wurde ebendort von Karl Radek, dem Deutschlandexperten der Dritten Internationale, sofort scharf gekontert. Auf einer Sitzung des Zentralausschusses der KPD am 22. Februar 1921 erhielt eine von Levi vorgelegte Resolution, die gegen das Vorgehen der Vertreter der Komintern in Livorno Bedenken äußerte, keine Mehrheit. Eine von der „Linken“ eingebrachte und vom anwesenden Vertreter des EKKI, dem Ungarn Mátyás Rákosi, unterstützte Entschließung, die die Politik des Exekutivkomitees gegenüber den italienischen Sozialisten billigte, wurde dagegen mit 28 gegen 23 Stimmen angenommen. Darauf legten Levi und vier weitere Mitglieder der Zentrale – Ernst Däumig, Adolph Hoffmann, Otto Brass und Clara Zetkin – ihre Funktionen nieder.

Der Rücktritt der „Levi-Zentrale“, ein Ergebnis kombinierten äußeren und inneren Drucks, machte den Weg frei für jene Kräfte, die der sogenannten „Offensivtheorie“ anhingen. Ihr prominentester Vertreter war August

Thalheimer, der schon im November 1920, auf dem letzten Parteitag der KPD vor der Vereinigung mit den linken Unabhängigen, erklärt hatte, während Sowjetrußland weltpolitisch und international in die Verteidigung gedrängt werde, habe Mittel- und Westeuropa die Pflicht, in die Offensive gegen die Bourgeoisie überzugehen. Die deutsche Arbeiterklasse müsse der Konterrevolution, die sich im Stillen aufrüste, „das Gesetz des Handelns diktieren, sie aus ihren Nestern hervorlocken, sie zum Kampf zwingen in dem Moment und in den Verhältnissen, die der Arbeiterklasse günstig sind.“[9]

Thalheimers, höchstwahrscheinlich von Radek inspirierter Vorstoß entsprach ganz der Linie der Mehrheit des EKKI. Am gleichen 22. Februar 1921, an dem die „Levi-Zentrale“ zurücktrat, forderte Guralski im Exekutivkomitee der Komintern, „die unmittelbar schärfste Aktion, hervorgerufen durch die Provokation des Proletariats durch die Orgesch, die wiederum zu einem der Partei richtig erscheinenden Zeitpunkt durch die Partei provoziert werden sollte“. Ganz ähnlich äußerte sich Bucharin. Sein Revolutionskonzept bestand, so faßte Radek es zusammen, darin, „daß, wenn Orgesch sich auf uns wirft, die Arbeiter sich zu einer Einheitsfront zusammenschließen. Wir müssen die Orgesch zwingen, daß sie uns gute Dienste leistet. Die Orgesch wartet auf unsere Teilaktion, um sich auf uns stürzen zu können.“[10]

Die „Offensivtheorie“ war eine radikale Absage an den bisherigen Kurs Levis. Hatte dieser in der Tradition Rosa Luxemburgs die Gewinnung der proletarischen Massen als Hauptaufgabe der KPD und als unabdingbare Voraussetzung der Revolution betrachtet, so sahen die Offensivtheoretiker in der Revolution die einzige Chance, der Kommunistischen Partei die Führung der Arbeiterklasse zu sichern. Der Zeitpunkt der Revolution bestimmte sich aus dieser Sicht auch nicht mehr danach, ob die Verhältnisse in einem Land hierfür reif waren. Maßgeblich waren vielmehr die Bedürfnisse des Mutterlandes der Revolution. Für Sinowjew, Bucharin und Guralski kam es darauf an, daß Mittel- und Westeuropa durch ihre Revolutionen die Verlangsamung des Revolutionsprozesses in Rußland ausglichen. Anlässe zum Losschlagen ließen sich vor allem in Deutschland leicht herstellen: Die Reparationskrise, die bevorstehende Abstimmung in Oberschlesien und der Konflikt um die Einwohnerwehren erschienen geeignet, die radikale Rechte, an ihrer Spitze die „Orgesch“, zum „Mitspielen“ zu bewegen. Die notorisch unzureichende Lebensmittelversorgung in den Städten und ein drohendes Überstundenabkommen im Kohlenbergbau sorgten für wachsende soziale Unzufriedenheit. Das Frühjahr 1921 bot also gewisse Anknüpfungspunkte für eine Taktik gezielter Provokationen, und die Offensivtheoretiker im EKKI und in der KPD waren entschlossen, die vermeintliche Gunst der Stunde zu nutzen.

In den ersten Märztagen trafen drei Beauftragte der Kommunistischen Internationale – der ultralinke Ungar Béla Kun, sein Landsmann Josef Pogany alias Peter Pepper und Samuel Guralski alias August Kleine – in Berlin ein, wo sie mit der neuen, „linken" Zentrale der KPD den Umsturz in Deutschland vorzubereiten begannen. Ihren Ausgang sollte die Aktion nach Ostern, das auf den 27. und 28. März fiel, im mitteldeutschen Industriegebiet nehmen. Dort hatte die KPD bei den preußischen Landtagswahlen vom 20. Februar spektakuläre Gewinne erzielt – in Halle-Merseburg etwa 197 000 Stimmen gegenüber 75 000 Stimmen für die USPD und 70 000 Stimmen für die SPD. Mitteldeutschland war ein relativ spät industrialisiertes Gebiet; die Chemiewerke waren im Ersten Weltkrieg entstanden, der Braunkohlenbergbau hatte, infolge des Verlustes wichtiger Steinkohlengebiete nach 1918, stark an Bedeutung gewonnen. Die Arbeiterschaft war, was ihre soziale und regionale Herkunft anging, bunt zusammengewürfelt und nicht durch die Schule jahrelanger Gewerkschaftsarbeit gegangen. Neben der KPD bemühte sich auch die noch „linkere" Kommunistische Arbeiterpartei Deutschlands mit einem gewissen Erfolg um die Mobilisierung dieser zum Radikalismus neigenden Arbeitergruppen. Die KAPD war im November 1920 als „sympathisierende Partei mit beratender Stimme" provisorisch in die Kommunistische Internationale aufgenommen worden und hatte einen Sitz im EKKI erhalten. In die Vorbereitung des mitteldeutschen Aufstandes wurde sie von vornherein einbezogen, weil sie den Linken in der Komintern als aktivistisches Gegengewicht zur bislang allzu vorsichtigen KPD erschien.

Auf das mitteldeutsche Industriegebiet richteten sich im März 1921 aber nicht nur die Blicke der Kommunisten, sondern auch die der preußischen Staatsorgane. Seit dem Kapp-Lüttwitz-Putsch war diese Region nicht mehr zur Ruhe gekommen; wilde Streiks, Plünderungen und Raubüberfälle waren Anfang 1921 an der Tagesordnung; in den Händen radikaler Arbeiter befanden sich noch zahlreiche Waffen. Am 13. März wurden auf der Berliner Siegessäule Sprengstoffe gefunden, die offensichtlich aus Mitteldeutschland stammten. Der gut informierte Staatskommissar für die Überwachung der öffentlichen Ordnung, Robert Weismann, teilte Severing am 14. März mit, die russische Regierung dränge zur Aktion in Deutschland und verlange angesichts der schweren inneren Krise Rußlands einen Umsturz im Reich. Daraufhin erweiterten Severing und sein Parteifreund, der Oberpräsident der preußischen Provinz Sachsen, Otto Hörsing, ihre bisherigen Planungen: Hatten sie bis zum 14. März nur Ordnungsmaßnahmen im Mansfeldischen beabsichtigt, so bereiteten sie nunmehr eine Polizeiaktion im gesamten mitteldeutschen Industriegebiet vor.

Die KPD erfuhr am 17. März während einer Sitzung ihres Zentralausschusses von der beabsichtigten Polizeiaktion. Die Meldung änderte den kommunistischen Zeitplan. Noch am gleichen Tag fiel die Entscheidung, sofort loszuschlagen. Am 18. März veröffentlichte die „Rote Fahne" einen von Béla Kun verfaßten Aufruf, in dem es hieß, Kahr, der bayerische Ministerpräsident, pfeife auf die Gesetze. „Kahr ist ein gegenrevolutionärer Realpolitiker. Er weiß, was er sagt und tut... Der Pfiff des Herrn Kahr muß beantwortet werden!... Ein jeder Arbeiter pfeift auf das Gesetz und erwirbt sich eine Waffe, wo er sie findet! ... Wie Kahr auf der einen Seite, so muß das Proletariat von der anderen Seite pfeifen auf das Gesetz! Ein jeder Gegenrevolutionär hat seine Waffe. Die Arbeiter dürfen auch nicht schlechtere Revolutionäre sein, wie es jene Gegenrevolutionäre sind."[11]

Doch die Bewegung verlief nicht so, wie sie geplant war. Am 21. März begann zwar im Mansfelder Kupferrevier ein Proteststreik, aber er blieb zunächst der einzige. Hugo Eberlein, der Chef des neuen, kaum schon einsatzfähigen illegalen Militärapparates der KPD, bereitete von Halle aus Sprengstoffanschläge vor, die er der „Reaktion" in die Schuhe zu schieben gedachte. Zur beherrschenden Figur des Aufstandes wurde jedoch eine bizarre Gestalt aus dem Umkreis der KAPD: Max Hölz, der schon während des Kapp-Lüttwitz-Putsches durch verwegene Aktionen sich den Ruf eines proletarischen Robin Hood verschafft hatte. Hölz stammte aus dem verelendeten Heimarbeitsgebiet des Vogtlandes; nach den Kämpfen vom März 1920 war er in die Tschechoslowakei geflüchtet und Ende des Jahres illegal nach Deutschland zurückgekehrt. Mit den Urhebern des gescheiterten Anschlages auf die Berliner Siegessäule, die auch der KAPD angehörten, stand er in Verbindung; er selbst hatte Anfang März ein Dynamitattentat auf das Rathaus von Falkenstein im Vogtland verübt.

Am 22. März traf Hölz im Mansfeldischen ein und organisierte dort die Bewaffnung der Arbeiter. Am folgenden Tag kam es zu ersten Schlachten mit der Polizei. Die Arbeiter des Leunawerkes traten in den Streik; von Halle aus ließ Eberleins Militärapparat die Eisenbahnverbindungen nach Thüringen sprengen. Wenig Gehör fand indes der Generalstreikaufruf, den die KPD am 24. März hinausgehen ließ. Nur in der Lausitz, in Teilen des Ruhrgebiets, in Thüringen und in Hamburg fanden einzelne Solidaritätsstreiks statt. In der Hansestadt besetzten Arbeitslose auf Weisung der KPD vorübergehend einige Werften; hier gab es am 23. März auch bewaffnete Zusammenstöße mit der Polizei, die 16 Todesopfer und etwa 30 Verletzte forderten.

Anders als der Aufstand an der Ruhr ein Jahr zuvor war die „Märzaktion" von 1921 keine proletarische Massenerhebung, sondern ein von „oben" inszenierter Umsturzversuch der Komintern und ihrer deutschen Parteigänger. Selbst im mitteldeutschen Industriegebiet blieben die streikenden und kämpfenden Anhänger von KPD und KAPD weitgehend unter sich. Von sozialdemokratischen und unabhängigen Arbeitern erhielten sie kaum Unterstützung. Militärisch gesehen, war der mitteldeutsche Aufstand am 29. März, dem Dienstag nach Ostern, zu Ende: Das Leunawerk kapitulierte nach einem Artilleriebeschuß, bei dem mindestens 60 Arbeiter ums Leben kamen. Am 1. April fand noch ein letztes blutiges Gefecht zwischen der Polizei und einer von Hölz geführten Gruppe von Aufständischen bei Beesenstedt statt. Hölz, der entfliehen konnte, wurde zwei Wochen später in Berlin verhaftet. Insgesamt forderte der mitteldeutsche Aufstand 180 Todesopfer, darunter 35 Polizeibeamte und 145 Zivilisten. Etwa 6000 Arbeiter wurden verhaftet und 4000 verurteilt. Außerordentliche Gerichte verhängten bis Juni 1921 im Zusammenhang mit dem Aufstand vier Todesurteile, acht lebenslängliche Haftstrafen und mehr als 2000 Jahre Zuchthaus und Gefängnis. Der über Mitteldeutschland verhängte Ausnahmezustand blieb bis September 1921 in Kraft.[12]

Für die deutschen Kommunisten hatte das putschistische Abenteuer fatale Folgen. Im November 1921 gehörten der KPD nach Schätzungen ihrer Zentrale höchstens 150000 Mitglieder an – ein Drittel des Standes, den die Partei zu Beginn des Jahres erreicht hatte. Auch auf den höheren Ebenen gab es einen Exodus. Paul Levi wurde, nachdem er in seiner Broschüre „Unser Weg. Wider den Putschismus" die Märzaktion scharf gegeißelt hatte, aus der Partei ausgeschlossen. Zahlreiche prominente Kommunisten, vor allem aus der Reichstagsfraktion, solidarisierten sich mit ihm; viele von ihnen wurden gemaßregelt, ausgeschlossen oder traten freiwillig aus der KPD aus. Im September 1921 gründeten die inzwischen fraktionslosen „rechten" Abweichler unter den Reichstagsabgeordneten eine eigene Gruppe, die Kommunistische Arbeitsgemeinschaft (KAG). Als im Januar 1922 auch der ehedem „linke" Generalsekretär der KPD, Friesland, der eigentlich Ernst Reuter hieß und viele Jahre später als Regierender Bürgermeister von Berlin weltberühmt werden sollte, zusammen mit zwei Gleichgesinnten aus Protest gegen die fortschreitende Bolschewisierung der KPD die Partei verließ und sich der KAG anschloß, kam diese auf 15 Abgeordnete und erhielt damit Fraktionsstatus, während die auf 11 Abgeordnete geschrumpfte KPD zur bloßen „Gruppe" absank. Ein Jahr nach der Vereinigung mit der linken USPD schien die Kommunistische Partei auf dem besten Weg, sich zu bedeutungslosen linken Sekte zurückzuentwickeln.[13]

Zu den Hoffnungen, die im März 1921 die Phantasie der deutschen und russischen Kommunisten beflügelten, gehörte eine kriegerische Zuspitzung des Konflikts um Oberschlesien. Ein erfolgreicher kommunistischer Aufstand hätte einen deutsch-russischen Zangenangriff auf Polen ermöglicht, aber selbst wenn im Zuge der innen- und außenpolitischen Krise zunächst Reichswehr und „Orgesch" oder die ihnen nahestehenden Rechtskräfte an die Macht gelangt wären, hätte das für Sowjetrußland außenpolitisch einen Vorteil bedeutet: Eine offen nationalistische Reichsregierung konnte sich nicht mit den Westmächten verständigen; eine Rückversicherung bei Rußland war von einer solchen Regierung eher zu erwarten als vom Kabinett Fehrenbach. Die Frühjahrsoffensive der radikalen Linken richtete sich, so gesehen, nicht nur gegen die deutsche Rechte, sondern gleichzeitig auch gegen Polen und die Entente.[14]

Im Streit um Oberschlesien schlugen auf deutscher wie auf polnischer Seite die nationalen Leidenschaften derart hohe Wellen, daß die Erwartung eines Krieges nicht gänzlich abwegig war. Bereits im August 1919 und im August 1920 hatten zwei polnische Aufstände deutsche Freikorps und Sicherheitskräfte auf den Plan gerufen. Am 20. März 1921, während des mitteldeutschen Aufstandes also, fand die im Versailler Vertrag vorgesehene Abstimmung in Oberschlesien statt. Knapp 60% sprachen sich für Deutschland, 40% für Polen aus, wobei in den Industriegebieten die deutschen, in den ländlichen Regionen die polnischen Stimmen überwogen. Die Reichsregierung forderte daraufhin ganz Oberschlesien für Deutschland, während Polen und die Alliierten sich für eine Teilung aussprachen. Um den Forderungen seines Landes Nachdruck zu verleihen, löste der polnische Abstimmungskommissar Korfanty in geheimer Absprache mit der Regierung in Warschau am 3. Mai den dritten oberschlesischen Aufstand aus, in dessen Verlauf große Teile des Abstimmungsgebiets von polnischen Insurgenten besetzt wurden. Drei Tage nach Beginn des Aufstands, am 6. Mai, sprach der nur noch geschäftsführend amtierende Reichskanzler Fehrenbach im Reichstag von Anzeichen für eine Mobilmachung in Polen und deutete einen möglichen Reichswehreinsatz in Oberschlesien an. Wäre dieser Ankündigung die Tat gefolgt, hätte das nicht nur einen Krieg mit Polen bedeutet, sondern mit großer Wahrscheinlichkeit auch bewaffnete Zusammenstöße mit den drei Alliierten Frankreich, Großbritannien und Italien, deren Truppen die militärische Kontrolle über Oberschlesien ausübten.[15]

Doch Fehrenbach war nur noch wenige Tage im Amt. Die letzten Tage seiner Regierungszeit standen ganz im Schatten der Reparationskrise. Am 25. April forderte die alliierte Reparationskommission ultimativ, daß Deutschland bis zum 30. April 1 Milliarde Goldmark als Sicherheit für fällige Zahlungen an die Bank von Frankreich ausliefere. Zwei Tage später teilte die Reparationskommission der Reichsregierung mit, daß sich die Höhe der Schäden, für die das Reich Wiedergutmachung zu leisten habe, auf 132 Milliarden Goldmark Gegenwartswert, also ohne die künftig anfallenden Zinsen, belaufe, und forderte Deutschland zu einer Rückäußerung bis zum 29. April auf. Die Reichsregierung bat daraufhin die Vereinigten Staaten, mit denen sie seit Ende März wegen der Reparationsfrage im Gespräch war, um Vermittlung. Die deutschen Vorschläge waren Washington bereits am 24. April zugeleitet worden: Die Reichsregierung bot eine Reparationsleistung im Gegenwartswert von 50 Milliarden Goldmark an, die Deutschland in einer noch festzulegenden Zahl von Annuitäten im Gesamtbetrag von 200 Milliarden Goldmark mit Hilfe einer internationalen Anleihe aufzubringen bereit sei. Am 3. Mai traf die amerikanische Antwortnote ein: Die deutschen Vorschläge seien aus Washingtoner Sicht für die Alliierten keine geeignete Verhandlungsgrundlage; die Reichsregierung solle sich direkt an die alliierten Regierungen wenden und „klare, bestimmte und angemessene" eigene Vorschläge machen.

Das Scheitern des Versuchs, Amerika für eine Vermittlerrolle zu gewinnen, versetzte Kanzler und Kabinett in einen Zustand tiefer Ratlosigkeit. Die DVP drängte auf den sofortigen Rücktritt der Regierung; die DDP war sich nicht schlüssig, was das Richtige sei; Fehrenbach, vom Amt des Reichskanzlers von Anfang an überfordert, wollte am Vormittag des 4. Mai zunächst wegen des polnischen Aufstandes in Oberschlesien im Amt bleiben, schloß sich dann aber wenige Stunden später doch der Rücktrittsabsicht des parteilosen Außenministers Walter Simons an. Da auch die Führer der Koalitionsparteien die Regierung nicht zum Bleiben bewegen wollten, machten sich die anderen Minister Simons' Entscheidung zu eigen: Am Abend des 4. Mai beschloß das Kabinett Fehrenbach einstimmig seine Demission.

Am folgenden Tag, dem 5. Mai, überreichte der britische Premierminister Lloyd George dem deutschen Botschafter Stahmer das „Londoner Ultimatum" der Alliierten. Darin drohten die verbündeten Regierungen, am 12. Mai mit der Besetzung des gesamten Ruhrgebiets zu beginnen, falls Deutschland sich nicht zur Erfüllung folgender Bedingungen verpflichtete: Entwaffnung gemäß den bisherigen alliierten Noten, Zahlung der 12 Milliarden Goldmark, die nach dem Versailler Vertrag am 1. Mai 1921 fällig waren, Annahme des beigefügten Reparationsplans, Aburteilung der deutschen Kriegsverbrecher. Der Zeitplan für die Reparationen unterschied zwischen aktuellen und später anfallenden Leistungen. Die „A-" und „B-Bonds" in Höhe von zusammen 50 Milliarden Goldmark waren Schuldverschreibungen, die von 1921 ab getilgt und verzinst werden mußten; die Tilgung und Verzinsung der „C-Bonds" in Höhe von 82 Milliarden Goldmark wurde auf eine spätere Zukunft verschoben. Zusammen ergab sich eine Summe von 132 Milliarden Goldmark, zuzüglich 6 Milliarden für das von Deutschland 1914 überfallene neutrale Belgien. 1 Milliarde Goldmark war innerhalb von 25 Tagen, also bis zum 30. Mai 1921, zu zahlen. Die jährliche Belastung belief sich zunächst auf 3 Milliarden Goldmark. Diese Summe kam zustande, wenn man zur festen Jahresrate von 2 Milliarden einen zusätzlichen, von der Höhe der Ausfuhr abhängigen Betrag hinzuzählte, der auf 1 Milliarde geschätzt wurde.[16]

Die deutschen Reaktionen auf das Londoner Ultimatum fielen erwartungsgemäß unterschiedlich aus. DNVP, BVP und KPD forderten die Ablehnung; SPD, USPD und Zentrum sprachen sich angesichts der drohenden Sanktionen für die Annahme aus; die DDP war in sich gespalten, wobei die Gegner leicht in der Überzahl waren. Hätten die Vertreter der harten Linie obsiegt, wäre der wirtschaftliche Zusammenbruch Deutschlands die sichere Folge gewesen. Das war auch vielen Abgeordneten der Rechtsparteien bewußt, aber wie bei der Abstimmung über den Vertrag von Versailles konnten sie sich darauf verlassen, daß es auch ohne sie eine Mehrheit für die Annahme geben würde. Beugte sich Deutschland dem allierten Druck, so behielt es nicht nur das Industriegebiet an Rhein und Ruhr, sondern konnte auch auf eine spätere Milderung der Reparationslasten hoffen. Aus dieser Option ergab sich mit einer gewissen Logik die neue Regierungskoalition: Die SPD entschied sich, wenn auch nicht ohne Zögern, mit den Parteien zusammenzugehen, die die Gewähr für eine friedliche Außenpolitik boten; das Zentrum war von vornherein entschlossen, die neue „Annahme-Regierung" mitzutragen; die DDP entschied sich erst im letzten Augenblick, auf das Drängen des Zentrums hin, in die Regierung einzutreten, die dadurch zum ersten Minderheitskabinett der Weimarer Koalition wurde.

Zum neuen Reichskanzler ernannte Reichspräsident Ebert am 10. Mai den badischen Zentrumspolitiker Joseph Wirth, der im März 1920 die Nachfolge Erzbergers als Reichsfinanzminister angetreten und dieses Amt auch im Kabinett Fehrenbach behalten hatte. Wirth, 1879 in Freiburg geboren, von Beruf Gymnasiallehrer im Fach Mathematik, war ein dynamischer Politiker und glänzender Redner. Innerhalb seiner Partei stand er auf dem linken, bewußt republikanischen Flügel, was ihn indes nicht daran hinderte, gleichzeitig ein glühender Nationalist zu sein. Mit der deutschen Rechten war er sich darin einig, daß das Londoner Ultimatum die wirtschaftliche Leistungskraft Deutschland bei weitem überstieg. Im Unterschied zu den Rechtsparteien hielt er es aber für notwendig, die Reparationslasten dadurch ad absurdum zu führen, daß Deutschland sein Äußerstes tat, um die ihm auferlegten Pflichten zu erfüllen. Soweit es nach Wirth und seinen Mitstreitern ging, waren es gerade die voraussehbaren katastrophalen Folgen dieses Versuchs, die früher oder später eine Revision des Londoner Zahlungsplans erzwingen mußten. Ebendies war das Kalkül der „Erfüllungspolitik", die mit dem ersten Kabinett Wirth begann.[17]

Am 10. Mai, als der Reichstag über Annahme oder Ablehnung des Londoner Ultimatums zu entscheiden hatte, war das Kabinett noch nicht vollständig: Wirth selbst hatte provisorisch auch die Ämter des Außen- und Finanzministers übernommen; der Posten des Wiederaufbauministers blieb bis zur Ernennung Walther Rathenaus am 29. Mai vakant. Wirth gab in seiner Regierungserklärung zu erkennen, daß er bei der Annahme des Ultimatums auch Oberschlesien im Blick hatte. Er appellierte an die Allierten, den „polnischen Terror" nicht zu dulden und ihre Pflichten aus dem Friedensvertrag zu erfüllen. Bei der Abstimmung über das Londoner Ultimatum stimmte neben SPD und Zentrum auch die USPD geschlossen mit Ja. Von den Demokraten entschieden sich 17 für Annahme und 21 für Ablehnung; bei der DVP war das Verhältnis 6 zu 41, bei der BVP 2 zu 15 und bei der KPD 1 zu 17. Insgesamt votierten 220 Reichstagsabgeordnete für die von der Regierung erbetene Vollmacht und 172 dagegen. Das Minderheitskabinett Wirth hatte seine erste parlamentarische Kraftprobe bestanden.[18]

Die erste große Herausforderung der neuen Regierung war der polnische Aufstand in Oberschlesien. Das Kabinett Wirth war sich von Anfang an bewußt, daß ein Reichswehreinsatz, wie Fehrenbach ihn erwogen hatte, undurchführbar war, weil die Allierten ihn nicht hingenommen hätten. Dagegen förderten die Reichs- wie die preußische Regierung die Versorgung des oberschlesischen Selbstschutzes, einer seit 1920 bestehenden paramilitärischen Formation, mit Waffen. Gegenüber den neugebildeten oder reorganisierten Freikorps, die kurz nach Beginn des Aufstandes nach Oberschlesien eilten, mußte das Kabinett Wirth jedoch aus außen- und innenpolitischen Gründen auf Distanz gehen. Am 19. Mai erließ die Reichsregierung einen

Aufruf gegen die Bildung von Freikorps; am 24. Mai erging eine Notverordnung des Reichspräsidenten, die jeden mit Strafen bedrohte, der ohne amtliche Genehmigung die Gründung militärischer Verbände betrieb. Einen Tag zuvor hatten der Selbstschutz und das bayerische Freikorps „Oberland" die höchste Erhebung Oberschlesiens, den Annaberg, erobert und damit die militärischen Kräfteverhältnisse zugunsten der deutschen Seite verschoben. Ende Juni bewirkte die Interalliierte Abstimmungskommission den Abzug der beiden bewaffneten Parteien. Am 5. Juli wurde der oberschlesische Selbstschutz, wenn auch nur offiziell, aufgelöst. Da Briten und Franzosen sich über die künftige Grenzlinie nicht einigen konnten – Frankreich neigte mehr der polnischen, England der deutschen Seite zu –, wurde der Streitfall am 12. August dem Völkerbund zur Entscheidung übertragen. Die Oberschlesienfrage gelangte damit auf die diplomatische Ebene, was der Regierung Wirth zu einer außenpolitischen Atempause verhalf.[19]

Innenpolitisch schwelte in den ersten Wochen des Kabinetts Wirth noch immer der Konflikt um die Auflösung der bayerischen Einwohnerwehren. Nach der Annahme des Londoner Ultimatums mußte auch die Regierung von Kahr einsehen, daß sie nicht länger auf ihrer strikt ablehnenden Haltung beharren konnte. Ende Mai fand sich Kahr zu der Zusicherung bereit, die Einwohnerwehren „möglichst weitgehend" zu entwaffnen; eine Auflösung lehnte er dagegen weiterhin ab. Es bedurfte ultimativer Drohungen von französischen und britischen Diplomaten, um Kahr zum Rückzug zu bewegen. Am 4. Juni ließ Kahr die Entwaffnung der Einwohnerwehren anordnen; am 24. Juni erklärte die Reichsregierung die bayerischen Einwohnerwehren, die ostpreußischen Orts- und Grenzwehren und die „Orgesch" im ganzen Reich für aufgelöst. Doch die formelle Auflösung der paramilitärischen Verbände war nicht das Ende paramilitärischer Politik. Die „Ordnungszelle Bayern" blieb das Eldorado zahlreicher „vaterländischer Verbände", die die Einwohnerwehren an Radikalität weit übertrafen, und keine Organisation wuchs nach der Auflösung der Wehren zahlenmäßig so stark an wie die Privatarmee des extremsten aller rechten Agitatoren: Hitlers SA.[20]

Eine andere Forderung des Londonder Ultimatums wurde praktisch nicht erfüllt: die nach der Aburteilung deutscher „Kriegsverbrecher". Bereits am 13. Februar 1920 waren die Alliierten von ihrem Verlangen abgerückt, Deutschland müsse 895 Personen, denen Kriegsverbrechen zur Last gelegt wurden – darunter Kronprinz Wilhelm, den Reichskanzler der Jahre 1909 bis 1917, Theobald von Bethmann Hollweg, Generalfeldmarschall von Hindenburg, General Ludendorff und Großadmiral von Tirpitz an die Siegerstaaten ausliefern. Die Entente behielt sich zwar vor, auf diese Forderung zurückzukommen, erklärte sich aber grundsätzlich bereit, auch eine Strafverfolgung vor dem Reichsgericht zu akzeptieren. Von Mai bis Juli 1921 fanden dort tatsächlich neun Verfahren mit zwölf Angeklagten statt, von denen sechs freigesprochen und sechs verurteilt wurden. Das größte Aufsehen erregte die Verurteilung von zwei Oberleutnants zur See, die an der

Versenkung von Rettungsbooten eines zuvor torpedierten englischen Dampfers teilgenommen hatten. Beide wurden zu je vier Jahren Gefängnis verurteilt, was bei der Reichsmarine große Empörung auslöste. Die Strafhaft war indes nur von kurzer Dauer: Im Januar 1922 befreiten zwei Angehörige der rechtsradikalen, von Kapitänleutnant Ehrhardt geführten „Organisation Consul", die fünf Monate später den tödlichen Anschlag auf Walther Rathenau verübten, die beiden Offiziere aus ihren Gefängnissen. Die Alliierten protestierten gegen die vielen Verfahrenseinstellungen, die geringe Zahl von Verurteilungen und die milden Strafen des Reichsgerichts und drohten im August 1922 sogar mit einem neuen Auslieferungsverlangen. Aber es blieb bei papierenen Einsprüchen: Die deutschen Kriegsverbrechen hatten, von den sechs Verurteilungen des Jahres 1921 abgesehen, keine strafrechtlichen Folgen.[21]

Den harten Kern des Londoner Ultimatums freilich konnten die Deutschen nicht aufweichen: Sie mußten bereits 1921 3,3 Milliarden Goldmark an Reparationen zahlen, von denen eine Milliarde am 30. Mai fällig war. Das Reich konnte von dieser ersten Rate lediglich 150 Millionen in bar aufbringen; den Rest finanzierte es über Schatzwechsel mit dreimonatiger Laufzeit, die nur mit den größten Schwierigkeiten zum Fälligkeitstermin eingelöst werden konnten. Der inflationstreibende Effekt dieser Operationen lag klar zutage: Der sozialdemokratische Reichswirtschaftsminister Robert Schmidt bezifferte den reparationsbedingten Mehrbedarf an Papiermark auf jährlich 40 bis 50 Milliarden, wobei die Besatzungskosten und Ausgleichszahlungen an die Alliierten noch nicht mitgerechnet waren. Schmidt schlug deswegen in einer geheimen Denkschrift vom 19. Mai 1921 eine grundsätzliche Neuorientierung der Finanzpolitik vor: Die Reparationen sollten, solange es keine ausreichenden Ausfuhrüberschüsse gab, über eine Enteignung von 20 % des Kapitalvermögens von Landwirtschaft, Industrie, Handel, Banken und Hausbesitz aufgebracht werden.

Die Forderung nach einer „Erfassung" der Sach- und Geldwerte bedeutete nichts Geringeres als die Aufkündigung jenes stillschweigenden Inflationskonsenses, der die deutsche Wirtschafts-, Finanz- und Sozialpolitik seit 1919 geprägt hatte. Sozialdemokraten und Freie Gewerkschaften begannen im Frühjahr 1921 zweierlei zu begreifen: zum einen, daß die Inflation die gesellschaftlichen Kräfteverhältnisse fortschreitend zugunsten der Sachwertbesitzer und damit zu Lasten der Arbeitnehmer verschob, zum anderen, daß eine Sanierung der Finanzen ohne einen massiven Eingriff in die Vermögenssubstanz nicht möglich war. Schmidts Vorschläge, die dieser Erkenntnis Rechnung trugen, hatten eben deshalb keine Chance, Gehör zu finden. Die konservativen Spitzenbeamten des Reichsfinanzministeriums liefen Sturm gegen den Enteignungsplan des sozialdemokratischen Wirtschaftministers; der neue, der DDP nahestehende Wiederaufbauminister Walther Rathenau, ehedem Chef der Allgemeinen Elektrizitäts-Gesellschaft, meinte, Schmidts Vorschläge beraubten Deutschland der wirtschaftlichen Freiheit, und der Verbrauch könne rein zahlenmäßig mehr tragen als der Besitz, also die Substanz; Joseph Wirth, Reichskanzler und Finanzminister in einer Person, schloß sich der Auffassung seiner Experten an, „daß die zur Durchführung dieser Pläne nötigen Kräfte nicht zu finden seien."

Eine gewisse Entlastung der deutschen Finanzen schien sich im Sommer 1921 dennoch abzuzeichnen: Rathenau handelte Ende August mit seinem französischen Kollegen Loucheur jenes Wiesbadener Abkommen aus, das die deutschen Goldleistungen an Frankreich zu einem erheblichen Teil in Sachleistungen umwandeln sollte. Die inflationsfördernde Wirkung der Reparationen hätte sich auf diesem Wege durchaus eindämmen lassen, aber der praktische Erfolg war sehr viel geringer als erwartet: Aus Furcht, der Wiederaufbau Frankreichs könne ihren Händen entgleiten und von den Deutschen übernommen werden, suchten die französischen Industriellen die Vereinbarung nach Kräften zu hintertreiben. Die finanzielle Last der Reparationen wurde durch das Wiesbadener Abkommen infolgedessen kaum gemindert, und entsprechend gering war sein innenpolitischer Widerhall. Wer gehofft hatte, die Absprache mit Frankreich werde die Erfüllungspolitik populärer machen, mußte schon bald seines Irrtums gewahr werden.[22]

Der radikalen Rechten lieferte die Erfüllungspolitik von Anfang an wohlfeile agitatorische Munition. Die Tatsache, daß die „Marxisten", nämlich SPD und USPD, dem Londoner Ultimatum zur Annahme im Reichstag verholfen hatten und die Mehrheitssozialdemokraten seit dem 10. Mai wieder an der Regierung beteiligt waren, genügte, um das Kabinett Wirth insgesamt an den Pranger zu stellen. Im „Miesbacher Anzeiger", einem in Bayern vielgelesenen rechten Provinzblatt, nannte der (anonym bleibende) Schriftsteller Ludwig Thoma Wirth den „Intimus des Gauners von Biberach", womit Erzberger gemeint war. Die Physiognomie des sozialdemokratischen Innenministers Georg Gradnauer, der zuvor Ministerpräsident von Sachsen gewesen war, beschrieb Thoma wie folgt: „Verkniffene, sächsische Augen, Nase, Kinn hebräisch; noch hebräischer die Riesenohrwascheln. Das schlaue Gesicht eines Fuchses, und unangenehm, daß man weiß, nach fünf Minuten hätte man privatim einen Mordskrach mit Handgreiflichkeiten. Das ist der Reichsminister des Innern." Als Mitte Juni 1921 verlautete, daß Reichswehrminister Geßler den Reichswehroberst Ritter von Epp, einen ehemaligen bayerischen Freikorpsführer, nach Preußen versetzen wolle, kommentierte Thoma: „Wir lassen uns von den Saujuden an der Spree weder regieren, noch schikanieren, und wenn man in Berlin nicht ganz von Gott verlassen ist, so schmeißt man den Geßler, so rasch es geht, aus der Reichswehr hinaus."[23]

Mit ihren Haßkampagnen gegen Repräsentanten der Republik erzeugten Blätter wie der „Miesbacher Anzeiger" eine Atmosphäre, die sich jederzeit gewaltsam entladen konnte. Am 9. Juni 1921 wurde der Fraktionsvorsitzende der bayerischen USPD, Karl Gareis, einer der schärfsten Kritiker der Regierung von Kahr und daher eine bevorzugte Zielscheibe wütender Angriffe Ludwig Thomas, von einem Unbekannten durch vier Revolverschüsse in München ermordet. Die Arbeiterschaft der bayerischen Landeshauptstadt antwortete mit einem dreitägigen Generalstreik; aufgeklärt wurde der Mord jedoch nie. Bei dem nächsten politischen Mord gelang der Polizei die Identifizierung der Täter binnen kurzem: Am 26. August 1921 wurde der ehemalige Reichsfinanzminister Matthias Erzberger bei einem Spaziergang bei Griesbach im Nordschwarzwald durch den Oberleutnant zur See Heinrich Tillessen und den Reserveleutnant Heinrich Schulz erschossen. Die Attentäter gehörten beide der schon erwähnten rechtsradikalen „Organisation Consul" und dem Münchner „Germanenorden" an, dessen Führer, Kapitänleutnant Manfred von Killinger, ihnen die Anweisung zu dem Mord gegeben hatte. Schulz und Tillessen entkamen über München nach Ungarn; verurteilt wurden sie erst 1950 zu 12 beziehungsweise 15 Jahren Zuchthaus, von denen sie aber nur zwei Jahre verbüßen mußten. Killinger wurde im Juni 1922 vom Schwurgericht Offenburg von der Anklage der Beihilfe zum Mord freigesprochen.

Die Rechtspresse nahm den Mord an Erzberger zum Anlaß von Betrachtungen, die auf eine Rechtfertigung der Tat hinausliefen. Die deutschnationale „Kreuz-Zeitung" verglich die Attentäter mit Brutus, Wilhelm Tell und Charlotte Corday, die 1793 den Jakobiner Marat umgebracht hatte, und warf den „heutigen Lobpreisern Erzbergers" vor, sie ließen völlig außer acht, „daß der ganze Kampf, der gegen Erzberger geführt wurde, ein Abwehrkampf war". Der gleichgesinnte „Berliner Lokalanzeiger" meinte, „jedes andere Land würde solchen Verschwörern unbegrenztes Verständnis entgegenbringen". Die „Oletzkoer Zeitung" aus Ostpreußen, ebenfalls ein deutschnationales Blatt, befand, Erzberger habe das Schicksal ereilt, das ihm wohl alle national denkenden Deutschen gegönnt hätten. „Ein Mann, der wie Erzberger wohl die Hauptschuld am Unglück unseres Vaterlandes hatte, mußte, solange er am Leben war, eine stete Gefahr für Deutschland bleiben. Es mag roh und herzlos klingen, solche Worte einem Toten nachzurufen, aber durch Gefühlsduselei kommen wir nicht weiter. Haß müssen wir säen! Und wie wir unsere Feinde von außen hassen lernen, so müssen wir auch die inneren Feinde Deutschlands mit unserem Haß und unserer Verachtung strafen. Vermittlungen sind unmöglich, nur durch Extreme kann Deutschland wieder das werden, was es vor dem Krieg war."[24]

Gewerkschaften, SPD und USPD riefen nach dem Mord an Erzberger zu großen Demonstrationen auf, an denen sich auch die KPD beteiligte. Das Kabinett Wirth beschloß am 29. August unter dem Vorsitz von Reichspräsident Ebert eine Notverordnung nach Artikel 48, Absatz 2, der Reichsverfassung, die dem Reichsinnenminister die Befugnis gab, republikfeindliche Druckschriften, Versammlungen und Vereinigungen zu verbieten. Als republikfeindlich galten auch jedwede Billigung oder Verherrlichung von Handlungen, die sich gegen die verfassungsmäßige Ordnung richteten, sowie jede den inneren Frieden gefährdende Verächtlichmachung verfassungsmäßiger Organe und Einrichtungen des Staates.[25]

Die Notverordnung löste sofort einen neuerlichen Konflikt zwischen Bayern und Reich aus. Die bayerischen Behörden weigerten sich, das vom Reichsinnenminister Gradnauer ausgesprochene Verbot des „Miesbacher Anzeigers", des „Münchner Beobachters" und des „Völkischen Beobachters", des zentralen Organs der Nationalsozialistischen Deutschen Arbeiterpartei, auszuführen. Die bayerischen Koalitionsparteien – dazu gehörten seit den Landtagswahlen vom 6. Juni 1920 BVP, DNVP, DVP, DDP und Bayerischer Bauernbund – monierten, daß das Reich sich nicht zuvor mit den Ländern verständigt habe und die Verordnung sich einseitig gegen die Rechte richte. Ministerpräsident von Kahr wandte sich mit besonderer Vehemenz gegen Bestrebungen im Reichstag, den seit November 1919 bestehenden Ausnahmezustand in Bayern außer Kraft zu setzen. Was eine bayerische Verhandlungskommission von der Reichsregierung an Zugeständnissen erreichte, erschien Kahr und seinem Kabinett ungenügend. Im ständigen Ausschuß des bayerischen Landtags dagegen fanden die in Berlin erzielten Verbesserungen grundsätzliche Zustimmung. Als Kahr daraufhin die Bedingung stellte, der bayerische Ausnahmezustand solle erst aufgehoben werden, sobald es die Verhältnisse gestatteten, versagte ihm seine eigene Partei, die BVP, die Gefolgschaft. Noch am gleichen Tag, dem 11. September 1921, trat Kahr zurück. Tags darauf tat das Gesamtkabinett denselben Schritt.

Kahrs Nachfolger, Graf Lerchenfeld von der BVP, kündigte sogleich neue Verhandlungen mit der Reichsregierung an. Ihr Ergebnis war das „Berliner Protokoll" vom 24. September, das den bayerischen Wünschen nach einer Abänderung der Notverordnung im föderalistischen Sinn weiter als bisher entgegenkam, wofür Bayern sich seinerseits verpflichtete, den Landesausnahmezustand bis spätestens zum 6. Oktober 1921 aufzuheben. Am 28. September erließ der Reichspräsident eine zweite Verordnung zum Schutz der Republik. Sie versprach nicht nur den „Vertretern der republikanisch-demokratischen Staatsform", sondern auch, den bayerischen Forderungen entsprechend, allen „Personen des öffentlichen Lebens" Schutz. Die Zuständigkeit für die Durchführung von Verboten und Beschlagnahmungen zum Schutz der Republik ging auf die Landesbehörden über. Die Möglichkeiten, gegen solche Maßnahmen Beschwerde einzulegen, wurden gegenüber der ursprünglichen Verordnung erheblich erweitert. Mit der revidierten Verordnung vom 28. September 1921 endete der Konflikt zwischen Bayern und Reich – aber er sollte nicht der letzte im Zusammenhang mit dem Schutz der Republik sein.[26]

Während Bayern fest in der Hand eines von der BVP dominierten Bürgerblocks blieb, erlebte Preußen 1921 eine Periode der Instabilität. Nach den Landtagswahlen vom 20. Februar, die den drei Weimarer Parteien nur noch eine schwache Mehrheit beließen, trat der sozialdemokratische Ministerpräsident Otto Braun zurück. Mit den Stimmen der bisherigen Koalition und der DVP wählte der Landtag den christlichen Gewerkschaftsführer und Zentrumspolitiker Adam Stegerwald zum neuen Ministerpräsidenten. Aber das von Stegerwald angestrebte Kabinett einer Großen Koalition kam nicht zustande, worauf die SPD dem Regierungschef die Unterstützung entzog und Stegerwald zurücktrat. Am 21. April wählte der Landtag Stegerwald erneut zum Ministerpräsidenten – diesmal mit den Stimmen aller bürgerlichen Parteien, einschließlich der DNVP. Stegerwald bildete ein Mehrheitskabinett aus Politikern des Zentrums und der DDP sowie parteilosen Fachleuten, das wechselweise von der Tolerierung durch SPD oder DNVP abhing. Im Oktober 1921 kündigten die Sozialdemokraten dem Kabinett ihre Unterstützung mit der Begründung auf, daß dieses sich immer mehr an die Deutschnationalen anlehne. Daraufhin begannen die Regierungsparteien Verhandlungen mit dem Ziel, das bestehende Parteienbündnis zur Großen Koalition zu erweitern. Die Gespräche verliefen erfolgreich: Am 5. November traten SPD und DVP in das Kabinett ein und bildeten damit eine Regierung einer Großen Koalition, wie es sie bis dahin nur in Bremen (wo sogar die DNVP am Senat beteiligt war), in Mecklenburg-Schwerin und Lippe gab. Mit den Stimmen der drei Weimarer Parteien und der DVP wählte der Landtag am gleichen Tag Otto Braun zum neuen Ministerpräsidenten. Über drei Jahre wurde der größte deutsche Staat von einem Kabinett regiert, das sich auf eine breite parlamentarische Mehrheit stützen konnte und Preußen auch in Zeiten, in denen schwere Krisen das Reich erschütterten, zu einem Faktor republikanischer Stabilität machten.[27]

Die DVP hatte schon nach den Reichstagswahlen vom Juni 1920 einen ersten, wenn auch erfolglosen Versuch unternommen, ein Regierungsbündnis mit den Sozialdemokraten einzugehen. Die Große Koalition in Preußen bedeutete für die Volkspartei ein Stück Machtzuwachs und einen Gewinn an republikanischer Respektabilität. Den Sozialdemokraten fiel die Entscheidung für die Koalition mit der DVP nicht mehr schwer, nachdem der Görlitzer Parteitag der SPD im September 1921 ein solches Regierungsbündnis unter dem Eindruck der Plädoyers von Otto Braun, Hermann Müller und Eduard Bernstein grundsätzlich gebilligt hatte. Für den linken Flügel, der in der DVP eine absolut arbeiterfeindliche Partei sah, bedeutete diese Entscheidung eine schwer erträgliche Zumutung. Aber es gab doch niemanden, der Bernsteins Argument zu entkräften vermochte, die DVP sei eine „soziale Macht", ja die eigentliche Partei der deutschen Bourgeoisie: „Hinter ihr steht die deutsche Finanz, die deutsche Großindustrie und die Intellektuellen in Deutschland. Wir müssen versuchen, diese Partei an den Wagen der Republik zu spannen."

Bernstein hatte auch den größten Anteil daran, daß die SPD in Görlitz den Versuch einer Öffnung zu den Mittelschichten unternahm, sich also anschickte, zu einer linken Volkspartei zu werden. In dem von ihm inspirierten Görlitzer Programm bezeichnete sich die Sozialdemokratie als die „Partei des arbeitenden Volkes in Stadt und Land". Als solche erstrebe sie die „Zusammenfassung aller körperlich und geistig Schaffenden, die auf den Ertrag eigener Arbeit angewiesen sind, zu gemeinsamen Erkenntnissen und Zielen, zur Kampfgemeinschaft für Demokratie und Sozialismus". Die SPD hörte damit auf, sich als reine Handarbeiterpartei darzustellen; im Sozialismus sah sie nicht mehr das Ergebnis einer naturnotwendigen ökonomischen Entwicklung, sondern des politischen Willens. Der Begriff „Klassenkampf", den die Reformer am liebsten aus dem agitatorischen Arsenal der Partei getilgt hätten, kam zwar auch im neuen Programm vor, aber nicht mehr als Kampfparole, sondern eher als Beschreibung gesellschaftlicher Verhältnisse, die es in gemeinsamer Anstrengung zu überwinden galt.

Das Echo des Görlitzer Programms war für die SPD nicht eben ermutigend. Bei den Verbänden der selbständigen Handwerker stieß die Neuorientierung auf Skepsis und Ablehnung; die Beamten fanden ihre Forderungen unzureichend berücksichtigt; von der USPD ernteten die Mehrheitssozialdemokraten den Vorwurf, sie verrieten die bleibenden Erkenntnisse der Marxschen Theorie; und ein unabhängiger linker Intellektueller wie Kurt Tucholsky hatte für die „verbürgerlichte" SPD nur beißenden Spott übrig. In der „Weltbühne" veröffentlichte er anläßlich des Görlitzer Parteitags das folgende Gedicht:

Wir saßen einst im Zuchthaus und in Ketten,
Wir opferten, um ein Mandat zu retten,
Geld, Freiheit, Stellung und Bequemlichkeit.
Wir waren die Gefahr der Eisenwerke,
Wir hatten Glut im Herzen – unsre Stärke
war unsre Sehnsucht, rein und erdenweit.
Uns haßten Kaiser, Landrat und die Richter:
Idee wird Macht – das fühlte das Gelichter ...
Long long ago –
Das ist nun heute alles nicht mehr so.

Wir sehn blasiert auf den Ideennebel.
Wir husten auf den alten, starken Bebel –
Wir schmunzeln, wenn die Jugend revoltiert.
Und während man in hundert Konventikeln
mit Fangschuß uns bekämpft und Leitartikeln,
sind wir realpolitisch orientiert.
Ein Klassenkampf ist gut für Bolschewisten.
Einst pfiffen wir auf die Ministerlisten ...
Long long ago –
Das ist nun heute alles nicht mehr so.

Uns imponieren schrecklich die enormen
Zigarren, Autos und die Umgangsformen –
Man ist ja schließlich doch kein Nihilist.
Wir geben uns auch ohne jede Freite.
Und unser Scheidemann hat keine Seite,
nach der er nicht schon umgefallen ist.

Herr Stinnes grinst, und alle Englein lachen.
Wir sehen nicht, was sie da mit uns machen,
nicht die Gefahren all'...
Skatbrüder sind wir, die den Marx gelesen.
Wir sind noch nie so weit entfernt gewesen,
von jener Bahn, die uns geführt Lassall'![28]

Wenige Tage nach dem Görlitzer Parteitag wurde die Bereitschaft der SPD, mit der DVP gegebenenfalls auch auf Reichsebene eine Koalition einzugehen, einer Nagelprobe unterzogen. Am 28. September 1921 verhandelten Vertreter der Koalitionsparteien in Gegenwart von Reichspräsident Ebert und unter Vorsitz von Reichskanzler Wirth mit der Deutschen Volkspartei über eine Erweiterung des Regierungsbündnisses. In der Frage der Staatsform und des Schutzes der Republik verlief das Gespräch unkontrovers. Man erzielte „Übereinstimmung darüber, daß die Deutsche Volkspartei auf dem Boden der Verfassung steht und bereit ist, sie mit allen Machtmitteln zu verteidigen". Auch in der Außenpolitik taten sich keine Gegensätze auf. Selbst in der besonders umstrittenen Finanzpolitik kam es zu einer Annäherung der Standpunkte. Die von der Regierung mittlerweile erarbeiteten Steuervorlagen und die Einziehung des zweiten Drittels des „Reichsnotopfers", der Ende 1919 von Erzberger eingeführten einmaligen Vermögensabgabe, wurden auch von der DVP gebilligt. Dasselbe galt für die von der Regierung erbetenen Industriekredite in Höhe von 1,5 Milliarden Goldmark. Die zentrale Forderung der SPD, eine fühlbare Belastung des Sachbesitzes, wurde von der DVP zumindest nicht schlankweg abgelehnt. Die Runde verständigte sich auf die Formel: „Erfassung der Realwerte, wenn dadurch die Stabilisierung der Mark zu erreichen und durch diese die Reparation zu bewältigen ist". Ob eine derart vage Absichtserklärung allerdings ausreichen würde, die sozialdemokratischen Bedenken gegen die vom Kabinett vorgesehenen neuen Verbrauchssteuern auszuräumen, hielten die Vertreter der SPD selbst noch für völlig offen.

In den folgenden Wochen erwies sich die Sozialdemokratie jedoch als ausgesprochen elastisch. Sie war sogar bereit, die Erfassung der Sachwerte zunächst zurückzustellen, damit die „Kreditaktion" von Industrie, Handel und Landwirtschaft zustande kam. Innerhalb der Unternehmerschaft gab es Kräfte, die der Regierung in diesem Punkt entgegenkommen wollten, und andere, vor allem in der Schwerindustrie, die die Forderungen des Kabinetts Wirth ablehnten. Die Oberhand gewann schließlich Deutschlands mächtigster Konzernherr, Hugo Stinnes, der den Reichsverband der Deutschen Industrie, die Anfang 1919 gegründete Dachorganisation der deutschen Unternehmer, auf seine Position festlegte: Kredite nur bei einer Privatisierung der Eisenbahnen und anderer Reichsbetriebe. Das Ansinnen des RDI lief auf eine Erpressung des demokratischen Staates, seine Unterwerfung unter die Interessen der „Wirtschaft", hinaus. Angesichts der massiven Proteste von

Gewerkschaften und SPD konnte Reichskanzler Wirth am 11. November nur noch das Scheitern der Kreditaktion feststellen.[29]

Wirth stand zu diesem Zeitpunkt nicht mehr an der Spitze einer Regierung der Weimarer Koalition, sondern nur noch eines Rumpfbündnisses aus SPD und Zentrum. Anlaß der Regierungskrise war die Entscheidung des Obersten Rates der Alliierten in der Oberschlesienfrage. Am 20. Oktober schloß sich dieser dem Gutachten des Völkerbundrates an, wonach etwa vier Fünftel des oberschlesischen Industriegebietes zu Polen kommen sollten, darunter auch die Städte Kattowitz und Königshütte, in denen es bei der Abstimmung vom 20. März überwältigende Mehrheiten für Deutschland gegeben hatte. Das Reich verlor durch diese, das Selbstbestimmungsrecht mißachtende Entscheidung jeweils drei Viertel der oberschlesischen Kohlen- und Bleierzförderung, 85% der Zinkerzförderung und 70% der Hochofenproduktion. Innerhalb der Regierungskoalition drängten die DDP und, etwas weniger entschieden, das Zentrum auf einen sofortigen Rücktritt des Kabinetts, um so vor aller Welt gegen das Diktat der Alliierten zu protestieren. Die SPD hielt einen derartigen Schritt für ebenso riskant wie nutzlos, konnte sich mit ihren Bedenken aber nicht durchsetzen. Am 22. Oktober teilte Wirth dem Reichspräsidenten die Demission der Reichsregierung mit.

In den folgenden drei Tagen bemühten sich die Koalitionsparteien, die DVP für die Beteiligung an einem neuen Kabinett zu gewinnen. Die SPD war sogar bereit, die steuerpolitischen Streitfragen zu vertagen und einer künftigen Regierung der Großen Koalition zur Entscheidung zu überlassen. Doch darauf wollte sich die Volkspartei, die eine Majorisierung durch die anderen Parteien fürchtete, nicht einlassen. Ihr Nein zu einer Großen Koalition begründete sie nach außen hin freilich nicht mit den Steuerproblemen, sondern mit Zweifeln an der Entschlossenheit der SPD, sich in eine „nationale Abwehrfront" in der Oberschlesienfrage einzureihen. Damit war die Große Koalition gescheitert, und zwar ausschließlich an der DVP. Da die DDP sich von ihrer rechtsliberalen Konkurrentin an nationaler Gesinnung nicht übertreffen lassen wollte, beschloß sie, auch ihrerseits keine Minister in die neue Regierung zu entsenden. Infolgedessen blieb als einzige Lösung ein schwarz-rotes Minderheitskabinett übrig – eine Situation ähnlich der nach der Entscheidung über den Vertrag von Versailles. Die Widerstände im Zentrum gegen eine Regierung allein mit den Sozialdemokraten waren indes so stark, daß Reichspräsident Ebert, einer der entschiedensten Befürworter der Großen Koalition, mit seinem Rücktritt drohen mußte, um schließlich am 26. Oktober doch noch ein neues Kabinett Wirth zustandezubringen. Obwohl die DDP sich nicht als Koalitionspartner betrachtete, erklärte sie sich damit einverstanden, daß Otto Geßler weiterhin als „Fachminister" das Wehrressort leitete – eine Entscheidung, die die vorangegangene Demission des Kabinetts im nachhinein als Farce erscheinen ließ.[30]

Eine parlamentarische Mehrheit erhielt das zweite Kabinett Wirth am 26. Oktober dadurch, daß auch die USPD dem Antrag von SPD und Zentrum zustimmte, der Reichstag möge die Regierungserklärung des Kanzlers billigen. Am 31. Januar übertrug Wirth das zeitweilig von ihm selbst ausgeübte Amt des Außenministers dem früheren Wiederaufbauminister Walther Rathenau, wodurch die DDP auch formell wieder an der Regierung beteiligt war. In der Finanzpolitik gelang es dem Kabinett im Januar 1922, die DVP für eine Zwangsanleihe in Höhe von 1 Milliarde Goldmark zu gewinnen, worauf die Sozialdemokraten ihrerseits der Erhöhung einiger Verbrauchssteuern zustimmten. Der Verzicht auf eine weitergehende „Erfassung der Sachwerte" wurde der SPD dadurch erleichtert, daß die Alliierten einem deutschen Antrag auf ein Zahlungsmoratorium grundsätzlich stattgegeben hatten. Zu den im März nachgereichten Bedingungen, die die Siegermächte an dieses Zugeständnis knüpften, gehörten eine zusätzliche Steuer mit einem geschätzten Ertrag von 1 Milliarde Goldmark oder 60 Milliarden Papiermark und eine Kontrolle des Reichshaushalts durch die Reparationskommission. Wirth konnte einer breiten Zustimmung des Reichstags sicher sein, als er am 28. März dieses Ansinnen entschieden zurückwies. Aber es gab auch Grund zu der Annahme, daß diese Forderungen nicht das letzte Wort der Alliierten bleiben würden: Am 16. Januar hatte der Alliierte Oberste Rat Deutschland für den 10. April 1922 zu einer internationalen Konferenz nach Genua eingeladen, auf der erstmals nach dem Krieg Sieger und Besiegte die Probleme des weltwirtschaftlichen Wiederaufbaus erörtern sollten.[31]

Zu den eingeladenen Staaten gehörte auch Sowjetrußland. Es lag nahe, daß Berlin und Moskau, beide „have-nots" der Weltpolitik, sich schon im Vorfeld der Konferenz abstimmten. Die diplomatischen Beziehungen zwischen beiden Ländern waren zwar immer noch unterbrochen, aber seit dem Mai 1921 gab es immerhin Handelsvertretungen in der jeweils anderen Hauptstadt. Mitte Januar 1922 kam Karl Radek nach Berlin, um Wirth, der seit langem eine enge Zusammenarbeit mit Rußland befürwortete, ein koordiniertes Vorgehen auf der Weltwirtschaftskonferenz vorzuschlagen. Insbesondere sollten Deutschland und Rußland gemeinsam die Gefahr abwehren, daß Frankreich ihnen seine Auslegung des Artikels 116 des Versailler Vertrags aufzwang: Danach hätte Rußland Reparationsforderungen an Deutschland stellen können, was aber nur dann aktuell war, wenn Moskau seinerseits finanzielle Verpflichtungen gegenüber dem Westen anerkannte, die noch aus der Zarenzeit herrührten. Wirtschaftlich wollte die Sowjetregierung eng mit Deutschland zusammenarbeiten, aber ohne die Oberaufsicht jenes internationalen Syndikats für den wirtschaftlichen Wiederaufbau Rußlands, das die Alliierten vorgeschlagen hatten. Schließlich ging es Radek um volle diplomatische Beziehungen, wobei er aber seine deutschen Gesprächspartner nicht sonderlich drängte.

Als Walther Rathenau am 31. Januar 1922 zum Außenminister ernannt wurde, hatte Ago von Maltzan, der Leiter der Ostabteilung des Auswärtigen Amtes, mit Radek schon die Grundzüge eines Abkommens erarbeitet. Im Unterschied zu Wirth und Maltzan wollte Rathenau jedoch deutsch-russische Alleingänge vermeiden und trat daher für ein internationales Wirtschaftskonsortium ein. Diese prowestliche Linie des neuen Ressortchefs führte dazu, daß die Verhandlungen in eine Sackgasse gerieten. Sie wurden erst wieder aufgenommen, als die russische Delegation unter Außenminister Tschitscherin Anfang April auf dem Weg nach Genua in Berlin Station machte. Strittig war zu diesem Zeitpunkt vor allem noch die Frage, wie Rußland es mit der Erstattung von Ansprüchen aus Sozialisierungsschäden halten wollte: Die Deutschen waren zu einem Verzicht nur bereit, wenn Rußland versprach, nach dem Grundsatz der Meistbegünstigung zu verfahren, also dritte Länder nicht besser zu stellen als Deutschland. Am 3. April gaben die Russen eine entsprechende Zusage, die aber die Deutschen noch nicht zufriedenstellte. Die deutsche Alternativformel wiederum wurde von den Russen abgelehnt, so daß die Verhandlungen nicht mehr zum Abschluß kamen. Immerhin gab es Annäherungen in so vielen Punkten, daß die Unterzeichnung eines Vertrags in naher Zukunft möglich erschien.

Bevor die deutsche Delegation – mit Reichskanzler Wirth an der Spitze – nach Genua abreiste, machte Reichspräsident Ebert am 5. April dem Kabinett eindringlich seine verfassungsrechtlichen Befugnisse und politischen Wünsche klar. Da die völkerrechtliche Vertretung des Reiches in seiner Hand liege, müsse er „nochmals ausdrücklichst darauf Gewicht legen, daß, wenn es zu sachlichen Abmachungen oder Festlegungen kommen sollte, ich dringend bitten muß, ein vorheriges Einvernehmen mit mir herbeizuführen". Doch Eberts Vorstellungen waren eines, der Konferenzverlauf in Genua ein anderes. Zwar konnten die deutschen Vertreter in der Finanzkommission einen beachtlichen Erfolg verbuchen: Die alliierten Experten erkannten die deutsche These an, daß der Währungsverfall von der passiven Zahlungsbilanz, also nicht zuletzt von den Reparationen verursacht werde, und sie räumten überdies ein, daß die Reparationslasten keinesfalls die Leistungskraft des Reiches übersteigen dürften. Aber diese erfreuliche Entwicklung wog wenig gegenüber einem beunruhigenden Gerücht: Bei politischen Separatverhandlungen zwischen Russen und Westmächten zeichne sich eine Verständigung auf deutsche Kosten ab. Unter dem Eindruck solcher Meldungen gab Rathenau schließlich dem Drängen Maltzans nach und erteilte diesem den Auftrag, die unterbrochenen Gespräche mit den Russen wiederaufzunehmen.

Maltzan fand bald heraus, daß ein Erfolg bei den Verhandlungen zwischen Rußland und den Alliierten noch längst nicht in Sicht war, tat aber gleichwohl sein Bestes, um ein Sonderabkommen mit den Russen zustande zu bringen. Ein verschleierndes Telegramm, das den Reichspräsidenten über die deutsch-russischen Gespräche unterrichten sollte, wurde von Maltzan einen Tag lang zurückgehalten, damit Ebert nicht etwa auf die Idee kam, den ohnehin zögernden Rathenau in seinem Widerstand gegen ein Abkommen mit den Russen zu bestärken. Die Entscheidung fiel in der Nacht vom 15. zum 16. April auf der „Pyjama-Party" in Rathenaus Hotelzimmer. Maltzan berichtete von einem eben erfolgten Telefonanruf Tschitscherins, wonach die Russen zum sofortigen Abschluß eines Abkommens mit den Deutschen und zu deren Bedingungen bereit seien. Rathenau wollte den britischen Premierminister Lloyd George hiervon in Kenntnis setzen, worauf Maltzan mit seinem Rücktritt drohte. Wirth, vom Außenminister zu der nächtlichen Sitzung hinzugebeten, ergriff so nachdrücklich für den Leiter der Ostabteilung Partei, daß Rathenau zuletzt nachgab. Am folgenden Tag, dem Ostersonntag, fuhr die deutsche Delegation in das oberitalienische Seebad Rapallo, wo Tschitscherin und Rathenau abends den nach diesem Ort benannten, sehr bald von Mythen umwobenen Vertrag unterzeichneten. Rußland und Deutschland verzichteten darin wechselseitig auf etwaige kriegsbedingte Entschädigungsanprüche, nahmen ihre diplomatischen Beziehungen wieder auf und legten sich auf die Meistbegünstigungsklausel fest: Handelspolitische Vorteile, die sie künftig anderen Staaten gewährten, kamen damit automatisch auch dem Vertragspartner zugute.

Das lange Zögern Rathenaus war nur zu verständlich: Ähnlich wie Ebert fürchtete der Außenminister eine nachhaltige Belastung des deutschen Verhältnisses zu den Westmächten, wenn das Reich auf dem Feld diplomatischer Beziehungen zu Sowjetrußland eine Vorreiterrolle übernahm oder gar den Eindruck eines deutsch-sowjetischen Zusammenspiels in antiwestlicher Absicht hervorrief. Wenn er sich schließlich doch zum Abschluß des Vertrags von Rapallo bereit fand, dann aus dem Bewußtsein heraus, daß Deutschland mit dem Rücken zur Wand stand und die letzte Chance nutzen mußte, ein west-östliches Arrangement zu seinen Lasten zu verhindern.

Ganz anders war die Perspektive derer, die auf eine enge deutsch-sowjetische Zusammenarbeit setzten. Für sie stand fest, daß Deutschland die Nachkriegsordnung, das System von Versailles also, nur mit russischer Hilfe überwinden konnte. Das galt vor allem im Hinblick auf Polen, das als reiner Störfaktor betrachtet wurde. Wirth etwa erklärte im Juli 1922 gegenüber dem Grafen Brockdorff-Rantzau, dem späteren ersten Botschafter der Weimarer Republik in Moskau, Polen „müsse erledigt werden... In diesem Punkt bin ich ganz einig mit den Militärs, besonders mit dem General von Seeckt". Im Oktober 1922 bemerkte er dem gleichen Gesprächspartner gegenüber, Deutschland und Rußland müßten wieder Nachbarn werden; Polen sei zu „zertrümmern", und auch die Randstaaten, womit er die baltischen Republiken meinte, würde er, Wirth, lieber heute als morgen „zusammenschlagen". Auch mit Tschitscherin sprach der Kanzler in Genua ganz unverschlüsselt über die „Wiederherstellung der Grenze von 1914".[32]

Auf Seeckt berief sich Wirth in diesem Zusammenhang mit vollem Recht. Im September 1922 legte der Chef der Heeresleitung in einem Memorandum nieder, was er in den Grundzügen auch schon Anfang 1920 für richtig befunden hatte: „Polens Existenz ist unerträglich, unvereinbar mit den Lebensbedingungen Deutschlands. Es muß verschwinden und wird verschwinden durch eigene, innere Schwäche und durch Rußland – mit unserer Hülfe.

Polen ist für Rußland noch unerträglicher als für uns; kein Rußland findet sich mit Polen ab. Mit Polen fällt eine der stärksten Säulen des Versailler Friedens, die Vormachtstellung Frankreichs... Die Wiederherstellung der breiten Grenze zwischen Rußland und Deutschland ist Voraussetzung beiderseitiger Erstarkung. Rußland und Deutschland in den Grenzen von 1914! sollte die Grundlage einer Verständigung zwischen beiden sein."

Die Rußlandpolitik der Reichswehrführung orientierte sich an diesen Vorgaben. Seit dem September 1921 nahm die geheime Zusammenarbeit zwischen Reichswehr und Roter Armee systematischen Charakter an. Für die deutsche Seite war es wichtig, mit russischer Hilfe die Beschränkungen des Versailler Vertrags zu unterlaufen; für die Russen kam es darauf an, von der überlegenen deutschen Technik zu profitieren. Anfang 1922 wurde im Truppenamt die „Sondergruppe R(ußland)" gebildet, die die einschlägigen Bemühungen koordinierte. Für die notwendigen Geldmittel sorgte Wirth, der bis zum November 1921 auch Reichsfinanzminister war. Den Löwenanteil des Betrags von 150 Millionen Mark, den das Reichswehrministerium dank Wirths Vermittlung Anfang 1922 vom Norddeutschen Lloyd ausgezahlt erhielt, bekamen die Junkers-Werke. Auf Grund eines vorläufigen Vertrags mit der „Sondergruppe R" begannen sie Ende April 1922 in Rußland mit dem, was Deutschland nach dem Vertrag von Versailles strikt untersagt war: dem Bau von Militärflugzeugen. Im Laufe des Jahres 1922 wurden auch die ersten Reichswehroffiziere zur fliegerischen Ausbildung nach Rußland geschickt. Eine weitere Frucht der deutsch-sowjetischen Militärkontakte war die Gründung der „Gesellschaft zur Förderung gewerblicher Unternehmungen", kurz „Gefu" genannt, mit Sitz in Berlin und Moskau – einer Dachorganisation deutscher industrieller Niederlassungen in Rußland. Für die Giftgasproduktion wurde eine deutsch-russische Aktiengesellschaft, die „Bersol", ins Leben gerufen und ein deutscher technischer Direktor nach Rußland geschickt. Bereits Ende 1922 waren mithin die Militärklauseln des Vertrags von Versailles durch das deutsch-russische Zusammenspiel zu einem erheblichen Teil außer Kraft gesetzt. Die Weichen für eine Revision der Nachkriegsordnung waren gestellt, und der Reichskanzler, der sich als erster zur Erfüllungspolitik bekannte, hatte entscheidenden Anteil daran.[33]

Nichts von dem, was militärisch zwischen Deutschland und Rußland lief, stand im Vertrag von Rapallo, und es gab, sofort auftauchenden Gerüchten zum Trotz, auch keine geheimen Zusatzklauseln zu diesem Abkommen. Nichtsdestoweniger rief der Vertragsabschluß bei den Westmächten heftigen Protest hervor, und zeitweilig schien es nicht einmal sicher, ob die Konferenz von Genua überhaupt fortgesetzt werden würde. Am nachhaltigsten war der Schock in Frankreich. Das deutsch-russische Abkommen stellte die prekäre Hegemonie auf dem europäischen Kontinent in Frage, die Paris 1919 zugefallen war, und eben deshalb war nicht anzunehmen, daß sich die französische Diplomatie mit dieser Niederlage abfinden würde. Am 24. April, eine Woche nach Rapallo, deutete Ministerpräsident Raymond Poincaré, seit

Januar 1922 im Amt, in einer Rede in Bar-le-Duc die Möglichkeit einer militärischen Intervention Frankreichs an. Am 2. Mai 1922 mahnte der Oberkommandierende der alliierten Truppen im besetzten Rheinland, General Degoutte, in einem Brief an den Kriegsminister Maginot, angesichts der in Rapallo vollzogenen deutsch-sowjetischen Annäherung dürfte Frankreich, wenn es das Ruhrbecken okkupieren wolle, keine Zeit mehr verlieren. Rapallo habe die Politik von Wiesbaden – die friedliche wirtschaftliche Verständigung – unmöglich gemacht. Damit waren noch nicht die Würfel für eine Besetzung des Ruhrgebiets gefallen, aber es konnte keinen Zweifel daran geben, daß der deutsch-sowjetische Vertrag die außenpolitisch gemäßigten Elemente in Frankreich geschwächt und die unnachgiebigen Nationalisten gestärkt hatte.[34]

Die Konferenz von Genua wurde trotz der starken Irritation von Engländern und Franzosen ordnungsgemäß zu Ende geführt, brachte aber keine nennenswerten praktischen Ergebnisse. Die „kleine Anleihe" von 4 Milliarden Mark, über die zwischen deutschen und französischen Experten verhandelt worden war, wäre vermutlich auch ohne Rapallo nicht zustande gekommen. Vieles spricht jedoch dafür, daß die Fortschritte in der Reparationsfrage, die in der Finanzkommission erreicht worden waren, sich hätten ausbauen lassen, wenn Frankreich nicht durch den deutsch-sowjetischen Vertrag herausgefordert worden wäre. Reichsfinanzminister Hermes vom Zentrum, der selbst an der Genueser Konferenz teilnahm, meldete denn auch sogleich Bedenken an, „daß für Deutschland die Schaffung eines geeigneten Bodens für die Gestaltung der Reparationsfrage wichtiger sei als der Abschluß eines Vertrages, von dem man nicht absehen könne, welche Früchte er Deutschland bringe ... Es genüge nicht, wenn wir den Russenvertrag in der Tasche hätten, wir müßten auch einen Fonds von Vertrauen bei den Alliierten für die Reparationsfrage mit nach Hause nehmen." Knapper und plastischer formulierte Hermes' Staatssekretär Hirsch. In einem Brief vom 19. April gab er seiner Furcht Ausdruck, daß in Rapallo „für die russische Taube auf dem Dache der fette Reparationsspatz in der Hand" geopfert worden sein könnte.[35]

In Berlin waren die Reaktionen auf Rapallo gemischt, aber insgesamt überwiegend positiv. Reichspräsident Ebert war zwar nachhaltig verstimmt, daß sich Wirth und Rathenau über seine Weisungen hinweggesetzt hatten, stärkte aber nach außen hin der Reichsregierung den Rücken. Der Inhalt des Vertrags wurde von der KPD bis hin zur DVP positiv gewürdigt, und selbst von den Deutschnationalen kam verhaltene Zustimmung. Im Reichstag wurde der Vertrag am 4. Juli 1922 in dritter Lesung gegen wenige Stimmen aus der DNVP gebilligt. Aber es gab auch Kritik und Vorbehalte. Der sozialdemokratische „Vorwärts" bezweifelte schon am 20. April, ob Ort und Stunde für den aufsehenerregenden Schritt glücklich gewählt seien; Rudolf Breitscheid von der USPD bezeichnete den Vertrag Ende April als die denkbar schwerste Schädigung der deutschen Interessen für „die nächste Zukunft", da er die sich anbahnende wirtschaftliche Verständigung mit den Westmächten störe; der deutschnationale Rußlandexperte Otto Hoetzsch vermißte in der Reichstagsdebatte vom 29. Mai Garantien gegen die bolschewistische Propaganda und befürchtete als Folge der Meistbegünstigungsklausel eine Masseneinwanderung von Ostjuden.[36]

Die Kontroverse um Rapallo hält bis heute an. Wenn der Name des italienischen Bades als polemisches Schlagwort verwendet wird, dann im Sinne einer deutsch-sowjetischen Verschwörung gegen den Westen, ja eines Vorspiels zum Hitler-Stalin-Pakt von 1939. Mit dem Inhalt des Vertrages hat diese Deutung nichts gemein. Die Verteidiger des Abkommens in der deutschen Geschichtswissenschaft verweisen auf die Notlage, in der sich die deutsche Delegation in Genua befand, und betonen den defensiven Charakter der deutsch-russischen Vereinbarung. Soweit es um Rathenaus Motive geht, ist das eine zutreffende Bewertung. Aber die eigentlichen Pioniere der deutsch-sowjetischen Zusammenarbeit wie Wirth, Seeckt und Maltzan verfolgten sehr viel weitergehende, nämlich offensive, nur durch Krieg zu verwirklichende Zielsetzungen. Nicht zu bestreiten ist auch, daß Rapallo das deutsch-französische Verhältnis verhängnisvoll belastet und mit dem Ruhreinmarsch vom Januar 1923 mehr zu tun hat, als wohlwollende Interpreten zuzugeben bereit sind. Deutschland konnte seinen außenpolitischen Handlungsspielraum im April 1922 erheblich erweitern, aber es bezahlte dafür mit einer inneren und äußeren Krise, die das Reich im Jahr darauf an den Rand des Abgrunds brachte. Deutschland mußte eines Tages Sowjetrußland diplomatisch anerkennen, aber diesen Schritt in einer den Westen brüskierenden Form zu tun, bedeutete einen Rückfall in wilhelminische Risikopolitik. Die Warner wie Ebert, die negative Folgen des Vertragsabschlusses für wahrscheinlich hielten, sollten nur zu bald recht bekommen.

Am 31. Mai 1922 lief die Frist ab, innerhalb welcher Deutschland die Bedingungen erfüllen mußte, die die Alliierten an ihr Reparationsmoratorium vom Januar geknüpft hatten. Keine dieser Bedingungen erschien der Reichsregierung und den Parteien so unakzeptabel wie die Forderung, das Reich möge, um seine schwebende Schuld nicht noch weiter zu vermehren, eine neue 60-Milliarden-Mark-Steuer einführen. Wirth hatte diesem Verlangen denn auch schon am 28. März vor dem Reichstag ein eindeutiges Nein entgegengesetzt. Dennoch mußte Reichsfinanzminister Hermes Mitte Mai bei Verhandlungen mit Vertretern der Reparationskommission in Paris einsehen, daß ein gewisses deutsches Entgegenkommen unumgänglich war, wenn alliierte Sanktionen nach dem 31. Mai vermieden werden sollten. Hermes stellte daher auf englisches Drängen eine Erklärung in Aussicht, die Reichsregierung werde nötigenfalls neue Steuern einführen oder neue innere Anleihen aufnehmen, sofern sie durch eine auswärtige Anleihe ausreichende Hilfe erhalte. Reichskanzler Wirth war zwar der Auffassung, Hermes habe seine Kompetenzen damit weit überschritten, fand aber für seinen Konfliktkurs im Kabinett keine Unterstützung und fügte sich schließlich der Mehrheit.

Am 29. Mai ließ die Reichsregierung in Paris eine Note überreichen, in der sie sich Hermes' Zusagen zu eigen machte und der Reparationskommission das Recht der Nachprüfung des deutschen Finanzgebarens zugestand – freilich unter dem Vorbehalt, daß die Souveränität Deutschlands dadurch nicht angetastet werden dürfe. Am 31. Mai bewilligten die Alliierten daraufhin den von Deutschland erbetenen Zahlungsaufschub.[37]

Die deutsche Innenpolitik stand im Frühjahr und Frühsommer 1922 im Zeichen verstärkter Aktivitäten der nationalistischen Rechten. Vom 19. Mai bis Mitte Juni unternahm Generalfeldmarschall von Hindenburg eine Reise durch Ostpreußen, die sich nach Otto Brauns Urteil zu einer „deutschnationalen Propagandafahrt" auswuchs. Die Reichswehr nahm demonstrativ an Kundgebungen zu Ehren des früheren Chefs der Obersten Heeresleitung teil, besonders massiv in Königsberg, wo es am 11. Juni zu Gegendemonstrationen der Arbeiterparteien und blutigen Zusammenstößen kam. Am 4. Juni wurde in Kassel auf den dortigen Oberbürgermeister und ehemaligen Reichsministerpräsidenten Philipp Scheidemann ein Anschlag mit Blausäure verübt. Scheidemann erlitt nur vorübergehende gesundheitliche Schäden, was die rechtsradikale „Deutsche Zeitung" veranlaßte, den Vorfall als „Attentat mit der Klistierspritze" lächerlich zu machen. Um dieselbe Zeit veröffentlichte der deutschnationale Reichstagsabgeordnete Wilhelm Henning, ein maßgeblicher Vertreter des völkischen Flügels der DNVP, in der „Konservativen Monatsschrift" einen Artikel unter dem Titel „Das wahre Gesicht des Rapallo-Vertrages", in dem er dem Reichsaußenminister Walther Rathenau vorwarf, er verlange von den Sowjets keine Sühne mehr für die Ermordung des deutschen Gesandten Graf Mirbach im Juli 1918 durch russische Sozialrevolutionäre. „Kaum hat der internationale Jude Rathenau die deutsche Ehre in seinen Fingern, so ist davon nicht mehr die Rede ... Die deutsche Ehre ist keine Schacherware für internationale Judenhände! ... Die deutsche Ehre wird gesühnt werden. Sie aber, Herr Rathenau, und Ihre Hinterleute werden vom deutschen Volke zur Rechenschaft gezogen werden, ‚sonst hätte' – um Ihre eigenen Worte zu gebrauchen – ‚die Weltgeschichte ihren Sinn verloren'."[38]

Die Äußerung, auf die Henning anspielte, war seit langem ein fester Bestandteil der rechtsradikalen Agitation gegen den Juden und Intellektuellen Walther Rathenau. In seiner im März 1919 erschienenen Schrift „Der Kaiser" hatte Rathenau eine Bemerkung zitiert, die er in den ersten Kriegstagen einem vertrauten Freund gegenüber getan haben wollte: „Nie wird der Augenblick kommen, wo der Kaiser, als Sieger der Welt, mit seinen Paladinen auf weißen Rossen durchs Brandenburger Tor zieht. An diesem Tage hätte die Weltgeschichte ihren Sinn verloren." Im nationalistischen Bürgertum wurde diese Äußerung als Beleg einer undeutschen Gesinnung, ja geistigen Landesverrats gewertet. Bei den radikalen Antisemiten schlug sich der Haß auf den jüdischen Außenminister in einer gereimten Parole nieder: „Auch der Rathenau, der Walther, erreicht kein hohes Alter. Knallt ab den Walther Rathenau, die gottverfluchte Judensau."[39]

Am späten Vormittag des 24. Juni 1922 wurde Walther Rathenau, der sich auf der Fahrt von seiner Villa im Grunewald ins Auswärtige Amt befand, von zwei Personen, die sein Fahrzeug überholten, durch Pistolenschüsse getötet. Die rasch ermittelten Täter, der Oberleutnant zur See a.D. Erwin Kern und der Leutnant der Reserve Hermann Fischer, wurden am 17. Juli auf der Burg Saaleck bei Kösen von der Polizei gestellt; Kern starb durch Kugeln seiner Verfolger, Fischer nahm sich daraufhin selbst das Leben. Beide waren Mitglieder des Deutschvölkischen Schutz- und Trutzbundes und der „Organisation Consul", die auch den Mord an Erzberger vorbereitet und durchgeführt und sich nach ihrer Aufdeckung im Herbst 1921 neu formiert hatte. Aus derselben Geheimorganisation kamen auch einige der Hintermänner des Anschlags, deren die Polizei bald habhaft werden konnte. Das Attentat war, wie einer der unbehelligt gebliebenen Hauptbeteiligten, der Freikorps- und zeitweilige SA-Führer Friedrich Wilhelm Heinz, 1933 berichtete, von Frankfurt am Main aus vorbereitet worden, wo Heinz die örtliche Gliederung der „O.C." leitete. In Rathenau wollten die Urheber des Mordes die Erfüllungspolitik und die Republik insgesamt treffen, und in gewisser Weise *war* Rathenau der Repräsentant all dessen, was sie haßten. Er war ein Kritiker des alten Deutschland, der ohne die Revolution nicht hätte Außenminister werden können; er vertrat die Erfüllungspolitik gegenüber dem Westen ohne die nach Osten gerichteten Hintergedanken Joseph Wirths. Aber zugleich war Rathenau auch ein Produkt der wilhelminischen Zeit und ein deutscher Patriot, der die Ordnung von Versailles überwinden wollte. Es waren nicht zuletzt die Widersprüche Rathenaus, die ihn zu einer Verkörperung der jungen Republik und zu einem Gegenstand des Hasses für alle machten, die darauf aus waren, Weimar durch eine Revolution von rechts zu Fall zu bringen.[40]

Die gespaltene Linke rückte nach dem Mord an Rathenau einen Augenblick lang wieder eng zusammen. An den großen Demonstrationen, zu denen der Allgemeine Deutsche Gewerkschaftsbund für den 27. Juni aufrief, nahmen neben Mehrheits- und Unabhängigen Sozialdemokraten auch die Kommunisten teil. Für sie war die Aktionseinheit gegen die radikale Rechte eine willkommene Gelegenheit, jene proletarische „Einheitsfront" in die Tat umzusetzen, die seit dem Dritten Weltkongreß der Komintern vom Sommer 1921 zur Generallinie aller kommunistischen Parteien geworden war. Doch die Zusammenarbeit war nur von kurzer Dauer. Nachdem es am 27. Juni in vielen Städten zu gewaltsamen Ausschreitungen gekommen war, riefen Gewerkschaften, SPD und USPD ihre Anhänger auf, sich nicht von Provokateuren zu Unbesonnenheiten verleiten zu lassen. Die KPD jedoch, die schon am 1. Juli ihre Attacken auf die sozialdemokratischen Parteien wiederaufgenommen hatte, weigerte sich, den Text zu unterzeichnen. Am 7. Juli zogen die anderen Arbeiterorganisationen die Konsequenzen: Sie erklärten öffentlich, daß die KPD aus der bisherigen Aktionsgemeinschaft ausgeschieden sei. Eine neue proletarische „Einheitsfront" sollte es auf Reichsebene bis zum Volksentscheid über die Fürstenenteignung im Jahre 1926 nicht mehr geben.[41]

Im Finanzausschuß des Reichstags kam es noch am 24. Juni zu stürmischen Szenen. Der deutschnationale Abgeordnete Helfferich, einer der schärfsten Gegner Rathenaus, wurde von Abgeordneten der Linken tätlich bedroht. Am folgenden Tag schleuderte Reichskanzler Wirth im Plenum nach einer Würdigung des ermordeten Außenministers der Rechten Worte entgegen, die ihm nie vergeben wurden: „Da steht (nach rechts) der Feind, der sein Gift in die Wunde eines Volkes träufelt. Da steht der Feind – und darüber ist kein Zweifel: Dieser Feind steht rechts." Das Protokoll verzeichnet an dieser Stelle „stürmischen langanhaltenden Beifall und Händeklatschen in der Mitte und links, auf sämtlichen Tribünen. – Große langandauernde Bewegung."[42]

Wieder einen Tag später, am 26. Juni, erließ der Reichspräsident auf Ersuchen der Reichsregierung eine Notverordnung zum Schutz der Republik (die nach dem Mord an Erzberger erlassene vom 28. September 1921 war von Ebert am 23. Dezember 1921 außer Kraft gesetzt worden, nachdem die Sozialdemokraten zu der Ansicht gelangt waren, die Verordnung sei angesichts einer ruhiger gewordenen Stimmung nicht mehr gerechtfertigt, und daher den Aufhebungsanträgen von DNVP, KPD und USPD zu einer Mehrheit im Reichstag verholfen hatten). Die neue Verordnung zum Schutz der Republik bedrohte republikfeindliche Handlungen mit scharfen Strafen und ermächtigte die Landesbehörden zu Verboten von republikfeindlichen Vereinigungen, Versammlungen und Veröffentlichungen. Außerdem schuf sie als Berufungsinstanz einen Staatsgerichtshof zum Schutz der Republik beim Reichsgericht in Leipzig.

Wie schon nach der ersten Republikschutzverordnung protestierte auch jetzt wieder Bayern, teilweise sekundiert von Württemberg, gegen das Vorgehen des Reiches. Die Regierung von Lerchenfeld verwahrte sich vor allem gegen die Einrichtung des neuen Staatsgerichtshofes, weil er in die Justizhoheit der Länder eingreife, aber auch dagegen, daß die Verordnung sich einseitig gegen republikfeindliche Bestrebungen von rechts richte. Den bayerischen Protesten zum Trotz erging am 29. Juni eine weitere Verordnung zum Schutze der Republik. Sie führte die Todes- oder lebenslängliche Zuchthausstrafe für Personen ein, die an Vereinigungen teilnahmen, „zu deren Zielen es gehört, Mitglieder einer republikanischen Regierung des Reiches oder eines Landes durch den Tod zu beseitigen". Mitwisser, die die Anzeige unterließen, wurden mit Zuchthaus bedroht.[43]

Die beiden Verordnungen waren von vornherein als bloße Vorstufe zu einem Republikschutzgesetz gedacht, mit dem sich das Kabinett Wirth erstmals am 27. Juni befaßte. Am 3. Juli fand die entscheidende Sitzung des Reichsrats statt, bei der die verschärfenden Anträge der sozialdemokratisch geführten Landesregierungen von Sachsen, Thüringen und Braunschweig ebenso erfolglos blieben wie Bayerns Anträge auf Streichung oder Milderung bestimmter Paragraphen. Am 5. Juli begann die erste Lesung im Reichstag. Hier war die Lage schwieriger als im Reichsrat. Das Gesetz bedurfte wegen seiner verfassungsändernden Bestimmungen einer Zweidrittelmehrheit. Sie war nur mit der USPD oder der DVP zu erreichen. Da für die Parteien der bürgerlichen Mitte ernsthaft nur eine Verständigung mit der gemäßigten Rechten in Frage kam, gelangte die DVP in eine Schlüsselposition, die sie geschickt zu nutzen verstand. Ihr Vorsitzender Gustav Stresemann versicherte, seine Partei wolle keinen Grundsatz bürgerlicher Freiheit und Gerechtigkeit opfern, sei aber zum Schutz der Verfassung, der Reichsflagge, des Reichspräsidenten und anderer republikanischer Organe bereit. Damit war der Grund für jene Kompromisse gelegt, die dem Gesetz am 18. Juli 1922 zur notwendigen Mehrheit verhalfen.

In seiner endgültigen Fassung rechtfertigte das Republikschutzgesetz keineswegs mehr den Vorwurf, es richte sich einseitig gegen die Rechte. Dennoch holte Bayern am 24. Juli zu einem bisher einmaligen Schlag gegen das Reich aus: Es hob das Republikschutzgesetz einen Tag, nachdem es in Kraft getreten war, auf und ersetzte es durch eine eigene bayerische Verordnung zum Schutz der Republik, die zwar die materiellen Strafbestimmungen des Reichsgesetzes übernahm, aber sämtliche Zuständigkeiten des Staatsgerichtshofes zum Schutz der Republik zugunsten bayerischer Gerichte, der Volksgerichte oder des Bayerischen Obersten Landesgerichts, beseitigte. Die Reichsregierung erklärte am 26. Juli das bayerische Vorgehen für verfassungswidrig, gab jedoch zu erkennen, daß sie eine friedliche Verständigung anstrebte. Am 9. August begannen Verhandlungen, die zwei Tage später zu einem Kompromiß führten: Beim Staatsgerichtshof sollte ein zweiter Senat gebildet werden, der für die in Süddeutschland begangenen Delikte zuständig und mit süddeutschen Richtern zu besetzen war. Die Regierungsparteien in München – seit August BVP, Deutschnationale (die sich in Bayern „Bayerische Mittelpartei“ nannten) und Bayerischer Bauernbund – waren aber damit noch nicht zufrieden und erzwangen neue Verhandlungen. In deren Verlauf machte die Reichsregierung zwar keine weiteren Zugeständnisse, gab aber einige ergänzende Erläuterungen zum bisher Vereinbarten, was die bayerische Regierung schließlich dazu bewog, am 25. August die Verordnung vom 24. Juli aufzuheben. Die bayerischen Rechtskräfte verziehen Lerchenfeld dieses Zurückweichen nicht. Am 2. November mußte er zurücktreten. Sein Nachfolger wurde am 8. November Eugen Ritter von Knilling, der für die Vaterländischen Verbände und Hitlers Nationalsozialisten noch sehr viel mehr Verständnis aufbrachte als sein Vorgänger.

Die Wirkungen des Republikschutzgesetzes blieben weit hinter dem zurück, was die Weimarer Parteien unter dem Eindruck des Mordes an Rathenau angestrebt hatten. Die Richter hatten nun zwar Handhaben, um gegen verfassungsfeindliche Bestrebungen vorzugehen, aber die dazu nötige Entschlossenheit konnte das Gesetz nicht erzwingen. Die obrigkeitsstaatlich geprägte Justiz beurteilte politische Straftäter von rechts in der Regel sehr viel milder als solche von links. Durchaus typisch war der Fall jenes Gerichts, das zunächst einen Kommunisten, der von „Räuberrepublik" gesprochen hatte, auf vier Wochen ins Gefängnis schickte, einen Angeklagten aus völkischen Kreisen, der das Schimpfwort „Judenrepublik" benutzt hatte, aber lediglich zu 70 Mark Geldstrafe verurteilte. Bayerische Gerichte ließen die Bezeichnung „Saurepublik" ungesühnt, weil dies in bayerischer Mundart keine Beschimpfung sei. „Schwarz-Rot-Gelb", „Schwarz-Rot-Mostrich" oder „Schwarz-Rot-Hühnereigelb" durfte man die Reichsfarben nennen, ohne mit Bestrafung rechnen zu müssen. Ein Bürger, der von „Schwarz-Rot-Scheiße" sprach, wurde in der ersten Instanz freigesprochen, im Berufungsverfahren zu einer Geldstrafe von 30 Mark verurteilt.[44]

Knapp drei Wochen nach dem Mord an Rathenau sah sich die preußische Regierung genötigt, einen nach Marburg einberufenen allgemeinen Studententag zu verbieten, weil sie nach den bisherigen Äußerungen der Veranstalter mit öffentlichen Rechtfertigungen des Attentats rechnete. Die völkische Richtung innerhalb der Deutschen Studentenschaft wich daraufhin ins bayerische Würzburg aus. Die dort beschlossene Verfassung sah vor, daß die Studentenschaft außer Reichsangehörigen auch Deutsch-Österreichern und Auslandsdeutschen „deutscher Abstammung und Muttersprache" offenstand, womit ein erster Schritt zu einem „Arierparagraphen" getan war. Die demokratische Minderheit, das Kartell der republikanischen Studentenschaft, tagte Anfang August in Jena. Zu ihren Forderungen gehörte die „Maßregelung derjenigen Dozenten, die ihr Lehramt zu antirepublikanischer Propaganda oder Parteiagitation oder ihrer Duldung mißbrauchen". Die Zahl der Fälle, in denen antirepublikanische Hetze vom Katheder tatsächlich geahndet wurde, war jedoch verschwindend gering. Die deutschen Universitäten blieben wie die Justiz Hochburgen der Republikfeindschaft.[45]

Auch im kirchlichen Bereich begegnete der Staat von Weimar nach wie vor starken Vorbehalten. Das galt vor allem für die kirchentreuen Protestanten, von denen viele sich mit dem Sturz der Monarchie nicht abgefunden hatten. Die Haltung der Amtskirche brachte ein geläufiger Reim auf die Formel: „Die Kirche ist politisch neutral – aber sie wählt deutschnational". Ähnlich wie die DNVP verurteilte der Deutsche Evangelische Kirchenausschuß im Juli 1922 den Mord an Rathenau als „ungeheure Freveltat", stellte aber zugleich die Siegermächte als die eigentlichen Urheber des Verbrechens hin: „Wir klagen unsere Feinde an, daß ihre Verblendung unser Volk in eine Schmach und Not stieß, aus der alle Geister des Abgrunds aufsteigen".

Die katholische Kirche war innerlich weniger an die Monarchie gebunden als die evangelische, aber wie stark die Distanz zum republikanischen Staat auch hier war, machte in den letzten Augusttagen der Deutsche Katholikentag in München deutlich. Der Erzbischof von München und Freising, Kardinal Faulhaber, verurteilte die Revolution vom November 1918 als „Meineid und Hochverrat" und nannte sie eine „Untat", die nicht um einiger Erfolge willen, die sie den Katholiken gebracht habe, „heiliggesprochen" werden dürfe. Als der Präsident des Katholikentages, der Kölner Oberbürgermeister Konrad Adenauer, sich in seiner Schlußansprache von Faulhaber distanzierte, wurde die innere Spaltung des katholischen Milieus auch nach außen sichtbar. Reichskanzler Wirth nahm an dem Treffen nicht teil. Deutschnationale bayerische Katholiken hatten ihm öffentlich empfohlen, sich in München nicht blicken zu lassen, und es wäre mit Sicherheit zu einem Eklat gekommen, hätte Wirth, wie im Jahr zuvor auf dem Katholikentag in Frankfurt, im August 1922 in der bayerischen Hauptstadt ein entschiedenes Bekenntnis zur Republik abgelegt.[46]

Der Reichskanzler und sein Kabinett waren sich durchaus darüber im klaren, wie schlecht es um die republikanische Gesinnung in Deutschland bestellt war. Im Sommer 1922 unternahm die Reichsregierung daher einige Versuche, die darauf abzielten, ein staatliches Gemeinschaftsbewußtsein zu entwickeln und damit dem strafrechtlichen einen positiven Republikschutz zur Seite zu stellen. So verständigte sich das Kabinett am 1. Juli auf Vorschlag des sozialdemokratischen Innenministers Adolf Köster darauf, den 11. August, den Tag der Unterzeichnung der Weimarer Verfassung, zum gesetzlichen Feiertag zu machen. Die Widerstände in einigen Ländern waren jedoch so stark, daß der entsprechende Gesetzentwurf im Reichsrat hängen blieb und in der laufenden Legislaturperiode nicht mehr verabschiedet werden konnte. Spätere Anläufe waren ebensowenig erfolgreich. Da der 11. August in die Ferienzeit fiel, nahmen auch die meisten Schulen, amtlichen Erlassen zum Trotz, vom Verfassungstag kaum Notiz. Zumindest an den höheren Schulen hätten freilich auch Verfassungsfeiern keine Wende zum Besseren bewirkt: Wie die Universitäten blieben die meisten Gymnasien in den Weimarer Jahren gegen republikanische Einflüsse weithin immun.

Eine andere Initiative Kösters führte hingegen, vordergründig jedenfalls, zum Ziel: In einem Aufruf zum 11. August 1922 erklärte der Reichspräsident das Deutschlandlied zur Nationalhymne. Das Lied Hoffmann von Fallerslebens solle nicht als Ausdruck nationalistischer Überhebung dienen, erläuterte Ebert. „Aber so wie einst der Dichter, so lieben wir heute ‚Deutschland über alles'. In Erfüllung seiner Sehnsucht soll unter den schwarz-rot-goldenen Fahnen der Sang von Einigkeit und Recht und Freiheit der festliche Ausdruck unserer vaterländischen Gefühle sein." Die Hoffnung, das Deutschlandlied werde den Farben der Republik zu mehr Popularität verhelfen, erfüllte sich jedoch nicht. Wer die erste Strophe dieses Liedes sang, wurde dadurch noch nicht zum Republikaner, und umgekehrt fiel es den Republikanern in der Arbeiterschaft schwer, in ein Lied einzustimmen, das, ungeachtet seiner demokratischen Herkunft, mittlerweile eher zu einem Erkennungszeichen der schwarz-weiß-roten Rechten geworden war.[47]

Zu den längerfristigen Auswirkungen des Mordes an Walther Rathenau gehörten einschneidende Veränderungen des deutschen Parteiensystems. Parallel zu den Verhandlungen über das Republikschutzgesetz liefen in Berlin

Gespräche über eine Erweiterung der bestehenden Minderheitskoalition. Die Sozialdemokraten forderten am 28. Juni die Einbeziehung der USPD, um so die verfassungsändernde Mehrheit für das von der Regierung eingebrachte Gesetz zu sichern. Die Unabhängigen seien, so begründete Hermann Müller diesen Vorstoß, seit dem Tod Rathenaus in „ihrer Auffassung umgewandelt" und zur „positiven Mitarbeit bereit". Die bürgerlichen Koalitionspartner, Zentrum und DDP, wiesen Müllers Forderung nicht grundsätzlich ab, drängten aber nun ihrerseits, um ein sozialistisches Übergewicht im Kabinett zu verhindern, die DVP, in die Regierung einzutreten.

Eine solche Große Koalition hatten die Mehrheitssozialdemokraten bereits im September 1921 für grundsätzlich möglich erklärt. Inzwischen war aber die USPD stärker an die Mehrheitspartei herangerückt, was dem linken Flügel der SPD Auftrieb gab, der einem Regierungsbündnis mit der Deutschen Volkspartei schroff ablehnend gegenüberstand. Wenn die Sozialdemokraten die Parteispaltung des Jahres 1917 überwinden wollten, und dafür waren die Aussichten noch niemals so günstig gewesen wie im Sommer 1922, konnten sie sich nicht gleichzeitig auf eine Zusammenarbeit mit der unternehmernahen Partei Gustav Stresemanns einlassen. Am 14. Juli schlossen sich die beiden Reichstagsfraktionen von SPD und USPD zu einer Arbeitsgemeinschaft zusammen. Fünf Tage später bildeten daraufhin Zentrum, DDP und DVP eine „Arbeitsgemeinschaft der verfassungstreuen Mitte". Die Bemühungen um eine Große Koalition waren damit noch nicht definitiv gescheitert, mußten aber zunächst einmal vertagt werden.[48]

Die Arbeitsgemeinschaft der beiden sozialdemokratischen Reichstagsfraktionen war nur die Vorstufe zum Zusammenschluß der beiden Parteien. Die USPD war seit ihrer Spaltung im Herbst 1920 „objektiv" nach rechts gerückt; daran hatte sich auch nichts geändert, als sich ihr im März 1922 die meisten der in der Kommunistischen Arbeitsgemeinschaft organisierten Dissidenten um den ehemaligen Vorsitzenden der KPD, Paul Levi, anschlossen. Am 29. August vereinbarten die Parteivorstände von SPD und USPD, die Vereinigung der beiden Parteien durch ein gemeinsames Aktionsprogramm vorzubereiten. Am 4. September wurde dieses Programm beschlossen und zwei Tage später veröffentlicht. Es war sehr viel klassenkämpferischer und antikapitalistischer gehalten als das ein Jahr zuvor von der Mehrheitspartei in Görlitz verabschiedete Programm, und in der Tat war die Absage an ebendieses Dokument eine der Vorbedingungen, die die USPD an den Zusammenschluß mit der SPD geknüpft hatte.

Das neue Aktionsprogramm wurde zunächst auf getrennten Parteitagen und dann, am 24. September 1922, auf einem gemeinsamen Parteitag in Nürnberg verabschiedet. Durch die Vereinigung mit den Unabhängigen rückte die SPD ein kräftiges Stück nach links. Die Zahl ihrer Mitglieder und ihrer Parlamentsmandate wuchs erheblich, aber zugleich verringerte sich ihr politischer Handlungsspielraum. Die Zusammenarbeit mit den gemäßigten bürgerlichen Parteien fiel der SPD fortan sehr viel schwerer als bisher, weil ihre Führung sich nun nicht mehr über jene hinwegsetzen konnte, die eine Verständigung mit dem „Klassenfeind" grundsätzlich ablehnten und allenfalls ausnahmsweise für erlaubt hielten. Die Militanz der radikalen Rechten hatte den Zusammenschluß der gemäßigten Linken unausweichlich gemacht, aber die Polarisierung zwischen links und rechts verhinderte zugleich, daß Weimar aus der Konzentration der Kräfte links von der Mitte Nutzen zog: Das war das paradoxe Ergebnis jener teilweisen Überwindung der Spaltung innerhalb der deutschen Arbeiterbewegung, die sich im Frühherbst 1922 vollzog.[49]

Auch auf der Rechten führte die Ermordung Rathenaus zu einer Umgruppierung der politischen Kräfte. In den Reichstagsdebatten nach dem Attentat waren die Deutschnationalen immer wieder scharf angegriffen worden, weil sie in ihrer Fraktion rabiate Antisemiten wie die Abgeordneten Wilhelm Henning, Reinhold Wulle und Albrecht von Graefe duldeten. Für die Parteiführung um den ehemaligen preußischen Finanzminister Oskar Hergt war klar, daß eine Distanzierung von den radikalsten Vertretern des völkischen Flügels unumgänglich war, wenn die Partei sich nicht die Möglichkeit verbauen wollte, eines Tages in einem antisozialdemokratischen Bürgerblock Regierungsverantwortung zu übernehmen. Hennings Hetzartikel gegen Rathenau in der „Konservativen Monatsschrift" gab dem Parteivorstand Anlaß, im Juli seinen Ausschluß aus der DNVP zu fordern. Die endgültige Entscheidung wurde der Reichstagsfraktion überlassen, die sich mit dem Ausschluß aus ihren Reihen begnügte, einen Parteiausschluß indes nicht für erforderlich hielt. Henning antwortete am 1. August mit einem Flugblatt, in dem er Hergt scharf angriff. Gleichzeitig erhielt er Unterstützung von seinen wichtigsten Mitstreitern: Wulle und Graefe solidarisierten sich mit ihm und wurden daraufhin ebenfalls aus der Fraktion ausgeschlossen.

Im September gründeten die extremen Rechten eine „Deutschvölkische Arbeitsgemeinschaft" und leiteten damit die organisatorische Abspaltung von der DNVP ein. Auf dem Görlitzer Parteitag im Oktober hob Hergt hervor, daß die antisemitische Grundeinstellung der DNVP außerhalb jeder Debatte stehe. Zugleich aber setzte die Parteiführung eine neue Satzung durch, die Sondergründungen nach Art der Deutschvölkischen Arbeitsgemeinschaft mit dem Parteiausschluß bedrohte, sofern diese eine eigene parlamentarische Vertretung erstrebten. Da sich auch Kuno Graf Westarp – ein Vertreter der alten Deutschkonservativen Partei, der inhaltlich den völkischen Positionen durchaus nahestand – auf die Seite Hergts schlug, waren Henning und seine Freunde isoliert.

Kurz nach dem Parteitag zogen die Deutschvölkischen die Konsequenz aus ihrer Niederlage und zeigten dem Reichstagspräsidenten die Bildung einer eigenen Gruppe an. Im Dezember 1922 gründeten sie die Deutschvölkische Freiheitspartei. Eine ihrer stärksten Bastionen wurde München, wo sich ihnen der Kreisverein der Deutschnationalen anschloß. In der bayerischen Hauptstadt fanden die Deutschvölkischen ein Klima vor, in dem sie besonders üppig gedeihen konnten – freilich auch eine organisatorische Konkurrenz, die sie an Judenhaß nicht zu übertreffen vermochten: die Nationalsozialistische Deutsche Arbeiterpartei Adolf Hitlers. Die von ihrem radikal völkischen Ballast befreite DNVP aber war im Herbst 1922 ihrem wichtigsten Ziel ein Stück nähergekommen: der Einbeziehung in eine Mitte-Rechts-Kombination, die eine Politik ohne und gegen die Sozialdemokratie gewährleisten sollte.[50]

Auch für die Entwicklung der deutschen Inflation bedeutete der Mord an Rathenau einen Einschnitt. Seit dem 10. Juni – dem Tag, an dem eine Sitzung des interalliierten Anleiheausschusses in Paris zu Ende ging – gab es keinen Zweifel mehr, daß der Versuch der Regierung Wirth, eine Auslandsanleihe aufzunehmen, am Widerstand Frankreichs gescheitert war. Am 13. Juni zog das Kabinett die Konsequenz und beschloß, die Mark über eine innere Stützungsaktion zu stabilisieren. Hiergegen hatte jedoch die Reichsbank – die auf Grund alliierten Drucks durch ein Gesetz vom 26. Mai 1922 den Status voller Autonomie erlangt hatte – schwere Bedenken. Reichsbankpräsident Havenstein weigerte sich, mit dem Einsatz von 50 bis 60 Millionen Goldmark in Devisen die Währung zu stützen, und behauptete, eine solche Intervention würde nur das Mißtrauen der Anleihekommission wecken. Die Stützungsaktion, zu der die Reichsbank sich schließlich durchrang, half zwar, den Dollarkurs einige Tage lang zu halten, reichte aber nicht aus, ihn zu senken. Selbst diese bescheidene Aktion geriet sofort unter den Beschuß der schwerindustriellen Kreise um Stinnes, die von der Kreditpolitik der Reichsbank bislang kräftig profitiert hatten: Sie erklärten die Stützungsmaßnahmen für verfehlt und bezeichneten die Inflation als die einzige Waffe Deutschlands im Kampf gegen die Arbeitslosigkeit. Die Ermordung Rathenaus zerstörte dann schlagartig, was an Vertrauen in die Mark noch vorhanden war, und beraubte damit die Stützungsaktion der Reichsbank jeder Wirkung: In- und Ausländer stießen panikartig Markguthaben ab; die Kapitalflucht nahm gigantische Ausmaße an. Zur gleichen Zeit wirkte sich die konjunkturelle Erholung in den anderen Industrieländern zuungunsten Deutschlands aus: Der deutsche Export verlor die „Prämie", die der Niedergang der Produktion in der übrigen Welt seit 1920 für ihn bedeutet hatte. Der Wechselkurs der Mark, der im Mai 1922 noch bei 69,11 für einen Dollar gelegen hatte, sank von 75,62 im Juni auf 117,49 im Juli und 270,26 im August, bis im Dezember 1922 die Marke von 1807,83 erreicht wurde. Deutschland war in die erste Phase der Hyperinflation eingetreten.

In gewisser Weise bedeutete der rapide Verfall der Mark einen „Erfolg" der Wirthschen Erfüllungspolitik: Die Regierung Lloyd George war mittlerweile davon überzeugt, daß Deutschland bis an den äußersten Rand des Möglichen gegangen war, um seinen Pflichten gegenüber den Alliierten zu genügen, und nunmehr eines längerfristigen Moratoriums und einer Ermäßigung der Reparationslast bedurfte, um wirtschaftlich wieder zu Kräften zu kommen. Aber Poincaré, seit dem Vertrag von Rapallo von der Unaufrichtigkeit der Regierung Wirth überzeugt, ließ sich nicht von seiner These abbringen, daß Deutschland seine Währung bewußt ruiniere, um sich den Reparationspflichten zu entziehen. Das Ringen um ein Moratorium, das mit einer deutschen Note vom 8. Juli begann, endete in den letzten Augusttagen damit, daß dem Reich lediglich ein Aufschub des Fälligkeitstermins seiner Zahlungen für 1922 um sechs Monate gewährt wurde – was im folgenden Jahr zu einer noch ernsteren Finanzkrise führen mußte.

Für die Organisationen der Arbeitnehmer stand seit langem fest, daß die Reparationsfrage nur im Zusammenhang mit einer Stabilisierung der Mark gelöst werden konnte und eine Festigung der Währung nicht ohne Belastung des Sachwertbesitzes zu erreichen war. Die Unternehmer hingegen, die bis zum Auslaufen der deutschen Inflationskonjunktur im Spätsommer 1922 aus der Geldentwertung Nutzen gezogen hatten, wollten den Markverfall bis zu dem Punkt weiterlaufen lassen, wo eine Neuregelung der Reparationen *und* der geltenden Arbeitszeit erzwungen werden konnte. Ein wirtschaftlicher Neuanfang setzte aus der Sicht der Großindustrie beides voraus: eine möglichst weitgehende Beseitigung der kriegsbedingten Zahlungen an das Ausland und die Preisgabe des Achtstundentages beziehungsweise der Siebenstundenschicht im Bergbau. Die Arbeitgeber konnten argumentieren, daß eine Bedingung, an die sie dieses Zugeständnis im November 1918 geknüpft hatten, bisher nicht erfüllt war: die internationale Einführung einer täglichen Arbeitszeit von acht Stunden. Sie konnten außerdem darauf verweisen, daß eine niedrige Arbeitszeit sich nicht mit den besonderen Lasten vertrug, die der Friedensvertrag Deutschland auferlegte. Aus diesen Gründen sahen die Unternehmer in den Überschichtenabkommen im Bergbau, die im Februar 1920 und August 1922 mit den Gewerkschaften ausgehandelt worden waren, nur Abschlagszahlungen auf eine allgemeine Rückkehr zu längeren Arbeitszeiten.

Hugo Stinnes, der die Inflation für den Aufbau eines wahren Industrieimperiums genutzt hatte, demonstrierte im Herbst 1922 sowohl in der Reparations- wie in der Arbeitszeitfrage, wie sehr das politische Gewicht und das Selbstbewußtsein des Unternehmerlagers seit der Revolution wieder gewachsen waren. Anfang September schloß er mit dem französischen Industriellen Baron Jean de Lubersac ein Abkommen über Sachlieferungen, das über die ein Jahr zuvor getroffenen Wiesbadener Abrede zwischen Rathenau und Loucheur noch erheblich hinausging. Der neue Vertrag war zunächst einmal für Stinnes' eigenen Konzern ein lukratives Geschäft. Aber auch für das Reich warf das Abkommen Vorteile ab, und zwar nicht zuletzt deswegen, weil die getätigten Leistungen sofort auf das Reparationskonto angerechnet wurden. Eine grundsätzliche Änderung der französischen Haltung konnte freilich auch Stinnes mit seiner Privataußenpolitik nicht erreichen: Frankreich beharrte weiterhin darauf, Deutschland gegebenenfalls durch militärische Gewalt zur Einhaltung seiner Reparationspflichten zu zwingen.[51]

Seine Vorstellungen von einer wirtschaftlichen Stabilisierung entwickelte

Stinnes zuerst Ende Oktober gegenüber dem amerikanischen Botschafter Houghton, dann, ausgerechnet am 9. November 1922, dem vierten Jahrestag der Revolution, vor dem Reichswirtschaftsrat. Zu den Kernpunkten gehörte die Forderung, die Arbeiter sollten 10 bis 15 Jahre lang, und zwar ohne besonderen Lohnzuschlag, täglich zwei Stunden länger arbeiten. Auf die Dauer von mindestens fünf Jahren sollten Streiks in „lebensnotwendigen" Betrieben verboten und als strafbare Handlung verfolgt werden. Stabilisierung hieß für Hugo Stinnes also vor allem Mehrarbeit und Disziplinierung der Arbeiterschaft. Mit diesem Programm konnten sich weder die Reichsregierung noch Stinnes' eigene Partei, die DVP, noch der Reichsverband der Deutschen Industrie identifizieren. Aber bereits Ende 1922 begannen die Montanindustriellen, in Abstimmung mit dem Reichsarbeitsministerium, die Löhne der Bergleute abzubauen. Die wirtschaftliche Katastrophe, die mit der Hyperinflation begann, wurde so zur Geburtshelferin einer Stabilisierung, wie sie seit langem vor allem der Schwerindustrie vorgeschwebt hatte: einer grundsätzlichen Revision jener Zugeständnisse an die Arbeiterschaft, zu denen die Revolution von 1918/19 die Unternehmer genötigt hatte.[52]

Bei den Gewerkschaften, Sozialdemokraten und Kommunisten lösten Stinnes' Vorschläge einen Sturm der Empörung aus. Da Stinnes ein Reichstagsmandat der Deutschen Volkspartei innehatte, konnten seine Äußerungen auch als Anzeichen dafür gewertet werden, daß der schwerindustrielle Flügel der DVP sich einer Großen Koalition widersetzen würde, über die seit Ende Oktober auf Vorschlag Wirths wieder verhandelt wurde. An einer solchen Erweiterung des Regierungsbündnisses waren Zentrum und DDP schon deswegen interessiert, weil sich seit der Vereinigung von SPD und USPD die Gewichte innerhalb der Koalition stark nach links verlagert hatten. Die DVP hatte ihrerseits eine wichtige Vorleistung für einen Eintritt in das Kabinett bereits erbracht: Auf Betreiben Stresemanns sorgte die Volkspartei am 24. Oktober dafür, daß der Reichstag mit der erforderlichen Zweidrittelmehrheit die Amtszeit des (formell immer noch vorläufigen) Reichspräsidenten Friedrich Ebert bis zum 30. Juni 1925 verlängerte. Damit wurde die für Anfang Dezember 1922 vorgesehene Direktwahl durch das Volk überflüssig, die beide liberalen Parteien aus Sorge um den inneren Frieden lieber vermeiden wollten. Am 26. Oktober gelang es Wirth in einer Besprechung der Parteiführer der Koalition und der DVP, eine Kommission zu bilden, die sich um eine gemeinsame Plattform für die anstehenden wirtschaftspolitischen Entscheidungen, namentlich in der Reparationsfrage, bemühen sollte. Für die DVP trat einer der Architekten der Zentralarbeitsgemeinschaft vom November 1918, der Elektroindustrielle Hans von Raumer, in diese Kommission ein, für die SPD Rudolf Hilferding, der bis September noch Mitglied der USPD gewesen war und seit dem Erscheinen seines Buches „Das Finanzkapital" im Jahre 1910 einen weltweiten Ruf als einer der führenden marxistischen Theoretiker genoß.

Für die Arbeit der Kommission war es von großer Bedeutung, daß Anfang November eine von der Reichsregierung eingeladene internationale Expertengruppe in Berlin über das Reparationsproblem beriet. Zu dieser Gruppe gehörte auch der englische Wirtschaftswissenschaftler John Maynard Keynes, der seit der Veröffentlichung seiner Schrift über die wirtschaftlichen Folgen des Friedensvertrages im Jahre 1922 als Kritiker der Reparationen bekannt war. Keynes und andere, ihm gleichgesinnte Sachverständige wie der schwedische Finanzwissenschaftler Gustav Cassel hielten eine Neuregelung der Reparationsfrage für unumgänglich, betonten aber, daß die Reichsbank angesichts ihrer immer noch großen Goldreserven durchaus in der Lage sei, sich wirkungsvoll an Stützungsmaßnahmen für die Mark zu beteiligen. In diesem letzteren Punkt kamen Keynes und Cassel zu einem Ergebnis, das der Linie der Reichsbank wie auch der Schwerindustrie diametral widersprach, dafür aber sich ganz mit den Ansichten der Sozialdemokraten deckte.

Die Reichsregierung, inzwischen überzeugt, daß sie um konkrete Vorschläge zur Lösung des Reparationsproblems nicht mehr herumkam, knüpfte in einer Note an die Reparationskommission vom 4. November an das Gutachten von Keynes und seinen Kollegen an – allerdings vorerst noch in sehr allgemeiner Form und ohne jeden Hinweis darauf, daß die Reichsbank sich an Stützungsmaßnahmen beteiligen sollte. Die interfraktionelle Kommission hingegen ging sehr viel weiter. Sie verständigte sich auf eine Reihe von wirtschafts- und finanzpolitischen Maßnahmen, die der Regierung als Material für ihre Reparationsnote vom 13. November dienten. Die Kommission unterbreitete unter anderem Vorschläge für die Verminderung der Ausgaben und Vermehrung der Einnahmen, wodurch der Reichshaushalt ausgeglichen werden sollte, aber auch Anregungen zur Produktionssteigerung, darunter – und das war die eigentliche Sensation – eine Neuregelung des Arbeitszeitrechts „unter Festlegung des 8-Stunden-Tages als Normalarbeitstages und unter Zulassung gesetzlich begrenzter Ausnahmen auf tariflichem oder behördlichem Wege". Die Kommission stellte damit eine der wichtigsten sozialen Errungenschaften des November 1918 zwar nicht gänzlich zur Disposition, empfahl aber doch, zumindest für Teilbereiche der Wirtschaft, eine zeitweilige Mehrarbeit, um auf diese Weise die Sanierung der Finanzen, den wirtschaftlichen Wiederaufbau Deutschlands und einen friedlichen Ausgleich mit seinem Nachbarn zu ermöglichen.

Die Reparationsnote der Regierung Wirth vom 13. November 1922, die diese Vorschläge aufnahm, stellte erstmals auch großangelegte Stützungsmaßnahmen der Reichsbank in Aussicht: Falls eine internationale Anleihe 500 Millionen Goldmark erbringe, werde die Reichsbank sich mit einem gleich hohen Betrag an der Aktion beteiligen. Außer den Vorsitzenden der Koalitionsparteien stimmten auch die Vertreter der DVP der Note zu. Der Grund für eine Regierung der Großen Koalition schien gelegt – aber die Illusion währte nur einen Tag. Am 14. November entschied sich die Fraktion der Vereinigten Sozialdemokratischen Partei Deutschlands (so nannte sich die Partei seit dem Nürnberger Parteitag vom September) mit Dreiviertelmehrheit gegen eine Große Koalition. Für ein solches Bündnis hatte sich Preußens Ministerpräsident Otto Braun eingesetzt, aber er stand mit diesem Votum auf verlorenem Posten. Die Parteiführung wollte es nicht auf eine Zerreißprobe mit den ehemaligen Unabhängigen ankommen lassen, von denen die meisten, anders als Hilferding, ein Zusammengehen mit der industriefreundlichen DVP nach wie vor strikt ablehnten.

Noch am gleichen Tag trat Joseph Wirth, einer Verabredung der Mittelparteien entsprechend, von seinem Amt als Reichskanzler zurück. Zu seinem Nachfolger ernannte Reichspräsident Ebert am 22. November 1922 den parteilosen Generaldirektor der Hamburg-Amerika-Linie und ehemaligen Geheimen Oberregierungsrat Wilhelm Cuno, einen 1876 im thüringischen Suhl geborenen Katholiken, der politisch deutlich rechts von der Mitte stand. Ebert mochte hoffen, ein erfahrener Wirtschaftsexperte an der Spitze des Kabinetts werde sowohl das deutsche Unternehmertum stärker an den neuen Staat heranführen als auch im Ausland einen guten Eindruck machen. Cunos politischer Standort mochte aus dieser Sicht sogar als ein Aktivposten erscheinen.

Der neue Reichskanzler stand einem Kabinett vor, dem – außer ihm selbst – vier weitere Parteilose angehörten: Außenminister Frederic von Rosenberg, ein Berufsdiplomat; Ernährungsminister Hans Luther, zuvor Oberbürgermeister von Essen; der frühere Generalquartiermeister Wilhelm Groener, der wie schon unter Fehrenbach und Wirth das Verkehrsministerium übernahm; schließlich Schatzminister Heinrich Albert, der von Februar 1919 bis Mai 1921 Staatssekretär der Reichskanzlei gewesen war. Die übrigen Minister waren Mitglieder von Zentrum, BVP, DDP und DVP. Keine Weimarer Regierung hatte einem Beamtenkabinett der monarchischen Zeit derart ähnlich gesehen wie die Ministermannschaft Cunos, und noch nie zuvor war die Auswahl des Reichskanzlers so sehr eine Entscheidung des Reichspräsidenten gewesen wie im November 1922. Mit einer Portion Zuspitzung könnte man die bürgerliche Minderheitsregierung Cuno also das erste, wenn auch noch verdeckte Präsidialkabinett der Weimarer Republik nennen. Daß es zu diesem Rückfall in den Obrigkeitsstaat kam, läßt sich nicht nur auf einen Fehlgriff Eberts zurückführen. Der tiefere Grund war ein Versagen der Sozialdemokratie, der eigentlichen Staatspartei der Republik: Sie hatte sich aus Sorge um ihren Zusammenhalt als Partei einer parlamentarischen Krisenlösung verweigert und damit die präsidiale Lösung erst möglich gemacht.[53]

8.

Die vermiedene Katastrophe

Die Regierungserklärung, die Wilhelm Cuno am 24. November 1922 im Reichstag abgab, stand ganz im Zeichen von Kontinuität. Das galt vor allem für die Außenpolitik: Der neue Reichskanzler stellte sich vorbehaltlos auf den Boden der Note vom 13. November, in der die Regierung Wirth den Alliierten erstmals konkrete deutsche Vorschläge zur Lösung des Reparationsproblems unterbreitet hatte. Dieses Bekenntnis war ein Brückenschlag zur Sozialdemokratie, von der das Schicksal der Regierung abhing: Da eine einseitige Anlehnung an die Deutschnationalen schon aus außenpolitischen Gründen nicht in Frage kam, war das Kabinett auf die Duldung durch die mit Abstand größte Fraktion angewiesen. Dessenungeachtet wollten zahlreiche ehemalige Unabhängige die Partei auf einen unbedingten Oppositionskurs gegenüber Cuno festlegen. Wären die Sozialdemokraten dieser Linie gefolgt, hätten sie sich unweigerlich und zu Recht dem Vorwurf ausgesetzt, sie trieben Obstruktionspolitik und machten Deutschland regierungsunfähig. Die Mehrheit sah diese Gefahr und konnte sich nach heftiger Debatte durchsetzen. Am 25. November stimmte die SPD einem Antrag der DDP zu, wonach der Reichstag die Erklärung des Kanzlers lediglich „zur Kenntnis" nahm, es aber ausdrücklich billigte, daß die Regierung die Note vom 13. November zur Grundlage ihrer Politik machen wolle. Mit der Zustimmung zu diesem verklausulierten Vertrauensvotum für Cuno begann die Tolerierung des „rechtesten" aller bisherigen Weimarer Kabinette durch die Sozialdemokratie.[1]

Die erste alliierte Regierung, die auf die deutsche Reparationsnote und die Regierungserklärung Cunos reagierte, war die französische. Am 27. November ließ Poincaré eine offiziöse Stellungnahme veröffentlichen, die die deutsche Forderung nach einem drei- bis vierjährigen Moratorium für alle Bar- und Sachlieferungen schroff zurückwies und als Antwort die Besetzung von zwei Dritteln des Ruhrgebiets einschließlich Bochums und Essens androhte. Das britische Kabinett, seit Ende Oktober 1922 von dem Konservativen Andrew Bonar Law geführt, hielt eine derartige Sanktion zwar für abenteuerlich und ließ das Paris auch wissen; der Reichsregierung gegenüber erklärte der neue Premierminister jedoch, die deutschen Vorschläge wiesen keinen befriedigenden Ausweg aus der Reparationskrise. Noch bevor eine Entscheidung über den deutschen Moratoriumsantrag fiel, kam es über einer vergleichsweise unerheblichen Einzelfrage zur Eskalation des Konflikts. Am 2. Dezember beantragte die Reichsregierung, die Frist für die Holzlieferungen, die nach dem Versailler Vertrag bis Ende 1922 fällig waren, bis zum 1. April 1923 zu verlängern. Am 26. Dezember stellte die Reparationskommission gegen die Stimme des britischen Vertreters eine schuldhafte Verfehlung Deutschlands bei der Lieferung von Schnittholz und Telegrafenstangen fest. Die juristische Begründung für den Einmarsch ins Ruhrgebiet war damit geschaffen.

Die deutschen Versäumnisse, die in die Zeit des vorangegangenen Kabinetts zurückreichten, paßten gut zu der von Wirth am 16. August 1922 ausgegebenen, von Cuno in seiner Regierungserklärung wiederholten Parole „Erst Brot, dann Reparationen!“. Angesichts der Vollbeschäftigung, die in Deutschland noch bis zum Herbst 1922 herrschte, hätten sich, den entsprechenden politischen Willen vorausgesetzt, die Lieferpflichten für Holz und Kohle zwar durchaus erfüllen lassen. Aber es entsprach der Absicht Wirths und erst recht seines Nachfolgers, den Alliierten klarzumachen, daß die Grenzen der deutschen Leistungskraft bereits überschritten waren, und insoweit hatten die Lieferrückstände eine politische Funktion.

Auf der anderen Seite waren die deutschen Verstöße für Poincaré bloß ein Vorwand, um weitergesteckte Ziele zu verfolgen. Der Entschluß zur Besetzung des Ruhrgebiets war bei ihm im Sommer 1922 gereift und ohne den Schock von Rapallo nicht zu erklären. Der deutsch-russische Vertrag hatte den Ministerpräsidenten davon überzeugt, daß Deutschland auf den Umsturz der Nachkriegsordnung hinarbeitete. Dazu kam die Einsicht, daß der Vertrag von Versailles die deutsche Wirtschaftskraft keineswegs nachhaltig geschwächt, vielmehr der rheinisch-westfälischen Industrie die Möglichkeit belassen hatte, ihrerseits Frankreich durch Boykott von lothringischem Eisenerz schweren wirtschaftlichen Schaden zuzufügen. In beiderlei Hinsicht versprach eine Okkupation des Ruhrbeckens wirksame Abhilfe. Wenn Frankreich das wichtigste deutsche Industrierevier mit seinen großen Kohlevorkommen unter seine Kontrolle brachte, konnte es hoffen, doch noch zu erreichen, was ihm 1919 von den Angelsachsen verwehrt worden war: die Abtrennung des Rheinlands vom Deutschen Reich. Gelang das, hatte Frankreich endgültig Sicherheit vor seinem östlichen Nachbarn und zugleich ein Unterpfand seiner eigenen Vormachtstellung auf dem europäischen Kontinent.

Kurz vor Ende des Jahres 1922 kam noch ein Signal aus den Vereinigten Staaten, das einen Augenblick lang die Möglichkeit eines friedlichen Ausgleichs zu eröffnen schien: Am 29. Dezember schlug Außenminister Hughes vor der amerikanischen Historikergesellschaft in New Haven die Berufung einer internationalen Sachverständigenkommission vor, die die wirtschaftliche Leistungsfähigkeit Deutschlands prüfen und auf dieser Grundlage die Reparationen neu festsetzen sollte. Ein amerikanisches Entgegenkommen in der Frage der interalliierten Schulden – und das hieß in erster Linie: der französischen Schulden gegenüber den USA – stellte Hughes allerdings nicht in Aussicht, und damit war es von vornherein unwahrscheinlich, daß sein Vorstoß Frankreich zu einer Kursänderung veranlassen würde.

Auf einer Reparationskonferenz, die vom 2. bis 4. Januar 1923 in Paris stattfand, wiesen Poincaré und der belgische Ministerpräsident Theunis den von Bonar Law eingebrachten Vorschlag zurück, Deutschland solle nach einem vierjährigen Moratorium von 1927 ab seine Reparationen in Form steigender Jahreszahlungen leisten. Ebenso lehnten sie einen Kompromißvorschlag ab, den die neue – Ende Oktober 1922 an die Macht gekommene – faschistische Regierung Italiens unter Benito Mussolini unterbreiten ließ. Danach hätte Deutschland ein zweijähriges Moratorium gewährt und seine Reparationsschuld auf 50 Milliarden Goldmark herabgesetzt werden sollen. Deutschland selbst erhielt keine Chance, seine Position den Alliierten darzulegen: Dem deutschen Botschafter in Paris wurde es am 4. Januar verwehrt, der Konferenz eine Note der Reichsregierung zu übermitteln. Am gleichen Tag wurde das Treffen ohne Ergebnis abgebrochen. Die Entscheidung über das weitere Vorgehen lag nunmehr bei der Reparationskommission. Am 9. Januar stellte sie, wiederum gegen die Stimme des englischen Vertreters, eine absichtliche Verfehlung Deutschlands bei den Kohlenlieferungen für das Jahr 1922 fest. Die Würfel für die Besetzung des Ruhrgebiets waren endgültig gefallen.[2]

Der Einmarsch französischer und belgischer Truppen erfolgte am 11. Januar. Deutschland reagierte mit einem Aufschrei der Empörung. Reichspräsident und Reichsregierung sprachen in einem Aufruf an das deutsche Volk von einer Tat der Verblendung, die zu verhindern Deutschland die Macht fehle. Im besetzten Gebiet fanden sich Parteien und Verbände zu einer nationalen Abwehrfront zusammen. Die Unternehmer hatten die zentrale Leitung des Ruhrbergbaus, das Rheinisch-Westfälische Kohlensyndikat, unmittelbar vor der Besetzung von Essen nach Hamburg verlegt. Die Gewerkschaften lehnten den von der KPD geforderten Generalstreik in Absprache mit der Reichsregierung ab und befürworteten statt dessen eine Politik des passiven Widerstands gegenüber den Besatzungsmächten. Als Reichskanzler Cuno am 13. Januar im Reichstag gegen den Einmarsch protestierte, spendete ihm fast das ganze Haus Beifall. Ein vom Zentrum eingebrachter Antrag, der der Regierung volle parlamentarische Unterstützung bei der entschlossenen Abwehr der französisch-belgischen Gewaltaktion versprach, wurde mit 284 gegen 12 Stimmen, davon 10 aus den Reihen der KPD, angenommen. Vollständig war die Übereinstimmung zwischen den bürgerlichen Parteien und der Sozialdemokratie jedoch nicht. Von den 16 Abgeordneten, die sich der Stimme enthielten, kamen 13 aus der SPD. 49 Mitglieder der sozialdemokratischen Fraktion, in ihrer Mehrzahl frühere Angehörige der USPD, gaben ihren Dissens dadurch zu erkennen, daß sie an der Abstimmung nicht teilnahmen.[3]

Die Zusammenarbeit zwischen Reichsregierung und Sozialdemokratie wurde dadurch ermöglicht, daß sich auch das Kabinett Cuno auf die Parole des passiven Widerstands festlegte und gewaltsamen Aktionen gegen die fremden Truppen eine Absage erteilte. Die Freien Gewerkschaften, denen bei der Durchführung des passiven Widerstands eine Schlüsselrolle zufiel, rückten seit Januar 1923 so nahe an die Reichsregierung heran, daß man sie, im besetzten Gebiet jedenfalls, schon fast für ein Staatsorgan halten konnte. Die SPD wurde über die preußische Staatsregierung zu einer Art stillem Teilhaber des Reichskabinetts. Preußens Innenminister Severing wirkte insgeheim sogar beim Aufbau der „Schwarzen Reichswehr", der Ausbildung von Zeitfreiwilligen, mit, die die akut bedrohte Sicherheit Deutschlands erhöhen sollten: Durch ein formelles Abkommen, das er am 30. Januar 1923 mit dem Reichswehrministerium schloß, sicherte er den Militärs die Unterstützung preußischer Stellen beim „Landesschutz", besonders an den östlichen Grenzen, zu.

Severing stand, als er diese Vereinbarung traf, unter dem frischen Eindruck eines ernsten Vorfalls im nördlichen Ostpreußen: Am 10. Januar waren litauische Freischärler in das Memelgebiet eingedrungen, das einem alliierten Sonderstatut unterworfen war. Auch von Polen fürchtete man auf deutscher Seite, es könne die Ruhrbesetzung zu einem Angriff auf Deutschland nutzen. Der Sozialdemokrat Severing erwartete freilich auch, das Abkommen werde die Reichswehr daran hindern, in Sachen illegaler Aufrüstung weiterhin mit Privatorganisationen der äußersten Rechten zusammenzuarbeiten. Diese Hoffnung erfüllte sich nicht: Während des Jahres 1923 entstanden zahlreiche, formell aufgelöste Freikorps, von der Reichswehr aktiv gefördert, aufs neue. Frühzeitig stellte die Reichswehr auch Mittel bereit, um im besetzten Gebiet Sabotageakte durchzuführen. Der Chef der Heeresleitung, General von Seeckt, wußte sehr wohl, daß er damit der offiziellen Politik zuwiderhandelte. Aber er konnte auch davon ausgehen, daß zumindest der Reichskanzler für derlei Aktivitäten mehr Verständnis aufbrachte, als er nach außen hin zu erkennen geben durfte.[4]

Die radikale Rechte beteiligte sich freilich keineswegs geschlossen an der nationalen Einheitsfront gegen die Ruhrbesetzung. Die von München aus operierende Nationalsozialistische Deutsche Arbeiterpartei, die im Februar 1920 aus einer kleinen völkischen Gruppierung, der Deutschen Arbeiterpartei, hervorgegangen und mittlerweile, dank der agitatorischen Fähigkeiten ihres „Führers" Adolf Hitler, zu einer der bedeutendsten unter den zahlreichen nationalistischen Kampforganisationen Bayerns aufgestiegen war, stand bewußt beiseite. Am 11. Januar 1923 gab Hitler in einer Versammlung im Zirkus Krone die Parole aus „Nicht nieder mit Frankreich, sondern nieder mit den Novemberverbrechern", womit er die Sozialdemokraten meinte. In den folgenden Wochen bezeichnete die NSDAP das Gerede von der Einheitsfront als Schwindel; erst müßten die „Meuchelmörder" in Deutschland beseitigt sein, ehe gegen Frankreich etwas erreicht werden könne. Parteimitglieder, die dennoch am aktiven Widerstand teilnahmen, wurden als Meuterer aus der NSDAP ausgeschlossen. Die Regierung von Knilling hielt die Kampagne der Nationalsozialisten für so gefährlich, daß sie am 26. Januar kurzerhand den Belagerungszustand über München verhängte und den für die folgenden Tage geplanten Reichsparteitag der NSDAP verbot. Doch damit verhalf sie Hitler nur zu einem spektakulären Triumph: Der Regierungspräsident von

Oberbayern, Gustav von Kahr, und der Landeskommandant von Lossow intervenierten zu seinen Gunsten und veranlaßten die Landesregierung zur Rücknahme des Verbots. Hitler erschien als Sieger über die Staatsgewalt, was sein Ansehen auf der Rechten weiter erhöhte.[5]

Aus der Sicht der Linken waren Hitlers Nationalsozialisten mehr als alle anderen Verbände der radikalen Rechten eine deutsche Entsprechung des italienischen Faschismus, ja dessen deutscher Ableger. Für diese Einschätzung, in der sich Sozialdemokraten und Kommunisten weitgehend einig waren, sprach vieles. Die Nationalsozialisten bekämpften ihren Hauptgegner, die marxistische Arbeiterbewegung, mit der gleichen offen zur Schau getragenen Gewaltsamkeit wie ihr bewundertes Vorbild, die italienischen Faschisten, und ebenso wie diese bekannten sie sich zum radikalen Kampf gegen das bestehende demokratische System. In beiderlei Hinsicht unterschied sich die NSDAP von den Deutschnationalen, die ihre Regierungsfähigkeit unter Beweis stellen wollten und schon darum sehr viel vorsichtiger taktierten. Hitler ließ auch keinen Zweifel daran, daß er die verfassungsmäßige Regierung in Berlin auf ähnliche Weise stürzen wollte, wie Mussolini dies in Italien im Oktober 1922 durch seinen „Marsch auf Rom" getan hatte. Ebenso wie in Italien gab es auch in Deutschland Unternehmerkreise, die die militante Spielart des Antimarxismus finanziell förderten, was Sozialdemokraten und Kommunisten veranlaßte, die Faschisten im allgemeinen und die Nationalsozialisten im besonderen zu einer Hilfstruppe der Kapitalisten zu erklären.

Der Massenanhang der Nationalsozialisten rekrutierte sich überwiegend aus dem „kleinbürgerlichen" Milieu, aus Handwerkern und selbständigen Kaufleuten, Angestellten und Beamten. Aber es entging weder Sozialdemokraten noch Kommunisten, daß die demagogischen Parolen der NSDAP auch Arbeiter ansprachen – vor allem solche, die in kleinen und mittleren Betrieben, in der Landwirtschaft und bei öffentlichen Unternehmungen beschäftigt und von den Arbeiterparteien organisatorisch noch kaum erfaßt worden waren. Der Ruhrkampf bot der nationalsozialistischen Agitation ungewöhnliche Chancen – und keine politische Kraft verstand es so geschickt, das nationale Ressentiment vom äußeren auf den inneren Gegner umzulenken, wie die Nationalsozialisten. Daß die Partei Hitlers Ende 1922 in Preußen, Sachsen und Thüringen und auf Grund eines Urteil des Staatsgerichtshofs in Leipzig vom 15. März 1923 in ganz Deutschland außer Bayern verboten wurde, hemmte ihr Wachstum beträchtlich. Die Erfolge, die sie in der „Ordnungszelle" Bayern errang, waren jedoch so durchschlagend, daß die Linke bereits Anfang 1923 allen Grund hatte, die NSDAP als eine besonders gefährliche Erscheinungsform der Gegenrevolution einzustufen.[6]

Die deutschen Kommunisten beantworteten den Ruhreinmarsch am 22. Januar 1923 mit der Parole „Schlagt Poincaré und Cuno an der Ruhr und an der Spree!" Die französischen Kapitalisten seien um keinen Deut besser als die deutschen und die Bajonette der französischen Besatzungstruppen nicht weniger scharf als die der Reichswehr, erläuterte die Zentrale der KPD diesen Aufruf zum Zweifrontenkampf. Eine entschiedene Opposition gegen die Regierung Cuno, das bislang unternehmerfreundlichste Kabinett der Weimarer Republik, verstand sich für die Kommunisten von selbst. Aber in den Vordergrund rückte in den folgenden Wochen doch der Gegensatz zu den fremden Okkupatoren. Die Parteiführung unter Heinrich Brandler und August Thalheimer mußte schon aus Rücksicht auf die Union der Sozialistischen Sowjetrepubliken, die im Dezember 1922 offiziell gegründet worden war, eine eindeutig „antiimperialistische", gegen Frankreich gerichtete Politik verfolgen. Für die Sowjetunion, wie sich das neue Staatsgebilde abgekürzt nannte, gab es außenpolitisch keine gefährlichere Konstellation als ein Zusammengehen Deutschlands mit den Westmächten. Stellte sich die deutsche Bourgeoisie gegen Frankreich, so kam sie, wie Thalheimer, der theoretische Kopf der KPD, Mitte Februar in der Zeitschrift „Die Internationale" schrieb, in die Lage, zeitweilig und wider Willen „nach außen objektiv revolutionär" aufzutreten. Die KPD durfte ihr dabei, das war die unausgesprochene Schlußfolgerung, nicht in den Rücken fallen, sondern mußte sie auf diesem Weg vorantreiben.

Für den äußersten linken Flügel der KPD war die Linie der Brandler-Thalheimer-Zentrale ein Fall von kommunistischer Burgfriedenspolitik, also rundum verwerflich. Die radikalen Linken – an ihrer Spitze die beiden Intellektuellen Ruth Fischer und Arkadij Maslow, die eigentlich Elfriede Eisler und Isaak Tschemerinsky hießen und zusammen den Berliner Parteibezirk leiteten, sowie als Dritter im Bunde der Hamburger Hafenarbeiter Ernst Thälmann – standen aber auch in anderen Fragen im Gegensatz zur Führung. Die Zentrale hielt, in Übereinstimmung mit den Beschlüssen des Vierten Weltkongresses der Kommunistischen Internationale vom November 1922, ein zeitweiliges Bündnis von Kommunisten und Sozialdemokraten für das zur Zeit einzig erfolgversprechende Mittel, um zu verhindern, daß sich aus der Regierung Cuno eine offene Diktatur des Großbürgertums und daraus ein System nach Art des faschistischen Italien entwickelte. Die äußerste Linke lehnte dagegen jedwede „Einheitsfront von oben" und erst recht eine „Arbeiterregierung" aus SPD und KPD ab. Die Gegensätze zwischen Parteiführung und Opposition spitzten sich im Frühjahr 1923 so zu, daß sich das Exekutivkomitee der Kommunistischen Internationale zu einer Intervention genötigt sah. In der Sache gab das EKKI der Zentrale weitgehend recht, empfahl ihr jedoch eine stärkere Einbindung der äußersten Linken. Daraufhin wählte der Zentralausschuß der KPD Mitte Mai Ruth Fischer und Ernst Thälmann in die Zentrale. Der Parteikonflikt wurde dadurch nicht beendet, aber doch fürs erste neutralisiert. Vorübergehend trat die KPD nach außen hin wieder einigermaßen geschlossen auf.

Beim innerpolitischen Streit um eine Arbeiterregierung ging es keineswegs nur um eine theoretische Möglichkeit. In Sachsen wurde im Frühjahr 1923 ein erster praktischer Schritt in diese Richtung getan. Am 4. März, fünf

Monate nach der letzten Landtagswahl, beschloß eine Landeskonferenz der SPD gegen den Willen des Landesarbeitsausschusses und des Berliner Parteivorstands, keine Koalitionsgespräche mit der DDP zu führen und statt dessen Verhandlungen mit den Kommunisten aufzunehmen, um einen Ausweg aus der seit langem schwelenden Regierungskrise zu finden. Zwei Wochen später, am 18. März, vereinbarten SPD und KPD ein Vierpunkteprogramm für eine rein sozialdemokratische, aber von den Kommunisten unterstützte Regierung. Die wichtigsten Punkte betrafen die Bildung proletarischer Abwehrorganisationen gegen den drohenden Faschismus und die Errichtung von Kontrollausschüssen zur Bekämpfung des Wuchers, die in Vollversammlungen der Betriebe oder Mitgliederversammlungen der Gewerkschaften zu wählen waren. Am 21. März wurde der bisherige Justizminister und linke Sozialdemokrat Erich Zeigner mit den Stimmen von SPD und KPD zum Ministerpräsidenten gewählt.

Die Einheitsfronttaktik der KPD hatte damit ihren ersten großen Erfolg errungen, und es schien zeitweilig, als werde es auch in Thüringen zu einer ähnlichen Verständigung der Linksparteien kommen. SPD und KPD nahmen Mitte Mai Gespräche über die Bildung einer Regierungskoalition auf und vereinbarten zur Abwehr des Faschismus den Aufbau republikanischer Notwehren. Am 26. Mai jedoch brachen die Sozialdemokraten die Verhandlungen ab und erklärten, die Bedingungen, welche die KPD für ihren Eintritt in ein Kabinett stelle, liefen auf eine völlige Selbstaufgabe der SPD hinaus und seien daher nicht annehmbar.

Für die Führung der Sozialdemokraten war durch die Entscheidung der sächsischen SPD eine schwierige Situation entstanden. Der Parteivorstand hatte keine rechtlichen Handhaben, um die Dresdner Genossen an ihren linken Kurs zu hindern, aber er wertete die Politik der sächsischen SPD als schädlich für die Gesamtpartei. An der längerfristigen Absicht, die die Kommunisten mit ihrer Einheitsfronttaktik verfolgten, konnte es in der Tat keinen Zweifel geben: Es war die Vorbereitung eines revolutionären Umsturzes. Wenn die Sozialdemokraten mit der KPD zusammengingen, mußten sie in einen Strudel fortschreitender Radikalisierung und, früher oder später, in Konflikte mit den Verfassungen von Reich und Ländern geraten. Die Gefahr wuchs, daß dann der Fall eintrat, auf den die radikale Rechte nur wartete: der Einsatz staatlicher Macht im Kampf gegen die Arbeiterbewegung. Statt einer Schwächung der faschistischen Kräfte hätte die Sozialdemokratie durch eine Einheitsfront mit den Kommunisten also das Gegenteil erreicht: eine Polarisierung, aus der die äußerste Rechte den größten Nutzen ziehen mußte.[7]

Gelegen kam der Rechten auf jeden Fall, daß Deutschland im Frühjahr 1923 einen Prozeß der schleichenden Entparlamentarisierung durchlief. Am 23. Februar nahm der Reichstag mit den Stimmen der bürgerlichen Parteien und der SPD ein „Notgesetz" an, das die Regierung zum Erlaß von gesetzesvertretenden Verordnungen auf den Gebieten der Rechts-, Wirtschafts-, Finanz- und Sozialpolitik ermächtigte. Mit der Billigung der außerordentlichen Vollmachten, die das Kabinett für die Durchführung des Abwehrkampfes verlangte, schaltete sich der Reichstag als Gesetzgeber weitgehend selbst aus. Die Position Cunos wurde gestärkt, obwohl gleichzeitig die Kritik an seiner Politik wuchs: Die Sozialdemokraten bemängelten seit Anfang März öffentlich, daß der Reichskanzler den Besatzungsmächten keinerlei Zeichen von Verhandlungsbereitschaft geben wollte. Der Bundesvorsitzende des Allgemeinen Deutschen Gewerkschaftsbundes, Theodor Leipart, ging noch einen Schritt weiter: Vor dem Bundesausschuß seiner Organisation verlangte er am 17. April eine Große Koalition, gegebenenfalls unter einem Kanzler Stresemann, weil nur so ein Friedensschluß mit Frankreich zu erreichen sei. Doch die SPD sah sich nicht in der Lage, dieser Empfehlung zu folgen. Solange ihr linker Flügel sich weigerte, ein Regierungsbündnis mit der DVP einzugehen, mußten die Sozialdemokraten sich damit begnügen, Cuno zu kritisieren. Seinen Sturz herbeizuführen, ohne selbst Regierungsverantwortung zu übernehmen, wäre Katastrophenpolitik gewesen und folglich für die SPD undenkbar.[8]

Die wachsende Unzufriedenheit mit Cuno hatte ihren Hauptgrund darin, daß seit dem Frühjahr 1923 ein Erfolg des passiven Widerstandes immer unwahrscheinlicher wurde. Zwar hatte diese Politik das Kalkül der Besatzungsmächte insofern durchkreuzt, als es ihnen nicht gelang, deutsche Reparationen zu erzwingen: Die privaten Betriebe und öffentlichen Einrichtungen arbeiteten ausschließlich für deutsche Belange, und Frankreich und Belgien erhielten zeitweilig nicht einmal mehr die Kohlelieferungen, die bar bezahlt werden sollten. Aber im März und April gingen die Okkupanten verstärkt dazu über, Zechen und Kokereien und bald auch weiterverarbeitende Betriebe stillzulegen, Kohle zu beschlagnahmen und das Eisenbahnwesen in eigene Regie zu übernehmen. Das Reich mußte nicht nur die Gehälter für die Bediensteten der Reichsbahn weiterzahlen, die aus dem besetzten Gebiet ausgewiesen wurden; es vergab auch Kredite in Billionenhöhe an den Kohlenbergbau und die Eisen- und Stahlindustrie, um den stillgelegten Betrieben die Lohnfortzahlung zu ermöglichen. Dazu kamen die Devisen für teure englische Importkohle.

Finanziell gesehen, machte der passive Widerstand aus dem besetzten Gebiet infolgedessen ein Faß ohne Boden. Die kurzfristige Verschuldung des Reiches stieg von 840 Milliarden Mark im November 1922 auf 8,4 Billionen im April und 22 Billionen im Juni 1923. Im Januar 1923 entsprachen bei den Großhandelspreisen 2785 Papiermark dem Wert von 1 Mark im Jahr 1913; im April kletterte dieser Index auf 5212, im Mai auf 8170 und im Juni auf 19385 Mark. Der Außenwert der deutschen Währung, den die Reichsbank durch den Verkauf von Goldreserven und Devisen von Februar bis April 1923 bei etwa 21000 Mark für einen Dollar vorübergehend stabilisiert hatte, fiel im Mai auf knapp 48000 und im Juni auf 110000 Mark.[9]

Mit ihrer Stützungsaktion hatte die Reichsbank verhindern wollen, daß die notwendigen Kohle- und Nahrungsmitteleinfuhren sich weiter verteuerten. Doch Industrie und Banken waren nicht bereit, ihren Beitrag zum Gelingen der Operation zu leisten und eine am 12. März ausgelegte Goldanleihe der Reichsbank zu zeichnen. Nach dem Scheitern der Stützungsaktion schnellten die Lebenshaltungskosten schlagartig nach oben. Die Erhöhung der Durchschnittslöhne um 40 % zum 1. Mai, die zwischen Regierung und Arbeitgeberverbänden vereinbart wurde, konnte den galoppierenden Kaufkraftverlust der Mark in keiner Weise ausgleichen und wirkte daher auf die Arbeiter verbitternd. Die Empörung entlud sich Mitte Mai in einer von Dortmund ausgehenden wilden Streikbewegung, in deren Verlauf es zu schweren Zusammenstößen mit Arbeitswilligen und Polizei kam. Am 23. Mai befanden sich etwa 300 000 Arbeiter des besetzten Gebiets im Ausstand. Die KPD, von den Streiks zunächst überrascht, griff erst am 20. Mai in das Geschehen ein. Die von ihr kontrollierte zentrale Streikleitung konnte am 28. Mai bei Schlichtungsgesprächen eine Lohnerhöhung um 52 % durchsetzen und brach daraufhin am folgenden Tag die Aktion ab.

Die Unruhen, die den Streik begleiteten, forderten zahlreiche Verletzte und über 20 Tote. Aber es waren keineswegs nur Anhänger der Kommunisten und Syndikalisten, die ihre Ziele mit Gewalt durchzusetzen versuchten. Am 31. März richtete französisches Militär, möglicherweise von deutschen Nationalisten provoziert, ein Blutbad unter Arbeitern der Firma Krupp in Essen an: 13 Werksangehörige wurden getötet, 41 verwundet. Anklage erhob die Besatzungsmacht jedoch nicht gegen den verantwortlichen Offizier, sondern gegen Mitglieder der Unternehmensleitung und einige Angestellte. Gustav Krupp von Bohlen und Halbach wurde im Mai zu 15 Jahren Gefängnis und einer Geldstrafe von 100 Millionen Mark verurteilt; einige seiner Mitarbeiter erhielten sogar noch höhere Strafen.

Die Gewalttaten der Besatzer gaben jenen Kräften in Deutschland Auftrieb, die ohnehin darauf aus waren, endlich auf breiter Front vom passiven zum aktiven Widerstand überzugehen. Im März und April verübte ein Sabotagekommando unter dem ehemaligen Freikorpsführer Heinz Hauenstein, das mit leitenden Angestellten der Firma Krupp, der Handelskammer Essen und Reichsbehörden in Verbindung stand, mehrere Sprengstoffanschläge auf Eisenbahnanlagen im besetzten Gebiet. Einer der Unterführer dieses Kommandos war Albert Leo Schlageter, ein radikaler Nationalist und früherer „Baltikumer". Am 2. April wurde Schlageter von der französischen Kriminalpolizei in Essen verhaftet; am 9. Mai verurteilte ihn ein französisches Kriegsgericht in Düsseldorf wegen Spionage und Sabotage zum Tode; am 26. Mai wurde das Urteil durch Erschießen vollstreckt.

Schlageters Hinrichtung löste in Deutschland einen Proteststurm aus. Die Reichsregierung legte in einer Note an Poincaré feierliche Verwahrung dagegen ein, daß Besatzungsgerichte sich anmaßten, über Deutsche Recht zu sprechen, ja sogar über Leben und Tod von Deutschen zu befinden. Zu dem Tatbestand, der dem Urteil zugrunde lag, hieß es in der Note, er sei der deutschen Regierung nur aus der Presse bekannt. Das war unzutreffend.

Hauensteins Gruppe hatte ihre Aktionen mit Wissen und Unterstützung des Reichswehrministeriums und der Generalbetriebsleitung Elberfeld, einer Dienststelle des Reichsverkehrsministeriums, vorbereitet. Mit einem anderen Freikorpsführer, Gerhard Roßbach, der Ende März 1923 wegen des Verdachts des Hochverrats verhaftet wurde, hatte sogar der Reichskanzler persönlich gesprochen, und dieselbe Gunst war mehrfach dem Reichstagsabgeordneten Albrecht von Graefe, einem der Führer der Deutschvölkischen Freiheitspartei, zuteil geworden, die eine Schlüsselrolle bei der Durchführung der Sabotageakte spielte. Als der preußische Innenminister Severing am 23. März die Partei wegen des dringenden Verdachts hochverräterischer Umtriebe in Preußen verbieten ließ, machte Cuno der preußischen Regierung schwere Vorhaltungen und bemängelte überdies, daß sie nicht mit gleicher Schärfe gegen die Kommunisten vorgehe. Dieser Vorwurf ließ sich indes nicht lange aufrechterhalten: Am 12. Mai verbot Severing die Proletarischen Hundertschaften der KPD mit der Begründung, sie maßten sich durch Straßenpatrouillen staatliche Hoheitsrechte an.[10]

Zwischen der extremen Linken und der extremen Rechten kam es im Frühsommer 1923 zu dem spektakulären Versuch eines Brückenschlags. Am 20. Juni würdigte Karl Radek, der Deutschlandexperte der Kommunistischen Internationale, in einer Rede vor dem Erweiterten Exekutivkomitee in Moskau den „Faschisten" Schlageter als einen „Märtyrer des deutschen Nationalismus" und „mutigen Soldaten der Konterrevolution", der es verdiene, „von uns, Soldaten der Revolution, männlich ehrlich gewürdigt zu werden". „Wenn die Kreise der deutschen Faschisten, die ehrlich dem deutschen Volke dienen wollen, den Sinn des Geschickes Schlageters nicht verstehen werden, so ist Schlageter umsonst gefallen, und dann sollen sie auf sein Denkmal schreiben: der Wanderer ins Nichts ... Wir wollen alles tun, daß Männer wie Schlageter, die bereit waren, für eine allgemeine Sache in den Tod zu gehen, nicht Wanderer ins Nichts, sondern Wanderer in eine bessere Zukunft der gesamten Menschheit werden, daß sie ihr heißes, uneigennütziges Blut nicht verspritzen für die Profite der Kohlen- und Eisenbarone, sondern für die Sache des großen arbeitenden deutschen Volkes, das ein Glied ist in der Familie der um ihre Befreiung kämpfenden Völker ... Schlageter kann nicht mehr diese Antwort vernehmen. Wir sind sicher, daß Hunderte Schlageters sie vernehmen und sie verstehen werden."

Radeks „Schlageter-Rede" war ein Versuch, die nationalistischen Massen von ihren Führern zu lösen und in eine sozialrevolutionäre Kraft zu verwandeln. In einem anderen Beitrag zur gleichen Tagung erläuterte er, der „Nationalismus, der früher ein Mittel war, die bürgerlichen Regierungen zu stärken", sei „jetzt ein Mittel, die bestehende kapitalistische Zerrüttung zu steigern". Was sich deutscher Nationalismus nenne, sei „nicht nur Nationalismus, sondern auch eine breite nationale Bewegung von großer revolutionärer Bedeutung. Breite Massen des Kleinbürgertums, die Massen der technischen Intellektuellen, die eine große Rolle in der proletarischen Revolution spielen werden dank der Tatsache, daß sie unter dem bürgerlichen System proletarisiert wurden, alle diese getretenen, deklassierten, proletarisierten Massen äußerten ihr Verhältnis zu dem sie deklassierenden Kapitalismus in Form der nationalen Aufbäumung."

Die deutschen Kommunisten brauchten zu der von Radek empfohlenen „nationalbolschewistischen" Taktik nicht erst bekehrt zu werden. Bereits am 17. Mai hatte der Zentralausschuß der KPD die Parteimitglieder aufgefordert, sie müßten den „irregeführten nationalistischen Kleinbürgern", die jetzt noch bei den Faschisten stünden, klarmachen, „daß sie sich und die Zukunft Deutschlands nur dann werden verteidigen können, wenn sie sich verbunden haben zum Kampf gegen die eigene Bourgeoisie. Nur durch den Sieg über die Stinnes und Krupp führt der Weg zum Sieg über die Poincaré und Loucheur."

Nach Radeks Moskauer Rede unternahmen maßgebende deutsche Kommunisten eine Reihe von gezielten Versuchen, Anhänger aus der Gefolgschaft der radikalen Rechten zu gewinnen. Die „Rote Fahne" öffnete ihre Spalten für einen Meinungsaustausch zwischen dem völkischen Schriftsteller und späteren Reichstagsabgeordneten der NSDAP, Ernst Graf Reventlow, und einem Mitglied der Zentrale der KPD, Paul Frölich. Ein anderes Mitglied der Zentrale, Hermann Remmele, attackierte Anfang August auf einer von Kommunisten und Nationalisten besuchten Versammlung in Stuttgart die jüdischen Viehhändler, die auf dem Viehmarkt zu jedem Preis das Vieh aufkauften, während die Stuttgarter Metzger leer ausgingen. Ruth Fischer, der Abstammung nach selbst „Halbjüdin", machte den Antisemiten auf einer Versammlung in Berlin Ende Juli noch weit großzügigere Avancen. „Wer gegen das Judenkapital aufruft, meine Herren, ist schon Klassenkämpfer, auch wenn er es nicht weiß", erklärte sie einem Bericht des „Vorwärts" zufolge. „Sie sind gegen das Judenkapital und wollen die Börsenjobber niederkämpfen. Recht so. Tretet die Judenkapitalisten nieder, hängt sie an die Laterne, zertrampelt sie. Aber, meine Herren, wie stehen Sie zu den Großkapitalisten, den Stinnes und Klöckner?... Nur im Bunde mit Rußland, meine Herren von der völkischen Seite, kann das deutsche Volk den französischen Kapitalismus aus dem Ruhrgebiet hinausjagen."[11]

Mit ihren „nationalbolschewistischen" Parolen reagierte die Komintern auf eine Entwicklung, die sich seit Anfang Mai abzeichnete: Es wurde immer deutlicher, daß Deutschland den passiven Widerstand nicht mehr lange würde durchhalten können. In diesem Sinn wertete Moskau eine deutsche Note vom 2. Mai, in der die Regierung Cuno den Alliierten erstmals ein konkretes Reparationsangebot unterbreitete: die Zahlung von insgesamt 30 Milliarden Goldmark nach Ablauf eines vierjährigen Moratoriums oder, falls die andere Seite mit dieser Offerte nicht einverstanden war, die Unterwerfung unter das Urteil einer Sachverständigenkommission. Wenn Deutschland sich dem französischen Druck tatsächlich beugte, mußten sich die Kräfteverhältnisse in Europa zu Lasten der Sowjetunion ändern; es gab dann für

Moskau keinen Prellbock mehr gegen die imperialistischen Westmächte, die in diesem Fall ihre Versuche wieder aufnehmen konnten, die Ergebnisse der russischen Oktoberrevolution rückgängig zu machen. Angriffsabsichten unterstellte die Komintern vor allem Großbritannien, das am 8. Mai wegen eines Zwischenfalls an der Murmanküste der Sowjetunion eine scharfe Note, das „Curzon-Ultimatum", zugestellt hatte. Am 13. Mai wies die britische Regierung die deutsche Note vom 2. Mai als „große Enttäuschung" zurück. Sowjetführung und Komintern sahen in dieser Antwort das Signal einer bevorstehenden Verständigung zwischen London und Paris. Die wiederholten Aufrufe an die proletarischen und „kleinbürgerlichen" Massen Deutschlands, nicht vor Frankreich in die Knie zu gehen, sondern gegen die Entente zu kämpfen, dienten mithin dem vorrangigen Zweck, Deutschland näher an die Sowjetunion heranzuführen und dadurch die vermutete Strategie des Weltkapitals zu durchkreuzen.[12]

Für die Regierung Cuno bedeutete die englische Reaktion auf den deutschen Vorstoß vom 2. Mai eine schwere diplomatische Niederlage. Anstatt einen Keil zwischen die Alliierten zu treiben, hatte Berlin eine Annäherung zwischen London und Paris bewirkt. Bei nüchterner Betrachtung hätte dieser Ausgang niemanden überraschen dürfen: Die Bedingung, die das Reichskabinett an die Aufnahme von Verhandlungen geknüpft hatte – der Rückzug von Franzosen und Belgiern aus dem besetzten Gebiet –, war nicht nur eine Herausforderung an Frankreich, sondern mußte auch dem Foreign Office, das die Reichsregierung zu einer reparationspolitischen Initiative ausdrücklich ermuntert hatte, als ein Ausdruck deutscher Überheblichkeit erscheinen.

Nach dem Eingang der britischen Antwortnote konnte die Reichsregierung nur noch versuchen, den innen- und außenpolitischen Schaden zu begrenzen. Erforderlich war namentlich eine Präzisierung der bisher nur vage angedeuteten Sicherheiten und Garantien, die Deutschland den Alliierten geben konnte. Hierzu benötigte Cuno die Unterstützung der Industrie. Ein erster Versuch des Kanzlers, die Unternehmer zu der Zusicherung zu bewegen, daß sie grundsätzlich bereit seien, an der Erfüllung der Reparationslasten mitzuwirken, war am 5. Mai am Veto von Hugo Stinnes gescheitert. Die Antwort des Reichsverbandes der Deutschen Industrie auf einen zweiten Anlauf, den Cuno zehn Tage später unternahm, wurde am 28. Mai veröffentlicht. Der RDI erklärte sich nunmehr zur Übernahme von Garantien bereit, verband hiermit aber bestimmte Vorbedingungen: Der Staat müsse sich von der privaten Gütererzeugung und Güterverteilung fernhalten, die noch bestehenden Bestimmungen der Kriegs- und Zwangswirtschaft aufheben, tarifvertragliche Ausnahmen vom Achtstundentag zulassen und die Wirtschaft von unproduktiven Löhnen entlasten.

Wie schon bei der „Kreditaktion" vom Herbst 1921 versuchte die Industrie auch jetzt wieder, den Staat ihrem Diktat zu unterwerfen. Was die Unternehmer verlangten, lief auf ein Tauschgeschäft hinaus: Sachwerterfassung gegen Preisgabe sozialer Errungenschaften und Rückkehr zum Manchesterliberalismus. Die Antwort sämtlicher Richtungsgewerkschaften – der freien, der christlichen und der liberalen – fiel entsprechend aus. In einem gemeinsamen Brief an den Reichskanzler stellten sie am 1. Juni fest, die Industrie wolle mit dem Staat als unabhängige Macht verhandeln und stelle Forderungen, wo es sich darum handle, Bürgerpflichten gegenüber dem Staat zu erfüllen. Das Verlangen nach dem Rückzug des Staates aus der Wirtschaft würde Zustände wiederbringen, wie sie vor achtzig Jahren geherrscht hätten. „Das heißt, es würde lediglich Profitstreben der Antriebsmotor der Wirtschaft sein und gemeinwirtschaftliches Denken vollständig ertötet werden. Es ist für uns unmöglich, über die Freigabe des Achtstundentages, Aufhebung aller Entlassungsbeschränkungen und die anderen in dieser Richtung laufenden Forderungen des Reichsverbandes zu verhandeln."[13]

Das Kabinett Cuno stand damit vor einem kaum lösbaren Dilemma: Wenn es den Industriellen widersprach, verlor es den Rückhalt der „Wirtschaft"; wenn es sich ihre Forderungen zu eigen machte, hatte es die gesamte Arbeitnehmerschaft gegen sich. Die Lösung, die Cuno wählte, war kein Ausweg: Da er sich von dem Industrieprogramm nicht distanzierte, galt er fortan mehr denn je als Kanzler der Unternehmer. Am 30. Mai versprach der Vorstand der sozialdemokratischen Reichstagsfraktion den Gewerkschaften volle Rückendeckung für ihren Kampf gegen den Abbau sozialer Errungenschaften. Cuno kam etwa um dieselbe Zeit zu der Erkenntnis, daß im Reichstag nur noch die Deutsche Volkspartei hinter ihm stand.

Auch ein neues deutsches Memorandum vom 7. Juni, das die grundsätzlichen Teile der Note vom 2. Mai wiederholte, die angebotenen Garantien konkretisierte und auf „Bedingungen" verzichtete, brachte der Regierung keine Entlastung. Es wurde zwar in London und Rom freundlich aufgenommen, aus Paris kam jedoch die alte Antwort: Deutschland müsse den passiven Widerstand ohne Wenn und Aber aufgeben, ehe verhandelt werden könne. Damit war klargestellt, daß der Vorstoß vom 2. Mai nicht nur an Ungeschicklichkeiten der Reichsregierung gescheitert war, sondern auch an der Entschlossenheit Poincarés, die Deutschen zu einer bedingungslosen Kapitulation zu zwingen.

Dazu aber war in Deutschland noch niemand bereit. Auch die Freien Gewerkschaften, die sich seit April mehr als alle anderen gesellschaftlichen Gruppen für Verhandlungen mit den Okkupationsmächten stark gemacht hatten, wollten sich nicht der Gefahr aussetzen, zum Opfer einer neuen Dolchstoßlegende zu werden. Da eine Kapitulation vor Poincaré den Verlust des Rheinlandes nach sich ziehen konnte, war entsprechenden Kampagnen ein verheerendes Echo sicher. Schon aus diesem Grund kam für Gewerkschaften und Sozialdemokratie eine bedingungslose Unterwerfung unter die Pariser Forderungen nicht in Frage. Am 31. Mai bekräftigten denn auch in Köln die Vertrauensleute von SPD und ADGB aus dem besetzten Gebiet zusammen mit Vertretern der Berliner Zentralen ihre Entschlossenheit, den passiven Widerstand auch nach Beginn von Verhandlungen mit der bisherigen Energie fortzusetzen. Der Reichskanzler konnte daraus den Schluß ziehen, daß seine Stellung noch nicht unmittelbar bedroht war: Solange Deutschland nicht bereit war, seine Niederlage einzugestehen, mußte auch jeder andere Kanzler scheitern. Dazu kam, daß die Sozialdemokratie ihre Bedenken gegen eine Große Koalition noch immer nicht überwunden hatte. Es war ebendieser Mangel an Konsequenz bei seinen Kritikern, der es Cuno vorläufig gestattete, weiterzuregieren.[14]

Die Geldentwertung erreichte im Sommer 1923 neue Rekorde. Der Wechselkurs sank von 110 000 Mark für einen Dollar im Juni auf 4,6 Millionen im August. Die Großhandelspreise lagen im Juni knapp 19 400mal, im August 586 000mal so hoch wie 1913. Die kurzfristige Verschuldung des Reiches stieg von 22 Billionen im Juni auf 1 196 Billionen Mark im August. Die Anpassung der Löhne blieb immer weiter hinter dem Kaufkraftverlust der Mark zurück: Hauer und Schlepper im Ruhrgebiet erhielten im Juli 1923 ganze 47,6% ihres realen durchschnittlichen Wochenlohns von 1913; bei den Buchdruckern waren es sogar nur 36,6%. In Erwartung einer Währungsreform weigerten sich viele Landwirte, ihre Erzeugnisse zu verkaufen, was Arbeiter mancherorts veranlaßte, sich die Kartoffeln selbst von den Äckern zu holen – also zu stehlen.

Mitte Juli warnte ein leitender Funktionär des Deutschen Metallarbeiterverbandes im besetzten Gebiet vor einer „Demoralisierung der Arbeiterschaft..., die die schlimmsten Folgen nach sich ziehen muß". Eine Denkschrift, die höchstwahrscheinlich aus dem Reichsschatzministerium stammte, kam Ende Juli zu dem Ergebnis, die Mark habe ihre Bedeutung als Wertmesser und Entgelt verloren: „Bei allen Kreisen, die sich nicht durch Vorräte helfen können, herrscht eine verzweifelte Stimmung... Es mag gelingen, mit scharfen Einsätzen von Polizei vorübergehend größere Revolten zu verhindern. Auf längere Zeit ist dieses nicht möglich, wenn der Austausch zwischen Stadt und Land aufhört und in den Städten die nötigen Lebensmittel fehlen. Es ist weniger zu befürchten, daß eine große politische Gegenbewegung der schlechtversorgten städtischen Bevölkerung eintritt, als daß der Kampf Aller gegen Alle um das tägliche Brot in den Städten beginnt und daß zur Aufrechterhaltung der Ordnung in den eigenen Gebieten die einzelnen Teile des Reiches selbständig vorgehen, das Reich damit auseinanderfällt. Der Staat, der nicht mehr in der Lage ist, den völligen Währungszerfall aufzuhalten und sich in dieser Beziehung bankrott erklärt, der nicht in der Lage ist, seinem von ihm herausgegebenen Gelde irgendwelche Kaufkraft zu geben, muß restlos alle Autorität und letzten Endes seine Existenzberechtigung verlieren."[15]

Den Kommunisten bot die Notlage im Sommer 1923 ungewöhnliche Chancen. Die nationalbolschewistischen Parolen fanden zwar bei den umworbenen „Kleinbürgern" kein Echo, ebenso sicher ist jedoch, daß die Verzweiflung breiter Arbeitermassen den Kommunisten neue Anhänger zuführte. Arthur Rosenberg meinte rückblickend sogar, die KPD habe im Sommer 1923 „ohne Zweifel" die Majorität des deutschen Proletariats hinter sich gehabt. Das war gewiß eine Übertreibung. Doch es gab deutliche Stimmengewinne der Kommunisten bei Wahlen zu Betriebsräten und Verbandstagen von Einzelgewerkschaften, zu Stadtverordnetenversammlungen und Landtagen. So bekamen in Mecklenburg-Strelitz, wo 1920 die SPD 25 000, die USPD 2 000 Stimmen erhalten und die KPD sich gar nicht an der Wahl beteiligt hatte, bei der folgenden Landtagswahl am 23. Juli 1923 die Kommunisten auf Anhieb fast 11 000, die Vereinigte Sozialdemokratie nur noch knapp 12 000 Stimmen. Bei den Delegiertenwahlen zum Verbandstag des Deutschen Metallarbeiterverbandes am 23. Juli entfiel die Mehrheit der Stimmen auf die überwiegend kommunistische Opposition. Die Mitgliederzahl der KPD stieg von September 1922 bis September 1923 von knapp 225 000 auf fast 295 000, die Zahl ihrer Ortsgruppen von rund 2 500 auf etwas über 3 300 an.[16]

An der Streikbewegung des Sommers 1923 nahm die KPD regen Anteil, wobei sie sich freilich meist in Ausstände einschaltete, die von den Gewerkschaften ausgerufen worden waren. Nur in den Hafenstädten Hamburg, Bremen und Emden war die KPD die Urheberin von Streikaktionen der Seeleute. Versuche, die Arbeitslosen fest an die Partei zu binden, schlugen fehl. Häufig mündeten Demonstrationen von Erwerbslosen in Plünderungen von Geschäften, was die KPD regelmäßig zwang, sich von derartigen Ausschreitungen vorsichtig zu distanzieren.[17]

Am 11. Juli behauptete die Zentrale der KPD, es stünde ein militärisch sorgfältig vorbereiteter Faschistenaufstand bevor. Tatsächlich wurden im Sommer 1923 in Münchner Rechtskreisen Pläne für ein bayerisches Direktorium geschmiedet, dem der Regierungspräsident von Oberbayern, Gustav von Kahr, der Münchner Polizeipräsident Ernst Pöhner und Adolf Hitler angehören sollten, aber von konkreten Putsch- oder Aufstandsplänen konnte zu diesem Zeitpunkt weder in der „Ordnungszelle" noch im übrigen Reich die Rede sein. Die KPD forderte nichtsdestoweniger ihre Anhänger auf, den Faschistenaufstand dadurch niederzuwerfen, daß sie dem weißen Terror den roten entgegenstellten. „Erschlagen die Faschisten, die bis an die Zähne bewaffnet sind, die proletarischen Kämpfer, so müssen diese erbarmungslos alle Faschisten vernichten. Stellen die Faschisten jeden zehnten Streikenden an die Wand, so müssen die revolutionären Arbeiter jeden fünften Angehörigen der Faschistenorganisationen an die Wand stellen."

Ein „Antifaschistentag" am 29. Juli sollte den Beweis liefern, daß die Kommunisten größere Massen auf die Beine bringen konnten als Nationalisten und Faschisten. Doch die rabiate Sprache der KPD zeitigte eine ungewollte Wirkung: Einer Empfehlung der Reichsregierung folgend, verboten alle Länder außer Thüringen und Baden die für diesen Tag geplanten Aufmärsche. Die Zentrale der KPD wollte sich weder kampflos unterwerfen noch ein Blutbad riskieren. Brandler schlug vor, Demonstrationen im Freien nur in den proletarischen Hochburgen des Ruhrgebiets, Oberschlesiens und der Provinz Sachsen durchzuführen; Ruth Fischer bestand auf einem Aufmarsch auch in Berlin. Die Entscheidung fiel in Moskau. Radek, der eine Niederlage wie im März 1921 voraussah, falls die KPD die Konfrontation mit der Polizei suchte, legte die Partei nach Rücksprache mit Josef Stalin, dem Sekretär der Kommunistischen Partei Rußlands, auf eine vorsichtige Linie fest. Die Aktionen vom 29. Juli verliefen infolgedessen ohne größere Zwischenfälle.

Die KPD wertete den „Antifaschistentag" als Erfolg: Millionen Arbeiter hätten sich ihrer Führung anvertraut, hieß es in einer Erklärung der Zentrale vom 31. Juli. Die nationalistischen Massen umwarb die Partei mit Parolen, die an Militanz nicht mehr zu überbieten waren: „Wir werden imstande sein, die Kraft zu schaffen, die, wenn alle friedlichen Mittel nicht mehr nützen, auch mit den Mitteln eines revolutionären Krieges der fremden Unterdrükkung und Ausbeutung durch das Ententekapital siegreich Widerstand entgegensetzt." Der Zentralausschuß der KPD bekräftigte am 5. und 6. August die Devise des antiimperialistischen Krieges in einem Aufruf, der die Vereinigung von nationaler Befreiung und revolutionärem Klassenkampf unter proletarischer Führung forderte. Eine deutsche Arbeiter- und Bauernregierung werde sogleich ein Schutz- und Trutzbündnis mit Sowjetrußland schließen. Im Bund mit der Roten Armee werde die Arbeiter- und Bauernregierung mit den fremden kapitalistischen Ausbeutern ebenso fertig werden wie mit den einheimischen. Was die letzteren zu erwarten hatten, ließ die KPD nicht im Dunkeln. Den „Zusammenstoß der beiden Mächte, faschistische Bourgeoisie und proletarische Einheitsfront, im blutigen Bürgerkrieg" nannte der Zentralausschuß „unvermeidlich".[18]

Wenige Tage später spitzte sich die soziale Krise in Deutschland dramatisch zu. Am 8. August beschloß der freigewerkschaftliche Buchdruckerverband in Berlin, vom 10. August ab zu streiken, falls den Druckern keine höheren Löhne gezahlt würden. Der ADGB bemühte sich, die Betriebe der Reichsdruckerei, die auch Papiergeld druckten, vor dem Ausstand zu bewahren – aber ohne Erfolg. Einen Tag lang, am 10. August 1923, war die Notenpresse völlig stillgelegt, und sofort trat ein fühlbarer Mangel an Papiergeld ein.

Die Arbeitsniederlegung in der Reichsdruckerei war das Werk der KPD. Sie hatte sofort erkannt, welchen Hebel ihr der Druckerstreik in die Hand gab. Über die „revolutionären Betriebsräte" gelang es den Kommunisten, auch die Arbeiter der Elektrizitätswerke, die Bauarbeiter und die Beschäftigten der Berliner Verkehrsgesellschaft, in einigen Berliner Bezirken auch das Personal der Krankenhäuser, am Ausstand zu beteiligen. Bei Beratungen, die die Berliner Gewerkschaftskommission am 10. August mit SPD, Rumpf-USPD und KPD führte, verlangte Ruth Fischer die Ausrufung eines dreitägigen Generalstreiks. Der Antrag wäre vermutlich angenommen worden, hätte nicht der Vorsitzende der SPD, Otto Wels, der Versammlung mitteilen können, daß die Reichsregierung soeben Lebensmittelimporte in Höhe von 50 Millionen Goldmark, finanziert durch eine Goldanleihe der deutschen Wirtschaft, und eine neue Markstützungsaktion zugesagt habe. Außerdem habe der Reichstag gerade einstimmig, also mit den Stimmen der KPD, ein Gesetz über die Erhöhung der Einkommens- und Körperschaftssteuer, das sogenannte Rhein- und Ruhropfer, beschlossen, das sich schon bald positiv auf die wirtschaftliche Entwicklung auswirken würde. Ruth Fischers Antrag wurde daraufhin abgelehnt.

Die Zentrale der KPD wollte sich mit dieser Niederlage jedoch nicht abfinden. Am 11. August rief eine „Vollversammlung der revolutionären Betriebsräte Groß-Berlins" zum Generalstreik für den Sturz der Regierung Cuno auf. Die „Rote Fahne" hatte zwar keinen Erfolg mit dem Versuch, die Proklamation der kommunistischen Betriebsräte zu verbreiten: Auf Grund einer Notverordnung des Reichspräsidenten vom 10. August konnten periodische Druckschriften, die zur gewaltsamen Änderung der verfassungsmäßigen Ordnung oder in einer den öffentlichen Frieden gefährdenden Weise zu Gewalttätigkeiten aufriefen, verboten werden, und das Parteiorgan der KPD war die erste Zeitung, die daraufhin am 11. August beschlagnahmt wurde. Doch die „Cuno-Streiks" breiteten sich dessenungeachtet in der Reichshauptstadt weiter aus und griffen auch auf andere Gebiete, so auf Hamburg, die Lausitz, die preußische Provinz Sachsen sowie die Länder Sachsen und Thüringen über. Im besetzten Ruhrgebiet wurde nicht gestreikt, sondern nur „passive Resistenz" geübt. Kommunistische Arbeiter besetzten Fabriken und verjagten die Betriebsleitungen. In einzelnen Werken wurden Galgen errichtet und Strohpuppen darangehängt, die die Aufschrift trugen: „So wird es den Arbeitgebern ergehen, wenn sie nicht innerhalb 24 Stunden unsere Forderungen bewilligen."[19]

Die „Cuno-Streiks" waren nur von kurzer Dauer, aber insofern ein Erfolg, als ihr Hauptadressat am 12. August von seinem Amt als Reichskanzler zurücktrat. Unmittelbarer Anlaß dieses Schritts war ein Beschluß, den die sozialdemokratische Reichstagsfraktion tags zuvor gefaßt hatte. In der Mitteilung darüber hieß es, die SPD halte angesichts der „schweren außen- und innenpolitischen Situation eine vom Vertrauen der breiten Massen mitgetragene und unterstützte Regierung" für notwendig, die stärker sei als die gegenwärtige. Der Regierung Cuno trauten die Sozialdemokraten nicht zu, daß sie diesen Voraussetzungen genügen würde.

Der Beschluß der SPD wurde seinerseits durch einen Mißtrauensantrag ausgelöst, den die Kommunisten am 10. August eingebracht hatten. Angesichts der neuen Streikwelle sah die sozialdemokratische Parteiführung nur noch eine Alternative zum Chaos: ihren Eintritt in eine Regierung der Großen Koalition. Gegen ein solches Bündnis hatten sich noch kurz zuvor, auf einer Tagung in Weimar am 29. Juli, 30 Abgeordnete des linken Flügels mit Paul Levi an der Spitze ausgesprochen und statt dessen ein „möglichstes

Zusammenarbeiten" mit den Kommunisten gefordert. Aber nun, wo die soziale Krise revolutionäre Züge anzunehmen drohte, war die Mehrheit nicht länger bereit, Rücksicht auf die äußerste Linke zu nehmen.

Bereits am 10. August, dem ersten Tag der „Cuno-Streiks", drängte Rudolf Hilferding, der selbst aus den Reihen der früheren USPD kam, den Vorsitzenden der Deutschen Volkspartei, Gustav Stresemann, zu einer Koalition mit den Sozialdemokraten. Hilferding konnte sich bei diesem Vorstoß des aktiven Rückhalts seiner preußischen Parteifreunde Braun und Severing sicher sein, ebenso der Unterstützung des Gewerkschaftsvorsitzenden Leipart, des Chefredakteurs des „Vorwärts", Friedrich Stampfer, und des Parteitheoretikers Eduard Bernstein. Am gleichen Tag machte sich der Reichstag alte sozialdemokratische Forderungen zu eigen, als er neben dem „Rhein- und Ruhropfer", einer außerordentlichen Erhöhung der Vorauszahlungen auf die Einkommens- und Körperschaftssteuer, auch noch den Sachbesitz belastende Betriebs- und Landwirtschaftssteuern beschloß.

Die Bedingungen, die die SPD tags darauf an ihren Eintritt in ein Kabinett der Großen Koalition knüpfte, bauten auf diesem neuen Konsens auf. Die Sozialdemokratie verlangte die energische Durchführung der vom Reichstag beschlossenen Finanzmaßnahmen, eine schleunige Eindämmung der Inflation, Goldkredite und die Vorbereitung einer Goldwährung, wertbeständige Löhne, Sozialrenten und Erwerbslosenhilfen, die Loslösung der Reichswehr von allen illegalen Organisationen, ferner, bewußt diplomatisch formuliert und absichtlich nicht an die Spitze des Forderungskatalogs gestellt, „außenpolitische Aktivität zur Lösung der Reparationsfrage unter vollster Wahrung der Einheit der Nation und der Souveränität der Republik" sowie schließlich einen Antrag auf Mitgliedschaft Deutschlands im Völkerbund.[20]

Cunos Rücktritt war indes nicht nur das Werk von Kommunisten und Sozialdemokraten. Auch in den bürgerlichen Parteien war die Unzufriedenheit mit dem Kanzler in den Wochen zuvor ständig gewachsen. Am 27. Juli hatte das maßgebliche Zentrumsblatt, die „Germania", den Kanzler scharf angegriffen, was allgemein als Anzeichen einer nahenden Regierungskrise verstanden wurde. Am 12. August stellte die „Deutsche Allgemeine Zeitung", die der DVP nahestand und Hugo Stinnes als publizistisches Sprachrohr diente, eine Große Koalition als die gegebene Antwort auf die neue Situation und Stresemann als den sozusagen geborenen Leiter des nächsten Kabinetts hin. DDP und Zentrum teilten diese Ansicht, und nur bei der Bayerischen Volkspartei gab es starke Vorbehalte gegen eine Zusammenarbeit mit der SPD.

Die Deutsche Volkspartei hätte sich nicht für eine Große Koalition eingesetzt, wenn nicht auch die Unternehmer mehrheitlich von der Notwendigkeit eines solchen Regierungsbündnisses überzeugt gewesen wären. Den meisten Großindustriellen war im Sommer 1923 klar, daß der passive Widerstand über kurz oder lang abgebrochen werden mußte, und für die politisch Denkenden unter ihnen wie Stinnes folgte daraus, daß die Sozialdemokratie die Verantwortung für diesen unpopulären Schritt mitzutragen hatte. Die Inflation fortzusetzen ergab ebenfalls keinen Sinn, da sie auch den großen Sachwertbesitzern keinen Nutzen mehr brachte, vielmehr nur noch wirtschaftliches Chaos erzeugte. Über die Art und Weise einer Stabilisierung würden, soviel war vorhersehbar, die Meinungen in einer Großen Koalition weit auseinandergehen. Entscheidend aber war für die Unternehmer, daß zunächst das Problem des passiven Widerstandes gelöst wurde. Wenn die Große Koalition diese Aufgabe bewältigte, hatte sie ihren wesentlichen Zweck bereits erfüllt.[21]

Daß Gustav Stresemann als Kandidat für die Nachfolge Cunos praktisch außer Diskussion stand, hatte mehrere Gründe. Die bei weitem stärkste Partei, die SPD, hatte kein Interesse, selbst den Regierungschef zu stellen, weil sie dadurch ihren Zusammenhalt als Partei noch mehr gefährdet hätte, als sie es durch ein Regierungsbündnis mit der DVP ohnehin schon tat. Es war aus sozialdemokratischer Sicht durchaus von Nutzen, daß ein betont „nationaler" und industrienaher Politiker wie Stresemann die Verantwortung für die schwierigen Kurskorrekturen in der Außenpolitik übernahm. Der Vorsitzende der DVP, ein geborener Berliner, der im Mai 1923 45 Jahre alt geworden war, hatte nach dem Studium der Nationalökonomie zunächst als Syndikus des sächsischen Industriellenverbandes, dann als Mitglied des Präsidiums des Bundes der Industriellen Karriere gemacht. Dem Reichstag gehörte er seit 1907 als nationalliberaler Abgeordneter an. Im Ersten Weltkrieg war Stresemann ein glühender Annexionist und Anhänger Ludendorffs, was ihn in den Augen der Linksliberalen so belastete, daß ein Zusammenschluß der liberalen Parteien Ende 1918 nicht zuletzt hieran scheiterte. Während des Kapp-Lüttwitz-Putsches taktierten Stresemann und die von ihm geführte Deutsche Volkspartei ausgesprochen opportunistisch zwischen den Fronten. Doch in der Folgezeit erwies sich, daß Stresemann dazuzulernen vermochte. Er plädierte wiederholt für eine Außenpolitik der Mäßigung und bewog seine Partei, die sich 1918 noch zur parlamentarischen Monarchie bekannt hatte, die Republik als historische Tatsache zu bejahen und gegen ihre Feinde zu verteidigen. Das erneute nachdrückliche Bekenntnis zur Verfassungsordnung, das er am 9. August 1923 im Reichstag ablegte, erleichterte es den Sozialdemokraten, seiner Kanzlerschaft zuzustimmen. Bei den bürgerlichen Mittelparteien, dem Zentrum und der DDP, gab es niemanden, der ihm an rhetorischer Begabung und politischer Durchsetzungskraft überlegen gewesen wäre. Auch ihnen erschien Gustav Stresemann im August 1923 als der Politiker, der am ehesten in der Lage war, das Erbe Cunos anzutreten – und zu überwinden.[22]

Am 12. August erteilte Reichspräsident Ebert Stresemann den Auftrag zur Regierungsbildung. Zwei Tage später konnte dieser sein Kabinett vorstellen. Die SPD stellte vier Minister: Robert Schmidt, der frühere Ernährungs- und Wirtschaftsminister, wurde Vizekanzler und Wiederaufbauminister; Rudolf Hilferding, der aus einer jüdischen Wiener Familie stammte und nach dem

Studium der Medizin als Arzt praktiziert hatte, bevor er zu einem der führenden Theoretiker des Marxismus aufstieg, trat an die Spitze des Finanzministeriums; der Kölner Reichstagsabgeordnete und Redakteur der „Rheinischen Zeitung", Wilhelm Sollmann, ein führender Mann des rechten Parteiflügels, übernahm das Innen- und der Rechtsphilosoph und Strafrechtslehrer Gustav Radbruch das Justizministerium, das er bereits unter Wirth geleitet hatte. Mit dem Wirtschaftsministerium wurde Hans von Raumer, Abgeordneter der DVP und 1918 einer der Architekten der Zentralarbeitsgemeinschaft, betraut. Rudolf Oeser von der DDP wurde Verkehrs-, der Zentrumspolitiker Anton Höfle Postminister. Ihre Ämter behielten Arbeitsminister Heinrich Brauns, Mitglied des Zentrums und von Haus aus katholischer Theologe, der parteilose, aber der DVP nahestehende Ernährungsminister Hans Luther und, sehr gegen den Willen der SPD, Reichswehrminister Otto Geßler von der DDP. Stresemann selbst übte kommissarisch auch noch das Amt des Außenministers aus.[23]

Bei den Sozialdemokraten war der Eintritt in die Große Koalition bis zuletzt umstritten. 83 Abgeordnete stimmten am 13. August in der Fraktion für die Regierungsbeteiligung, 39 dagegen. Am gleichen Tag erklärten sich 43 Abgeordnete, darunter die sächsischen Sozialdemokraten und die meisten der ehemaligen Unabhängigen, öffentlich als Gegner der neuen Koalition und forderten den Kampf gegen die Bourgeoisie anstatt eines Bundes mit dem Großkapital. An der Abstimmung über das Vertrauensvotum der Koalitionsparteien, die nach der Regierungserklärung Stresemanns am 14. August stattfand, beteiligten sich die sozialdemokratischen Dissidenten – außer zweien, die mit Nein stimmten – nicht. Eine „bürgerliche" Entsprechung hierzu bildeten jene zwölf Abgeordneten vom rechten Flügel der DVP um den Syndikus der Essener Handelskammer, Reinhold Quaatz, die das Plenum vor der namentlichen Abstimmung demonstrativ verließen. Insgesamt blieb jeweils ein rundes Drittel der Abgeordneten von DVP und SPD der Stimmabgabe fern. Für die Regierung stimmten 240 Abgeordnete der vier Koalitionsparteien SPD, Zentrum, DDP und DVP; 76 Volksvertreter – Kommunisten, Deutschnationale, Deutschvölkische, die zwei Mitglieder der Rumpf-USPD und zwei Sozialdemokraten – stimmten dagegen; 25, darunter die Abgeordneten der BVP, enthielten sich der Stimme.[24]

Der Eintritt der Sozialdemokraten in die erste Regierung einer Großen Koalition auf Reichsebene wirkte auf die Masse der Arbeiter beruhigend: Die Arbeit wurde in den Tagen darauf überall wieder aufgenommen. Die KPD hatte mit den „Cuno-Streiks" folglich das Gegenteil dessen bewirkt, was sie wollte. Die soziale Unruhe war nicht in eine revolutionäre Krise umgeschlagen, sondern hatte einer politischen Lösung im Rahmen des parlamentarischen Systems den Weg geebnet. Die Mehrheit der Arbeiter stand offensichtlich noch immer hinter den Sozialdemokraten und war nicht bereit, jene gesellschaftliche und politische Umwälzung herbeizuführen, für die Deutschland nach Meinung der Kommunisten zunehmend reifer wurde.

Dieser Einschätzung entsprechend, erklärte die Zentrale der KPD denn auch am 14. August, die Bildung der Großen Koalition bedeute nur einen Personen- und keinen Kurswechsel. „Die alte, bankrotte Koalitions- und Arbeitsgemeinschaftspolitik wird nun mit offener Beteiligung der Sozialdemokratie weitergeführt. Neue Katastrophen sind unvermeidlich. Ein neuer Zusammenbruch kann nur die Frage einer ganz kurzen Zeit sein."[25]

Das Echo, das die neue Regierung Stresemann auf der Rechten fand, war um keinen Deut freundlicher als das von links. Besonders feindselig waren die Kommentare aus Bayern, das unter Cuno nicht daran gehindert worden war, das verhaßte Republikschutzgesetz praktisch außer Kraft zu setzen, und nun um seine Sonderrolle als „Ordnungszelle" zu fürchten begann. Am 16. August berichtete Eduard Hamm, Reichstagsabgeordneter der DDP und unter Cuno Staatssekretär der Reichskanzlei, aus München, die weit überwiegende Mehrheit der bayerischen Bevölkerung erblicke in der Großen Koalition „keinen Fortschritt, sonder eher eine Gefahr für eine national kraftvolle Staatsführung starker Persönlichkeiten und für die Wahrung bayerischer politischer und wirtschaftlicher Belange, so wie eben diese große Zahl sie sieht". Besonders unpopulär sei der neue Reichsjustizminister Gustav Radbruch. Er gelte als Mann des Republikschutzgesetzes, als Befürworter der Straffreiheit für Abtreibung und als politischer Anwalt Felix Fechenbachs – Kurt Eisners Privatsekretär, der im Oktober 1922 von einem bayerischen Volksgericht zu elf Jahren Zuchthaus verurteilt worden war, weil er gemeinsam mit Eisner 1919 amtliche Dokumente über die deutsche Schuld am Weltkrieg herausgegeben und angeblich gefälscht hatte.

Bayern war jedoch nicht der einzige Hort der Opposition gegen die Regierung der Großen Koalition. Aus dem Ruhrgebiet meldete Mitte September ein Mitarbeiter der Reichszentrale für Heimatdienst, der Vorläuferin der heutigen Bundeszentrale für politische Bildung, nicht nur bei den Anhängern der Deutschvölkischen und Deutschnationalen, sondern bis weit in volksparteiliche Kreise hinein würden die nationalistischen Instinkte bis zur Leidenschaft aufgeputscht. „Es wird so dargestellt, als ob wir den Abwehrkampf noch lange durchzuführen in der Lage seien, wenn nicht jetzt genau wie im Jahre 1918 die Judenregierung uns verkauft(e) und verriet(e). Hilferding, der österreichische Jude, und Stresemann, der Halbjude (tatsächlich war nicht Stresemann, wohl aber seine Frau jüdischer Abstammung, H. A. W.), hätten kein Verständnis für nationale Würde und die Ehre des deutschen Namens." Daß die SPD seit dem 14. August 1923 wieder an einer Regierung des Reiches beteiligt war, wirkte provozierend auf jene „nationalen" Kreise, die im vermeintlich überparteilichen Kabinett Cuno einen Schritt in die richtige, nämlich obrigkeitsstaatliche Richtung gesehen hatten. Propagandistisch betrachtet, hatte die Große Koalition für die radikale Rechte indes auch ihre Vorteile. Wer nach Sündenböcken für die Niederlage im Ruhrkonflikt suchte, fand sie, wie schon zu Ende des Weltkriegs, bei der politischen Linken und namentlich bei den Juden. Rudolf Hilferding, der als

Reichsfinanzminister einen der unpopulärsten Posten im Kabinett Stresemann bekleidete, bot sich den Antisemiten als ideale Zielscheibe an: Gegen den jüdischen Marxisten aus Wien richtete sich eine Kampagne, die an Gehässigkeit den Angriffen auf Walther Rathenau kaum nachstand.[26]

Es waren freilich keineswegs Sozialdemokraten und Gewerkschaften, die sich im Sommer 1923 als Befürworter eines raschen Abbruchs des passiven Widerstandes hervortaten. Sehr viel engagierter betrieben führende Unternehmer die Einstellung des aussichtslos gewordenen Ruhrkampfes. So verhandelte etwa Otto Wolff, Teilhaber des Kölner Phönixkonzerns, in der zweiten Augusthälfte mit General Degoutte, dem Befehlshaber der französischen Truppen im Rheinland, über die Verwaltung der rheinischen Eisenbahnen und künftige Sachlieferungen an Frankreich. Hilferding dagegen warnte am 30. August im Kabinett, eine Lockerung des passiven Widerstandes sei äußerst gefährlich, weil sie als „Verrat des Arbeiters" aufgefaßt werden würde. Als am 7. September der Bundesausschuß des ADGB eine Entschließung verabschiedete, die die „baldigste Wiederaufnahme der produktiven Arbeit in den besetzten Gebieten" forderte, intervenierte die SPD und verhinderte die Veröffentlichung des Aufrufs. Und noch am 19. September versicherte ein sozialdemokratischer Redner auf einer Konferenz der politischen Parteien des besetzten Gebietes in Elberfeld, daß „auch die Masse der gewerkschaftlich und sozialdemokratisch organisierten Arbeiterschaft nicht gewillt ist, zu kapitulieren".[27]

Doch so sehr die gemäßigte Linke davor zurückscheute, abermals zum Opfer einer Dolchstoßlegende zu werden, es führte kein Weg an der Erkenntnis vorbei, daß Deutschland am Ende seiner Kräfte war. Ohne eine Stabilisierung der Mark war eine wirtschaftliche Erholung nicht möglich, und die Währungsverhältnisse konnten nicht gesunden, solange das Reich den Ruhrkampf finanzierte. Die Reichsbankkredite, die es den stillgelegten Zechen gestatteten, ihre Arbeiter weiter zu entlohnen und die Betriebe technisch aufrechtzuerhalten, hatten die Geldentwertung gewaltig vorangetrieben. Der rapide Kaufkraftverlust war die Hauptursache der „Cuno-Streiks", die ihrerseits die Inflation weiter beschleunigten: Die Unternehmer willigten, um die soziale Unruhe einzudämmen, in erhebliche Lohnerhöhungen ein, und am 1. September unterzeichneten sie ein Abkommen mit den Gewerkschaften, das die Tariflöhne an den Index der Lebenshaltungskosten band. In den folgenden Wochen schnellten die Preise, großteils infolge der Indexlöhne, erneut nach oben. Für ein Kilo Roggenbrot, das am 3. September 274 000 Mark gekostet hatte, mußten am 24. September rund 3 Millionen Mark bezahlt werden; der Preis für ein Kilo Kartoffeln erhöhte sich in der gleichen Zeit von 92 000 auf 1,24 Millionen Mark, für ein Kilo Butter von 14 auf 168 Millionen Mark.[28]

Im Kabinett Stresemann gingen die Meinungen über die Wege zu einer Sanierung der Mark weit auseinander. Einigkeit bestand nur darin, daß schnell gehandelt werden mußte, um Deutschland vor einer Hungersnot zu bewahren: Trotz einer guten Ernte horteten Bauern und Großgrundbesitzer weiterhin ihre Erzeugnisse, um sie später, nach einer Währungsreform, für wertbeständiges Geld verkaufen zu können. Um das Mißtrauen der Landwirtschaft zu überwinden, schlug der deutschnationale Reichstagsabgeordnete Karl Helfferich – von Hilferding am 18. August zu einem Vortrag ins Kabinett gebeten – den Ministern den Roggen als Wertmesser einer neuen Mark vor. Die von Helfferich vorgeschlagene private Währungsbank sollte von Industrie und Landwirtschaft als Anteilseignern getragen werden. Mit der Begründung, daß beide die Wertbeständigkeit der „Roggenmark" zu gewährleisten hätten, forderte der ehemalige kaiserliche Staatssekretär gleichzeitig die Abschaffung der eben erst eingeführten, Landwirtschaft und Industrie belastenden Sondersteuern.[29]

Für den sozialdemokratischen Finanzminister war Helfferichs Plan nicht akzeptabel. Eine von den besitzenden „Berufsständen" getragene Währungsbank hätte ein Stück Feudalisierung der Staatsmacht und eine weitere Machtverschiebung von der Arbeiterschaft zum Unternehmertum bedeutet, und die Absage an die vom Reichstag kurz zuvor beschlossene Erfassung der Sachwerte wäre von den Arbeitnehmern als gezielte Provokation verstanden worden. Mindestens ebenso unerträglich erschien Hilferding die Preisgabe des Gedankens, daß eine solide Währung nur auf *einem* Wertmaßstab beruhen konnte: dem Gold. Einen eigenen Reformplan wollte der Finanzminister zunächst nicht vorlegen, da er eine Währungsreform erst nach Lösung des Ruhrproblems für möglich hielt. Auf Drängen des Kanzlers und seiner Kabinettskollegen unterbreitete Hilferding Anfang September dann aber doch ein Konzept, das die Golddeckung der Mark, eine selbständige Goldnotenbank und die hypothekarische Belastung der Wirtschaft als Grundlage für die Einlösung von Geldnoten und für Kredite an das Reich vorsah.

Das Kabinett stimmte Hilferdings Vorschlägen am 10. September zu. Tags darauf aber erklärte die Reichsbank jeden Eingriff für wertlos, der es dem Reich erlaube, sie weiterhin in Anspruch zu nehmen. Daher werde sie demnächst auch die Diskontierung von Schatzanweisungen einstellen. Vergleichsweise freundlich bewertete die Reichsbank dagegen das Projekt Helfferichs, was Reichswirtschaftsminister von Raumer veranlaßte, sich am 13. September für den Plan des deutschnationalen Politikers auszusprechen. Dieselbe Position bezogen der Reichsverband der Deutschen Industrie und das Zentrum. Das Kabinett verständigte sich daraufhin am 13. September auf einen Kompromiß zwischen den Vorschlägen Hilferdings und Helfferichs: Eine Goldnotenbank sollte mit größter Beschleunigung errichtet werden; fürs erste aber war ein provisorisches Zahlungsmittel zu schaffen, das wertbeständig genug war, um von der Landwirtschaft akzeptiert zu werden. Dieser Linie folgte auch der Gesetzentwurf, den das Kabinett am 26. September verabschiedete. Er sah, wie Helfferich es verlangt hatte, eine von den „Berufsständen" getragene Bank vor, räumte jedoch dem Reich die entscheidende Rolle bei der Bestellung ihres Präsidenten ein. Wertmesser wurde,

Hilferdings Forderung entsprechend, nicht Roggen, sondern Gold. Die Sachwertbelastung blieb grundsätzlich erhalten, so daß der Finanzminister und seine politischen Freunde sich nicht als Geschlagene fühlen mußten. Von der klaren Position, die das Kabinett am 10. September bezogen hatte, war der Gesetzentwurf indes weit entfernt. Industrie und Landwirtschaft hatten mit Hilfe der Reichsbank Korrekturen durchgesetzt, die den von Hilferding propagierten Primat des Staates nachhaltig in Frage stellten.[30]

Hilferdings Argument, daß es ohne Lösung des Ruhrproblems keine dauerhafte Sanierung der Mark geben könne, war Ende September 1923 noch genau so triftig wie in den ersten Tagen der Regierung Stresemann. Als der Kanzler am 23. August im Kabinett feststellte, der passive Widerstand werde sich angesichts der fortschreitenden Demoralisierung der Bevölkerung nur noch bis zum Eintritt der Kälteperiode aufrechterhalten lassen, widersprach ihm niemand. Der anwesende preußische Innenminister Severing meinte sogar, schon jetzt könne von einem passiven Widerstand keine Rede mehr sein; die Schutzpolizei habe sich den Besatzungsmächten gefügt, die Geschäftswelt ihren Frieden mit den Franzosen gemacht, und bei der Arbeiterschaft des besetzten Gebietes sei der moralische Tiefstand so groß, daß es jahrelanger Erziehungsarbeit bedürfe, um die gewerkschaftliche Disziplin wiederherzustellen.

Stresemann hoffte zunächst noch auf eine britische Vermittlung im Konflikt mit den Okkupanten. Aber spätestens am 19. September mußte auch der Kanzler einsehen, daß er nicht länger auf London bauen durfte: Nach einer Begegnung zwischen Poincaré und dem neuen, seit Ende Mai amtierenden konservativen Premierminister Baldwin in Paris verlautete aus der dortigen Botschaft Großbritanniens, in keiner Frage gebe es zwischen den beiden Ländern grundsätzliche Meinungsverschiedenheiten. Tags darauf zog die Reichsregierung die Konsequenzen aus der offenkundigen britisch-französischen Annäherung: Das Kabinett stellte sich auf die bedingungslose Kapitulation ein und beschloß, die Vertreter des besetzten Gebiets, die Ministerpräsidenten und die Parteiführer auf das Unvermeidliche vorzubereiten. Widerspruch erhoben nur die Deutschnationalen, die die Reichsregierung aufforderten, den Versailler Vertrag für nichtig zu erklären. Am 26. September verkündeten Reichspräsident und Reichsregierung in einem gemeinsamen Aufruf, in dem sie nochmals feierlich gegen die Rechtswidrigkeit der Okkupation protestierten, das Ende des passiven Widerstandes.[31]

Der Abbruch des passiven Widerstands war außen- wie innenpolitisch ein riskantes Unterfangen. Die Reichsregierung konnte nur hoffen, aber keineswegs sicher sein, daß Frankreich nunmehr zu Verhandlungen mit Deutschland, und sei es zunächst auch nur über die Zustände an Rhein und Ruhr, bereit sein werde. Gleichzeitig gab es Anlaß zu der Befürchtung, daß die Separatisten, die bisher nur wenig Rückhalt bei der Bevölkerung des besetzten Gebietes gefunden hatten, ihre Aktivitäten mit französischer und belgischer Unterstützung steigern würden, um das linksrheinische Gebiet oder doch Teile desselben vom Reich abzutrennen. Schließlich mußte man mit Umsturzversuchen der äußersten Rechten und Linken rechnen, denen die Kapitulation vom 26. September gerade recht kam, um Kampagnen gegen die Regierung Stresemann und die hinter ihr stehenden Parteien zu entfesseln.

Zum ersten Schlag gegen das Reich holte noch am 26. September Bayern aus. Unmittelbar nach dem Abbruch des passiven Widerstandes verhängte die bayerische Staatsregierung den Ausnahmezustand nach Artikel 48, Absatz 4 der Reichsverfassung und übertrug die vollziehende Gewalt dem Regierungspräsidenten von Oberbayern, Gustav Ritter von Kahr. Dem Reichskanzler gegenüber begründete Ministerpräsident von Knilling die Maßnahme tags darauf damit, daß in Bayern eine außerordentlich starke Erregung herrsche. Um „Dummheiten" von „irgendeiner Seite" vorzubeugen, habe man Herrn von Kahr, der „spezielle Beziehungen" zu den Rechtsorganisationen unterhalte und daher auf diese einwirken könne, zum Generalstaatskommissar ernannt. Kahr selbst, von der „Bayerischen Staatszeitung" als „Mittel- und Sammelpunkt für die vaterländisch gesinnten Kreise in Bayern" gefeiert, erklärte in seiner ersten Verlautbarung, er wolle sich „stützen auf alle Kreise, die deutschen Stammes sind und unserem Vaterlande gleich mir ehrlich dienen wollen". Juden, das war der unmißverständliche Sinn dieser Formulierung, gehörten nicht zu diesen „Kreisen".[32]

Die Reichsregierung beantwortete den bayerischen Alleingang noch in der Nacht vom 26. zum 27. September mit einer Notverordnung des Reichspräsidenten, die den Ausnahmezustand über das ganze Reich verhängte. Die Verordnung schränkte eine Reihe von Grundrechten ein, bedrohte bestimmte Delikte wie Hochverrat, Brandstiftung, Sprengstoffanschläge und Beschädigungen von Eisenbahnanlagen mit der Todesstrafe und übertrug die vollziehende Gewalt dem Reichswehrminister, der sie seinerseits an die Militärbefehlshaber delegieren konnte. Rein rechtlich gesehen, hätte die bayerische Regierung ihre Maßnahmen auf Verlangen des Reichspräsidenten oder des Reichstags außer Kraft setzen müssen. Aber Stresemann und die bürgerlichen Mitglieder seines Kabinetts gingen davon aus, daß Bayern sich einem solchen Ersuchen nicht fügen würde, und hielten es daher für besser, gar nicht erst in diesem Sinne in München vorstellig zu werden.

Die sozialdemokratischen Kabinettsmitglieder dagegen wurden durch die weiche Taktik ihrer Kollegen in schwere Bedrängnis gebracht. Kahrs Ernennung zum Generalstaatskommissar war, wie Innenminister Sollmann es am 27. September ausdrückte, eine „starke Herausforderung an alle republikanischen Kreise". Die Vorstände der SPD und ihrer Reichstagsfraktion sprachen am gleichen Tag von einem „Signal", das die Rechtsradikalen in Bayern gegeben hätten. Ähnliche Aktionen der „völkischen Volksverderber" könnten in anderen Teilen Deutschlands folgen. Aus diesem Grund sei auch die Verhängung des Ausnahmezustands über das ganze Reich gerechtfertigt. Ihre ursprüngliche Forderung, das Reich solle von Bayern die Aufhebung des dortigen Ausnahmezustands verlangen, konnte die SPD freilich angesichts des Widerstands ihrer bürgerlichen Koalitionspartner nicht lange aufrechterhalten. Am 30. September begnügten sich die sozialdemokratischen Minister damit, nur noch einen Brief an die bayerische Staatsregierung zu unterstützen, in dem diese ersucht wurde, die rechtliche Stellung des Generalstaatskommissars zu „klären" und die Aufhebung ihrer Verordnung zu „prüfen". In dem Briefentwurf, den Sollmann mit Stresemann und Geßler verfaßt hatte, hieß es weiter, die Reichsregierung lege Wert darauf, daß die Maßnahmen Kahrs auf dem Gebiet der Zivilverwaltung „nach allen Seiten gleichmäßig getroffen" würden. Das war nichts anderes als eine höfliche Bitte an den Generalstaatskommissar, er möge die Nationalsozialisten nicht weiterhin so wohlwollend behandeln wie in den ersten Tagen seiner Amtszeit.

In der Kabinettssitzung vom 30. September führte der Reichskanzler selbst einige Ereignisse auf, die eine „schleunige Bereinigung" des Verhältnisses zwischen Bayern und dem Reich erforderlich machten. Der ernsteste Vorgang war die Weigerung Kahrs, das von Geßler als Inhaber der vollziehenden Gewalt angeordnete Verbot des „Völkischen Beobachters" durchzuführen. Das von Hitler herausgegebene Organ der NSDAP hatte am 27. September unter der Überschrift „Die Diktatoren Stresemann-Seeckt" heftige antisemitische Angriffe gegen den Reichskanzler und den Chef der Heeresleitung gerichtet – gegen den einen, weil er mit einer „Jüdin", gegen den anderen, weil er mit einer „Halbjüdin" verheiratet war. Sämtliche bürgerlichen Minister außer Geßler hielten jedoch den von Stresemann verlesenen Brief an die bayerische Staatsregierung für nutzlos und daher verfehlt, und auch der Reichswehrminister sprach offen aus, daß das Schreiben letztlich folgenlos bleiben werde. Seine Bemerkung, eine Reichsexekution gegen Bayern mit Truppenmacht sei ausgeschlossen, enthüllte den Kern des Problems: Da die Reichswehr nicht bereit war, gegen das offen reichsfeindliche Bayern vorzugehen, hatte das Reich keine Mittel, um den Freistaat zum Gehorsam zu zwingen.

Einen Tag nach Geßlers Eingeständnis sollte es noch schlimmer kommen. Am 1. Oktober weigerte sich General von Lossow, der Kommandeur der in Bayern stehenden Reichswehrtruppen, das Verbot des „Völkischen Beobachters" gegen den Willen Kahrs zu vollstrecken. Das war ein eindeutiger Fall von Befehlsverweigerung. Solange Lossow die bayerischen Reichswehrtruppen befehligte, stand die vollziehende Gewalt des Reichswehrministers in Bayern mithin nur auf dem Papier. Entsprechend der immer noch gültigen Devise, wonach Reichswehr nicht auf Reichswehr schoß – einer Parole, die Seeckt beim Kapp-Lüttwitz-Putsch wenn nicht wörtlich, so doch dem Sinn nach ausgegeben hatte – war dennoch nicht zu erwarten, daß die Heeresleitung militärische Gewalt einsetzen würde, um Lossows Ablösung zu erzwingen.[33]

Zu der Weigerung, „Truppe auf Truppe" schießen zu lassen, kam beim Chef der Heeresleitung im Herbst 1923 allerdings noch ein weiterer Grund hinzu, der ihn veranlaßte, Bayern gegenüber Nachsicht zu üben: Seeckt hielt sich in Berlin für die Rolle bereit, die Kahr in München übertragen worden war. Im September hatten Vertreter der Großlandwirtschaft, der Deutschnationalen und zeitweilig auch des Alldeutschen Verbandes Seeckt gedrängt, selbst die Macht zu übernehmen. Von noch größerem Gewicht war, daß auch Hugo Stinnes den Chef der Heeresleitung in ein diktatorisches „Direktorium" einbauen wollte, das er für den Fall eines kommunistischen Aufstands vorsah. Neben Seeckt wurden in den einschlägigen Plänen immer wieder die Namen von Friedrich Minoux, bis Anfang Oktober 1923 Generaldirektor der Abteilung Berlin des Stinnes-Konzerns, und Otto Wiedfeldt, einem ehemaligen Direktoriumsmitglied bei Krupp und zur Zeit deutscher Botschafter in Washington, als Mitglieder eines solchen, mit außerordentlichen Vollmachten ausgestatteten Direktoriums genannt.

Die Motive, von denen Stinnes sich leiten ließ, waren wie üblich wirtschaftlicher Natur. Aus seiner Sicht konnte nur ein autoritärer Staat jenen Bruch mit den sozialen Errungenschaften des November 1918, allen voran dem Achtstundentag, herbeiführen, ohne den ihm ein neuer wirtschaftlicher Aufstieg undenkbar erschien. Am 15. September erläuterte Stinnes dem amerikanischen Botschafter Houghton, daß, um diese Änderungen durchzusetzen, ein Diktator gefunden werden müsse, „ausgestattet mit Macht, alles zu tun, was irgendwie nötig ist. So ein Mann muß die Sprache des Volkes reden und selbst bürgerlich sein, und so ein Mann steht bereit." Ob Stinnes damit Hitler meinte, ist nicht ganz klar. Sicher erscheint nur, daß sein Diktator die populäre Basis für das geplante Direktorium schaffen sollte. Für unabdingbar hielt Stinnes, daß die Rechte nicht von sich aus losschlagen, sondern nur auf einen, für die nächste Zeit erwarteten kommunistischen Aufstand antworten durfte. Andernfalls würde sich, so erklärte er Houghton, die Außenwelt gegenüber Deutschland voreingenommen verhalten. In Berlin lief sogar das Gerücht um, daß Stinnes den Anstoß zu dem kläglich gescheiterten örtlichen Putsch des Majors Buchrucker am 1. Oktober in Küstrin gegeben hatte, um auf diese Weise die nationalistischen Kräfte vor weiteren vorzeitigen Umsturzversuchen abzuhalten.[34]

Nicht nur Unternehmer, Militärs und Politiker der äußersten Rechten dachten im Herbst 1923 über eine diktatorische Krisenlösung nach. Auch die höchsten Repräsentanten der Republik erwogen Ende September eine weitgehende, wenn auch nur vorübergehende Machtübertragung an das Militär als letztes Auskunftsmittel, um die Einheit des Reiches zu bewahren. Am 22. September besprachen Ebert und Stresemann in Anwesenheit von Innenminister Sollmann und Reichswehrminister Geßler mit Seeckt die Möglichkeit, daß der Kanzler Inhaber der vollziehenden Gewalt werde und diese dann an den Chef der Heeresleitung übertrage. Seeckt erklärte sich damit einverstanden, obwohl ihm diese Form der Machtübergabe nicht optimal erschien. Das Regierungsprogramm und die Regierungserklärung, die er kurz darauf entwarf, hatten mit den Absichten von Reichspräsident und

Reichsregierung freilich nichts gemein: Der Chef der Heeresleitung wollte als Notstandskanzler Deutschland in einen autoritären Ständestaat ungefähr von der Art verwandeln, wie sie Bismarck in den 1880er Jahren vorgeschwebt hatte.

Eine andere Spielart von Diktatur hielt Rudolf Hilferding für unvermeidbar. Um zu verhindern, daß die Große Koalition über der bayerischen Frage zerbrach, schlug der Finanzminister am 30. September vor, die Regierung solle das Parlament um die Vollmacht ersuchen, „in finanzieller und politischer Hinsicht das Notwendige zu veranlassen und im übrigen den Reichstag zu vertagen. Dies sei der einzige Weg, das Reich zu erhalten." Auch Innenminister Sollmann meinte in der gleichen Kabinettssitzung, die Lage sei so bedrohlich, daß eine teilweise Abkehr von den Spielregeln der parlamentarischen Demokratie nicht zu umgehen sei. „Die Sturmzeichen von rechts und links nähmen ständig zu", gab der Protokollant Sollmanns Ausführungen wieder, „und es sei zu befürchten, daß, wenn es zu gewaltsamen Auswirkungen käme, die Folgen derart sein würden, daß das deutsche Volk um Jahrzehnte zurückgeworfen würde. Demgegenüber sei es Aufgabe der großen Koalition, Reich und Volk zu erhalten, was wiederum nur ginge, wenn die weiten Kreise des Volkes dahinter stünden. Daß diktatorische Maßnahmen nötig seien, werde allgemein empfunden. Für diese müsse aber eine Form gesucht werden, die nicht neue schwere Erschütterungen herbeiführe."[35]

Die Gefahr eines kommunistischen Aufstands, die in allen Diktaturplänen vom Herbst 1923 beschworen wurde, war durchaus kein Hirngespinst von Gegnern der KPD. Gewöhnlich dachte man an Sachsen, wenn von Revolutionsversuchen der äußersten Linken die Rede war. Die sozialdemokratische Minderheitsregierung Zeigner gewährte der KPD, von deren parlamentarischer Tolerierung sie abhing, einen Spielraum, wie ihn die Kommunisten in keinem anderen deutschen Land hatten. Davon profitierten vor allem die Proletarischen Hundertschaften – paramilitärische Verbände, die seit dem August 1923 immer mehr dazu übergingen, ausgedehnte Geländeübungen abzuhalten, Probealarme zu veranstalten und Schußwaffen zu horten. Härtester Widersacher der militanten Arbeiter war General Alfred Müller, der Befehlshaber der sächsischen Reichswehrtruppen. Die wiederholten öffentlichen Hinweise Zeigners auf illegale Umtriebe im Zusammenhang mit der „Schwarzen Reichswehr" beantwortete Müller auf seine Weise: Im August 1923 verbot er seinen Offizieren, an der offiziellen Verfassungsfeier in Dresden teilzunehmen, und lehnte jeden weiteren Verkehr mit der sächsischen Regierung als für „ehrliebende Soldaten" unzumutbar ab. Als am 27. September der Ausnahmezustand über das Reich verhängt wurde, ging die vollziehende Gewalt in Sachsen an General Müller über. Eine weitere Zuspitzung der Lage war von nun an unausweichlich. Eine Reichsexekution gegen Sachsen würde, soviel war schon Ende September absehbar, bei der Reichswehr, anders als im Fall Bayern, auf keine Bedenken stoßen. In Sachsen konnte es nur einen Kampf der Reichswehr gegen die radikale Linke geben, nicht aber einen Kampf von Soldaten gegen Soldaten.

Neben Sachsen bot auch Thüringen den Kommunisten gute Entfaltungsmöglichkeiten. Zwar war das Verhältnis zwischen SPD und KPD im Weimarer Landtag sehr viel gespannter als in Dresden, und am 11. September verhalfen die Kommunisten sogar einem Mißbilligungsantrag der bürgerlichen Parteien gegen das sozialdemokratische Minderheitskabinett unter August Frölich zum Erfolg. Aber die Proletarischen Hundertschaften, die in Preußen und anderen Ländern längst verboten waren, blieben in Thüringen weiterhin unbehelligt. Am 27. September wurde der Wehrkreiskommandeur, General Reinhardt, der 1919 preußischer Kriegsminister gewesen war, von Reichswehrminister Geßler mit der Ausübung der vollziehenden Gewalt beauftragt. Damit begann auch in Thüringen eine Phase scharfer Konflikte zwischen Landesregierung und Militär – und zugleich eine Annäherung zwischen den überwiegend linken Sozialdemokraten und den Kommunisten.[36]

Doch nicht in Weimar, Dresden oder Berlin wurde über einen kommunistischen Revolutionsversuch in Deutschland entschieden, sondern in Moskau. Die Nachrichten von den „Cuno-Streiks" versetzten einige der maßgeblichen Bolschewiki in eine euphorische Stimmung und veranlaßten den Generalsekretär der Komintern, Gregori Sinowjew, am 15. August, von seinem südrussischen Urlaubsort aus eine Anweisung an das Exekutivkomitee zu schicken: Die KPD möge sich, da ein neues und entscheidendes Kapitel in der Tätigkeit der Kommunistischen Partei Deutschlands und der Kommunistischen Internationale seinen Anfang nehme, auf die herannahende revolutionäre Krise vorbereiten. Trotzki sah die Dinge ähnlich optimistisch und bat sogleich die beiden Abgeordneten der KPD beim EKKI, August Enderle und Jakob Walcher, an seinen Urlaubsort im Süden Rußlands zu kommen und ihn genauer über die Lage in Deutschland zu informieren.

Das nächste wichtige Datum für die Vorbereitung der deutschen Revolution war der 23. August. An diesem Tag traf sich das Politbüro der Kommunistischen Partei Rußlands zu einer Geheimsitzung. Radek, Trotzki und Sinowjew befürworteten eine revolutionäre Offensive der KPD und rechneten mit einem Entscheidungskampf in den nächsten Wochen oder Monaten; Stalin war skeptischer und äußerte Zweifel, ob die Revolution noch im Herbst 1923 ausbrechen werde. Am Ende der Beratungen stand die Einsetzung eines Ausschusses, der die Aktionen in Deutschland vorbereiten und später leiten sollte. Zu seinen Mitgliedern gehörten außer Agitations- und Militärexperten Karl Radek sowie, inoffiziell, der sowjetische Botschafter in Berlin, Nikolai Krestinski. Dem obersten diplomatischen Vertreter der Sowjetunion oblag die Verwaltung der geheimen Geldfonds, aus denen die Mittel für die Vorbereitung des „deutschen Oktober" flossen.

Das ungeschriebene Motto, das über der Geheimsitzung vom 23. August stand, lautete „Jetzt oder nie". Den führenden Bolschewiki, zu denen der schwerkranke Lenin damals schon nicht mehr rechnete, erschien die Situation Deutschlands im Spätsommer 1923 derjenigen Rußlands im Sommer 1917 vergleichbar. Die äußere und die innere Krise hatten sich derart zugespitzt, daß eine gewaltsame Lösung geradezu in der Luft lag. Die Kommunisten mußten entscheiden, ob sie oder die Faschisten zum ersten Schlag ausholten. Für ein rasches Handeln sprach, daß die Regierung Stresemann sich England anzunähern versuchte, was leicht zum Beginn einer antisowjetischen Blockbildung werden konnte. Radek dürfte auch deswegen als Anwalt der neuen Offensivtheorie aufgetreten sein, weil er ein Anhänger Trotzkis, des Wortführers der „permanenten Revolution", war und hoffte, daß sich der Schöpfer der Roten Armee nach einem Erfolg in Deutschland leichter gegen seine Widersacher Sinowjew, Kamenew und Stalin werde durchsetzen können. Eine gewisse Rolle mag bei manchen der Moskauer Akteure auch die Erwartung gespielt haben, eine kommunistische Revolution in Deutschland werde die unzufriedenen russischen Arbeiter von ihren materiellen Sorgen ablenken und längerfristig der Sowjetunion bei der Bewältigung ihrer immensen wirtschaftlichen Probleme helfen.

Der Vorsitzende der KPD, Heinrich Brandler, hatte eine sehr viel nüchternere Meinung von den Chancen einer deutschen Revolution als die Führer der Komintern. Ende August oder Anfang September traf er in Moskau ein, wo er während wochenlanger Beratungen allmählich zu einem positiveren Urteil bekehrt worden zu sein scheint. Bei den „Linken" Arkadij Maslow, Ruth Fischer und Ernst Thälmann, die kurz nach Brandler in die Sowjetunion reisten, war keine Überzeugungsarbeit mehr erforderlich, um sie zu Anhängern eines baldigen Losschlagens zu machen. Sinowjew erklärte die „22 Millionen deutschen Arbeiter" zur Rekrutierungsmasse der Roten Armee und wagte die Vorhersage, daß dazu noch „sieben Millionen Landarbeiter" hinzustoßen würden. Als Initialzündung der Revolution sollte der Eintritt der Kommunisten in die sächsische Regierung dienen. Von dieser strategischen Position aus könnten sie dann die Bewaffnung der Arbeiter organisieren. Trotzki wollte den „deutschen Oktober" bereits auf ein genaues Datum, den fünften Jahrestag des 9. November 1918, festlegen. Brandler gelang es, die zeitlichen Vorgaben etwas elastischer zu gestalten – in dem Sinne, daß die Revolution Ende Oktober oder Anfang November stattzufinden hatte. Am 1. Oktober wies Sinowjew die Zentrale der KPD an, die Kommunisten sollten, sofern die „Zeigner-Leute" wirklich bereit seien, Sachsen gegen Bayern und die Faschisten zu verteidigen, in die sächsische Regierung eintreten. Und weiter wörtlich: „Sofort Bewaffnung von 50000 bis 60000 wirklich durchführen, den General Müller ignorieren. Dasselbe in Thüringen."[37]

Während in Moskau die deutsche Revolution vorbereitet wurde, spitzte sich die Krise in Deutschland weiter zu. Außenpolitisch brachte der Abbruch des passiven Widerstandes nicht die erhofften positiven Wirkungen: Poincaré weigerte sich nach wie vor, mit der Reichsregierung in offizielle

Verhandlungen einzutreten. Auf der anderen Seite lehnte es das Kabinett Stresemann ab, einem französischen Verlangen nachzukommen, wonach die deutschen Beamten den Besatzungsbehörden einen Treueid zu leisten hatten. An der Ruhr traten die Separatisten, die von französischen und belgischen Stellen teils offen, teils verdeckt unterstützt wurden, immer provokativer auf. Am 30. September veranstalteten sie in Düsseldorf eine große Demonstration, bei der es zu blutigen Zusammenstößen mit der deutschen Polizei kam, die anschließend von französischen Besatzungstruppen umzingelt und entwaffnet wurde. An den Kämpfen mit den Separatisten beteiligten sich auch illegale Proletarische Hundertschaften der KPD – in Düsseldorf angeblich sogar unter Einsatz von Handgranaten. Insgesamt blieb das Industrierevier nach dem Ende des passiven Widerstandes aber zunächst ruhig. Als die Bezirksleitung der KPD für den 27. September zu einem eintägigen Generalstreik gegen die „Regierung Stresemann-Hilferding" und den „französischen Imperialismus und Separatismus" aufrief, beteiligte sich nur etwa die Hälfte der Belegschaften an dem Ausstand.[38]

Die Verschärfung der inneren Krise ging Ende September weniger auf das Konto der Kommunisten als auf das der Unternehmer. Am 30. September faßten die Zechenbesitzer des unbesetzten Gebietes in Unna einen Beschluß, der nur als gezielte Herausforderung an Staat und Arbeiterschaft zu verstehen war: Ab 8. Oktober sollte die tägliche Arbeitszeit im Bergbau unter Tage von sieben auf achteinhalb Stunden, einschließlich Ein- und Ausfahrt, verlängert und damit der Vorkriegszustand wiederhergestellt werden. Zwar hatten Schwerindustrie und Reichsverband der Deutschen Industrie schon seit langem Lockerungen des achtstündigen Normalarbeitstages für unumgänglich erklärt, aber der Beschluß von Unna ging über diese Forderung weit hinaus: Die Montanunternehmer verlangten einen Bruch jenes Reichsgesetzes vom 17. Juli 1922, das für den Bergbau eine siebenstündige Schachtzeit vorsah und Überstunden tariflichen Vereinbarungen überließ.

Veröffentlicht wurde der Beschluß von Unna zunächst nicht, wohl aber der Reichsregierung, der eigentlichen Adressatin, zugestellt. Daß die mitregierenden Sozialdemokraten sich dem Druck der Unternehmer beugen würden, konnten die Bergwerksdirektoren kaum annehmen. Alles spricht denn auch dafür, daß der Vorstoß vom 30. September auf eine Sprengung des Kabinetts Stresemann abzielte. Nachdem der passive Widerstand beendet worden war, hatte nach Meinung vor allem von Hugo Stinnes die Große Koalition ihren Zweck erfüllt: Die Sozialdemokraten hatten die Mitverantwortung für eine notwendige, aber unpopuläre außenpolitische Entscheidung übernommen; die großen Probleme der inneren Politik jedoch ließen sich, so sah es jedenfalls Deutschlands mächtigster Unternehmer, nur im Kampf gegen die SPD lösen.[39]

Die sozialdemokratischen Minister verschlossen sich indes keineswegs der Einsicht, daß Mehrarbeit unumgänglich war, wenn Deutschland wirtschaftlich wieder gesunden sollte. Sie protestierten nicht, als ihr Zentrumskollege,

Reichsarbeitsminister Brauns, im Ministerrat vom 1. Oktober kategorisch feststellte, der Achtstundentag sei in der bestehenden Form nicht aufrechtzuerhalten und durch den „sanitären Maximalarbeitstag“ – also Leistungssteigerung ohne Gefährdung der Gesundheit – zu ersetzen. Die Sozialdemokraten widersprachen auch nicht, als Brauns die Achtstundenschicht für den Bergbau, einschließlich der Ein- und Ausfahrt, verlangte und Wirtschaftsminister von Raumer einen verschärften Schutz lebenswichtiger Betriebe sowie ein Verbot von Landarbeiterstreiks zur Erntezeit forderte. Vizekanzler Schmidt hielt es lediglich für zweckmäßig, das Notwendige ohne große öffentliche Diskussion zu tun. Stresemanns Vorschlag, dem Reichstag am folgenden Tag ein Ermächtigungsgesetz vorzulegen, das der Regierung die erforderlichen Vollmachten auf finanz-, sozial- und wirtschaftspolitischem Gebiet gab, fand die Zustimmung des gesamten Kabinetts.

Das Stichwort „Vollmachten“ war erstmals am 30. September von Arbeitsminister Brauns in die Debatte eingeführt und von Finanzminister Hilferding aufgegriffen worden. Auch Innenminister Sollmann hatte wohl nicht zuletzt die Arbeitszeitfrage im Sinn, als er in der gleichen Kabinettssitzung von „diktatorischen Maßnahmen“ sprach. Die sozialdemokratischen Minister gingen offenkundig davon aus, daß ihre Partei die Verantwortung für eine zeitweilige Abweichung vom Achtstundentag allenfalls mittelbar, durch eine Ermächtigung der Regierung, nicht aber unmittelbar, durch Mitwirkung an einem Arbeitszeitgesetz, übernehmen werde. Damit hob sich die bisher praktizierte Koalitionspolitik in gewisser Weise selbst auf: Das parlamentarische System war nach Meinung der sozialdemokratischen Minister, ja des Kabinetts Stresemann insgesamt, nur durch eine teil- und zeitweise Verselbständigung der Exekutivgewalt zu retten. Ähnlich wie die gleichzeitig diskutierten Pläne, die Reichswehr vorübergehend zum Hauptträger der Staatsmacht zu machen, waren die Erörterungen über ein Ermächtigungsgesetz ein Zeichen dafür, daß Deutschland sich mittlerweile in der schwersten inneren Krise seit dem Kapp-Lüttwitz-Putsch befand.

Doch was immer die Kabinettsmitglieder der SPD für unabwendbar hielten, sie konnten keineswegs sicher sein, daß der Parteivorstand und die Reichstagsfraktion ihre Ansichten teilten. In einer interfraktionellen Besprechung am Vormittag des 2. Oktober bezog der Parteivorsitzende Hermann Müller eine sehr viel härtere Linie als die sozialdemokratischen Reichsminister. In der bayerischen Frage kündigte er eine scharfe Kritik seiner Partei an. Was die Forderung nach erweiterten Vollmachten für die Regierung anging, lehnte Müller diese zwar nicht grundsätzlich ab und erwähnte dabei, seinen Parteifreund Hilferding indirekt kritisierend, besonders die Währungsfrage, mit der viel Zeit verlorengegangen sei. Der Entwurf des Ermächtigungsgesetzes würde jedoch Erregung hervorrufen, einmal wegen der Arbeitszeitfrage, die jetzt überhaupt nicht zur Debatte gestellt werden sollte, und zum anderen auf Grund von Brauns' angekündigter Neuregelung der Erwerbslosenfürsorge. Schließlich werde gegen die Absicht, die Produktion im Bergbau zu steigern, der Einwand erhoben werden, daß die Halden mit Braunkohle überfüllt seien.

Die eigentliche Sensation in der Parteiführerbesprechung vom Vormittag des 2. Oktober waren aber nicht die Bedenken Hermann Müllers, sondern ein Vorstoß des Fraktionsvorsitzenden der DVP, Ernst Scholz. Er bestand auf der umfassenden Abkehr vom Achtstundentag und verlangte, ganz auf der Linie der Deutschnationalen, einen „Bruch mit Frankreich" sowie die Einbeziehung der DNVP in die Große Koalition. Scholz' Forderungen gaben den derzeitigen Stand der Meinungsbildung in der Deutschen Volkspartei wieder. Zwischen dem 28. September und dem 1. Oktober war es dem Abgeordneten Hugo Stinnes und seinen engeren Gesinnungsfreunden, darunter dem Ersten Syndikus der Handelskammer Essen, Reinhold Quaatz, und dem Generaldirektor der zum Stinnes-Konzern gehörigen Deutsch-Luxemburgischen Bergwerks- und Hütten A. G., Albert Vögler, gelungen, die Reichstagsfraktion der DVP auf ihre Linie, den Bruch der Großen Koalition, hinüberzuziehen, wobei jedoch nach außen hin die Schuld am Scheitern des Kabinetts Stresemann den Sozialdemokraten in die Schuhe geschoben werden sollte.

Die Architekten des Koalitionsbruchs hatten mehr im Sinn als nur die Ausbootung der Sozialdemokraten: Das Ende der Großen Koalition sollte lediglich eine Etappe auf dem Weg zur „nationalen Diktatur" sein und das Zusammenspiel mit den Deutschnationalen dem geplanten Direktorium einen gewissen parlamentarischen Rückhalt geben. Eine Rückkehr zur parlamentarischen Demokratie nach Überwindung der Krise war nicht beabsichtigt. Insofern war das Unternehmen der Gruppe um Stinnes nichts Geringeres als eine Verschwörung gegen die verfassungsmäßige Ordnung der Weimarer Republik. Stresemann, der als Kanzler nur selten an den Sitzungen seiner Fraktion teilnehmen konnte, war von den Rechten mit voller Absicht nicht in ihr Ränkespiel eingeweiht worden: Das Ende der Großen Koalition sollte, soweit es nach ihnen ging, auch das Ende seiner Kanzlerschaft sein.

Stresemann zog aus der ersten Parteiführerbesprechung des 2. Oktober die nächstliegende Konsequenz: Er verzichtete darauf, die für den gleichen Tag geplante Regierungserklärung vor dem Reichstag abzugeben. In einer zweiten Koalitionsrunde, die am frühen Abend stattfand, verlangte Scholz zwar nicht mehr die für die Sozialdemokraten gänzlich indiskutable Regierungsbeteiligung der DNVP. Doch ansonsten trug die Aussprache nichts zu einer Lösung der Regierungskrise bei, so daß der Rücktritt des Kabinetts nur noch eine Frage von Stunden schien. In der anschließenden Kabinettssitzung sprangen die sozialdemokratischen Minister indessen nochmals über ihren Schatten und stimmten einem Vorschlag in der Arbeitszeitfrage zu, der weitgehend den Vorstellungen Brauns' von einem „sanitären Maximalarbeitstag" entsprach. Danach sollte über ein Ermächtigungsgesetz im Bergbau unter Tage die Achtstundenschicht, einschließlich Ein- und Ausfahrt, eingeführt und in der „Urproduktion" allgemein die Arbeitszeit in einem Maß erhöht werden, „das gesundheitlich tragbar" erschien. In der bayerischen Frage hingegen gab es keine Annäherung der Standpunkte: Die bürgerlichen Parteien wollten die Konfrontation mit München vermeiden, während die SPD, einer Ankündigung Hermann Müllers in der vorangegangenen Parteiführerbesprechung zufolge, einen Antrag auf Aufhebung der bayerischen Notverordnung vom 26. September beabsichtigte. Aus Stresemanns Sicht blieb in dieser Lage nur noch ein Ausweg: „Das Kabinett müsse den Mut haben, die Verantwortung zu tragen, und sich dabei gegebenenfalls von den Fraktionen freimachen."

Die Verselbständigung des Kabinetts, wie sie dem Kanzler vorschwebte, war jedoch nur durchzusetzen, wenn ihr alle Koalitionspartner zustimmten. Am Vormittag des folgenden Tages, des 3. Oktober, zeigte sich, daß ein solcher Konsens nicht zu erzielen war: Die sozialdemokratische Fraktion weigerte sich, das Arbeitszeitproblem und andere sozialpolitische Fragen über ein Ermächtigungsgesetz, also auf dem Verordnungsweg, zu regeln, und bestand auf besonderen Gesetzen, wobei sie offenkundig hoffte, entsprechende Regierungsvorlagen durch Abänderungsanträge noch stark in ihrem Sinn umformen zu können. Angesichts des massiven Widerspruchs, den dieser Beschluß bei den bürgerlichen Parteien fand, schien das Ende der Großen Koalition nunmehr unabwendbar. Postminister Höfle vom Zentrum sah jedoch noch einen möglichen Kompromiß: Man könne, erklärte er in der abendlichen Kabinettsitzung, das Ermächtigungsgesetz auf die Sozialpolitik im allgemeinen ausdehnen, die Arbeitszeitfrage dagegen einem besonderen Gesetz vorbehalten. Die sozialdemokratischen Minister waren sogleich bereit, diesen Vorschlag – den in ähnlicher Weise auch die DDP ins Gespräch gebracht hatte – in ihrer Fraktion zu unterstützen. Schließlich versprach auch Stresemann, er wolle sich, trotz erheblicher Zweifel am Erfolg seiner Bemühungen, in der eigenen Fraktion für diese Lösung einsetzen.

Doch abermals hatten die sozialdemokratischen Minister die Rechnung ohne ihre Fraktion gemacht. Mit 61 zu 54 Stimmen lehnte sie es am Abend des 3. Oktober ab, für ein Ermächtigungsgesetz zu stimmen, das auch sozialpolitische Fragen behandelte. Für die Niederlage der sozialdemokratischen Kabinettsmitglieder war nicht zuletzt eine Organisation verantwortlich, die seit dem Frühjahr 1923 auf eine Große Koalition gedrängt hatte: In der Fraktionssitzung wurde ein Beschluß des Bundesvorstands des ADGB vorgetragen, in dem sich dieser gegen Zugeständnisse in der Frage des Achtstundentages aussprach. Im gleichen Sinne plädierten Hermann Müller und Reichstagspräsident Paul Löbe. Die kompromißfreundlichen Argumente, die der preußische Innenminister und Reichstagsabgeordnete des Wahlkreises Münster, Carl Severing, besonders eindringlich vertrat, konnten die Mehrheit schon deshalb nicht umstimmen, weil noch vor der Abstimmung bekannt wurde, daß die DVP ein besonderes Arbeitszeitgesetz erneut abgelehnt hatte.

In der Nachtsitzung des Kabinetts konnte Stresemann nur noch das Scheitern der Großen Koalition feststellen und anschließend dem Reichspräsidenten den Rücktritt der Regierung mitteilen. Die Hauptschuld an dieser Entwicklung trug seine eigene Partei, die unter dem Druck ihres rechten Flügels den Konflikt mit der Sozialdemokratie provoziert hatte und längst nicht mehr geschlossen hinter ihrem Parteivorsitzenden stand. Aber auch die SPD war für den Ausgang der Regierungskrise mitverantwortlich. Die Verteidigung des Achtstundentags, einer der großen Errungenschaften des November 1918, schien sich für eine Arbeiterpartei von selbst zu verstehen, und die Arbeitgeber hatten keinen Zweifel daran gelassen, daß sie in der Verlängerung der Arbeitszeit vor allem eine gesellschaftliche Machtfrage sahen. Es gab jedoch auch plausible wirtschaftliche Gründe, die für eine vorübergehende Lockerung der geltenden Arbeitszeitregelung sprachen. Kein größeres Industrieland hatte bisher jenes Abkommen der Internationalen Arbeitsschutzkonferenz vom Oktober 1919 in Washington ratifiziert, das die allgemeine Einführung des Achtstundentages vorsah. Und wenn die Gewerkschaften darauf bestanden, daß Deutschland seine internationale Wettbewerbsfähigkeit am besten durch eine forcierte Rationalisierung von Anlagen und Produktionsverfahren wiedergewinnen könne, so entkräftete das doch nicht das Argument der Unternehmer, daß es hierfür an Kapital fehle und eben deshalb eine Leistungssteigerung nur durch Mehrarbeit zu erreichen sei.

Die erste Regierung einer Großen Koalition war zum einen daran gescheitert, daß es in der rechten Flügelpartei Kräfte gab, die die parlamentarische Demokratie zugunsten eines autoritären Regimes ablösen wollten, zum anderen daran, daß die linke Flügelpartei in ihrer Mehrheit jene Kompromisse nicht mittragen wollte, die das Überleben der parlamentarischen Mehrheitsregierung ermöglicht hätten. Beide Flügelparteien standen unter dem Druck radikalerer Konkurrenten, die nur darauf warteten, aus der Nachgiebigkeit des gemäßigteren Widersachers im eigenen sozialen Lager politisches Kapital zu schlagen: die Kommunisten auf der Linken, die Deutschnationalen auf der rechten Seite des politischen Spektrums. Nachdem links wie rechts die Parteiräson über die Koalitionsräson gesiegt hatte, war eine parlamentarische Krisenlösung fürs erste unwahrscheinlich geworden. Deutschland schien reif für irgendeine Art der Diktatur.[40]

Am 6. Oktober geschah dann doch das eher Unwahrscheinliche: Der neue Reichskanzler hieß wiederum Gustav Stresemann, und das Kabinett, dem er vorstand, wurde von den Parteien der Großen Koalition getragen. Für das rasche Ende der Regierungskrise hatte vor allem Reichspräsident Ebert gesorgt, der unmittelbar nach dem Rücktritt des alten Kabinetts Stresemann erneut mit der Regierungsbildung beauftragte. Dazu kam, daß die Deutschnationalen eine Kanzlerschaft Stresemanns ablehnten, die Mehrheit der DVP aber, anders als ihr rechter Flügel, nicht bereit war, ihren Vorsitzenden fallen zu lassen. Schließlich gelangten sämtliche Partner der ersten Großen Koalition zu der Einsicht, daß es zur Fortsetzung ihrer Zusammenarbeit keine mehrheitsfähige Alternative gab.

Der entscheidende Durchbruch gelang den Parteiführern und sozialpolitischen Experten in der Nacht vom 5. zum 6. Oktober: Sie verständigten sich auf das Ziel der Produktionssteigerung und eine „Neuregelung der Arbeitszeitgesetze unter grundsätzlicher Festhaltung des Achtstundentages als Normalarbeitstag". Dabei sei auch die „Möglichkeit der tariflichen oder gesetzlichen Überschreitung der jetzigen Arbeitszeit im Interesse einer volkswirtschaftlich notwendigen Steigerung und Verbilligung der Produktion vorzusehen". Die Frage Stresemanns, ob gegebenenfalls auf dem Gesetzesweg auch die Achtstundenschicht im Bergbau eingeführt werden könne, wurde einmütig bejaht.

Die Kompromißformel vom 5. Oktober 1923 wiederholte im Grunde nur, was bereits elf Monate zuvor von Experten der späteren Großen Koalition, darunter Hilferding und Raumer, vereinbart worden war und anschließend Eingang in die Reparationsnote der Regierung Wirth vom 13. November 1922 gefunden hatte. In den ersten Oktobertagen war Hilferdings Vorschlag, auf diese Note zurückzugreifen, weder von den bürgerlichen Kabinettsmitgliedern noch von der sozialdemokratischen Fraktion unterstützt worden. Dieser gingen die damaligen Formulierungen zu weit, jenen schienen sie unzureichend. Ein paar Tage später siegte die Erkenntnis, daß der kurzlebige Konsens vom November 1922 einerseits nicht zu überbieten, andererseits aber auch tragfähig genug war, um ein neues Regierungsbündnis auf ihn zu gründen.

Für die Sozialdemokraten bedeutete die „grundsätzliche" Anerkennung des Achtstundentages einen gewissen Erfolg, wenn auch an der zumindest teilweisen Abschaffung dieser Errungenschaft kaum Zweifel möglich waren. Als ihr Verdienst konnte es die SPD ferner betrachten, daß die Arbeitszeitfrage nicht pauschal durch ein Ermächtigungsgesetz geregelt werden sollte. Dem Ermächtigungsgesetz als solchem hatten die sozialdemokratischen Unterhändler jedoch ausdrücklich zugestimmt. Ein solches Gesetz sei gewiß ein Stück Diktatur, räumte Hermann Müller vor der Fraktion ein, aber wenn nicht diese legale Diktatur komme, dann eben die der Gewalt. Und die Unternehmer seien stark genug, auch ohne gesetzliche Regelung den Achtstundentag aufzuheben.

Was Müller am 6. Oktober verteidigte, war auch schon vier Tage vorher richtig gewesen. In der Zwischenzeit hatte das Schicksal der parlamentarischen Demokratie auf des Messers Schneide gestanden, und es war nicht das Verdienst der Sozialdemokratischen Partei, daß Deutschland die Krise ohne Abgleiten in die Diktatur überstand. Mochten die Sozialdemokraten in der Arbeitszeitfrage einen leichten Positionsgewinn verbuchen, so ging ihr politischer Einfluß insgesamt im neuen Kabinett zurück. Statt bisher vier stellte die SPD nur noch drei Minister: Sollmann, Radbruch und Robert Schmidt. Hilferding, der als Finanzminister auch in den eigenen Reihen umstritten war, mußte unter dem Druck vor allem der DVP seinen Posten räumen und dem parteilosen, aber zur Volkspartei neigenden Hans Luther überlassen. An die Stelle Raumers, der den Unternehmern zu nachgiebig erschien, trat als Wirtschaftsminister der parteilose Joseph Koeth, der frühere Leiter des Reichsamtes für wirtschaftliche Demobilmachung. Parteilos war auch Luthers Nachfolger als Ernährungsminister, Graf Kanitz – allerdings erst seit seiner Ernennung am 23. Oktober. Bis dahin hatte er der DNVP angehört, die er seit einer Nachwahl im Jahre 1921 auch als Abgeordneter im Reichstag vertrat. Kanitz wurde bewußt als Vertrauensmann der Agrarier in die Regierung aufgenommen. Von seiner Zusammensetzung her stand das zweite Kabinett Stresemann mithin eindeutig rechts vom ersten.

Eine Woche nach der Konstituierung des Kabinetts, am 13. Oktober, nahm der Reichstag mit 316 gegen 24 Stimmen bei 7 Enthaltungen, und damit mit der notwendigen verfassungsändernden Mehrheit, ein Ermächtigungsgesetz an, das der Regierung der Großen Koalition (und nur dieser) außerordentliche Vollmachten auf finanziellem, wirtschaftlichem und sozialem Gebiet einräumte. Von der Ermächtigung ausgenommen waren ausdrücklich die Regelung der Arbeitszeit sowie Einschränkungen der Renten und Unterstützungen für genauer bestimmte Empfängergruppen. Die große Mehrheit für das Ermächtigungsgesetz kam einmal dadurch zustande, daß Kommunisten und Deutschnationale (in der vergeblichen Hoffnung, die erforderliche Anwesenheit von zwei Dritteln der Abgeordneten verhindern zu können) den Plenarsaal vor der Schlußabstimmung verlassen hatten. Zum anderen spiegelte sich in der hohen Zahl der Ja-Stimmen auch die disziplinierende Wirkung der Order zur Auflösung des Reichstags, die der Reichspräsident dem Reichskanzler für den Fall der Ablehnung des Ermächtigungsgesetzes gegeben hatte. Die SPD hatte überdies noch für die entscheidende Abstimmung unbedingten Fraktionszwang beschlossen. Daß dennoch 43 sozialdemokratische Abgeordnete der Abstimmung unentschuldigt fernblieben und 31 davon diesen Schritt mit einer politischen Erklärung rechtfertigten, warf ein bezeichnendes Licht auf die inneren Spannungen in der größten Regierungspartei.

Einige der Verordnungen, die während der kurzen Geltungsdauer des „Ersten Reichs-Ermächtigungsgesetzes" erlassen wurden, hatten weitreichende Wirkungen. Am 13. Oktober verabschiedete das Kabinett eine Verordnung, die den Weg für die spätere Arbeitslosenversicherung ebnete: Vier Fünftel der Kosten für die Erwerbslosenfürsorge sollten künftig je zur Hälfte von den Arbeitgebern und den Arbeitnehmern, ein Fünftel von der öffentlichen Hand aufgebracht werden. Die Personalabbauverordnung vom 27. Oktober sah eine schrittweise Verminderung der Zahl der Staatsbediensteten um ein Viertel vor (wobei 15% vor dem 31. März 1924, die restlichen 10% zu einem späteren Zeitpunkt ausscheiden sollten). Nicht weniger folgenschwer und umstritten war die Schlichtungsverordnung vom 30. Oktober 1923, die den Staat zu einer Art Oberschiedsrichter bei Tarifkonflikten machte. Ohne daß der Reichstag Gelegenheit gehabt hätte, das Für und Wider eines derart einschneidenden Eingriffs auch nur zu erörtern, wurde damit das Verhältnis zwischen Gewerkschaften, Arbeitgeberverbänden und Staat auf eine gänzlich neue Rechtsgrundlage gestellt. Die „legale Diktatur", die nach dem Willen des Gesetzgebers nur auf Zeit ausgeübt werden sollte, zeitigte Wirkungen, die auf Dauer angelegt und in der Folgezeit nur noch schwer zu korrigieren waren.[41]

Während die Reichsregierung die Krise mit Verordnungen zu bewältigen versuchte, arbeiteten rechtsautoritäre Kräfte und Kommunisten auf eine Zuspitzung der Lage hin. In Bayern wetteiferten Kahr und Hitler um die Führungsrolle im rechten Lager. Hitler ließ sich am 25. September zum Führer des „Deutschen Kampfbundes", einer neuen Dachorganisation der „Vaterländischen Verbände", wählen; Kahr wies vier Tage später die nachgeordneten Behörden an, den Vollzug des Republikschutzgesetzes außer Kraft zu setzen. Eine andere Maßnahme des Generalstaatskommissars diente noch offensichtlicher dazu, seinen Rückhalt bei der äußersten Rechten und vor allem der engeren Gefolgschaft Hitlers zu festigen: Ab Mitte Oktober wurden in beträchtlicher Zahl Ostjuden, von denen manche seit vielen Jahren in München ansässig waren, aus Bayern ausgewiesen. Als am 20. Oktober Reichswehrminister Geßler die Amtsenthebung des Münchner Wehrkreisbefehlshabers von Lossow anordnete (und damit eine längst fällige Konsequenz aus dessen inzwischen notorischer Befehlsverweigerung zog), holten Generalstaatskommissar und Staatsministerium zum bisher massivsten Schlag gegen das Reich aus: Noch am gleichen Tag wurde Lossow zum bayerischen Landeskommandanten ernannt, die in Bayern stationierte 7. Reichswehrdivision als „Treuhänderin des deutschen Volkes" in die Pflicht des Freistaates Bayern genommen und Lossow mit ihrer Führung beauftragt.

An den längerfristigen Absichten Kahrs und seiner Verbündeten, des Generals von Lossow und des Landeskommandanten der bayerischen Polizei, Oberst von Seißer, konnte es keinen Zweifel geben: Sie wollten nicht Bayern vom Reich trennen, sondern ein Signal setzen für den „Marsch auf Berlin", der in der Ausrufung der „nationalen Diktatur" im Reich seinen krönenden Abschluß finden sollte. Die „Vaterländischen Verbände" und die Nationalsozialisten sollten an dieser Aktion mitwirken, aber gewissermaßen nur als Fußvolk. Die Rolle Mussolinis, dessen „Marsch auf Rom" im Jahre zuvor die Phantasie der bayerischen Verschwörer beflügelte, war auf keinen Fall Hitler zugedacht, sondern zunächst Kahr selbst und später, auf Reichsebene, einem Mann von vergleichbarer Gesinnung. Als ein solcher wurde von dem Münchner Triumvirat auch nach dem Eklat vom 20. Oktober der Chef der Heeresleitung betrachtet. Seeckt freilich beharrte, trotz aller Sympathie, die er für Kahrs Vorstellungen hegte, auf der Legalität des Machtwechsels, und im Fall Lossow stand zudem sein persönliches Prestige auf dem Spiel. Ein Erfolg in Berlin war den bayerischen Staatsstreichsplanern also noch keineswegs sicher.[42]

Auf der äußersten Linken konzentrierte sich im Oktober 1923 die Aufmerksamkeit ganz auf Mitteldeutschland. Am 10. Oktober konnten die deutschen Kommunisten den Vollzug der Anweisung melden, die ihnen neun Tage zuvor der Generalsekretär der Komintern erteilt hatte: Sie traten in die sächsische Regierung unter Erich Zeigner ein. Zwar erlangten sie nicht das erstrebte Innenministerium und damit die Kontrolle über die Polizei. Aber das Finanz- und das Wirtschaftsministerium wurden nunmehr von zwei führenden Mitgliedern der KPD, Paul Böttcher und Fritz Heckert, geleitet, und der Parteivorsitzende Heinrich Brandler übernahm die wichtige Position des Leiters der Staatskanzlei. Am 16. Oktober wurde auch in Thüringen eine Koalitionsregierung aus Sozialdemokraten und Kommunisten gebildet. Die Kommunisten stellten im Kabinett Frölich zwei Ressortchefs: Albin Tenner als Wirtschafts- und Karl Korsch als Justizminister.

Die Bildung der linken Einheitsfrontregierungen in Dresden und Weimar war legal, durch parlamentarische Mehrheitsentscheidungen, erfolgt. Formell konnte das Reich gegen das Zustandekommen der neuen Kabinette also nichts einwenden. Die Regierungen Zeigner und Frölich unternahmen auch keine Schritte, die man als reichsfeindlich hätte bezeichnen können. Insofern unterschied sich die mitteldeutsche Krise grundlegend von der bayerischen. Und doch zweifelte in Berlin kaum jemand an der wirklichen Absicht, die die Kommunisten mit dem Eintritt in die beiden Landesregierungen verfolgten: der Vorbereitung eines bewaffneten Aufstandes. Der Reichskommissar für Überwachung der öffentlichen Ordnung nannte am 19. Oktober als Indizien Waffenfunde in Berlin und Plünderungen von Waffengeschäften in Sachsen. Außerdem meldete er, der neue sächsische Finanzminister Paul Böttcher habe am 13. Oktober auf einer Versammlung in Leipzig die sofortige Bewaffnung des Proletariats gefordert.

Am gleichen 13. Oktober antwortete die Reichswehr auf die Bildung der linken Einheitsfront in Dresden: Der sächsische Wehrkreisbefehlshaber, General Müller, der seit dem 27. September auch Inhaber der vollziehenden Gewalt war, verbot die Proletarischen Hundertschaften. Drei Tage später gab Müller nach Rücksprache mit Reichswehrminister Geßler bekannt, daß die sächsische Polizei ab sofort der unmittelbaren Befehlsgewalt der Reichswehr unterstellt sei. Der sächsischen Regierung war damit ihr einziges wirksames Machtinstrument entzogen und eine Reichsexekution gegen Sachsen, ohne daß sie formell beschlossen worden wäre, bereits weitgehend an ihr Ziel gelangt.

Für die Führung der Sozialdemokratie bedeutete die Bildung der Einheitsfrontkabinette in Sachsen und Thüringen eine bisher noch nicht dagewesene Herausforderung. Es war völlig undenkbar, daß die gleiche Partei über längere Zeit hinweg im Reich und in Preußen mit den gemäßigten bürgerlichen Parteien, einschließlich der unternehmernahen DVP, in den beiden größten mitteldeutschen Ländern dagegen mit den Kommunisten regieren konnte. Die Linkskoalitionen waren gegen den Willen und gegen ernste Mahnungen des Parteivorstands zustande gekommen; verbieten freilich konnte die Parteiführung solche Allianzen nicht, da ihr dazu die satzungsmäßigen Handhaben fehlten. Auf der anderen Seite mußte die SPD Rücksicht nehmen auf ihre Anhängermassen, denen es kaum begreiflich zu machen war, daß ihre Partei einer Reichsregierung angehörte, die gegen Bayern eine scheinbar alles verzeihende Milde walten ließ, während sie gleichzeitig gegen Sachsen mit beispielloser Härte vorging. Als General Müller am 15. Oktober die sächsische Regierung rügte, weil sie ohne seine Genehmigung Zeigners Regierungserklärung hatte plakatieren lassen, protestierte denn auch nicht nur der „Vorwärts", sondern auch Innenminister Sollmann im Kabinett. Stresemann konnte sich jedoch darauf berufen, daß das Vorgehen des Generals mit dem Reichspräsidenten im voraus besprochen und von diesem gebilligt worden war. Außerdem gab der Kanzler zu bedenken, daß, „falls die Regierung in Sachsen nicht durchgreife, die Gefahr bestände, daß sich die in Sachsen bedrohten Kreise an Bayern mit der Bitte um Hilfe wenden. Daß dies den Bürgerkrieg und damit den Zerfall des Reiches bedeute, brauche er nicht besonders auszuführen".[43]

Die Gefahr, daß von Sachsen ein kommunistischer Aufstand ausgehen und das ganze Reich erfassen würde, war bis zum 21. Oktober durchaus real. Auf diesen Tag hatte die KPD eine Arbeiterkonferenz nach Chemnitz einberufen, auf der, falls die Stimmung günstig war, der Generalstreik ausgerufen und das Signal zum Aufstand ausgegeben werden sollte. Doch als Brandler den sofortigen Generalstreik als Antwort auf die Diktatur der Reichswehr verlangte, fand dieser Vorschlag keinerlei Zustimmung. Der anwesende sozialdemokratische Arbeitsminister Graupe drohte mit dem Auszug der SPD, falls die Kommunisten auf ihrer Forderung beharrten. Hiergegen erhob sich kein Widerspruch. August Thalheimer hat Jahre später die Reaktion auf Brandlers Vorstoß mit vollem Recht als ein „Begräbnis dritter Klasse" bezeichnet.

Der Ablauf der Chemnitzer Arbeiterkonferenz durchkreuzte den Terminplan für den „deutschen Oktober". Die Zentrale der KPD mußte einsehen, daß die Kommunisten selbst in ihrer sächsischen Hochburg innerhalb der Arbeiterklasse isoliert waren. An einen erfolgreichen, in den bewaffneten Aufstand übergehenden Generalstreik im Reich war unter diesen Umständen nicht zu denken. Ohne die Ankunft Karl Radeks abzuwarten, der sich noch auf dem Weg nach Deutschland befand, zog die Zentrale aus dem Desaster von Chemnitz die einzig realistische Schlußfolgerung: Der Plan einer proletarischen Erhebung wurde fürs erste fallen gelassen.

Zu einem örtlichen kommunistischen Aufstand kam es zwei Tage später doch noch: in Hamburg. Vermutlich lag der Hauptgrund der Erhebung darin, daß der linke Parteibezirk Wasserkante mit Ernst Thälmann an der Spitze den vorsichtigen Kurs der Zentrale nicht mittragen wollte und den Ehrgeiz hatte, Hamburg an Stelle von Sachsen zum Vorort der deutschen Revolution zu machen. Aber auch in der Hansestadt verweigerten die Massen den Kommunisten die Gefolgschaft. Die von der Polizei genannte Zahl von 5000 Aufständischen war höchstwahrscheinlich bewußt übertrieben; fest steht dagegen, daß bei den Hamburger Kämpfen zwischen dem 23. und 25. Oktober 24 Kommunisten und 17 Polizisten den Tod fanden. Die Niederwerfung des lokalen Putsches bildete den blutigen Schlußstrich unter den „deutschen Oktober", der schon im ersten Anlauf kläglich gescheitert war. Die Verantwortung für den Fehlschlag trugen nicht, wie die Komintern und die Parteilinke seit Anfang 1924 behaupteten, die „opportunistischen" Kräfte um Heinrich Brandler. Die Schuld traf vielmehr in erster Linie jene, die im August 1923 die Chancen einer deutschen Revolution falsch eingeschätzt und hierauf eine abenteuerliche Strategie gegründet hatten: das Exekutivkomitee der Kommunistischen Internationale in Moskau und seine linken Gefolgsleute in der Führung der KPD.[44]

Während in Hamburg Kommunisten gegen Polizisten kämpften, unterwarf die Reichswehr ganz Sachsen ihrer Kontrolle. Seit dem 21. Oktober, dem Tag der Chemnitzer Arbeiterkonferenz, wurden Truppen aus verschiedenen Teilen des Reiches in das mitteldeutsche Land gebracht. Mehrere Regimenter rückten in Leipzig, Meißen, Dresden und Pirna ein. In mehreren Städten, darunter Chemnitz, kam es zu Schießereien, ebenso im Erzgebirge und Vogtland. In Freiberg eröffneten am 27. Oktober Soldaten das Feuer auf Demonstranten, die trotz mehrfacher Aufforderung durch einen Reichswehroffizier nicht auseinandergingen; es gab 23 Tote und 31 Verletzte unter der Zivilbevölkerung und 4 verwundete Soldaten.

Der Reichswehreinmarsch in Sachsen erfolgte, ohne daß das Kabinett Stresemann einen förmlichen Beschluß hierüber gefaßt hätte. Die Minister erfuhren am 19. Oktober aus dem Mund des Kanzlers lediglich, daß Reichswehrtruppen zusammengezogen würden, um die Rechtssicherheit in Sachsen und Thüringen wiederherzustellen und Aktivitäten von rechtsradikalen Banden zuvorzukommen. Erst am 27. Oktober befaßte sich die Reichsregierung ausführlich und kontrovers mit der sächsischen Frage. Die bürgerliche Mehrheit unterstützte die Forderung von Reichswehrminister Geßler, einen Zivilkommissar einzusetzen, der die Regierungsgewalt ausüben solle, bis ein Kabinett ohne Kommunisten gebildet sei. Die Sozialdemokraten erhoben hiergegen Bedenken und empfahlen einen Versuch, Zeigner zum freiwilligen Rücktritt zu bewegen. Am Ende der Beratungen stand ein Kompromiß, für den sich vor allem der Beauftragte des Reichspräsidenten, Ministerialdirektor Meissner, eingesetzt hatte: Der Reichskanzler sollte den sächsischen Ministerpräsidenten ultimativ auffordern, eine Regierung ohne Kommunisten zu bilden. Für den Fall, daß Zeigner diesem Verlangen nicht nachkam, sollte Geßler als Inhaber der vollziehenden Gewalt einen Kommissar ernennen, der bis zur Bildung einer verfassungsmäßigen Regierung die Belange des Landes wahrzunehmen hatte.

Das Ultimatum Stresemanns, das noch am 27. Oktober nach Dresden übermittelt wurde, hob die Umsturzpropaganda kommunistischer Regierungsmitglieder, darunter Brandlers, hervor, enthielt aber auch die grundsätzliche Feststellung, daß eine Regierungsbeteiligung von Kommunisten auf Grund des Gesamtprogramms der KPD mit verfassungsmäßigen Zuständen unvereinbar sei. Die sächsische Antwort, die fristgerecht am 28. Oktober in Berlin eintraf, war ein klares Nein: Nur der sächsische Landtag sei legitimiert, die Regierung abzuberufen, und solange das nicht geschehe, werde sie auf ihrem Posten beharren.

Tags darauf begann die formelle Reichsexekution. Der Reichspräsident ermächtigte den Reichskanzler auf Grund des Artikels 48 der Reichsverfassung, die Mitglieder der sächsischen Regierung sowie der Landes- und Gemeindebehörden ihrer Stellung zu entheben und andere Personen mit der Führung der Dienstgeschäfte zu betrauen. Stresemann ernannte daraufhin den früheren Reichsjustizminister und jetzigen Reichstagsabgeordneten der DVP, Karl Rudolf Heinze, zum Reichskommissar für Sachsen. Am frühen Nachmittag des 29. Oktober zog die Reichswehr mit klingendem Spiel vor die Dresdner Ministerien und zwang die Minister, angeblich sogar mit entsichertem Gewehr, ihre Amtsräume zu verlassen. Ein Generalstreikaufruf, den die Chemnitzer Parteileitungen von KPD und SPD ergehen ließen, blieb ohne Echo. Am 30. Oktober erklärte Zeigner offiziell seinen Rücktritt und damit zugleich den des Gesamtministeriums. In Gegenwart des Parteivorsitzenden Otto Wels und des Parteivorstandsmitglieds Wilhelm Dittmann nominierte die sozialdemokratische Landtagsfraktion den früheren Wirtschaftsminister Alfred Fellisch zum Chef einer rein sozialdemokratischen Minderheitsregierung. Die Kommunisten lehnten eine Tolerierung ab, während die DDP dazu bereit war. Am 31. Oktober wählte der sächsische Landtag Fellisch zum Nachfolger Zeigners. Noch am gleichen Tag beendete Reichspräsident Ebert auf Ersuchen Stresemanns Heinzes Mandat als Reichskommissar.[45]

Die Reichsexekution gegen Sachsen verlief anders, als die Reichswehr und der für sie zuständige Minister Geßler sie sich vorgestellt hatten. Stresemann hatte Ebert offensichtlich davon überzeugen können, daß es klug war, Sachsen gegenüber eine andere, zivilere Form des Ausnahmezustands anzuwenden als die, die durch die Notverordnung vom 26. September ermöglicht worden war. Die Verordnung des Reichspräsidenten vom 29. Oktober, die den Reichskanzler ermächtigte, einen Reichskommissar für Sachsen zu ernennen, bedeutete einen Rückschlag für die Bestrebungen der Reichswehr, zum entscheidenden innenpolitischen Machtfaktor aufzusteigen. Stresemann bewies durch die Art, wie er die Vollmacht nutzte, daß auch in einer extremen Krisensituation der Primat der Politik gegenüber dem Militär nicht preisgegeben werden mußte. Hätte Geßler sich mit seiner Absicht durchgesetzt, als Inhaber der vollziehenden Gewalt einen Reichskommissar für Sachsen zu ernennen, wäre die Reichsexekution vermutlich nicht schon am 31. Oktober und schwerlich durch die Wahl eines sozialdemokratischen Ministerpräsidenten abgeschlossen worden.

Die Sozialdemokraten hätten die Reichsexekution gegen Sachsen noch abwenden können, wenn es ihnen gelungen wäre, Zeigner zur Entlassung der kommunistischen Minister zu bewegen. Einem Bericht Wilhelm Dittmanns zufolge, der im Auftrag des Parteivorstands mit Zeigner und den sächsischen Führungsgremien verhandelte, war die Dresdner Landtagsfraktion am 28. Oktober bereit, sich von den Kommunisten zu trennen. Um so schwerer begreiflich ist das Verhalten der sozialdemokratischen Reichsminister am 27. Oktober. Sie bestanden weder darauf, den genauen Wortlaut des Briefes an Zeigner noch dessen Antwort im Kabinett zu erörtern. Doch was immer die Parteiführung und die sozialdemokratischen Mitglieder der Reichsregierung zwischen dem 27. und 29. Oktober versäumt haben mögen, die eigentliche Verantwortung für die Reichsexekution lag bei der sächsischen SPD. Ihr Pakt mit den Kommunisten ermöglichte es einer Partei, die den gewaltsamen Umsturz plante, staatliche Machtpositionen zu besetzen. Die formale Legalität dieses Vorgangs war eines. Ein anderes war seine inhaltliche Bedeutung: Das Reich hatte allen Grund, in der Ernennung kommunistischer Landesminister eine akute Bedrohung der verfassungsmäßigen Ordnung zu sehen.[46]

Die gewaltsame Absetzung der sächsischen Koalitionsregierung führte in der Sozialdemokratie, wie nicht anders zu erwarten, zu heftigen Reaktionen. Was Führung und einfache Mitglieder besonders empörte, war die Ungleichbehandlung der Fälle Sachsen und Bayern: Während Zeigner durch Soldaten aus dem Amt entfernt wurde, konnte Kahr ruhig weiterregieren. Der Druck aus der Partei war so stark, daß Innenminister Sollmann schon am Abend des 29. Oktober im Kabinett offen vom bevorstehenden Ende der Großen Koalition sprach. Er und seine Parteifreunde könnten die Verantwortung für die Geschehnisse in Sachsen, insbesondere das provokatorische Verhalten der Reichswehr bei der Amtsenthebung der sächsischen Minister, nicht tragen, und sie sähen keine andere Möglichkeit, als aus dem Kabinett auszuscheiden. Die endgültige Entscheidung hierüber liege allerdings bei der sozialdemokratischen Reichstagsfraktion.

In der Fraktionssitzung der SPD vom 31. Oktober stießen Verteidiger und Gegner einer weiteren Regierungsbeteiligung hart aufeinander. Reichstagspräsident Paul Löbe, der den linken Wahlkreis Breslau vertrat, äußerte die Ansicht, die Sozialdemokraten könnten für die Republik nicht mehr kämpfen, denn die Massen sähen die Staatsform als solche nicht mehr als verteidigungswert an. Da Kapital, Militär und Wucher ebenso stark seien wie in der Zeit der Monarchie, könne es für die Sozialdemokraten nur noch die Parole geben: „Zurück zum reinen Klassenkampf!“ Preußens Innenminister Severing, wie schon am 3. Oktober der beredteste Anwalt einer Aufrechterhaltung der Großen Koalition, widersprach Löbe vehement. Das Reich bleibe nicht so, wie es zur Zeit sei. Die Franzosen drängten auf die Gründung einer Rheinischen Republik. Komme in ganz Deutschland eine Rechtsregierung zustande, so würden England und Amerika nicht mehr für neue Reparationsverhandlungen eintreten. Wenn die „vaterländischen Verbände" erst einmal die Waffenlager in ihren Händen hätten, dann stehe ein Krieg mit Frankreich bevor. Aus allen diesen Gründen beschwor Severing seine Parteifreunde: „Denkt an die Folgen!"

Am Ende der Beratungen stand der Schein eines Kompromisses. Die SPD stellte für ihr Verbleiben in der Koalition ultimative Bedingungen: Sie verlangte erstens die Aufhebung des militärischen Ausnahmezustands, zweitens eine Erklärung der Reichsregierung, daß sie das Verhalten der bayerischen Machthaber als Verfassungsbruch betrachte, und die sofortige Einleitung der gebotenen Schritte gegen Bayern, drittens für Sachsen die Beschränkung der Reichswehr auf Hilfsfunktionen im Dienste der zivilen Behörden und die Entlassung von Angehörigen rechtsradikaler Organisationen aus der Truppe.

Es war von vornherein unwahrscheinlich, daß sich die bürgerlichen Koalitionspartner dem sozialdemokratischen Ultimatum beugen würden. Die überwiegende Meinung im Kabinett ging dahin, daß das harte Vorgehen gegen Sachsen indirekt auch ein Beitrag zur Lösung des bayerischen Problems war. Trat die Reichsregierung der radikalen Linken massiv entgegen, so entzog sie, diesem Kalkül zufolge, dem drohenden Rechtsputsch, von dem Stresemann am 29. Oktober sprach, den Boden. Geßler ging noch weiter und forderte die Sozialdemokraten am 1. November im Kabinett unverblümt auf, die Regierung zu verlassen. „Geschähe dies, so würde Herr von Lossow sofort verschwinden." Der Kanzler hingegen wollte die Sozialdemokraten, schon aus außenpolitischen Gründen, im Kabinett behalten. Mittlerweile gab es nämlich nicht nur die von Severing erwähnte Bereitschaft der Angelsachsen, in neue Raparationsverhandlungen einzutreten, sondern auch erste Anzeichen eines französischen Einlenkens in ebendieser Frage. Daß eine Regierung mit sozialdemokratischer Beteiligung bessere Chancen hatte, zu einem Ausgleich mit den Westmächten zu gelangen, als eine bürgerliche Minderheits- oder gar eine Rechtsregierung, verstand sich für Stresemann von selbst. Aber auch der Reichskanzler sah sich nicht in der Lage, den Sozialdemokraten in den wichtigsten Punkten entgegenzukommen. Die Aufhebung des militärischen Ausnahmezustandes war mit der Gefahr verbunden, daß dann rechtsradikale Verbände unter dem Korvettenkapitän Ehrhardt, die an der Grenze zwischen Bayern und Thüringen standen, sich zu einem Schlag gegen das „rote" Nachbarland und zum „Marsch auf Berlin" ermuntert fühlen konnten. Und den offenen Bruch mit Bayern vermochte Stresemann schon deswegen nicht zu befürworten, weil dies für ihn den Bruch mit der Reichswehr bedeutet hätte.

Am 2. November berieten die bürgerlichen Mitglieder des Kabinetts Stresemann die Krise nochmals in einer separaten Zusammenkunft. Das Ergebnis der Aussprache war eindeutig: Die Bedingungen der SPD fanden keine Unterstützung. Daraufhin erklärten die drei sozialdemokratischen Minister Schmidt, Sollmann und Radbruch ihren Rücktritt und beendeten damit endgültig die Große Koalition, die sie am 13. August 1923 eingegangen waren. Erich Koch-Weser, einer der führenden Politiker der DDP, meinte einige Tage später, am 11. November, die Sozialdemokratie sei „aus der Regierung hinausgedrängt worden". Das traf zu – und war doch nur die halbe Wahrheit. So gern Geßler und mit ihm die rechten Flügel des Zentrums und der DVP die SPD aus dem Kabinett ausscheiden sahen, so sehr hatten die Sozialdemokraten das Bündnis mit der bürgerlichen Mitte ihrerseits belastet, als sie in Sachsen und Thüringen mit den Kommunisten zu koalieren begannen. Seit dem Eintritt der KPD in das Kabinett Zeigner am 10. Oktober war klar, daß es sich fortan nur noch darum handeln konnte, welche der beiden Koalitionen zuerst zerbrechen würde: die in Sachsen oder die im Reich. Die Art und Weise, wie das sächsische Regierungsbündnis beendet wurde – durch eine von der Regierung der Großen Koaliton veranlaßte Reichsexekution – hätte allein schon genügt, die Sozialdemokratie in eine Zerreißprobe zu stürzen. Was den Bruch mit den gemäßigten bürgerlichen Parteien aber zuletzt kaum noch abwendbar machte, war die Politik der Kabinettsmehrheit gegenüber Bayern. Die SPD mußte damit rechnen, daß ein erheblicher Teil ihrer Anhänger zu den Kommunisten abwandern, viele der ehemaligen Unabhängigen sich von der Partei sogar abspalten würden, wenn sozialdemokratische Reichsminister weiterhin eine Mitverantwortung für die Hinnahme des Kahr-Regimes trugen. Aus dieser Sorge heraus verließ die SPD am 2. November 1923 die Regierung Stresemann. Daß dies ein Abschied von der Macht im Reich auf fast ein Jahrfünft werden würde, konnte zu diesem Zeitpunkt niemand vorhersehen.[47]

Mit dem Ende der Großen Koalition verlor die Regierung Stresemann ihre wichtigste Machtgrundlage: das Ermächtigungsgesetz vom 13. Oktober 1923, das auf den 31. März 1924 befristet war, aber schon vorher außer Kraft treten sollte, wenn die Reichsregierung wechselte oder ihre parteipolitische Zusammensetzung sich änderte. Für die Kräfte, die seit längerem auf eine diktatorische Krisenlösung drängten, kam das relative Machtvakuum wie gerufen. Seeckt hatte schon am 24. Oktober Stresemann unverhohlen zum Rücktritt aufgefordert und sich selbst als Nachfolger präsentiert. Nach dem Ausscheiden der sozialdemokratischen Minister unternahm der Chef der Heeresleitung einen neuen Anlauf, um seine Pläne zu verwirklichen. Seeckt hielt jetzt die Stunde eines „Direktoriums" für gekommen. Am 2. November entwarf er einen Brief an einen denkbaren Partner dieses Projekts, Gustav von Kahr, worin er den bayerischen Generalstaatskommissar der weitgehenden Gemeinsamkeit der Anschauungen und Zielsetzungen versicherte, eine weitere Zusammenarbeit mit der Sozialdemokratie ablehnte, weil diese sich dem Gedanken der Wehrhaftmachung verschließe, und zur Weimarer Reichsverfassung unter anderem bemerkte, sie sei für ihn, Seeckt, „an sich kein noli me tangere" (= rühr mich nicht an). Der endgültige Brief, der am 5. November abging, enthielt diese Formulierung nicht mehr. Dagegen blieb die Feststellung erhalten, daß eine Aufgabe der verfassungsmäßigen Formen große Gefahren in sich berge und daher nur in äußerstem Notfall in Frage komme.

Am 4. November schrieb Seeckt, und zwar „nicht nur mit Wissen, sondern auf Wunsch des Reichspräsidenten", einen Brief an Otto Wiedfeldt, den deutschen Botschafter in Washington, dessen Name seit längerem immer wieder im Zusammenhang mit Plänen eines Direktoriums genannt worden war. Seeckt ließ keinen Zweifel daran, daß die nächste Reichsregierung keine parlamentarische mehr sein werde. „Eine erfolgreiche Regierung mit dem Parlament ist nach Ausscheiden der S. D. (Sozialdemokratie) ausgeschlossen. Es muß dann ein kleines Kabinett mit Direktoriums-Charakter und Ausnahme-Vollmachten folgen." Für den früheren Krupp-Direktor Wiedfeldt sah Seeckt den Posten des Reichskanzlers vor – ein Angebot, das der Empfänger des Briefes, von Seeckt am 10. November nochmals telegraphisch zur Entscheidung gedrängt, am 24. November unter Hinweis auf seinen fehlenden Rückhalt bei Parteien, Landwirtschaft und Arbeiterschaft dankend ablehnte.

Was immer der Reichspräsident gegenüber Seeckt tatsächlich gesagt hat, die vertrauliche Sondierung mit Wiedfeldt muß er autorisiert haben. Offenbar gab Ebert, der die Sozialdemokraten vergeblich zur Aufrechterhaltung der Großen Koalition gedrängt hatte, dem Rumpfkabinett Stresemann nur noch eine kurze Lebensdauer. Da eine andere parlamentarische Mehrheit nicht in Sicht war, mag er sich wieder mit dem Gedanken einer Art Präsidialkabinett angefreundet haben, wie er es ansatzweise schon vor einem Jahr, mit der Ernennung Cunos, zu bilden versucht hatte. Ein von der Reichswehr gestütztes, vom Reichspräsidenten mit außerordentlichen Vollmachten ausgestattetes Kabinett: das dürfte für Ebert eine zwar prekäre, aber immer noch verfassungskonforme und angesichts der Gefahr eines Bürgerkriegs vielleicht unvermeidbare ultima ratio gewesen sein. Daß er dem Kanzler die Anfrage bei Wiedfeldt verschwieg, rückt das Vorgehen des Reichspräsidenten im November 1923 allerdings in ein eigentümliches Zwielicht.

Am 5. November verlangte Seeckt in Gegenwart Geßlers von Ebert zunächst ein Kabinett der Rechten, dann, als der Reichspräsident dies entschieden ablehnte, die Entlassung Stresemanns. Auf Eberts Frage, ob Seeckt bereit sei, diese Forderung auch vor dem Reichskanzler persönlich zu wiederholen, antwortete der Chef der Heeresleitung mit Ja. In dem anschließenden Gespräch mit Stresemann erklärte Seeckt, Geßlers Zeugnis zufolge: „Herr Reichskanzler, mit Ihnen ist der Kampf nicht zu führen. Sie haben das Vertrauen der Truppe nicht." Auf Stresemanns Gegenfrage: „Sie kündigen mir damit den Gehorsam der Reichswehr?" erwiderte, bevor Seeckt antworten konnte, Geßler: „Herr Reichskanzler, das kann nur ich." Seeckt schwieg – und gab seine Kraftprobe mit Stresemann fürs erste auf.

Seeckt war nicht der einzige Widersacher, dessen sich der Kanzler nach dem Bruch der Großen Koalition zu erwehren hatte. Der schwerindustrielle rechte Flügel seiner eigenen Partei drängte auf eine Koalition mit den

Deutschnationalen und war bereit, gegebenenfalls auch den Preis zu bezahlen, den die DNVP für einen Eintritt in die Reichsregierung forderte: den Rücktritt Stresemanns. Das Rumpfkabinett, das sich auf einen Auftrag des Reichspräsidenten stützen konnte, weiterhin im Amt zu bleiben, lehnte am 5. November eine Demission entschieden ab. Die Ministerposten, die nach dem Ausscheiden der Sozialdemokraten frei geworden waren, blieben bis auf einen vakant: Am 11. November ernannte Ebert auf Vorschlag des Kanzlers den Duisburger Oberbürgermeister Karl Jarres – einen Politiker, der auf dem rechten Flügel der DVP stand und von den Besatzungsbehörden aus dem besetzten Gebiet ausgewiesen worden war – zum Reichsminister des Innern.[48]

Stresemanns Weigerung, eine Koalition mit den Deutschnationalen in Erwägung zu ziehen, hatte ihren Hauptgrund in jenen hoffnungsvoll stimmenden außenpolitischen Entwicklungen, auf die er die Sozialdemokraten in den letzten Tagen der Großen Koalition hingewiesen hatte und die er durch einen Schwenk nach rechts nicht gefährden wollte. Am 15. Oktober hatte das Kabinett – einer Anregung des früheren Finanzministers Hilferding folgend – beschlossen, der Reparationskommission eine Note zu übermitteln, in der den Alliierten vorgeschlagen wurde, die Hilfsmittel und die Leistungsfähigkeit Deutschlands zu überprüfen und dabei Vertreter der Reichsregierung anzuhören. Im Zusammenhang damit wollte Stresemann, um den guten Willen Deutschlands zu unterstreichen, auch die nach dem Ruhreinmarsch eingestellten Zahlungen an die Besatzungsmächte wieder aufnehmen. Gegen den Willen des neuen Finanzministers Luther konnte sich der Kanzler damit aber zunächst nicht durchsetzen. Am 24. Oktober wurde der Reparationskommission die deutsche Note übermittelt. Die Reichsregierung konnte damit rechnen, daß zumindest England den Vorstoß positiv aufnehmen würde. Denn am 12. Oktober hatte die britische Regierung erstmals offiziell den Ende Dezember 1922 vom amerikanischen Außenminister Hughes gemachten Vorschlag aufgegriffen, die Reparationsfragen auf einer internationalen Konferenz unter wirtschaftlichen Gesichtspunkten überprüfen zu lassen. Damit machte sich das Foreign Office Argumente zu eigen, die Anfang Oktober auf der Londoner Empirekonferenz vor allem der südafrikanische Premierminister Smuts vorgetragen hatte. Daß Hughes die britische Initiative vom 12. Oktober ausdrücklich willkommen hieß, wurde in Berlin zu Recht als Ermutigung verstanden, nun auch von deutscher Seite einen Schritt zur Lösung der Reparationsfrage zu tun.

Die eigentliche Wende brachte aber erst der 25. Oktober: Poincaré ließ der britischen Regierung mitteilen, daß er unter bestimmten Bedingungen bereit sei, einer Überprüfung der Reparationsfrage zuzustimmen. Die Bedingungen waren die folgenden: Das Expertengremium war durch die Reparationskommission zu berufen; die Höhe der deutschen Reparationsschuld, wie sie das Londoner Ultimatum vom Mai 1921 dem Reich auferlegt hatte, sollte vom Ergebnis der Untersuchungen unabhängig sein; eine zweite Kommission hatte Höhe und Verbleib der deutschen Auslandsdevisen festzustellen. Nachdem auch Amerika diesem Vorschlag zugestimmt hatte, brachte Paris am 13. November in der Reparationskommission offiziell den Antrag ein, die beiden Kommissionen einzusetzen. Damit waren die Weichen gestellt für den Dawes-Plan – das Reparationsabkommen des Jahres 1924, das untrennbar mit dem wirtschaftlichen Aufschwung der mittleren Weimarer Jahre verknüpft ist.

Poincarés überraschende Kehrtwendung hatte vielschichtige Ursachen. Neben den finanziellen Problemen, die die Ruhrbesetzung verursacht hatte, spielte die innenpolitische Situation Frankreichs eine wichtige Rolle: Das Klima wurde für den Premierminister zusehends rauher. Dies wiederum hing mit der zunehmenden außenpolitischen Isolierung Frankreichs zusammen, die vor allem auf der Londoner Empirekonferenz deutlich zutage getreten war. Der ausschlaggebende Grund für Poincarés Kursänderung war aber wohl ein anderer. Am 23. Oktober hatte ihm Außenminister Hughes zu erkennen gegeben, daß Amerika eine französische Beteiligung an der interalliierten Expertenkommission honorieren würde. Die USA erklärten sich erstmals bereit, die Diskussion der Reparationsfrage mit dem interalliierten Schuldenproblem zu verbinden. Frankreich durfte also erwarten, daß es durch eine gewisse Konzilianz gegenüber seinem Schuldner Deutschland seine eigene Position als Schuldner der USA verbessern würde.[49]

Das Einlenken Poincarés in der Reparationsfrage bedeutete indes noch keine Preisgabe des Ziels, das Rheinland vom Reich abzutrennen. Am gleichen 25. Oktober, an dem der französische Ministerpräsident die englische Regierung von seinem neuen Kurs informierte, entschied er sich für eine aktive und offizielle Förderung der Autonomiebestrebungen im besetzten Gebiet, wobei ihm besonders daran lag, auch Persönlichkeiten anzusprechen, die den Separatistenbanden fernstanden. Die Separatisten unternahmen seit dem 21. Oktober in verschiedenen Orten, darunter Aachen, Trier, Koblenz, Bonn und Wiesbaden, Versuche, eine „Rheinische Republik“ auszurufen, und konnten sich dabei überall des aktiven Schutzes der französischen und belgischen Behörden erfreuen. In der Pfalz betrieben Sozialdemokraten um den früheren bayerischen Ministerpräsidenten Johannes Hoffmann zur gleichen Zeit im Zusammenspiel mit der Besatzungsmacht die Abtrennung des Gebiets von Bayern und seine Konstituierung als autonomer Staat im Verband des Deutschen Reiches. Hoffmann und seine Freunde im pfälzischen Bezirksverband der SPD empfanden sich nicht etwa als Separatisten, sondern im Gegenteil als deutsche Patrioten, die die Mission hatten, die reaktionäre und reichsfeindliche Politik Kahrs zu durchkreuzen. Aber die Kooperation mit den Franzosen reichte hin, um Hoffmann auch innerhalb der eigenen Partei völlig zu isolieren. Am 26. Oktober brach er seine „Pfalzaktion“ ab; am 12. November proklamierten Separatisten mit dem Bauernführer Franz Josef Heinz aus Orbis an der Spitze eine „Regierung der Autonomen Pfalz“, die sogleich von Frankreich anerkannt wurde.[50]

Doch nicht nur in Paris und im Rheinland, auch in Berlin wurde über eine Trennung zwischen dem besetzten Gebiet und dem Rest des Reiches nachgedacht. Reichskanzler Stresemann sprach im Kabinett am 20. und 24. Oktober offen aus, daß Deutschland wirtschaftlich nicht mehr lange in der Lage sei, die Lasten für das besetzte Gebiet zu tragen. Finanzminister Luther sah die angestrebte neue Währung von vornherein zum Scheitern verurteilt, wenn sie auch im besetzten Gebiet eingeführt und dort, wie das alte Geld, von den Besatzungsbehörden als Reparation beschlagnahmt werde. Das besetzte Gebiet mußte also, soweit es nach Luther ging, fürs erste sich selbst überlassen werden. Und auch Stresemann ließ auf einer Konferenz mit Vertretern des okkupierten Rheinlands am 25. Oktober in Hagen keinen Zweifel daran, daß diese sich in eigener Verantwortung um ein Arrangement mit den Besatzungsmächten bemühen sollten.

Die Konstituierung eines rheinischen Bundesstaates im Verband des Deutschen Reiches, wie sie der Kölner Oberbürgermeister Konrad Adenauer, einer der maßgeblichen Männer des rheinischen Zentrums, in Abstimmung mit führenden Industriellen wie Hugo Stinnes, als Ausweg forderte, lehnte der Reichskanzler strikt ab. Zwar sahen beide, Stresemann wie Adenauer, eine zeitweilige Trennung zwischen dem Rheinland und dem übrigen Reich als möglicherweise unvermeidbar an. Aber jedwedes formelles Einverständnis mit dem, was faktisch unabwendbar sein mochte, erschien aus der Sicht des Kanzlers als Preisgabe des deutschen Rechtsstandpunktes und damit als ein Schritt, der geeignet war, der späteren Wiederverbindung der getrennten Teile einen Riegel vorzuschieben. Die Hagener Konferenz endete damit, daß die Vertreter des besetzten Gebietes ein fünfzehnköpfiges Gremium wählten, das mit den Besatzungsbehörden verhandeln durfte. Über das Ziel solcher Verhandlungen gab es freilich keinerlei Klarheit. Die Zukunft des besetzten Gebietes war zu der Zeit, als das Rumpfkabinett Stresemann die Große Koalition ablöste, ungewisser denn je.[51]

Bevor das Kabinett endgültige Beschlüsse über die Zukunft des besetzten Gebietes fassen konnte, trat die bayerische Krise in ein neues Stadium: Am Abend des 8. November 1923 putschte Adolf Hitler im Münchner Bürgerbräukeller. Er nutzte eine Versammlung der Anhänger Kahrs, um diesen und seine Verbündeten Seißer und Lossow mit vorgehaltener Pistole zur Beteiligung an der „Nationalen Revolution" zu zwingen. Nachdem die drei sich der Erpressung, jedenfalls scheinbar, gefügt hatten, proklamierte sich Hitler selbst zum Leiter der provisorischen nationalen Regierung, während Kahr als Statthalter der Monarchie die Geschicke Bayerns zu übernehmen versprach. Die im Bürgerbräukeller versammelten Mitglieder der bayerischen Staatsregierung wurden von den Nationalsozialisten „verhaftet"; dem Triumvirat Kahr-Seißer-Lossow jedoch gab Ludendorff, von Hitler soeben zum Oberbefehlshaber der Nationalarmee ernannt, am späten Abend die Bewegungsfreiheit zurück. Noch in der Nacht zum 9. November erklärten sie die erpreßte Stellungnahme für ungültig und bereiteten die Niederschlagung des Putsches vor.

In Berlin übertrug Reichspräsident Ebert in der gleichen Nacht nach einer Beratung im Ministerrat dem Chef der Heeresleitung den Oberbefehl über die Wehrmacht des Reiches und, in Abänderung der Verordnung vom 26. September 1923, die Ausübung der vollziehenden Gewalt. Damit fiel Seeckt eine diktatorische Machtfülle zu – freilich nicht die erstrebte politische Führung des Reiches. Ebert, Stresemann und Geßler gingen offenkundig davon aus, daß die weitgehende Machtübertragung an Seeckt der einzige Weg war, die bayerische Reichswehr in eine geschlossene Frontstellung gegen die Putschisten zu bringen. Aber niemand konnte sicher sein, daß der Auftrag, gegen Putschisten vorzugehen, Seeckt davon abhalten würde, selbst zu putschen. Die entscheidende Macht lag seit dem frühen Morgen des 9. November in den Händen eines Gegners der Republik. Alles, was dagegen sprach, daß er diese Macht politisch mißbrauchen würde, war sein bisher bewiesener Legalismus, der sich in Loyalität gegenüber dem Reichspräsidenten niederschlug. Ebert mochte sogar annehmen, daß Seeckt in seiner bisherigen, politisch kaum kontrollierbaren Position der Republik gefährlicher werden konnte als jetzt, wo er dem Staatsoberhaupt direkt unterstellt war. In jedem Fall war das Verhältnis zwischen ziviler und militärischer Macht seit dem 9. November 1923 ein anderes geworden: *Gegen* Seeckt konnte in Deutschland Politik fürs erste nicht mehr gemacht werden.

Der Hitler-Putsch endete am Mittag des 9. November unter den Kugeln der bayerischen Landespolizei an der Münchner Feldherrenhalle. Hitler selbst konnte entfliehen, wurde aber zwei Tage später festgenommen; sechzehn seiner Gefolgsleute bezahlten die Aktion mit ihrem Leben. Der Führer der Nationalsozialisten hatte, indem er auf eigene Faust losschlug, die Putschpläne der Gruppe um Kahr durchkreuzt, die auf eine Zusammenarbeit mit Seeckt setzte. Nach dem 9. November konnte Kahr solche Pläne nicht mehr weiterverfolgen: Seine Autorität war geschwächt, sein Massenrückhalt dahingeschmolzen. Die 7. Reichswehrdivision, die sich im großen und ganzen den Putschisten verweigert hatte, rückte wieder nahe an die übrige Reichswehr heran. Hitler trug mit seinem Coup also dazu bei, den Konflikt zwischen Bayern und dem Reich zu entschärfen. Mehr noch: Er diskreditierte die „seriösen" Putschpläne der nationalistischen Rechten und festigte dadurch ungewollt die verhaßte Republik. Die Lektion, die der 9. November 1923 den radikalen Rechtskräften erteilte, lernte niemand so gut wie Hitler: Eine radikale Änderung der bestehenden Verhältnisse war nicht in totaler Konfrontation mit dem Staatsapparat, sondern nur im kalkulierten Zusammenspiel mit ihm zu erreichen. Dazu gehörte auch, worauf Hitler bei seinem ersten Versuch einer Machtergreifung gänzlich verzichtet hatte: die Wahrung des Scheins der Legalität.[52]

Ihr illegales Vorgehen bezahlte die NSDAP noch am 9. November mit ihrem Verbot durch den Generalstaatskommissar von Kahr. Gleich ihr wurden die am Putsch beteiligten Bünde „Oberland" und „Reichskriegsflagge" aufgelöst und verboten. Um wenigstens einen Teil der Rechten mit diesen

Maßnahmen zu versöhnen, verfügte Kahr zwei Tage später auch die Auflösung und das Verbot der KPD sowie das Verbot sämtlicher Zeitungen und Zeitschriften von KPD und SPD im rechtsrheinischen Bayern. Zwei Wochen später zog Seeckt als Inhaber der vollziehenden Gewalt nach, ging aber nicht ganz so weit wie Bayerns kommissarischer Diktator: Am 23. November verbot der Chef der Heeresleitung NSDAP, Deutschvölkische Freiheitspartei und KPD für das gesamte Reichsgebiet. Eine dauerhafte Illegalisierung brauchten die radikalen Parteien auf Reichsebene indes nicht zu befürchten: Sie konnten damit rechnen, daß die staatlichen Eingriffe nur solange währen würden wie der Ausnahmezustand, auf den sie sich stützten.

Schneller und konsequenter als in Bayern, aber weniger radikal als in Sachsen, wurde die Krise in Thüringen bereinigt. Am 6. November rückte die Reichswehr mit der Einwilligung Eberts in Mittel- und Ostthüringen ein und erzwang in den folgenden Tagen die Auflösung der Proletarischen Hundertschaften. Am 12. November beugte sich die thüringische SPD dem Druck aus Berlin und kündigte die Koalition mit der KPD auf, die daraufhin ihre beiden Minister aus dem Kabinett Frölich zurückzog. Als Chef einer sozialdemokratischen Minderheitsregierung blieb August Frölich noch bis zu den vorgezogenen Landtagswahlen vom 10. Februar 1924 im Amt. Das Ergebnis dieser Wahlen bedeutete für die SPD den Abschied von der Regierungsmacht: Der mitteldeutsche Staat wurde in den folgenden drei Jahren von einem bürgerlichen Beamtenkabinett regiert, das sich auf die Tolerierung der Völkischen stützen konnte.[53]

Nach der Entschärfung der bayerischen und der Beendigung der thüringischen Krise konnte sich die Reichsregierung wieder ganz auf die Sanierung der Währung und die damit eng zusammenhängenden Fragen des besetzten Gebietes konzentrieren. Auf eine neue Währung, die Rentenmark, hatte sich das Kabinett am 15. Oktober, also noch zur Zeit der Großen Koalition, verständigt. Bis zur Einführung einer endgültigen, durch Gold gedeckten Währung sollten nach dem Vorschlag von Finanzminister Luther Grundschulden und Schuldverschreibungen zu Lasten von Industrie und Landwirtschaft den Kaufwert garantieren. Vom Konzept seines Vorgängers Hilferding hob sich Luthers Lösung durch ihre ausgeprägte Besitzfreundlichkeit ab. Luther kam insofern den Vorstellungen nahe, die Helfferich im August dem Kabinett vorgetragen hatte: Der Reingewinn der Rentenmark sollte den Anteilseignern in einer Höhe zufließen, die der Zinsschuld ihres pfandbelasteten Besitzes entsprach. Von einer realen Sachwertbelastung konnte also bei der Rentenmark, die am 15. November eingeführt werden sollte, nicht mehr die Rede sein.

Am 7. November drängte Luther im Kabinett auf eine Erklärung, daß das Reich demnächst alle Zahlungen für das besetzte Gebiet einstellen müsse. Die Absicht des Finanzministers war klar: Wenn die neue Währung nicht gleich wieder im Strudel der Inflation versinken sollte, mußten unproduktive Ausgaben des Reiches eingestellt werden. Dazu gehörten nach Luthers

Meinung in erster Linie die „politischen" Zahlungen für das besetzte Gebiet und darunter wiederum als größter Posten die Unterstützung für die Erwerbslosen. Einen entsprechenden Grundsatzbeschluß faßte das Kabinett am 9. November. Aber dem neuen Reichsinnenminister Jarres gelang es drei Tage später, einen Aufschub zu erreichen. Die Zahlungen an die Arbeitslosen wurden über den 15. November hinaus um zehn Tage verlängert, um den Rheinländern nochmals die Solidarität des übrigen Reiches zu bekunden. Gleichzeitig beschloß das Kabinett eine Erklärung, wonach der Vertrag von Versailles solange „ruhe", bis eine Neuregelung des Reparationsproblems erfolgt sei. Das lag ganz auf der Linie des „Bruchs mit Frankreich", die Jarres, im gewollten Einklang mit den Deutschnationalen, verfocht.

Das Licht der Öffentlichkeit erblickte der Aufruf der Reichsregierung vom 12. November dann doch nicht. Das Kabinett wollte nämlich, um den Autonomiebestrebungen der Franzosen entgegenzuwirken, gleichzeitig mit der Absage an den Vertrag von Versailles eine föderative Selbstverwaltungsstelle für die besetzten Gebiete ins Leben rufen, die als Verhandlungspartner der Okkupationsmächte hätte auftreten können. Diesem Vorhaben aber widersetzten sich die betroffenen Länder, die nicht daran dachten, auf irgendwelche Hoheitsrechte zu verzichten. Preußens sozialdemokratischer Ministerpräsident Otto Braun erklärte am 13. November in einer Besprechung mit dem Reichskabinett, man müsse „gewissermaßen das besetzte Gebiet seinem Schicksal überlassen... Alles, was im besetzten Gebiet nunmehr in politischer Hinsicht geschieht, muß als erpreßt erscheinen." Für die besetzten Gebiete selbst protestierte der Kölner Oberbürgermeister Konrad Adenauer gegen die Absicht des Reiches, seine Zahlungen einzustellen. Das Rheinland müsse „mehr Wert sein als ein oder zwei oder selbst drei neue Währungen". Auf keinen Fall dürften die Zahlungen eingestellt werden, bevor die geplante Verwaltungsstelle geschaffen sei. Die Einwände von Ländern und besetztem Gebiet zielten in unterschiedliche Richtungen, führten aber zu demselben Ergebnis. Das Reich gab keine Erklärung zum Vertrag von Versailles ab, es kündigte nicht die Einstellung der Zahlungen für die Erwerbslosen im besetzten Gebiet an und es schuf keine Selbstverwaltungsstelle für die okkupierten Territorien. Die Zukunft von Rhein und Ruhr blieb also weiterhin in der Schwebe.

Das „Wunder der Rentenmark" gelang trotzdem. Am 15. November wurde die neue Währung, wie geplant, ausgegeben; die Reichsbank stellte die Diskontierung von Schatzwechseln ein; am 20. November konnte der Kurs des Dollars, der am 14. November bei 1,26 Billionen Papiermark gelegen hatte, bei 4,2 Billionen stabilisiert werden. Die Reichsbank setzte daraufhin ein analoges Umtauschverhältnis von 1 Billion Papiermark gleich 1 Rentenmark fest, womit der Vorkriegsstand wieder erreicht war. Der wenige Tage zuvor ernannte Währungskommissar Hjalmar Schacht, Gründungsmitglied der DDP und Direktor der Darmstädter und Nationalbank, hatte dem Zwischenschritt der Rentenmark bis zuletzt widersprochen und, ähnlich wie

Hilferding, auf der sofortigen Einführung einer Goldnotenbank bestanden. Luther hielt die damit verbundenen Risiken nicht für verantwortbar und setzte sich mit seiner provisorischen Lösung durch. Während das besetzte Gebiet bis zur Einführung der goldgedeckten Reichsmark am 30. August 1924 sich mit kommunalem Notgeld als Zahlungsmittel begnügen mußte, machte im übrigen Reich die Rentenmark der Inflation ein Ende.

Zum Erfolg der neuen Währung trug wesentlich bei, daß die einschlägige Verordnung, die auf Grund des Ermächtigungsgesetzes vom 13. Oktober erging, die Höchstbeträge der auszugebenden Rentenmarkscheine und der dem Reich zu gewährenden Kredite verbindlich festsetzte. Dazu kam der rigorose Personalabbau auf Grund der schon erwähnten Verordnung vom 17. Oktober. Bis zum 1. April 1924 schieden 400000 Beamte, Angestellte und Arbeiter aus dem Reichsdienst aus, wobei die Angestellten von den Maßnahmen des Staates prozentual sehr viel mehr betroffen waren als die Beamten. Die Gehälter und Löhne der Staatsbediensteten wurden auf 60% der Vorkriegssätze gesenkt. Vermutlich war eine Große Koalition das einzige Parteienbündnis, das derart einschneidende Eingriffe vornehmen konnte. Aber auch sie bedurfte hierzu des diktatorischen Mittels einer Verordnung, die auf einem Ermächtigungsgesetz beruhte.[54]

Im besetzten Gebiet machten unterdessen die Unternehmer hohe Politik. Bereits am 9. Oktober hatte Otto Wolff, Mitinhaber des Kölner Phönix-Konzerns, ein Abkommen mit der Mission interalliée de contrôle des usines et des mines (MICUM) geschlossen, das den Werken der Phönix- und Rheinstahlgruppe die Wiederaufnahme der Arbeit gestattete. Am 31. Oktober einigte sich eine Kommission des Bergbaulichen Vereins mit der MICUM darauf, daß – vorläufig bis zum 15. Februar 1924–18% der Gesamtförderung kostenlos als Reparationskohle zu liefern waren. Hierfür lag eine Erstattungszusage der Reichsregierung vor, nicht jedoch für die mittlerweile (am 11. Oktober) abgeschaffte Kohlensteuer, die die MICUM rückwirkend, vom Beginn der Besetzung ab, für sich beanspruchte. Am 31. Oktober forderte Stinnes in einem Gespräch mit bürgerlichen Mitgliedern der Regierung Stresemann die volle Erstattung auch der Kohlensteuer und eine erhöhte Arbeitszeit. Eine Sonderregelung der Arbeitszeit für den Bergbau lehnten die beteiligten Minister unter Hinweis auf das bevorstehende Gesetz ab; in der Frage der Kohlensteuer entschied das Kabinett am folgenden Tag im Sinne von Stinnes, wobei sich die sozialdemokratischen Minister der Stimme enthielten. Nach weiteren langwierigen Verhandlungen, bei denen es vor allem um die Anrechnung der Kohlelieferungen auf das Reparationskonto ging, kam am 23. November ein Abkommen mit der MICUM zustande. Es galt zunächst bis zum 15. April 1924 und war verpflichtend für alle Zechen, die noch keine besonderen Vereinbarungen mit der MICUM geschlossen hatten. Die Kohlelieferungen wurden voll auf das Reparationskonto angerechnet, die rückwirkend zu zahlende Kohlesteuer und andere Abgaben aber flossen in die „Pfänderkasse" der MICUM und verhalfen damit Frankreich und Belgien erstmals zu dem, was sie mit der Ruhrbesetzung erstrebt hatten: zu „produktiven Pfändern".

Die Zechenherren hatten es verstanden, für sich das Beste aus den Verhandlungen herauszuholen. Die Kosten des Abkommens konnten sie auf das Reich (beziehungsweise, mit dessen Zustimmung, auf die Verbraucher) abwälzen. Insofern gab es also keine spezifische Reparationsbelastung der Zechenbesitzer. Politisch bedeutete es für die Schwerindustrie eine beträchtliche Aufwertung, daß sie mit der MICUM wie von Macht zu Macht hatte verhandeln können. Die Reichsregierung mußte sich am Ende dem kombinierten Druck aus Paris und den Kontoren des Ruhrbergbaus beugen. Es war absehbar, daß die wirtschaftliche Beilegung des Ruhrkonflikts – und um nichts Geringeres handelte es sich bei dem MICUM-Abkommen – die innere Kräfteverteilung in Deutschland nachhaltig beeinflussen würde.[55]

Am 20. November – drei Tage bevor das MICUM-Abkommen unterzeichnet wurde – trat der Reichstag erstmals seit der Verabschiedung des Ermächtigungsgesetzes am 13. Oktober wieder zu einer Sitzung zusammen. Am 22. November brachten die Sozialdemokraten einen Mißtrauensantrag gegen das Kabinett Stresemann ein, den sie damit begründeten, daß die Reichsregierung gegen Sachsen und Thüringen in schärfster Form vorgegangen sei, aber gegen die verfassungswidrigen Zustände in Bayern nichts Entscheidendes getan habe. Die Formulierung ließ darauf schließen, daß es der SPD nicht so sehr um den Sturz Stresemanns als vielmehr darum ging, den linken Flügel der eigenen Partei zufriedenzustellen. Denn der Antrag war so gefaßt, daß die Deutschnationalen, von denen die Annahme abhing, ihm nicht zustimmen konnten. Umgekehrt hätten die Sozialdemokraten einem Mißtrauensantrag der DNVP oder der KPD ohne weiteres ihre Stimmen versagen können.

Das Kalkül der SPD war kurzsichtig. Den Sozialdemokraten mußte klar sein, daß ihr Antrag in jedem Fall den fehlenden parlamentarischen Rückhalt des Rumpfkabinetts Stresemann dokumentieren, also seine Position schwächen und damit die innere Krise verschärfen würde. Wenn es die größte Fraktion mit ihrer Forderung nach Aufhebung des Ausnahmezustands ernst meinte, dann war eine Niederlage oder ein Rücktritt des derzeitigen Kabinetts kein geeignetes Mittel, um dieses Ziel zu erreichen. Eine Regierung, mit der die SPD sich leichter hätte arrangieren können, war nicht in Sicht, wohl aber sehr viel „rechtere" Nachfolgekabinette – bis hin zu einem diktatorisch regierenden Direktorium. Stresemann wurde, was der SPD nicht verborgen bleiben konnte, vom rechten Flügel seiner eigenen Partei heftig befehdet, und zwar nicht zuletzt wegen eben jener Reichsexekution gegen Sachsen, die ihm die Sozialdemokraten zum Vorwurf machten: Die Rechten in der DVP, darunter auch der kurzzeitige Reichskommissar Heinze, verübelten es dem Reichskanzler, daß er die Wahl eines sozialdemokratischen Nachfolgers von Zeigner durchgesetzt und Heinze schon nach zwei Tagen von seinem Amt entbunden hatte. An Stresemanns Politik in der bayerischen

Frage konnten die Sozialdemokraten mangelnde Härte und Konsequenz rügen. Aber weder Stresemann noch irgendein anderer Kanzler vermochte die Reichswehr zur Intervention gegen den Freistaat, und das hieß mit großer Wahrscheinlichkeit: zu einem Einsatz im Bürgerkrieg, zu zwingen. Unter diesen Umständen war der Mißtrauensantrag gegen Stresemann aus allen außer parteitaktischen Gründen sinnlos, ja mehr als das: ein Hasardspiel.

Das Rumpfkabinett erörterte am 19. November die innenpolitische Lage, ohne irgendwelche Beschlüsse zu fassen. Stresemann hielt es für denkbar, daß keiner der Mißtrauensanträge eine Mehrheit finden werde; Jarres meinte, ein positives Vertrauensvotum des Reichstags sei nicht unbedingt vonnöten. Reichsverkehrsminister Oeser dagegen wollte eine weitere Minderung des Ansehens des Kabinetts in keinem Fall hinnehmen, und Geßler plädierte für einen Vertrauensantrag, falls sich ergeben sollte, daß die Regierung im Reichstag keine Mehrheit hinter sich habe.

Über die Folgerungen, die sich aus einer parlamentarischen Niederlage ergeben konnten, gingen die Meinungen ebenfalls auseinander. Geßler hob die Schwierigkeiten hervor, die entstehen müßten, wenn allein mit dem Artikel 48 der Reichsverfassung regiert werde, nannte aber auch ein „Durcheinanderregieren", teils mit dem Reichstag, teils mit dem Artikel 48, höchst bedenklich. Einige Minister erwogen die Auflösung des Reichstags, andere widersprachen unter Hinweis auf die zu erwartenden Rückwirkungen im Rheinland, wo die separatistischen Kräfte an Boden gewinnen würden. Stresemann selbst hatte aus ebendiesem Grund starke Bedenken gegen eine Auflösung. Der Reichspräsident, mit dem der Kanzler alle Eventualitäten durchsprach, lehnte eine Auflösung des Reichstags strikt ab, versuchte aber hinter den Kulissen, die SPD zum Verzicht auf den Mißtrauensantrag zu bewegen. Von einem Sozialdemokraten erfuhr Stresemann, wie Ebert sich seinen Parteifreunden gegenüber geäußert hatte: „Was Euch veranlaßt, den Kanzler zu stürzen, ist in sechs Wochen vergessen, aber die Folgen Eurer Dummheit werdet Ihr noch zehn Jahre lang spüren."

Am 22. November bezog Stresemann im Kabinett eine ähnliche Position wie drei Tage zuvor Geßler. Unter Zustimmung aller Minister erklärte er, wenn die Sozialdemokraten einen Mißtrauensantrag einbrächten, wolle er die Vertrauensfrage stellen, über Mißtrauensvoten der Deutschnationalen und Kommunisten dagegen hinweggehen. Tags darauf beantworteten die Regierungsparteien den sozialdemokratischen Mißtrauensantrag mit dem Antrag, der Reichstag möge der Regierung das Vertrauen aussprechen. Mit 231 gegen 156 Stimmen bei 7 Enthaltungen lehnte der Reichstag diesen Antrag ab. Die Nein-Stimmen kamen von den Deutschvölkischen, der DNVP, der BVP, der SPD und der KPD. Es war, wie Stresemann kurz darauf vor ausländischen Pressekorrespondenten erklärte, „das erstemal in der Geschichte der Deutschen Republik, daß eine Regierung in offener Feldschlacht fiel". Noch am Abend des 23. November unterbreitete der Kanzler dem Reichspräsidenten den Rücktritt seines Kabinetts.[56]

Stresemanns Sturz hätte theoretisch zur Stunde Seeckts werden können. Aber nach wie vor war der Chef der Heeresleitung nicht bereit, gegen den Willen des Reichspräsidenten nach der Macht zu greifen, und Ebert dachte Ende November weniger denn je daran, Seeckt zum Kanzler zu machen oder ein Direktorium in Erwägung zu ziehen. Vielmehr wollte der Reichspräsident, nachdem die akute Gefahr für die Republik beseitigt war, den Ausnahmezustand wieder dem parlamentarisch verantwortlichen Reichswehrminister übertragen, wogegen Seeckt sich freilich mit Erfolg wehrte. Die Beharrlichkeit des Generals war auch ein Grund, weshalb Eberts Versuch, ein überparteiliches „Beamtenkabinett“ unter Heinrich Albert, dem parteilosen Schatz- und späteren Wiederaufbauminister unter Cuno, zu bilden, mißlang: Ohne die vollziehende Gewalt wollte Albert das Amt des Reichskanzlers nicht übernehmen. Ein anderer Kanzlerkandidat, der Zentrumspolitiker Adam Stegerwald, verhandelte mit den Deutschnationalen über eine Rechtskoalition, brach die Gespräche aber ab, als diese die Auflösung der Großen Koalition in Preußen verlangten. Als letzter Ausweg bot sich ein neuerliches Kabinett der bürgerlichen Mitte, also eine Minderheitsregierung, an, die auf die Tolerierung durch die Sozialdemokraten angewiesen war. Um diese Lösung bemühte sich der Partei- und Fraktionsvorsitzende des Zentrums, Wilhelm Marx, dem Ebert am 29. November den Auftrag zur Regierungsbildung erteilte. Dem sechzigjährigen, aus Köln stammenden Richter, einem auf Ausgleich bedachten, persönlich farblosen Politiker, gelang es bereits am folgenden Tag, ein Kabinett zusammenzustellen, dem außer den bisherigen Regierungsparteien – Zentrum, DDP und DVP – als „Fachminister ohne parteipolitische Bindung“ auch ein Mitglied der BVP, Justizminister Emminger, angehörte.[57]

So ungewiß die Zukunft war – die parlamentarische Demokratie hatte noch einmal überlebt. Es waren vor allem drei Gründe, die den glimpflichen Ausgang der Staatskrise vom Herbst 1923 zu erklären vermögen. Erstens war es der Regierung der Großen Koalition und, auf ihren Schultern stehend, dem Rumpfkabinett Stresemann gelungen, der Inflation ein Ende zu bereiten und die Weichen für die Phase des wirtschaftlichen Wiederaufbaus zu stellen. Zweitens zeichnete sich seit Ende Oktober, dank der diplomatischen Intervention der Vereinigten Staaten von Amerika, eine Lösung des Reparationsproblems und damit eine außenpolitische Entspannung ab, die ein starkes Argument gegen jedwede Art von Rechtsregierung bildete. Drittens wurden die diktatorischen Ambitionen der Reichswehrführung unter dem General von Seeckt durch den eigenen Legalismus gebremst und durch den revolutionären Putschismus der rechtsradikalen Kräfte um Hitler behindert.

Von der äußersten Linken ging seit Ende Oktober 1923 eine wirkliche revolutionäre Gefahr nicht mehr aus. Die Kommunisten waren, als sie zum Schlag gegen die bestehende Ordnung ausholen wollten, isoliert und zogen daraus selbst die Konsequenz, indem sie den „deutschen Oktober“ absagten.

Der Fehlschlag der revolutionären Strategie hing aufs engste mit der materiellen Lage der Arbeiter zusammen: Die realen Wochenlöhne, die im Spätsommer wieder etwas angestiegen waren, lagen im November nur noch wenig über der Hälfte des Standes von 1913, und die Arbeitslosigkeit unter den Gewerkschaftsmitgliedern wuchs von 3,5 % im Juli auf 23,4 % im November an. Das Elend, das sich in diesen mageren Zahlen spiegelt, wirkte nicht revolutionierend, sondern demoralisierend. In den letzten Monaten der Hyperinflation häuften sich Diebstähle auf Kartoffelfeldern, Überfälle auf Bauernhöfe und Plünderungen von Marktständen und Lebensmittelgeschäften. Die Gewerkschaften, Partner der Regierungen beim passiven Widerstand, zahlten für ihre staatstragende Rolle mit einem Vertrauensverlust bei den Arbeitern: Im dritten Quartal des Jahres 1923 verloren die Verbände des ADGB 300 000 Mitglieder. Die Streikkassen waren Mitte November, als die Währungsreform gelang, leer. Mit einer erfolgreichen Gegenwehr der Arbeitnehmer gegen die nun beginnende Politik der Stabilisierung war unter solchen Umständen kaum zu rechnen.[58]

Die Angst vor dem linken Radikalismus blieb gleichwohl bestehen. Auf dem Höhepunkt der Sachsenkrise hatten, wie Geßler am 23. November im Reichstag mitteilte, sächsische Industrielle gedroht, sie würden, wenn ihnen nicht der Schutz für ihre persönliche Freiheit gegeben werde, die bayerischen Faschistenbanden herbeirufen. Am 19. November begründete der Reichswehrminister im Kabinett die angebliche Notwendigkeit, den Ausnahmezustand aufrechtzuerhalten, damit, daß in Sachsen und Thüringen das Bürgertum von jeder Mitwirkung an der Regierung ausgeschlossen sei. Das tiefe Mißtrauen gegenüber der Sozialdemokratie, das sich in diesen Worten niederschlug, war nicht auf die Reichswehrführung beschränkt. Es wurde von der Masse des Bürgertums geteilt und gehörte, weit über Mitteldeutschland hinaus, zu den langfristigen Wirkungen der kurzlebigen Einheitsfrontregierungen in Dresden und Weimar.[59]

Im größten deutschen Staat arbeiteten dessen ungeachtet Sozialdemokratie und bürgerliche Parteien bis hin zur DVP weiterhin in einer Regierung zusammen. Die Große Koalition in Preußen bot allen jenen Anlaß zur Hoffnung, die auch nach dem Herbst 1923 im Zusammenwirken zwischen den gemäßigten Teilen des Bürgertums und der Arbeiterschaft das Lebensgesetz der deutschen Republik sahen. Zu ihnen gehörte auch der Mann, der in der Staatskrise staatsmännische Fähigkeiten bewiesen hatte und dem mehr als irgendeinem Politiker das Verdienst daran zukam, daß Deutschland nicht in eine Diktatur abgeglitten war: Gustav Stresemann.

Gerade eben von der SPD gestürzt, erklärte Stresemann am 23. November, eine Zusammenarbeit mit der Sozialdemokratie sei auch in Zukunft unerläßlich. Wenige Wochen später klangen seine Worte sehr viel skeptischer. Am 20. Januar 1924 schrieb er in einem nicht namentlich gezeichneten Beitrag für ein volksparteiliches Wochenblatt, die sozialdemokratische Fraktion sei „allerdings aus dem parlamentarischen Leben als bejahender Faktor ausgeschieden. Sie kann nur noch Kabinette stürzen, nicht aber mehr Kabinette bilden, da sie in sich selbst unberechenbar geworden ist. Hier kann erst nach einer Trennung unvereinbarer Bestandteile eine Änderung eintreten."[60]

Eine endgültige Absage an die SPD war Stresemanns Verdikt also nicht. Der Vorsitzende der Deutschen Volkspartei sprach nur aus, was nach seinem Sturz als Kanzler auch die bürgerliche Mitte empfand. Wenn es der Sozialdemokratie gelang, jenen Flügel zu bändigen, der in Kompromissen mit dem Bürgertum einen Verstoß gegen die Lehre vom Klassenkampf sah, mochte es eines Tages auch im Reich wieder zu einer Großen Koalition kommen. Stresemann mußte schon aus außenpolitischen Gründen daran liegen, daß nicht alle Brücken zur Sozialdemokratie abgebrochen wurden. Als Reichskanzler hatte er nur rund hundert Tage lang an der Spitze der Regierung gestanden. Als Außenminister, der er auch im Kabinett Marx blieb, verbürgte er ein Element der Kontinuität – als Repräsentant einer bürgerlichen Politik, die im Innern wie nach außen nicht auf Konfrontation, sondern auf den friedlichen Ausgleich unterschiedlicher Interessen setzte.

9.

Die prekäre Stabilisierung

Im Jahre 1924 veröffentlichte der Wirtschaftswissenschaftler Franz Eulenburg einen Aufsatz über die sozialen Auswirkungen der Inflation, der in seiner Prägnanz bis heute unübertroffen ist. „Es hat eine Appropriation des Besitzes in wenigen, aber kräftigen Händen stattgefunden", schrieb er in den Jahrbüchern für Nationalökonomie und Statistik. „Der Kapitalbesitz der mittleren Schichten und damit ihr Anspruch auf einen Teil der anderen Vermögen wurde vernichtet. Jene Aneignung bezieht sich vor allem auf die Industrie. Die kleinen und mittleren Unternehmer sind zwar nicht enteignet, aber in stärkerem Maße an die Konzerne angegliedert. Dadurch ist die Vermögensverteilung wesentlich ungleicher geworden."[1]

Eulenburg behauptete nicht, die Mittelschichten schlechthin seien durch die Geldentwertung ruiniert worden. Er sprach korrekterweise nur von einer Vernichtung des mittleren Kapitalbesitzes. Die eigentlichen Opfer der Inflation waren in der Tat die Sparer und jene, die erhebliche Teile ihres Vermögens in Kriegsanleihen angelegt hatten. Wer seinen Lebensunterhalt aus Ersparnissen oder der Tilgung und Verzinsung von Wertpapieren zu bestreiten gewohnt war, der stand infolge der Inflation buchstäblich vor dem Nichts. Hart betroffen waren auch jene Akademikerfamilien, die das Studium ihrer Kinder traditionell aus Ersparnissen zu finanzieren pflegten. Auf der anderen Seite gab es auch in den Mittelschichten viele, die aus der Geldentwertung Nutzen zogen: Haus- und Grundbesitzer wurden schuldenfrei und profitierten von der allgemeinen Privilegierung von Sachvermögen. Unter den Hausbesitzern befanden sich zahlreiche selbständige Handwerker, die Kerngruppe des gewerblichen Mittelstandes. Im 1923 einsetzenden Streit um die Aufwertung von Geldforderungen aus der Zeit vor der großen Inflation taten sich die mittelständischen Interessenverbände nicht besonders hervor – ein Zeichen dafür, daß die kleinen Selbständigen nicht pauschal als Opfer der Geldentwertung angesprochen werden können.

Zu den Inflationsgewinnern gehörten die meist hochverschuldeten Großgrundbesitzer, die durch die Geldentwertung ihrer Schulden ledig wurden. Dasselbe galt von den Besitzern großer industrieller Vermögen. Innerhalb der Großindustrie war es vor allem der Montansektor, der gestärkt aus der Inflation hervorging. Obwohl die Eisen- und Stahlindustrie, was das wirtschaftliche Wachstum anging, längst von den „neuen" Branchen der chemischen, der elektrotechnischen und der Maschinenbauindustrie überflügelt worden war, gelang es ihr während der Hyperinflation, im Zeichen einer drückenden Rohstoff- und Kreditnot die weiterverarbeitenden Industrien in Abhängigkeit von sich zu bringen und damit auch ihren politischen Führungsanspruch im Unternehmerlager durchzusetzen. Ein beliebtes Mittel des Verbundes zwischen schwerindustriellen Unternehmen und ihren Abnehmerfirmen war die Vereinigung unter einem Konzerndach. Die wesentlich von Stinnes geschaffene, freilich nur kurzlebige Siemens-Rhein-Elbe-Schuckert-Union war das bekannteste Beispiel hierfür. Durch diese vertikale Konzentration verschaffte sich die Schwerindustrie Absatzgarantien und die Beteiligung am lukrativen, devisenbringenden Exportgeschäft mit Fertigprodukten; dem weiterverarbeitenden Partner wurden Rohstofflieferungen zugesichert und Kapital zur Verfügung gestellt. Beide Seiten minderten so ihr Unternehmerrisiko und ihre Abhängigkeit von der Mark. Die Folgen überdauerten die Inflation, die das Zusammenrücken der Branchen veranlaßt hatte.

Ein anderer Gewinner der Inflation war der Staat. Die Rückzahlung von Schulden und namentlich der gigantischen Summe der Kriegskredite in wertlosem Papiergeld kam einer Schuldenbefreiung gleich. Aber damit wollten sich die Gläubiger ebensowenig abfinden wie mit der Entwertung ihrer Ansprüche an private Schuldner. Am 28. November 1923 erhielten die Inflationsgeschädigten eine sensationell wirkende Schützenhilfe vom Reichsgericht. Das höchste deutsche Gericht bezeichnete den Grundsatz „Mark gleich Mark" als Treu und Glauben zuwiderlaufend und bejahte die Aufwertung von Hypothekenschulden. Im Januar 1924 stieß der Richterverein beim Reichsgericht nach und warnte die Reichsregierung davor, sich über die Auffassung des Reichsgerichts hinwegzusetzen. Die Drohung, ein Aufwertungsverbot werde der richterlichen Nachprüfung nicht standhalten, war ein bis dahin unerhörter Akt der Auflehnung. Die Reichsverfassung sah nicht vor, was sich die Richter des Reichsgerichts jetzt anmaßten: ein materielles Prüfungsrecht gegenüber Gesetzen. Doch das Votum der Richter war auch ein Symptom des Vertrauensverlustes, den der Staat durch die Inflation erlitten hatte. Daß nicht die Republik, sondern das kaiserliche Deutschland mit der Politik der Geldentwertung begonnen hatte, war Ende 1923 schon fast vergessen. Die Republik aber konnte die Gläubiger nicht zufriedenstellen. Eine großzügige Aufwertung hätte die Währung erneut zerrüttet, also niemandem wirklich geholfen. Den Betroffenen fiel diese Einsicht schwer. Ihre Enttäuschung mündete in eine Staatsverdrossenheit, die zu überwinden der Republik auch in den Jahren wirtschaftlicher Erholung nicht gelingen sollte.[2]

Für die Arbeiter begann die Stabilisierung im Zeichen eines niedrigen Lohnniveaus und hoher Arbeitslosigkeit. Zwar stiegen nach Berechnungen des Statistischen Reichsamtes die durchschnittlichen Realwochenlöhne von November bis Dezember 1923 von 53 % auf knapp 70 % des Vorkriegsstandes, aber das war noch immer erheblich weniger, als die Arbeiter im März 1923 verdient hatten – nämlich rund 79 % des Standes von 1913. Die Zahl der erwerbslosen Gewerkschaftmitglieder stieg von 19 % im Oktober auf 28 % im Dezember 1923, um dann allmählich auf 10,4 % im April 1924 zu fallen. Die Freien Gewerkschaften mußten nach der Einführung der Rentenmark einen wahrhaft dramatischen Mitgliederschwund hinnehmen – von 7,4 Millionen im September 1923 auf 4,8 Millionen im März 1924. Mitgliederbeiträge, in stabiler Währung bezahlt, wurden von vielen Arbeitern als unzumutbare Belastung empfunden. Die Kampfkraft der Gewerkschaften, die schon während der Inflation stark gelitten hatte, ging infolgedessen weiter zurück. Im Streit um die Arbeitszeit, den die Große Koalition nicht mehr endgültig hatte beilegen können, hatte die Großindustrie Ende 1923 die weitaus besseren Karten.[3]

Aus der Sicht der meisten Unternehmer war es ein großer Vorteil, daß dem Kabinett Marx, das Deutschland seit dem 30. November 1923 regierte, nur bürgerliche Minister angehörten. Aber die neue Regierung verfügte über keine parlamentarische Mehrheit und mußte daher nach Mitteln der außerordentlichen Gesetzgebung Ausschau halten. Als Marx gleich am ersten Tag seiner Amtszeit zwecks rascher Behebung der wirtschaftlichen und finanziellen Notlage ein Ermächtigungsgesetz forderte, lehnte das der Parteivorstand der SPD zunächst ab. Da ohne die Sozialdemokratie die erforderliche verfassungsändernde Mehrheit nicht zu erreichen war, erwogen Reichspräsident und Reichsregierung daraufhin die Möglichkeit, den Reichstag aufzulösen und Neuwahlen auszuschreiben. Wegen der labilen Zustände im besetzten Gebiet wäre dieser Schritt jedoch mit großen Risiken behaftet gewesen, was Ebert veranlaßte, von baldigen Neuwahlen abzuraten und statt dessen dem Kabinett Maßnahmen auf Grund des Artikels 48 in Aussicht zu stellen, auf den auch schon das Rumpfkabinett Stresemann zurückgegriffen hatte. In der Kabinettssitzung vom 2. Dezember schlug Reichswehrminister Geßler sogar vor, Neuwahlen erst später, nach Ablauf der verfassungsmäßigen Frist von sechzig Tagen, abzuhalten – von der Verfassung insoweit also abzuweichen. Staatssekretär Meissner, der Chef des Büros des Reichspräsidenten, widersprach diesem Vorstoß nicht grundsätzlich. Er hielt es zwar nicht für ratsam, schon jetzt von einer „Verlängerung der Wahlzeit" zu sprechen. Ergäbe die allgemeine Lage aber, „daß am Ende der sechzig Tage eine Wahl nicht möglich sei, so müsse dann eine Verlängerung der Frist auf Grund des Artikels 48 erfolgen".

Zu dem bemerkenswert kaltblütig erörterten Verfassungsbruch kam es dann doch nicht. Die Drohung mit dem Artikel 48, die sofort in die Öffentlichkeit gelangte, setzte in der SPD eine intensive Diskussion in Gang. Es lag klar zutage, daß Notverordnungen der Kontrolle der SPD völlig entzogen waren. Das Recht des Reichstags, solche Verordnungen mit einfacher Mehrheit aufzuheben, nutzte nichts, wenn die SPD die dafür erforderlichen Stimmen nicht zusammenbrachte. Ein befristetes Ermächtigungsgesetz konnte demgegenüber als kleineres Übel erscheinen. Dennoch wollte nicht nur der linke Flügel, sondern auch der Parteivorsitzende Hermann Müller einem Kabinett ohne Sozialdemokraten ein solches Gesetz nicht zugestehen. Die Sprecher des rechten Flügels machten dagegen auf die Gefahr aufmerksam, daß beim Scheitern des Ermächtigungsgesetzes der totale Ausnahmezustand nach Artikel 48 drohe. Außerdem werde das Ausland das Vertrauen zur neuen Währung verlieren und Deutschland keine Kredite gewähren, wenn die Regierung sich nicht durchsetze. Schließlich konnten die Befürworter der Zustimmung auf ein Zugeständnis des Kabinetts verweisen: Die Regierung war bereit, vor Erlaß von Verordnungen einen ständigen Ausschuß des Reichstags „anzuhören". Unter dem Eindruck dieser Argumente und Informationen beschloß die Fraktion am 4. Dezember mit 73 gegen 53 Stimmen, im Plenum für die Annahme des Ermächtigungsgesetzes zu stimmen.

Doch damit war der innerparteiliche Streit noch nicht beendet. Obwohl die Fraktion für die Schlußabstimmung verschärften Fraktionszwang beschloß, fehlten am 8. Dezember 39 Abgeordnete des linken Flügels – fast ausnahmslos frühere Angehörige der USPD. Die Zahl der Abweichler war so groß, daß scharfe Sanktionen die Gefahr einer Spaltung von Partei und Fraktion heraufbeschworen hätten. Eben deshalb verzichtete die Führung auf alle Strafmaßnahmen. Den Erfolg der Abstimmung konnte die Linke ohnehin nicht verhindern. Das Ermächtigungsgesetz wurde vom Reichstag mit 313 gegen 18 Stimmen bei einer Stimmenthaltung angenommen. Damit war jene qualifizierte Mehrheit erreicht, von der die Reichsverfassung das Zustandekommen eines verfassungsändernden Gesetzes abhängig machte.[4]

Das Gesetz vom 8. Dezember 1923 ermächtigte die Reichsregierung, „die Maßnahmen zu ergreifen, die sie im Hinblick auf die Not von Volk und Reich für erforderlich und dringend" erachtete. Eine materielle Abweichung von den Vorschriften der Reichsverfassung war nicht zulässig; die Geltungsdauer des Gesetzes war auf die Zeit bis zum 14. Februar 1924 befristet. Zu den Gegenständen, die von der Reichsregierung nunmehr auf dem Verordnungsweg geregelt werden konnten, gehörte auch die umstrittene Arbeitszeitfrage. Am 17. November waren die mehrfach verlängerten Demobilmachungsverordnungen über die Arbeitszeit ausgelaufen. Seitdem galt von Rechts wegen überall dort, wo die Arbeitszeit nicht tariflich vereinbart worden war, wieder die Vorkriegsarbeitszeit.

Als die Regierung Marx ihr Amt antrat, war eine wichtige Vorentscheidung in der Arbeitszeitfrage bereits gefallen. Unter Vorsitz von Reichsarbeitsminister Brauns verständigten sich Vertreter der Bergarbeiterverbände und des Zechenverbandes aus dem besetzten Gebiet am 29. November in Berlin auf eine Schichtzeit von acht Stunden einschließlich Ein- und Ausfahrt, was auf eine Verlängerung der täglichen Arbeitszeit um eine Stunde hinauslief. Dem Argument der Arbeitgeber, anders sei das MICUM-Abkommen vom 23. November nicht zu erfüllen, konnten die Arbeitnehmer wenig entgegenhalten. Am 14. Dezember willigten die Gewerkschaften auch für das unbesetzte Gebiet in eine Regelung ähnlich der vom 29. November ein. Ebenfalls am 14. Dezember brachte Brauns, auch hier unter Hinweis auf die MICUM-Verträge, ein Abkommen für die Eisen- und Stahlindustrie zustande, das die Wiedereinführung des Schichtwechsels nach jeweils zwölf Stunden überall dort erlaubte, wo dieses „Zweischichtensystem" schon vor dem Krieg bestanden hatte. Das bedeutete, wenn man die Pausen abzog, für die meisten Schichtarbeiter eine effektive Arbeitszeit von täglich 10, samstags 9, wöchentlich also 59 Stunden; wurden die Pausen und die „Arbeitsbereitschaft" mitberücksichtigt, so lag die Wochenarbeitszeit erheblich höher, nämlich bei 70 Stunden. Zwar lehnten sich die Metallarbeiter, anders als die Bergleute, gegen die Mehrarbeit auf. Aber die Streikaktionen, die sich bis Anfang 1924 hinzogen, hatten nicht den geringsten Erfolg. Am Ende mußten auch die Arbeitnehmer der Metallindustrie die neue, verlängerte Arbeitszeit hinnehmen.

Auch für den öffentlichen Dienst bildete der 14. Dezember 1923 ein markantes Datum. Das Kabinett Marx beschloß an diesem Tag die Heraufsetzung der wöchentlichen Dienstzeit der Reichsbeamten von 48 auf 54 Stunden. Eine Woche später, am 21. Dezember, erging dann auf Grund des Ermächtigungsgesetzes vom 8. Dezember eine allgemeine Verordnung über die Arbeitszeit. „Vorbehaltlich einer späteren endgültigen Regelung" bestimmte sie, daß der Achtstundentag als Normalarbeitstag grundsätzlich fortbestehen sollte. Das Prinzip wurde jedoch durch Ausnahmeregelungen faktisch aufgehoben. Durch behördliche Anordnung oder tarifliche Vereinbarung konnte in einer Reihe von Fällen die tägliche Arbeitszeit um höchstens zwei Stunden verlängert werden. In großen Bereichen der Wirtschaft war fortan der Zehnstundentag gesetzlich erlaubt. Tarifverträge, die geringere Arbeitszeiten vorsahen, durften mit dreißigtägiger Frist gekündigt werden.

Der lange Streit um die Arbeitszeit endete im Dezember 1923 zumindest vorläufig mit einem Erfolg der Unternehmer. Die volkswirtschaftlichen Argumente, die sie zugunsten dieser Forderung geltend machen konnten, hatten über die bürgerlichen Parteien hinaus bis in die Sozialdemokratie hinein Widerhall gefunden, und die Freien Gewerkschaften waren bei ihrem unbedingten Festhalten am Achtstundentag von den anderen Richtungsgewerkschaften – den Christlichen Gewerkschaften und den liberalen Hirsch-Dunckerschen Gewerkvereinen – nicht unterstützt worden. Aber die Arbeitgeberseite war weit davon entfernt, mit dem Erreichten zufrieden zu sein, denn „prinzipiell" galt immer noch der Achtstundentag als Normalarbeitstag. Außerdem erlaubte es die Schlichtungsverordnung vom 30. Oktober 1923, die auf Grund des Ermächtigungsgesetzes vom 13. Oktober ergangen war, dem Reichsarbeitsminister, bei Tarifkonflikten als Oberschiedsrichter aufzutreten – eine Rolle, die Brauns häufig dazu nutzte, zugunsten der schwächeren Seite, der Arbeitnehmer, zu intervenieren. Von einer Rückkehr zum „Manchesterliberalismus" konnte folglich Ende 1923 keine Rede sein. Der Staat trat im Wirtschaftsleben aktiver denn je auf, wobei er sich keineswegs immer nur als Partner, sondern oft auch als Widerpart der Unternehmer verstand. Der Ausgang des Ringens um die Arbeitszeit mochte daher manchen Industriellen geradezu als ein Pyrrhussieg erscheinen.[5]

Den Freien Gewerkschaften hingegen stellte sich die faktische Abschaffung des Achtstundentages als schwere Niederlage dar. Sie antworteten darauf Mitte Januar 1924 mit der Aufkündigung jener Zentralarbeitsgemeinschaft mit den Unternehmern, die sie mehr als fünf Jahre zuvor, im November 1918, eingegangen waren. Doch nach Lage der Dinge war dieser Beschluß nur noch eine deklamatorische Geste. Denn bereits zwischen dem Herbst 1919 und dem Sommer 1922 waren viele Einzelgewerkschaften, darunter so große Organisationen wie die Verbände der Metall- und Bauarbeiter, aus der ZAG ausgetreten, und auf dem Leipziger Kongreß des ADGB im Juni 1922 hatten die Anhänger der Arbeitsgemeinschaft nur noch nach der Zahl der vertretenen Mitglieder, aber schon nicht mehr unter den Delegierten die Mehrheit. Auf der anderen Seite hatte der rechte Flügel der Unternehmer mit der Schwerindustrie an der Spitze die Prinzipien der Parität von Kapital und Arbeit und der Tarifautonomie nie wirklich akzeptiert und seit langem auf die Rücknahme der Zugeständnisse gedrängt, die den Gewerkschaften im November 1918, in einer Situation der Schwäche, gemacht worden waren. Die Arbeitsgemeinschaft war mithin längst vor ihrem formellen Ende zur bloßen Fassade geworden; beiden Lagern war der eigene Zusammenhalt wichtiger als die organisatorische Bindung an den Kontrahenten. Dem Gedanken einer weiteren Zusammenarbeit wollten die gemäßigten Kräfte bei Gewerkschaften und Unternehmern indes durchaus nicht abschwören. Die Partnerschaft sollte nur in elastischeren Formen als bisher praktiziert werden und somit das ausschließen, was die ZAG hatte scheitern lassen: die Überforderung durch soziale Konflikte, die in dem harmonischen Modell von 1918 nicht vorgesehen waren.[6]

Nicht nur in der Arbeitszeitfrage, sondern auch in vielen anderen Bereichen erlaubte das Ermächtigungsgesetz dem Kabinett Marx eine Stabilisierungspolitik, wie sie so rigoros auf dem normalen Gesetzgebungsweg nicht möglich gewesen wäre. Am 12. Dezember 1923 wurden die Beamtengehälter auf einem Niveau festgesetzt, das weit unter dem Vorkriegsstand lag. Der Personalabbau im öffentlichen Dienst, den noch die Regierung der Großen Koalition beschlossen hatte, trieb das Kabinett Marx so resolut voran, daß die vorgesehenen Entlassungsquoten vorzeitig erreicht wurden.

Steuernotverordnungen verhalfen dem Reich zu den erforderlichen Einnahmen. Die Umsatzsteuer wurde erhöht, die Einkommens-, Körperschafts- und Vermögenssteuer neu festgesetzt, der Finanzausgleich zwischen Reich und Ländern neu geregelt. Über die Hauszins- und die Obligationssteuer sollten Inflationsgewinne erfaßt werden. Die Hauszinssteuer, die durch die Dritte Steuernotverordnung vom 14. Februar 1924 eingeführt wurde, war aber zugleich auch als Beitrag zum Abbau der Zwangswirtschaft gedacht. Während des Krieges und der Inflationsjahre waren die Mieten faktisch eingefroren worden; für Ende 1923 schätzte das Reichsfinanzministerium das Verhältnis der damals gezahlten Mieten zur Friedensmiete auf durchschnittlich 20%. Um den Neubau und die Instandsetzung von Wohnungen zu fördern, strebte das Kabinett Marx eine rasche Anpassung der Mieten an das Vorkriegsniveau an. Finanzminister Luther stellte sich die

Mietsteigerungen so vor, daß Ende 1924 die Mieten den Stand von 80% der Friedensmiete erreichen sollten, doch lag die Entscheidung hierüber nicht beim Reich, sondern bei den Ländern. Den Hausbesitzern verblieben vom 1. April 1924 ab mindestens 30%, ab 1. Juli mindestens 40% und ab 1. Oktober mindestens 50% der Friedensmiete. Der verbleibende Anteil sollte von den Ländern und den Gemeinden nicht zuletzt für Zwecke des Wohnungsbaus ausgegeben werden – ein Bereich, auf dem es einen großen, seit 1914 aufgestauten Nachholbedarf an Investitionen gab.[7]

Den umstrittensten Teil der Dritten Steuernotverordnung bildeten die Vorschriften über die Aufwertung. Der Druck, dem sich die Reichsregierung in diesem Punkt ausgesetzt sah, war mittlerweile so stark, daß Luther seine ursprüngliche Linie – die Ablehnung jedweder Art von Aufwertungsansprüchen – nicht länger durchhalten konnte. Die Verordnung vom 14. Februar 1924 legte den Regelsatz für die Aufwertung bestimmter Vermögensanlagen auf 15% des Goldmarkbetrages fest. Die Tilgung der Aufwertungsschuld wurde allerdings bis zum Jahre 1932 hinausgeschoben, die Tilgung und Verzinsung der öffentlichen Anleihen sogar bis zur endgültigen Erledigung der Reparationslasten – also auf unbestimmte Zeit. Den überhöhten Erwartungen, die Reichsgericht und Richterverein geweckt hatten, wurden diese Regelungen in keiner Weise gerecht, und so rief denn die Verordnung einen Proteststurm hervor. Einige Gerichte gingen sogar so weit, die Verordnung für rechtsungültig zu erklären.[8]

Auch im Hinblick auf das besetzte Gebiet konnte Luther sich nicht voll durchsetzen. Seine erklärte Absicht war es gewesen, nach der Ausgabe der Rentenmark alle Zahlungen an die okkupierten Regionen einzustellen, was den Konflikt mit Frankreich und Belgien unweigerlich eskaliert hätte. Das Kabinett Marx beschloß am 5. Dezember 1923 nach intensiver Beratung, die Zuschüsse zur Erwerbslosenfürsorge und zur Beamtenbesoldung im besetzten Gebiet weiterzuzahlen und die Kosten für die Besatzung sowie zur Abgeltung von Besatzungsschäden wieder zu übernehmen. Ansonsten blieb es dabei, daß die Rentenmark nicht in das besetzte Gebiet eingeführt oder zumindest bei amtlichen Zahlungen nicht verwendet werden durfte.

Zurückstecken mußten indes nicht nur die Befürworter eines „Bruchs mit Frankreich" wie Luther und sein Kollege Jarres, der auch im neuen Kabinett das Amt des Innenministers bekleidete. Eine Niederlage erlitten um die Jahreswende 1923/24 auch jene, die dem französischen Sicherheitsbedürfnis durch die Gründung eines westdeutschen Bundesstaates entgegenkommen wollten. Außenminister Stresemann erwartete, daß die Chancen des Reiches, mit Paris und Brüssel zu einer direkten Verständigung zu gelangen, sich nach Wiederaufnahme der deutschen Zahlungen für die französischen und belgischen Truppen rasch verbessern würden. Er bestand deshalb darauf, daß alle privaten Verhandlungen von rheinischen Gremien und Vertrauensleuten mit der Interalliierten Rheinlandkommission in Koblenz abgebrochen wurden. Das Drängen Stresemanns hatte Erfolg: Im Januar 1924 ließ der Kölner

Oberbürgermeister Konrad Adenauer seine rheinischen Bundesstaatspläne fallen. Etwa gleichzeitig zogen einflußreiche rheinische Bankiers die Konsequenz aus der Tatsache, daß Paris auf Grund der Schwäche des Franc nicht in der Lage war, sich wirksam an der Errichtung einer Rheinisch-Westfälischen Goldnotenbank zu beteiligen: Sie legten das Projekt zu den Akten. Die Regierungsverhandlungen mit Frankreich, die Mitte Dezember 1923 aufgenommen wurden, zeitigten zwar zunächst keine konkreten Ergebnisse. Aber es gab Grund, auf die guten Dienste der Angelsachsen zu hoffen: Sie spielten die entscheidende Rolle in jenem Sachverständigenausschuß, der sich seit Mitte Januar 1924 in Paris unter dem Vorsitz des amerikanischen Bankiers Charles Dawes um eine Lösung des Reparationsproblems bemühte.[9]

Sehr viel weiter als im Rheinland ging Anfang 1924 die Beruhigung in einem anderen Krisengebiet. Seit den Münchner Ereignissen vom 8. und 9. November war für alle Auguren klar, daß Kahr und Lossow nicht mehr lange in ihren Positionen bleiben konnten: Beide hatten sich durch ihre Rolle beim Hitler-Putsch nachhaltig kompromittiert. Auf der anderen Seite wollte das bayerische Staatsministerium dem Reich gegenüber das Gesicht wahren und den Trennungsstrich nicht sofort vollziehen. Am 14. Februar 1924 kam zwischen Bayern und Reich ein Kompromiß in der besonders umstrittenen Frage der Rechtsstellung des bayerischen Landeskommandanten zustande. Das Reich sagte zu, es werde sich künftig bei der Abberufung eines Landeskommandanten mit der bayerischen Landesregierung „ins Benehmen" setzen und deren „begründeten Wünschen" möglichst Rechnung tragen. Außerdem wurde die Eidesformel der gesamten Wehrmacht durch eine Verpflichtung auf die Verfassung des jeweiligen Heimatstaates ergänzt. Mit dem Inkrafttreten dieser Vereinbarung erlosch die Inpflichtnahme der bayerischen Reichswehrtruppen durch die Münchner Regierung. Am 18. Februar traten Kahr als Generalstaatskommissar und Lossow als bayerischer Landeskommandant zurück. Irgendwelche strafrechtlichen Folgen hatte ihr Hochverrat gegen das Reich nicht.

Damit war der Konflikt zwischen Bayern und dem Reich offiziell beigelegt – durch äußerstes Entgegenkommen einer Reichsregierung, an der die Bayerische Volkspartei um ebendieser Verständigung willen beteiligt worden war. Doch schon wenige Tage vor dem Kompromiß vom 14. Februar hätte leicht ein neuer Streit zwischen Berlin und München entstehen können, wäre das Kabinett Marx der Kraftprobe nicht von Anfang an aus dem Weg gegangen. Das Münchner Kabinett widersprach der von Seeckt selbst gewünschten Aufhebung des militärischen Ausnahmezustands mit dem Argument, der bevorstehende Prozeß gegen Hitler und andere Putschisten vom 8. November 1923 stehe einem solchen Schritt entgegen. Als Reichspräsident Ebert am 28. Februar 1924 den militärischen Ausnahmezustand insgesamt aufhob und den Reichsinnenminister gleichzeitig ermächtigte, die Maßnahmen zu treffen, die zur Abwehr staatsfeindlicher Bestrebungen notwendig waren, erklärte er sich schließlich – von der Reichsregierung hart bedrängt –

damit einverstanden, Bayern „mit Rücksicht auf den dort bereits bestehenden, weitergehenden Ausnahmezustand" von der Anwendung dieser Verordnung auszunehmen.[10]

Das Urteil im Hitler-Prozeß war dann freilich nicht dazu angetan, Empörung in „nationalen Kreisen" oder gar neue Putschversuche auszulösen. Am 1. April 1924 sprach das Volksgericht München Ludendorff von der Anklage des Hochverrats frei; fünf andere Beteiligte, darunter der Organisator der SA, Ernst Röhm, wurden zu drei Monaten Festung und 100 Mark Geldstrafe mit Bewährung, Hitler selbst zusammen mit drei Mitverschwörern zu fünf Jahren Festung und 200 Mark Geldstrafe verurteilt. Nach Verbüßung von sechs Monaten stand auch den zuletzt Genannten eine Bewährungsfrist in Aussicht. Allen Angeklagten hielt das Gericht zugute, sie hätten sich bei „ihrem Tun von rein vaterländischem Geiste und dem edelsten, selbstlosen Willen" leiten lassen und nach bestem Wissen und Gewissen geglaubt, „daß sie zur Rettung des Vaterlands handeln mußten, und daß sie dasselbe taten, was kurz zuvor die Absicht der leitenden bayerischen Männer war". Moralisch kamen das Urteil und seine Begründung einem Freispruch gleich – und nicht anders wurden sie über Bayern hinaus auch verstanden.[11]

Die Beendigung des militärischen Ausnahmezustandes am 28. Februar 1924 erfolgte nicht auf Drängen des Kabinetts Marx, sondern, wie schon erwähnt, auf Ersuchen Seeckts. Daß ausgerechnet der Chef der Heeresleitung sich der Verantwortung entledigen wollte, die ihm in der Nacht vom 8. zum 9. November 1923 vom Reichspräsidenten übertragen worden war, hatte zwei triftige Gründe. Erstens drohte sich die Autorität der Reichswehr im Kleinkrieg mit den Zivilbehörden – vor allem in Sachsen, Thüringen, aber auch in Preußen – abzunutzen. Zweitens fürchtete die Reichswehr, von rechtsradikalen Wehrverbänden unterwandert zu werden: In eben jener Zeit, in der der militärische Ausnahmezustand der Reichswehr umfassende politische Vollmachten in die Hand gab, war ihre Führung nicht sicher, über wieviel Rückhalt in der Truppe sie wirklich verfügte. Die Heeresleitung kam aus beiden Gründen zu dem Schluß, daß die Reichswehr um ihrer langfristigen Ziele willen – darunter vor allem der Revision von Versailles – dringend einer Phase der inneren Konsolidierung bedurfte. Die Aufhebung des militärischen Ausnahmezustands diente vorrangig diesem Zweck. Die allmähliche Stabilisierung der inneren Lage und die sich anbahnende außenpolitische Entspannung erleichterten es der Heeresleitung, den taktischen Rückzug anzutreten.[12]

Umstritten war im Februar 1924 eine Zeitlang, ob die Verbote von KPD, NSDAP und Deutschvölkischer Freiheitspartei, die Seeckt am 23. November 1923 verhängt hatte, bestehen bleiben sollten oder nicht. Der Chef der Heeresleitung und die Mehrheit des Kabinetts Marx wollten die Parteiverbote aufrechterhalten, der preußische Innenminister Severing dagegen forderte die Aufhebung, da staatliche Unterdrückung erfahrungsgemäß die beste Propaganda für staatsfeindliche Bestrebungen bedeute. Eberts Verordnung am 28. Februar 1924 war ein Kompromiß zwischen den gegensätzlichen Positionen. Sie hob die Verordnungen über den militärischen Ausnahmezustand vom 26. September und 8. November 1923 auf. Die auf Grund dieser Verordnungen verfügten Beschränkungen der persönlichen Freiheit, der Pressefreiheit und des Vereinsrechts traten außer Kraft, darunter auch die Parteiverbote Seeckts. Gleichzeitig wurde aber der Reichsinnenminister ermächtigt, zur Abwehr staatsfeindlicher Bestrebungen die notwendigen Maßnahmen zu treffen. Zu diesem Zweck waren weiterhin Beschränkungen der persönlichen Freiheit und des Rechts der freien Meinungsäußerung zulässig. Öffentliche Versammlungen unter freiem Himmel und Aufzüge blieben verboten. Der preußischen Forderung entsprechend, durften die Landeszentralbehörden jedoch Ausnahmen zulassen. Dieser „zivile Ausnahmezustand" wurde acht Monate lang praktiziert. Erst am 25. Oktober 1924 setzte ihn eine weitere Verordnung des Reichspräsidenten außer Kraft.[13]

Die Beibehaltung eines abgemilderten Ausnahmezustands sollte verhindern, daß die Reichsregierung schlagartig aller Machtmittel beraubt wurde. Denn am 15. Februar 1924 – einen Tag nach Erlaß der Dritten Steuernotverordnung – war das Ermächtigungsgesetz vom 8. Dezember 1923 ausgelaufen, und an neue außerordentliche Vollmachten für das Kabinett Marx war nicht zu denken. Sozialdemokraten, Kommunisten und Deutschnationale stellten vielmehr, nachdem der Reichstag am 20. Februar wieder zusammengetreten war, Anträge auf Änderung oder Aufhebung verschiedener, unter den beiden Ermächtigungsgesetzen erlassener Verordnungen. Die Sozialdemokraten wollten vor allem die Verordnungen über den Personalabbau und die Arbeitszeit aufheben sowie die Mietzinssteuer durch Zuschläge zur Vermögenssteuer ersetzen. Aber die Regierung kam den Abstimmungen im Reichstag zuvor. Am 13. März löste der Reichspräsident auf Ersuchen des Kabinetts den Reichstag auf. Ebert hatte sich offenbar vor allem von dem Argument überzeugen lassen, daß Änderungen der Dritten Steuernotverordnung die neue Währung gefährden würden. Die Neuwahlen zum Reichstag wurden auf den 4. Mai 1924 festgesetzt. Vier Wochen später wäre die Legislaturperiode des am 6. Juni 1920 gewählten Reichstags ohnehin zu Ende gegangen.[14]

Die zeitweilig im gesamten Reich verbotenen Parteien zogen in den Wahlkampf mit einer Radikalität, die den Nutzen der staatlichen Repression nachträglich in Frage stellte und Severings skeptische Einschätzung bestätigte. Die Kommunisten machten nach dem Fehlschlag des „deutschen Oktober" heftige Flügelkämpfe durch, die mit einem klaren Sieg der äußersten Linken endeten. Die Komintern und die Kommunistische Partei Rußlands taten das Ihre, um die „rechte" Führung unter Brandler und Thalheimer auszubooten: Beide wurden als gefügige Gefolgsleute von Trotzki und Radek hingestellt, die zu entmachten das gemeinsame Ziel jener Troika von Stalin, Sinowjew und Kamenew war, die nach Lenins Tod am 21. Januar 1924 die neue Machtzentrale in der Sowjetunion bildete. Aber selbst dem linken Sinowjew ging der Linksruck in der KPD zu weit. Für den Parteitag in Frankfurt im April 1924 wurden von den großenteils arbeitslosen Parteimitgliedern mehrheitlich „linke" Delegierte gewählt, die ihrerseits eine ganz überwiegend „ultralinke" Führung einsetzten, darunter die Intellektuellen Ruth Fischer, Arkadij Maslow, Werner Scholem und Arthur Rosenberg sowie, als Vertreter des revolutionären Proletariats, den Hafenarbeiter Ernst Thälmann aus Hamburg – einen Mann, der sich des besonderen Vertrauens der Komintern erfreute. Weniger radikale Kommunisten blieben in der neuen Zentrale, Sinowjews Drängen zum Trotz, in der Minderheit; die „rechte" Clara Zetkin wurde erst gar nicht in die Parteiführung gewählt.

Die Beschlüsse des Parteitags trugen ganz die Handschrift der Ultralinken. Die Delegierten bekannten sich dazu, die „letzten Reste des Brandlerismus aus(zu)rotten", stutzten die Einheitsfronttaktik auf eine „revolutionäre Methode der Agitation und Mobilisation von Massen" zurück und kündigten den sozialdemokratischen „Reformisten" ebenso wie den Deutschvölkischen den „Vernichtungskampf" an. Als Hauptaufgabe der KPD bezeichnete es der Parteitag, „die Revolution zu organisieren". Zu diesem Zweck müßten politische Arbeiterräte gebildet werden, die das Proletariat zum bewaffneten Kampf zusammenzufassen hätten. Außerdem gelte es, die KPD, die noch allzu sehr einer sozialdemokratischen Partei ähnele, auf Illegalität umzustellen, und diese könnte nur ertragen werden, wenn die Partei auf Betriebszellen beruhe. So wenig die russischen Kommunisten sich auf dem Frankfurter Parteitag mit allen ihren Personalforderungen durchsetzen konnten, in ihrer Struktur wollte die KPD nunmehr konsequent das einleiten, was die Bolschewiki seit langem von ihr erwarteten: die Bolschewisierung der deutschen Partei.[15]

Die Parteien der äußersten Rechten blieben auf Landesebene auch nach dem Ende des militärischen Ausnahmezustandes verboten, was sie indes nicht hinderte, sich am Reichstagswahlkampf zu beteiligen. Teile der aufgelösten NSDAP verbanden sich mit der Deutschvölkischen Freiheitspartei, um mit ihr gemeinsam um die Stimmen von Antisemiten und extremen Nationalisten zu werben. Das Zusammengehen der Völkischen mit einer Bewegung, die das Wort „sozialistisch" in ihrem Namen führte, löste in manchen bürgerlichen Kreisen freilich starkes Mißtrauen aus. Die Nordwestdeutsche Handwerks-Zeitung etwa hielt im April 1924 Deutschvölkische und Nationalsozialisten für eine „reine Arbeitnehmerbewegung" und warnte vor „bolschewistischem Gift in schwarz-weiß-roter Verpackung". Doch zeigten schon die bayerischen Landtagswahlen vom 6. April, daß viele Wähler sich von der radikalen Attitüde der extremen Rechten keineswegs abgeschreckt fühlten: Auf den „Völkischen Block", auf dessen Liste zahlreiche Nationalsozialisten kandidierten, entfielen 23 von 129 Mandaten – genau so viele, wie auch die SPD erobern konnte.[16]

Von den übrigen Parteien nahm sich die DNVP mit dem größten Nachdruck der Anliegen der Inflationsgeschädigten an. Die volle Wiederherstellung der Gläubigerrechte wurde geradezu zur wichtigsten innenpolitischen Wahlkampfparole der DNVP. Hoffnungen auf ein gutes Wahlergebnis konnten sich die Deutschnationalen auch aus einem anderen Grund machen: Bei der rechtsliberalen Konkurrenzpartei, der DVP, gab es einen Abspaltungsprozeß. Am 12. März 1924 konstituierte sich die Nationalliberale Vereinigung, die es sich zum Ziel setzte, „auf die Einstellung der Deutschen Volkspartei in der Richtung einer straff nationalen, antisozialistischen Politik" einzuwirken. Hinter der Neugründung stand der schwerindustrielle Kreis um Hugo Stinnes (der wenige Wochen später, am 10. April 1924, verstarb). Was den Initiatoren der Nationalliberalen Vereinigung politisch vorschwebte, machte Stinnes' Generaldirektor Albert Vögler im April auf einer gemeinsamen Tagung des Reichsverbandes der Deutschen Industrie und der Vereinigung der deutschen Arbeitgeberverbände deutlich. „Der überparteiliche Staat gehört der Vergangenheit an", erklärte er. „Hoffen wir, daß es uns gelingt, ihn für die Zukunft wiederherzustellen."

Der Parteivorstand der DVP beantwortete die Sezession der „Nationalliberalen" sogleich mit der Feststellung, eine solche Sonderorganisation innerhalb der Partei sei unmöglich und untragbar. Am 7. April schloß der Parteivorstand, gedeckt durch eine Erklärung des Zentralausschusses, die Mitglieder der Nationalliberalen Vereinigung, darunter Vögler und den Syndikus der Essener Handelskammer, Reinhold Quaatz, aus der DVP aus, was die Gemaßregelten ihrerseits mit einem Aufruf zur Wahl der DNVP konterten. Auf ihrem Parteitag in Hannover Ende März verkündete die Deutsche Volkspartei dann zwar, die Sozialdemokratie habe in der Reichsregierung versagt, und „kraft der historischen Entwicklung und kraft seiner Leistung für die deutsche Kultur und Wirtschaft" erhebe nun das deutsche Bürgertum Anspruch auf die Leitung des Staates. Aber der folgende Satz ließ die Tür für eine Große Koalition offen: „Doch soll niemand zurückgewiesen werden, der guten Willens ist, im vaterländischen Geiste am Wiederaufbau eines starken Deutschland mitzuarbeiten."[17]

Die so angesprochene Partei, die SPD, zog zerstritten wie selten zuvor in den Reichstagswahlkampf. Anlaß des innerparteilichen Zwistes war der mehrere Jahre sich hinziehende „Sachsenkonflikt". Am 14. Dezember 1923 hatte die sächsische DDP dem Ende Oktober gebildeten Kabinett unter dem Sozialdemokraten Fellisch die Unterstützung entzogen und damit den Ministerpräsidenten veranlaßt, den Rücktritt seiner Regierung zu erklären. Am 4. Januar 1924 beschloß die Mehrheit der sozialdemokratischen Landtagsfraktion nach vertraulicher Rücksprache mit dem Parteivorstand in Berlin, eine Koalition mit der DDP und der DVP zu bilden. Diese Entscheidung widersprach einer Entschließung des sächsischen Landesparteitags von Anfang Dezember, wonach ohne Zustimmung ebendieses Gremiums künftig keine Koalition mehr eingegangen werden durfte. Die Fraktionsminderheit von 15 Abgeordneten rebellierte denn auch sogleich gegen den Beschluß vom 4. Januar und weigerte sich, dem von der Mehrheit vorgeschlagenen

Kandidaten für das Amt des Ministerpräsidenten, dem bisherigen Finanzminister Max Heldt, ihre Stimmen zu geben. Heldt wurde dennoch zum Chef einer Regierung gewählt, darunter von 25 Abgeordneten der SPD.

Ein auf den 6. Januar 1924 einberufener Landesparteitag sprach daraufhin mit 77 gegen 16 Stimmen der Fraktionsmehrheit das schärfste Mißtrauen aus. Die eingegangene Verbindung mit den beiden liberalen Parteien sei „eine glatte Unterwerfung unter die Gewaltpolitik der Bourgeoisie". Nachdem die Fraktionsmehrheit ihrerseits erklärt hatte, sie sei sich der Tragweite ihrer Handlungsweise voll bewußt, werde aber von ihren Beschlüssen nicht abgehen, stellte der Landesparteitag gegen drei Stimmen fest, die Sozialdemokratische Partei in Sachsen sei an dem Kabinett Heldt „nicht beteiligt und für diese Koalitionsbildung nicht verantwortlich".

Die Fraktionsmehrheit hatte sich in der Tat über einen Parteitagsbeschluß hinweggesetzt, aber sie hatte dafür gute Gründe. Lehnte die SPD eine Große Koalition ab, so kamen als mehrheitsfähige Alternativen nur noch ein „Bürgerblock" mit Einschluß der Deutschnationalen oder eine Neuauflage der kläglich gescheiterten Einheitsfront mit den Kommunisten in Frage. Beides konnten verantwortlich denkende Sozialdemokraten nicht wollen, und deshalb war sich die Mehrheit der Dresdner Landtagsfraktion auch sicher, daß ihr ein reichsweiter Parteitag im Konflikt mit der Mehrheit der sächsischen Parteiorganisation recht geben würde. Dieser Parteitag, der Ende März 1924 stattfinden sollte, wurde wegen der vorgezogenen Reichstagswahlen auf den Juni verschoben. Es verstand sich von selbst, daß der Führung der SPD nicht daran gelegen sein konnte, der Öffentlichkeit während des Wahlkampfes eine innerlich zerrissene Partei zu präsentieren.

Ein Kommentar des sozialdemokratischen Parteiorgans zur sächsischen Krise enthüllte Anfang Januar 1924 die tieferen Dimensionen des Konflikts: Zur Debatte stand nicht mehr und nicht weniger als das Verhältnis der größten deutschen Partei zur parlamentarischen Demokratie. „Es ist ohne weiteres zuzugeben, daß sich die Partei in einer bequemeren Lage befand, solange das parlamentarische System für Deutschland noch nicht erfunden war", schrieb der „Vorwärts". „Dieses System mit seiner fatalen Notwendigkeit, Mehrheiten zu schaffen und Regierungen zu bilden, wird uns noch manche harte Nuß zu knacken geben."

Für den äußersten linken Flügel der Partei, zu dessen Wortführer sich Paul Levi, der ehemalige Vorsitzende der KPD, aufgeschwungen hatte, lagen die Dinge sehr viel einfacher. „Wir gehen davon aus, daß unsere Partei die geborene Oppositionspartei ist", schrieb er Ende November 1923. „Dieser Volksstaat ist desselben ökonomischen Inhalts wie der alte Obrigkeitsstaat... und damit ist die grundsätzliche Stelle der sozialdemokratischen Bewegung gegeben. Sie ist oppositionell." Otto Wels, einer der drei Vorsitzenden der SPD, kam Mitte Februar 1924 zu einem radikal entgegengesetzten Schluß. Auf dem brandenburgischen Bezirksparteitag der SPD bemerkte er selbstkritisch, vom ersten Tag der Regierungsbildungen an sei die Sozialdemokratie gezwungen gewesen, Koalitionspolitik zu treiben. „Schon um den Frieden zu erreichen, war es nötig. Wir haben vielleicht Fehler gemacht. Ich bekenne mich schuldig daran, daß wir nicht immer in der Koalition waren. Es war verkehrt, zu viel Rücksicht auf die Stimmen zu nehmen, die gegen die Koalition waren."[18]

Nachdem die entschiedensten Gegner einer Zusammenarbeit mit der Sozialdemokratie die DVP verlassen hatten, war der Gedanke an eine neuerliche Große Koalition nach den Reichstagswahlen alles andere als abwegig. Bei den bürgerlichen Mittelparteien gab es, abgesehen von der Bayerischen Volkspartei, ohnehin keine Gruppierung, die ein Zusammengehen mit der SPD grundsätzlich ablehnte. Der designierte Vorsitzende der DDP, Erich Koch-Weser, konnte Ende Januar 1924 in einer Rede vor dem Parteiausschuß eine realistische Alternative zur Großen Koalition nirgendwo erkennen – weder in der derzeitigen Minderheitsregierung, die nur ein Notbehelf bis zu den nächsten Wahlen sei, noch in einem Bürgerblock bis zu den Deutschnationalen, der bei der „Stärke und Arroganz dieser Partei" in Verhältnisse führen werde, „wie wir sie zu unserem Schrecken jetzt in Bayern erleben".

Im Reichstag schlug Koch-Weser am 28. Februar 1924 Töne an, die nachgerade klassenkämpferisch klangen. Die DDP habe, während die SPD an der Macht gewesen sei, jahrelang dafür gekämpft, daß der Staat sich nicht die Wirtschaft unterjoche. Aber es gebe heute auch einen anderen Kampf. „Es gibt heute den Kampf dagegen, daß sich die Wirtschaft ihrerseits den Staat unterjocht, den Kampf dagegen, daß die Wirtschaft es tut, nachdem sie ihrerseits in die Hand einiger Wirtschaftsgewaltiger geraten ist." Er habe überdies ernste Sorgen, „daß ein Teil unserer Arbeitgeber heute den Terrorismus, den kommunistische Arbeiter vielfach in den Jahren 1919 und 1920 gegen sie geübt haben, dadurch wieder wettzumachen versuchen, daß sie ihrerseits den Herrn-im-Haus-Standpunkt mehr betonen, als es der liberalen Entwicklung unseres Wirtschaftslebens dienlich ist."

Für das Zentrum verurteilte dessen Fraktionsvorsitzender, Prälat Kaas, am 5. März vor dem Reichstag ebenfalls auf das schärfste jene Arbeitgeberkreise, die unter „Mißbrauch ihrer Machtposition" die Arbeitszeitnotverordnung für ihre Zwecke auszunutzen versuchten. Das Zentrum halte am Achtstundentag grundsätzlich fest und erwarte nach Überwindung der Wirtschaftskrise die Vorlage eines neuen Arbeitszeitgesetzes, in dem für Schwerarbeit die 48stündige Arbeitswoche, für die übrigen Arbeiten eine den Produktionsbedingungen und der ausländischen Konkurrenz entsprechende Arbeitszeit festgesetzt werde, die niedriger sei als die von den Arbeitgebern jetzt eingeführte.[19]

Zu den Anzeichen einer innenpolitischen Wiederannäherung zwischen den bürgerlichen Mittelparteien und der Sozialdemokratie kam am 9. April 1924 ein außenpolitisches Ereignis, das zur Grundlage einer neuen Zusammenarbeit zwischen den gemäßigten Kräften aller politischen Lager zu werden versprach: An diesem Tag wurde in Paris das Gutachten der Dawes-Kommission veröffentlicht. Es nannte keine Gesamtsumme für die deutschen Reparationszahlungen, ging aber offenbar davon aus, daß die im Londoner Ultimatum vom Mai 1921 aufgestellte Forderung von 132 Milliarden Goldmark die deutsche Leistungsfähigkeit überstieg. Um die deutsche Währung nicht zu gefährden, sollte ein von den Gläubigerstaaten berufener Reparationsagent für Transferschutz – also für einen den Außenwert der Mark berücksichtigenden Zahlungsmodus – sorgen. Die Annuitäten wollte die Kommission mit einer Milliarde Goldmark beginnen und innerhalb von fünf Jahren auf 2,5 Milliarden Mark ansteigen lassen. Um dem französischen Drängen auf deutsche Garantien Rechnung zu tragen, schlug die Kommission vor, die Reichsbahn in eine Gesellschaft umzuwandeln, die mit bestimmten Obligationen belastet wurde. Ihrem Aufsichtsrat sollten auch Vertreter der Gläubigerstaaten angehören. Als weitere Sicherungen sah der Sachverständigenausschuß die Verpfändung einiger Reichseinnahmen und eine verzinsliche Hypothek der deutschen Industrie in Höhe von 5 Milliarden Mark vor.

Ein wesentlicher Bestandteil des Planes war eine Auslandsanleihe von 800 Millionen Mark, die als Grundstock der von der Kommission vorgeschlagenen, neu zu gründenden Notenbank und zur Sicherung der Währungsstabilität dienen sollte. Aus dem Erlös der Anleihe waren zunächst ausschließlich inländische Zahlungen an die Alliierten wie Sachlieferungen und Besatzungskosten zu finanzieren. Neben dem Grundsatz, daß beim Transfer der Reparationen Rücksicht auf die Stabilität der deutschen Währung zu nehmen war, waren ausländische, in erster Linie amerikanische Kredite die erfreulichste Perspektive, die sich durch das Gutachten für Deutschland eröffnete. Die von der Kommission angestrebten Beschränkungen der deutschen Souveränität waren gewiß einschneidend, aber ungleich leichter zu ertragen als die territorialen Garantien, die sich Frankreich und Belgien genommen hatten, als sie im Januar 1923 das Ruhrgebiet besetzten.

Die neue Qualität des amerikanischen Engagements in Europa markierte deutlicher als irgendein anderes Ereignis das Ende der Nachkriegszeit. Der Einfluß der USA und eigene wirtschaftliche Schwäche verhalfen in Frankreich der Erkenntnis zum Durchbruch, daß das Land eine dauerhafte Sicherung seiner Vormachtstellung auf dem europäischen Kontinent nicht erzwingen konnte. In Deutschland wirkte bereits die Hoffnung, Washington werde konstruktive Vorschläge zur Lösung der Reparationsfrage machen und französische Alleingänge verhindern, seit Ende 1923 stabilisierend.

Die Erwartung amerikanischer Kredite tat ein übriges, um Deutschland allmählich aus der politischen Depression herauszuführen. Amerika hatte ein vitales Interesse daran, die deutsche Wirtschaft wiederzubeleben. Das Deutsche Reich war schon vor 1914 eines der wichtigsten Abnehmerländer für den amerikanischen Warenexport gewesen, und nirgendwo gab es derart vielversprechende Möglichkeiten, amerikanisches Kapital gewinnbringend anzulegen, wie in Deutschland. Daß Washington sich erst so spät zu einer offiziellen Vermittlerrolle im Streit um die Reparationen entschloß, lag an der Opposition der „Isolationisten". Jene Strömung in der amerikanischen Öffentlichkeit, der jede Art von Aktivität in Übersee verdächtig war, blieb auch immer noch so stark, daß an eine feste politische Absicherung des neuen wirtschaftlichen Engagement vorerst nicht zu denken war. Die Vereinigten Staaten konnten daher die weltwirtschaftliche Führungsrolle, die ihnen nach dem Ersten Weltkrieg zugefallen war, nicht wirklich ausfüllen. Aber der Entschluß, den Europäern einen Ausweg aus der reparationspolitischen Sackgasse zu weisen, war doch der entscheidende Beitrag zu dem weltpolitischen Szenenwechsel, der sich zwischen Herbst 1923 und Sommer 1924 vollzog.[20]

Einen anderen Beitrag zur Stabilisierung leistete zur gleichen Zeit und auf ihre Weise auch die Sowjetunion. Die fortschreitende Entmachtung Leo Trotzkis durch die Troika Stalin-Sinowjew-Kamenew bedeutete auch eine Abkehr von Trotzkis Konzept der Weltrevolution als Revolution in Permanenz. Stalin formulierte die Lehre vom „Aufbau des Sozialismus in einem Lande" zwar erst 1925, aber die immer mehr von ihm geprägte Außenpolitik der Sowjetunion folgte dieser Devise schon seit Lenins Tod im Januar 1924. Das Scheitern des „deutschen Oktober" bestärkte den Generalsekretär der russischen Kommunisten in seiner Überzeugung, daß die Sowjetunion sich noch auf eine lange Phase einrichten mußte, in der sie das einzige revolutionäre Land Europas blieb, also mit den kapitalistischen Staaten zu koexistieren hatte. Diese zeigten sich ihrerseits in wachsendem Maße bereit, mit der Sowjetunion diplomatische Beziehungen aufzunehmen. Bis Ende 1923 hatten dies, abgesehen von den Anrainerstaaten an der Ostsee, nur zwei europäische Länder getan: Deutschland durch den Vertrag von Rapallo im April 1922 und Polen im September 1923. Am 1. Februar 1924 erkannte dann die erste Siegermacht die Sowjetunion formell an: Großbritannien, das seit Januar von einem Labourkabinett unter MacDonald regiert wurde. Wenige Tage später folgte das faschistische Italien. Im Februar und März 1924 nahmen auch Österreich, Griechenland, Norwegen und Schweden diplomatische Beziehungen mit der Sowjetunion auf, im weiteren Verlauf des Jahres China, Mexiko, Ungarn und schließlich, im Oktober, Frankreich, wo seit Juni 1924 der Radikalsozialist Herriot das Amt des Ministerpräsidenten innehatte.

Während die Vereinigten Staaten – eine der beiden Flügelmächte, die 1917 die europäische Bühne betreten hatten – 1923/24 ihre selbstgewählte Isolierung teilweise wieder aufgaben und auf dem alten Kontinent eine aktive Rolle übernahmen, ging die andere Flügelmacht, die Sowjetunion, mithin in die andere Richtung: Sie ließ von den revolutionären Interventionen, die sie in den Jahren zuvor immer wieder versucht hatte, ab und widmete sich ganz der radikalen Umgestaltung des eigenen Landes. Aber in allen europäischen Demokratien war Moskau in der Folgezeit doch auf doppelte Weise präsent:

durch diplomatische Vertretungen, die den „Aufbau des Sozialismus" im Mutterland der kommunistischen Revolution abzuschirmen hatten, und durch kommunistische Parteien, die dazu beitragen sollten, den jeweiligen Staat in die von der Sowjetunion gewünschte Bahn zu lenken.[21]

Zum weltpolitischen Szenenwechsel von 1923/24 gehörten auch die schon erwähnten Regierungswechsel in London und Paris. In Großbritannien hatten bei den Unterhauswahlen vom 6. Dezember 1923 Labour Party und Liberale über die Tories gesiegt. Am 23. Januar 1924 erhielt das Land in Ramsay MacDonald seinen ersten Labour-Regierungschef. Sein Kabinett war eine von den Liberalen abhängige Minderheitsregierung und daher von Anfang an instabil; schon Anfang November 1924 mußte Labour die Macht wieder an die Konservativen abtreten, die aus den Unterhauswahlen vom 31. Oktober als Sieger hervorgegangen waren. Aber außenpolitisch war es von erheblicher Bedeutung, daß in der Zeit zwischen der Veröffentlichung des Dawes-Gutachtens und der Unterzeichnung des Dawes-Abkommens auf der Londoner Konferenz im August 1924 Großbritannien von der Labour Party regiert wurde. Deutschland konnte von einem solchen Kabinett mehr politisches Entgegenkommen erwarten als von einer konservativen Regierung.

Der Machtwechsel in Frankreich war für Deutschland noch wichtiger. Bei den Kammerwahlen vom 11. Mai 1924, eine Woche nach den Reichstagswahlen im östlichen Nachbarland, verlor der von Poincaré geführte Bloc national die Mehrheit an das „Cartel des gauches", die Wahlallianz der Sozialisten und bürgerlichen Radikalsozialisten. Am 11. Juni zog auch Staatspräsident Millerand, einer der Architekten des Bloc national, die Konsequenz aus der Niederlage und trat zurück. An die Spitze des neuen linksbürgerlichen, von den Sozialisten tolerierten Kabinetts trat am 14. Juni Edouard Herriot, ein Freund der deutschen idealistischen Philosophie, von dem Deutschland sehr viel mehr Verständigungswillen erhoffen durfte als von Poincaré.[22]

Für den deutschen Reichstagswahlkampf bildete die Veröffentlichung des Dawes-Gutachtens eine wichtige Zäsur. Die Reichsregierung erklärte am 27. April in einem Wahlaufruf zu den alliierten Vorschlägen, sie forderten von Deutschland die allergrößten Opfer, aber sie bedeuteten doch, da sie militärische Gewalt durch wirtschaftliche Vernunft ersetzten, „für uns als wehrloses Volk einen Fortschritt". Ähnlich positiv war das Echo bei den Sozialdemokraten. Die Kommunisten und die nationalistische Rechte riefen dagegen zum Kampf gegen die neue Reparationsregelung auf. Der Alldeutsche Verband verlangte eine völkische Diktatur, die mit der Erfüllungspolitik rücksichtslos brechen müsse, die DNVP sprach von einem „Versklavungsprozeß" und einem „zweiten Versailles", und die KPD erwies sich als gelehrige Schülerin der Deutschnationalen: In einem gemeinsamen Aufruf der kommunistischen Parteien Deutschlands, Frankreichs, Belgiens und Italiens zum 1. Mai 1924 geißelte sie den Dawes-Plan ebenfalls als ein „zweites Versailles", das die „Versklavung des deutschen Proletariats" und des Proletariats der anderen europäischen Länder zur Folge haben müsse.[23]

Die Reichstagswahlen vom 4. Mai 1924 brachten der radikalen Rechten einen großen Erfolg und der gemäßigten Linken eine schwere Niederlage. Die DNVP steigerte ihren Stimmenanteil gegenüber 1920 um 1,4 Millionen oder 4,4%; von 15,1% schnellte sie auf 19,5% empor. Sie wurde damit zur stärksten Kraft im bürgerlichen Lager und zur zweitgrößten Partei überhaupt. Die mit den führerlosen Nationalsozialisten verbündete Deutschvölkische Freiheitspartei erzielte auf Anhieb 1,9 Millionen Stimmen, was einem Anteil von 6,5% entsprach. Über ein Viertel der deutschen Wähler hatte sich damit im Mai 1924 für die antirepublikanische Rechte entschieden.

Links von der Mitte war zweierlei bemerkenswert: eine starke Gewichtsverlagerung von den Sozialdemokraten zu den Kommunisten und ein erheblicher Rückgang der „marxistischen" Stimmen insgesamt. Bei den Reichstagswahlen vom Juni 1920 hatten, die nachgeholten Wahlen in einzelnen Wahlkreisen 1921 und 1922 mitgerechnet, die Arbeiterparteien zusammen 11,7 Millionen oder 41,7% der abgegebenen gültigen Stimmen erhalten. Im Mai 1924 waren es 9,7 Millionen oder 34%, also genau 2 Millionen weniger. Die SPD sank von 6,1 auf 6 Millionen Stimmen oder 21,7% auf 20,5%. Was auf den ersten Blick als geringer Verlust erscheinen mochte, kam in Wirklichkeit einer Katastrophe nahe: Bei den Wahlen vom Mai 1924 erhielt die wiedervereinigte Sozialdemokratie weniger Stimmen als 1920 die Mehrheitssozialdemokraten. Von den über 5 Millionen Wählern, die 1920 für die USPD gestimmt und dieser zu einem Anteil von 17,9% verholfen hatten, sahen offenbar nur sehr wenige ihre neue politische Heimat in der SPD. Die KPD erhielt knapp 3,7 Millionen Stimmen, was einem Anteil von 12,6% entsprach. Die Kommunisten setzten sich damit erstmals auf Reichsebene als proletarische Massenpartei durch, gewannen indes mit 3 Millionen neu errungenen Stimmen erheblich weniger, als die sozialdemokratischen Parteien verloren – nämlich 5 Millionen Stimmen.

Die Parteien der bürgerlichen Mitte und der gemäßigten Rechten mußten zum Teil schwere Verluste hinnehmen. Die DVP sank von 13,9% (3,9 Millionen) im Juni 1920 auf 9,2% (2,7 Millionen) im Mai 1924, die DDP von 8,3% (2,3 Millionen) auf 5,7% (1,66 Millionen). Vergleichsweise geringfügig waren die Verschiebungen im Bereich der katholischen Parteien. Das Zentrum rutschte von 13,6% (3,8 Millionen) auf 13,4% (3,9 Millionen), die BVP von 4,2% (1,17 Millionen) auf 3,2% (947 000). Bürgerliche Splittergruppen kamen im Mai 1924 auf 8,5% (2,5 Millionen). Das war gegenüber 1920 ein Gewinn von 5,3% (+ 1,56 Millionen).

Einige naheliegende Vermutungen sind durch die Untersuchung einzelner Wahlkreise und Gemeinden bestätigt worden: Die Parteien der radikalen Rechten, Deutschnationale und Deutschvölkische, nahmen vor allem den beiden liberalen Parteien Stimmen ab; aus der gleichen Quelle speisten sich auch mittelständische und agrarische Splittergruppen, von denen die Reichspartei des deutschen Mittelstandes, kurz Wirtschaftspartei genannt, die größte war; die Kommunisten profitierten vor allem von früheren Wählern der USPD, aber auch der SPD. Es gab jedoch noch andere, überraschendere Wählerbewegungen. So hat sich mit größter Wahrscheinlichkeit eine nicht unerhebliche Zahl von früheren Wählern der Arbeiterparteien den radikalen Rechtsparteien zugewandt. Vor allem im überwiegend evangelischen Ostelbien sind Zusammenhänge zwischen den Verlusten der Arbeiterparteien und den Gewinnen der Deutschnationalen, mancherorts auch der Völkischen, offensichtlich, wobei es entsprechende Bewegungen sowohl in ländlichen als auch in städtischen Stimmbezirken gab. Landarbeiter können somit nur *eine* Quelle der Links-Rechts-Wanderung vom Mai 1924 gewesen sein. In Franken, einer frühen nationalsozialistischen Hochburg, konnte die äußerste Rechte in einigen, von der Textilindustrie geprägten Regionen zahlreiche Wähler zu sich herüberziehen, die 1920 noch für die USPD gestimmt hatten. Den Hauptteil ihrer neuen Anhänger gewannen DNVP und Deutschvölkische jedoch nicht bei den Arbeitern, sondern bei den selbständigen und unselbständigen Mittelschichten, in denen das Vertrauen zum Staat während der Inflationszeit besonders gelitten hatte.

Die ersten Reichstagswahlen nach der Stabilisierung der Mark fielen in eine Zeit, in der die allgemeine politische Erregung schon wieder im Abflauen begriffen war. Auf dem Höhepunkt der Krise, im Sommer und Herbst 1923, hätten die radikalen Kräfte von rechts und links sicherlich noch mehr Zulauf gehabt. Die Anziehungskraft der nationalistischen Rechten wäre vermutlich auch damals sehr viel größer gewesen als die der äußersten Linken. Ein kommunistischer Umsturzversuch hätte demnach wohl nur ein Ergebnis zeitigen können: die Einrichtung einer von der Reichswehr gestützten „nationalen Diktatur". Daß Weimar die Krise von 1923 überlebte, ohne in die offene Diktatur abzugleiten, erscheint aus dem Rückblick des Frühjahrs 1924 noch weniger selbstverständlich, als es dies ein halbes Jahr zuvor gewesen war.[24]

Nachdem die Deutschnationalen durch die Wahlen zur bedeutendsten bürgerlichen Partei und dank der Hilfe der zehn Abgeordneten des Landbundes zur stärksten Fraktion des Reichstags aufgestiegen waren, konnte es niemanden überraschen, daß sie die Führungsrolle in der neuen Regierung für sich beanspruchten. Von den anderen bürgerlichen Parteien setzte sich vor allem die DVP für eine Regierungsbeteiligung der DNVP ein. Aber auch die Partei Stresemanns knüpfte hieran eine Bedingung, die die Deutschnationalen angesichts ihrer Wahlparolen nicht gut erfüllen konnten: ein klares Bekenntnis zum Gutachten der Dawes-Kommission. Auf der anderen Seite war keine der Mittelparteien bereit, den Mann als Reichskanzler zu akzeptieren, den die DNVP vorschlug: den ehemaligen Großadmiral von Tirpitz. Reichspräsident Ebert beauftragte infolgedessen Wilhelm Marx, der am 26. Mai den Rücktritt seines Kabinetts erklärte, erneut mit der Regierungsbildung. Abermalige Verhandlungen mit der DNVP verliefen genau so erfolglos wie die vorangegangenen. Die Deutschnationalen verlangten, was ihnen die gemäßigten bürgerlichen Parteien nicht zugestehen konnten: einen Kurswechsel in der Außenpolitik, die Ablösung Stresemanns als Außenminister und eine baldige Umbildung des preußischen Kabinetts, einer Regierung der Großen Koalition. Alles sprach dafür, daß die Deutschnationalen mit einer Erfüllung dieser Forderungen selbst nicht rechneten, also nur zum Schein verhandelten. Aus parteitaktischen Gründen mußte ihnen daran gelegen sein, mit dem Eintritt in die Reichsregierung solange zu warten, bis die Reparationsfrage gelöst war. Marx, der dieses Kalkül durchschaute, brach am 3. Juni die Verhandlungen ab. Am gleichen Tag wurden die bisherigen Minister in ihren Ämtern bestätigt.[25]

Eine neue Große Koalition war nach der schweren Niederlage der SPD bei der Reichstagswahl von keiner Seite ernsthaft erwogen worden. Auf dem sozialdemokratischen Parteitag, der vom 11. bis 14. Juni in Berlin stattfand, mußte sich die Parteiführung vom linken Flügel schwere Vorwürfe wegen der bisherigen Koalitionspolitik machen lassen. Der Vorsitzende des Deutschen Metallarbeiterverbandes, der ehemalige Unabhängige Robert Dißmann, setzte der „Rücksichtnahme auf Staat und bürgerliche Koalitionsparteien" eine „Politik des unversöhnlichen Klassenkampfes" entgegen, mit der allein man die zu den Kommunisten übergewechselten proletarischen Wähler zurückgewinnen könne. Der Parteivorsitzende Hermann Müller meinte entschuldigend, wenn man die Koalitionsbildungen der letzten Jahre übersehe, „so sind wir nur in der Regierung gewesen, wenn wir in die Regierungen *mußten*. Die Gründe, die uns dazu gezwungen haben, sind fast immer außenpolitische gewesen." In einem von Müller eingebrachten, von den Delegierten mit 262 gegen 105 Stimmen angenommenen Antrag bezeichnete der Parteitag die Koalitionspolitik als Frage der Taktik und nicht des Prinzips. Eine Teilnahme an der Regierung dürfe nur „unter Abwägung aller Vor- und Nachteile für die Interessen der Minderbemittelten erfolgen, damit die Sicherheit gegeben ist, daß die Arbeiterklasse nicht einseitig Opfer zu bringen hat". Die SPD legte sich damit nicht gegen künftige Koalitionen fest, aber die unmittelbare Wirkung des Beschlusses war doch klar: Die Sozialdemokraten betrachteten auf Reichsebene die Opposition als Normalzustand und die Regierungsbeteiligung als Ausnahmefall.[26]

Eine Partei, die das erste Kabinett Marx mitgetragen hatte, gehörte dem zweiten nicht mehr an: die BVP. Am 14. April war Justizminister Emminger von seinem Amt zurückgetreten, weil die Münchner Parteiführung es für notwendig hielt, derart deutlich gegen einen Beschluß des Zentrums zu protestieren, in Bayern eigene Kandidaten für die Reichstagswahlen aufzustellen. Gravierend waren die Stimmenverluste, die das Zentrum der BVP beifügte, zwar nur in der Pfalz, aber die Mißstimmung zwischen beiden Parteien überdauerte den Wahlkampf und führte dazu, daß die BVP auch weiterhin auf Distanz zum Minderheitskabinett des Zentrumskanzlers Marx Wert legte.[27]

Im Reichstag konnte sich das zweite Kabinett Marx infolgedessen nur auf die Stimmen von Zentrum, DDP und DVP verlassen – auf 138 von 472 Abgeordneten. Um sich parlamentarisch zu behaupten, bedurfte die Regierung der Tolerierung durch die Sozialdemokratie oder die Deutschnationalen. Für das wichtigste Gesetzgebungsvorhaben, die Verabschiedung des Dawes-Abkommens, reichte aber auch die absolute Mehrheit der Mitglieder des Reichstags nicht aus. Blieb es beim Vorschlag der Sachverständigen, die Reichsbahn in eine Gesellschaft umzuwandeln und mit bestimmten Obligationen zu belasten, mußte die Reichsverfassung geändert werden, wozu eine Zweidrittelmehrheit erforderlich war. Ob die Deutschnationalen hierzu ihre Hand reichen würden, war höchst unsicher. Die Folge dieser Ungewißheit war, daß im Sommer 1924 innerhalb und außerhalb des Kabinetts wiederholt von einer Auflösung des Reichstags und einem Volksentscheid über den Dawes-Plan gesprochen wurde.[28]

Internationale Verhandlungen über den Dawes-Plan fanden ab Mitte Juli in London statt. Zunächst tagten die europäischen Alliierten zusammen mit den USA; vom 5. bis 16. August nahm dann eine deutsche Regierungsdelegation an der Konferenz teil. Die Reparationsfragen im engeren Sinne standen dabei nicht mehr zur Debatte, weil der Bericht der Sachverständigen nach Meinung der Alliierten hierzu alles Nötige sagte. Gerungen wurde hingegen um politische Fragen, obenan die Räumung des „neubesetzten" Gebietes. Die deutsche Seite forderte die unverzügliche Räumung dieses Territoriums, mußte sich aber auf Drängen der Angelsachsen zuletzt mit einem Kompromiß begnügen: Franzosen und Belgier versprachen, die 1921 und 1923 besetzten Gebiete binnen Jahresfrist freizugeben und schon am Tag nach der endgültigen Unterzeichnung des Abkommens die Zone Dortmund-Hörde sowie alle rechtsrheinischen Gebietsstreifen zu räumen, die im Januar 1923 besetzt worden waren. Reichskanzler Marx verzichtete schließlich auch darauf, in London eine Erklärung gegen den „Kriegsschuldartikel" des Versailler Vertrags abzugeben. Eine solche offizielle Verwahrung, wie sie dann am 29. August – einen Tag vor Unterzeichnung des Londoner Abkommens – in Berlin veröffentlicht wurde, mochte zwar eine gewisse Wirkung bei den Deutschnationalen, den eigentlichen Adressaten der Verlautbarung, erzielen. Mit einem diplomatischen Eklat in London dagegen hätte Deutschland aufs Spiel gesetzt, worauf es aus außenpolitischen wie aus wirtschaftlichen Gründen dringend angewiesen war: das Vertrauen der ehemaligen Kriegsgegner.

Das Londoner Abkommen bedeutete für Deutschland einen großen Erfolg. Es war, wie Premierminister MacDonald zu Recht bemerkte, die „erste wirklich vereinbarte Übereinkunft seit dem Krieg". Das Rheinland blieb bei Deutschland und wurde auch wirtschaftlich und finanziell wieder voll in den Reichsverband aufgenommen. Deutschland konnte, nachdem die Rentenmark dank der restriktiven Kreditpolitik der Reichsbank ihre Kaufkraft behauptet hatte, die provisorische Währung zugunsten der neuen, zu 40%

durch Gold oder Devisen gedeckten Reichsmark aufgeben. Zwar beschränkten einige neugeschaffene Einrichtungen deutsche Hoheitsrechte ganz beträchtlich: so der ausländische Generalagent für den Transfer der Reparationszahlungen, der ebenfalls ausländische Kommissar, der die Ausgabe der Banknoten zu kontrollieren hatte, der zur Hälfte aus Deutschen und Ausländern zusammengesetzte Generalrat der Reichsbank und der gleichfalls paritätische, von Deutschen und Ausländern gebildete Verwaltungsrat der Reichsbahngesellschaft. Aber gleichzeitig erhielt Deutschland durch die Dawes-Anleihe eine wirtschaftliche Starthilfe, die den Auftakt zu weiteren Auslandskrediten bildete. Das war mehr als nur ein ökonomischer Gewinn: Deutschland wurde in die Lage versetzt, seinen Anspruch auf politische Rehabilitierung und eine umfassende Revision des Vertrags von Versailles materiell zu untermauern.

Der Verlierer der neuen, in London besiegelten Ordnung war Frankreich. Es hatte die Ziele nicht erreicht, die es sich mit der Ruhrbesetzung gestellt hatte, und mußte in London die politischen Konsequenzen aus seiner relativen wirtschaftlichen und finanziellen Schwäche ziehen. Die kurze Phase der Vorherrschaft Frankreichs auf dem europäischen Kontinent war damit beendet. Was sich auf der Londoner Konferenz herausbildete, war ein prekäres Gleichgewicht zwischen Deutschland und Frankreich, bei dem beide Länder auf unterschiedlichen Gebieten dem jeweils anderen ihre Überlegenheit demonstrieren konnten: Frankreich auf dem militärischen Sektor, Deutschland auf dem längerfristig noch wichtigeren Feld der Wirtschaft.[29]

Bei den meisten Dawes-Gesetzen war nicht zweifelhaft, daß sie eine Mehrheit im Reichstag finden würden: Die Regierungsparteien konnten sich von Anfang an auf die Zustimmung der SPD verlassen. Beim Reichsbahngesetz aber, für das eine Zweidrittelmehrheit erforderlich war, blieb der Ausgang bis zuletzt offen. Alles hing davon ab, ob ein ausreichender Teil der DNVP sich zu einem Ja durchringen würde. In diesem Sinne wirkten der Reichsverband der Deutschen Industrie, die christlich-nationalen Gewerkschaften und zeitweilig sogar, wenn auch verklausuliert, der Reichslandbund auf die Deutschnationalen ein. Von der DVP kam das Angebot, nach einer deutschnationalen Zustimmung zum Dawes-Plan könnte die DNVP in die Reichsregierung eintreten. Reichspräsident und Reichskanzler drohten für den Fall der Nichtannahme des Londoner Abkommens mit der Auflösung des Reichstags, und am 29. August schließlich gab die Reichsregierung jene schon erwähnte Erklärung zur alliierten Kriegsschuldthese ab, in der es hieß, die wahre Verständigung und Versöhnung zwischen den Völkern könnten nicht vollendet werden, solange das deutsche Volk von der „Bürde dieser falschen Anklage“ nicht befreit sei und sich als „Verbrecher an der Menschheit“ abgestempelt sehe.

Die Kombination von Druck und Lockung, Drohung und Zugeständnissen wirkte. Bei der entscheidenden Abstimmung am 29. August votierten 52 Mitglieder der deutschnationalen Fraktion mit Nein und 48 mit Ja. Um dem

Reichsbahngesetz zur verfassungsändernden Mehrheit zu verhelfen, war es nötig, daß zwei Drittel der gesetzlichen Mitgliederzahl von 466 Abgeordneten anwesend waren und wenigstens zwei Drittel der Anwesenden zustimmten. 441 Abgeordnete gaben ihre Stimme ab; für die qualifizierte Mehrheit waren demnach 294 Ja-Stimmen erforderlich. Tatsächlich wurde die Vorlage mit 314 Stimmen angenommen. Die knappe Hälfte der deutschnationalen Fraktion hatte damit die Annahme des Londoner Abkommens ermöglicht.[30]

Einen Tag nach der dritten Lesung der Dawes-Gesetze sollte sich der Reichstag mit einem Gesetzentwurf der Reichsregierung befassen, der wie eine politische Prämie auf deutschnationales Wohlverhalten wirkte. Die Vorlage aus dem Hause des Reichsernährungsministers Graf Kanitz, der bis zum Oktober 1923 selbst der DNVP angehört hatte, sah die Wiedereinführung der 1914 außer Kraft gesetzten Agrarzölle, des „Bülow-Tarifs" von 1902, zum 10. Januar 1925 vor. (An diesem Tag erlosch die im Versailler Vertrag festgelegte Verpflichtung Deutschlands, den Siegermächten einseitig die Meistbegünstigung zu gewähren, womit das Reich seine handelspolitische Bewegungsfreiheit wiedererlangte). Als Kanitz im Juni 1924 die entsprechenden zollpolitischen Forderungen des Reichslandbundes aufgriff, sprach er im Kabinett offen aus, daß sich auf diese Weise am ehesten die deutschnationale Gegnerschaft zum Dawes-Abkommen überwinden ließ. Das Kabinett war zunächst auch bereit, die Zollvorlage noch vor den Dawes-Gesetzen im Reichstag einzubringen, änderte dann aber unter dem Eindruck von gewerkschaftlichen Protesten und Warnungen der preußischen Regierung den Fahrplan. Die erste Lesung der Zollvorlage wurde schließlich auf den 30. August gelegt. Zu einer Abstimmung aber kam es nicht mehr: SPD und KPD machten das Hohe Haus durch einen Auszug aus dem Plenum beschlußunfähig, worauf sich der Reichstag bis zum 15. Oktober 1924 vertagte. Drei Tage vor dem Ende der Parlamentspause ließ die Regierung mitteilen, infolge der Veränderung der Ernteverhältnisse lasse sich die Zollvorlage in der bisherigen Form nicht mehr aufrechterhalten und werde daher zurückgezogen.

Die parlamentarische Obstruktion der Linken war ein Akt politischer Notwehr. Indem die Sozialdemokraten zusammen mit den Kommunisten die Behandlung des Gesetzentwurfs unmöglich machten, verhinderten sie etwas, was sie ihren Anhängern nicht zumuten konnten und was gesamtwirtschaftlich nicht zu verantworten war. Schutzzölle für Agrarprodukte, in der ersten Linie für Getreide, mußten die Lebenshaltungskosten der breiten Massen verteuern und forderten Sanktionen der betroffenen Länder, in Gestalt einer Erschwerung des deutschen industriellen Exports, geradezu heraus. Im Endeffekt war also damit zu rechnen, daß der Rückfall in den Agrarprotektionismus deutsche Arbeitsplätze in Gefahr brachte.[31]

Unternehmer und Politiker der bürgerlichen Mitte sahen das grundsätzlich nicht anders. Aber die am weitesten rechts stehende Partei des Kabinetts Marx machte sich seit Ende September 1924 für eine politische Kurskorrektur stark, die ohne massive Zugeständnisse an die Großagrarier nicht zu verwirklichen war: Die DVP forderte eine Regierungsbeteiligung der DNVP und löste damit ein Versprechen ein, das sie den Deutschnationalen am Vorabend der entscheidenden Abstimmung vom 29. August gegeben hatte. Nach der Verabschiedung der Dawes-Gesetze war nach Meinung vor allem des rechten Flügels der Deutschen Volkspartei eine weitere Rücksichtnahme auf die Sozialdemokraten nicht mehr erforderlich. Eine Stabilisierung nach rechts war jetzt in der Tat innenpolitisch leichter möglich als vorher, und sie schien außenpolitisch weniger gefährlich, nachdem ein erheblicher Teil der DNVP die Annahme des Londoner Abkommens ermöglicht hatte.

Der Reichskanzler hatte indes schwere Bedenken gegen ein Bürgerblockkabinett. Innenpolitisch sah Marx die schärfste Opposition der Sozialdemokratie, außenpolitisch Erschwernisse für das besetzte Gebiet voraus. Überdies mußte er mit dem Widerstand der DDP und des linken Flügels seiner eigenen Partei gegen eine Rechtskoalition rechnen. Deswegen schlug der Regierungschef am 1. Oktober einen salomonisch erscheinenden Ausweg vor: die gleichzeitige Erweiterung der Koalition nach links und nach rechts, eine Regierung der „Volksgemeinschaft" unter Einschluß von SPD und DNVP.

Eine solche „ganz große Koalition" war zu keiner Zeit mehr als ein Ausdruck von Wunschdenken: Die beiden Flügelparteien waren durch Welten voneinander getrennt, und kein Formelkompromiß hätte den Abgrund überbrücken können. Gleichwohl wurde in der ersten Oktoberhälfte über ein derartiges Regierungsbündnis verhandelt. Die „Richtlinien", die das Kabinett am 7. Oktober hierzu vorlegte, waren bewußt vage gehalten. Sie bekannten sich zur Reichsverfassung, dem Londoner Abkommen, der Steigerung der Produktion und der sozialen Gerechtigkeit bei der Verteilung der Reparationskosten. Die Sozialdemokraten verlangten daraufhin am 8. Oktober präzisere Festlegungen, unter anderem zur republikanischen Staatsform, der Fortführung der bisherigen Außenpolitik des Kabinetts Marx und zur Ratifizierung des Washingtoner Abkommens über die internationale Einführung des Achtstundentages. Die Deutschnationalen forderten am gleichen Tag eine christliche Kultur und Jugenderziehung, eine Absage an den Klassenkampf und eine offizielle Klarstellung gegenüber den Siegermächten über die „Nichtschuld Deutschlands am Kriege". Die SPD folgerte daraus mit Recht, daß die DNVP eine Zusammenarbeit mit den Sozialdemokraten ablehnte, und am 10. Oktober kam auch der Reichskanzler zu dem Ergebnis, daß der Versuch einer Erweiterung des Kabinetts nach zwei Seiten gescheitert sei.

Außer der „ganz großen Koalition" waren theoretisch noch vier weitere Lösungen vorstellbar. Die erste Möglichkeit war die einseitige Erweiterung des Kabinetts nach rechts, die von der DVP gewünscht, von der DDP und Teilen des Zentrums aber strikt abgelehnt wurde. Zweitens war eine Große Koalition mit den Sozialdemokraten denkbar, wofür sich die DDP einsetzte, während die DVP und eine Mehrheit des Zentrums sich dagegen aussprachen. Drittens konnte man die Beibehaltung des jetzigen Minderheitskabinetts Marx ins Auge fassen. Aber da ein Mißtrauensantrag im Reichstag und seine Annahme als sicher galten, wollte sich die DVP mit diesem, von der DDP gemachten und dem Zentrum aufgegriffenen Vorschlag nicht befreunden. So blieb viertens nur die Option, für die sich das Kabinett am 20. Oktober entschied: die Auflösung des Reichstags. Noch am gleichen Tag tat Ebert, was das Kabinett für unvermeidbar hielt: Er löste den Reichstag auf und setzte tags darauf den 7. Dezember 1924 als Termin für die Neuwahl fest.[32]

Der zweite Reichstagswahlkampf des Jahres 1924 stand im Zeichen der wirtschaftlichen Erholung, die ihrerseits zu guten Teilen eine Folge der nunmehr nach Deutschland strömenden Auslandskredite war. Die Arbeitslosigkeit, die im Sommer 1924 infolge einer von der Reichsbank verhängten radikalen Kreditsperre wieder stark zugenommen hatte, ging im Herbst kontinuierlich zurück: von 12,4% der gewerkschaftlich organisierten Arbeitnehmer im Juli auf 7,3% im November 1924. Die tariflichen Stundenlöhne stiegen (wenn man die Daten von zwölf ausgewählten Gewerbezweigen zugrundelegt) von durchschnittlich 57 Pfennig im Januar 1924 auf 72,5 Pfennig im Januar 1925. Generell waren die Gewerkschaften an der „Lohnfront“ erfolgreicher als bei Kämpfen um die Verkürzung der Arbeitszeit. Aber auch hier gab es deutliche Verbesserungen. Im Mai 1924 mußten nach Erhebungen des ADGB 54,7% der Arbeiter mehr als 48 Stunden pro Woche arbeiten, 13% sogar mehr als 54 Stunden. Im November 1924 betrug der Anteil der Arbeiter, die mehr als 48 Stunden arbeiteten, nur noch 45,4%.[33]

Den extremen Parteien von links und rechts bot die Besserung der wirtschaftlichen und sozialen Verhältnisse keinen Anlaß, dem Wahlausgang mit besonderen Erwartungen entgegenzublicken. Aber keine von ihnen dachte daran, ihre Taktik zu ändern und ihre Parolen zu mäßigen. Die KPD gefiel sich darin, Reichstagssitzungen durch den Einsatz von Trillerpfeifen und Kindertrompeten „aufzulockern“; um die vorgeschriebene Verpflichtung von Stadtverordneten durch Handschlag ins Lächerliche zu ziehen, erschienen die Kommunisten mancherorts mit roten Fausthandschuhen zur Sitzung oder wuschen sich nach erfolgter Verpflichtung demonstrativ in mitgebrachten Waschschüsseln die Hände. Der im Juli 1924 gegründete Rote Frontkämpferbund griff in seiner Frühzeit vorzugsweise das im Februar des gleichen Jahres entstandene Reichsbanner Schwarz-Rot-Gold an, eine hauptsächlich aus sozialdemokratischen Arbeitern gebildete Schutzorganisation der republikanischen Kräfte. Schlägereien zwischen beiden Gruppen waren im Sommer und Herbst 1924 an der Tagesordnung.

Auf der äußersten Rechten trat die im August 1924 in Weimar gegründete Nationalsozialistische Freiheitsbewegung zum Wahlkampf an, in der sich Deutsch-Völkische und vorwiegend norddeutsche Nationalsozialisten zusammengefunden hatten. Als Führer präsentierten sich Erich Ludendorff und Albrecht von Graefe, die beide im Mai ein Reichstagsmandat errungen hatten. Auf dem Weimarer „Reichskonvent" bekannte sich die „Bewegung" zu den „25 Programmpunkten Hitlers" von 1920 und der kollektiven Führung durch Ludendorff, Hitler und Graefe. Ein anderer Teil der Nationalsozialisten lehnte Ludendorff als faktischen Parteiführer ab und sammelte sich in einer Großdeutschen Volksgemeinschaft, die sich nicht an den Reichstagswahlen beteiligte. Hitler hielt sich während seiner Festungshaft in Landsberg aus dem Streit seiner Gefolgsleute heraus und widmete sich lieber der Abfassung seines Buches „Mein Kampf". Als er am 23. Dezember 1924 vorzeitig entlassen wurde, war sein Nimbus bei allen Teilen des rechtsextremen Lagers ungebrochen.[34]

Die beiden Parteien, die am ehesten hoffen konnten, von Verlusten der extremsten Kräfte zu profitieren, DNVP und SPD, bemühten sich, ihre innere Zerrissenheit nach außen, so gut es ging, zu verbergen. Bei den Deutschnationalen kam es nach dem gespaltenen Votum der Reichstagsfraktion am 29. August zu einer Rebellion gegen die Parteiführung: Die unbedingten Gegner des Londoner Abkommens, die ihren stärksten Rückhalt in den ostelbischen Landesverbänden hatten, machten gegen den Parteivorsitzenden Hergt mobil. Der frühere preußische Finanzminister hatte zwar selbst gegen alle Dawes-Gesetze gestimmt, aber Verständnis für die Andersdenkenden bekundet. Am 18. September kündigte Hergt auf einer Sitzung der Landesverbandsvorsitzenden an, er werde sein Amt als Parteivorsitzender aufgeben, falls die Verhandlungen über einen Eintritt in die Reichsregierung scheitern sollten. Am 23. Oktober löste er dieses Versprechen ein und trat sowohl als Partei- wie auch als Fraktionsvorsitzender zurück. Mit der kommissarischen Wahrnehmung des Parteivorsitzes wurde daraufhin der gemäßigt konservative Vorsitzende der preußischen Landtagsfraktion und Präsident der evangelischen Generalsynode, der Theologe Friedrich Winckler, beauftragt.

Bereits zwei Tage zuvor hatte die deutschnationale Reichstagsfraktion in einer öffentlichen Erklärung deutlich gemacht, mit welcher Stoßrichtung sie den Wahlkampf führen wollte. „Unsere Partei bleibt, was sie war: monarchisch und völkisch, christlich und sozial. Unsere Ziele bleiben wie unser Name: deutsch und national. Unsere ruhmreichen Farben bleiben Schwarz-Weiß-Rot, unser Wille ist fester denn je: ein Deutschland zu schaffen, frei von Judenherrschaft und Franzosenherrschaft, frei von parlamentarischem Klüngel und demokratischer Kapitalherrschaft..." Eine hemmungslose Agitation zielte vor allem auf bisherige Anhänger der Deutschvölkischen und Nationalsozialisten. Die DNVP sprach in Flugblättern wie Hitler von „sozialdemokratischen Novemberverbrechern", bezeichnete sich als die „stärkste Mittelstandspartei" und erklärte den „deutschen Volksgenossen": „Wer nicht wählt, wird Judas Sklave, wird Frankreichs Kuli, ruft den Bolschewismus ins Land, opfert seine Kinder". Der offizielle Wahlaufruf vom 29. Oktober machte die antirepublikanische Grundhaltung der Deutschnationalen nochmals vor aller Welt sichtbar: „Jetzt gilt es so stark zu werden, daß wir unseren Eintritt in die Regierung mit dem unserer Stärke und Bedeutung entsprechenden Einfluß erzwingen, jetzt naht der Großkampftag im Reich und in Preußen, der über Schwarz-Weiß-Rot oder Schwarz-Rot-Gelb entscheidet. Keine Zersplitterung im nationalen Lager!"[35]

Den Sozialdemokraten gelang die Beilegung oder Verhütung innerparteilicher Gegensätze weniger gut als den Deutschnationalen. Der seit Anfang des Jahres schwelende „Sachsenkonflikt" – der Streit zwischen der Landesorganisation und der Mehrheit der Landtagsfraktion um die am 4. Januar gebildete Große Koalition aus SPD, DDP und DVP (das Zentrum spielte im evangelischen Sachsen keine Rolle) – war auf dem Berliner Parteitag im Juni nur scheinbar aus der Welt geschafft worden: Der von den Delegierten gebilligte Kompromißvorschlag einer besonderen „Sachsenkommission" sah vor, daß Entscheidungen der Landesparteiversammlungen für die Fraktionen zwar grundsätzlich bindend seien, aber Parteivorstand und Parteiausschuß auf Reichsebene das Recht erhielten, solche Beschlüsse „bis zur Entscheidung des Reichsparteitags zu suspendieren, wenn diese den Beschlüssen des Reichsparteitages zuwiderlaufen oder die Interessen der Gesamtpartei schwer schädigen". Weiter beschloß der Berliner Parteitag, daß die Regierung in Sachsen jetzt nicht in die Hände der Reaktion fallen dürfe. Soweit unter dem Eindruck der jüngsten Krise bereits Kandidatenaufstellungen für einen neuen Landtag erfolgt seien, sollten sie wiederholt werden, „wobei die Stellung der einzelnen Parteigenossen in dem jetzt überwundenen Parteistreit nicht gewertet wird".

Vier Monate später erwies sich, daß der Berliner Kompromiß auf Sand gebaut war. Am 26. Oktober beschloß der Landesparteitag der sächsischen SPD in Abwesenheit der meisten Landtagsabgeordneten, die sofortige Auflösung des Landtags und die Anberaumung von Neuwahlen für den 7. Dezember, den Tag der Reichstagswahlen, zu verlangen. Gleichzeitig empfahl der Landesparteitag, „die bisherigen Abgeordneten (wieder) aufzustellen, soweit nicht im einzelnen Fall besondere Bedenken, insbesondere das Interesse der Partei, die Wiederaufstellung unmöglich machen". Bis auf die fünf Worte „insbesondere das Interesse der Partei" entsprach der Beschluß einer vom Berliner Parteivorstand gebilligten Empfehlung, auf die sich die streitenden Flügel zwei Tage zuvor verständigt hatten. Der Zusatz aber verkehrte den ursprünglichen Vorschlag in sein Gegenteil: Der Landesparteitag stellte den zuständigen Gliederungen anheim, Abgeordnete wieder aufzustellen oder durch andere Kandidaten zu ersetzen, und entsprechend wurde mancherorts verfahren.

Der Parteivorstand in Berlin beantwortete den unerwarteten Schlag der sächsischen Linken mit der Empfehlung an die Dresdner Landtagsfraktion, den Antrag auf Auflösung erst zu stellen oder entsprechenden Anträgen von anderer Seite erst zuzustimmen, nachdem alle Streitigkeiten über die Aufstellung von Landtagskandidaten ausgeschaltet seien. Die Mehrheit der

Landtagsfraktion hielt sich an diesen Rat und stimmte am 8. November gegen deutschnationale und kommunistische Auflösungsanträge, die infolgedessen abgelehnt wurden. Drei Tage später wandten sich die Landesinstanzen der sächsischen SPD mit aller Schärfe gegen jene 23 sozialdemokratischen Abgeordneten, die gegen die Auflösung des Landtags gestimmt hatten, und warfen ihnen schweren Disziplinbruch und Schädigung der Parteiinteressen vor. Die Bezirksorganisationen wurden ersucht, für die schnellste Abberufung der „Disziplinbrecher" von ihren Abgeordnetenmandaten zu sorgen. Der von dem Sozialdemokraten Max Heldt geführten Regierung sprachen die sächsischen Führungsgremien das schärfste Mißtrauen aus; die 17 Abgeordneten, die für die Auflösung des Landtags gestimmt hatten, wurden dagegen als einzige Vertreter der Sozialdemokratischen Partei bezeichnet.

Dem Parteivorstand schien die Herausforderung der sächsischen Parteiorganisation zunächst die Sprache verschlagen zu haben. Erst am 13. November erklärte er, er werde zu den jüngsten Verlautbarungen der sächsischen Landesinstanzen und der Fraktionsminderheit vorerst keine Stellung nehmen. Es gelte jetzt, alle Gegensätze in landespolitischen Fragen zurückzustellen, um auf Reichsebene den Kampf gegen den drohenden Bürgerblock nicht zu schwächen.

Durch das Stillschweigen an der Spitze ließ sich der Konflikt aber nicht mehr dämpfen. Am 19. November trafen sich mehr als tausend Anhänger der sächsischen Fraktionsmehrheit, darunter viele langjährige Funktionäre, in Dresden und erklärten, „daß die 23 Gemäßigten der Arbeiterschaft mit Ablehnung der Landtagsauflösung besser gedient haben als die Radikalen". Die Sympathisanten der Fraktionsmehrheit versicherten die Regierung Heldt ihrer Unterstützung, versprachen, „alles zu tun, um die Massen aufzuklären und den Katastrophenpolitikern das Handwerk zu legen", und verlangten, ihre Überzeugungen in einer knappen Formel bündelnd, „statt einer Politik der Phrasen eine Politik der praktischen Arbeit".

Knapp drei Wochen vor der Reichstagswahl hatte der „Sachsenkonflikt" damit einen dramatischen Höhepunkt erreicht. In Sachsen, das schon vor 1914 eine Hochburg der sozialdemokratischen Linken und später, seit 1917, der USPD gewesen war, zeichnete sich eine organisatorische Spaltung der SPD ab, und es war offenkundig, daß der radikale Parteiflügel diesen Prozeß bewußt in Gang gesetzt hatte. Der Parteivorstand flüchtete sich zuletzt in verlegenes Schweigen. Im zweiten Reichstagswahlkampf von 1924, dem sie mit großen Erwartungen entgegengesehen hatte, konnte sich die Sozialdemokratie mithin nicht geschlossener präsentieren als vor der Wahl vom 4. Mai.[36]

Das herausragende Merkmal des Wahlausgangs vom 7. Dezember 1924 war eine deutliche Tendenz zur Entradikalisierung. Die extremen Flügelparteien – die Deutschvölkischen, die jetzt als Nationalsozialistische Freiheitsbewegung auftraten, und die Kommunisten – gingen geschwächt aus dem

Kampf hervor. Gewinne verbuchten, trotz ihrer internen Streitigkeiten, die Sozialdemokraten und, in sehr viel geringerem Maß, die Deutschnationalen. Die SPD stieg von 20,5 auf 26%, die DNVP von 19,5 auf 20,5%. Die Kommunisten dagegen fielen von 12,6 auf 9%, die vereinten Nationalsozialisten und Völkischen von 6,5 auf 3%. Vergleichsweise gering waren die Verschiebungen in der Mitte und bei der gemäßigten Rechten. Die liberalen und die katholischen Parteien gewannen gegenüber dem Mai 1924 jeweils weniger als 1% hinzu. Die DDP verbesserte sich von 5,7 auf 6,3%, die DVP von 9,2 auf 10,1%; beim Zentrum änderte sich lediglich hinter dem Komma etwas (13,6% im Dezember, 13,4% im Mai), und bei der BVP war es ebenso (3,8 und 3,2%). Von den kleineren Parteien war die mittelständische Wirtschaftspartei mit 3,3% am erfolgreichsten. Auf die Aufwertungsparteien entfielen nur 0,4% – was wesentlich daran lag, daß die Deutschnationalen sich auch in diesem Wahlkampf als entschiedene Fürsprecher der Inflationsgeschädigten ausgegeben hatten.[37]

Das Wahlergebnis erlaubte nur zwei Arten von parlamentarischer Mehrheitsregierung: eine Große Koalition oder einen bürgerlichen Rechtsblock. Gegen eine Regierung mit den Sozialdemokraten und für ein Kabinett mit deutschnationaler Beteiligung sprach sich am 10. Dezember die DVP aus. Stresemann unterstrich den Ernst dieser Forderung, indem er auf Rückfrage von Marx einen Fortbestand des jetzigen Minderheitskabinetts als unmöglich bezeichnete. Die DDP lehnte eine Rechtsregierung weiterhin ab, aber numerisch war eine solche Koalition auch ohne die Demokraten möglich. Zu den 103 Abgeordneten der DNVP waren nämlich noch die 8 Parlamentarier des Landbundes zu zählen, die, wie bereits in der vorangegangenen Legislaturperiode, eine Fraktionsgemeinschaft mit den Deutschnationalen bildeten, und außerdem war davon auszugehen, daß auch die BVP sich an einer Rechtsregierung beteiligen würde. Zusammen hätte ein solches Parteienbündnis über 250 von 493 Sitzen verfügt.

Im Zentrum freilich, von dem alles abhing, gab es Ende 1924 noch starke Widerstände gegen eine Rechtskoalition, und auch Marx selbst hatte weiterhin schwere Bedenken gegen einen Bürgerblock. Am 19. Dezember, vier Tage nach der formellen Demission seines Kabinetts, verständigte er sich daher mit Ebert, die Neubildung der Regierung bis Anfang Januar zu vertagen und es solange bei der Weiterführung der Geschäfte durch das bisherige Kabinett zu belassen. Einige Minister sahen darin jedoch ein gefährliches Schwächezeichen. Reichswehrminister Geßler vertrat in einer informellen Besprechung am nämlichen 19. Dezember die Ansicht, die gegenwärtige Krise sei keine bloße Regierungs-, sondern, wie schon frühere Krisen, eine Verfassungskrise. Als Auswege kämen entweder eine Stärkung der Stellung des Reichspräsidenten oder eine Stärkung der einmal berufenen Reichsregierung gegenüber dem Parlament in Frage. Geßlers Forderung nach einer Verfassungsreform (von der er meinte, daß ein nichtparlamentarisches Kabinett sie leichter zuwege bringen werde als ein parlamentarisches) machte sich zwar ausdrücklich nur Innenminister Jarres zu eigen. Aber auch Außenminister Stresemann stellte besorgt fest, „es gebe große Kreise im Volke, die mit Freude und Behagen diesen Wirrwarr und diese ewigen Regierungskrisen verfolgen, weil sie daraus ihren Anhängern den Bankrott des parlamentarisch-demokratischen Systems dartun können". Die anwesenden Kabinettsmitglieder des Zentrums, Marx und Brauns, widersprachen Geßlers Schlußfolgerungen, gaben seiner kritischen Zustandsbeschreibung jedoch teilweise recht. Am Ende der vorweihnachtlichen Beratung stand kein Beschluß, sondern nur die Einsicht, daß der Ernst der Lage weitere Erörterungen verlange.

Vermutlich waren sich Geßler und Jarres durchaus darüber im klaren, daß für die von ihnen erwogenen Änderungen der Reichsverfassung die wichtigste Voraussetzung fehlte – die erforderliche Mehrheit im Reichstag. Aber die Stichworte Verfassungskrise und Verfassungsreform sollten wohl in erster Linie einen taktischen Zweck erfüllen: die psychologische Vorbereitung auf die Unumgänglichkeit eines Rechtskabinetts. Zu Beginn des neuen Jahres half die Deutsche Volkspartei dieser Erkenntnis massiv nach, indem sie in Preußen eine Politik der vollendeten Tatsachen betrieb. Dort hatten am 7. Dezember, also am gleichen Tag wie im Reich, Wahlen stattgefunden. Am 6. Januar 1925 erklärte die DVP ihren Austritt aus der Großen Koalition und begründete das damit, daß die Regierung Braun verpflichtet gewesen wäre, nach der Landtagswahl zurückzutreten. Verfassungsrechtlich war dieser Schritt keineswegs zwingend, und in der Tat ging es der Volkspartei auch um etwas anderes: Sie erfüllte mit der Aufkündigung eine der Bedingungen, die die Deutschnationalen an ihren Eintritt in die Reichsregierung geknüpft hatten.

Am gleichen 6. Januar gab auch das Zentrum zu erkennen, daß es sich auf eine Rechtskoalition einzustellen begann. Reichsarbeitsminister Brauns setzte im Kabinett einen Beschluß durch, der als Absicherung eines Bürgerblocks nach links gedacht war: Er ließ sich von seinen Kollegen ermächtigen, eine Verordnung über die Arbeitszeit in Kokereien und Hochofenwerken vorzulegen, die für einen Teil der Großeisenindustrie die Rückkehr zum achtstündigen Dreischichtensystem und damit zum Normalarbeitstag vorsah. Die Adressaten der überraschenden Zugeständnisses waren der linke Flügel von Brauns' Partei und die Arbeitnehmer ganz allgemein: Sie sollten im voraus wissen, daß das Zentrum entschlossen war, ihre Interessen auch in einer Koalition mit den Deutschnationalen zu wahren.

Drei Tage später gab Marx, der sich seit dem 2. Januar auf Bitten des Reichspräsidenten erneut, aber vergeblich um eine Lösung der Krise bemüht hatte, den Auftrag der Regierungsbildung an Ebert zurück. Den nächsten Sondierungsauftrag erteilte der Reichspräsident auf Stresemanns Vorschlag dem parteilosen Finanzminister Hans Luther. Der Verwaltungsjurist Luther, 1879 in Berlin geboren, war über vier Jahres lang Oberbürgermeister von Essen gewesen, ehe er im November 1922 als Ernährungsminister in das Kabinett des ebenfalls parteilosen Wilhelm Cuno eintrat. Wie Cuno stand

Luther eindeutig rechts von der Mitte und der DVP näher als irgendeiner anderen Partei; zwischen 1929 und 1933 gehörte er ihr auch als Mitglied an. Die Parteilosigkeit, derer er sich auch noch im Titel seiner 1960 erschienenen Memoiren („Politiker ohne Partei") rühmte, war beides zugleich: ein Anachronismus im parlamentarischen System und ein Symptom der Krise des Weimarer Parteienstaates. Die Unmöglichkeit, stabile Mehrheitsregierungen zu bilden, hatte seit 1922 zu einer gewissen Verselbständigung der Exekutivgewalt geführt. Ermächtigungsgesetze und der wiederholte Rückgriff auf Notverordnungen nach Artikel 48 dienten dazu, das auszugleichen, was der Regierung an parlamentarischem Rückhalt fehlte. Die damit verbundene Bürokratisierung der inneren Politik begünstigte Karrieren wie die von Cuno und Luther, aber auch Marx: Beamtenhaft agierende Reichskanzler ohne starkes politisches Profil schienen am ehesten in der Lage, die Erfordernisse einer geordneten Verwaltung mit den Interessen der Parteien in Übereinstimmung zu bringen, die an der Regierung beteiligt waren oder sie tolerierten.

Bereits Mitte Oktober 1924 hatte Luther in einer Ministerbesprechung den Vorschlag gemacht, der Reichspräsident solle auf Vorschlag des Reichskanzlers die Minister ernennen, „ohne daß die Fraktionen offiziell ihren Eintritt in die Koalition erklärten". Dieser Devise entsprechend, suchte Luther im Januar 1925 eine Regierung der Fachleute zu bilden, die gleichwohl über einen gewissen Rückhalt bei der Parlamentsmehrheit verfügten. Die Orientierung am vermeintlich überparteilichen Regierungssystem der konstitutionellen Monarchie war offenkundig, ließ sich aber nicht so rein verwirklichen, wie Luther das vorgeschwebt hatte: Ursprünglich wollte er den vier Regierungsparteien – Zentrum, BVP, DVP und DNVP – jeweils nur einen Vertrauensmann im Kabinett zugestehen; die übrigen Ministerien sollten von Beamten geleitet werden, die einer dieser Parteien besonders nahestanden.

Die endgültige Ministerliste sah dann aber anders, nämlich sehr viel „parteilicher" aus. Die Deutschnationalen, deren Beteiligung am ehesten tarnungsbedürftig erschien, traten gleich mit drei Kabinettsmitgliedern auf: Innenminister Schiele, Finanzminister von Schlieben und Wirtschaftsminister Neuhaus. Die DVP wurde offen durch Außenminister Stresemann und verdeckt durch den von ihr benannten „Fachminister" Krohne repräsentiert, der für Verkehr zuständig war. Das Zentrum blieb durch Arbeitsminister Brauns vertreten; außerdem war dieser Partei der offiziell parteilose Justizminister Frenken zuzurechnen. Den Postminister stellte mit Karl Stingl die BVP. Ernährungsminister blieb das ehemalige Mitglied der DNVP, Graf Kanitz. Ans Groteske grenzte, daß auf Wunsch des Zentrums auch Reichswehrminister Geßler, der nominell immer noch der DDP angehörte, als „Fachminister" im Amt blieb. Seine Partei hatte dieser Lösung am 13. Januar, zwei Tage vor Luthers Ernennung zum Reichskanzler, zugestimmt, ohne sich deswegen als Regierungspartei zu betrachten oder von den anderen Fraktionen als solche angesehen zu werden.[38]

Die Sozialdemokraten sagten der ersten offenen Rechtsregierung der Weimarer Republik sogleich „rücksichtslosen Kampf“ an. Als Luther jedoch am 19. Januar in seiner Regierungserklärung ausgesprochen maßvolle Töne anschlug, sich zur republikanischen Reichsverfassung als der rechtlichen Grundlage der Regierungsarbeit, zum friedlichen Ausgleich zwischen den Völkern und zum Londoner Abkommen bekannte und schließlich sogar eine Verminderung der geltenden Arbeitszeiten in Aussicht stellte, räumte Rudolf Breitscheid als Sprecher der SPD ein, diese Erklärung hätte auch „Herr Marx abgeben können“. Zwar kündigte der Sozialdemokrat dem neuen Kabinett wegen seiner deutschnationalen Mitglieder eine „scharfe und entschlossene“ Opposition innerhalb und außerhalb des Parlaments an und sprach von der „unüberbrückbaren Kluft“, durch welche die Sozialdemokratie von der Regierung getrennt sei. Aber dergleichen mochte in erster Linie eine rhetorische Pflichtübung sein. Denn daß die SPD das Kabinett Luther auch dann frontal angreifen würde, wenn es die von den Sozialdemokraten unterstützte Außenpolitik Stresemanns konsequent fortsetzte, ließ sich aus guten Gründen schon im Januar 1925 bezweifeln.[39]

In einem besonders umstrittenen Bereich der inneren Politik bot das Kabinett Luther jedoch gleich zu Beginn seiner Amtszeit der stärksten Oppositionspartei eine unverhoffte Gelegenheit zu höchst wirksamer Agitation. Gestützt auf das einhellige Votum der Spitzenverbände von Landwirtschaft, Industrie, Handel und Banken, erklärte der neue deutschnationale Reichswirtschaftsminister Neuhaus Ende Januar 1925 in einer Denkschrift, eine Aufwertung, die über 15% hinausgehe, sei den Sachwertbesitzern nicht zuzumuten und daher schlechthin ausgeschlossen. Einen Aufwertungssatz von 15% hatte jene dritte Steuernotverordnung des Kabinetts Marx vom 14. Februar 1924 vorgesehen, gegen den die Deutschnationalen in beiden Wahlkämpfen des Jahres 1924 vehement zu Felde gezogen waren. Ein Teil der deutschnationalen Fraktion rebellierte denn auch gegen die plötzliche Kehrtwende ihres Ministers. Im Aufwertungsausschuß des Reichstags stellte der Vorsitzende des Hypothekengläubiger- und Sparerschutzverbandes, Georg Best, der auf der Reichswahlliste der DNVP in das Parlament eingezogen war, den von 17 Mitgliedern seiner Fraktion unterstützten Antrag, alle von der Inflation betroffenen Ansprüche individuell aufzuwerten.

Von ihren Kabinettsmitgliedern gedrängt, zog die DNVP diesen Antrag zwar bald wieder zurück. Dafür aber warfen sich nun die Sozialdemokraten in die Bresche, die im Jahr zuvor noch gegen jedwede Aufwertung aufgetreten waren und auch jetzt keinen Zweifel daran haben konnten, daß eine umfassende Aufwertung inflatorisch wirken würde. Die SPD übernahm den Antrag Best und stellte damit taktische Erwägungen über staatspolitische Bedenken: Zu einmalig erschien die Chance, einen Keil zwischen die „großkapitalistische“ Führung und einen Teil der mittelständischen Anhängerschaft der Deutschnationalen zu treiben. Das Kabinett Luther gab der oppositionellen Kampagne ungewollt weiteren Auftrieb, als es Anfang Februar

1925 der von der französisch-belgischen Besetzung betroffenen Ruhrindustrie eine großzügige Entschädigung in Höhe von 700 Millionen Mark bewilligte. Wiederum hatten die kleinen Sparer und Investoren Anlaß, sich von den Deutschnationalen düpiert zu fühlen, und die Sozialdemokraten machten sich nur zu gern zu Fürsprechern der Enttäuschten.[40]

Am 28. Februar 1925 verstummte einen Augenblick lang der Streit der Parteien. Im Alter von 54 Jahren starb Reichspräsident Friedrich Ebert. Die unmittelbare Todesursache war eine Blinddarm- und Bauchfellentzündung. Doch es gibt kaum einen Zweifel, daß die Gesundheit Eberts auch durch seelische Kränkungen geschwächt worden war, die sich in den Monaten zuvor gehäuft hatten. Die schlimmste war der Vorwurf des Landesverrats, den unter anderen ein völkischer Journalist, der Redakteur der „Mitteldeutschen Presse", Erwin Rothardt, gegen den Reichspräsidenten erhoben und mit Eberts Rolle beim Berliner Munitionsarbeiterstreik vom Januar 1918 begründet hatte. Am 23. Dezember 1924 verkündete das erweiterte Schöffengericht des Magdeburger Amtsgerichts das Urteil in dem Beleidigungsprozeß, den Ebert gegen Rothardt hatte anstrengen lassen. Das Gericht verurteilte den Angeklagten wegen Beleidigung des Reichspräsidenten zu drei Monaten Gefängnis, stellte aber in der Urteilsbegründung fest, daß die Behauptung Rothardts, Ebert habe durch Teilnahme an dem genannten Streik Landesverrat begangen, im strafrechtlichen Sinne zutreffend sei. Eine Verurteilung wegen übler Nachrede könne daher nicht erfolgen.

Gegen den Rufmord der Magdeburger Richter, einen typischen Fall justizförmiger Republikfeindschaft, erhoben sich zwar gewichtige Stimmen: Namhafte Rechtsgelehrte und Historiker, darunter Gerhard Anschütz und Friedrich Meinecke, stellten sich demonstrativ auf Eberts Seite; die gesamte Reichsregierung, das geschäftsführend amtierende Kabinett Marx, gab eine Ehrenerklärung für ihn ab; der Anklagevertreter im Magdeburger Prozeß ging sofort in die Berufung. Doch das Urteil tat mittlerweile seine Wirkung, und die richtete sich gegen Ebert und die von ihm vertretene Republik.

Dasselbe traf zu auf Versuche von deutschnationalen Politikern und Journalisten des Hugenberg-Konzerns, Ebert in die Affäre Barmat hineinzuziehen, mit der sich seit Januar 1925 ein Untersuchungsausschuß des Reichstags befaßte. Julius Barmat war ein russischer Jude, der zu Beginn des Jahrhunderts in die Niederlande ausgewandert war. Während des Krieges und in der unmittelbaren Nachkriegszeit hatte er in großem Umfang Lebensmittel nach Deutschland geliefert, und in dieser Eigenschaft wurde er 1919 auch ein wichtiger Gesprächspartner führender Sozialdemokraten, darunter Eberts. Zum Skandal wurde der Fall des Julius Barmat aber erst in der Zeit der Hyperinflation, als Spekulationsgeschäfte seines neugegründeten Konzerns mit Krediten der Preußischen Staatsbank und der Reichspost finanziert wurden. Ebert hatte aus seiner Verbindung zu Barmat keinerlei persönlichen Vorteil gehabt. Aber schon die Tatsache, daß der Name des Reichspräsidenten bei den öffentlichen Anhörungen des parlamentarischen Untersuchungsausschusses mehrfach genannt wurde, war für die Deutschnationalen, auf deren Antrag hin der Reichstag das Gremium eingesetzt hatte, Anlaß zur Genugtuung. Der Ausschuß erfüllte damit den Zweck, den ihm seine Urheber zugedacht hatten: Er diente als massenwirksame Tribüne des Kampfes gegen die Republik und ihren obersten Repräsentanten.[41]

Manche Nachrufe auf Ebert wirkten wie Versuche einer posthumen Wiedergutmachung. So erklärte das Reichskabinett, mit Einschluß seiner deutschnationalen Mitglieder, Friedrich Ebert habe „in schwerster Zeit... das Amt eines deutschen Reichspräsidenten mit vorbildlicher Gewissenhaftigkeit und staatsmännischer Klugheit verwaltet". Die „Charaktereigenschaften des Menschen Friedrich Ebert und die hervorragende Begabung des Staatsmannes" hätten ihm bei allen, die den Mann und sein Werk kannten, Wertschätzung und Verehrung eingebracht. „Er hat dem deutschen Vaterlande in schwerster Zeit als aufrechter Mann gedient."

Auch in der sozialdemokratischen Presse fehlte es nicht an Versuchen, vergangene Konflikte nachträglich zu glätten. Nach der Reichsexekution gegen Sachsen hatte es in der SPD scharfe Kritik an Ebert und sogar Anträge auf Parteiausschluß gegen ihn gegeben; vom Sattlerverband, Eberts Gewerkschaft, war der Reichspräsident tatsächlich ausgeschlossen worden. Der „Vorwärts" spielte auf diese Spannungen und Zerwürfnisse mit der Bemerkung an, Eberts überparteiliches Amt habe ihn dem Parteileben entfremdet und nur bei offiziellen Anlässen mit Volksmassen in Berührung gebracht. Dem positiven Gesamturteil über den ersten Reichspräsidenten tat dieser Hinweis jedoch keinen Abbruch. „Nach den großen Theoretikern und den großen Agitatoren war Ebert der erste große *Staatsmann* der deutschen Arbeiterbewegung. Das forderte eine ganz neue Art des Verständnisses. Indem die Arbeiterklasse sie mehr und mehr gewann, legte sie Zeugnis ab für ihre wachsende Reife. Sie ehrt sich selbst, wenn sie Friedrich Ebert ehrt."[42]

Wer Ebert vor seinem Tode verachtet und gehaßt hatte, der tat es auch danach. Das galt nicht nur für die deutschnationale und völkische Rechte, sondern auch für die Kommunisten, in deren Namen der Abgeordnete Hermann Remmele am 1. März 1925 im Reichstag dem toten Reichspräsidenten nachrief, er sei „mit dem Fluch des deutschen Proletariats ins Grab gegangen". Im Rückblick erscheint gerade das als größte Leistung Eberts, was die Kommunisten ihm vorwarfen: sein Einsatz für die Verständigung und die Zusammenarbeit zwischen den gemäßigten Kräften in Arbeiterschaft und Bürgertum. Schärfer als viele seiner Parteifreunde hatte Ebert 1918 erkannt, daß die wechselseitige Bereitschaft zum „Klassenkompromiß" geradezu die Lebensgrundlage der Republik bildete. Deshalb mahnte er die Sozialdemokraten immer wieder, Koalitionen mit der bürgerlichen Mitte bis hin zur Deutschen Volkspartei Gustav Stresemanns einzugehen und nicht ohne zwingenden Grund aufzukündigen. Eberts nüchternes Urteil bewährte sich auch in außenpolitischen Fragen. Vor den fatalen Folgen deutsch-sowjetischer Alleingänge warnte er 1922 mit Nachdruck, aber vergebens. Die Ruhrbesetzung durch Franzosen und Belgier im Jahr darauf war auch eine Antwort auf den Vertrag von Rapallo, dessen Unterzeichnung Ebert nicht hatte verhindern können.

Doch neben den Verdiensten Friedrich Eberts sind auch seine Grenzen unübersehbar. Allzu oft verließ er sich auf das Urteil militärischer und bürokratischer Berater, denen er mit erstaunlicher Arglosigkeit gegenübertrat. Das war in den ersten Monaten nach dem Sturz der Monarchie nicht anders als im Herbst des Krisenjahres 1923. Daß die Reichswehr sich zu einem „Staat im Staat" und damit zu einer Bedrohung der Republik entwickeln konnte, hatte auch Ebert mitzuverantworten. Für die Gefahren, die mit dem häufigen Rückgriff auf Notverordnungen nach Artikel 48 verbunden waren – allein 1923 unterzeichnete der Reichspräsident 42 solcher Verordnungen, die meisten zur Behebung wirtschaftlicher Notstände –, hatte Ebert, zum Leidwesen seines persönlichen Freundes Otto Braun, kein Gespür. Für richtige Einsichten wie die, daß Deutschland eine rückhaltlose Aufklärung seines Anteils an der Auslösung des Weltkrieges längerfristig nur nützen konnte, kämpfte der Reichspräsident nicht mit der Energie, die der Sache angemessen gewesen wäre.

Zu den Staatsmännern und den Großen der deutschen Geschichte wird man Friedrich Ebert nach alledem nicht rechnen können. Der erste Reichspräsident war ein überzeugter Demokrat, ein deutscher Patriot und ein Mann der friedlichen Verständigung zwischen den Völkern. Er gab unter schwierigen Bedingungen sein Bestes und trug niederträchtige Angriffe, denen er während seiner Amtszeit ausgesetzt war, mit großer Würde. Den meisten bürgerlichen Akademikern, die auf ihn als „Emporkömmling" herabblickten, war er, was politische und menschliche Bildung angeht, weit überlegen. Was ein Republikaner an der Spitze der Republik bedeutete, wurde auch vielen seiner politischen Freunde erst bewußt, als Ebert schon lange tot war. Sein Tod, wenige Monate vor dem Ende seiner Amtszeit, und die Wahl seines Nachfolgers wurden zu einer der tiefsten Zäsuren in der Geschichte der ersten deutschen Demokratie.[43]

Am 29. März 1925 fand der erste Wahlgang der ersten Direktwahl eines Reichspräsidenten durch das Volk statt. Für die gouvernementale Rechte trat der frühere Reichsinnenminister und damalige Oberbürgermeister von Duisburg, Karl Jarres, an, der von seiner eigenen Partei, der DVP, den Deutschnationalen und der Wirtschaftspartei unterstützt wurde. Sozialdemokratischer Kandidat war Otto Braun, der am 23. Januar im Zuge der jüngsten Regierungskrise von seinem Amt als preußischer Ministerpräsident zurückgetreten war. Für das Zentrum ging der frühere Reichskanzler Wilhelm Marx, für die DDP der badische Staatspräsident Willy Hellpach und für die BVP Heinrich Held, seit April 1924 Ministerpräsident des Freistaates, ins Rennen. Die Kommunisten hatten Ernst Thälmann, die Nationalsozialisten Erich Ludendorff aufgestellt.

Die für den ersten Wahlgang vorgeschriebene absolute Mehrheit der Stimmberechtigten erreichte keiner der Bewerber. Am besten schnitt Jarres ab, auf den 10,4 Millionen Stimmen (38,8%) entfielen. Auf den zweiten Platz gelangte Braun mit 7,8 Millionen (29%) und auf den dritten Marx mit 3,9 Millionen Stimmen (14,5%). Mit großem Abstand folgten Thälmann (1,9 Millionen oder 7%), Hellpach (1,6 Millionen oder 5,8%), Held (1 Million oder 3,7%) und Ludendorff (286 000 oder 1,1%).

Am auffälligsten waren die schwachen Ergebnisse der extremsten Kandidaten: Thälmann verbuchte 800 000, Ludendorff 600 000 Stimmen weniger als ihre Parteien vier Monate zuvor bei der letzten Reichstagswahl (wobei allerdings zu berücksichtigen ist, daß die Deutschvölkische Freiheitspartei, um eine Zersplitterung im rechten Lager zu vermeiden, zur Stimmabgabe für Jarres aufgerufen hatte). Der Trend zur Entradikalisierung, der bereits zwischen den beiden Reichstagswahlen im Mai und Dezember 1924 zu beobachten war, hatte sich also fortgesetzt, und der Hauptgrund dieser Entwicklung lag offen zutage: Es war die wirtschaftliche Erholung, die sich auch im Rückgang der Arbeitslosenzahlen niederschlug. Viele Wähler, die im Dezember 1924 noch für Kommunisten und Nationalsozialisten gestimmt hatten, dürften im März 1925 auf den Gang zur Wahlurne verzichtet haben. Mit 68,9% lag die Wahlbeteiligung am 29. März 1925 um etwa 10% niedriger als bei der letzten Reichstagswahl. Das Ergebnis des ersten Wahlgangs läßt kaum eine andere Deutung zu, als daß dieses Minus vor allem zu Lasten der extremen Flügelparteien ging.[44]

Für die drei „Weimarer" Parteien war klar, daß sie im zweiten Wahlgang, bei dem die relative Mehrheit ausreichte, den Kandidaten der Rechten nur schlagen konnten, wenn sie sich auf einen gemeinsamen Bewerber verständigten. Theoretisch hätte dies Otto Braun, der erfolgreichste der „schwarz-rot-goldenen" Kandidaten, sein müssen. Aber aus ihren Erfahrungen mit Stichwahlabkommen im Kaiserreich wußten die Sozialdemokraten, daß entsprechende Empfehlungen eher von ihren eigenen Anhängern als von bürgerlichen Wählern befolgt wurden. Diese Überlegung sprach zugunsten von Marx. Der frühere Reichskanzler war zwar nicht besonders volkstümlich, und man mußte auch damit rechnen, daß er als kirchentreuer Katholik bei Protestanten wie bei Marxisten auf gewisse Vorbehalte stieß. Auf der anderen Seite war Marx aber auch ein Bewerber um das Amt des preußischen Ministerpräsidenten. Zweimal – am 10. Februar und am 10. März 1925 – war er bereits zum Regierungschef des größten deutschen Landes gewählt worden und kurz darauf wieder zurückgetreten: das erste Mal, weil er keine parlamentarische Mehrheit für sein Kabinett der Weimarer Koalition fand, das zweite Mal, weil DVP und DNVP seine Kandidatur bei der Reichspräsidentenwahl für unvereinbar mit dem Amt des preußischen Ministerpräsidenten erklärten. Bei diesem Stand der Dinge lag ein Tauschgeschäft geradezu in der Luft: Die SPD unterstützte Marx im zweiten Wahlgang der Reichspräsidentenwahl, und das Zentrum verpflichtete sich, Braun zum preußischen Ministerpräsidenten zu wählen. Nach einem weiteren Zwischenspiel der preußischen Regierungskrise – dem erfolglosen Versuch des Demokraten Höpker-Aschoff, ein Kabinett zu bilden – einigten sich am 3. April SPD, Zentrum und DDP endgültig darauf, Marx als gemeinsamen Kandidaten für das Amt des Reichspräsidenten aufzustellen. Am gleichen Tag wurde Otto Braun mit 220 von 430 gültigen Stimmen zum preußischen Ministerpräsidenten gewählt.[45]

Gegen Marx als gemeinsamen Kandidaten des republikanischen „Volksblocks" hatte Jarres keine Chance. Die Rechte mußte also versuchen, einen attraktiveren Bewerber zu finden. Nach dem Gesetz über die Wahl des Reichspräsidenten vom 4. Mai 1920 konnte das auch eine Persönlichkeit sein, die am ersten Wahlgang noch nicht teilgenommen hatte. Das gab bestimmten „nationalen" Zirkeln die Möglichkeit, sich um einen Mann zu bemühen, der zwar kein Politiker war, ja sich nicht einmal sonderlich für Politik interessierte, aber dafür schon zu Lebzeiten zu einem Mythos geworden war: Generalfeldmarschall Paul von Beneckendorff und von Hindenburg, am 2. Oktober 1847 in Posen geboren, damals also 77 Jahre alt, der seit seinem Ausscheiden aus der Obersten Heeresleitung im Sommer 1919 im Ruhestand in Hannover lebte.

Als vermeintlicher „Sieger von Tannenberg", der im August 1914 Ostpreußen von den Russen befreit hatte, genoß der Feldmarschall eine größere Popularität als irgendein anderer Heerführer des Weltkrieges. Schon während des Kapp-Lüttwitz-Putsches im März 1920 hatte ihn die militärische Fronde als künftigen Reichspräsidenten ins Spiel gebracht. Fünf Jahre später wurde seine Bewerbung um das gleiche Amt von eben jenen Kräften betrieben, die 1920 die demokratische Republik mit Gewalt hatten beseitigen wollen: den altpreußischen Kerngruppen der Deutschnationalen Volkspartei, Großagrariern aus der Führung des Reichslandbundes und Militärs wie dem ehemaligen Großadmiral von Tirpitz, die ihre „große Zeit" vor 1918 gehabt hatten. Diesmal aber sollte die Wendung nach rechts strikt legal und im Auftrag des Volkes erfolgen – und das konnte nur gelingen, wenn sich eine so volkstümliche Galionsfigur des „nationalen" Lagers wie Hindenburg für die Kandidatur um das Amt des Reichspräsidenten zur Verfügung stellte.

In jenem Ausschuß des konservativen „Reichsbürgerrats" um den ehemaligen preußischen Innenminister Friedrich Wilhelm von Loebell, der sich vor dem Wahlgang auf die Kandidatur von Jarres verständigt hatte, gab es zunächst freilich noch starke Widerstände gegen Hindenburg. Die Deutsche Volkspartei und namentlich ihr Vorsitzender, Gustav Stresemann, befürchteten, ein Sieg des Marschalls werde von den Westmächten als Provokation empfunden werden; die Industrie, die den Hauptanteil der Wahlkampfkosten zu tragen hatte, sah in Hindenburg den Anwalt agrarischer Interessen und befürwortete daher, ebenso wie die DVP, eine erneute Bewerbung von Jarres. Doch nachdem dieser selbst seine Kandidatur zurückgezogen hatte, verloren diese Bedenken an Gewicht. Hindenburg selbst versicherte sich erst noch der Zustimmung des ehemaligen Kaisers, ehe er sich am 7. April bereit erklärte, als Kandidat des „Reichsblocks" anzutreten.[46]

Hindenburg hatte von vornherein bessere Chancen als Jarres, über Marx zu obsiegen. Von großer Bedeutung war, daß auch die Bayerische Volkspartei sich für den preußischen General aussprach. Hindenburg war zwar evangelisch, aber anders als beim katholischen Marx konnte es an seiner Gegnerschaft zur Sozialdemokratie nicht den geringsten Zweifel geben, und das veranlaßte die BVP, sich im entscheidenden Wahlgang gegen das Zentrum zu stellen. Marx konnte auch nicht hoffen, links zu gewinnen, was er rechts verlieren würde. Denn am 11. April beschloß die Zentrale der KPD, daß Thälmann im Rennen bleiben sollte. „Es ist nicht die Aufgabe des Proletariats, den geschicktesten Vertreter der Bourgeoisinteressen auszusuchen, zwischen dem Zivildiktator Marx und dem Militärdiktator Hindenburg das kleinere Übel zu wählen", hieß es in einem Appell an die Werktätigen Deutschlands. „Wir rufen die Massen auf: Organisiert den Massenkampf gegen die Bourgeoisdiktatoren, gegen Hindenburg und Marx! ... Jeder klassenbewußte Arbeiter stimmt gegen Hindenburg und Marx für Thälmann."[47]

Alle Warnungen der Parteien des „Volksblocks" vor den Gefahren für die Republik und den Frieden waren vergebens: Am 26. April 1925 ging der Kandidat des „Reichsblocks" mit einem Vorsprung von 900 000 Stimmen vor Marx als Sieger aus dem zweiten Wahlgang hervor. Das amtliche Endergebnis zeigte folgende Stimmenverteilung:

Hindenburg	14 655 641 (48,3 %)
Marx	13 751 605 (45,3 %)
Thälmann	1 931 151 (6,4 %)
Andere	13 416 (0,0 %)

„Hindenburg von Thälmanns Gnaden!" lautete die Schlagzeile des „Vorwärts" vom 27. April. In der Tat: Hätten die Kommunisten für Marx gestimmt, wäre der Republik ein Reichspräsident von Hindenburg erspart geblieben. Dasselbe ließ sich freilich von den Wählern der Bayerischen Volkspartei sagen. Und auch außerhalb Bayerns gab es viele „Abtrünnige", die unmittelbar oder mittelbar zum Sieg des Generalfeldmarschalls beitrugen. Gegenüber den „Weimarer" Kandidaten des ersten Wahlgangs verlor Marx besonders stark in Sachsen; der vordergründige Gewinner war hier Thälmann, der aus den antiklerikalen Ressentiments sozialdemokratischer Wähler Nutzen zog. Indirekt kam aber auch dieses linke Protestvotum dem Kandidaten der Rechten zugute. In evangelischen Gegenden Württembergs liefen zahlreiche liberale und wahrscheinlich auch einige sozialdemokratische Wähler in das Lager Hindenburgs über; ihr Motiv dürfte eine unüberwindbare Abneigung gegenüber dem „Römling" Marx gewesen sein. In Ostpreußen wirkte sich der Nimbus des „Siegers von Tannenberg" stärker aus als irgendwo sonst im Reich: Der Generalfeldmarschall zog hier viele Wähler zu sich herüber, die im ersten Wahlgang für einen der „Weimarer" Kandidaten gestimmt, und noch sehr viel mehr von denen, die sich am 29. März nicht zu den Urnen begeben hatten. Das letztere galt auch für das Reich insgesamt: Vom Anstieg der Wahlbeteiligung von 68,9% auf 77,6% profitierte der Kandidat der Rechten in ungleich höherem Maß als sein republikanischer Konkurrent. Das Fazit aus alledem liegt auf der Hand: Der Sieg Hindenburgs hatte mehr Väter und Mütter, als die Schlagzeile des sozialdemokratischen Parteiorgans suggerieren wollte.[48]

Die republikanische Öffentlichkeit nahm den Sieg Hindenburgs mit größter Besorgnis auf. Die liberale „Frankfurter Zeitung" sah die Hauptursache des Wahlausgangs darin, daß die Unpolitischen dem Feldmarschall zur Übermacht verholfen hätten. „Wir wissen doch alle, was diese große Schar bisheriger Nichtwähler diesmal an die Urne geführt hat. Es ist der romantische Strahlenglanz, den die Fieberphantasien verelendeter und in ihrem nationalen Selbstbewußtsein schwer getroffener Volksschichten um das Haupt des Feldherrn gewoben haben, ohne daß sie sich der Tatsache bewußt werden, daß sie persönliches wie nationales Elend einzig jenem alten System kaiserlicher Staats- und Kriegsführung zu danken haben, als dessen Repräsentanten sie jenen Feldherrn verehren. Die romantische Sehnsucht nach vergangenem Glanz und vergangener Größe, das hat diese unpolitischen Schichten an die Urne und Hindenburg zum Siege geführt. Bei vielen hat dazu beigetragen, daß man ihnen einredete, der evangelische Glaube sei in Gefahr. Aber das Wesentliche war doch die Sehnsucht nach dem Vergangenen."

Das gleichfalls liberale „Berliner Tageblatt" empfand „Scham über die politische Unreife so vieler Millionen"; der sozialdemokratische „Vorwärts" sprach von einem „Überrumpelungssieg der Reaktion, gewonnen durch kommunistischen Verrat an der Republik". Beide Blätter verglichen die Wahl Hindenburgs mit einem Ereignis in der frühen Geschichte der dritten französischen Republik, auf das um dieselbe Zeit auch der Schriftsteller Heinrich Mann hinwies: Es war der Sieg eines klerikalen Monarchisten, des Marschalls MacMahon, bei der Präsidentenwahl von 1873. Der „Vorwärts" freilich schöpfte aus dem historischen Beispiel auch Trost: „Wie vor fünfzig Jahren in Frankreich, so erscheint jetzt in Deutschland nach einem verlorenen Krieg ein Marschall und Monarchist als Präsident der Republik. Die französische Republik hat diese Gefahrenzone glücklich passiert. Die deutsche nicht minder glücklich aus ihr hinauszuführen, wird die Aufgabe der deutschen Republikaner, besonders der deutschen Sozialdemokraten sein."

Die eigentliche Gefahr sahen die deutschen Republikaner weniger in der Person Hindenburgs als in seiner Umgebung. „Es muß namentlich mit allen Mitteln verhindert werden, daß hinter dem Rücken Hindenburgs nun wieder die *Generalstabskamarilla* von einst sich der Staatsgeschäfte zu bemächtigen sucht", schrieb der Leitartikler des „Berliner Tageblatts". „Wenn deren Mitglieder den Mut haben, mit *verfassungsmäßiger Verantwortung* zu regieren, so sollen sie ruhig den Versuch machen. Sie sollen dann vor dem Volk erweisen, daß die maßlosen Angriffe, die gegen die bisherigen Regierenden gerichtet worden sind, gerechtfertigt waren, daß sie in der Lage sind, Deutschland herrlichen Zeiten entgegenzuführen. Aber man muß diesen Elementen die Neigung legen, die Wahl Hindenburgs als eine Art Kapp-Putsch im Wege der Volksabstimmung zu betrachten, der die *verschleierte Gewalt* ans Staatsruder bringen will. Die höfische Kamarilla durch eine Präsidentschaftskamarilla zu ersetzen, hat das deutsche Volk keine Lust."

Andere Beobachter versuchten dem Ereignis vom 26. April 1925 eine positive Bedeutung abzugewinnen. Harry Graf Kessler, der auf der Seite der DDP für einen Sieg von Marx gefochten hatte, meinte am 12. Mai – einen Tag, nachdem Hindenburg vom sozialdemokratischen Reichstagspräsidenten Paul Löbe vor der schwarz-rot-goldenen Standarte des Reichspräsidenten auf die Reichsverfassung vereidigt worden war –, nun werde die Republik „mit Hindenburg hoffähig, einschließlich Schwarz-Rot-Gold, das jetzt überall mit Hindenburg zusammen als seine persönliche Standartenfarbe erscheinen wird. Etwas von der Verehrung für ihn wird unvermeidlich darauf abfärben. Es wird den Hakenkreuzlern schwer werden, es wieder durch den Straßenkot zu schleifen. Schon heute ist es in der Beflaggung der Straßen im Zentrum viel sichtbarer als bisher. Die Wilhelmstraße, die sonst nur sehr bescheiden und notdürftig einige schwarz-rot-goldene Fähnchen zu zeigen wagte, schwimmt heute in Schwarz-Rot-Gold. Wenn die Republikaner ihre Wachsamkeit und ihre Einigkeit nicht aufgeben, kann die Wahl Hindenburgs für die Republik und den Frieden sogar noch ganz nützlich werden."[49]

Eine gewisse Widersprüchlichkeit haftete dem Triumph des Feldmarschalls tatsächlich an. Er war Monarchist, aber seinen Sieg verdankte er nicht nur der Minderheit derer, die wieder einen Kaiser an der Spitze Deutschlands sehen wollten. Seine Wahl war vielmehr Ausdruck des Wunsches nach nationaler Größe und fester Führung – eines Bedürfnisses, das die parlamentarische Demokratie von Weimar nicht hatte befriedigen können und das auch von vielen empfunden wurde, die mit einer Restauration der Monarchie nichts im Sinn hatten. Daß Hindenburg die republikanische Verfassung zu respektieren versprach, machte es manchen der bisherigen Verächter der Republik schwer, in unversöhnlicher Feindschaft zum neuen Staat zu verharren. Bezeichnend war in dieser Hinsicht die realpolitische Wende der evangelischen Kirche. Erst seit 1925 stellte sie sich, was immer sie von der ferneren Zukunft erhoffen mochte, auf den Boden der weiterhin ungeliebten Tatsache „Republik". Wenn es möglich gewesen war, auf legale Weise einen Ersatzkaiser zu wählen, mochte das Volk eines Tages auch die Rückkehr zur Monarchie hinnehmen oder gar wollen. Vielleicht aber war dies auch gar nicht nötig, um das zu erreichen, worauf es dem schwarz-weiß-roten Lager vor allem ankam: die Entwicklung eines starken Staates, der Parlament und Parteien ähnlich wirksam in ihre Schranken verwies wie das Kaiserreich vor dem Oktober 1918.[50]

Den größten Anlaß, sich über Hindenburgs Wahl zu freuen, hatte jenes Milieu, dem der zweite Reichspräsident entstammte und dem er sich nach wie vor eng verbunden fühlte: die Welt des Militärs und des ostelbischen Adels. Für Reichswehr und Großgrundbesitz war es von immenser Bedeutung, daß sie fortan wieder über einen unmittelbaren Zugang zum ersten Mann im Staat verfügten, dem in Krisenzeiten die Rolle des eigentlichen Machthabers zufiel. Die gesellschaftlichen Kräfteverhältnisse änderten sich nach dem 26. April 1925 nicht schlagartig. Aber seit jenem Tag hatte die altpreußische Führungsschicht des vorrepublikanischen Deutschland wieder einen Hebel in der Hand, dessen sie sich bedienen konnte, wenn der Reichstag nicht einsehen wollte, was das Gebot der Stunde war. Von einer „rechten" Warte aus gesehen, bedeutete das einen großen Schritt nach vorn, und ein Schritt weg vom Weimar des Jahres 1919 war es ohne Zweifel: Was sich im Frühjahr 1925 vollzog, war nichts Geringeres als ein stiller Verfassungswandel, eine konservative Umgründung der Republik.

Die Republikaner konnten zwar mit Recht darauf verweisen, daß es Hindenburg nicht gelungen war, die Mehrheit der Wähler hinter sich zu bringen. Aber die knappe Mehrheit, die gegen ihn gestimmt hatte, war in sich gespalten und nicht handlungsfähig. Die Massen, die sich, und sei es nur für einen Augenblick, unter nationalen Parolen zu einer Einheit formierten, waren größer als jene, die sich zur gemeinsamen Verteidigung der Republik bekannten. Weimars erstes Plebiszit war, so gesehen, ein Votum gegen Weimar. Formell bestand die staatliche Ordnung von 1919 unverändert fort. Doch von ihrem politischen Gehalt her handelte es sich seit dem Frühjahr 1925 um eine andere Republik als die, die in den Monaten nach dem Sturz der Monarchie Gestalt angenommen hatte.

10.

Die gespaltene Gesellschaft

Das Land, an dessen Spitze im Frühjahr 1925 der Feldmarschall von Hindenburg trat, war eine mehrfach gespaltene Gesellschaft. Eine der wichtigsten Trennlinien bildete nach wie vor die zwischen der klassenbewußten Arbeiterschaft und dem nichtmarxistischen Deutschland. Der allgemeinen Volks-, Berufs- und Betriebszählung von 1925 zufolge waren 45 % der hauptberuflich erwerbstätigen Bevölkerung Arbeiter – ein Prozent weniger als bei der vorangegangenen Zählung von 1907. Aber nur ein Teil der Arbeiterschaft war klassenbewußt im Sinne von Marx, glaubte an die Unvermeidbarkeit des Klassenkampfes zwischen Proletariat und Bourgeoisie und den schließlichen Sieg einer neuen, sozialistischen Gesellschaft, in der das Privateigentum an den Produktionsmitteln von Gemeineigentum abgelöst werden würde. So sehr ihre Meinungen über den Weg zu diesem Ziel auseinandergingen, so teilten die meisten Anhänger von Sozialdemokraten und Kommunisten doch die Grundannahmen der marxistischen Lehre vom notwendigen Gang der gesellschaftlichen Entwicklung. Allerdings waren nicht alle Wähler von SPD und KPD Arbeiter; auch ein erheblicher Teil der Angestellten neigte den „marxistischen" Parteien, in aller Regel der Sozialdemokratie, zu. „Klassenbewußt" wird man also allenfalls jenes starke Drittel der deutschen Wählerschaft nennen dürfen, das bei Wahlen für die beiden Linksparteien stimmte und nicht ausschließlich, aber doch überwiegend aus Arbeitern bestand.

Von Marx übernahmen die Arbeiter normalerweise das, was ihren unmittelbaren Bedürfnissen entsprach. „Für uns gibt es nur schwarz und weiß, Kapital – Proletariat, Unterdrücker – Unterdrückte, alles, was in dieses System nicht hineinpaßt, außerhalb steht, geht uns nichts an und wird abgelehnt", erklärte 1923 der kommunistische Bergarbeiter „Heinrich" dem Werkstudenten Alexander Graf Stenbock-Fermor, und er fügte hinzu: „Ja, das ist es, was wir nötig haben, grenzenlosen Haß, Haß gegen die Ausbeuter und ihren Knecht, die Bourgeoisie! ... Es ist mir nicht so wichtig, ob Marx die Wahrheit erfaßt hat, ob er recht oder nicht recht hat, wichtig ist mir nur, daß die materialistische Geschichtsauffassung von Marx heute für unsere Bewegung die einzig nützliche ist. Jedem Prolet muß eingehämmert werden, daß das Paradies nur auf Erden und nur durch die Fäuste des Proletariats aufgerichtet werden kann ..."

Der Bergarbeiter sprach für den radikalen Teil des proletarischen Milieus, der die Gesellschaft aus der Warte eines „Lagers", einer verschworenen und bedrängten Kampfgemeinschaft, sah. Für den kommunistischen Kumpel war der Marxismus nur insofern von Wert, als er dazu diente, einem elementaren Haß auf die Ausbeutergesellschaft die moralische Rechtfertigung zu geben. Ein sozialdemokratischer Facharbeiter hätte sich gewiß anders und differenzierter ausgedrückt. Aber ob Sozialdemokrat oder Kommunist: beide eigneten sich von Marxschen Gedanken gemeinhin nichts an, was ihrer Erfahrung fremd war.[1]

Zwischen 1929 und 1931 fand in Deutschland eine vom Frankfurter Institut für Sozialforschung veranstaltete, von dem Psychologen Erich Fromm geleitete Erhebung statt, die nähere Aufschlüsse über die politischen und privaten Überzeugungen der deutschen Arbeitnehmer erbringen sollte. Das Ergebnis war für die Urheber ernüchternd: Die deutschen Arbeiter waren offenbar ideologisch viel weniger gefestigt, als die intellektuellen Marxisten des Frankfurter Instituts angenommen hatten. Viele Antworten verrieten „kleinbürgerliche" Vorurteile, ja ausgesprochen autoritäre Denkweisen. Jahrzehntelange sozialistische Aufklärungsarbeit hatte, wie es schien, nur bescheidene Früchte getragen. Das jedenfalls war der Schluß, den einige besonders frappierende Befunde nahelegten. So fanden etwa viele Sozialdemokraten nichts dabei, Bismarck – mitunter auch Hindenburg – neben Marx und Bebel zu den größten Persönlichkeiten der Geschichte zu rechnen, und gleichviel, ob die befragten Arbeitnehmer links, rechts oder in der Mitte standen: In allen Lagern galt Napoleon als großer Mann.

Oft waren es gerade die „privaten" Ansichten, die dem vorgefaßten Bild vom klassenbewußten und klassenkämpferischen Proletariat widersprachen. Über Jahrzehnte hinweg hatte die Arbeiterbewegung die volle soziale Gleichberechtigung der Frau gefordert und die Berufstätigkeit als Mittel der Emanzipation propagiert. Die Mehrheit der von Fromm befragten Arbeiter und Angestellten war anderer Meinung. 68% wollten verheiratete Frauen lieber am heimischen Herd als in der Fabrik oder im Büro sehen; unter den Sozialdemokraten waren es sogar 71%. Selbst bei den Kommunisten, die in der Frage „Frauenarbeit" besonders engagiert waren, sprachen sich 51 von 100 gegen eine Erwerbstätigkeit von verheirateten Frauen aus. Jeweils nur ein rundes Drittel von Sozialdemokraten und Kommunisten bekannte sich zu der „antiautoritären" Auffassung, daß man bei der Erziehung der Kinder ganz ohne Prügel auskomme – ein für marxistische Erziehungsreformer besonders niederdrückendes Resultat. Eine frühzeitige Aufklärung der Kinder über das Geschlechtsleben befürwortete jeder dritte Kommunist und etwa jeder fünfte Sozialdemokrat. Die Fragesteller folgerten daraus, daß auch im Proletariat die „protestantische Mittelklassenmoral" noch weit verbreitet sei.

Etwas mildere Wertungen forderten die Antworten heraus, die auf Fragen nach der Innenausstattung der Wohnung gegeben wurden. „Heraus mit allen Nippessachen, mit allen goldgerahmten Öldrucken und gestickten Wandbekleidungen", rief der „Vorwärts" im Mai 1927 seinen Lesern zu, um sie von „kleinbürgerlichen" Gewohnheiten abzubringen und zu einer neuen sachlichen Wohnkultur zu erziehen. Aber 10% der von Fromm befragten Sozialdemokraten und immerhin 4% der Kommunisten schätzten Nippes durchaus. Bei den durchschnittlich 40% der Befragten, die ihre Wohnungen mit „Bildern und Blumen" schmückten, vermutete Fromm wohl zu Recht, daß diese Angabe „Ausdruck eines relativ konventionellen Geschmacks" war. Photographien oder andere Bilder von sozialistischen Führern an die Wand zu hängen war bei Kommunisten und ungelernten Arbeitern beliebter als bei Sozialdemokraten und Facharbeitern. Meistens verzierten neben den „politischen" Bildern auch Familienphotos die Räume. Das individuelle Interesse an Kunst, soweit es sich im heimischen Bildschmuck äußerte, war bei Sozialdemokraten und Facharbeitern stärker ausgeprägt als bei Kommunisten und Ungelernten.

Auch in anderen Geschmacksfragen zeigte sich die Arbeiterschaft nicht gerade avantgardistisch. Jazzmusik, von konservativen Kreisen als „dekadent" und „undeutsch" bekämpft, von linken Komponisten wie Hanns Eisler und Kurt Weill aber bewußt als Stilmittel des künstlerischen „Agitprop" eingesetzt, wurden von 50% der Befragten abgelehnt und nur von 40% bejaht. Konventionelle Theaterstücke waren populärer als solche mit revolutionärer Tendenz, aber mehr als die Hälfte der befragten Arbeitnehmer hatte entweder keine Lieblingsstücke oder gab keine Antwort auf die entsprechende Frage. In Sachen der Mode gingen die Arbeitnehmer mit der Zeit. Rund vier Fünftel äußerten sich positiv über die „gegenwärtige Frauenmode" oder die neueste weibliche Haartracht, den Bubikopf. Als unnatürlich und verwerflich betrachteten sie dagegen die Verwendung von Puder, Parfüm und Lippenstift: 84% bekundeten auf die eine oder andere Weise ihren Abscheu.

Proletarisches Klassenbewußtsein trat bei unmittelbar politischen Fragen deutlicher in Erscheinung als bei scheinbar unpolitischen. 55% der Kommunisten und 28% der Sozialdemokraten gaben dem Kapitalismus, den Großunternehmern oder Banken und Börsen die Schuld an der Inflation; jeweils 10% belasteten die Regierung mit der Verantwortung hierfür. Die deutsche Justiz fanden 85% der Kommunisten und immerhin 46% der Sozialdemokraten „schlecht". Sozialdemokraten befürworteten als Regierungsform in der Regel die demokratische Republik, und zwar besonders häufig mit der Begründung, sie diene am besten der Freiheit und Gleichheit der Bürger. Die Kommunisten bekannten sich erwartungsgemäß zum Sowjetsystem. Der meistgenannte Grund dieser Option waren die Interessen der Arbeiter. Auf die Frage, wer denn die wirkliche Macht im Staat habe, antworteten mit „Kapital", Kapitalisten, Industrie und Banken 60% der Kommunisten und 58% der Sozialdemokraten.[2]

Die Defizite an Klassenbewußtsein, die die Frankfurter Umfrage zutage förderte, hätten, wären sie schon damals und nicht erst 1980 veröffentlicht worden, vor allem die Organisationen der Arbeiterbewegungskultur alarmieren müssen. Die mittleren zwanziger Jahre waren eine Blütezeit jener sozialdemokratischen Verbände, die, zum großen Teil bereits im Kaiserreich entstanden, in ihrer Gesamtheit ein alternatives sozialistisches Angebot zur herrschenden „bürgerlichen“ Kultur bildeten. Es gab die traditionsreichen Vereinigungen wie die Volksbühnenbewegung, den Arbeiter-Sänger-Bund, die sozialistischen Freidenker- und Feuerbestattungsverbände, den Arbeiter-Turn- und Sportbund, die Naturfreunde und den Arbeiter-Abstinenten-Bund. Neu hinzu traten seit 1919 unter anderem die Arbeiterwohlfahrt, die Jungsozialisten, die Kinderfreunde, der Arbeiter-Radio-Bund, der Arbeiter-Angler- und der Arbeiter-Schützen-Bund. Die sozialistische Alternativkultur umspannte das Arbeiterleben nachgerade „von der Wiege bis zur Bahre“, und sie erhob einen weltanschaulichen Anspruch, der sich schwerlich treffender zusammenfassen ließ, als es in unbewußter Selbstkarikierung das Motto des Wiener Arbeiter-Feuerbestattungsvereins „Die Flamme“ tat: „Proletarisch gelebt, proletarisch gestorben und dem Kulturfortschritt entsprechend eingeäschert“.

Die Enquete Erich Fromms und seiner Mitarbeiter enthüllte, woran auch die neuere historische Forschung kaum noch Zweifel läßt: Die Arbeiterbewegungskultur war nicht Arbeiterkultur, sondern Kultur einer klassenbewußten Gegenelite; ihre Breitenwirkung war geringer, als es die gelegentlichen Großveranstaltungen der mitgliederstärksten Verbände, des Arbeiter-Turn- und Sportbundes und des Arbeiter-Radfahrerbundes „Solidarität“, vermuten ließen. Viele Mitglieder der SPD gehörten nicht sozialistischen, sondern „bürgerlichen“ Fußballclubs an, und auch wer im „richtigen“ Verein spielte, wurde dadurch noch nicht notwendigerweise im Sinne der SPD (oder später, nach dem konsequent betriebenen Neuaufbau eigener kommunistischer Freizeitorganisationen, im Sinne der KPD) politisiert. Eine einheitlich sozialistische Lebensführung war stets nur Sache einer aktiven Minderheit, nicht der breiten Masse der Anhängerschaft von SPD und KPD. Dennoch darf man das identitätsstiftende Moment der Arbeiterbewegungskultur nicht unterschätzen. Sie verhalf dem harten Kern der Arbeiterparteien zu einem „Wir-Gefühl“ und festigte die Trennungslinie, die zwischen dem „Sozialismus“ und der „bürgerlichen“ Welt verlief.[3]

Unter den nichtmarxistischen Arbeitern bildeten die kirchentreuen Katholiken, die Zentrum oder BVP wählten, katholischen Arbeitervereinen angehörten und in einem Fachverband des christlich-nationalen Deutschen Gewerkschaftsbundes organisiert waren, die größte Einzelgruppe. Von den Marxisten unterschieden sie sich vor allem dadurch, daß sie sich nicht zum Klassenkampf und der Abschaffung des Privateigentums bekannten, sondern den Interessengegensatz zu den Unternehmern im Rahmen der bestehenden Gesellschaftsordnung ausgleichen wollten. Allzu harmonisch darf man sich das Gesellschaftsbewußtsein der katholischen Arbeiter aber nicht vorstellen. Eine „Umfrage über die gegenwärtige seelische Lage der katholischen Arbeiter in Deutschland“ aus dem Jahre 1926 enthält unter anderem einen Bericht vom Niederrhein, in dem es heißt, die katholische Arbeiterschaft stehe dem Unternehmertum mit großem Mißtrauen entgegen. „Die rein kapitalistische Einstellung der meisten Unternehmer läßt ein vertrauensvolles Zusammenarbeiten nicht aufkommen. Der katholische Arbeiter wirft dem Unternehmertum eine unchristliche Gleichgültigkeit, ja Feindseligkeit gegenüber den primärsten Lebensnotwendigkeiten des Arbeiters und seiner Familie vor – Herabsetzung der Löhne, Verlängerung der Arbeitszeit, Kampf gegen die Gewerkschaft, Ablehnung des Betriebsrätewesens, Widerstand gegen den Ausbau der Sozialgesetze."

Der Zentrumspolitiker Joseph Joos, Vorsitzender des Verbandes katholischer Arbeiter- und Knappenvereine Westdeutschlands, faßte die Ergebnisse der Enquete wie folgt zusammen: „Der christliche Arbeiter verurteilt mit dem Kopf den Klassenhaß gegen die besitzenden und wohlhabenden Kreise des Volkes. Aber gefühlsmäßig steht auch er unter dem Einfluß tiefer Abneigung gegen die besitzenden Klassen. Mit besonders tiefem Groll beurteilt er die Kriegs-, Revolutions- und Inflationsgewinnler." Da sich katholische Besitzende mehr und mehr politisch nach rechts orientierten, habe sich in der katholischen Arbeiterschaft die Neigung zu einer Linksorientierung verstärkt. Die Bindung zwischen den katholischen Arbeitern und der katholischen Gesamtheit lockere sich, während sich gleichzeitig eine Annäherung an die sozialistische Bewegung vollziehe. „Der Gegensatz wird sachlich noch in Weltanschauungsfragen empfunden, nicht so sehr mehr in der Verfolgung sozialer und wirtschaftlicher Ziele... Die Sozialisten, die zu positiver Kulturarbeit übergehen, werfen die freidenkerische Gesinnung über Bord. In katholischen Gegenden bemühen sich gemäßigte Sozialdemokraten stark darum, mit dem demokratischen Teil der katholischen Arbeiter in Fühlung zu bleiben. Aus all diesen Gründen ist das Verhältnis zur sozialdemokratischen Bewegung ein ruhigeres geworden."[4]

Die Unterschiede zwischen dem katholischen und dem marxistischen Gesellschaftsbild blieben trotz alledem so augenfällig, daß man bei den kirchentreuen katholischen Arbeitern der mittleren zwanziger Jahre wohl nur von Ansätzen zu einem Klassenbewußtsein sprechen kann. Sehr viel schwächer beziehungsweise gar nicht ausgeprägt war dieses Bewußtsein bei Arbeitern, die traditionell für eine der nichtkatholischen bürgerlichen Parteien stimmten. Das gilt für die kleine Zahl von Arbeitern, die in den liberalen, der DDP nahestehenden Hirsch-Dunckerschen Gewerkvereinen organisiert waren, und erst recht für jene, die sich politisch zu DVP und DNVP hingezogen fühlten. Die deutschnationalen Arbeiter waren in der Regel kirchentreue Protestanten und häufig in wirtschaftsfriedlichen „gelben" Verbänden organisiert. Kirchliche Bindung war allgemein eines der stärksten Hemmnisse, die der Ausbildung von Klassenbewußtsein entgegenstanden. Andere Widerstände gegen eine marxistische Orientierung erwuchsen aus der dörflichen oder kleinstädtischen Prägung des Arbeiterlebens, aus Hausbesitz und landwirtschaftlichem Nebenerwerb, aus der Berufsausübung in kleinen und mittleren Betrieben. Klassenbewußtsein war ferner kaum vorhanden bei Arbeitnehmern des Handwerks, die noch hoffen konnten, einmal selbständig zu werden, bei Heimarbeitern und Hausangestellten. Der typische Arbeiter mit marxistischem Klassenbewußtsein arbeitete, soweit er nicht gerade erwerbslos war, in einem größeren Industriebetrieb, lebte in einer Stadt mit mehr als 20000 Einwohnern und hatte Bindungen an die Kirche entweder abgestreift oder nie unterhalten. In diesem Sinne war wohl eine Mehrheit der Arbeiter, aber nur eine Minderheit der deutschen Gesellschaft „klassenbewußt".[5]

Von den Handarbeitern im blauen Kittel durch eine „Kragenlinie" getrennt war eine Gruppe von Arbeitnehmern, die, soweit männlichen Geschlechts, gewöhnlich weiße Hemden trug: die Angestellten. Zu Beginn der Weimarer Jahre hatte sich knapp die Hälfte der organisierten Angestellten dem freigewerkschaftlichen Allgemeinen freien Angestellten-Bund angeschlossen. Zum AfA-Bund gehörten 1920 47,5 %, zum „rechten" Gesamtverband Deutscher Angestellten-Gewerkschaften (Gedag) 31,8 % und zum liberalen Gewerkschaftsbund der Angestellten (GdA) 20,7 % der gewerkschaftlich organisierten Angestellten. Ihren wichtigsten Rückhalt hatten die „linken" Verbände bei Technikern und Werkmeistern, die „bürgerlichen" bei kaufmännischen und Büroangestellten. Bei vielen Angestellten war die sozialistische Orientierung in den ersten Jahren der Republik jedoch nur eine politische Konjunkturerscheinung. Von 1922 bis 1927 ging die Mitgliederzahl des „linken" AfA-Bundes drastisch zurück; 1926 wurde er erstmals von der „rechten" Gedag überholt. In der zweiten Hälfte der zwanziger Jahre rechnete sich nur noch ein rundes Drittel der organisierten Angestellten dem freigewerkschaftlichen Lager (und damit politisch der Sozialdemokratie) zu; 40 % gehörten der Gedag und ein Viertel der GdA an.

Keine soziale Gruppe war sich im Hinblick auf ihren Status und ihr Prestige in der Gesellschaft so unsicher wie die Angestellten. Das machte sie zu besonders dankbaren Trägern wechselnder Strömungen des „Zeitgeistes" und erklärt zu einem Teil jenen ausgeprägten Ideologiebedarf, der von „rechten" und „linken" Angestellten extrem unterschiedlich befriedigt wurde. Während diese sich häufig als Avantgarde des klassenbewußten Proletariats fühlten und die Handarbeiter an marxistischer Orthodoxie zu übertreffen suchten, setzten jene sich von der internationalistischen Arbeiterbewegung durch eine betont „nationale" Haltung ab. Bei der größten Angestelltengewerkschaft, dem 1893 gegründeten Deutschnationalen Handlungsgehilfen-Verband, ging der Nationalismus mit offen zur Schau getragenem Antisemitismus einher. Durch ihre Judenfeindschaft distanzierten sich die am weitesten rechts stehenden Angestellten nicht nur von den vermeintlichen Hintermännern des marxistisch beeinflußten Proletariats; sie schlugen damit zugleich auch eine Brücke zu vielen ihrer mittelständischen Arbeitgeber, die in jüdischen Kauf- und Warenhäusern ihre gefährlichsten Konkurrenten und die Hauptquelle ihres materiellen Ungemachs sahen.

Soziologen hatten schon um die Jahrhundertwende Angestellte und Beamte unter dem Begriff des „neuen Mittelstandes" zusammengefaßt. Sie trafen damit die Selbsteinschätzung eines großen Teiles der Angestellten genau. Im Gegensatz zu den Prognosen von Marx bedeutete die Expansion der abhängigen Arbeit auf Kosten der selbständigen durchaus keine Proletarisierung der Gesellschaft. Politisch kam es auf das subjektive Bewußtsein mehr an als auf das objektive Sein der Betroffenen, und da auch viele schlecht verdienende Angestellte um keinen Preis Proletarier sein wollten, war die numerische Zunahme des „neuen Mittelstandes" nichts, was die Sozialisten mit Hoffnung hätte erfüllen können. Diese Zunahme war im übrigen einer der auffälligsten Befunde der Volks- und Berufszählung von 1925: Gegenüber 1907 hatte sich der Anteil der Angestellten und Beamten an der Gesamtzahl der hauptberuflich Erwerbstätigen von 12,6 auf 16,5 % gesteigert. Nimmt man hinzu, daß der Anteil der Arbeiter leicht rückläufig war, so lag die Schlußfolgerung auf der Hand, daß die Angestellten und Beamten einen sozialen Wachstumssektor bildeten, während die industrielle Arbeit den Zenit ihrer Bedeutung überschritten hatte. Deutschland befand sich Mitte der zwanziger Jahre auf dem Weg zur Dienstleistungsgesellschaft; der Industrialisierungsprozeß war zwar noch nicht zum Abschluß gekommen, hatte sich aber doch deutlich verlangsamt.[6]

Beim Gros der Beamten war die Distanz zum Proletariat mindestens ebenso stark wie bei den „bürgerlichen" Angestelltenverbänden. Daß der Abstand zwischen den Gehältern der höheren Beamten und den Löhnen ungelernter Arbeiter vom Siebenfachen im Jahr 1913 auf das Doppelte Anfang 1922 schrumpfte, bedeutete zwar eine gewaltige materielle Nivellierung, hatte aber bei den Opfern dieser Entwicklung (und dazu gehörten, wenn auch in unterschiedlichem Maß, *alle* Gruppen von Beamten) durchaus keine Proletarisierung des Bewußtseins zur Folge. Niedrige Gehälter und Entlassungen in der Frühphase der Stabilisierung führten vielmehr zu einer Abschwächung „linker" Tendenzen, die sich im Niedergang des sozialdemokratischen Flügels der organisierten Beamtenschaft widerspiegelten: Der freigewerkschaftliche Allgemeine Deutsche Beamtenbund, der bei seiner Gründung 1922 etwa 350 000 Mitglieder gezählt hatte, kam zwischen 1928 und 1932 nur noch auf 170 000. Nutznießer war vor allem der parteipolitisch neutrale Deutsche Beamtenbund, der 1928 die Millionengrenze übersprang. Deutlich war auch das Wachstum des konservativen Reichsbundes der höheren Beamten: Er stieg von 40 000 Mitgliedern im Gründungsjahr 1918 auf über 100 000 im Jahre 1924.[7]

Vom „neuen Mittelstand" der Angestellten und Beamten unterschied sich der „alte Mittelstand" durch seine, zumindest formale ökonomische Selbständigkeit. Handwerker und kleine Kaufleute, seine Kerngruppe, empfanden sich traditionell als sozialer Puffer zwischen Kapital und Arbeit, was freilich mitnichten eine gleich große Distanz zu Kapitalismus und Sozialismus in sich schloß. Vielmehr bezogen die Interessenverbände der kleinen Selbständigen in der Republik wie zuvor im Kaiserreich überwiegend konservative und eindeutig antisozialdemokratische Positionen, während ihr Antikapitalismus eher rhetorischer Natur war. Das Zusammenspiel von Gewerkschaften und industriellem Unternehmertum in den ersten Jahren der Weimarer Republik vermittelte Handwerk und Kleinhandel das Gefühl, von den Großen geradezu erdrückt zu werden. Für seine politische Isolierung machte der „alte Mittelstand" seit dem Ende der Inflation zunehmend die Parteien der bürgerlichen Mitte und namentlich die beiden liberalen Parteien verantwortlich. Die Hinwendung vieler Kleingewerbetreibenden zu den Deutschnationalen bei den beiden Reichstagswahlen von 1924 war eine in sich logische Konsequenz dieser Schuldzuweisung. Ein anderes Krisenzeichen war der Aufstieg der Reichspartei des deutschen Mittelstandes, kurz Wirtschaftspartei genannt, auf die bei den Reichstagswahlen vom Dezember 1924 ein Stimmenanteil von 4,5 % entfiel. Der Rückzug auf das unverhüllte Sonderinteresse kam einer Mißtrauenserklärung gegenüber der parlamentarischen Demokratie von Weimar gleich.[8]

Ähnliche Tendenzen gab es in der Landwirtschaft. Neben dem Landbund stützten sich mehrere regionale Gruppierungen, darunter der Bayerische Bauern- und Mittelstandsbund, der Württembergische Bauern- und Weingärtnerbund und die Schleswig-Holsteinische Landespartei, ganz oder vorwiegend auf bäuerliche Wähler. Interessenpolitisch war die Landwirtschaft in zwei Lager gespalten: Dem um die Jahreswende 1920/21 gegründeten Reichslandbund, der seinen Schwerpunkt in Nord- und Ostdeutschland hatte und entsprechend stark vom ostelbischen Großgrundbesitz geprägt war, standen die Bauernvereine gegenüber, in denen vor allem katholische Landwirte aus Westfalen, dem Rheinland und Bayern ihre Vertretung sahen. So sehr sich die Interessen der getreideproduzierenden Großbetriebe des Ostens und der kleineren Viehzucht- und Veredelungsbetriebe im Norden, Süden und Westen unterschieden, in einem wesentlichen Punkt waren sich die agrarischen Organisationen einig: Die deutsche Landwirtschaft sollte vor billigen Importen aus dem Ausland geschützt und Deutschland vor einer weiteren Industrialisierung bewahrt werden. Mit dieser Position waren auch gemeinsame Gegnerschaften vorgegeben: einmal zu den Verbrauchern und hier in erster Linie den Arbeitnehmern, zum anderen zu jenen Teilen der Industrie, die sich einer Abschottung Deutschlands vom Weltmarkt widersetzten.[9]

Der Landwirtschaft in ihrer protektionistischen Orientierung am nächsten stand traditionell die Schwerindustrie. Vom Kaiserreich her an Rüstungsaufträge des Staates gewöhnt und von diesen abhängig, hatten sich die Unternehmer des Montansektors dem treffenden Urteil des Ökonomen Moritz Julius Bonn zufolge immer mehr am „Ideal der ‚kundenfreien Wirtschaft'" ausgerichtet, „das im Wirtschaftsleben nur die Herstellung und Beschäftigung technisch vorzüglicher Anlagen, ohne Rücksicht auf die Bedürfnisse des Marktes sieht". Die drastische Beschneidung des deutschen Militärwesens nach 1918 bedingte zwar eine gewisse Zivilisierung der Produktion, aber durchaus keine Liberalisierung der Mentalität. Steinkohlenbergbau und Stahlindustrie standen weiterhin auf dem rechten Flügel des

Unternehmerlagers. Die Montanindustriellen beharrten auf dem Standpunkt des „Herrn im Haus", lehnten den Gedanken einer sozialen Parität zwischen Arbeit und Kapital im allgemeinen und den Grundsatz der tarifvertraglichen Lohnvereinbarung im besonderen ab, befürworteten in ihrer Mehrheit die Rückkehr zu einem „starken", autoritären Staat und eine aktive Rüstungspolitik, von der sich in der Tat keine Branche soviel Nutzen versprechen konnte wie die Stahlindustrie.[10]

Die exportorientierten Wirtschaftszweige, darunter die elektrotechnische, die chemische und die Maschinenbauindustrie, waren in der Regel weniger gewerkschaftsfeindlich und obrigkeitsfixiert als der Montanbereich. Als dynamische Wachstumsbranchen konnten sie sich eher eine „liberale" Haltung leisten als die stagnierende Schwerindustrie, und als Hauptträger der deutschen Ausfuhr waren sie vital an der internationalen Respektabilität der jeweiligen Reichsregierung interessiert, was ein Kokettieren mit Plänen einer „nationalen Diktatur" à la Stinnes ausschloß. Das zunehmende Gewicht der „neuen Industrien" innerhalb des Reichsverbandes der Deutschen Industrie wurde 1925 sichtbar, als Carl Duisberg, der Vorstandsvorsitzende der Farbwerke Bayer, als Nachfolger des Krupp-Direktors Kurt Sorge die Führung des industriellen Spitzenverbandes übernahm. Damit begann eine Phase unternehmerischer Realpolitik, die sich durch Kompromißbereitschaft nach allen Seiten auszeichnete: nach „rechts", gegenüber der Großlandwirtschaft, durch die Hinnahme der 1925 eingeführten Agrarzölle, nach „links", gegenüber den Arbeitnehmern, durch die Zustimmung zur Arbeitslosenversicherung im Jahre 1927. Mit den Gewerkschaften gab es in den mittleren Jahren der Republik überdies Konsens darin, daß die forcierte Rationalisierung der deutschen industriellen Produktion ein gesamtwirtschaftliches Interesse war. Vor dem Hintergrund dieser Gemeinsamkeit konnte es kaum noch überraschen, daß der elastischere Teil der Unternehmerschaft sich seit 1926 wieder mit dem Gedanken einer Großen Koalition zu befreunden begann. Die relative Prosperität eröffnete die Chance einer neuerlichen Verständigung zwischen Arbeitgebern und Arbeitnehmern – und damit auch der politischen Stabilisierung des republikanischen Staates.[11]

Sehr viel größer blieb die Distanz zu Republik und Demokratie bei der Masse der Akademiker (der leicht elitär klingende Begriff „Bildungsbürgertum" paßt auf die Weimarer Jahre kaum noch). Nirgendwo war die Bereitschaft, sich selbst mit der Nation in eins zu setzen, so stark ausgeprägt wie in dieser Schicht. Die militärische Niederlage Deutschlands wurde vielfach als persönliche Kränkung empfunden, die Revolution, die den Sozialdemokraten zur Macht verhalf, als soziale Degradierung erfahren. Die Inflation, die ihre Ersparnisse vernichtete und ihre Einkommen nivellierte, verstärkte das soziale Ressentiment der Akademiker. Bevorzugtes Objekt ihrer Aversion war für viele das Judentum. In dem Maß, wie die Juden in der Gesellschaft aufstiegen, hob sich auch das soziale Niveau des Antisemitismus. Vor allem Studenten und Angehörige freier Berufe wie Ärzte und Rechtsanwälte sahen im jüdischen Kommilitonen und Berufskollegen häufig bloß den Konkurrenten, dessen Erfolg nicht etwa mit überlegener persönlicher Leistung, sondern mit einer rassisch bedingten Schläue, ja einer angeborenen Perfidie zu erklären war.

Doch sind auch hier Unterscheidungen angebracht. In großen Städten wie Berlin, Frankfurt und Breslau, wo gebildete und vermögende Juden starken Einfluß auf das kulturelle Leben ausübten, war der akademische Antisemitismus viel schwächer als in kleinen und mittleren Städten, in denen nur wenige Juden lebten. Protestanten und zumal Lutheraner waren im Durchschnitt antisemitischer als Katholiken. Für das Verhältnis zu Republik und parlamentarischer Demokratie gilt Entsprechendes: Die Parteien der Rechten, die den neuen Staat am schärfsten bekämpften, hatten im evangelischen Deutschland erheblich mehr Anhänger als im katholischen.[12]

Überhaupt spielte die konfessionelle Trennlinie im politischen Leben Weimars eine kaum zu überschätzende Rolle. Gläubige evangelische Christen, aber auch säkularisierte „Kulturprotestanten" neigten immer noch dazu, in den Katholiken Deutsche zweiter Klasse zu sehen. Dadurch verstärkten sie jenen katholischen Minderwertigkeitskomplex, der sich nicht selten in einem kompensatorischen Nationalismus äußerte – dem forcierten Bestreben, sich als besonders guter Deutscher zu bewähren. (Heinrich Brüning, der Reichskanzler der Jahre 1930 bis 1932, wird uns Anlaß geben, auf diesen Zusammenhang, den man leicht karikierend das „Brüning-Syndrom" nennen könnte, zurückzukommen.) Verglichen mit dem evangelischen Deutschland, zeichnete sich das katholische nach wie vor durch ein hohes Maß an politischer Konformität aus. Von den Katholiken, die regelmäßig zur Wahl gingen, wählten im Durchschnitt der ersten vier nationalen Wahlen seit 1919 rund 60% Zentrum und Bayerische Volkspartei; von den kirchentreuen Katholiken waren es sogar 69%. Die solidarisierende Erfahrung der Kulturkampfjahre der Bismarckzeit wirkte also noch nach – freilich mit einer langfristig abnehmenden Tendenz: 1881 hatten über 86% aller männlichen Katholiken (also einschließlich derer, die sich nicht an der Wahl beteiligten) für das Zentrum gestimmt; 1928 bezifferte der katholische Wahlforscher Johannes Schauff den Anteil der männlichen Katholiken, die Zentrum oder BVP wählten, auf etwa die Hälfte.

Für den Eindruck relativer Konstanz im Wahlverhalten der deutschen Katholiken sorgten vor allem die Frauen, die kirchentreuer und zentrumsfreundlicher waren als die Männer (1920 beispielsweise ging der Stimmenanteil des Zentrums zu 69% auf das Konto von Wählerinnen). Einen anderen Vorteil bezog das Zentrum aus der Einführung des Verhältniswahlrechts: Es erlaubte die Ausschöpfung des Stimmenpotentials von Diasporagebieten, das beim Mehrheitswahlrecht des Kaiserreichs mehr oder minder unter den Tisch gefallen war. Auf der Verlustseite stand dagegen die rückläufige „Zentrumsfreudigkeit" katholischer Wähler in den Großstädten, in denen 1928 im Durchschnitt nur etwa 35% der Katholiken für Zentrum und BVP stimmten. „Undiszipliniert" verhielten sich auch die bayerischen Katholiken: Bei der Reichstagswahl vom Dezember 1924 wählten sie nur zu 44% die BVP; im überwiegend evangelischen Preußen dagegen erhielt das Zentrum bei der gleichen Wahl 58% der katholischen Stimmen.[13]

Von der Erosion des katholischen Milieus profitierte Mitte der zwanziger Jahre die Linke mehr als die Rechte. Nach Schauffs Berechnungen wählten bei der zweiten Reichstagswahl von 1924 18,8% der katholischen Wähler die sozialistischen Parteien, wobei 6,5% auf die Kommunisten entfielen; 12,6% stimmten für die beiden liberalen und 9,3% für konservative Parteien. Für den Bonus der Linken sorgten katholische Arbeiter – diejenige Gruppe, deren sich das Zentrum am wenigsten sicher sein konnte. Die Säkularisierung ihres Wahlverhaltens stand im engen Zusammenhang mit der allgemeinen Entkirchlichung des Proletariats. Bei den evangelischen Arbeitern war dieser Prozeß bereits sehr viel weiter fortgeschritten als bei den Katholiken. Was der Pfarrer Günter Dehn 1930 aus dem Berliner Arbeiterviertel Moabit berichtete, war für deutsche Großstädte insgesamt typisch: Nur einmal im Jahr, am Heiligen Abend, nähmen Arbeiter am Gottesdienst teil, und nur die proletarische Frau dränge darauf, daß die Kinder getauft und konfirmiert würden und daß geistliche Beerdigungen stattfänden. Für den durchschnittlichen Proletarier, zumindest den männlichen, bilde die Konfirmation das Ende aller Berührungen mit der Kirche.[14]

Die Entkirchlichung, die bei der Arbeiterschaft besonders ins Auge fiel, war der Hauptgrund, weshalb eines der ehedem festgefügten „sozialmoralischen Milieus" der Kaiserzeit, das katholische, sich in den zwanziger Jahren von der Gefahr der Auszehrung bedroht sah. Traditionelle religiöse Bindungen verloren im Zuge der Säkularisierung der Alltagswelt fortschreitend an Bedeutung; materielle Interessen gewannen demgegenüber an Gewicht. Bis zu einem gewissen Grad verlief diese Entwicklung in einer klassengesellschaftlichen Richtung: Ein Teil der katholischen Arbeiter näherte sich, was das Wahlverhalten anging, den „marxistischen" Arbeitern an, von denen die meisten nominell nach wie vor Protestanten waren. Aber die Arbeiterschaft insgesamt schrumpfte, und für eine bewußtseinsmäßige Hinwendung nichtproletarischer Schichten zum Sozialismus gab es um 1925 weniger Anzeichen als in den ersten Jahren der Republik. Die „Kragenlinie", die die Angestellten von den Arbeitern trennte, hatte sich in der Zwischenzeit wieder verfestigt, und die diversen bürgerlichen Milieus waren noch immer durch Abgründe vom Arbeitermilieu getrennt, das seinerseits tiefer denn je in sich gespalten war.[15]

Die deutsche Gesellschaft der Weimarer Jahre *war* eine Klassengesellschaft, auch wenn eine Mehrheit der Deutschen sich gegen diesen Begriff verwahrt haben würde. Es gab eine mehrheitlich klassenbewußte Arbeiterschaft, und es gab Klassenkampf von „unten" wie von „oben". Klassenjustiz war nicht nur ein polemisches Schlagwort der Linken, sondern eine politische Realität; höhere und Hochschulen waren bürgerliche Klasseneinrichtungen; die evangelische Kirche war, anders als die katholische, immer mehr zu einer Mittel- und Oberschichtsanstalt geworden, die der Masse der Arbeiter nichts mehr bedeutete und nichts mehr zu sagen wußte.

Aber zur gleichen Zeit wurden auch die Grenzen der Klassengesellschaft sichtbar. In den zwanziger Jahren formte sich eine neue konsum- und freizeitorientierte Massenkultur heraus, die Klassen- und Milieukulturen gewissermaßen unterspülte. Die wichtigsten Vehikel waren Taschenbuch und Illustrierte, Schallplatte, Film und seit 1923 zunehmend auch der Rundfunk. Die neuen Medien übersprangen die Grenzen zwischen arm und reich, evangelisch und katholisch, Stadt und Land, Arbeiterschaft und Bürgertum. Den neuesten Schlager pfiffen die Sekretärin und ihr Chef; ins Kino gingen Menschen aller Klassen und Schichten; Charleston tanzte man in Berlin und in der tiefsten Provinz. Von konservativen Kritikern gern als geistige Verflachung und Wertverfall beschrieben, bedeutete die Massenkultur auch ein Stück Demokratisierung: Bildungsgüter, die bislang Statussymbol der „höheren Stände" gewesen waren, wurden nun auch breitesten Bevölkerungsgruppen zugänglich. Auf der anderen Seite drangen populäre Unterhaltungsprodukte in das gehobene Milieu der „Gebildeten" ein. Eine strikte Abkapselung gegenüber dem „Vulgären" war ebensowenig möglich wie eine Abschottung der sozialistischen Arbeiterschaft gegenüber den Angeboten der kapitalistischen Freizeitindustrie, allen voran denen aus Hollywood oder den Studios der Universum Film AG, der „Ufa", in Babelsberg bei Potsdam.[16]

Die Klassenfronten wurden durch die neue Massenkultur also allmählich aufgelockert; insofern kann man mit Blick auf die Weimarer Zeit von einer Klassengesellschaft im Übergang sprechen. Was sich in jenen Jahren vollzog, ließ sich aber nicht einfach mit der damals vieldiskutierten Formel von der „Verbürgerlichung des Proletariats" beschreiben. Neben der beginnenden Auflösung des proletarischen „Ghettos" gab es auch eine gegenläufige Entwicklung, eine Art Proletarisierung der Alltagskultur: die Verbreitung von Gewohnheiten und Normen, die aus der städtischen Unterschicht stammten, aber allmählich zu bestimmenden gesellschaftlichen Gewohnheiten und Normen wurden. Von der Entkirchlichung über die Lockerung der bürgerlichen Sexualmoral bis hin zu Veränderungen des Freizeitverhaltens – man denke an den Massenkonsum bestimmter Sportarten wie des ursprünglich „proletarischen" Fußballs – gab es ein ganzes Bündel von Tendenzen, die der These von der „Verbürgerlichung des Proletariats" und der späteren Behauptung vom Aufkommen einer „nivellierten Mittelstandsgesellschaft" strikt widersprachen. Am ehesten traf der von dem Soziologen Theodor Geiger nach dem Zweiten Weltkrieg geprägte Begriff „Klassengesellschaft im Schmelztiegel" jenen Prozeß des sozialen Wandels, in dem die vierzehn Jahre der ersten Republik nicht mehr als ein wichtiges Stadium bildeten.[17]

Eine gespaltene Gesellschaft war Weimar nicht nur wegen der Rolle, die Klassen- und Konfessionsgrenzen spielten. Hinzu kamen Konflikte zwischen den Generationen und den Regionen. Was zunächst die Altersgruppen angeht, so hatte der Krieg große Lücken in die Reihen der Männer gerissen, die zwischen 1914 und 1918 im wehrpflichtigen Alter gestanden hatten. Die Alterspyramide des Volkszählungsjahres 1925 weist infolgedessen einen scharfen Knick vor allem bei den Männern zwischen 30 und 40 Jahren und einen starken Frauenüberschuß auf. Entsprechend überrepräsentiert waren die älteren und die jüngeren Jahrgänge. Was den Arbeitsmarkt besonders belastete, war die Tatsache, daß in den Weimarer Jahren die letzten geburtenstarken Vorkriegsjahrgänge ins erwerbsfähige Alter traten. Die Arbeitsplätze reichten bei weitem nicht aus, um allen Jugendlichen zu einem Broterwerb zu verhelfen. Jugendarbeitslosigkeit wurde daher schon vor der Großen Krise zu einer verbreiteten Erscheinung.

Eine „Normalzeit“, an der sie sich rückblickend hätten aufrichten können, hatte es für die jugendlichen Arbeitslosen, anders als für die älteren, nie gegeben. Wer seine frühe Kindheit im Krieg erlebt hatte, der sammelte erste bewußte Erfahrungen in der Inflationszeit, in der es sich empfahl, Geld möglichst rasch auszugeben, ehe es seinen Wert verlor. Für ein Proletarierkind, das zwischen 1910 und 1914 geboren war, begann das Arbeitsleben in den Jahren der relativen Stabilisierung nach 1923. Als die Weltwirtschaftskrise begann, hatten viele ihre Lehre noch nicht abgeschlossen, und nur eine Minderheit hatte Anspruch auf Arbeitslosenunterstützung.

Die Unsicherheit hinsichtlich der eigenen Zukunft ließ gerade bei proletarischen Jugendlichen das Gefühl aufkommen, einer überflüssigen Generation anzugehören. Wer unter solchen Bedingungen aufwuchs, war für die Massenorganisationen der Arbeiterbewegung nur noch schwer zu gewinnen, wer längere Zeit arbeitslos war, in der Regel gar nicht mehr. Statt in Gewerkschaften, Arbeiterparteien und proletarischen Kulturverbänden aktiv zu werden, strömten die erwerbslosen Jungproletarier der großen Städte in die sogenannten „Wilden Cliquen“ – Gruppen, in denen sich jugendlicher Protest gegen die herrschenden Verhältnisse kraß materialistisch und nicht selten jenseits der Legalität auslebte.[18]

Für Jugendliche, die aus bürgerlichen Familien stammten, bedeuteten die Weimarer Jahre aus anderen Gründen eine Zeit tiefer Verunsicherung. Durch ihre Elternhäuser waren sie nicht im mindesten auf jene Modernisierungsschübe vorbereitet worden, denen Deutschland nicht erst seit 1918, aber seit jenem Jahr verstärkt ausgesetzt war. Der Zusammenbruch der alten monarchischen Ordnung erschütterte die Autorität der Väter, die die wilhelminische Epoche getragen und verkörpert hatten; doch in der neuen republikanischen Ordnung konnte sich die junge Generation ebensowenig wiedererkennen wie im alten untergegangenen System.

Viele der Jungen wählten nach 1918 denselben Weg der romantischen Rebellion, den schon die Jugendbewegung der Vorkriegszeit eingeschlagen hatte. Die Jahre der Weimarer Republik wurden zur Hochzeit der bündischen Jugend, die Protest gegen beides war: gegen die ritualisierte Bürgerlichkeit des wilhelminischen Elternhauses und gegen die „Amerikanisierung" des Alltagslebens, die die zwanziger Jahre prägte. Das Zurück zur Natur und der Kult der Gemeinschaft waren vielfach das, was sie auf den ersten Blick zu sein schienen: die Flucht in eine verklärte Vergangenheit. Aber der Romantik des Habitus mußte noch keine reaktionäre Gesinnung entsprechen: Die sozialdemokratische Jugend ging ebenso „auf Fahrt" wie der bürgerliche „Wandervogel"; auch sie ließ die Klampfe erklingen und sang Lieder aus dem „Zupfgeigenhansel". Aus der Jugendbewegung führten Wege in mehr als ein politisches Lager und in mehr als eine Zukunft.[19]

Die oft nur wenige Jahre Älteren, die noch als Soldaten am Krieg teilgenommen hatten, waren dadurch für ihr weiteres Leben geprägt. Viele wurden mit der Rückkehr in die zivile Normalität innerlich nicht fertig und setzten den bewaffneten Kampf in Freikorps fort – diesmal gegen einen inneren Feind. Noch größer war die Zahl derjenigen, die in paramilitärischen Verbänden wie dem Ende 1918 gegründeten „Stahlhelm" aktiv wurden und dort ihrer Abneigung gegen die Republik und die Linke freien Lauf ließen. Andere, vor allem Arbeiter, schworen sich, nie wieder zu den Waffen zu greifen – und sahen sich dann doch genötigt, der militanten Rechten mit ähnlichen, also paramilitärischen Mitteln entgegenzutreten und sich dem Reichsbanner Schwarz-Rot-Gold oder, wenn sie sich den Kommunisten zurechneten, dem Roten Frontkämpferbund anzuschließen. Die Militarisierung des politischen Lebens war, als Deutschland in die Phase der relativen Stabilisierung eintrat, bereits weit fortgeschritten. Was dem Reich auf Grund des Versailler Vertrags verwehrt war, nämlich ein großes Heer zu unterhalten, wurde, auf der Rechten jedenfalls, durch nachgeahmtes Soldatentum kompensiert. Eine kriegsverherrlichende Literatur tat das ihre, um den Geist am Leben zu erhalten, der sich den Körper bauen sollte: ein militärisch starkes, zur Revanche für 1918 fähiges Deutschland.[20]

Je älter jemand bei Kriegsende war, desto mehr wuchs die statistische Wahrscheinlichkeit, daß er nicht mehr radikal mit Positionen brechen würde, die er vor 1914 bezogen hatte. Gefolgsleute der konservativen Parteien des Kaiserreichs sehnten nach 1918 meist die Rückkehr zur Monarchie herbei; „gestandene" Sozialdemokraten waren eher als jüngere geneigt, bei ihrer angestammten Partei zu bleiben, und nur wenige schlossen sich den Kommunisten an; aus Anhängern der liberalen Parteien und des Zentrums rekrutierten sich nach 1918 die meisten „Vernunftrepublikaner". In manchem vergleichbar war das politische Verhalten der Frauen. Sie wählten im Durchschnitt weniger radikal als die Männer. Die KPD war in hohem, die NSDAP in geringerem und abnehmendem Maß eine Männerpartei, wohingegen Zentrum und Deutschnationale – die beiden „Lager", die sich am hartnäckigsten dem Frauenstimmrecht widersetzt hatten – einen starken Frauenbonus genossen. Bei den liberalen Parteien war das Verhältnis männlicher und weiblicher Wähler einigermaßen ausgeglichen; bei den Sozialdemokraten gab es ein gewisses, aber nicht allzu krasses Übergewicht der Männer. Die wichtigsten Positionen hatten bei allen Parteien, mit der zeitweiligen

Ausnahme der KPD unter Ruth Fischer, Männer inne, und bei den „alten" Parteien waren darunter so gut wie keine Angehörigen der jüngeren Generation. Die Anziehungskraft, die die radikalen Flügelparteien, vor allem in den Jahren der Großen Krise, auf Jungwähler ausübten, hat viel mit der relativen Überalterung der herkömmlichen Parteien zu tun.[21]

Als konfliktträchtig erwies sich in der Weimarer Republik auch die regionale Vielfalt Deutschlands. Das Übergewicht Preußens rief nicht nur in Bayern Unmut hervor; zwischen dem ländlichen Ostelbien und dem urbanen Westen gab es nach wie vor ein Strukturgefälle, das sich auch in unterschiedlichen Mentalitäten und scharf voneinander abgehobenen politischen Teilkulturen äußerte. Einige Länder änderten ihr politisches Profil in den Weimarer Jahren radikal: So wurden Thüringen und Braunschweig, wo in den ersten Nachkriegsjahren SPD und USPD das Sagen gehabt hatten, 1930 die ersten Länder mit nationalsozialistischen Ministern; Sachsen, bis 1923 der „röteste" aller deutschen Staaten, wurde, nachdem sich die Landesorganisation der Sozialdemokratie inzwischen gespalten hatte, seit 1929 rein bürgerlich regiert. Die Wendung nach rechts machte deutlich, auf welch schwankendem Boden die zeitweilige Vorherrschaft der Linken gestanden hatte. In Bayern, wo diese Hegemonie nie von einer Mehrheit der Bevölkerung getragen worden war, hatte der Umschwung zur Rechten bereits sehr viel früher, im Zusammenhang mit dem Kapp-Lüttwitz-Putsch vom März 1920, stattgefunden. Während Preußen sich seit jener Zäsur immer mehr zum demokratischen Musterland entwickelte, wurde Bayern sein stärkster Widerpart: eine Hochburg der Kräfte, die in ganz Deutschland das Steuer nach rechts herum zu werfen trachteten.

Zum Teil war der bayerisch-preußische Gegensatz Ausdruck des allgemeineren Spannungsverhältnisses zwischen Provinz und Metropole. Berlin entfaltete nach 1918 eine gewaltige kulturelle Sogwirkung: Wer das Neue suchte, fühlte sich von der Reichshauptstadt magisch angezogen. Entsprechend stark waren die Aversionen derer, denen die geballte Modernität Berlins Angst einjagte. Berlin stand für das, was sie verabscheuten; es wurde für alles haftbar gemacht, was ihnen Unbehagen bereitete. „Wir Bayern wissen, daß alle Schuld am Unglück Deutschlands der Berliner Unfähigkeit, der alten wie der neuen, zuzuschreiben ist", schrieb am 28. November 1920 der Schriftsteller Ludwig Thoma im „Miesbacher Anzeiger". „Dort hat man uns die Feindschaft der ganzen Welt heraufbeschworen, von dort aus ist in der Revolution Deutschland vergiftet worden, dort hockt heute noch eine Regierung, die jede Gesundung unmöglich macht. Und wenn die Berliner Sozi glauben, daß wir uns durch den Unitarismus zu schweigenden Knechten einer Sauwirtschaft, bei der sie sich die Taschen füllen, machen lassen, dann irren sie sich. Berlin ist nicht deutsch, ist heute das Gegenteil davon, ist galizisch verhunzt und versaut. Und jeder brave Mann in Preußen weiß heute, wo er den Grundstock eines ehrlichen Deutschtums zu suchen hat – in Bayern. Daran macht sie und uns kein Jud irre."[22]

Berlin und seine Juden: Das war die intensivste Steigerung dessen, was das konservative Deutschland am Staat von Weimar haßte. Die unaufhörliche Infragestellung des Hergebrachten, die von rechts als Werk der Zersetzung wahrgenommen wurde, hatte lange vor 1918 begonnen; der „Weimarer Stil" war, wie Peter Gay bemerkt, vor Weimar entstanden. Das galt von der Revolution des Expressionismus in Malerei, Literatur und Theater, die im ersten Jahrzehnt des 20. Jahrhunderts stattgefunden hatte, und von dem nicht minder revolutionären Durchbruch zur Atonalität in der Musik. Es galt in gleicher Weise von den großen Revolutionen in der Wissenschaft, der Psychoanalyse Sigmund Freuds, der Relativitätstheorie Albert Einsteins und der Soziologie Max Webers: Die jeweiligen Pionierstudien stammten aus der Zeit vor 1914. Selbst die „neue Sachlichkeit", die nach 1923 den Expressionismus aus allen Zweigen der Kunst verdrängte, ließ sich bis in die Vorkriegszeit zurückverfolgen. Walter Gropius, der 1926 mit dem Gebäude des Bauhauses in Dessau ein ebenso bewundertes wie befehdetes Modell der neuen funktionalen Ästhetik schuf, hatte seinen Stil schon vor dem Ersten Weltkrieg entwickelt. Was die Kultur von Weimar ausmachte, war also weitgehend bereits da, als die Republik entstand. Aber der politische Regimewechsel wirkte befreiend: Den Neuerern standen Möglichkeiten offen, die sie unter dem alten System nicht gehabt hatten, und sie erzielten eine Breitenwirkung, die Weimar rückblickend als ein Großexperiment der klassischen Moderne erscheinen läßt.[23]

Juden spielten unter denen, die man gemeinhin mit dem Geist von Weimar in Verbindung bringt, eine herausragende Rolle. Daß sie politisch nicht rechts standen, ergab sich schon daraus, daß die Rechte antisemitisch war. Wer sich der Diskriminierung von Minderheiten widersetzte, konnte nur liberal oder links sein. Das Engagement vieler Juden in der Arbeiterbewegung ließ sich auch daraus erklären, daß es nirgendwo sonst Massen gab, die bereit waren, für eine Gesellschaft gleicher Rechte zu kämpfen. Da die Weimarer Gesellschaft aber vom Zustand der Gleichheit weit entfernt war, konnte die Republik die Linke nicht zufriedenstellen. Kritik an den bestehenden Verhältnissen blieb infolgedessen das hervorstechende Kennzeichen linker Intellektueller der Weimarer Republik, gleichviel ob sie Juden waren oder nicht.

Bei einer beträchtlichen Anzahl dieser Intellektuellen ging die Kritik an Weimar so weit, daß sie den neuen Staat in Bausch und Bogen verwarfen. Wer sich den Kommunisten anschloß oder öffentlich zu ihnen bekannte, für den war die „bürgerliche" Republik nichts, was der Verteidigung wert gewesen wäre. Intellektuelle, die sich unter die Ägide Willy Münzenbergs, des Presse- und Propagandachefs der KPD, begaben, erstrebten das, was die Partei proklamierte: die revolutionäre Zerschlagung des bestehenden Systems und die Errichtung einer „deutschen Sowjetunion". „Weimarer" Intellektuelle waren auch die prominentesten unter ihnen wie Bertolt Brecht, Arnold Zweig, Anna Seghers, Johannes R. Becher und Kurt Weill nur im

Sinne einer Zeitgenossenschaft, nicht auf Grund einer inneren Bindung an die Republik von 1919.[24]

Zu den linken jüdischen Intellektuellen, die Weimar nicht durch eine kommunistische Parteibrille, wohl aber radikal kritisch sahen, gehörte Kurt Tucholsky, einer der Hauptautoren der „Weltbühne". 1928 dachte er in einem Aufsatz unter dem Titel „Berlin und die Provinz" laut darüber nach, wie es um die Verbreitung des „republikanischen Gedankens" tatsächlich bestellt war. Er kam zu dem Ergebnis, daß „draußen im Lande", also außerhalb der Hauptstadt, „nur fleckweise etwas von ihm zu merken ist. Östlich der Elbe sieht es damit faul aus, rechts der Oder oberfaul". Berlin überschätze sich maßlos, wenn es glaube, es sei Kern und Herz des Landes. „Der Berliner Leitartikler täte gut, inkognito einmal auf ein großes schlesisches Gut zu gehen, auf ein ostpreußisches, in eine pommersche Landstadt – und er wird etwas erleben. Was der Hindenburg-Tag seinerzeit nach Berlin an Schwankfiguren, an Kaiser-Wilhelm-Gedächtnis-Zylindern, an hundertjährigen Bratenröcken und Oberförsterbärten ausgespien hat, war nur eine kleine bemusterte Offerte: die Warenlager liegen in den kleinen Städten wohl assortiert und können jederzeit – nicht immer ohne Gefahr – besichtigt werden. Ohne Gefahr dann nicht, wenn etwa der ‚Berliner' versuchen wollte, Terror, Diktatur und Frechheit der dort herrschenden Bourgeoisie tatkräftig abzudrehen. Kein Gericht stützt ihn da, keine Verwaltungsbehörde, keine Zeitung. Er ist verloren und muß das Feld räumen."

Aber mochte die Provinz auch sehr viel reaktionärer sein als die Metropole, so wollte Tucholsky Berlin doch noch lange nicht zu einem Hort der Freiheit verklären. „Berlin ist nur eine große Stadt – und in einer großen Stadt verschwindet der einzelne, kann die Gruppe ungestört arbeiten, weil der Kreis derer, der in Köln nur achtzig oder hundert Menschen stark ist, hier in die Zehntausende geht; es ist eben alles mit hundert multipliziert ... Der Vorwurf der Provinz, das Berliner Getöse sei nicht Deutschland, ist insofern berechtigt, als tatsächlich der Ruf der großen demokratischen Presse, der Künstler, der freiheitlichen Verbände in keinem Verhältnis zu ihrer wirklichen Macht steht: auf der anderen Seite wirkt fast lautlos, immer vorhanden, bedeutend geschickter und vor allem bedeutend rücksichtsloser arbeitend, die Macht der Reaktion, unterstützt von den frommen Wünschen der Börse und der Kaufmannschaft, die in den Berliner Premieren Beifall zu ungefährlichen Demonstrationen klatschen."[25]

Tucholskys Urteil über den Zustand der Republik war nicht übertrieben pessimistisch. Ein Beispiel kulturpolitischer Reaktion nannte er selbst: die anhaltende Kampagne gegen das Bauhaus, die Hochburg der modernen Architektur. Seinen ursprünglichen Sitz in Weimar hatte das Bauhaus 1925 verlassen müssen, nachdem der thüringische Landtag im Herbst 1924 die Mittel für die Einrichtung um die Hälfte gekürzt und damit die Weiterarbeit faktisch unmöglich gemacht hatte. Aber auch an der neuen Wirkungsstätte – in der Hauptstadt von Anhalt, Dessau, wo die Sozialdemokraten von 1918 bis zum Mai 1932 fast ununterbrochen den Ministerpräsidenten stellten – war das Bauhaus den Kräften der Rechten ein Dorn im Auge. Als 1929 eine von Gropius entworfene Siedlung für die Arbeiter und Angestellten der Junkers-Werke in Dessau-Törten eingeweiht wurde, protestierten Nationalsozialisten und Deutschnationale gegen die „Marokkohütten" der „Negersiedlung". Anlaß zu diesen Attacken war die Tatsache, daß die Häuser keine „deutschen" Spitzdächer hatten, sondern, wie für die Architektur der „neuen Sachlichkeit" typisch, Flachbauten waren.[26]

Es gab anspruchsvollere Formen des Kampfes gegen den Geist von Weimar. Die intellektuellen Kritiker von rechts sahen in der Republik vor allem ein Produkt des nivellierenden Kollektivismus, der die Masse über die Persönlichkeit triumphieren ließ. Martin Heidegger etwa sprach in seinem philosophischen Hauptwerk „Sein und Zeit", das 1927 erschien, von einer Diktatur des „Man". „Das Man ist überall dabei, wo das Dasein auf Entscheidung drängt. Weil das Man jedoch alles Urteilen und Entscheiden vorgibt, nimmt es dem jeweiligen Dasein die Verantwortlichkeit ab. Das Man kann es sich gleichsam leisten, daß ‚man' sich ständig auf es beruft. Es kann am leichtesten alles verantworten, weil keiner es ist, der für etwas einzustehen braucht. Das Man ‚war' es immer und doch kann gesagt werden, ‚keiner' ist es gewesen. In der Alltäglichkeit des Daseins wird das meiste durch das, von dem wir sagen müssen, keiner war es."

Ebenso gängig wie das Klischee vom erdrückenden Kollektivismus war die These vom zersetzenden Pluralismus, der das parlamentarische System deformiere und schließlich den Staat auflöse. So behauptete der Staatsrechtler Carl Schmitt 1926 im Vorwort zur zweiten Auflage seiner 1923 erstmals erschienenen Schrift „Die geistesgeschichtliche Lage des heutigen Parlamentarismus", das Parlament sei heute nicht mehr die Stätte des öffentlichen und freien Austausches von Argumenten, sondern nur noch der Ort, wo organisierte Interessen aufeinanderstößen. An die Stelle des rationalen Arguments sei die ideologische Polarisierung getreten, und infolgedessen gehe dem heutigen parlamentarischen System die Fähigkeit ab, politische Einheit hervorzubringen. „In manchen Staaten hat es der Parlamentarismus schon dahin gebracht, daß sich alle öffentlichen Angelegenheiten in Beute- und Kompromißobjekte von Parteien und Gefolgschaften verwandeln und die Politik, weit davon entfernt, die Angelegenheit einer Elite zu sein, zu dem ziemlich verachteten Geschäft einer ziemlich verachteten Klasse von Menschen geworden ist."

Seit der Wahl Hindenburgs gab es aber für Intellektuelle der Rechten wie Carl Schmitt auch keinen Zweifel mehr am Heilmittel gegen die Krankheit des Parlamentarismus: Es war die plebiszitäre Demokratie, die den Reichspräsidenten als Träger des allgemeinen Willens bestimmt hatte. Das direkt gewählte Staatsoberhaupt als Verkörperung der „volonté générale" im Sinne Rousseaus mußte gestärkt werden gegenüber dem Parlament, in dem sich die „volonté de tous", die Summe der vielen Einzelwillen, artikulierte. Die Demokratie wurde also gegen das Parlament ausgespielt, das Volk zum Zeugen gegen seine Vertreter aufgerufen.[27]

Die Ideologie, die die Rechte der angeblichen pluralistischen Auflösung des Staates entgegensetzte, war ein radikaler Nationalismus. An die Stelle der gespaltenen Gesellschaft sollte die geeinte Nation treten. Ein integraler Nationalismus war, so gesehen, eine Antwort auf Marxismus und Liberalismus. Der letztere galt als Bedingung der Möglichkeit des ersteren und dieser als der Hauptfeind. Niemand hat diese innenpolitische Verwendbarkeit des deutschen Nationalismus klarer gesehen und begründet als Hitler. In einem Aufsatz, der der Verteidigung des Putsches vom 9. November 1923 galt, schrieb der Führer der Nationalsozialisten Anfang 1924: „*Der marxistische Internationalismus wird nur gebrochen werden durch einen fanatisch extremen Nationalismus von höchster sozialer Ethik und Moral.* Man kann den falschen Götzen des Marxismus nicht vom Volke nehmen, ohne ihm einen besseren Gott zu geben... Dieses am klarsten erkannt und am folgerichtigsten durchgeführt zu haben, ist das weltbedeutende Verdienst Benito Mussolinis, der an Stelle des auszurottenden internationalen Marxismus den national fanatischen Faszismus setzte, mit dem Erfolg einer fast vollständigen Auflösung der gesamten marxistischen Organisationen Italiens."[28]

Die Faszination, die vom italienischen Faschismus ausging, beschränkte sich nicht auf die Nationalsozialisten. Die Einführung eines Systems nach Art des von Mussolini errichteten forderte indessen Mitte der zwanziger Jahre nur die äußerste Rechte um Hitler. Ein vergleichbarer Befund ergibt sich, wenn man den von den Nationalsozialisten propagierten Kampf gegen die Juden betrachtet. In der Zeit der relativen Stabilisierung war die Judenfeindschaft zwar nicht mehr ganz so breit gestreut und so intensiv wie im ersten Jahrfünft der Republik, aber noch immer gab es in der deutschen Gesellschaft starke antisemitische Ressentiments. Sie richteten sich im besonderen gegen die vermeintliche kulturelle Vorherrschaft des Judentums – gegen die Rolle, die Juden als Journalisten, in Verlagswesen, Theater und Film spielten. Wer jüdischen Geist mit zersetzender Intellektualität und dekadenter Großstadtzivilisation in Verbindung brachte, durfte rechts von der Mitte, ja selbst im Umfeld des Zentrums mit Zustimmung rechnen. Der „Große Herder", ein katholisches Nachschlagewerk, bemerkte 1926 in einem Artikel unter dem einschlägigen Stichwort, Antisemitismus sei „in seinem Wesen eine Abneigung der Mehrheit gegen die als artfremd empfundene, z. T. sich abschließende, aber ungewöhnlich einflußreiche Minderheit, welche hohe, namentlich geistige Werte, aber auch übersteigertes Selbstbewußtsein aufweist". Eine Rassenhetze, wie die Nationalsozialisten sie betrieben, galt dagegen in gemäßigt konservativen Kreisen als vulgär und Verstoß wider die guten Sitten. Antisemitismus war wohl gesellschaftsfähig, aber doch nur solange er gewisse Grenzen des öffentlichen Anstands nicht überschritt.[29]

Die meisten Intellektuellen, die sich zu Weimar bekannten, waren sich der Labilität der inneren Verhältnisse bewußt. Thomas Mann, im Krieg noch ein

Verteidiger von Obrigkeitsstaat und „machtgeschützter Innerlichkeit", hatte im Oktober 1922, anläßlich des 60. Geburtstages von Gerhart Hauptmann, vor einem teilweise widerstrebenden studentischen Auditorium in Berlin ein vielbeachtetes Bekenntnis zur deutschen Republik abgelegt. Ende November 1926 sprach er, der Wahlmünchner, in München mit Zorn und Trauer davon, wie sehr sich das Verhältnis zwischen der bayerischen und der Reichshauptstadt seit der Vorkriegszeit gewandelt habe. Damals sei man in München demokratisch und in Berlin feudal-militaristisch gewesen, doch mittlerweile habe es beinahe eine Umkehrung gegeben. „Wir haben uns des renitenten Pessimismus geschämt, der von München aus der politischen Einsicht Berlins, der politischen Sehnsucht einer ganzen Welt entgegengesetzt wurde; wir haben mit Kummer sein gesundes und heitres Blut vergiftet gesehen durch antisemitischen Nationalismus und Gott weiß welch finstere Torheiten. Wir mußten es erleben, daß München in Deutschland und darüber hinaus als Hort der Reaktion, als Sitz aller Verstocktheit und Widerspenstigkeit gegen den Willen der Zeit verschrien war, mußten hören, daß man es eine dumme, die eigentlich dumme Stadt nannte."

Thomas Mann hoffte, ebenso wie sein Bruder Heinrich, der in derselben, von der Deutschen Demokratischen Partei einberufenen Versammlung sprach, Besserung dadurch zu bewirken, daß er die Dinge beim Namen nannte. Aber die defensive Grundhaltung war bei Mann so unverkennbar wie bei dem Berliner Historiker Friedrich Meinecke, der sich im April 1926 auf der Weimarer Tagung deutscher Hochschullehrer, einem Treffen republikanischer Professoren und Dozenten, bemühte, eine Brücke zu den gemäßigten Anhängern der Deutschnationalen zu schlagen. Der „Vernunftrepublikaner" Meinecke bedauerte ausdrücklich, daß es 1919 nicht zu einem Ausgleich zwischen Schwarz-Weiß-Rot und Schwarz-Rot-Gold, sondern zu einem „völligen Farbenwechsel" gekommen sei. Er räumte ein, daß der Parlamentarismus keine notwendige Konsequenz einer demokratischen Republik sei, und ließ, ein Jahr nach Hindenburgs Wahl, seine Bereitschaft erkennen, über die Frage nachzudenken, „ob die Weimarer Verfassung durch Stärkung der Reichspräsidentschaft weiterzubilden sei".

Die Unentschiedenheit, die aus solchen Äußerungen sprach, war für den liberalen „Vernunftrepublikanismus" durchaus typisch. Aber Meinecke war der großen Mehrheit des akademischen Deutschland weit voraus, wenn er das Gesetz in Erinnerung rief, nach dem Weimar angetreten war. „Die Republik ist das große Ventil für den Klassenkampf zwischen Arbeiterschaft und Bürgertum, es ist die Staatsform des sozialen Friedens zwischen ihnen", erklärte er im Januar 1925 in einem Vortrag im Demokratischen Studentenbund zu Berlin. „Der soziale Unfriede besteht nicht mehr zwischen Arbeiterschaft und Bürgertum überhaupt, sondern der Riß hat sich nach rechts verschoben und geht mitten durch das Bürgertum selbst hindurch."[30]

Meinecke hätte auch sagen können, der Riß habe sich nach rechts *und* nach links verschoben und gehe durch Bürgertum und Arbeiterschaft mitten hindurch. Denn es war für die Situation der Weimarer Republik bezeichnend, daß die politischen Trennlinien mit den gesellschaftlichen weniger denn je identisch waren. Zwischen den bürgerlichen „Vernunftrepublikanern" und der extremen Rechten klaffte ein Abgrund, aber dasselbe galt für das Verhältnis zwischen Sozialdemokraten und Kommunisten. Beide Arbeiterparteien benutzten teilweise noch dieselben marxistischen Begriffe, aber verstanden darunter höchst Unterschiedliches. Klassenkampf etwa hieß für die Kommunisten Zuspitzung der sozialen Konflikte mit dem Endziel der proletarischen Revolution, für Sozialdemokraten und Freie Gewerkschaften dagegen pluralistische Interessenpolitik im Sinne der Arbeitnehmer.

Auf den Schultern der gemäßigten Kräfte in Bürgertum und Arbeiterschaft ruhte nach wie vor die Republik. Mitte der zwanziger Jahre gab es Anzeichen, die auf eine Erneuerung des „Klassenkompromisses" von 1918/19 hindeuteten, und Entwicklungen, die eher für eine politische Polarisierung sprachen. Nur soviel war sicher: Die Stabilisierung Weimars nach 1923 war eine relative, gemessen an der Instabilität der vorausgegangenen Jahre. Die innere Bedrohung der Demokratie hatte nicht aufgehört, sondern nur nachgelassen.

II.

Die konservative Republik

Das Jahr 1925 ist aus zwei Gründen in die deutschen Schulgeschichtsbücher eingegangen: einmal wegen Hindenburgs Wahl zum Reichspräsidenten, zum anderen wegen des Abschlusses der Locarno-Verträge, die Deutschlands Rückkehr in den Kreis der europäischen Großmächte besiegelten. Zu Beginn des Jahres war ein solcher Triumph kaum vorstellbar gewesen. Das Reich sah sich unter anderem wegen der vielen Zeitfreiwilligen, mit denen die Reichswehr die Beschränkung auf ein Hunderttausend-Mann-Heer zu unterlaufen versuchte, auf die Anklagebank versetzt; und immer wieder boten die paramilitärischen Aktivitäten der Rechten Paris und London Anlaß, den Deutschen Vorhaltungen zu machen. Am 5. Januar 1925 weigerten sich die Siegermächte, die fünf Tage später fällige Räumung der ersten („Kölner") Rheinlandzone durchzuführen, und begründeten dies pauschal mit deutschen Verstößen gegen die Entwaffnungsbestimmungen des Versailler Vertrags.

Der ausschlaggebende Grund für die alliierte Entscheidung war die ungeklärte „Sicherheitsfrage". Frankreich fürchtete sich vor einer Remilitarisierung Deutschlands und suchte infolgedessen an Faustpfändern zu behalten, was ihm an solchen nach dem Londoner Abkommen vom August 1924 noch verblieben war. Da die Briten Paris Rückendeckung gaben, war die Wilhelmstraße genötigt, elastisch zu reagieren. Am 20. Januar unterbreitete Außenminister Stresemann der britischen und am 9. Februar der französischen Regierung ein geheimes Memorandum, über das er, aus Mißtrauen gegenüber den deutschnationalen Ministern, zunächst nicht das Kabinett insgesamt, sondern nur Reichskanzler Luther informierte. Stresemann schlug in dem Schriftstück den Abschluß eines Vertrages vor, der die „am Rhein interessierten Mächte" verpflichten sollte, alle Probleme friedlich zu lösen. Deutschland selbst erklärte sich bereit, einen Garantiepakt über den „gegenwärtigen Besitzstand am Rhein" sowie Schiedsverträge mit Frankreich und allen anderen interessierten Staaten abzuschließen.[1]

Der Vorstoß des deutschen Außenministers markierte den ersten Schritt auf dem Weg nach Locarno. In Deutschland selbst gab es um Stresemanns Initiative, seit im März auch die deutschnationalen Minister davon in Kenntnis gesetzt worden waren, heftige Auseinandersetzungen. Die rechte Flügelpartei zieh den Chef der deutschen Diplomatie einer ungerechtfertigten Nachgiebigkeit gegenüber den Alliierten und entfesselte im Juni eine regelrechte Pressekampagne gegen den Außenminister. Die Westmächte machten es Stresemann nicht leicht, solche Angriffe zu kontern: Die detaillierten Beanstandungen auf dem Gebiet der Entwaffnung, die eine alliierte Note am

4. Juni 1925 auflistete, empfand auch er als „klein und kläglich". Ebensowenig konnte er sich mit dem befreunden, was der Quai d'Orsay am 16. Juni von Deutschland verlangte, nämlich einen bedingungslosen Beitritt zum Völkerbund und eine Garantie der deutschen Ostgrenze durch alle Unterzeichner des Versailler Vertrags und des künftigen „Rheinpaktes".

Einen Beitritt Deutschlands zum Völkerbund hatte im September 1924, kurz nach der Londoner Konferenz, der damalige Labour-Premier MacDonald angeregt. Die Regierungen Marx und Luther bejahten dieses Ziel durchaus, knüpften jedoch bestimmte Bedingungen daran: einen ständigen deutschen Sitz im Völkerbundsrat, die Befreiung von der Pflicht zur Teilnahme an Bundesexekutionen (eine Forderung, die mit der geringen Stärke der Reichswehr begründet wurde), ferner eine Beteiligung Deutschlands an Kolonialmandaten des Völkerbundes. Im Hinblick auf die deutschen Ostgrenzen gab es einen weitreichenden „revisionistischen Konsens", der auch die Sozialdemokraten einschloß: Deutschland durfte sich nicht der Möglichkeit begeben, eine friedliche Änderung zu seinen Gunsten anzustreben.[2]

Angesichts des deutschnationalen Störfeuers war es für Stresemann von größter Bedeutung, daß er bei seiner Politik des Ausgleichs mit dem Westen neben den großen liberalen Zeitungen auch die wichtigste Oppositionspartei, die SPD, auf seiner Seite wußte. Das Kabinett freilich konnte der Außenminister Ende Juni, sekundiert von Luther, nur mit großer Mühe dazu bewegen, ihn zur Fortführung der Verhandlungen mit England und Frankreich zu ermächtigen. Diese verliefen dann aber so erfolgreich, daß am 5. Oktober 1925 die deutsch-alliierte Konferenz über das Sicherheitsproblem in Locarno beginnen konnte. Daß daran neben Stresemann auch Luther teilnahm, geschah gegen den ausdrücklichen Wunsch der Deutschnationalen. Erst recht erbitterte es die DNVP, daß Kanzler und Außenminister am 26. Oktober das Verhandlungsergebnis paraphierten: Das in Berlin verbliebene Restkabinett hatte, gedrängt vom deutschnationalen Innenminister Schiele, von diesem Schritt telegraphisch abgeraten und statt dessen die weniger verbindliche Form der Protokollierung empfohlen.

Doch Luther und Stresemann waren aus guten Gründen zu der Überzeugung gelangt, daß sich die „erreichten erheblichen Vorteile für Deutschland" nur durch eine unverzügliche Paraphierung sichern ließen. Vorteilhaft für das Deutsche Reich war das Vertragswerk von Locarno in der Tat. Völkerrechtlich abgesichert wurden nur die deutschen Westgrenzen: Deutschland, Frankreich und Belgien verzichteten auf eine gewaltsame Änderung der bestehenden Grenzen; England und Italien garantierten sie. Mit seinen östlichen Nachbarn, Polen und der Tschechoslowakei, schloß das Reich lediglich Schiedsverträge ab; Frankreich dagegen verpflichtete sich, Polen und der Tschechoslowakei im Fall eines deutschen Angriffs militärisch beizustehen. Eine friedliche „Revision" der deutschen Ostgrenzen wurde durch Locarno also mitnichten ausgeschlossen.

Was den Beitritt zum Völkerbund anging, so konnte Stresemann ebenfalls einen ersten Erfolg verbuchen. Die Alliierten sicherten Deutschland eine Auslegung des Interventionsartikels 16 des Völkerbundsvertrags zu, die den deutschen Wünschen weit entgegenkam: Das Reich sollte zur Mitwirkung an Sanktionen nur in einem Maß verpflichtet sein, das seiner militärischen und geographischen Lage Rechnung trug. Deutschland brauchte also nicht zu befürchten, daß es gegen seinen Willen sich an wirtschaftlichen Sanktionen gegen die Sowjetunion beteiligen oder gar, im Fall eines sowjetisch-polnischen Krieges, französischen Truppen den Durchmarsch durch sein Territorium gestatten mußte.

Die Westmächte hatten Deutschland Zugeständnisse gemacht, weil sie sich von seiner vertraglichen Einbindung mäßigende und friedensfördernde Wirkungen versprachen. Die Mitgliedschaft im Völkerbund erschien ihnen als ein besonders geeignetes Mittel, um den deutschen Revisionismus zu zügeln – und erst wenn Deutschland in den Völkerbund eingetreten war, konnte das Vertragswerk in Kraft treten. Auch aus Stresemanns Sicht trug Locarno dazu bei, den Frieden sicherer zu machen. Aber zugleich waren die Verträge für ihn doch nur eine Etappe auf dem Weg zu einer umfassenden Abkehr von der Nachkriegsordnung. Das Vertragswerk vom Oktober 1925 bedeutete für Stresemann die Erreichung eines Nahzieles: den Handlungsspielraum Deutschlands durch Verständigung mit dem Westen so zu erweitern, daß es, trotz verbleibender Beschränkungen seiner Souveränität, wieder die Politik einer europäischen Großmacht betreiben konnte. Dazu gehörte auch eine härtere Gangart gegenüber Polen, das sich mit seiner Forderung nach einem „Ost-Locarno" nicht hatte durchsetzen können.

Was Stresemann nach den Locarno-Verträgen unter einer friedlichen Revision der Ostgrenzen verstand, ließ er am 19. April 1926 die deutsche Botschaft in London in unverschnörkelter Offenheit wissen: „Eine friedliche Lösung der polnischen Grenzfrage, die unseren Forderungen wirklich gerecht wird, wird nicht zu erreichen sein, ohne daß die wirtschaftliche und finanzielle Notlage Polens den äußersten Grad erreicht und den gesamten polnischen Staatskörper in einen Zustand der Ohnmacht gebracht hat... Es wird also, in der großen Linie gesehen, unser Ziel sein müssen, eine endgültige und dauerhafte Sanierung Polens so lange hinauszuschieben, bis das Land für eine unseren Wünschen entsprechende Regelung der Grenzfrage reif und bis unsere politische Machtstellung genügend gekräftigt ist... Nur ein uneingeschränkter Wiedergewinn der Souveränität über die in Rede stehenden Gebiete kann uns befriedigen."[3]

Den Deutschnationalen gingen die Zugeständnisse, welche die Westmächte in Locarno gemacht hatten, noch längst nicht weit genug. Die DNVP ließ sich auch nicht davon beeindrucken, daß die Alliierten versprachen, nach der Ratifizierung des Vertragswerks die „Kölner Zone" zu räumen, und sich bei dieser Zusage über die Verletzung der Entwaffnungsbestimmungen stillschweigend hinwegsetzten. Am 22. Oktober 1925 erklärte die deutschnationale Reichstagsfraktion, sie könne das Ergebnis von Locarno nicht akzeptieren. Sie vermisse von seiten der anderen Mächte Gegenleistungen, die den deutschen Opfern angemessen seien, und werde keinem Vertrag zustimmen, „der den deutschen Lebensnotwendigkeiten nicht gerecht wird und insbesondere einen deutschen Verzicht auf deutsches Land und Volk nicht ausschließt" (womit Eupen-Malmedy und Elsaß-Lothringen gemeint waren). Vergeblich versuchten Luther, aber auch Innenminister Schiele, die Deutschnationalen umzustimmen. Am 23. Oktober erklärten auch Parteivorstand und Landesvorsitzende der DNVP, das Vertragsergebnis von Locarno sei für die Partei „unannehmbar". Zwei Tage später beschloß die deutschnationale Reichstagsfraktion den sofortigen Austritt aus der Regierungskoalition.[4]

Die Entscheidung zum Auszug aus dem Kabinett Luther konnte der DNVP nicht leichtfallen. Immerhin hatte die rechte Flügelpartei des „Bürgerblocks" im August 1925 eine ihrer zentralen Forderungen, die Rückkehr zu Schutzzöllen für Getreide und andere Agrarprodukte entsprechend dem „Bülow-Tarif" von 1902, durchgesetzt. Es war denn auch nicht die Großlandwirtschaft, die im Herbst 1925 auf den Bruch der Koalition hinarbeitete, sondern der Pressekonzern des rechten Flügelmannes der Partei, des Mitbegründers des Alldeutschen Verbandes, langjährigen Vorsitzenden des Zechenverbandes und Reichstagsabgeordneten Alfred Hugenberg. Mit Hilfe seines weitverzweigten Zeitungsimperiums gelang es Hugenberg, zunächst die Landesverbände und dann auch den Parteivorstand und die Reichstagsfraktion auf seine Linie zu bringen – die Linie eines radikalen Nationalismus, der ganz auf die emotionale Mobilisierung der Massen setzte und organisierten Interessen nur einen zweitrangigen Platz zuwies.[5]

Mit dem Ausscheiden der deutschnationalen Minister aus dem Kabinett Luther begann die „Locarnokrise". Die Regierung hatte am 25. Oktober die parlamentarische Mehrheit verloren; die Ratifizierung des Vertragswerks war nur dann gesichert, wenn die Sozialdemokraten die Lücke füllten, die die Deutschnationalen hinterlassen hatten. Dazu aber zeigte die SPD, obwohl der „Vorwärts" noch eben, am 17. Oktober, Locarno als „eines der größten weltgeschichtlichen Ereignisse" gefeiert hatte, vorerst wenig Neigung. Den meisten Parteiführern erschien es taktisch vorteilhafter, der Regierung eine Absage zu erteilen und die Auflösung des Reichstags und Neuwahlen anzustreben, aus denen die Sozialdemokraten dann als Sieger hervorzugehen hofften.

Als Preußens Ministerpräsident Otto Braun sich für die Annahme der Verträge und gleichzeitig die Bildung einer Großen Koalition einsetzte, blieb er in der Partei fast völlig isoliert. Tatsächlich war dieser Vorschlag der einzig realistische: Die Sozialdemokratie konnte für die Zustimmung zu dem Vertragswerk, das sich auch des nahezu einhelligen Beifalls der Industrie erfreute, einen Preis in Gestalt der Regierungsbeteiligung verlangen. Dagegen war es höchst fraglich, ob die SPD, wenn sie die Verträge im Reichstag scheitern ließ, anschließend einen glaubwürdigen Wahlkampf für eine Politik im Geist von Locarno zu führen vermochte.

Während der ersten drei Novemberwochen setzten sich bei den Sozialdemokraten jene Kräfte durch, die eine parlamentarische Obstruktion für gefährlich und den Ausgang von Neuwahlen für unsicher hielten. An Verhandlungen über eine Große Koalition dachte die SPD jedoch nicht. Vielmehr betrachtete sie es bereits als einen Erfolg, daß das Kabinett Luther am 19. November beschloß, nach der Unterzeichnung der Verträge zurückzutreten: Die Sozialdemokraten konnten infolgedessen das Ergebnis von Locarno billigen, ohne damit zugleich ein Vertrauensvotum für die Regierung Luther abzugeben. Am 27. November stimmte die SPD im Reichstag geschlossen für die Verträge, die mit 291 gegen 174 Stimmen bei 3 Enthaltungen angenommen wurden. Innerhalb von acht Tagen folgten Schlag auf Schlag drei weitere wichtige Ereignisse: Am 30. November begannen die Besatzungsmächte mit der Räumung der „Kölner Zone"; am 1. Dezember wurden die Locarno-Verträge in London unterzeichnet; am 5. Dezember trat das Kabinett Luther, wie angekündigt, zurück.[6]

Die deutsche Regierungskrise trat damit in ein neues Stadium. Theoretisch hätte es nahegelegen, die SPD, nachdem sie dem Vertragswerk zur Annahme verholfen hatte, wieder an der Macht im Reich zu beteiligen. Für eine solche Große Koalition sprachen sich auch sogleich Zentrum und DDP aus; BVP und DVP dagegen äußerten sich zu diesem Vorschlag kühl bis ablehnend. Den weiteren Verlauf der Krise nahm ein Szenario von Staatssekretär Meissner aus dem Büro des Reichspräsidenten vorweg – einem Beamten, den Hindenburg von Ebert übernommen hatte. Meissner regte am 2. Dezember an, zunächst „durchaus ernsthafte" Verhandlungen über eine Große Koalition zu führen, die jedoch an den sachlichen Gegensätzen zwischen SPD und DVP und an überzogenen Forderungen der Sozialdemokraten scheitern müßten. Damit sei dann die Notwendigkeit einer neuen „Regierung der Mitte" unter Luther erwiesen, die zwar keine parlamentarische Mehrheit hätte, diese aber auch nicht dringend bräuchte, da außenpolitische Entscheidungen vorerst nicht zu erwarten seien. Im Bereich der Innenpolitik, namentlich bei der Beamtenbesoldung und der Minderung der Soziallasten, könne ein solches Kabinett auf die Unterstützung der weiter rechts stehenden Parteien bauen.

Von Meissner in sein Planspiel eingeweiht, gab der Fraktionsvorsitzende der DVP, Ernst Scholz, seinen Widerstand gegen Verhandlungen mit der SPD auf. Doch nun übernahmen die Sozialdemokraten den Part, den ihnen Hindenburgs Berater zugedacht hatte: Sie forderten unter anderem die Wiedereinführung des Achtstundentages und gaben damit Scholz den Anlaß, ihre Bedingungen als unannehmbar zu bezeichnen.

Wäre es der SPD wirklich um einen Anteil an der Macht gegangen, hätte sie vor der Zustimmung zu den Locarno-Verträgen über eine Große Koalition verhandeln müssen. Nach dem 27. November konnte sie nichts mehr in die Waagschale werfen, was geeignet war, die Volkspartei zu Konzessionen in der Wirtschafts- und Sozialpolitik zu bewegen. Aber die Mehrheit der Sozialdemokraten wollte im Winter 1925/26 gar nicht an die Macht. Angesichts einer schweren wirtschaftlichen Krise – die Zahl der unterstützten Arbeitslosen belief sich im Dezember auf 1,8 und im Januar auf über 2 Millionen – mußten sie damit rechnen, sich durch Beteiligung an einer Koalitionsregierung unpopulär zu machen. Der Versuch des Parteiführers der DDP, Erich Koch-Weser, ein Kabinett der Großen Koalition zu bilden, endete daher mit dem von Anfang an zu erwartenden Fehlschlag. Am 13. Januar 1926 beauftragte Hindenburg daraufhin Luther mit der Regierungsbildung, und eine Woche später konnte der amtierende Reichskanzler sein Kabinett der bürgerlichen Mitte präsentieren, dem Politiker von DVP, DDP, Zentrum und BVP angehörten. Es war das erste Mal in der Geschichte der Weimarer Republik, daß der Reichspräsident, wenn auch in verdeckter Form, nicht für, sondern gegen eine parlamentarische Mehrheitsregierung tätig geworden war.[7]

Das zweite Kabinett Luther wurde nur wenige Monate alt. Den Grund zu seinem Sturz legte der Reichskanzler am 20. April 1926 in einem Brief an Außenminister Stresemann. Unter Berufung auf Wünsche der Auslandsdeutschen, vor allem in Lateinamerika, wollte Luther den deutschen Auslandsmissionen das Recht zugestanden wissen, neben der schwarz-rot-goldenen Flagge der Republik auch die Farben des Kaiserreiches zu zeigen – in Gestalt der schwarz-weiß-roten Handelsflagge mit dem kleinen schwarz-rot-goldenen Obereck. Das Kabinett, das die politische Brisanz dieser Forderung offenbar gar nicht erkannte, folgte dem Vorschlag am 1. Mai in abgeschwächter Form: Künftig sollten zwar nicht alle Auslandsmissionen, aber doch die gesandtschaftlichen und konsularischen Behörden neben der Reichs- auch die Handelsflagge führen.

Der Kabinettsbeschluß löste einen Sturm der Empörung bei Sozialdemokraten, Freien Gewerkschaften und dem beiden nahestehenden republikanischen Wehrverband, dem Reichsbanner Schwarz-Rot-Gold, aus. Aber auch Zentrum und Demokraten protestierten gegen die restaurative, in der Tendenz antirepublikanische Neuregelung, von der sie erst aus der Presse erfuhren. Der Widerspruch war so massiv, daß die Regierung sich genötigt sah, etwas zurückzustecken: Die Verordnung, die Hindenburg am 5. Mai unterzeichnete, beschränkte das Zeigen der Handelsflagge auf außereuropäische Orte und in Europa auf solche Plätze, die von Seehandelsschiffen angelaufen wurden.

Doch mit diesem Zugeständnis war die Empörung der republikanisch gesinnten Kräfte nicht zu dämpfen. Am 6. Mai brachten die Sozialdemokraten im Reichstag eine Interpellation zur Flaggenfrage und einen Mißtrauensantrag gegen Luther ein. Dieser Antrag fand zwar keine Mehrheit, aber dafür ein Mißbilligungsantrag der DDP: Die Abgeordneten nahmen ihn am 12. Mai mit 176 gegen 146 Stimmen bei 103 Enthaltungen an. Außer den

Demokraten stimmten SPD und KPD dafür; DVP, Zentrum und BVP stimmten dagegen; die Deutschnationalen enthielten sich der Stimme. Noch am gleichen Tag trat das zweite Kabinett Luther zurück.

Möglicherweise hätte das Kabinett den Beschluß vom 1. Mai wieder aufheben können, wäre der Mann an der Spitze des Reiches nicht ein überzeugter Monarchist gewesen. Aber Hindenburg hatte sich Luthers Initiative so sehr zu eigen gemacht, daß es für die Regierung einen geordneten Rückzug nicht mehr geben konnte. Nicht nur der parteilose Reichskanzler, sondern alle Mitglieder des Kabinetts hatten es in der Flaggenfrage an politischem Fingerspitzengefühl fehlen lassen: Sie verkannten, daß sie sich mit ihrer Verordnung auf das Gebiet der symbolischen Politik begeben hatten – einen Bereich, der mehr noch als rein materielle Fragen geeignet war, Leidenschaften zu wecken und Gräben aufzureißen.[8]

Zum Feld der symbolischen Politik gehörte auch die andere große Streitfrage der ersten Hälfte des Jahres 1926: der Kampf um das Vermögen der früheren deutschen Fürsten. Während der Revolution von 1918/19 waren die ehedem herrschenden Häuser nirgendwo entschädigungslos enteignet worden. In den folgenden Jahren gab es komplizierte Vergleichsverhandlungen, wobei die Gerichte immer mehr dazu übergingen, sich auf den Standpunkt der depossedierten Fürsten zu stellen. Ende November 1925 brachte die DDP im Reichstag einen Gesetzentwurf ein, der die Länder ermächtigte, ihre Auseinandersetzungen mit den ehemaligen Landesherren durch Gesetz und unter Ausschluß des Rechtsweges zu regeln.

Kurz darauf folgte die KPD mit einem sehr viel radikaleren Entwurf: Er sah die entschädigungslose Enteignung der früheren Fürstenhäuser vor. Mit großem populistischen Geschick forderten die Kommunisten, der Grundbesitz der ehemaligen Landesherren solle an kleine Bauern und Pächter verteilt, die Schlösser sollten zur Linderung der Wohnungsnot verwandt oder in Genesungsheime umgewandelt werden und das enteignete Barvermögen den Kriegsbeschädigten und Kriegshinterbliebenen zugute kommen. Es war der KPD natürlich klar, daß es für diesen Antrag keine parlamentarische Mehrheit gab. Aber sie dachte bei ihrem Vorstoß auch weniger an die Volksvertretung als an das Volk. Am 4. Dezember veröffentlichte die „Rote Fahne" einen Offenen Brief des Zentralkomitees der KPD an die Vorstände der SPD und der Spitzenverbände der Freien Gewerkschaften sowie an die Bundesleitungen des Reichsbanners Schwarz-Rot-Gold und des kommunistischen Roten Frontkämpferbundes. Darin schlug die KPD eine gemeinsame Vorbesprechung für die Durchführung eines Volksentscheids vor.

Angesichts einer hohen Arbeitslosigkeit durften die Kommunisten auf viel Beifall für ihre Forderungen hoffen. Ihr Appell an die „Reformisten" entsprach jener neuen Einheitsfronttaktik, die die Komintern, unzufrieden mit der ultralinken, viele proletarische Wähler abstoßenden Politik der Fischer-Maslow-Zentrale, im Herbst 1925 angemahnt hatte. Ein Volksentscheid zur Fürstenenteignung bot aus der Sicht der Kommunisten eine einmalige

Chance, einen Keil zwischen Mitglieder und Führer von SPD und Gewerkschaften zu treiben. Lehnten die nichtkommunistischen Organisationen das Ansinnen ab, konnte man sie als Klassenverräter brandmarken. Gingen sie darauf ein, würde gewiß bald der Zeitpunkt kommen, wo die KPD sich in der Lage sah, ihnen Halbherzigkeit und Inkonsequenz vorzuwerfen.

Bei den Mitgliedern der SPD war das Echo auf den Vorstoß der Kommunisten tatsächlich so stark, daß die anfangs widerstrebende Führung sich Mitte Januar 1926, ungeachtet massiver Bedenken, entschloß, zusammen mit der KPD einen Volksentscheid über die entschädigungslose Enteignung der Fürsten vorzubereiten. Am 19. Januar bat der Parteiausschuß den Vorstand des Allgemeinen Deutschen Gewerkschaftsbundes, als vermittelnde Instanz für die Erarbeitung eines gemeinsamen Gesetzentwurfs tätig zu werden. Drei Tage später bereits trafen sich auf Einladung des ADGB Vertreter von SPD, KPD und eines von dem Statistiker René Robert Kuczyinski geleiteten „Ausschusses zur Durchführung des Volksentscheids für entschädigungslose Enteignung der Fürsten" im Reichstagsgebäude. Das Ergebnis der Besprechung war der erstrebte gemeinsame Text eines Gesetzentwurfs. Er sah die entschädigungslose Enteignung des gesamten Vermögens der bis 1918 regierenden Fürsten „zum Wohl der Allgemeinheit" vor. Am 25. Januar wurde der Entwurf dem Reichsinnenministerium mit der Bitte vorgelegt, ihn so schnell wie möglich zum Volksbegehren, der Vorstufe zum Volksentscheid, zuzulassen.

Das Ministerium bestimmte als Termin für das Volksbegehren die Zeit vom 4. bis 17. März 1926. Auf der Seite der Befürworter traten viele bekannte Intellektuelle und Künstler auf, unter ihnen Albert Einstein, Kurt Tucholsky, Alfred Kerr, Erwin Piscator, Käthe Kollwitz, Max Pechstein und Heinrich Zille. Zur Front der Gegner gehörten die bürgerlichen Parteien, die „nationalen" Verbände, der Reichslandbund und die christlichen Kirchen. Das Ergebnis des Volksbegehrens war ein großer Erfolg für die Linke: 12,5 Millionen Stimmberechtigte trugen sich in die amtlich ausgelegten Listen ein; das waren fas zwei Millionen Stimmen mehr, als SPD und KPD bei den Reichstagswahlen vom Dezember 1924 zusammen erreicht hatten. Auffallend waren die Resultate aus den Hochburgen des Zentrums: Eine entschädigungslose Enteignung der ehemaligen Fürsten war bei vielen Katholiken, und durchaus nicht nur bei Arbeitern, sehr viel populärer, als ihre angestammte Partei erwartet hatte.

Nach Artikel 73 der Weimarer Reichsverfassung war ein Volksbegehren erfolgreich, wenn es von einem Zehntel der Stimmberechtigten unterstützt wurde. Für den Gesetzentwurf der Linken hatten mehr als dreimal so viele Stimmberechtigte votiert, als notwendig war, nämlich 31,8%. Die Reichsregierung war nun verpflichtet, den Gesetzentwurf dem Reichstag zuzuleiten. Ein Volksentscheid hätte sich nur dann erübrigt, wenn die Vorlage vom Reichstag unverändert angenommen worden wäre. Am 6. Mai lehnte dieser den Gesetzentwurf von SPD und KPD mit 236 gegen 141 Stimmen ab.

Daraufhin setzte das Reichsinnenministerium den 20. Juni 1926 als Termin für den Volksentscheid fest.

Da die Reichsregierung auf Ersuchen Hindenburgs den Gesetzentwurf für verfassungsändernd erklärt hatte, war die Hürde für die Befürworter nunmehr sehr hoch: Für die Annahme war statt der einfachen die absolute Mehrheit der Stimmberechtigten erforderlich. Zwar stellte die DDP ihren Anhängern die Entscheidung ausdrücklich frei, und der Dachverband der Aufwertungsgeschädigten empfahl sogar ein Ja. Aber einen Zuwachs von gut 18 % gegenüber dem Volksbegehren konnten die Linksparteien kaum erwarten. Das Resultat gab denn auch den Skeptikern recht: Am 20. Juni 1926 nahmen 15,6 Millionen oder 39,3 % der Stimmberechtigten am Volksentscheid teil; 14,5 Millionen oder 36,4 % stimmten mit Ja. Ihr Ziel hatten die Initiatoren des Volksentscheids also eindeutig verfehlt. Was sie verbuchen konnten, war allenfalls ein Achtungserfolg.

Der erste Volksentscheid in der Geschichte der Weimarer Republik enthüllte die Fallstricke der plebiszitären Demokratie. Der Gesetzentwurf über die entschädigungslose Enteignung der Fürsten verband Kräfte, die zu einer dauerhaften konstruktiven Zusammenarbeit gar nicht fähig waren, und er riß tiefe Gräben auf zwischen denen, auf die allein die Republik sich stützen konnte: den gemäßigten Teilen der Arbeiterbewegung und des Bürgertums. Innerhalb der Arbeiterschaft trug die zeitweilige Aktionseinheit zwischen Sozialdemokraten und Kommunisten nichts zu einer Überbrückung der Gegensätze bei. Im Gegenteil: Kaum war der Volksentscheid vorüber, klagte die KPD wieder in gewohnter Weise die Sozialdemokraten als Klassenverräter an.

Tatsächlich fiel es der SPD nach dem 20. Juni 1926 schwer, auf den ihr vertrauten Weg des Klassenkompromisses zurückzukehren. Am 2. Juli scheiterte ein von der Reichsregierung vorgelegter Gesetzentwurf über die Abfindung der Fürsten am Nein der Sozialdemokratie. In Preußen dagegen kam am 15. Oktober 1926 – bei Stimmenthaltung der SPD – ein Ausgleich zwischen dem Land und dem Haus Hohenzollern zustande. Hätte der sozialdemokratische Ministerpräsident Otto Braun für den Fall der Ablehnung nicht mit dem Rücktritt gedroht, wäre seine Partei auch im größten deutschen Staat bei ihrem Nein zu einer Kompromißlösung geblieben – was vermutlich das Ende der regierenden Weimarer Koalition bedeutet hätte.[9]

Das Kabinett, das zu dieser Zeit das Deutsche Reich regierte, war wie schon das vorangegangene eines der bürgerlichen Mitte: Auf die Minderheitsregierung Luther folgte am 17. Mai 1926 eine Minderheitsregierung unter Luthers Vorgänger, Wilhelm Marx. Die Sozialdemokraten gaben, soweit außenpolitische Fragen zur Entscheidung anstanden, auch dem neuen Kabinett parlamentarische Rückendeckung. Am 10. Juni 1926 billigte der Reichstag nahezu einstimmig den Berliner Vertrag mit der Sowjetunion. Durch dieses Abkommen sicherten sich beide Mächte wechselseitig Neutralität für den Fall zu, daß eine von ihnen trotz friedlichen Verhaltens von dritten Mächten angegriffen wurde. Darüber hinaus verpflichteten sie sich, keiner Koalition beizutreten, die über die andere Macht einen wirtschaftlichen oder finanziellen Boykott verhängen sollte. Im übrigen sollte der 1922 abgeschlossene Vertrag von Rapallo die Grundlage der deutsch-sowjetischen Beziehungen bleiben.

Der Berliner Vertrag war in erster Linie dazu bestimmt, das Mißtrauen auszuräumen, mit dem Moskau die deutsche Locarnopolitik verfolgt hatte. Deutschland versprach der Sowjetunion nochmals ausdrücklich, was es sich selbst im Oktober 1926 von den Westmächten ausbedungen hatte: die faktische Nichtbeteiligung an etwaigen Sanktionen des Völkerbundes. Die Wilhelmstraße erhoffte sich von dem Vertrag überdies noch etwas anderes: Das Arrangement mit der Sowjetunion sollte den Druck auf Warschau verstärken und die Polen schließlich dazu bewegen, deutschen Forderungen nach einer Grenzrevision entgegenzukommen. Diese Erwartung erfüllte sich jedoch nicht: Nachdem im Mai 1926 Marschall Pilsudski durch einen Staatsstreich die Macht übernommen hatte, begann sich der östliche Nachbar des Reiches politisch und wirtschaftlich zu stabilisieren. Auf „friedliche" Gebietsabtretungen zu ihren Gunsten konnten Deutsche und Russen nun auf absehbare Zeit nicht mehr rechnen.[10]

Das zweite große außenpolitische Ereignis des Jahres 1926 fand am 10. September, auf den Tag genau ein Vierteljahr nach der Verabschiedung des Berliner Vertrags, statt: die Aufnahme Deutschlands in den Völkerbund. Das Reich wurde, wie die Regierungen Luther und Marx es beharrlich gefordert hatten, sogleich ständiges Mitglied des wichtigsten Organs, des Völkerbundsrates, während Polen, der Hauptkonkurrent um einen solchen Status, sich mit einem nichtständigen Sitz und der Zusage seiner Wiederwahl in dieses Gremium begnügen mußte. Die Sozialdemokraten, die früher und konsequenter als irgendeine andere deutsche Partei sich für den Beitritt zum Völkerbund eingesetzt hatten, feierten die Erreichung dieses Ziels als Sternstunde. „Deutschland und Europa schreiten von dem Notstand internationaler Anarchie in den Zustand internationaler Organisation, in der sich allmählich die Freiheit aller Völker verwirklichen soll", schrieb der „Vorwärts", und das sei geradezu ein „weltgeschichtlicher Sprung".[11]

Eine Woche nach der feierlichen Zeremonie im Genfer Völkerbundspalast, am 17. September, trafen sich die Außenminister Frankreichs und Deutschlands im nahegelegenen französischen Dorf Thoiry zu einer Generalaussprache. Das üppige Essen und der reichlich genossene Wein im Restaurant des Gastwirts Léger trugen mit dazu bei, daß bei Briand und Stresemann eine euphorische Stimmung aufkam. Beide verständigten sich darauf, daß Deutschland gegen materielle Hilfe bei der Stabilisierung des Franc – konkret ging es um die vorzeitige Abtragung eines Teils der deutschen Reparationsschuld – politische Zugeständnisse gemacht werden sollten. Mit am wichtigsten waren die vorzeitige Rückgabe des Saargebietes, die rasche Beendigung der Militärkontrolle, eine vorgezogene Räumung des Rheinlandes bis Ende September 1927 und die Zustimmung Frankreichs zu deutsch-belgischen Vereinbarungen über eine Rückgabe Eupen-Malmedys an das Reich.

Doch der Katzenjammer folgte der Hochstimmung auf dem Fuß. Ministerpräsident Poincaré dachte gar nicht daran, die Versprechungen seines Außenministers einzulösen, und auch in Deutschland wurden schwere Bedenken laut wegen der Höhe des Preises, den Stresemann den Westmächten zahlen wollte. Am Ende kam aus dem Treffen bei Monsieur Léger nicht viel mehr heraus als die Übereinkunft, daß die Internationale Militärkommission Deutschland am 31. Januar 1927 verlassen sollte. Thoiry erwies sich als Höhe- und zugleich als Endpunkt der Locarnopolitik. Danach gab es in den deutsch-französischen Beziehungen, solange Stresemann Außenminister war, keine großen Aufschwünge mehr. Das Verhältnis beider Länder war weder gut noch schlecht; es blieb, von gelegentlichen Spannungen abgesehen, geprägt durch die Routine eines leidlich geregelten Nebeneinander.[12]

In der Innenpolitik erlebte Deutschland unter dem dritten Kabinett Marx eine Phase der relativen Ruhe. Die parlamentarische Basis der Regierung war freilich so schmal, daß Diskussionen über eine Erweiterung der bestehenden Koalition geradezu in der Luft lagen. Den spektakulärsten Beitrag hierzu leistete am 4. September 1926 Paul Silverberg, einer der führenden Männer des Braunkohlenbergbaus und zugleich stellvertretender Vorsitzender des Reichsverbandes der Deutschen Industrie, auf der Jahrestagung dieser Organisation in Dresden. Silverberg nannte es „eine auf die Dauer in höchstem Maße allgemeinpolitisch und wirtschaftlich unerträgliche und schädigende Lage, wenn eine große Partei wie die Sozialdemokratie in einer im Parlamentarismus mehr oder minder verantwortungsfreien Opposition steht. Man sagte einmal, es kann *nicht gegen* die Arbeiterschaft regiert werden. Das ist nicht richtig, es muß heißen: Es kann *nicht ohne* die Arbeiterschaft regiert werden. Und wenn das richtig ist, muß man den Mut zur Konsequenz haben, es soll nicht ohne die Sozialdemokratie, in der die überwiegende Mehrheit der deutschen Arbeiterschaft ihre politische Vertretung sieht, regiert werden."

Silverberg sprach nicht für den industriellen Spitzenverband insgesamt, repräsentierte aber doch eine einflußreiche, vergleichsweise gemäßigte und elastische Richtung im Unternehmerlager, die ihren Rückhalt vor allem in den „modernen" Branchen der chemischen, der Elektro- und der Textilindustrie, des Maschinenbaus und der Fertigwarenindustrie hatte. Mit seinem Plädoyer für eine Große Koalition wollte der zweite Mann des RDI nicht etwa industrielle Ansprüche zurückschrauben und die Machtbalance zugunsten der Arbeiterschaft verschieben. Silverberg ging es vielmehr darum, die Sozialdemokraten in die Verantwortung für unpopuläre Maßnahmen, wie namentlich den Abbau staatlicher Leistungen, einzubinden. Für ihre Regierungsbeteiligung sollte die SPD denn auch einen beträchtlichen Preis bezahlen: die Absage an den Klassenkampf und die Anerkennung des wirtschaftspolitischen Führungsanspruchs der Unternehmer. Diesen Bedingungen zum

Trotz war Silverbergs Dresdner Rede ein Dokument unternehmerischer Realpolitik. Zum ersten Mal gab ein führender Industrieller unüberhörbar zu Protokoll, was auch zu diesem Zeitpunkt noch eine gelinde Übertreibung war – die Versicherung nämlich, das deutsche Unternehmertum stehe heute „restlos auf staatsbejahendem Standpunkt" und damit auch auf dem „Boden des heutigen Staates und der Reichsverfassung".[13]

Realpolitik war zur gleichen Zeit auch die Devise „modern" denkender Kräfte bei einer anderen Machtelite: der Reichswehr. Ende September 1926 meldete zuerst ein süddeutsches Blatt, Prinz Wilhelm von Preußen, der älteste Sohn des Kronprinzen, habe in Uniform an Übungen des – als besonders „preußisch" geltenden – Infanterieregiments 9 teilgenommen. Als eine Woche später auch Berliner Zeitungen sich der Angelegenheit annahmen, geriet der Chef der Heeresleitung ins Kreuzfeuer der öffentlichen Kritik. Reichswehrminister Geßler stellte Seeckt ob seines eigenmächtigen Vorgehens zur Rede und veranlaßte ihn am 5. Oktober zum Rücktritt. Zum Nachfolger ernannte Hindenburg den Befehlshaber im Wehrkreis I, Generalleutnant Heye, einen engen Mitarbeiter Seeckts, der aber ungleich weniger politischen Ehrgeiz hatte als sein Vorgänger.

Unter Heyes Ägide konnten Reichswehroffiziere wie Oberst Kurt von Schleicher, der Leiter der neugebildeten Wehrmachtsabteilung im Reichswehrministerium, Vorstellungen entwickeln, die vor Hindenburgs Wahl zum Reichspräsidenten undenkbar oder jedenfalls unaussprechbar gewesen wären. Seit der Staat von Weimar sich aber immer deutlicher zu einer konservativen Republik entwickelte, schien es jüngeren Militärs angebracht, den politischen Standort der Reichswehr neu zu bestimmen. Im Dezember 1926 brachte Schleicher eine Aufzeichnung über die „Einstellung der Reichswehr zum Staat" zu Papier. Darin hieß es, nicht Republik oder Monarchie sei jetzt die Frage, sondern wie diese Republik aussehen solle. „Und da liegt es doch wirklich auf der Hand, daß sie nach unseren Wünschen ausgebaut werden kann, wenn wir freudig und unermüdlich an diesem Bau mitarbeiten. Haben wir uns erst zu diesem Gedanken durchgerungen, dann werden wir uns auch nicht mehr so ängstlich um das Wort ‚Republik' herumdrücken oder uns scheu umsehen, ob's auch niemand gehört hat."

Anders als Silverberg befürwortete Schleicher nicht eine Regierungsbeteiligung der Sozialdemokraten, sondern hielt es für das beste, „wenn der Regierungskurs nach rechts geht, nach dem guten alten Grundsatz, daß man im Gewinn am ehesten abgeben kann". Aber das Ja zur republikanischen Staatsform, so taktisch es gemeint war, bedeutete doch ein Stück Anpassung an die Realitäten und damit eine Preisgabe der massiven Vorbehalte, die in der Ära Seeckt das Verhältnis der Reichswehr zum Weimarer Staat bestimmt hatten. Hindenburg hatte wider Willen die Republik bei einem Teil der Rechten „salonfähig" gemacht. Umgekehrt war während der Aktionen zur Fürstenenteignung deutlich geworden, wie unpopulär monarchistische Restaurationsbestrebungen waren. Diese Erfahrung trug mit dazu bei, daß

Realpolitiker wie Schleicher die Frage der Staatsform möglichst der Diskussion entziehen wollten. Mit einer Republik, an deren Spitze ein Feldmarschall stand, konnte sich die Reichswehr arrangieren – zumal, wenn auch noch die Regierung sich der Unterstützung der Rechten erfreute.[14]

Im Herbst 1926 sah es freilich zeitweilig eher danach aus, als werde die Minderheitsregierung Marx sich leichter mit den Sozialdemokraten als mit den Deutschnationalen verständigen können. Am 10. November beschloß das Kabinett nach einer Abstimmungsniederlage im Reichstag, mit der SPD über einen „modus vivendi" zu verhandeln. Tags darauf konnte der Reichskanzler den Ministern berichten, die Sozialdemokraten seien zwar nicht zu einer Koalition oder einer Arbeitsgemeinschaft bereit, wollten aber mit der Regierung „von Fall zu Fall" Fühlung aufnehmen. Doch diese „stille Koalition" währte nicht lange. Nachdem der Reichstag am 3. Dezember mit den Stimmen der DNVP (und gegen die der SPD) ein Gesetz angenommen hatte, das die Jugend vor „Schmutz und Schund" bewahren sollte, kommentierte das zwei Tage später der Fraktionsvorsitzende der DVP, Ernst Scholz, im ostpreußischen Insterburg mit der Bemerkung, die innere Übereinstimmung zwischen den Deutschnationalen und den Parteien der bürgerlichen Mitte sei natürlich größer als die mit den Sozialdemokraten. Die SPD bewertete diese Rede als offene Kriegserklärung und die Vereinbarungen mit dem Reichskanzler infolgedessen als hinfällig.[15]

Am gleichen 5. Dezember 1926, an dem Scholz in Insterburg die Sozialdemokratie herausforderte, veröffentlichte der „Vorwärts" einen Artikel, der zum Anfang vom Ende des dritten Kabinetts Marx werden sollte. Unter der Schlagzeile „Sowjetgranaten für Reichswehrgeschütze" berichtete das sozialdemokratische Parteiorgan über einschlägige (wohl aus der SPD stammende) Enthüllungen des „Manchester Guardian". Demnach hatten die Junkers-Werke im Auftrag der Reichswehr eine Flugzeugfabrik in Rußland gebaut, um Militärflugzeuge sowohl für deutschen wie für sowjetischen Gebrauch herzustellen; von Militärsachverständigen beider Länder wurde die Errichtung von chemischen Fabriken in Rußland vorbereitet, die Giftgas produzieren sollten; Reichswehroffiziere waren zu diesem Zweck mit falschen Pässen in die Sowjetunion gereist; russische Schiffe hatten im November Waffen und Munition für die Reichswehr nach Stettin transportiert.

Der SPD ging es mit ihrer Veröffentlichung um zweierlei. Einmal wollten die Sozialdemokraten die Reichswehr in ihre Schranken weisen und daran hindern, dem Mißtrauen gegenüber Deutschland begründeten Anlaß zu geben. Zum anderen richtete sich der Artikel des „Vorwärts" gegen die Kommunisten. Moskau, schrieb die Zeitung, predige die Weltrevolution, liefere aber zugleich der Reichswehr die Waffen, um Aufstandsbewegungen niederzuschlagen. „Es hetzt deutsche Arbeiter vor Maschinengewehre, die mit russischer Munition geladen sind!"

Die Rechtspresse konterte die Attacken des „Vorwärts" sogleich mit dem Vorwurf, die Sozialdemokraten verfolgten landesverräterische Absichten.

Von der Regierung aber kamen ganz andere Töne. Von Genf aus, wo er mit den Siegermächten über die Beendigung der alliierten Militärkontrolle verhandelte, warnte Stresemann vor einer Regierungskrise in der jetzigen Situation. Nachdem er sein außenpolitisches Ziel am 12. Dezember erreicht hatte, kehrte Stresemann nach Berlin zurück und bemühte sich dort energisch, die von der SPD verlangte Wehrdebatte im Reichstag zu verhindern. Der Außenminister hielt eine solche Aussprache für derart gefährlich, daß er sich entschloß, den Sozialdemokraten für einen Verzicht auf dieses Vorhaben einen hohen Preis zu zahlen: den Eintritt in die Reichsregierung.

Am 15. Dezember beschloß das Kabinett unter dem Eindruck der Argumente Stresemanns einstimmig, der SPD Verhandlungen mit dem Ziel einer Großen Koalition anzubieten. Der Parteivorsitzende Hermann Müller war, wie Stresemann wußte, zu einer solchen dramatischen Wende bereit. In der Reichstagsfraktion aber konnte sich Müller nicht durchsetzen. Am Abend des 15. Dezember stimmten die sozialdemokratischen Abgeordneten zwar Verhandlungen über eine Große Koalition zu, knüpften daran aber eine Bedingung, die für das Kabinett Marx nicht akzeptabel war: den Rücktritt der Reichsregierung. Außerdem legte die Fraktion sich auf einen Mißtrauensantrag gegen Reichswehrminister Geßler fest.

Das Kabinett lehnte tags darauf das Ansinnen der SPD ab und mußte nun damit rechnen, daß die Sozialdemokraten einen Mißtrauensantrag gegen die gesamte Reichsregierung einbringen würden. Bevor dieser Antrag gestellt wurde, hielt Philipp Scheidemann am Nachmittag des 16. Dezember im Reichstag eine Rede, die zur Sensation wurde. Der ehemalige Reichsministerpräsident sprach von der geheimen Finanzierung der Rüstung und davon, wie diese Finanzierung verschleiert worden war; er schilderte das Zusammenspiel zwischen der Reichswehr und rechtsradikalen Organisationen; er erwähnte die Kleinkaliberschützenvereine, mit deren Hilfe die Reichswehr ihre Beschränkung auf 100 000 Mann umging – die „Schwarze Reichswehr" also. Die Kommunisten versetzte Scheidemann mit dem Hinweis in höchste Erregung, daß ihre Stettiner Hafenzelle über die Entladung jener sowjetischen Schiffe voll informiert gewesen sei, die im September und Oktober Waffen und Munition nach Deutschland gebracht hätten.

Die positiven Forderungen, die der Redner dann aufstellte, waren viel gemäßigter als der Ton seines Beitrages. Er verlangte unter anderem ein Verbot privater Spenden für die Reichswehr, die Unterbindung aller Kontakte zu rechtsradikalen Verbänden und die Einschaltung von Zivilkommissionen bei der Rekrutierung von Offizieren und Mannschaften. Die Wirkungen der Rede waren nichtsdestoweniger fatal. Scheidemann brachte mit seinen Enthüllungen, die in ihrer Mehrzahl so neu nicht waren, nicht nur die Rechte, sondern auch die Mittelparteien gegen die SPD auf. Zentrum und Demokraten sahen kaum weniger als Deutsche Volkspartei und Deutschnationale in den Auflagen von Versailles die Hauptgefahr für Deutschlands Sicherheit und waren daher nur allzu geneigt, die illegale Aufrüstung zu decken. Auf die Mittelparteien aber war die Sozialdemokratie angewiesen, wenn sie an den bestehenden Zuständen in der Reichswehr etwas ändern und namentlich ihre Querverbindungen zur radikalen Rechten kappen wollte. Ebendieser Möglichkeit begaben sich die Sozialdemokraten, als sie eine Beteiligung an der Reichsregierung geringer veranschlagten als den Effekt einer einzigen spektakulären Parlamentsrede.[16]

Am Tag nach Scheidemanns Auftritt, dem 17. Dezember, stürzte der Reichstag die Regierung Marx mit 249 gegen 171 Stimmen. Für den Mißtrauensantrag der Sozialdemokraten stimmten auch die Völkischen, die Deutschnationalen und die Kommunisten. Die Frage einer Großen Koalition hatte sich durch Scheidemanns Rede von selbst erledigt: Es gab in den bürgerlichen Parteien niemanden mehr, der sich für eine solche Krisenlösung eingesetzt oder sie auch nur ernsthaft erwogen hätte.

Im Gegensatz zu den Sozialdemokraten waren die Deutschnationalen entschlossen, die Chance einer Regierungsbeteiligung nicht ungenutzt verstreichen zu lassen. Die DNVP profitierte davon, daß Hindenburg, beraten von seinem Staatssekretär Meissner und Oberst von Schleicher, von Anfang an eine Rechtsregierung anstrebte – wenn möglich, auf der Grundlage einer parlamentarischen Mehrheit, notfalls aber auch im Sinne eines Präsidialkabinetts, das sich auf Artikel 48 stützen und, wie Schleicher es ausdrückte, die „Auflösungsordre in der Tasche" haben sollte. Der Chef der Wehrmachtsabteilung im Reichswehrministerium, der im Winter 1926/27 erstmals Einfluß auf die Bildung eines neuen Kabinetts nahm, hielt eine Regierung mit deutschnationaler Beteiligung für den wahrscheinlichsten Ausgang der Krise – und die Drohung mit Artikel 48 für ein geeignetes Mittel, dieses Ziel zu erreichen.

Die Entwicklung verlief so, wie Schleicher es vermutet hatte. Am 16. Januar 1927 erhielt der amtierende Reichskanzler Wilhelm Marx erneut den Auftrag zur Regierungsbildung. Er sprach zunächst mit den Sozialdemokraten über die Tolerierung eines Kabinetts der Mitte. Doch da er ebenso wie Hindenburg an Geßler als Reichswehrminister festhielt, konnte diese Verhandlungsrunde nur scheitern. Als der Reichspräsident anschließend „im Interesse des Vaterlandes" an Marx appellierte, eine „Regierung auf der Grundlage der Mehrheit der bürgerlichen Parteien des Reichstags" zu bilden, reagierte das Zentrum, dem wieder einmal die Schlüsselrolle im Pokerspiel um die Macht zugefallen war, wie erwartet. Die Partei des Kanzlers legte in einem „Manifest" Bedingungen für eine Rechtskoalition fest. Dazu gehörten ein vorbehaltloses Ja zur Reichsverfassung und ihren Symbolen, die strikte Überparteilichkeit der Reichswehr, eine Politik des sozialen Ausgleichs im Sinne der Gleichberechtigung von Arbeitgebern und Arbeitnehmern sowie ein christliches Schulgesetz.

Die Deutschnationalen nahmen diese Bedingungen an und ermöglichten damit die Bildung des vierten Kabinetts Marx. Am 29. Januar 1927 ernannte Hindenburg den Zentrumspolitiker abermals zum Reichskanzler. Otto Geßler, der tags zuvor seinen Austritt aus der DDP erklärt hatte, stand auch in der neuen Regierung an der Spitze des Reichswehrministeriums. Die übrigen Minister kamen aus den Reihen von Zentrum, BVP, DVP und DNVP.[17]

Die Regierungskrise vom Winter 1926/27 hätte auch ein anderes Resultat haben können. Die Bereitschaft zu einer Koalition mit den Sozialdemokraten war im bürgerlichen Lager deutlich größer als ein Jahr zuvor; daß auch die Deutsche Volkspartei sich nicht mehr gegen ein solches Bündnis sperrte, lag mit am Einfluß jener Kräfte in der Unternehmerschaft, für die seit dem September 1926 der Name Paul Silverberg stand. Die meisten Sozialdemokraten aber wollten noch immer nichts von einem neuen Kabinett der Großen Koalition wissen, und Stresemann hatte wohl recht mit seiner Annahme, daß hierbei die umstrittene Arbeitszeitfrage und nicht die Wehrpolitik den Ausschlag gab. Die mangelnde Beweglichkeit der SPD erfüllte einige ihrer Führer, darunter den langjährigen preußischen Innenminister Carl Severing und den Parteivorsitzenden Hermann Müller, mit Sorge. Doch sie vermochten nichts gegen jene Mehrheit, die das Trauma vom Herbst 1923 noch nicht überwunden hatte. Das maßgebliche Blatt des Zentrums, die „Germania", sah bereits Anfang Januar 1926, als der Ausgang der Krise noch ungewiß war, Anlaß zu der resignierten Feststellung, man müsse schon ein überzeugter Anhänger des parlamentarischen Systems sein, um an seine Möglichkeiten in Deutschland zu glauben.[18]

Im vierten Kabinett Marx stellten die Deutschnationalen die Minister für Inneres, Justiz, Landwirtschaft und Verkehr und damit einen Ressortchef mehr als im ersten „Bürgerblock" unter Luther. Innenminister von Keudell, der im März 1920 als Landrat von Königsberg in der Neumark mit der Putschregierung Kapp-Lüttwitz zusammengearbeitet hatte, war die bevorzugte Zielscheibe der Kritik von links. Aber auch dieser Politiker gehörte inzwischen zu den „realpolitischen" Kräften der DNVP, die sich mit der Republik als einer einstweilen unabänderlichen Tatsache abgefunden hatten. Am 17. Mai 1927 wurde das Republikschutzgesetz in abgeschwächter Fassung um zwei Jahre verlängert – die Deutschnationalen stimmten mit Ja und verhalfen damit der ungeliebten Vorlage zu der erforderlichen verfassungsändernden Zweidrittelmehrheit.

Als Ausgleich zu diesem notgedrungenen Tribut an die Mehrheitsverhältnisse im Reichstag setzte Keudell in der sonstigen Innenpolitik, wo er nur konnte, eindeutig „rechte" Akzente. So versicherte er etwa am 27. November 1927 die Deutsche Studentenschaft in einem Telegramm seiner „inneren Verbundenheit". Diese Bekundung war durchaus demonstrativ gemeint, da sich der Dachverband der deutschen Studentenschaften zu dieser Zeit gerade in einem schweren Konflikt mit der preußischen Regierung befand. Der Deutschen Studentenschaft gehörten auch die österreichischen Studentenschaften an, die Juden von der Mitgliedschaft ausdrücklich ausschlossen. Im September 1927 hatte der parteilose preußische Kultusminister Carl Heinrich Becker, einer der großen Hochschulreformer der Weimarer Republik, die Regierung Braun dazu bewogen, den Studentenschaften der preußischen Hochschulen die staatliche Anerkennung zu entziehen, weil diese sich beharrlich weigerten, aus der Deutschen Studentenschaft auszutreten. Am 27. November 1927 drohte Braun in einem Brief an Reichskanzler Marx, die preußische Regierung werde jeden Kontakt mit dem Reichsinnenminister abbrechen, falls sich ähnliche Vorfälle wie die Solidaritätsbotschaft an die Deutsche Studentenschaft wiederholten. Mißtrauensanträge von SPD und KPD, die mit dem neuen „Fall Keudell" begründet wurden, scheiterten im Reichstag am 6. Dezember 1927 an der Mehrheit der Koalitionsparteien.

Zu einem Fehlschlag wurde Keudells Versuch, den Roten Frontkämpferbund, den paramilitärischen Arm der KPD, zu verbieten. Ein entsprechendes Ersuchen richtete der deutschnationale Innenminister am 16. April 1928 unter Berufung auf das Republikschutzgesetz an die Landesregierungen. Die meisten seiner Kabinettskollegen und auch Marx hatten schwere Bedenken wegen des Zeitpunkts: Deutschland befand sich in einem Reichstagswahlkampf, und das vierte Kabinett Marx war nur noch geschäftsführend im Amt. Die Reaktion der Länder war überwiegend negativ: Außer Bayern und Württemberg weigerten sich alle, das Verbot zu vollziehen. Am 2. Mai erklärte das Reichsgericht diese Weigerung für begründet, womit Keudells Vorstoß endgültig gescheitert war.

Entschieden konservativ war, wie nicht anders zu erwarten, die Landwirtschaftspolitik der Mitte-Rechts-Regierung. Um seine Schutzzollforderungen durchzusetzen, hatte der Reichslandbund die DNVP zum Eintritt in das vierte Kabinett Marx gedrängt, und der deutschnationale Landwirtschaftsminister Martin Schiele, ein maßgebender Funktionär des agrarischen Interessenverbandes, tat alles, um die in ihn gesetzten Erwartungen zu erfüllen. Die Zollnovellen, die der Reichstag am 9. Juli 1927 verabschiedete, verlängerten die 1925 festgelegten, aber zum Teil noch nicht in Kraft gesetzten Tarife für eine Reihe von landwirtschaftlichen Produkten um zwei Jahre. In einigen Fällen, bei Kartoffeln, Zucker und Schweinefleisch, wurden die Zölle auch erhöht.

Das Zentrum, das sich aus sozialpolitischen Bedenken gegen eine weitere Verteuerung der Lebensmittelpreise gewehrt hatte, gab schließlich nach, weil andernfalls die Deutschnationalen die Koalition verlassen hätten. Die DVP, die aus Rücksicht auf die Interessen der Exportindustrie die Zollforderungen der Landwirtschaft ebenfalls abgelehnt hatte, ließ sich vom Reichsverband der Deutschen Industrie umstimmen. Der Spitzenverband der Unternehmer sah in der einvernehmlichen Zusammenarbeit mit der Großlandwirtschaft eine Chance, die Republik in konservativer Richtung zu stabilisieren. Da die deutsche Ausfuhr sich 1926 günstig entwickelte, glaubte der RDI den exportorientierten Branchen die zollpolitischen Zugeständnisse an die Agrarier zumuten zu können.[19]

Auf einem anderen Gebiet, der Sozialpolitik, war die Linie des vierten Kabinetts Marx weniger reaktionär, als Gewerkschaften und Arbeiterparteien angenommen hatten. Für das Zentrum kam es gerade in einer Rechtskoalition darauf an, sein soziales Profil deutlich zu machen und dadurch den Arbeitnehmerflügel der Partei zu beruhigen. Heinrich Brauns, dem auch in der neuen Regierung das Amt des Arbeitsministers zugefallen war, bemühte sich nach Kräften, dem Eindruck zu wehren, das vierte Kabinett Marx sei besonders arbeitgeberfreundlich. Beim Arbeitszeitnotgesetz, das am 8. April 1927 mit knapper Mehrheit angenommen wurde, gelang ihm das nur mit Mühe: Mehrarbeit, die über die tarifvertraglich vereinbarte Normalarbeitszeit hinausging, sollte künftig mit einem Zuschlag von 25 % des Stundenlohnes vergütet werden. Sozialdemokraten und Freie Gewerkschaften lehnten diese Regelung als völlig unzureichend ab. In der Praxis aber wirkte der Zuschlag, ebenso wie die bald ansteigende Konjunktur, der Mehrarbeit entgegen. Die durchschnittliche Arbeitszeit sank: Während Ende April 1927 48 % aller vollbeschäftigten Arbeiter mehr als 48 Stunden in der Woche arbeiteten, waren es Ende Oktober 1927 noch 42,7 % und Ende Oktober 1928 lediglich 26,6 %.[20]

Vergleichsweise wenig umstritten war 1927 das Gesetz über die Arbeitslosenversicherung – eines der wichtigsten sozialpolitischen Gesetze der Weimarer Republik überhaupt. Es wandelte, wie von den Gewerkschaften seit langem gefordert, die Erwerbslosenfürsorge in eine Versicherung um, wobei Arbeitgeber und Arbeitnehmer ihre Beiträge in gleicher Höhe – 3 % des Lohnes – aufzubringen hatten. Träger der Arbeitslosenversicherung wie der Arbeitsvermittlung war eine selbständige Reichsanstalt mit ihrem bezirklichen und örtlichen Unterbau. Auf allen Ebenen bildeten Vertreter der Versicherten, der Arbeitgeber und der öffentlichen Körperschaften mit je gleicher Stimmenzahl ein einheitliches Verwaltungsgremium. Das Prinzip der Selbstverwaltung ging auf den Allgemeinen Deutschen Gewerkschaftsbund zurück, der damit auch bei den Arbeitgebern und dem Zentrum Beifall fand. Am 9. Juli 1927 nahm der Reichstag die Vorlage mit überwältigender Mehrheit an: 356 Abgeordnete stimmten dafür; 47 – darunter Kommunisten und Völkische – votierten dagegen; 16 enthielten sich.

Die Arbeitslosenversicherung war der größte Zuwachs an sozialer Sicherheit, den Arbeiter und Angestellte während der Gesamtdauer der Weimarer Republik verbuchen konnten. Das Gesetz von 1927 knüpfte an einen Grundgedanken der Bismarckschen Sozialpolitik an: die Verbindung von berufsständischer und staatlicher Verantwortung. Denn nicht nur Arbeitgeber und Arbeitnehmer hatten für die Kosten der Arbeitslosenversicherung aufzukommen, sondern im Ernstfall auch der Staat. Das Reich war verpflichtet, der Reichsanstalt für Arbeitsvermittlung und Arbeitslosenversicherung Darlehen zu gewähren, wenn ihr Finanzbedarf aus dem eigenen „Notstock" nicht zu befriedigen war. Direkte staatliche Zuschüsse sah das Gesetz allerdings nicht vor. Regierung, Parlament und Verbände konnten sich eine Massenarbeitslosigkeit gigantischen Ausmaßes offensichtlich nicht vorstellen. Trat eine solche Situation doch ein, war das System von 1927 von Grund auf bedroht.

Die Zustimmung zu dem Reformwerk wäre in der Tat nicht so breit gewesen, hätte es im Sommer 1927 viele Arbeitslose gegeben. Aber die Verabschiedung des Gesetzes fiel in eine Zeit des konjunkturellen Aufschwungs: In keinem Jahr der Weimarer Republik machte die deutsche Industrie so hohe Gewinne wie 1927, und die Zahl der unterstützten Erwerbslosen war mit 633 000 im Juli jenes Jahres besonders niedrig. Angesichts solch günstiger Vorzeichen konnte das vierte Kabinett Marx das tun, woran gerade einer konservativen Regierung in parlamentarischen Demokratien liegen muß: sich durch soziale Zugeständnisse von dem Odium zu befreien, ein bloßes Vollzugsorgan der Besitzenden zu sein.[21]

Nicht nur für Arbeiter und Angestellte, sondern auch für die Beamten wurde 1927 zu einem guten Jahr. Reichsfinanzminister Heinrich Köhler vom Zentrum, selbst Sohn eines badischen Eisenbahnarbeiters, strebte eine Besoldungsreform an, die vor allem zwei Zielen diente: Erstens sollten die Beamtengehälter kräftig erhöht und damit jene fortschreitende Nivellierung zwischen Beamtengehältern und Arbeiterlöhnen korrigiert werden, die im Ersten Weltkrieg eingesetzt und sich in den Jahren der Inflation verstärkt hatte. Zweitens wollte Köhler die Binnennivellierung innerhalb der Beamtenschaft beibehalten und deshalb die Gehälter der unteren Beamten sehr viel stärker anwachsen lassen als die der höheren.

Die Besoldungsreform, die der Reichstag am 15. Dezember 1927 mit 333 gegen 53 Stimmen bei 16 Enthaltungen annahm, erfüllte diesen doppelten Zweck. Im Durchschnitt aller Beamtengruppen lag die Gehaltserhöhung zwischen 16 und 17%. Köhler rechtfertigte diese gewaltige Anhebung damit, daß seit Dezember 1924 die Löhne der Arbeiter um rund 24%, die Bezüge der Beamten dagegen nur um 4 bis 6% gestiegen seien.

Die relative Besserstellung der unteren Beamten erleichterte es der SPD, dem Gesetz zuzustimmen. Innerhalb von Köhlers eigener Partei, dem Zentrum, gab es dagegen scharfen Widerspruch. Die Christlichen Gewerkschaften, an ihrer Spitze der Gewerkverein christlicher Bergarbeiter, protestierten gegen die Ungleichbehandlung von Beamten und Arbeitern. Bei einem Treffen von christlichen Gewerkschaftlern mit dem Reichskanzler Ende September 1927 zog Adam Stegerwald, Vorsitzender des Deutschen Gewerkschaftsbundes, aus Köhlers Gesetzesvorhaben eine in sich logische Schlußfolgerung: Wenn die Wirtschaft die enorme Belastung tragen könne, die aus der Anhebung der Gehälter erwachse, dann sei es auch nicht länger gerechtfertigt, den Arbeitern eine Erhöhung ihrer Löhne zu verweigern. Die Reichsregierung sah sich schließlich genötigt, den Arbeitern einen Ausgleich für die Erhöhung der Beamtengehälter zu gewähren: Mit der Besoldungsreform verband das Kabinett eine fühlbare Senkung der Lohnsteuer.

Das größte Problem, das die Gehaltserhöhung aufwarf, wurde damit nicht gelöst, sondern nur noch verschärft: die Belastung der öffentlichen Haushalte. Reich, Länder und Gemeinden mußten immense Mehrausgaben tragen, und nur bei einer anhaltend guten Konjunktur konnten sie jenen Anstieg der Einnahmen erwarten, der nötig war, um den Wechsel vom Dezember 1927 einzulösen. Einige Politiker waren sich wohl bewußt, daß die Finanzpolitik Köhlers (nicht anders als die seines Amtsvorgängers, Peter Reinhold von der DDP) auf einer höchst unsicheren Grundlage stand. Zu dieser Minderheit gehörte der Haushaltsexperte des Zentrums, Heinrich Brüning, der sich bei der Schlußabstimmung am 15. Dezember 1927 der Stimme enthielt. Aber da es im Jahr 1928 Reichstagswahlen geben mußte, wollte keine Partei beim Wettlauf um die Stimmen der Beamten hinter der anderen zurückstehen. Wer in dieser Situation auf finanzpolitische Solidität pochte, schwamm gegen den Strom.[22]

Verbündete fanden Politiker wie Brüning bei den Unternehmerverbänden, bei dem seit Dezember 1923 amtierenden Reichsbankpräsidenten Hjalmar Schacht und dem Reparationsagenten, dem Amerikaner Parker Gilbert. In einem Memorandum warf Gilbert Ende Oktober 1927 vor allem den Gemeinden ein leichtfertiges Finanzgebaren vor. Die von ihm monierte „Tendenz zur übermäßigen Geldausgabe und übermäßigen Kreditbeanspruchung" gab es in der Tat, aber sie war zu einem erheblichen Teil eine Folge der Reichsfinanzreform Matthias Erzbergers von 1919/20. Den Gemeinden war damals das Zuschlagsrecht zur Einkommens- und Körperschaftssteuer genommen worden; es verblieben ihnen nur die Realsteuern, von denen aber lediglich die Grund- und die Gewerbesteuer ins Gewicht fielen. Dazu kamen Zuweisungen der Länder, die jedoch bei weitem nicht ausreichten, um den Finanzbedarf der Gemeinden zu stillen. Denn während ihre Einnahmen vermindert wurden, wuchsen die Aufgaben, in erster Linie auf sozialem Gebiet, stark an. Der Weg in die Verschuldung war also seit langem vorgezeichnet.

Die Kritiker der Gemeinden, darunter seit dem Sommer 1927 unüberhörbar auch der Reichsbankpräsident und wenig später der Reichsverband der Deutschen Industrie, prangerten besonders gern „Luxusausgaben" wie etwa aufwendige öffentliche Bauten an. Beispiele hierfür brauchte man nicht zu erfinden, und doch waren sie eher irreführend. Die Kreditmittel aus dem Ausland wurden fast ausschließlich produktiv, in der Hauptsache in Versorgungsbetrieben, angelegt. Häufig galt den Mahnern zur Sparsamkeit als „Luxus" auch, was in Wirklichkeit längst überfällige Investitionen in die Infrastruktur waren: Ausgaben für Schwimmbäder, Sport- und Grünanlagen, Krankenhäuser, Schulen und nicht zuletzt die Stadtsanierung. Der öffentlich geförderte Wohnungsbau wurde zwar nicht aus ausländischen Krediten, sondern zum größten Teil aus der 1924 eingeführten Hauszinssteuer finanziert. Das hinderte manche Zeitgenossen indes nicht daran, auch die Bauten im Stil der „neuen Sachlichkeit" – von der Hufeisensiedlung in Berlin-Britz über den Otto-Stolten-Hof in Hamburg bis zur Siedlung Stuttgart-Weißenhof – als Zeugnisse öffentlicher Verschwendung zu brandmarken.[23]

Neben den Gemeinden mußten sich auch die Länder und, namentlich seit der Besoldungsreform, das Reich Kritik an ihrer Haushaltsführung gefallen lassen. Kernpunkt der meisten Vorwürfe war, daß die öffentlichen Körperschaften sich nicht in jener Sparsamkeit übten, die ihnen schon die Reparationslasten hätten auferlegen müssen. Tatsächlich förderten die ausländischen Kredite, die seit dem Inkrafttreten des Dawes-Plans im Sommer 1924 nach Deutschland flossen, eine Konjunktur auf Pump und diese einen ungerechtfertigten Optimismus der Politiker. Solange es möglich war, Kredite zu erhalten, war es auch kein Problem, ihre Laufzeit im Bedarfsfall zu verlängern. Dabei fanden die öffentlichen Hände meist nichts dabei, kurz- und mittelfristige Anleihen für langfristige Zwecke zu verwenden. Auch der Transfer der Reparationen wurde nicht, wie es die Väter des Dawes-Plans vorausgesetzt hatten, aus deutschen Ausfuhrüberschüssen erwirtschaftet, sondern durch Auslandskredite bewirkt. So wenig der pauschale Tadel zutraf, die Anleihen aus den USA dienten der Finanzierung von öffentlichem Luxus, so wenig ließ sich doch leugnen, daß Deutschland in den Jahren seit 1924 über seine Verhältnisse lebte.[24]

Der Reichsverband der Deutschen Industrie nahm die einschlägige Kritik des Reparationsagenten im November 1927 zum Anlaß, eine radikale Umkehr zu fordern. In einem Memorandum verlangten die Unternehmer für 1928 eine allgemeine Kürzung der Ausgaben von Reich, Ländern und Gemeinden gegenüber dem Vorjahr um 10% sowie ein Finanznotgesetz, das der Kreditaufnahme von Ländern und Gemeinden Einhalt gebieten und die Parlamente daran hindern sollte, Regierungen oder Kommunalverwaltungen zu Mehrausgaben zu nötigen. Der RDI ließ keinen Zweifel daran, daß sein Vorstoß auf „eine sehr einschneidende Verfassungsänderung" abzielte. Die Reichsregierung solle und müsse die alleinige Verantwortung für die finanzpolitische Führung und für eine richtige Reparationspolitik tragen. „Nachdem die Länder und Gemeinden seit Jahren eine Finanzpolitik betrieben haben, die die Erfordernisse unserer tatsächlichen Lage vernachlässigt, muß endlich die Rücksicht auf geschichtlich oder verfassungsmäßig Gewordenes zurücktreten hinter dem Wohl des Reiches und des gesamten deutschen Volkes."

Die Frage, wie die parlamentarische Mehrheit für die „sehr einschneidende Verfassungsänderung" zustande kommen sollte, stellte der Reichsverband erst gar nicht. Reichskanzler Marx verwies denn auch, als er am 24. November 1927 das Präsidium der industriellen Spitzenorganisation empfing, auf die allseits bekannte Tatsache, daß der gegenwärtige Reichstag am Ende der Wahlperiode steht und mit einem „sterbenden Reichstag" Änderungen kaum durchzusetzen seien. Ob der nächste Reichstag, selbst wenn die Neuwahl, wie Paul Silverberg es anregte, vorgezogen wurde, den Forderungen der Unternehmer mehr entsprechen würde als der alte, war durchaus fraglich. In der Logik der Denkschrift hätte es gelegen, für den Fall, daß der Reichstag so ausgabenfreudig blieb wie bisher, den Übergang zu einem Präsidialsystem zu verlangen. Der RDI zog diese Konsequenz im Herbst 1927 noch nicht, aber es sprach alles dafür, daß sie ihm bewußt war.[25]

In die entgegengesetzte Richtung gingen die Gedanken der Freien Gewerkschaften. Auf ihrem Breslauer Kongreß im August und September 1925 hatten sie sich zur Demokratisierung der Wirtschaft bekannt; inzwischen arbeitete eine Expertengruppe unter Fritz Naphtali an der inhaltlichen Füllung des Begriffs „Wirtschaftsdemokratie". Den Vordenkern der sozialdemokratischen Gewerkschaftsbewegung ging es dabei um nichts Geringeres als die schrittweise Überwindung des kapitalistischen Wirtschaftssystems durch die sozialistische Gemeinwirtschaft. Alles, was die Gewerkschaften und die Sozialdemokratie an sozialen Errungenschaften bereits erreicht hatten, wurde als Etappe auf dem Weg zu diesem Ziel gewertet. Das galt in erster Linie für die überbetriebliche Mitbestimmung der Arbeitnehmer; die Demokratisierung der Wirtschaft war, so gesehen, der Ausbau dieser Mitbestimmung und der Sozialismus ihre Vollendung.

Den Sozialismus mit der Wirtschaftsdemokratie in eins zu setzen und seine Verwirklichung als Prozeß zu begreifen, hieß dem gewerkschaftlichen Reformismus eine Perspektive zu geben, die weit über die Tageskämpfe hinausreichte, ja diese historisch überhöhte. Während es den Unternehmern an der Zeit erschien, die politische Demokratie einzuschränken, wollten die Freien Gewerkschaften die Demokratie ausweiten, indem sie diese von der Politik auf die Wirtschaft übertrugen. So kraß der Gegensatz beider Entwürfe auch war, so hatten sie doch eines gemeinsam: Sie entbehrten jenes Rückhalts einer Mehrheit, der in einer parlamentarischen Demokratie für Systemänderungen erforderlich war.[26]

Unter den aktuellen Fragen der Gesellschaftsverfassung gab es eine, in der Unternehmer und Gewerkschaften vordergründig derselben Meinung zu sein schienen: Beide äußerten sich immer wieder kritisch zu der am 30. Oktober 1923 auf dem Verordnungsweg eingeführten Zwangsschlichtung. Nach dieser Verordnung, die von der Regierung der Großen Koalition unter Gustav Stresemann erlassen worden war und auf dem Ermächtigungsgesetz vom 13. Oktober 1923 beruhte, bestand die unterste Schlichtungsebene wie bisher aus paritätischen, von Arbeitgebern und Arbeitnehmern beschickten Schlichtungsausschüssen. An ihrer Spitze stand ein unparteiischer Vorsitzender, der von der obersten Landesbehörde bestellt wurde. Kam im Ausschuß keine Einigung zustande, so bildete der Vorsitzende eine paritätische Schlichtungskammer. Deren – unverbindlicher – Schiedsspruch stellte, sofern die Tarifparteien ihn annahmen, einen gültigen Tarifvertrag dar. Wenn nur eine Partei dem Schiedsspruch zustimmte, so konnte sie den Antrag auf Verbindlichkeitserklärung stellen. Diese konnten der zuständige Schlichter, der Reichsarbeitsminister oder ein von ihm ernannter außerordentlicher Schlichter aussprechen. Aber auch von Amts wegen war eine Verbindlichkeitserklärung möglich – nämlich dann, „wenn die ... getroffene Regelung bei gerechter Abwägung der Interessen beider Teile der Billigkeit entspricht und ihre Durchführung aus wirtschaftlichen Gründen erforderlich ist".

Damit verfügte der Reichsarbeitsminister über ein fast unbegrenztes Recht, sich in Tarifstreitigkeiten einzumischen und diese zu entscheiden. Der autoritäre Charakter der Zwangsschlichtung wurde noch dadurch verschärft, daß eine Ausführungsverordnung vom 29. Dezember 1923 den „Einmann-Schiedsspruch" einführte: Wenn es in dem paritätischen Schlichtungsausschuß zu keinem Mehrheitsbeschluß kam, entschied die Stimme des staatlichen Vorsitzenden. Von der Tarifautonomie blieb infolgedessen im Ernstfall so gut wie nichts übrig.

Die Freien Gewerkschaften hatten 1925 auf ihrem Breslauer Kongreß energisch gegen den Zwangstarif Front gemacht. Aber schon damals war die Gegnerschaft zur staatlichen Schlichtung keine unbedingte. Mitgliederschwache Verbände wie die der Landarbeiter empfanden die Sprüche der öffentlichen Schlichter in der Regel als sozialen Schutz. Es mußte den Arbeitnehmern auch zu denken geben, daß sie bei Tarifkonflikten viel häufiger an den Staat appellierten als die Arbeitgeber. So wurden etwa 1926 mehr als drei Viertel aller Schlichtungsverfahren von den Gewerkschaften beantragt. Daß die Schiedssprüche in den Jahren 1926 und 1927 von den Freien Gewerkschaften positiver bewertet wurden als zuvor, ist leicht zu erklären. 1926 gelang es den öffentlichen Schlichtern immerhin, die Löhne einigermaßen zu halten. 1927 war die Konjunkturlage günstig, was den Schlichtern die Möglichkeit gab, den Forderungen der Arbeitnehmer viel weiter entgegenzukommen als in der Zeit der „Stabilisierungskrise" von 1925/26. Der Zwangstarif konnte daher erstmals in großem Umfang zu dem werden, was Reichsarbeitsminister Brauns von Anfang an in ihm gesehen hatte: ein sozialer Ausgleich für die unternehmerfreundliche Wirtschaftspolitik der Reichsregierung.

Auf dem Kieler Parteitag der SPD im Mai 1927 nannte Rudolf Hilferding, der „Chefideologe" der deutschen Sozialdemokratie, den von staatlichen Schlichtern bestimmten „politischen Lohn" einen Beleg dafür, daß die Marktgesetze zunehmend durch den „organisierten Kapitalismus" außer Kraft gesetzt würden und die Zeit ökonomisch reif für den Sozialismus sei. Ein halbes Jahr später, im November, wurde auf der Sitzung des Bundesausschusses des Allgemeinen Deutschen Gewerkschaftsbundes deutlich, daß nur noch eine Minderheit der Fachorganisationen um Fritz Tarnow, den Vorsitzenden des Deutschen Holzarbeiterverbandes, die staatliche Schlichtungspraxis ablehnte. Auch die größte Einzelgewerkschaft, der Deutsche Metallarbeiterverband, wünschte mittlerweile nicht mehr die Abschaffung, sondern nur noch die Einschränkung des Zwangstarifs. Als Grund für dieses Votum nannte ein Sprecher des Verbandes die fehlende „Tariffreudigkeit" der Arbeitgeber.

Im Unternehmerlager wurde der Zwangstarif um so feindseliger kommentiert, je häufiger er der Gegenseite zugute kam. Seit dem Sommer 1927 bereitete sich „Arbeit Nordwest“ – die von der Schwerindustrie beherrschte Dachorganisation der Arbeitgeber von Rheinland und Westfalen – auf eine großangelegte Auseinandersetzung mit Reichsarbeitsminister Brauns vor. Solange Brauns dieses Amt innehatte, hieß es beispielsweise in einem Rundschreiben des Krefelder Metallindustriellenverbandes vom 28. August, sei für die Wirtschaft nichts von ihm zu erwarten. Daraus müßten die Arbeitgeber die Konsequenzen ziehen. Es gelte deshalb, „dem Reichsarbeitsminister endlich einmal die Stirn zu bieten und einen möglicherweise daraus entstehenden Kampf restlos und mit allen Mitteln durchzuführen“.

Die Probe aufs Exempel waren Anträge auf Betriebsstillegungen Anfang Dezember 1927 – eine Aktion, mit der die Unternehmer darauf antworteten, daß Brauns ihnen nicht gestattet hatte, die Einführung des achtstündigen Dreischichtensystems aufzuschieben. Die Stillegungsanzeigen erfolgten, bevor ein Schlichtungsverfahren überhaupt begonnen hatte. Unter dem Druck der Behörden mußten die Anträge dann doch im letzten Moment zurückgenommen werden, worauf Brauns die inzwischen ergangenen Schiedssprüche am 20. Dezember für verbindlich erklärte. Die große Kraftprobe war noch einmal vermieden worden, aber allen Beteiligten war klar, daß es sich dabei nur um eine Vertagung handelte.

Aus der Sicht der Unternehmer führte der Zwangstarif geradezu zwangsläufig zu volkswirtschaftlich untragbaren, weil überhöhten Löhnen. Doch die Tatsachen stützen dieses Urteil nicht. Generell stiegen die Löhne in Bereichen, wo sie auf dem Weg der freien Vereinbarung ausgehandelt wurden, nicht weniger stark als dort, wo ein staatlicher Schlichter sie festsetzte. Der Zwangstarif entwöhnte die Tarifpartner ihrer Selbstverantwortung, bedeutete also ein Stück Entdemokratisierung der Wirtschaft. Aber daß die staatlichen Schlichter das Lohnniveau am Markt vorbei künstlich nach oben trieben, war nicht mehr als der Standpunkt *einer* Konfliktpartei.

Umstritten ist bis heute auch, ob die Löhne – unabhängig von der Art, wie sie zustande kamen – in den mittleren Jahren der Weimarer Republik schneller gestiegen sind als die Produktivität. Daß dem so sei, behaupteten die Arbeitgeber schon damals. Tatsächlich gab es nach 1924 eine dramatisch wirkende Aufwärtsbewegung bei den Löhnen – aber sie war viel weniger sensationell, wenn man das extrem niedrige Ausgangsniveau am Ende der Inflationszeit bedachte. International gesehen, fiel Deutschland mit seinem Lohnniveau um 1927 durchaus nicht aus dem Rahmen, und auch in diesem Jahr hatten die realen Wochenlöhne noch nicht wieder den Stand von 1913 erreicht. Ein gewichtiger Grund hierfür war freilich die inzwischen eingetretene Arbeitszeitverkürzung. Diese soziale Errungenschaft hatte zur Folge, daß die Arbeiter um 1927 weniger arbeiteten, aber auch weniger verdienten als vor dem Krieg. Mit einem solchen Ergebnis konnte keiner der beiden Tarifpartner zufrieden sein.

Die „Krankheit“ der Weimarer Wirtschaft war nicht aus einer einzigen Ursache, etwa den angeblich überhöhten Löhnen, zu erklären, sondern aus einem ganzen Bündel von Faktoren. Die Durchkartellierung der deutschen Industrie gehörte ebenso dazu wie die Subventionen für Großlandwirtschaft und Schwerindustrie, die Schutzzölle nicht minder als die „Pumpwirtschaft“, die Beamtengehälter, die seit 1928 wirklich überhöht waren, in keinem geringeren Maß als die Zwangsschlichtung. Hilferdings Formel vom „organisierten Kapitalismus“ verschönerte die Weimarer Wirklichkeit über Gebühr. Viel näher hätte es gelegen, angesichts der fortschreitenden Entmachtung des Marktes von einem fehlorganisierten Kapitalismus zu sprechen.[28]

In diese Rubrik ließ sich zum Teil auch eine Entwicklung einordnen, die von Arbeitgebern und Gewerkschaften ähnlich positiv bewertet wurde: die forcierte Rationalisierung der deutschen Industrie in den Jahren nach der Inflation. Die umfassende Modernisierung von Anlagen und Produktionsverfahren, mit der die deutschen Unternehmer ihre Position auf dem Weltmarkt, vor allem gegenüber der bereits viel stärker rationalisierten amerikanischen Konkurrenz, zu verbessern strebten, führte nicht nur zum Abbau von zahlreichen Arbeitsplätzen, sondern in einigen Branchen wie dem Kohlenbergbau und der Stahlindustrie zu gewaltigen Überkapazitäten. Die Arbeitslosigkeit lag infolgedessen auch in den besten Weimarer Jahren durchweg weit über dem Vorkriegsstand, und die Krisenanfälligkeit der „alten“ Industrien nahm zu. Für die Gewerkschaften war das grundsätzliche Ja zur Rationalisierung eine logische Folge aus ihrem Kampf um kürzere Arbeitszeiten: Nur wenn die Produktivität stieg, war eine Minderung der Arbeitsstunden ohne Lohneinbußen möglich. Erst als Deutschland vom Strudel der Weltwirtschaftskrise erfaßt wurde, zerbrach der Rationalisierungskonsens – jene grundlegende Übereinstimmung zwischen Arbeitgebern und Arbeitnehmern, die in den mittleren Jahren Weimars sozial ähnlich stabilisierend wirkte wie der zeitweilige Inflationskonsens zwischen 1919 und 1921.[29]

Von politischer Stabilität konnte man 1927 nur in der ersten Hälfte des Jahres sprechen. Der Zusammenhalt des vierten Kabinetts Marx war bis in den Frühsommer hinein keinen ernsthaften Belastungsproben ausgesetzt. Dann aber wurden Bruchlinien deutlich zwischen Zentrum, Bayerischer Volkspartei und Deutschnationalen auf der einen und der Deutschen Volkspartei auf der anderen Seite. Anlaß eines rasch eskalierenden Konflikts war der Entwurf eines „christlichen“ Schulgesetzes, den Innenminister von Keudell Anfang Juli vorlegte. Die liberalen Mitglieder des Kabinetts, Außenminister Stresemann und Wirtschaftsminister Curtius, wandten sich gegen zwei wesentliche Elemente des Textes: die kirchliche Mitbestimmung in Fragen des Religionsunterrichts und die rechtliche Gleichbehandlung von christlicher Gemeinschafts- und Konfessionsschule. Diese Parität widersprach dem Vorrang der Gemeinschafts- oder Simultanschule, wie ihn die Reichsverfassung in Artikel 146 festgelegt hatte. Setzten sich die katholischen Parteien und die DNVP durch, so mußten in Baden und Hessen, wo es nur Gemeinschaftsschulen gab, Bekenntnisschulen eingerichtet werden. Damit wollte sich die DVP, die in der kulturkämpferischen Tradition der Nationalliberalen stand, nicht abfinden. Bei der Schlußberatung des Gesetzentwurfs am 13. Juli wurde ein Antrag von Stresemann und Curtius, der das Monopol der Gemeinschaftsschule im deutschen Südwesten sichern wollte, abgelehnt. Daraufhin gaben beide Minister zu Protokoll, daß sie auf ihrem Standpunkt beharrten und die Fraktion der DVP sich in dieser Frage an Kabinettsbeschlüsse nicht gebunden fühle.

Da das Schulgesetz für das Zentrum überragende Bedeutung besaß und Kompromisse nicht in Sicht waren, ließ sich bereits seit Mitte Juli 1927 das Ende des vierten Kabinetts Marx vorhersagen. Bei den parlamentarischen Beratungen, die erst nach der Sommerpause begannen, zogen liberale Parteien und Sozialdemokraten häufig an einem Strang, was das Klima im Regierungslager zusätzlich verschlechterte. Am 15. Februar 1928 sah sich Graf Westarp, Fraktionsvorsitzender der DNVP und zugleich Leiter der Sitzungen des Koalitionsausschusses, zu der Feststellung gezwungen, daß in den umstrittenen Fragen eine Einigung nicht möglich erscheine und das Regierungsbündnis infolgedessen aufgelöst sei.

Offenkundig trug in Weimar jede Form von parlamentarischer Mehrheitsregierung den Keim des Zerfalls in sich. Während für eine Große Koalition die sozialpolitischen Gegensätze zwischen den Flügelparteien die wichtigste Gefahrenquelle bildeten, waren für eine Rechtskoalition Außen- und Kulturpolitik die vorgegebenen Krisenzonen. An einem Streit um eine außenpolitische Frage, das Vertragswerk von Locarno, war die erste Regierung mit deutschnationaler Beteiligung, das Kabinett Luther, im Oktober 1925 zerbrochen. Das vierte Kabinett Marx, das auf dem Gebiet der auswärtigen Politik keine großen Entscheidungen zu fällen hatte, scheiterte auf einem klassischen Schauplatz weltanschaulicher Kämpfe: dem der Schulpolitik. Aus der Zeit der konstitutionellen Monarchie an den Zwang zu Kompromissen nicht gewöhnt, neigten die Weimarer Parteien immer wieder dazu, einzelne Ziele als nicht verhandelbar zu betrachten. Aus diesem Erbe der Kaiserzeit erklärt sich zu einem guten Teil die Labilität, die auch in den wenigen relativ ruhigen Jahren der ersten Republik ein Merkmal des deutschen Parlamentarismus war.[30]

Daß Neuwahlen im Jahr 1928 ohnehin erforderlich waren, blieb in der Krise des vierten Kabinetts Marx allen Koalitionspartnern bewußt und förderte nicht eben den Verständigungswillen. Erstaunlich viel Kompromißbereitschaft zeigten dagegen SPD und DDP. Sie gaben zu verstehen, daß sie bis zu vorgezogenen Neuwahlen ein „Arbeitsnotprogramm“ des Kabinetts zwar nicht unterstützen, aber doch tolerieren würden. Am 31. März 1928 löste der Reichspräsident den im Dezember 1924 gewählten, dritten Reichstag der Weimarer Republik auf und setzte als Termin für die Neuwahl den 20. Mai fest. In der parlamentslosen Zeit richtete sich das öffentliche Augenmerk auf diejenigen Verfassungsorgane, die von der Regierungskrise unberührt geblieben waren: den Reichpräsidenten, der vielen mehr denn je als ruhender Pol, ja als Verkörperung jenes Gesamtwillens erschien, den das Parlament nicht angemessen zu artikulieren vermochte, und den Reichsrat.[31]

In diesem Gremium fiel am 31. März, dem Tag der Reichstagsauflösung, eine Entscheidung über ein Projekt, das einige Monate später das nächste Kabinett in seine erste große Krise stürzen sollte: den Panzerkreuzer „A". Die Reichsmarine wollte mit diesem Schiff eine Reihe von angeblich überfälligen Ersatzbauten einleiten und den Gesetzgeber auf ein längerfristiges, mehrere Legislaturperioden überdauerndes Programm festlegen. Der Reichsrat hatte sich unter Führung Preußens im Dezember 1927 gegen den entsprechenden Etatposten ausgesprochen; im Reichstag aber fand sich eine Mehrheit der Bürgerblockparteien, die eine erste Baurate bewilligte. Diesen Beschluß beantwortete der Reichsrat vier Tage später mit dem Ersuchen an das geschäftsführende Kabinett, die Arbeiten an dem Panzerschiff erst nach erneuter Prüfung der Finanzlage und auf keinen Fall vor dem 1. September 1928 aufzunehmen. Da die Regierung in den folgenden Wochen mehr als bisher auf die Zusammenarbeit mit dem Reichsrat angewiesen war, stimmte der parteilose Reichswehrminister Wilhelm Groener – er hatte am 19. Januar 1928 die Nachfolge des amtsmüden Otto Geßler angetreten – dieser Auflage notgedrungen zu.[32]

Der Panzerkreuzer „A" gab dem Wahlkampf der Linksparteien ein Stichwort, wie sie es sich zündender kaum hätten wünschen können. Die KPD, die in den Jahren zuvor unter der Führung Ernst Thälmanns immer mehr zum gefügigen Instrument der sowjetischen Politik geworden war, setzte dem Bau des Panzerschiffs die populäre Forderung nach kostenloser Kinderspeisung an den Volksschulen entgegen. (Die hierfür vorgesehenen 5 Millionen Mark hatte die bürgerliche Reichstagsmehrheit abgelehnt).

Der Parole „Kinderspeisung statt Panzerkreuzer" bedienten sich auch die Sozialdemokraten, die sich damit radikaler gaben, als sie waren. Auf ihrem Kieler Parteitag im Mai 1927 hatte die SPD keinen Zweifel daran gelassen, daß sie entschlossen war, ein neues Rechtskabinett zu verhindern und zu diesem Zweck nach einem guten Wahlausgang Regierungsverantwortung zu übernehmen. In den Reichstagswahlkampf von 1928 zog die größte deutsche Partei geschlossener als vier Jahre zuvor. Nachdem in Sachsen im April 1926 der rechte Parteiflügel unter dem Ministerpräsidenten Max Heldt aus der SPD ausgeschlossen worden war und sich als Alte Sozialdemokratische Partei verselbständigt hatte, schien die Einheit der Sozialdemokratie zeitweilig kaum noch bedroht. Die linke „Klassenkampf-Gruppe" um Paul Levi lehnte die Koalitionsbereitschaft der Mehrheit zwar ab. Solange die Partei aber nicht tatsächlich Anteil an der Macht im Reich hatte, äußerte sich die Opposition dagegen auch nur verhalten.[33]

Von den bürgerlichen Parteien kam die DDP den Sozialdemokraten in der Beurteilung des Panzerkreuzers „A" am nächsten: Auch die meisten Demokraten hielten den Schiffsbau für ein militärisch sinnloses Prestigeobjekt der Marine. Während sich die DDP unmißverständlich für eine Große Koalition aussprach, hielt sich die andere klassische Mittelpartei, das Zentrum, in der Frage eines künftigen Regierungsbündnisses zurück. Die Einbrüche in die katholische Arbeiterschaft, die den Linksparteien 1926 beim Plebiszit zur Fürstenenteignung gelungen waren, hatten das Zentrum veranlaßt, verstärkt die Gemeinsamkeit der Konfession in den Vordergrund zu stellen. Der Kampf um ein christliches Schulgesetz lag ganz auf dieser Linie. Nachdem das Zentrum sein wichtigstes kulturpolitisches Ziel in einer Mitte-Rechts-Koalition nicht hatte durchsetzen können, durfte es erst recht nicht hoffen, auf diesem Gebiet in einer Mitte-Links-Koalition erfolgreich zu sein. Nachhaltige Koalitionsskepsis war das Ergebnis der jüngsten Erfahrungen der Partei, die seit 1919 jeder Reichsregierung angehört hatte.

Die Deutsche Volkspartei setzte während des Wahlkampfs ganz auf die Popularität ihres Parteivorsitzenden, des deutschen Außenministers. „Was gehen Dich die andern an – Du wählst wie Gustav Stresemann!" lautete eine ihrer Losungen. Für Stresemann, der sich vor allem in Bayern schärfsten Angriffen der Nationalsozialisten ausgesetzt sah, war nach dem Scheitern des vierten Kabinetts Marx klar, daß es zu einer Großen Koalition mit den Sozialdemokraten auf absehbare Zeit keine realistische Alternative gab. Die Deutschnationalen dagegen, bei denen der „Pressezar" Alfred Hugenberg immer mehr an Einfluß gewann, versuchten sich durch Attacken auf Stresemanns Verständigungspolitik scharf rechts zu profilieren. Durch ihre praktische Politik in zwei Reichskabinetten hatten sie einen erheblichen Teil der mittelständischen Anhänger verprellt, denen sie ihre spektakulären Erfolge in beiden Reichstagswahlen von 1924 verdankten. Das galt vor allem, aber nicht nur, für die Aufwertungsgeschädigten. Ob es der DNVP gelingen würde, diese enttäuschten Wählergruppen mit Hilfe nationalistischer Parolen für sich zurückzugewinnen, war im Frühjahr 1928 durchaus fraglich.[34]

Die äußerste Rechte hatte sich in den vorangegangenen Jahren konsolidiert. Adolf Hitler stand unangefochten an der Spitze der Nationalsozialisten; der linke, in Norddeutschland starke Flügel um die Brüder Otto und Gregor Strasser bildete seit der Bamberger „Führertagung" vom Februar 1926 kein Gegengewicht mehr zur Parteizentrale in München. Die NSDAP gab sich zwar weiterhin als arbeiterfreundlich und „sozialistisch", aber schon vor der Reichstagswahl war zu erkennen, daß sie die größte Resonanz nicht in den großen Städten, sondern in ländlichen Gebieten fand, die besonders vom Sturz der Schweinepreise im Jahr 1927, dem Auftakt zu einer weltweiten Agrarkrise, betroffen waren. In der Gesellschaft insgesamt war jedoch am Vorabend der Wahl von einer Krisenstimmung wenig zu spüren. Die Daten der Konjunktur wiesen nach oben, und die Arbeitslosenzahlen lagen unter denen des Vorjahres. Noch vor keiner anderen Reichstagswahl der Weimarer Republik hatten die republikanischen Kräfte soviel Anlaß zum Optimismus gehabt wie vor der vom 20. Mai 1928.[35]

12.

Die Preisgabe des Parlamentarismus

Die großen Gewinner der Reichstagswahl vom 20. Mai 1928 waren die Sozialdemokraten, die Verlierer die Deutschnationalen, gefolgt von den Parteien der bürgerlichen Mitte. Auf die SPD entfielen 29,8 %, ein Zuwachs von 3,8 % gegenüber dem Dezember 1924. Die DNVP sank dramatisch ab: von 20,5 auf 14,3 %. Von den gemäßigten Parteien hatte das Zentrum mit seinem Minus von 1,5 % die stärksten Einbußen. Die beiden liberalen Parteien verloren jeweils 1,4 %. Hätte es in der Weimarer Republik eine Fünfprozenthürde gegeben, so wäre die DDP daran gescheitert: Sie kam nur noch auf 4,9 %.

Zu den Gewinnern rechneten dagegen kleinere Interessenparteien, darunter die Reichspartei des deutschen Mittelstandes, kurz Wirtschaftspartei genannt, die von 3,3 auf 4,6 % anwuchs, und die Christlich-Nationale Bauern- und Landvolkpartei, die auf Anhieb 2,9 % erreichte. Markant waren auch die Gewinne der Kommunisten, die von 9 auf 10,6 % stiegen. Ihre Antipoden auf der äußersten Rechten hatten weniger Grund zur Freude. Die Nationalsozialisten mußten sich mit 2,6 % begnügen. Ein Trost für sie war das gute Abschneiden in einigen agrarischen Krisengebieten. So erzielten sie in den kleinen Gemeinden der holsteinischen Geest sensationelle Stimmenanteile: in Norderdithmarschen 28,9 und in Süderdithmarschen sogar 36,8 %.

Das Wahlergebnis war also durchaus nicht jener klare Sieg der Republik, als der es auf den ersten Blick erschien. Die Verluste der Deutschnationalen kamen nicht den Mittelparteien zugute, sondern mittelständischen und agrarischen Interessenparteien, die dem parlamentarischen System kühl bis ablehnend gegenüberstanden. Die Schwächung der bürgerlichen Mitte und die Zersplitterung der Parteienlandschaft waren ebenso Alarmsignale wie die regionalen Erfolge der Nationalsozialisten. Einzig die Gewinne der stärksten republikanischen Partei konnten die Anhänger Weimars mit Genugtuung erfüllen: Nachdem die Wahl zu einem Plebiszit gegen alle Parteien des „Bürgerblocks" geworden war, lag der Führungsauftrag nunmehr eindeutig bei der Sozialdemokratie.[1]

Die SPD war entschlossen, ihre Chance zu nutzen. Drei Gründe sprachen dafür, jetzt eine Koalitionsregierung mit den gemäßigten bürgerlichen Parteien zu bilden: erstens die starke Position, die den Sozialdemokraten durch den Wahlausgang zugefallen war, zweitens der Wille, ein neues Bürgerblockkabinett unter allen Umständen zu verhindern, drittens die positiven Wirkungen des Beispiels Preußen, wo die SPD, wenn man von zwei kurzen Unterbrechungen absieht, seit Beginn der Republik den Ministerpräsidenten stellte – mit dem Ergebnis, daß der größte deutsche Staat zu einer Art republikanischem Musterland geworden war.

Bei den potentiellen Partnern bis hin zur Deutschen Volkspartei bestand Einmütigkeit darin, daß der Auftrag zur Regierungsbildung nach Lage der Dinge nur an einen Sozialdemokraten gehen konnte. Einer, der dafür in Frage kam, war Otto Braun, der preußische Ministerpräsident. Der gelernte Buchdrucker aus Königsberg, der im Januar 58 Jahre alt geworden war, hatte am 20. Mai die Landtagswahlen noch eindrucksvoller gewonnen als die SPD insgesamt die Reichstagswahlen. Wenn Braun zusätzlich zum Amt des preußischen Ministerpräsidenten auch das des Reichskanzlers übernahm, so eröffnete das auch neue Möglichkeiten für die oft beschworene, aber bislang nicht ernsthaft in Angriff genommene „Reichsreform": Eine Personalunion versprach die häufigen Gegensätze zwischen dem Reich und dem größten Einzelstaat auszuräumen oder doch zu mildern.

Braun selbst hatte vor den Wahlen an eine solche Lösung gedacht. Nach dem 20. Mai kamen dem Ministerpräsidenten Bedenken. Die DVP, das war sicher, würde als Gegenforderung ihren Eintritt in das preußische Kabinett verlangen und durchsetzen können, und daran konnte Braun nicht gelegen sein: Die Weimarer Koalition aus SPD, Zentrum und DDP, mit der er seit dem April 1925 regierte, hatte sehr viel mehr an Reformen, namentlich bei der demokratischen Erneuerung der Beamtenschaft, zuwege gebracht als die Große Koalition der vorangegangenen vier Jahre. Sodann zweifelte Braun, ob der Reichspräsident und das Zentrum der Verbindung der beiden wichtigsten Regierungsämter Deutschlands zustimmen würden. Auch im Hinblick auf die eigene Partei konnte Braun keineswegs sicher sein, ob sie ihn im Reich ebenso konsequent unterstützen würde, wie das die preußischen Sozialdemokraten und ihre Landtagsfraktion taten. Schließlich gab es persönliche Sorgen, die Krankheit seiner Frau und die geschwächte eigene Gesundheit, die ihn vor der politischen Herausforderung einer Kanzlerschaft zurückschrecken ließen.

Damit war die Bahn frei für Hermann Müller. Der Vorsitzende der SPD, der schon einmal, nach dem Kapp-Lüttwitz-Putsch vom März 1920, knapp zweieinhalb Monate lang deutscher Regierungschef gewesen war, wußte Partei und Fraktion hinter sich. Ein Mann des Ausgleichs und ohne scharfe persönliche Konturen, war Müller in der SPD sehr viel populärer als sein Mitvorsitzender Otto Wels. Was dem gebürtigen Mannheimer an Rednergabe und charismatischer Ausstrahlung fehlte, suchte er durch Fleiß und Sachverstand wettzumachen. Als Müller sich das zweite Mal anschickte, Reichskanzler zu werden, war er 56 Jahre alt. Mit seiner Gesundheit stand es, wie sich im Jahr darauf zeigen sollte, nicht zum besten. Aber Müller war ein Pflichtmensch, und so ließ er sich am 11. Juni von der Reichstagsfraktion Rückendeckung für den als sicher geltenden Fall geben, daß der Reichspräsident ihn mit der Regierungsbildung beauftragen würde.

Den offiziellen Auftrag, eine Regierung „auf möglichst breiter Grundlage" zu bilden, erhielt Müller tags darauf. Hindenburg hatte sich an den Gedanken einer Großen Koalition gewöhnt, seit auch seine wichtigsten militärischen Berater, der neue Reichswehrminister Wilhelm Groener und Oberst Kurt von Schleicher, ihm dazu rieten – mit dem Argument, daß eine Regierungsbeteiligung der SPD vermutlich die Sozialdemokraten wehrfreudiger stimmen würde. Aber auch wenn der Reichspräsident schwerwiegende Bedenken gegen ein solches Regierungsbündnis gehabt hätte, nach dem Wahlausgang vom 20. Mai konnte er gar nicht anders, als einem Sozialdemokraten die Kanzlerschaft anzutragen.

Vom Auftrag bis zur Ernennung war es indes noch ein weiter Weg. Die DVP wollte möglichst gleichzeitig in die Reichs- und in die preußische Regierung eintreten, was Otto Braun, zur nachhaltigen Verärgerung Stresemanns, ablehnte. Ein anderer Streitpunkt war der Panzerkreuzer „A". Die neue Regierung mußte, so sah es der Beschluß des Reichsrats vom 31. März vor, vor Baubeginn die Finanzlage überprüfen. Die SPD hatte den Wahlkampf nicht zuletzt mit der Parole „Kinderspeisung statt Panzerkreuzer – Fort mit dem Panzerschiff" geführt. Die DVP berief sich auf den positiven Beschluß des letzten Reichstags und wurde dabei, wenn auch ohne besonderen Nachdruck, vom Zentrum unterstützt, während sich die DDP zurückhielt. Zuletzt verständigten sich die Unterhändler der Fraktionen darauf, den Konflikt erst einmal zu vertagen: Entscheiden müsse die Reichsregierung, und das erst bis zu dem vom Reichsrat gesetzten Termin, dem 1. September 1928.

Für Zwist sorgten auch finanzpolitische und eher symbolische Fragen. Die bürgerlichen Parteien versagten sich der von der SPD geforderten Vermögenszuwachssteuer, die DVP überdies der Erhöhung des steuerfreien Existenzminimums. Auch mit dem Vorschlag der Sozialdemokraten, den 11. August, den Verfassungstag, zum gesetzlichen Feiertag zu erklären, mochte sich die Volkspartei nicht befreunden. Und schließlich schwelte der Gegensatz in der „Preußenfrage" weiter: Weder Braun noch die DVP rückten von ihren Positionen ab.

Am 23. Juni erschien der „Vorwärts" mit der Schlagzeile „Große Koalition gescheitert". Das entsprach der Lagebeurteilung Müllers vom Vortag. Aber Hindenburg zog den Auftrag zur Regierungsbildung nicht zurück, sondern bat den sozialdemokratischen Parteiführer, sich um eine kleinere, nämlich eine Weimarer Koalition zu bemühen. Ein solches Bündnis hätte nur mit Hilfe der Bayerischen Volkspartei über eine Mehrheit der Mandate verfügt, und es war ganz unwahrscheinlich, daß die BVP sich hierauf einließ. Da auch Hindenburgs Berater das wußten, war sein neuer Auftrag an Müller wohl nur als taktisches Mittel gedacht, um Druck auf die Parteien auszuüben und doch noch zur Großen Koalition zu gelangen.

Der Erfolg gab dem Reichspräsidenten recht. Am 23. Juni führte der erkrankte Stresemann von der Bühlerhöhe im Schwarzwald aus, wo er sich zur Kur aufhielt, ein Telefongespräch mit Hermann Müller. Der Inhalt läßt sich aus dem Telegramm ablesen, das der Außenminister unmittelbar danach an den amtierenden Wirtschaftsminister Curtius und den Vorsitzenden der

Reichstagsfraktion der DVP, Ernst Scholz, richtete. Demnach hielt Stresemann die Große Koalition weiterhin für die beste praktische Möglichkeit, um einigermaßen stabile Regierungsverhältnisse zu schaffen. Der Festlegung auf ein zwischen Parteien vereinbartes, längerfristiges Programm stand der Vorsitzende der DVP jedoch skeptisch gegenüber. „Ich glaube nach wie vor, daß ein Zusammenwirken von Sozialdemokraten bis Volkspartei notwendig und möglich ist. Dieses Zusammenwirken wird am besten zum Erfolg führen, wenn Persönlichkeiten aus den Fraktionen der Großen Koalition sich über das Programm klarwerden, mit dem sie vor den Reichstag treten, und ihrerseits mit diesem Programm stehen und fallen. Eine solche Kabinettsbildung entspricht auch dem Geist der Reichsverfassung, die nur die persönliche Verantwortlichkeit der Reichsminister, aber nicht die Verantwortlichkeit von Fraktionen kennt."

Am 24. Juni, einem Sonntag, gab Stresemann Curtius die Vollmacht, das Telegramm zu veröffentlichen. Die Montagspresse sprach von einem „Schuß von Bühlerhöhe". Tatsächlich hatte der Außenminister den Dingen eine neue Wendung gegeben, indem er über den Kopf des Fraktionsvorsitzenden hinweg ein Regierungsbündnis mit Hermann Müller verabredete. Scholz war pikiert und wollte zunächst Curtius davon abhalten, als zweiter Minister der DVP in ein Kabinett Müller einzutreten. Am 25. Juni stimmte er der Übernahme eines Ministeramtes durch Curtius dann doch zu, legte die Fraktion jedoch auf einen gewichtigen Vorbehalt fest: Die Abgeordneten der DVP gaben ausdrücklich zu Protokoll, daß die Kabinettszugehörigkeit von Stresemann und Curtius die Fraktion in keiner Weise verpflichte, bei Vertrauens- oder Mißtrauensvoten für die Regierung zu stimmen. Außerdem erhielt Stresemann wegen seines eigenmächtigen Vorgehens eine kaum verschleierte öffentliche Rüge.

Die DVP war nicht die einzige Partei, die auf Distanz zur künftigen Regierung ging. Das Zentrum, verärgert, weil es ihm nicht gelang, den Vizekanzler zu stellen und ein klassisches Ressort wie das Innenministerium zu besetzen, zog Arbeitsminister Brauns aus dem Kabinett zurück und ließ sich lediglich durch Verkehrsminister von Guérard als „Beobachter" vertreten. Ähnlich bewertete die BVP die Rolle ihres Kabinettsmitgliedes, Postminister Schätzel. Als echte Koalitionsparteien empfanden sich nur SPD und DDP. Aber auch bei den Sozialdemokraten neigten viele dazu, in ihren Ministern bloße Erfüllungsgehilfen der Fraktion zu sehen. Nur vordergründig widersprach das der Auffassung der DVP, wonach ihre Minister Privatleute seien, die auf eigenes Risiko Politik machten. Denn die Wirkung war dieselbe: Die Regierung hatte im Reichstag nicht die Vertrauensgrundlage, die sie brauchte, um politisch führen zu können.[2]

Das zweite Kabinett Müller war infolgedessen zunächst nur eine latente Große Koalition. Erst wenn die Fraktionen sich formell auf ein Regierungsbündnis einigten, konnte aus dem sogenannten „Kabinett der Persönlichkeiten" mehr werden als eine Runde von Parteivertretern, über denen ständig das Damoklesschwert des Vertrauensentzugs schwebte. Zehn Jahre nach dem Übergang zur parlamentarischen Regierungsweise waren die staatstragenden Parteien noch immer weit von der Einsicht entfernt, daß in der parlamentarischen Demokratie, anders als in der konstitutionellen Monarchie, die entscheidende Trennlinie nicht zwischen Regierung und Volksvertretung, sondern zwischen Regierungslager und Opposition verlief. Die Krise des deutschen Parlamentarismus wurde durch die mühsame Kabinettsbildung von 1928 mithin nicht überwunden, sie trat bloß in eine neue Phase.

Am 28. Juni 1928 konnte der Reichspräsident schließlich die Mitglieder des neuen Kabinetts ernennen. Es waren:

Reichskanzler Hermann Müller (SPD)
Reichsaußenminister Gustav Stresemann (DVP)
Reichsinnenminister Carl Severing (SPD)
Reichsjustizminister Erich Koch-Weser (DDP)
Reichsfinanzminister Rudolf Hilferding (SPD)
Reichswehrminister Wilhelm Groener (parteilos)
Reichswirtschaftsminister Julius Curtius (DVP)
Reichsarbeitsminister Rudolf Wissell (SPD)
Reichsverkehrsminister Theodor v. Guérard (Zentrum)
Reichsernährungsminister Hermann Dietrich (DDP)
Reichspostminister Georg Schätzel (BVP).

Acht der elf Minister hatten bereits früheren Reichsregierungen angehört, darunter vier – Stresemann, Curtius, Schätzel und Groener – dem unmittelbar vorangegangenen vierten Kabinett Marx. „Neulinge" waren nur Dietrich, Guérard und Severing. Der sozialdemokratische Reichsinnenminister war freilich lange genug, erst von März 1920 bis Februar 1921 und dann ununterbrochen von Oktober 1921 bis Oktober 1926, preußischer Innenminister gewesen, um einen soliden Fundus an praktischer Erfahrung in sein neues Amt einbringen zu können.

Seine Regierungserklärung gab Hermann Müller am 3. Juli ab. Sie war so konziliant, wie es dem Naturell des Kanzlers und der prekären parlamentarischen Grundlage des Kabinetts entsprach. Am meisten fiel auf, was Müller ausließ – nämlich eine Aussage zum Panzerkreuzer „A". Erst auf Vorhaltungen der Kommunisten hin deutete der Reichskanzler dann im Verlauf der Debatte an, daß die Regierung von den Abreden ausgehen müsse, die ihre Vorgängerin getroffen habe. Auf einem ausdrücklichen Vertrauensvotum bestand die Regierung nicht. Sie begnügte sich vielmehr damit, daß die in ihr vertretenen Fraktionen den Antrag einbrachten, der Reichstag möge die Erklärung der Reichsregierung billigen und über alle anderen Anträge zur Tagesordnung übergehen. Diesen Antrag nahm der Reichstag am 5. Juli mit großer Mehrheit an: Von den 423 Abgeordneten, die gültige Stimmzettel abgaben, stimmten 261 mit Ja und 134 mit Nein; 28 enthielten sich. Aus den Reihen der Sozialdemokraten kam stiller Protest: Sieben Abgeordnete des linken Flügels, darunter Paul Levi, beteiligten sich nicht an der Abstimmung. Das war jene Form von Bruch der Fraktionsdisziplin, welche die SPD gemeinhin noch hinnahm, ohne ernste Konsequenzen zu ziehen.[3]

Am 10. August holte der vertagte Konflikt um das Panzerschiff das Kabinett ein. Reichswehrminister Groener teilte mit, der Reichsfinanzminister habe ihm gegenüber am 20. Juli keine Bedenken dagegen erhoben, daß am 1. September mit dem Bau des Panzerkreuzers „A" begonnen werde. Hilferding, von Müller befragt, bestätigte diese Auskunft. Severing deutete Groeners Ausführungen so, daß das Panzerschiff den Militäretat infolge anderweitiger Einsparungen nicht anwachsen lassen werde. Dann faßte das Kabinett den Beschluß, den Bau des Panzerkreuzers in Angriff zu nehmen, und fügte erläuternd eine Bemerkung hinzu, die der Interpretation Severings entsprach.

Vorausgegangen war der Entscheidung einiges, was nicht Eingang in das offizielle Protokoll fand. Justizminister Koch-Weser äußerte in seinem Tagebuch die Vermutung, Groener habe hinter den Kulissen mit seinem Rücktritt gedroht und sei dabei von Hindenburg energisch unterstützt worden. Tatsächlich hätte Groener nicht Reichswehrminister bleiben können, wenn er überstimmt worden wäre. Aber es ging schon gar nicht mehr um einen Minister, sondern um das Kabinett insgesamt. DVP und Zentrum hatten sich auf den Bau des Panzerschiffs festgelegt. Sie hätten eine Majorisierung durch die Minister von SPD und DDP ebensowenig hingenommen wie eine Richtlinienentscheidung des Reichskanzlers gegen den Baubeginn. Eine Entscheidung gegen Groener wäre also das Ende des Kabinetts Müller gewesen.

Der Bau des Panzerkreuzers war militärisch im Sommer 1928 nicht sinnvoller als zu Beginn des Jahres. Wenig sprach für die Beteuerungen des Reichswehrministers, die Ersatzbauten der Marine könnten die deutsche Ostseeküste vor einem polnischen Angriff schützen. Nach wie vor galt auch, daß eine Festlegung auf die langfristigen Pläne des Reichswehrministeriums das Recht des Reichstags auf jährliche Bewilligung des Haushalts zu unterlaufen drohte. Zugunsten des Panzerkreuzers konnten die sozialdemokratischen Minister denn in der Tat auch nur ein übergeordnetes politisches Argument ins Feld führen: Es ging darum, die schwere, in ihren Folgen unabsehbare Regierungskrise zu vermeiden, die zu erwarten war, wenn eine Kabinettsmehrheit das Projekt zu Fall brachte.[4]

Die meisten aktiven Mitglieder der SPD sahen das anders und machten ihrer Empörung in zahllosen Resolutionen Luft, von denen manche sogar den Rücktritt der sozialdemokratischen Kabinettsmitglieder verlangten. Die KPD suchte die Kluft in der Konkurrenzpartei durch eine plebiszitäre Aktion zu vertiefen: Sie leitete Mitte August ein Volksbegehren mit dem Ziel ein, den Bau von Panzerschiffen und Kreuzern zu verbieten. Da die SPD sofort dagegen Front machte, war dem Unternehmen kein Erfolg beschieden: Lediglich 2,94% der Stimmberechtigten sprachen sich bis zum Ende der Einzeichnungsfrist, dem 24. Oktober, für einen Volksentscheid aus –

weit weniger, als die Verfassung hierfür vorschrieb, nämlich mindestens 10%. Die Sozialdemokraten hätten daraus folgern können, daß die öffentliche Erregung über das Panzerschiff sich inzwischen gelegt hatte. Aber Otto Wels, der während Müllers Kanzlerschaft faktisch alleiniger Parteivorsitzender war, hielt es für erforderlich, nach dem Ende der parlamentarischen Sommerpause den sozialdemokratischen Ministern den Willen der Parteimehrheit nochmals drastisch vor Augen zu führen: Am 31. Oktober stellte auf sein Betreiben die Reichstagsfraktion den Antrag, den Bau des Panzerkreuzers „A" einzustellen und die eingesparten Mittel für die Kinderspeisung zu verwenden.

Wenn schon der Antrag als solcher eine Ohrfeige für Hermann Müller war, so erst recht das Ansinnen, Kanzler und sozialdemokratische Minister sollten mit der Fraktion, also gegen den Kabinettsbeschluß vom 10. August stimmen. Ebendies geschah am 16. November 1928 im Plenum des Reichstags: Müller, Hilferding, Severing und Wissell sprachen sich durch ihre Ja-Stimmen gewissermaßen selbst das Mißtrauen aus.

Zwar gab es, da alle bürgerlichen Parteien und die Nationalsozialisten mit Nein stimmten, keine Mehrheit für den Antrag der SPD. Aber das öffentliche Echo auf die Selbstdemütigung der regierenden Sozialdemokraten war verheerend. Der Abgeordnete Joseph Wirth, der linke Flügelmann des Zentrums, sprach von einer „schleichenden Krise des deutschen Parlamentarismus", die jetzt wieder einmal mit Händen zu greifen sei. Ernst Lemmer, der für die DDP sprach, erinnerte die Linke aller republikanischen Parteien an ihre „verdammte Pflicht, Machtwillen zu zeigen, an der Regierungsmacht so weit wie nur irgend möglich festzuhalten...". Die „Vossische Zeitung" schließlich warf der SPD fehlende Glaubwürdigkeit vor. Wels habe, so schrieb das liberale Berliner Blatt, eine „Oppositionsrede schwersten Kalibers" gehalten. „Ein sensationelles Ergebnis, wäre sie ernst gemeint gewesen. Ihr logischer Abschluß wäre die Ankündigung gewesen, daß die Sozialdemokratische Partei ihre Minister aus der Regierung zurückzieht. Daran denkt sie nicht. Sie will weiterregieren und nur ihr Gesicht wahren... Wird man sich damit zufrieden geben, daß sie mit der Faust auf den Tisch des Hauses schlägt und froh ist, wenn andere verhindern, daß etwas kaputt geht?"[5]

Auch innerhalb der SPD gab es Unmut über den Ausgang der Krise um den Panzerkreuzer „A". Der junge Reichstagsabgeordnete Julius Leber meinte in dem von ihm redigierten „Lübecker Volksboten", der tiefere Grund des Debakels liege in dem gefühlsmäßigen Antimilitarismus der Arbeiter. Eine Wende könne nur das Wehrprogramm bringen, auf dessen Erarbeitung der Parteiausschuß sich im September verständigt hatte (und das der Magdeburger Parteitag im Mai 1929 dann auch beschloß): „Wenn nicht eine grundlegende Änderung der Einstellung erreicht wird, so steht es um die sozialdemokratische Regierungsteilnahme schlecht. Krisen, wie sie die letzten Tage gebracht haben, kann kein Kabinett mehrmals vertragen." Hilferding urteilte ähnlich. „Die ganze Krise geht zurück auf die völlige Unklarheit in der Wehrfrage", schrieb er. „Im Grunde ist es die alte Vorkriegseinstellung zum Militarismus, vermehrt durch die durch den Krieg verstärkte Feindschaft gegen alles, was nach Rüstung aussieht und durch das Mißtrauen gegen die Reichswehr."[6]

Der Konflikt um den Panzerkreuzer war noch nicht ausgestanden, als bereits die nächste Krise ausbrach: der Ruhreisenstreit. Am 30. Oktober 1928 endete die Laufzeit eines Schiedsspruchs für die Eisenindustrie des Ruhrgebiets, den der frühere Reichsarbeitsminister Brauns am 27. Dezember 1927 für verbindlich erklärt hatte. Um einem neuerlichen Schiedsspruch die Wirkung zu nehmen und zugleich das ganze System der „politischen Löhne" aus den Angeln zu heben, taten die Arbeitgeber einen bewußt provozierenden Schritt: Sie kündigten ihren rund 230000 Arbeitnehmern zum 1. November.

Mit der Massenaussperrung parallel ging der Kampf vor den Arbeitsgerichten. Gegen den neuen Schiedsspruch – einen von Arbeitsminister Wissell für verbindlich erklärten Stichentscheid des Schlichters Joetten vom 26. Oktober – erhoben die Arbeitgeber eine Feststellungsklage. Sie hatten zunächst Erfolg: Am 12. November gab das Arbeitsgericht Duisburg ihrem Klagebegehren statt. In der zweiten Instanz kamen sie indes nicht durch. Das Landesarbeitsgericht Düsseldorf, bei dem die Gewerkschaften sofort Berufung eingelegt hatten, verwarf am 24. November die Einwände der Arbeitgeber, worauf diese sich an die dritte und letzte Instanz, das Reichsarbeitsgericht, wandten.

In der Presse stieß das Vorgehen der Schwerindustrie auf scharfe Kritik. Die „Frankfurter Zeitung" nannte die Sabotierung eines verbindlichen Schiedsspruchs durch Stillegung einen „revolutionären Akt", der sich gegen den Staat richte. Der Reichstag beschloß am 17. November mit großer Mehrheit, das Reich solle Preußen Mittel zur Verfügung stellen, damit die Gemeinden ihrer Fürsorgepflicht für die ausgesperrten Arbeitnehmer nachkommen konnten. Daraufhin verhärtete sich die Position der Gewerkschaften, die zeitweilig bereit gewesen waren, den Zwangstarif durch eine freie Vereinbarung zu ersetzen. Aber auch bei den Arbeitgebern erhielten die Vertreter eines harten Kurses Auftrieb. War die Schwerindustrie bis dahin im Unternehmerlager isoliert gewesen, so wurde ihr nach dem Reichstagsbeschluß die Solidarität der industriellen Spitzenverbände zuteil.

Am 28. November entschloß sich die Reichsregierung zu einem Vermittlungsversuch: Sie übertrug Innenminister Severing die Rolle eines Oberschiedsrichters und drängte die Tarifpartner, sich seiner Entscheidung im voraus zu unterwerfen. Die Unternehmer taten das sofort, die Gewerkschaften erst nach schwierigen inneren Debatten am 2. Dezember. Am Tag darauf endete die größte und längste Aussperrung, die Deutschland bis dahin erlebt hatte. Am 21. Dezember erging Severings Schiedsspruch. Er kam den Gewerkschaften hinsichtlich der Arbeitszeiten, den Unternehmern bei den

Löhnen entgegen. Um das Prinzip zu wahren, daß ein für verbindlich erklärter Schiedsspruch geltendes Recht war, sollte der umstrittene Stichentscheid des Schlichters Joetten vom 3. bis 31. Dezember gültig bleiben.

Den formellen Abschluß des Ruhreisenstreits bildete nicht Severings Schiedsspruch, sondern das Urteil des Reichsarbeitsgerichts vom 22. Januar 1929. Es erklärte in letzter Instanz den Stichentscheid Joettens für von Anfang an nichtig und darüber hinaus Stichentscheide, also die sogenannten „Ein-Mann-Schiedssprüche", für generell unzulässig. Der eigentliche Unterlegene des Konflikts war damit das Reichsarbeitsministerium. Die Arbeitgeber registrierten das mit Genugtuung. Aber ihr Erfolg war kein Triumph der Tarifautonomie: Was die Wortführer der Schwerindustrie an die Stelle der Zwangsschlichtung setzen wollten, waren nicht frei ausgehandelte Tarife, sondern betriebliche Vereinbarungen, die den Einfluß der Gewerkschaften nachhaltig geschwächt hätten.

Dieses Ziel erreichten die Ruhrunternehmer 1928/29 nicht. Sie konnten auch nicht den Zwangstarif als solchen beseitigen, sondern lediglich dessen krasseste Form, den Stichentscheid, und auch das nur vorübergehend: 1931 wurde er in leicht modifizierter Gestalt wieder eingeführt. Die politische Bedeutung des Ruhreisenstreits lag deshalb nicht in seinen unmittelbaren Resultaten, sondern in seinem exemplarischen Charakter: Der rechte Flügel des Arbeitgeberlagers hatte die Konfrontation mit dem Staat gesucht und diesem eine Niederlage beigebracht. Der Zwangstarif war zwar eine höchst illiberale Errungenschaft der Republik, aber es war zunehmend die Weimarer Demokratie insgesamt, die zur Zielscheibe unternehmerischer Kritik wurde.[7]

Am Ende des Jahres 1928 wäre es kaum jemandem in den Sinn gekommen, das Kabinett Müller als besonders erfolgreich zu bezeichnen. Angesichts der Krisen, die die Regierung in ihren ersten fünf Monaten zu bestehen hatte, grenzte es allerdings schon fast an ein Wunder, daß Hermann Müller überhaupt noch Kanzler war. Aber das Kabinett konnte durchaus auch Erfolge vorweisen – vor allem in der Außenpolitik. Für Stresemann, der nach einer ernsten Erkrankung während des Wahlkampfes monatelang nicht in der Lage war, seine Amtsgeschäfte auszuüben, war es ein großer persönlicher Triumph, daß er Anfang September in Paris den – nach dem amerikanischen Außenminister benannten – Kellogg-Pakt über die Ächtung des Krieges für Deutschland unterzeichnen und die Anwesenheit in der französischen Hauptstadt auch für ein Gespräch mit Ministerpräsident Poincaré nutzen konnte.

Politisch noch bedeutsamer war die Reise, die Reichskanzler Müller, in Vertretung des Außenministers, im September zur Tagung des Völkerbundsrates nach Genf unternahm. Seine beiden wichtigsten Anliegen waren eine vorzeitige Räumung des besetzten Rheinlandes und eine endgültige Regelung der Reparationsfrage. Das Dawes-Abkommen von 1924 hatte nur für eine provisorische Lösung dieses Problems gesorgt, und 1928/29 erreichten die Jahreszahlungen nach dem Dawes-Plan, die Annuitäten, erstmals ihre volle Höhe, nämlich 2,5 Milliarden Reichsmark. Angesichts einer sich verschlechternden Konjunktur waren alle Regierungsparteien an einer raschen Minderung dieser Last interessiert. Aber auch der Reparationsagent machte sich für eine Revision des Dawes-Plans stark. Solange Parker Gilbert darüber zu befinden hatte, ob die deutsche Zahlungsbilanz und die Stabilität der Mark einen Transfer der Reparationen rechtfertigten oder nicht, konnten sich die Deutschen gewissermaßen hinter ihm verstecken. Gilbert hielt das für schädlich und wollte daher durch ein neues Abkommen Deutschland zu wirtschaftlicher Selbstverantwortung zwingen.

Müllers betont nationales Auftreten in Genf und namentlich seine Attakken auf die fehlende Abrüstung Frankreichs brachten ihm in Deutschland viel Beifall, im Völkerbund aber zunächst eine scharfe Antwortrede des französischen Außenministers Briand ein. In der Sache entsprach das Ergebnis der Beratungen jedoch dem, was die Reichsregierung anstrebte: Deutschland und die Ententemächte, einschließlich Japans, verständigten sich am 16. September auf die Einsetzung einer Sachverständigenkommission, die eine endgültige Reparationsregelung erarbeiten sollte. In der Frage der vorzeitigen Räumung des Rheinlandes wurde der Beginn offizieller Verhandlungen vereinbart. Einen direkten Zusammenhang beider Probleme bestritt die deutsche Seite zwar. Aber es lag auf der Hand, daß Frankreich zu einem Entgegenkommen in der Rheinlandfrage erst bereit sein würde, wenn die Erfüllung seiner Reparationsforderungen auch für die Zukunft sichergestellt war.[8]

Ob die deutsche Öffentlichkeit ein neues Reparationsabkommen positiv aufnehmen würde, war ungewiß: Es gab seit dem Herbst 1928 deutliche Anzeichen für einen Ruck nach rechts. Im Oktober wurde Alfred Hugenberg als Nachfolger des eher gemäßigten Grafen Westarp zum Vorsitzenden der DNVP gewählt. Der Sieg des radikalen Nationalisten Hugenberg entzog den Kräften in der Partei den Boden, die die Republik als Tatsache hinnahmen oder gar wie Walter Lambach, der Geschäftsführer des Deutschnationalen Handlungsgehilfen-Verbandes, das Ziel der Monarchie für nicht mehr aktuell hielten. Die DNVP radikalisierte sich fortan immer mehr in Richtung einer Partei der unbedingten nationalen Opposition. Daß die Deutschnationalen unter Hugenberg gegen jedes neue Reparationsabkommen mit den schärfsten Mitteln ankämpfen würden, stand von Anfang an außer Frage.[9]

Nach rechts rückte Ende 1928 auch die klassische Mittelpartei der Republik. Am 8. Dezember wurde auf einem Parteitag zu Köln der Trierer Prälat und Kirchenrechtler Ludwig Kaas als Nachfolger des amtsmüden Wilhelm Marx zum Vorsitzenden des Zentrums gewählt. Auf Kaas entfielen 184 von 318 abgegebenen Stimmen und damit weit mehr als die erforderliche absolute Mehrheit; Joseph Joos, der Kandidat der Katholischen Arbeitervereine, erhielt 92 und Adam Stegerwald, der Vorsitzende der Christlichen Gewerkschaften, lediglich 42 Stimmen.

Die Wahl eines Priesters war bezeichnend für jene bewußte Rückbesinnung auf die gemeinsame Konfession, mit der das Zentrum die fortschreitende Erosion des „katholischen Milieus", vor allem in den Großstädten, aufzuhalten suchte. Wohin Kaas das Zentrum zu lenken wünschte, konnte man Reden entnehmen, die er im folgenden Jahr hielt. Er verwarf mit zunehmender Schärfe den parlamentarischen Parteienstaat und bekannte sich zu einer Ordnung mit stark autoritären Zügen. Eine Ansprache auf dem Katholikentag in Freiburg Ende August 1929 illustrierte die Wendung nach rechts in besonders markanter Weise. Die Rede gipfelte in dem Satz: „Niemals ist der Ruf nach einem Führertum großen Stils lebendiger und ungeduldiger durch die deutsche Volksseele gegangen als in den Tagen, wo die vaterländische und kulturelle Not uns allen die Seele bedrückt."[10]

Die erste praktische Auswirkung des Führungswechsels beim Zentrum war eine Regierungskrise. Am 24. Januar 1929 stellte die katholische Partei dem Reichskanzler Bedingungen für die Bildung einer formellen Großen Koalition. Entscheidend war die Forderung nach drei Ministerien für das Zentrum. Zum Verkehrsministerium, das seit Juni 1928 von Theodor von Guérard geleitet wurde, sollten ein selbständiges Ministerium für die besetzten Gebiete und das Justizministerium hinzutreten. Dieses klassische Ressort war im Juni den Demokraten zugefallen – allerdings unter dem Vorbehalt, daß dies nur eine vorläufige Regelung sei.

Die DDP war bereit, das Justizministerium an die DVP, nicht aber an das Zentrum abzugeben. Die DVP wiederum sperrte sich gegen einen Ausbau des (bisher von Guérard in Personalunion mitverwalteten) „Rheinministeriums" und verlangte ihrerseits, zusammen mit der Großen Koalition im Reich müsse eine solche Regierung auch in Preußen gebildet werden. Hiergegen hatte das Zentrum noch massivere Einwände als Otto Brauns SPD. In Preußen war der Abschluß eines Konkordats in greifbare Nähe gerückt, und niemand hatte daran ein größeres Interesse als das Zentrum. Zu den entschiedensten Gegnern eines Konkordats gehörte die kulturkämpferische DVP – Grund genug für das Zentrum, eine Große Koalition in Preußen, jedenfalls zum gegenwärtigen Zeitpunkt, strikt abzulehnen. Am 6. Februar endeten die zähen Gespräche zwischen den Fraktionen mit einem Eklat: Das Zentrum zog Guérard aus dem Kabinett Müller zurück, wodurch dieses seine Mehrheit im Reichstag verlor.[11]

Der Reichskanzler wertete das Ereignis als Ausdruck einer umfassenden Krise. „Der Austritt des Zentrums aus der Regierung hat im deutschen Bürgertum diejenigen Strömungen gestärkt, die in Anbetracht von Uneinigkeit der auf dem Boden der Verfassung stehenden Parteien und der dadurch bedingten Ohnmacht des Reichstags das Heil von einer überparteilichen starken Regierung erwarten", schrieb Hermann Müller am 12. Februar 1929 an Otto Wels. „Auswärtige Ereignisse treiben die Strömung im bürgerlichen Lager in gleicher Richtung. Sieg der Diktatur über die Demokratie in Serbien. Kaum noch verhüllte Diktatur Pilsudskis in Polen, die demnächst übergehen wird in offene Diktatur eines faschistischen Militärregiments... Kommen wir im Reich nicht zu gesicherten Regierungsverhältnissen, so ist das der Bankrott des auf der Weimarer Verfassung gegründeten Parlamentarismus im Reich. Ein solcher Bankrott würde aber *auf die Dauer* die Regierungsverhältnisse in den Ländern nicht unberührt lassen, ja sich selbst bis auf die Gemeinden auswirken. Außerdem verstehen es die breiten Massen des Volkes nicht, daß die Bildung der Regierung an Portefeuille-Schwierigkeiten scheitern soll."

Nicht weniger pessimistisch äußerte sich kurz darauf Gustav Stresemann. „Täuschen wir uns nicht darüber: wir stehen in einer Krise des Parlamentarismus, die schon mehr als eine Vertrauenskrise ist", erklärte er am 26. Februar vor dem Zentralvorstand der DVP. „Diese Krisis hat zwei Ursachen: einmal das Zerrbild, das aus dem parlamentarischen System in Deutschland geworden ist, zweitens die völlig falsche Einstellung des Parlamentarismus in bezug auf seine Verantwortlichkeit gegenüber der Nation... Was ist das überhaupt für eine groteske Auffassung, daß man infolge des parlamentarischen Regimes de facto die Parteien-Regierung hat, gleichzeitig aber der aus den Parteien hervorgegangenen Regierung fortwährend glaubt Opposition machen zu können? Darin liegt die alte philisterhafte Auffassung, daß der Abgeordnete der gegebene Gegner des Staates sein müsse."[12]

Mitte März mußte Stresemann mit seinem Rücktritt als Parteivorsitzender, ja mit seinem Austritt aus der DVP drohen, ehe seine Partei sich dazu durchrang, eine Anregung des Kanzlers aufzugreifen und Vertreter in ein interfraktionelles Gremium von Haushaltsexperten zu entsenden. Da das Zentrum den gleichen Schritt tat, zeichnete sich nunmehr, für die meisten Beobachter überraschend, doch wieder die Möglichkeit einer Großen Koalition ab. Die Möglichkeit verdichtete sich zur Wahrscheinlichkeit, als die Kommission am 5. April das Ergebnis ihrer Beratungen vorlegte. Demnach sollte der Haushalt 1929 nicht, wie Hilferding es in seinem Etatentwurf vorgesehen hatte, vorrangig über Steuererhöhungen, sondern durch Ausgabenkürzungen ausgeglichen werden. Um die Einigung zu erleichtern, korrigierten die Sachverständigen, wie zuvor auch schon der Finanzminister, die Vorausschätzung der Steuereinnahmen kurzerhand nach oben. Am 7. April stimmte das Kabinett den Vorschlägen zu. Hilferding sagte zwar voraus, daß die Annahmen der Experten sich schon bald als übertrieben optimistisch erweisen würden. Aber da eine feste Regierungsbasis nur zu erreichen war, wenn das Kabinett sich auf den Boden der Kommissionsvorlage stellte, sah sich der Finanzminister genötigt, die Annahme zu empfehlen.

Die Große Koalition war mit der finanzpolitischen Einigung aber noch nicht perfekt. Die bürgerlichen Parteien wollten, bevor sie den Pakt besiegelten, die SPD darauf festlegen, bei der Abstimmung über die zweite Baurate für den Panzerkreuzer „A" nicht mit Nein zu stimmen. Unter Hinweis auf die kommunistische Agitation lehnte Otto Wels das Ansinnen ab. Der Streit hätte sich weiter zugespitzt, wäre den bürgerlichen Regierungsparteien und dem Zentrum nicht eine höchst unerwünschte Folge einer Regierungskrise bewußt gewesen: die Gefährdung der Reparationsverhandlungen in Paris, die Anfang Februar begonnen hatten. Das gemeinsame Interesse an einer besseren Reparationsregelung, ein außenpolitischer Grund also, stand Pate bei dem Entschluß, trotz des fortdauernden Dissens in der Panzerkreuzerfrage eine formelle Regierung der Großen Koalition zu bilden.

Am 9. April stimmten die Sozialdemokraten, am folgenden Tag die bürgerlichen Parteien einer entsprechenden, von Staatssekretär Pünder entworfenen Absichtserklärung des Kabinetts zu. Am 11. April legte Reichsjustizminister Koch-Weser von der DDP sein Amt nieder, um eine Neuverteilung der Ressorts zu ermöglichen. Sein Nachfolger wurde der frühere Verkehrsminister von Guérard, der bis Anfang Februar dem Kabinett Müller als „Beobachter" des Zentrums angehört hatte. Zusammen mit Guérard traten zwei seiner Parteifreunde in die Regierung ein: Adam Stegerwald als Verkehrsminister und Joseph Wirth als Minister für die besetzten Gebiete. Die Hartnäckigkeit des Zentrums hatte sich mithin ausgezahlt. Die DVP, die ein „Rheinministerium" hatte verhindern wollen, mußte sich in das Unvermeidbare schicken. Auch in Preußen kam die Volkspartei nicht ans Ziel: Sie konnte weder eine Regierung der Großen Koalition erreichen noch das Konkordat verhindern, das der Landtag am 9. Juli 1929 mit den Stimmen von SPD, Zentrum und DDP annahm.[13]

Die Pariser Reparationsverhandlungen, die im April 1929 als Kitt der Großen Koalition wirkten, riefen im In- und Ausland immer wieder den Eindruck hervor, als seien sie vor allem eines: die Fortsetzung der deutschen Innenpolitik mit anderen Mitteln. Für solche Kommentare sorgte namentlich der Reichsbankpräsident. Hjalmar Schacht und Albert Vögler, der Generaldirektor der Vereinigten Stahlwerke, waren die beiden Hauptdelegierten Deutschlands auf der Pariser Konferenz; als ihre Stellvertreter fungierten der Bankier Carl Melchior vom Bankhaus Warburg und das Geschäftsführende Vorstandsmitglied des Reichsverbandes der Deutschen Industrie, Ludwig Kastl. Die Reichsregierung hatte bewußt den Machtansprüchen der Wirtschaft Tribut gezollt, als sie Interessenvertreter von Industrie und Banken zu den Reparationsverhandlungen entsandte und überdies, auf Drängen von Schacht, darauf verzichtete, ihnen irgendwelche Weisungen mit auf den Weg zu geben.

Schacht war Gründungsmitglied der DDP, hatte sich mittlerweile aber mehr und mehr den Positionen der nationalen Rechten genähert. Die Linie, die er auf den Pariser Verhandlungen einschlagen wollte, markierte er bereits Mitte Februar in einem Gespräch mit Owen D. Young, dem amerikanischen Leiter der Reparationskonferenz und Aufsichtsratsvorsitzenden der General Electric Company: Erstens hingen deutsche Reparationen von der Bereitschaft der übrigen Länder ab, den deutschen Export aufzunehmen; zweitens müsse der Wiederaufbau der deutschen Landwirtschaft durch die Rückgabe des „polnischen Korridors" gesichert werden; drittens gelte es, Deutschland an der Rohstoffausbeutung in kolonialen Überseegebieten zu beteiligen. Vögler stellte, in Abstimmung mit Schacht und dem RDI, Ende März eine Forderung auf, die sich weniger an die amerikanische als an die deutsche Adresse richtete: Der Reparationsagent sei durch ein inländisches Kontrollorgan zu ersetzen, das den Reichsfinanzminister beraten und ein absolutes Veto gegen Ausgaben- und Steuerbeschlüsse des Reichstages haben müsse.

Mitte April, wenige Tage nach der Kabinettsumbildung in Berlin, geriet die Pariser Konferenz in eine schwere Krise. Die Hauptgläubiger forderten ansteigende Jahreszahlungen zwischen 1,8 und 2,4 Milliarden RM, worauf Schacht seinerseits zwei Reihen von Jahresraten vorlegte und die höhere an die Erfüllung seines politischen Programms band. Es war offenkundig, daß der Reichsbankpräsident zu diesem Zeitpunkt eher auf ein Scheitern als auf einen Erfolg der Verhandlungen setzte. Die Kreditkrise, die der Konfrontation in Paris unmittelbar folgte, zwang Schacht jedoch zum Einlenken. Der deutsche Diskontsatz wurde, als Reaktion auf die plötzliche Verknappung von Auslandskapital, von 6,5 auf 7,5% angehoben, und als Young Ende April neue Annuitäten präsentierte, lieferte der Reichsbankpräsident nur noch ein Rückzugsgefecht. Die Entscheidung überließ er dem Reichskabinett, das am 3. Mai die neuen Vorschläge annahm.

Drei Wochen später folgte ein neuer Eklat. Am 23. Mai trat der zweite Hauptdelegierte, Albert Vögler, von seinem Amt zurück. Seine Begründung, die Reparationen seien wirtschaftlich untragbar, war mit dem rechten Flügel der Schwerindustrie abgestimmt und wirkte so, wie sie gemeint war: als Kampfansage an Außenminister Stresemann und seine Verständigungspolitik. Der Reichsverband der Deutschen Industrie war zu einem solchen Kollisionskurs nicht bereit und erklärte sich damit einverstanden, daß sein Geschäftsführer Kastl die Nachfolge Böglers antrat. Die Bruchlinien innerhalb der Industrie, die schon beim Ruhreisenstreit sichtbar geworden waren, traten im Frühjahr 1929 noch deutlicher hervor als im Herbst des Vorjahres.

Das Ergebnis der Pariser Sachverständigenkonferenz war der Young-Plan, der am 7. Juni 1929 unterzeichnet wurde. Deutschland sollte dieser Übereinkunft zufolge bis 1988, also fast sechs Jahrzehnte lang, Reparationen zahlen. Während der ersten zehn Jahre lagen die Annuitäten unter der Durchschnittshöhe von 2 Milliarden RM, stiegen dann an, um nach 37 Jahren wieder abzusinken. Eine ausländische Kontrolle der deutschen Finanzen war nicht mehr vorgesehen, ebensowenig die Verpfändung von Industrieobligationen und Reichseinnahmen. Was die Verantwortung für den Transfer anging, trat an die Stelle des Reparationsagenten die Reichsregierung. Ihr wurde die Möglichkeit eingeräumt, zwischen dem „geschützten" und dem „ungeschützten" Teil der Reparationen zu unterscheiden, wobei sie den zweiten unbedingt und fristgerecht zu zahlen hatte, beim ersten aber einen Aufschub bis zu zwei Jahren beantragen konnte. Empfänger der Zahlungen war eine neu zu errichtende Stelle: die Bank für Internationalen Zahlungsausgleich in Basel. Geriet Deutschland in Zahlungsschwierigkeiten, so konnte es bei einem internationalen Sachverständigenausschuß vorstellig werden. Dieser mußte auch, falls Deutschland sich wirtschaftlich nicht in der Lage sah, seinen Reparationspflichten nachzukommen, Vorschläge zu einer Revision des Young-Plans beraten. Auch für eine weitere Eventualität war gesorgt: Sollten die USA ihren interalliierten Schuldnern einen Schuldennachlaß gewähren, so waren davon zwei Drittel auf die deutsche Reparationslast anzurechnen.

Gegenüber dem Dawes-Plan war der Young-Plan für Deutschland vor allem deshalb ein Vorteil, weil es auf wirtschaftpolitischem Gebiet seine Souveränität zurückgewann. Dieser Vorteil war jedoch mit einem schwerwiegenden Nachteil verknüpft: Der Transferschutz durch den Reparationsagenten entfiel, und das bedeutete, daß Deutschland, anders als bisher, selbst bei einer wirtschaftlichen Depression Reparationen zu zahlen hatte, was krisenverschärfend wirken mußte. Daß die ersten Annuitäten unter denen des Dawes-Plans lagen, bot nur eine kurzfristige Erleichterung, und die Aussicht, 58 Jahre lang Reparationen zahlen zu müssen, war bedrückend. Eine großzügigere Regelung wäre ohne Frage politisch klüger gewesen. Aber die Regierungen der Gläubigerstaaten standen unter dem Druck *ihrer* Öffentlichkeit, und die bestand auf dem Grundsatz der materiellen Kompensation. Daraus folgte, daß Deutschland weiterhin für die Bezahlung von Kriegsschäden und die europäischen Siegermächte für die Schulden aufzukommen hatten, die sie während des Krieges in Amerika gemacht hatten.

Der größte Gewinn, den der Young-Plan für Deutschland abwarf, kam im Bericht der Sachverständigen gar nicht vor, war aber eine mittelbare Folge desselben. Das Ja der Reichsregierung zu einem neuen Reparationsabkommen veranlaßte Frankreich, Deutschland in der Rheinlandfrage einen entscheidenden Schritt entgegenzukommen. Zum Abschluß einer Konferenz in Den Haag, an der Großbritannien, Frankreich, Italien, Belgien, Japan und Deutschland teilnahmen, wurde am 30. August 1929 ein Abkommen über die vorzeitige Räumung des Rheinlandes unterzeichnet. Aus der zweiten Zone (die erste Zone war bereits im Winter 1925/26 geräumt worden) sollten die alliierten Truppen bis zum 30. November 1929 abziehen; die dritte und letzte Zone war zum 30. Juni 1930, und damit fünf Jahre vor dem in Versailler Vertrag vorgesehenen Termin, zu räumen. Sehr viel weniger erfolgreich war die Reichsregierung im Hinblick auf das Saargebiet. Über seine Zukunft sollte gemäß dem Friedensvertrag erst 1935 eine Volksabstimmung entscheiden. Eine Vereinbarung über eine frühere Rückgliederung an Deutschland konnte den Franzosen nicht abgerungen werden. Doch eines erreichte Stresemann immerhin: Briand, der seit Ende Juli als Nachfolger Poincarés auch französischer Ministerpräsident war, versprach dem deutschen Außenminister Verhandlungen über die Saarfrage.

Die Reparationsfrage wurde auf der Haager Konferenz noch nicht endgültig geregelt. Die Gläubigermächte stimmten dem Bericht der Sachverständigen zwar grundsätzlich zu, wünschten aber noch einzelne Korrekturen. Die Reichsregierung wollte die positiven Ergebnisse der Konferenz nicht aufs Spiel setzen und erklärte sich daher, gegen den Widerspruch Schachts, mit weiteren Beratungen in Unterausschüssen einverstanden. Diese Gremien tagten sehr viel länger als erwartet – nämlich den ganzen Herbst über. Die Folge war, daß die abschließende Zweite Haager Konferenz erst im Januar 1930 stattfinden konnte.[14]

Die deutsche Rechte wollte die Erfolge nicht wahrhaben, die die Reichsregierung in Paris und Den Haag errungen hatte. Ihr Urteil über den Young-Plan stand von Anfang an fest und konnte auch durch die Vereinbarung über die Räumung des Rheinlands nicht mehr erschüttert werden. Am 6. Juli nannte der Reichsausschuß der deutschen Landwirtschaft den Young-Plan wirtschaftlich unannehmbar. Zwei Tage später bescheinigte der schwerindustrielle Langnamverein dem Bericht der Sachverständigen, er bürde der deutschen Wirtschaft „untragbare Lasten" auf. Am 9. Juli trat in Berlin ein „Reichsausschuß für das Deutsche Volksbegehren" zusammen. Beteiligt waren für den Alldeutschen Verband Heinrich Claß, für den „Stahlhelm" Franz Seldte, für die Deutschnationale Volkspartei Alfred Hugenberg und für die Nationalsozialistische Deutsche Arbeiterpartei Adolf Hitler. Sie unterzeichneten eine Erklärung, die das deutsche Volk zum Kampf gegen den Young-Plan und die „Kriegsschuldlüge" aufrief und die Vorlage eines entsprechenden Volksbegehrens ankündigte.[15]

Während die Rechte ihre Kräfte sammelte, vertiefte sich die Kluft, die die gemäßigte von der radikalen Linken trennte. Bereits im Sommer 1928 hatte der Sechste Weltkongreß der Kommunistischen Internationale in Moskau die Weichen für einen verschärften Linkskurs gestellt und das mit dem Beginn einer neuen historischen Periode der Nachkriegsentwicklung begründet. Dieser Theorie zufolge war auf die akute revolutionäre Krise von 1917 bis 1923 die mittlerweile abgeschlossene Phase der relativen Stabilisierung des Kapitalismus gefolgt; die neue „dritte Periode" wurde geprägt von schweren wirtschaftlichen und politischen Krisen, die aber auch der proletarischen Revolution neue Perspektiven eröffneten. Daher galt es, das Haupthindernis einer revolutionären Zuspitzung der Krise frontal anzugreifen – die Sozialdemokraten, die sich in ihrer Politik, so die Behauptung der Komintern, immer mehr den Faschisten annäherten.

Die „ultralinke" Wende der Kommunistischen Internationale hatte einen innersowjetischen und einen deutschen Grund. In der Sowjetunion war ein Machtkampf zwischen Stalin, dem Generalsekretär der KPdSU, und einer als „rechts" abgestempelten Gruppe um Nikolai Bucharin in Gange, die sich, im Unterschied zu Stalin, gegen eine forcierte Kollektivierung der Landwirtschaft und gegen eine Steigerung des Tempos bei der Industrialisierung aussprach. Wurden die anderen Parteien der Komintern auf eine Offensive gegen „rechte" Tendenzen festgelegt, so half das Stalin beim Kampf gegen die Kräfte um Bucharin. Nach der längst vollzogenen Entmachtung des „linken" Trotzki (er war 1927 aus der KPdSU ausgeschlossen worden und wurde 1929 aus der Sowjetunion ausgewiesen) war die Ausschaltung der „rechten" Opposition ein weiterer Schritt zur persönlichen Diktatur Stalins. Der deutsche Grund für die Linksschwenkung war die Tatsache, daß im Reich seit Juni 1928 eine Große Koalition unter einem sozialdemokratischen Kanzler regierte. Die SPD galt als diejenige Partei, die mehr als alle anderen für eine Verständigung mit den Westmächten und besonders mit Frankreich eintrat, und allein das machte sie in Stalins Augen zu einem gefährlichen außenpolitischen Gegner der Sowjetunion.[16]

Für die Anhängermassen der KPD wäre die These von der fortschreitenden Faschisierung der Sozialdemokratie vermutlich nicht mehr als eine abstrakte Formel geblieben, hätte es nicht Anlässe gegeben, die die Parolen der Komintern zu bestätigen schienen. Wann immer etwa die preußische Polizei gegen die Kommunisten vorging, ließ sich bequem die Sozialdemokratie als Büttel des kapitalistischen Staates anprangern. Das Ereignis, das am meisten dazu beitrug, dem Feindbild von der zunehmend faschistischen Sozialdemokratie breiten und langanhaltenden Widerhall zu verschaffen, war der Berliner „Blutmai" von 1929. Der sozialdemokratische Polizeipräsident der Reichshauptstadt, Karl Friedrich Zörgiebel, hatte auf eine Reihe von blutigen Zusammenstößen zwischen Kommunisten und Nationalsozialisten, aber auch zwischen Kommunisten und Sozialdemokraten im Dezember 1928 mit einem Verbot aller Versammlungen und Demonstrationen unter freiem Himmel reagiert. Im April entschloß er sich, das Demonstrationsverbot auch für den 1. Mai aufrechtzuerhalten.

Das war, angesichts der Kampfentschlossenheit der Kommunisten, schwerlich ein geeignetes Mittel, am traditionellen Tag der Arbeit, der kein gesetzlicher Feiertag war, „Ruhe und Ordnung" aufrechtzuerhalten. Die KPD rief denn auch prompt zu Massendemonstrationen auf, was den Bezirksvorsitzenden der Berliner SPD, Franz Künstler, zu der Spekulation veranlaßte, die KPD rechne mit „200 Toten am 1. Mai". Tatsächlich gab es in den ersten Maitagen über 30 Tote, die allesamt Zivilisten waren, außerdem 194 Verletzte und 1 228 Verhaftungen. Die schwersten Kämpfe tobten im „roten" Wedding, wo am Abend des 1. Mai auf einigen Straßen Barrikaden errichtet wurden. In der Kösliner Straße wurde von Dachböden und Dächern auf die heranrückende Polizei geschossen, die ihrerseits Panzerwagen einsetzte und rücksichtslos von der Schußwaffe Gebrauch machte. Zörgiebel war offensichtlich entschlossen, unter allen Umständen ein Exempel zu statuieren, und er erhielt dafür die volle Rückendeckung seiner Partei.

Nichts spricht dafür, daß die KPD am 1. Mai 1929 den Bürgerkrieg entfesseln wollte. Es gab keine gezielten Versuche zur Bewaffnung der eigenen Anhänger; die Waffen, die am häufigsten benutzt wurden, waren nicht Pistolen und Gewehre, sondern Flaschen, Steine und Messer. Eine aktive Rolle der Komintern und des von ihr kontrollierten „Militär-Apparates" (kurz „M-Apparat" genannt) ließ sich nicht nachweisen und war wohl eher unwahrscheinlich, da sonst der Polizei bei ihren Razzien mehr Waffen in die Hände gefallen wären.[17]

Erst nach Beginn der Zusammenstöße trafen Telegramme aus Moskau in Berlin ein, in denen die Maikämpfe in eine große revolutionäre Perspektive gerückt wurden. Diese Telegramme gelangten allerdings nicht in die Hände der KPD, sondern in die der Reichsregierung. Der preußische Innenminister Grzesinski drängte daraufhin, unterstützt von Otto Braun, auf ein Verbot der KPD und ihrer Nebenorganisationen. Reichsinnenminister Severing wollte soweit nicht gehen. Er hielt ein Parteiverbot für unklug, weil es doch nicht durchführbar sei und sich infolgedessen bald als Fehlschlag erweisen würde. Dagegen stimmte er dem von der preußischen Regierung beschlossenen Verbot des Roten Frontkämpferbundes zu und forderte die übrigen Landesregierungen auf, den gleichen Schritt zu tun. Die sozialdemokratisch geführten Staaten Hessen, Baden und Braunschweig hatten hiergegen Bedenken, da sich Grzesinskis Erlaß einseitig gegen einen paramilitärischen Verband der äußersten Linken, nicht aber gegen rechte Organisationen wie den „Stahlhelm" und Hitlers SA richtete. Am Ende aber setzten sich Severing und Grzesinski durch: Eine Konferenz der Innenminister verständigte sich am 10. Mai auf das reichsweite Verbot des Roten Frontkämpferbundes. Nur im widerstrebenden Braunschweig mußte Severing von sich aus die Auflösung der Ortsgruppen des kommunistischen Wehrverbandes anordnen.[18]

Die KPD wurde durch das Verbot des Roten Frontkämpferbundes mit seinen 80 000 Mitgliedern zwar organisatorisch zurückgeworfen, propagandistisch aber zog sie aus dem Staatseingriff Nutzen. Zusammen mit dem „Blutmai" diente das Verbot des Roten Frontkämpferbundes der Parteiführung als Beleg dafür, daß die Sozialdemokratie auf dem Weg zum „Sozialfaschismus" sei. Auf dem 12. Parteitag der KPD, der eigentlich in Dresden hatte stattfinden sollen, nach dem „Blutmai" aber an den Hauptschauplatz der Kämpfe, den Wedding, verlegt wurde, nannte Ernst Thälmann den „Sozialfaschismus" der SPD eine besonders gefährliche Form der faschistischen Entwicklung. Auf ihrem jüngsten Parteitag in Magdeburg habe sich die deutsche Sozialdemokratie als sozialfaschistische Partei dargestellt, was sich auch an der sozialen Zusammensetzung der Delegierten zeige: Das Schwergewicht der SPD verschiebe sich immer mehr in Richtung des Kleinbürgertums.

Der ehemalige Hamburger Werftarbeiter Thälmann war seit Herbst 1925 der faktische Parteivorsitzende der KPD. Ende September 1928 war er wegen der Vertuschung einer Unterschlagungsaffäre aller seiner Funktionen enthoben, nach einer massiven Intervention Stalins aber wieder in seine Ämter eingesetzt worden. Der Weddinger Parteitag feierte ihn in einer Weise, die sich nur als „Führerkult" beschreiben läßt. Vor Beginn seines zweistündigen Referats empfingen ihn die Delegierten laut Protokoll mit Bravorufen und langanhaltendem Beifall. „Der Parteitag bereitet dem Genossen Thälmann eine stürmische Ovation. Die Delegierten erheben sich und singen die ‚Internationale'. Die Jugenddelegation begrüßt den 1. Vorsitzenden der Partei mit einem dreifachen ‚Heil Moskau'."

Die blutigen Ereignisse vom Mai 1929 warfen ein Schlaglicht nicht nur auf den politischen Gegensatz zwischen den beiden Arbeiterparteien, sondern auch auf die soziale Auseinanderentwicklung innerhalb der Arbeiterschaft. Die Sozialdemokraten repräsentierten in der Regel die besser ausgebildeten und besser situierten Arbeiter und eine Minderheit der Angestellten, die Kommunisten, ungeachtet eines gewissen Rückhaltes bei Facharbeitern vor allem der Metallindustrie, in erster Linie ungelernte Arbeiter und Erwerbslose. Die sozialdemokratischen Arbeitnehmer lebten im Durchschnitt häufiger in sozial gemischten Stadtvierteln, die durch Neubauten aufgelockert waren, die Kommunisten in den alten Mietskasernen rein proletarischer Stadtteile. Der KPD fiel es daher leicht, die Funktionäre der SPD und der Freien Gewerkschaften als privilegierte „Bonzen" abzutun, die inzwischen ganz verbürgerlicht, also in das Lager des Klassenfeindes übergelaufen seien. Wenn solche Parolen namentlich bei jugendlichen Arbeitslosen auf fruchtbaren Boden fielen, so gab es doch auch umgekehrt bei den Sozialdemokraten vergleichbare Vorurteile gegenüber den Kommunisten. Sie galten vielfach als notorische Rabauken, ja als lumpenproletarische Elemente, die ein hartes Durchgreifen der Polizei geradezu herausforderten. Das proletarische Milieu war Ende der zwanziger Jahre längst keine Einheit mehr; die politische Kluft zwischen Sozialdemokraten und Kommunisten entsprach weithin den sozialen Rissen, die quer durch die Arbeiterschaft liefen.[19]

Die Arbeitslosen wurden im Jahre 1929 immer mehr auch zu einem Problem der Reichspolitik. Der Rückgang der Konjunktur ließ die Zahl der Erwerbslosen im Februar erstmals auf über 3 Millionen anschwellen, und die übliche Erholung im Frühjahr wirkte sich nur schwach aus: Im März gab es immer noch 2,7 Millionen Arbeitslose. Die Reichsanstalt für Arbeitsvermittlung und Arbeitslosenversicherung konnte aus den Beiträgen lediglich 800 000 Empfänger der „Hauptunterstützung" versorgen und war daher gezwungen, einen Kredit beim Reich aufzunehmen. Da aber die Mittel aus der Reichskasse nicht beizubringen waren, blieb dem Finanzminister nichts anderes übrig, als die Hilfe eines Bankenkonsortiums in Anspruch zu nehmen. Nur auf diesem ungewöhnlichen Weg konnte der Zusammenbruch der Reichsanstalt im März 1929 verhindert werden.

Spätestens seit diesem Zeitpunkt war klar, daß es ohne Reform der Arbeitslosenversicherung eine Sanierung der Reichsfinanzen nicht geben konnte. Aber über die Art der Sanierung gingen die Meinungen zwischen den Flügelparteien weit auseinander: Die SPD sprach sich, in Übereinstimmung mit den Freien Gewerkschaften, für eine Erhöhung der Beiträge von Arbeitgebern und Arbeitnehmern aus; die DVP lehnte dies, mit Rücksicht auf die Unternehmer, strikt ab und verlangte statt dessen eine Senkung der Leistungen. Eine Kommission von Sachverständigen vermochte es nicht, eine Brücke zwischen den gegensätzlichen Standpunkten zu schlagen, so daß sich der Konflikt weiter zuspitzte und Reichsarbeitsminister Wissell am 10. August erstmals unverhohlen mit seinem Rücktritt drohte. Eine Regierungskrise aber wollte vor allem Außenminister Stresemann, der zur gleichen Zeit zusammen mit Curtius, Hilferding und Wirth in Den Haag über die Reparationsfrage und die Räumung des Rheinlandes verhandelte, unter allen Umständen vermeiden. Das Votum des DVP-Vorsitzenden trug wesentlich dazu bei, daß es im Sommer 1929 zu keinem Eklat im Kabinett kam; eine Beilegung des Streits war jedoch noch nicht in Sicht.

Die bisher längste Krise der Regierung Müller fiel in eine Zeit, in der das Kabinett politisch führungslos war. Hermann Müller litt seit Monaten an Gallen- und Leberbeschwerden; Ende Juni erkrankte er schwer und konnte bis Ende September seine Amtsgeschäfte nicht ausüben. Einen Vizekanzler gab es nicht – mit der Folge, daß die Koordination der deutschen Politik zunehmend Angelegenheit eines hohen Beamten wurde: des Staatssekretärs der Reichskanzlei, Hermann Pünder, der politisch dem Zentrum nahestand. Pünder war es, der Anfang September auf den Gedanken kam, die preußische Regierung um eine Vermittlungsaktion zu bitten. Tatsächlich verständigten sich Zentrum und SPD im Schoß des preußischen Kabinetts auf einen Kompromiß, den der Reichsrat am 16. September mit der denkbar knappsten Mehrheit von einer Stimme annahm: Danach sollten bestimmte Mißbräuche und Mißstände in der Arbeitslosenversicherung beseitigt, die Unterstützungssätze gekürzt und die Beiträge, befristet bis zum 31. März 1931, um ein halbes Prozent erhöht werden.

Schwerwiegende Bedenken gegen die Beschlüsse des Reichsrats äußerten sogleich Arbeitsminister Wissell und, sehr viel schärfer, die industriellen Spitzenverbände. Es war also ungewiß, ob der Kompromiß auch im Reichstag eine Mehrheit finden würde. Im Kabinett, das am 28. September erstmals seit drei Monaten wieder unter dem Vorsitz des Reichskanzlers tagte, machten sich daraufhin Müller und Hilferding einen Vorschlag Stresemanns zu eigen: Die Arbeitslosenversicherung sollte im Zusammenhang mit einer Finanzreform neu geregelt werden. Eine solche Reform setzte freilich voraus, daß die Erleichterungen des Young-Plans in Kraft traten – ein Kalkül, das nicht vorzeitig publik werden durfte, weil dies die deutsche Position bei den Reparationsverhandlungen geschwächt hätte. Damit war der erhoffte Effekt des Junktims von Anfang an fraglich: Nichts sprach dafür, daß die Unternehmerverbände ihre Agitation gegen eine Beitragserhöhung beenden würden, und infolgedessen blieb auch die Entscheidung der DVP so offen wie bisher.

Im Sozialpolitischen Ausschuß des Reichstags wurde am 30. September eine Reihe von Bestimmungen aus der Vorlage des Reichsrats, darunter die Erhöhung der Beiträge, abgelehnt. Eine Besprechung des Reichskanzlers mit den Fraktionsführern am 1. Oktober erbrachte ebenfalls keine Fortschritte, was Müller zu der Feststellung veranlaßte, eine Abstimmungsniederlage im

Reichstag würde einen neuerlichen Prestigeverlust für die Regierung bedeuten, aus dem er Konsequenzen ziehen müsse. In einem weiteren Gespräch mit den Fraktionsführern am Nachmittag des gleichen Tages gab es dann plötzlich Anzeichen für ein Einlenken der DVP: Wirtschaftsminister Curtius und der stellvertretende Fraktionsvorsitzende Zapf deuteten eine Stimmenthaltung ihrer Partei für den Fall an, daß die Beitragserhöhung bis Dezember vertagt werde. Für diese Lösung wurde die Fraktion der DVP anschließend von Stresemann gewonnen. Am 3. Oktober 1929 nahm der Reichstag mit 237 gegen 155 Stimmen bei 40 Enthaltungen das „Gesetz zur Änderung des Gesetzes über Arbeitsvermittlung und Arbeitslosenversicherung" in der zuvor vereinbarten Form, also ohne eine Erhöhung der Beiträge, an. SPD, Zentrum, DDP und BVP stimmten dafür; die DVP enthielt sich; alle anderen Fraktionen lehnten die Vorlage ab. Die Regierung der Großen Koalition hatte ihre bislang schwerste Belastungsprobe bestanden.[20]

Als der Reichstagspräsident das Ergebnis der Abstimmung bekanntgab, lebte der Mann, der am meisten zur Rettung des Kabinetts Müller getan hatte, nicht mehr: Gustav Stresemann war am frühen Morgen des 3. Oktober 1929 einem Schlaganfall erlegen. Seit langem gesundheitlich geschwächt, hatte der deutsche Außenminister seine letzten Kraftreserven eingesetzt, um einen Regierungswechsel zu verhindern, der seiner Verständigungspolitik den parlamentarischen Boden zu entziehen drohte. Stresemann hatte tiefere Wandlungen durchgemacht als irgendein anderer Politiker aus den bürgerlichen Parteien: Aus dem Verfechter ausgreifender Kriegsziele war ein Mann des Maßes und der Mitte, aus dem opportunistischen Taktiker, als der er sich noch während des Kapp-Lüttwitz-Putsches präsentiert hatte, ein überzeugter Verteidiger der Republik geworden. Mochte er es immer wieder für geboten halten, sich nach rechts durch betont nationale, ja nationalistische Äußerungen abzusichern, so hielt er doch unbeirrt daran fest, daß eine Revision des Vertrags von Versailles nur mit friedlichen Mitteln zu erreichen war. Die Bedingung der Möglichkeit seiner Außenpolitik war die Zusammenarbeit der gemäßigten Teile des Bürgertums und der Arbeiterschaft, und weil Stresemann dies wußte, war er 1923, zur Zeit seiner Kanzlerschaft, und dann erneut seit 1928 der entschiedenste Anwalt der Großen Koalition. Nach seinem Tod stand dieses Bündnis auf einer noch schwächeren Grundlage als zuvor. Der einzige Staatsmann, den die Weimarer Republik hervorgebracht hat, sollte sich bald als außen- wie innenpolitisch unersetzbar erweisen.[21]

Innen- sowohl wie außenpolitisch hätte ein Bruch der Großen Koalition im Herbst 1929 fatale Folgen gehabt. Nutznießer eines Sturzes der Regierung Müller wäre in erster Linie jene „Nationale Opposition" gewesen, die sich Anfang Juli 1929 im „Reichsausschuß für das deutsche Volksbegehren" konstituiert hatte und am 28. September beim Reichsinnenministerium in der vorgeschriebenen Form eines Gesetzentwurfs den Zulassungsantrag für ein Volksbegehren gegen den Young-Plan und die „Kriegsschuldlüge" einreichte. Wenn der Vorstoß zum Erfolg führte, mußte die Reichsregierung den auswärtigen Mächten unverzüglich und in feierlicher Form Kenntnis davon geben, daß das erzwungene Kriegsschuldanerkenntnis des Versailler Vertrags der geschichtlichen Wahrheit widerspreche und daher völkerrechtlich unverbindlich sei. Sodann sollte die Reichsregierung darauf hinwirken, daß der Kriegsschuldartikel 231 des Vertrags von Versailles förmlich außer Kraft gesetzt würde. Neue Lasten und Verpflichtungen, die auf diesem Artikel beruhten, durften nicht mehr übernommen werden – womit der Young-Plan hinfällig gewesen wäre.

Die spektakulärste Bestimmung des Entwurfs steckte in § 4. Er lautete: „Reichskanzler und Reichsminister und deren Bevollmächtigte, die entgegen der Vorschrift des § 3 Verträge mit auswärtigen Mächten zeichnen, unterliegen den im § 92 Nr. 3 StGB vorgesehenen Strafen." Dieser Paragraph bedrohte Landesverrat mit Zuchthaus nicht unter zwei Jahren. In seiner ersten Fassung hatte sich der § 4 noch etwas anders gelesen. Mit Zuchthaus wurden „Reichskanzler, Reichsminister und Bevollmächtigte des Reiches" bedroht – also auch der Reichspräsident. Da Hindenburg seit 1924 Ehrenmitglied des „Stahlhelm" war, setzte dessen Vorsitzender, Franz Seldte, unterstützt von den Deutschnationalen, eine Änderung durch, die das Staatsoberhaupt von der Strafandrohung ausnahm.

Je größer die Zahl der Einschreibungen für das Volksbegehren war, desto mehr wuchs die Gefahr, daß Deutschland alles verlor, was es auf der ersten Haager Konferenz im August an Zugeständnissen erreicht hatte. Die Reichsregierung ging daher zur Gegenoffensive über: Mehrere Minister hielten über den Rundfunk Kampfreden gegen die nationalistische Rechte, und selbst Hindenburg wandte sich mit Schärfe gegen den Zuchthausparagraphen des Gesetzentwurfs. Alle Anstrengungen konnten indes nicht verhindern, daß das Volksbegehren die verfassungsmäßige Hürde, wenn auch knapp, nahm: Mit 10,02 % aller Stimmberechtigten wurde die erforderliche Mindestzahl von Eintragungen um 0,02 % überschritten.

Vom 27. bis 30. November, rund vier Wochen nach Ablauf der Eintragungsfrist, befaßte sich der Reichstag mit dem „Freiheitsgesetz". Das eigentliche Politikum war nicht die allseits erwartete Ablehnung des Entwurfs, sondern der Zerfall der Deutschnationalen Volkspartei. Bei der Abstimmung über den Zuchthausparagraphen stimmten von 72 Abgeordneten der DNVP nur 53 mit Ja – ein Zeichen, daß Hugenberg die Partei noch keineswegs voll hinter sich hatte. Die scharfen Gegenmaßnahmen des Parteivorsitzenden führten zur Spaltung der Fraktion: Anfang Dezember erklärten zwölf Abgeordnete, unter ihnen der frühere Reichsminister von Keudell, der Gutsbesitzer Hans Schlange-Schöningen, der Geschäftsführer des Deutschnationalen Handlungsgehilfenverbandes, Walter Lambach, und der Kapitänleutnant a. D. Gottfried Treviranus, ihren Austritt aus der Partei und schlossen sich in der Deutschnationalen Arbeitsgemeinschaft zusammen. Der Fraktionsvorsitzende Graf Westarp legte unter Protest gegen Hugenbergs Politik sein Amt nieder.

Am 22. Dezember 1929 fand der Volksentscheid über das „Gesetz gegen die Versklavung des deutschen Volkes" statt. 5,8 Millionen oder 13,8 % der Stimmberechtigten stimmten für den Entwurf. Um angenommen zu werden, hätte er über 21 Millionen Ja-Stimmen auf sich vereinigen müssen. Am Mißerfolg des „Reichsausschusses" war also nicht zu deuteln. Aber es gab zu denken, daß in 9 der 35 Wahlkreise mehr als ein Fünftel der Stimmberechtigten den Volksentscheid unterstützt hatte und daß Adolf Hitler auf dem besten Wege war, von der „guten Gesellschaft" als Bündnispartner anerkannt zu werden. Mit der Aufnahme in den „Reichsausschuß" hatte der Putschist von 1923 ein Etappenziel erreicht: Die etablierte Rechte rechnete mit ihm und ließ ihn an Geldmitteln teilhaben, die dem weiteren Aufstieg der NSDAP zugute kamen.[22]

Daß die Nationalsozialisten sich im Aufwind befanden, war im Spätjahr 1929 nicht mehr zu übersehen. Wo immer sie im November und Dezember antraten, erzielten sie große Stimmengewinne: bei den Landtagswahlen in Baden und Thüringen, den Wahlen zur Lübecker Bürgerschaft und den preußischen Provinziallandtagen, den Kommunalwahlen in Hessen und Berlin. Bei der zuletzt genannten Wahl, die am 17. November stattfand, sanken die SPD von 73 auf 64 und die DDP von 21 auf 14 Sitze, während die NSDAP, die in der Stadtverordnetenversammlung bisher nicht vertreten gewesen war, auf Anhieb 13 Mandate gewann. Eine Teilerklärung für den Durchbruch der NSDAP in Berlin war ihre hemmungslos antisemitische Ausschlachtung des „Sklarek-Skandals": Am 26. September waren die Brüder Max, Leo und Willy Sklarek, die „ostjüdischen" Inhaber einer Berliner Kleiderverwertungsgesellschaft, unter dem Verdacht des Betrugs und der Urkundenfälschung, festgenommen worden. Die Sklareks hatten sich nach dem Krieg nahezu ein Monopol bei der Versorgung der Stadt mit Dienstkleidung verschafft, wobei ihnen gute Beziehungen zur SPD ebenso zupaß kamen wie großzügige Geschenke an maßgebliche Beamte. Das größte Aufsehen erregte ein Pelzmantel, den einer der Brüder der Frau des Oberbürgermeisters Gustav Böß, eines Mitglieds der DDP, zu einem lächerlich niedrigen Preis übereignet hatte. Die Rechtspresse und die NSDAP nutzten den Vorfall für eine Kampagne, die Anfang November einen ersten Erfolg zeitigte: Böß ließ sich vom Dienst suspendieren.[23]

Antisemitische Parolen halfen den Nationalsozialisten auch an den deutschen Universitäten. Der Nationalsozialistische Deutsche Studentenbund war der große Gewinner bei den AStA-Wahlen des Wintersemesters 1929/30. In Würzburg erzielte er 30%, an der Technischen Hochschule Berlin 38 % und in Greifswald sogar 53 %. Der Ruck nach rechts bei den Studenten war ein Ausdruck von sozialem Protest. Eine junge Akademikergeneration lehnte sich gegen ihre Proletarisierung auf und sagte dem System den Kampf an, das sie für ihre materielle Not und ihre unsicheren Berufsaussichten verantwortlich machte. Haß auf den Staat von Weimar und Abneigung gegenüber den Juden gingen Hand in Hand. Die Juden machten zwar nur 1 %

der Bevölkerung aus, stellten aber 4 bis 5 % der Studierenden; in manchen Fachbereichen wie Medizin und Rechtswissenschaft und an einigen Universitäten wie Frankfurt und Berlin lagen die Prozentzahlen noch höher. In den Augen vieler ihrer nichtjüdischen Kommilitonen bedeutete das nichts anderes, als daß die Juden im härter werdenden Kampf um gehobene gesellschaftliche Positionen unzulässige Privilegien in Anspruch nahmen. Der Vormarsch der nationalsozialistischen Studentenorganisation beruhte nicht zuletzt auf der massenhaften Mobilisierung solcher sozialen Neidgefühle.[24]

Der Zulauf zu den Nationalsozialisten war nicht das einzige Anzeichen einer zunehmenden politischen Radikalisierung. Seit dem Frühjahr 1929 war es in Norddeutschland, vor allem in Schleswig-Holstein, immer wieder zu Bombenattentaten auf Finanz- und Landratsämter gekommen. Am 1. September explodierte im Keller des Reichstagsgebäudes eine „Höllenmaschine", die jedoch nur geringen Sachschaden anrichtete. Die Anschläge wurden von Aktivisten der Landvolkbewegung verübt, die auf diese Weise gegen die Zwangsversteigerung überschuldeter Höfe protestieren wollten. Eine mildere Art des ländlichen Aufbegehrens war der Steuerstreik, der von Bauern in der holsteinischen Marsch ausging und sich 1929 über weite Gebiete Nord- und Mitteldeutschlands ausbreitete. Zusammenstöße mit der Polizei und harte Gerichtsurteile gegen rebellierende Bauern heizten die Mißstimmung auf dem Lande weiter an und bewirkten zusammen mit den Protesten immerhin eines: Die deutsche Öffentlichkeit nahm Notiz von der seit 1927 schwelenden schweren Agrarkrise.[25]

Im Herbst 1929 konnte es freilich kaum noch Zweifel geben, daß die Krise sich längst nicht mehr auf die Landwirtschaft beschränkte. Die Aktienkurse waren dafür ein untrügliches Zeichen. Setzte man das Niveau der Jahre 1924 bis 1926 gleich hundert, so erreichten sie im Boomjahr 1927 mit 158 Punkten ihren Höhepunkt. Dann fielen sie – auf 148 Punkte im Jahr 1928 und 134 Punkte im Jahr 1929, wobei die Aktien der Investitionsgüterbranche noch stärker sanken als der Durchschnitt aller Industrieaktien. Die Produktion stieg von 1928 auf 1929 nochmals leicht an, ging aber bei den etwas dauerhafteren Verbrauchsgütern wie Textilien und Hausratswaren bereits deutlich zurück. Beunruhigend war weiterhin die Entwicklung auf dem Arbeitsmarkt: Die Zahl der Arbeitssuchenden stieg von 1,5 Millionen im September 1929 auf knapp 2,9 Millionen im Dezember und lag damit um 350 000 höher als im gleichen Monat des Vorjahres.[26]

Die schrillsten Alarmzeichen kamen aus Amerika. Am 24. Oktober 1929 – dem „Schwarzen Freitag", der eigentlich ein Donnerstag war – gab es bei den Aktienkursen an der New Yorker Börse einen erdrutschartigen Absturz, der sich in den folgenden Tagen fortsetzte, so daß binnen kurzem die Kursgewinne eines ganzen Jahres ausgelöscht waren. Die Ursache des Börsenkrachs war eine langanhaltende Überspekulation. Kleine Aktionäre und große Investmentfirmen hatten im Vertrauen auf einen anhaltenden Boom immer weiter Geld in industriellen Unternehmungen angelegt und damit die Produktion gesteigert. Im Oktober 1929 aber trat zutage, daß das Angebot an Gütern bei weitem größer war als die Nachfrage. Die Kurseinbußen von Konzernen wie General Electric und Investmentfirmen wie der Goldman Sachs Trading Company lösten eine Panik unter den Aktionären aus – mit Wirkungen, die sofort auch auf der anderen Seite des Atlantik zu spüren waren.

Um liquide zu bleiben, begannen die amerikanischen Banken nun nämlich, das Geld zurückzufordern, das sie kurzfristig in Europa angelegt hatten. Davon war in erster Linie Deutschland betroffen, wo sich das Gesamtvolumen kurzfristiger ausländischer, und das hieß vor allem amerikanischer Kredite 1929 auf 15,7 Milliarden RM belief. Etwa drei Viertel der kurz- und mittelfristigen Kredite, die zu einem erheblichen Teil direkt oder indirekt aus dem Ausland stammten, wurden aber regelmäßig für langfristige Investitionen verwandt. Namentlich die Kommunen pflegten so zu verfahren, was ihnen seit langem die Kritik des Reparationsagenten Parker Gilbert eingetragen hatte. Die zweckentfremdeten Kredite waren praktisch eingefroren: Sie ließen sich im Fall der Kündigung nicht flüssig machen, sondern allenfalls durch neue Schuldaufnahmen ersetzen.[27]

Auch für das Reich wurde es immer schwieriger, Anleihen im Ausland aufzunehmen. Ende Oktober 1929 hatten die schwebenden Schulden die Höhe von 1,2 Milliarden RM erreicht. Um ein für den Dezember drohendes Kassendefizit zu überbrücken, bemühten sich Reichsfinanzminister Hilferding und sein Staatssekretär Popitz um einen Kredit desselben amerikanischen Bankhauses Dillon, Read u. Co., bei dem sie schon im Juni eine Anleihe über 50 Millionen Dollar aufgenommen hatten, riefen damit aber den Reichsbankpräsidenten auf den Plan. Schacht wollte der Reichsregierung bei der Lösung kurzfristiger Kassenprobleme nur noch helfen, wenn sie sich auf eine langfristige Sanierung der Reichsfinanzen festlegte. Er sah die Möglichkeit, das aktuelle Kassendefizit mit dem Reichshaushalt 1930 zu verknüpfen, und war entschlossen, diese Chance für eine Weichenstellung in seinem Sinn zu nutzen.

Schacht wäre nicht Schacht gewesen, hätte er auf den Versuch verzichtet, die Öffentlichkeit gegen das Kabinett Müller zu mobilisieren. Er tat es am 5. Dezember, indem er gegen die „Verfälschung“ protestierte, die der von ihm unterzeichnete Young-Plan durch die anschließenden Verhandlungen erfahren habe. Die Reichsregierung verwahrte sich tags darauf gegen die „Voreiligkeit“ dieser Stellungnahme, welche die „einheitliche Staatsführung“ gefährde, kündigte aber prompt für die folgende Woche ein Gesamtprogramm zur Sanierung der deutschen Finanzen an. Am 9. Dezember legte Hilferding dem Kabinett seinen Entwurf eines solchen Programms vor. Für den Finanzminister war das Wichtigste eine verstärkte Kapitalbildung mittels Senkung der direkten Steuern. Zwei indirekte Steuern, die für Bier und Tabak, wollte er anheben, was sofort den scharfen Widerspruch des Postministers Schätzel von der Bayerischen Volkspartei hervorrief, der für den Fall einer höheren Biersteuer mit dem Bruch der Koalition drohte.

Der neue Wirtschaftsminister Moldenhauer von der DVP (sein Vorgänger Curtius hatte die Nachfolge Stresemanns als Außenminister angetreten) zeigte sich dagegen kooperativ. Er war bereit, einer Erhöhung der Beiträge zur Arbeitslosenversicherung um ein halbes Prozent zuzustimmen. Hilferdings Programm war so unternehmerfreundlich, daß der Volkspartei dieses Zugeständnis jetzt leichter fiel als zwei Monate zuvor. Hinzu kam, daß die Zahl der Arbeitslosen Ende November um 1,3 Millionen höher lag als Ende September. Mit Moldenhauers Beitrag waren die Würfel gefallen. Das Kabinett verständigte sich auf ein „Paket", zu dem die Anhebung der Beiträge zur Arbeitslosenversicherung von 3 auf 3½%, der Verzicht auf eine höhere Biersteuer und die Ankündigung gehörten, die Regierung werde ein Gesetz zur Regelung der Reichsschulden vorlegen.

Doch der Konsens im Kabinett bedeutete noch keine Einigung der Fraktionen. Die SPD hielt Steuersenkungen in der gegenwärtigen Situation nicht für verantwortbar, weil sie das Defizit des Reiches vergrößern mußten. Ähnlich massiv waren die Vorbehalte der BVP, und auch die DDP mochte sich noch nicht auf ein verbindliches Ja festlegen. Als Reichskanzler Müller am 12. Dezember eine Regierungserklärung vor dem Reichstag abgab, konnte er somit einer parlamentarischen Mehrheit für das Finanzprogramm noch keineswegs sicher sein. Wieder einmal war es Staatssekretär Pünder, der die rettende Kompromißformel fand: Er schlug vor, der Reichstag solle das Programm des Kabinetts nur indirekt und „vorbehaltlich der endgültigen Gestaltung der Gesetze im einzelnen" billigen und der Reichsregierung für ihre „Gesamtpolitik" das Vertrauen aussprechen. Mit 222 gegen 156 Stimmen bei 22 Enthaltungen nahm der Reichstag am 14. Dezember einen entsprechenden interfraktionellen Antrag an. Die Parlamentarier der BVP enthielten sich der Stimme; von den Abgeordneten der DVP stimmten 24 für und 14 gegen den Antrag; 28 Mitglieder der sozialdemokratischen Fraktion, fast ausschließlich „Linke", blieben der Abstimmung fern.

Falls die Regierung geglaubt hatte, auch der Reichsbankpräsident werde nun ihren guten Willen honorieren, wurde sie am 16. Dezember eines Anderen belehrt. Schacht bewertete die kurzfristigen Maßnahmen des Kabinetts als ungenügend und verlangte im Hinblick auf den Haushalt für 1930, darin müsse eine Schuldentilgungssumme von 500 Millionen RM enthalten sein. Zwei Tage später sprangen der Reparationsagent Parker Gilbert und der französische Ministerpräsident Tardieu dem Reichsbankpräsidenten bei – letzterer mit der Verlautbarung, daß die Reichsregierung durch die angestrebte Auslandsanleihe den Erfolg der geplanten Young-Anleihe gefährde. Am 19. Dezember kapitulierten zuerst das Kabinett und dann die Koalitionsfraktionen. Am 22. Dezember nahm der Reichstag den Gesetzentwurf über den Tilgungsfonds zur Abdeckung der schwebenden Schuld des Deutschen Reiches an, wonach 1930 450 Millionen RM (diese Summe hatte Schacht zuletzt für ausreichend erklärt) für die Schuldentilgung bereitzustellen waren. Noch am gleichen Tag erhielt die Reichsregierung von einem inländischen Bankenkonsortium unter Führung der Reichsbank den Überbrückungskredit, der das Reich vor der Zahlungsunfähigkeit bewahrte.[28]

Rudolf Hilferding war zu diesem Zeitpunkt schon nicht mehr Reichsfinanzminister. Am 20. Dezember hatte er seinen Rücktritt eingereicht und dies mit einem „Eingriff von außen" begründet, der ihm die Fortführung seiner Politik unmöglich mache. Schacht war aus dem Duell mit Hilferding in der Tat als eindeutiger Sieger hervorgegangen – aber die Niederlage des Finanzministers hatte auch noch andere Väter. Am 15. Dezember erklärte der Zentralverband der DVP in einer einstimmig angenommenen Entschließung, das Vertrauen zur Geschäftsführung des Reichsfinanzministers im Lande sei aufs schwerste erschüttert. Am Tag darauf ließ der sozialdemokratische Haushaltsexperte Wilhelm Keil aus Stuttgart vor Berliner Funktionären seiner Partei durchblicken, daß er Hilferding für einen bedeutenden Mann, aber für einen schwachen Minister halte, der sein Haus nicht voll im Griff habe. Der Chefredakteur des „Vorwärts", Friedrich Stampfer, wurde nach dem Rücktritt des Finanzministers noch deutlicher. Am 22. Dezember schrieb er im Parteiorgan der SPD, vielleicht sei es ein Fehler gewesen, daß Hilferding sich im Frühjahr die von ihm für notwendig gehaltenen neuen Steuern von den Fraktionen, zumal den bürgerlichen, habe abhandeln lassen. „Was Regierung und Reichstag jetzt unter dem Druck Schachts und der hinter ihm stehenden Finanzgruppen getan haben, das hätten sie aus eigenem Antrieb tun sollen, und das müssen sie aus eigenem Antrieb fortsetzen! Schuldentilgung, Sanierung der Kassenlage, Balancierung des Reichshaushalts! Hinter diesen Lebensforderungen des Staates müssen alle anderen zurücktreten!"

Gewiß war es, wie der sozialdemokratische Fraktionsvorsitzende Rudolf Breitscheid sagte, „unerträglich ..., wenn der dem Parlament nicht verantwortliche Reichsbankpräsident den Eindruck zu erwecken sucht, als könne er die Richtlinien der Politik bestimmen". Doch die starke Stellung des Reichsbankpräsidenten entsprang dem Willen der Mächte, an die Deutschland Reparationen zu zahlen hatte: Niemals wieder sollte sich eine deutsche Regierung, wie in der Inflationszeit, der Notenpresse für politische Zwecke bedienen können. Und auch maßgebliche Sozialdemokraten waren in der Sache von Schacht so weit nicht entfernt, wenn sie die Sanierung der Finanzen für vordringlicher hielten als eine Senkung der Steuern. Der Reichsbankpräsident hatte die Regierung Müller und die Koalition gedemütigt, aber beide hatten ihm durch allzu taktisches Verhalten den Triumph wesentlich erleichtert.

Am 23. Dezember wurde der kurzzeitige Wirtschaftsminister Paul Moldenhauer, ein Mitglied des Aufsichtsrates der IG Farben, zu Hilferdings Nachfolger ernannt. Das Wirtschaftsministerium ging in die Hände des Sozialdemokraten Robert Schmidt über, der bereits zweimal, in den Kabinetten Gustav Bauer und Joseph Wirth, dasselbe Ressort geleitet hatte. Neu besetzt werden mußte auch der Posten des Staatssekretärs des Reichsfinanzministeriums: Johannes Popitz hatte am 19. Dezember, einen Tag vor dem

Rücktrittsgesuch Hilferdings, um seine Versetzung in den einstweiligen Ruhestand gebeten. Sein Nachfolger wurde der bisherige Ministerialdirektor im Reichswirtschaftsministerium, Hans Schäffer, einer der wenigen jüdischen Spitzenbeamten der ersten Republik, der gute Beziehungen sowohl zur Bankwelt als auch zum rechten Flügel der Sozialdemokraten unterhielt.

Der linke Flügel der SPD wertete die jüngsten Ereignisse als Beleg dafür, daß die Koalitionspolitik der Parteiführung gescheitert war und schleunigst abgebrochen werden mußte. Der sächsische Reichstagsabgeordnete Max Seydewitz nannte es Mitte Dezember in der Zeitschrift „Der Klassenkampf" unverständlich, daß der sozialdemokratische Reichskanzler und der sozialdemokratische Finanzminister der sozialdemokratischen Reichstagsfraktion ein Finanzprogramm zumuteten, das die Sozialdemokratie nach außen nicht vertreten könne. Diese Art der Koalitionspolitik bedeute „eine große Gefahr für die Sozialdemokratie, für die Arbeiterklasse und auch für den Bestand der Republik".

Paul Levi, der sich zwei Monate später, am 9. Februar 1930, das Leben nahm, formulierte noch schärfer. „Was wir jetzt gesehen haben, ist keine Demokratie, ist, sagen wir weiter, keine Koalitionsregierung, sondern die Karikatur einer Regierung", schrieb der intellektuelle Wortführer der sozialdemokratischen Linken im gleichen Heft des „Klassenkampf". „Wenn man schon hundertmal sagt, die Frage der Koalitionsregierung sei keine prinzipielle, sonder eine taktische Frage, so kann man darauf replizieren, daß man auch im Gebiet der Taktik Fehler machen kann und solche, die nicht weniger verhängnisvoll sind, als wenn man den heiligen Boden der Prinzipienmoschee mit Stiefeln betritt. Ja: das, was wir in diesen Monaten in Deutschland sehen, ist geradezu ein Schulbeispiel dafür, wie verhängnisvoll die Art von Koalitionsregierung wirkt, die da in Deutschland praktiziert wird."[30]

Ähnlich massiv, wenn auch anders begründet war die Koalitionsschelte auf dem rechten Flügel des Unternehmerlagers. Am 26. November 1929 wies der Generaldirektor der Gutehoffnungshütte, Paul Reusch, dem Reichsverband der Deutschen Industrie die vordringliche Aufgabe zu, die Abwehrfront gegen den fortschreitenden Marxismus „mit allen Mitteln zu fördern und auf die bürgerlichen Parteien einen Druck dahin auszuüben, daß sie sich endlich zu einem wirksamen Widerstand gegen den Sozialismus auf allen Gebieten unserer Innenpolitik aufraffen". Derselben Meinung war mittlerweile auch der stellvertretende Vorsitzende des Reichsverbandes, Paul Silverberg, der im September 1926 noch nachdrücklich für eine Regierungsbeteiligung der Sozialdemokraten eingetreten war. „Nachdem mein Versuch, mit dem verständigen und, wie ich glaubte, politisch einflußreichen Teil der Arbeiterschaft zusammen Ordnung zu schaffen... von beiden Seiten mißlungen ist, müssen wir allein arbeiten", schrieb er am 24. Dezember 1929 an Reusch. Als der Reichstag am 14. Dezember über den Vertrauensantrag für die Regierung Müller zu befinden hatte, stimmten sämtliche Interessenvertreter der Schwerindustrie in der Fraktion der DVP mit Nein.

Der industrielle Spitzenverband hielt sich Ende 1929 in der Koalitionsfrage noch zurück. Für den Vorsitzenden des RDI und Aufsichtsratsvorsitzenden der IG Farben, Carl Duisberg, und die Mehrheit der Großunternehmer kam es darauf an, daß die Sozialdemokraten noch die Ratifizierung des Young-Plans mittrugen; danach würde man weitersehen. Nicht zu früh aber war es für ernste, ja ultimative Warnungen an die Adresse des Kabinetts Müller. In einer Denkschrift unter dem Titel „Aufstieg oder Niedergang?" verlangte der Reichsverband im Dezember eine drastische Einschränkung der Wirtschaftstätigkeit der öffentlichen Hand, eine Anpassung der Sozialpolitik an die Leistungskraft der deutschen Wirtschaft, eine Senkung der öffentlichen Ausgaben wie der Steuern und ein Vetorecht der Reichsregierung gegen Ausgabenerhöhungen durch den Reichstag. Die Denkschrift gipfelte in einem Appell an alle „aufbauenden Kräfte", „sich in einer breiten und einheitlichen Abwehrfront gegen alle wirtschaftsfeindlichen Kräfte zur Wehr zu setzen". Zu den letzteren waren fraglos die Freien Gewerkschaften zu rechnen, die sich auf ihrem Hamburger Kongreß im September 1928 ein ausgefeiltes Programm der „Wirtschaftsdemokratie" zugelegt und damit die Unternehmer ideologisch herausgefordert hatten. Angesprochen war aber auch die SPD, die für all das stand, was nach Ansicht des RDI „Niedergang" und nicht „Aufstieg" bedeutete.[31]

Im Unterschied zur Industrie war die Großlandwirtschaft von Anfang an eine Gegnerin der Großen Koalition gewesen. Die Agrarier hatten, anders als die Arbeiterschaft und das Unternehmertum, keine Vertrauensleute im Kabinett Müller, was die Beziehungen zum Reichspräsidenten noch wichtiger machte, als sie ohnehin waren. Hindenburg war 1927 zu seinem 80. Geburtstag dank einer Spende der deutschen Wirtschaft Gutsherr auf Neudeck in Ostpreußen geworden. Als solcher hatte er stets ein offenes Ohr für die Wünsche seiner adligen Gutsnachbarn. Im Frühjahr 1929 setzte er seinen ganzen Einfluß ein, um jenes Reichsgesetz über wirtschaftliche Hilfe für Ostpreußen zustandezubringen, das dann auch am 16. Mai mit breiter Mehrheit vom Reichstag angenommen wurde. Im Dezember 1929 gingen Zollerhöhungen für landwirtschaftliche Produkte, darunter Roggen und Weizen, über die parlamentarische Bühne, wobei wiederum, wie schon beim Gesetz über die „Osthilfe", auch die Sozialdemokraten mit Ja stimmten. Doch die Große Koalition wurde dadurch nicht populärer. Die Großlandwirtschaft stand rechts, und nur eine Regierung der Rechten hatte Chancen, ihren Beifall zu finden.[32]

An einer solchen Kurskorrektur nach rechts arbeiteten seit dem Frühjahr 1929 Kräfte, die wie Hindenburgs Gutsnachbarn über einen direkten Zugang zum Reichspräsidenten verfügten. Generalmajor Kurt von Schleicher, Chef des 1929 neugeschaffenen Ministeramtes im Reichswehrministerium und einer der engsten Berater Groeners, war einer von denen, auf die das greise Staatsoberhaupt hörte. Bereits im April 1929 weihte Schleicher anläßlich der schwierigen Haushaltsberatungen den Zentrumspolitiker Heinrich

Brüning in Hindenburgs Absicht ein, „zusammen mit der Reichswehr und den jüngeren Kräften im Parlament die Dinge vor seinem Tode in Ordnung zu bringen". Dabei werde der Reichspräsident nicht die Verfassung verletzen, aber doch den Reichstag im gegebenen Augenblick eine Zeitlang nach Hause schicken und mit dem Artikel 48 regieren.

Ein Beleg dafür, daß Hindenburg um diese Zeit tatsächlich an ein Präsidialkabinett mit „rechtem" Profil dachte, war seine Unterredung mit dem deutschnationalen Fraktionsvorsitzenden Graf Westarp am 18. März 1929, die vor Reichskanzler Müller geheimgehalten wurde. Darin bejahte der Reichspräsident auch ausdrücklich die Notwendigkeit, ohne und gegen die Sozialdemokratie zu regieren. Im Dezember 1929 erfuhr Brüning, der inzwischen zum Fraktionsvorsitzenden des Zentrums gewählt worden war, von Schleicher und Hindenburgs Staatssekretär Meissner, daß der Reichspräsident unter keinen Umständen gewillt sei, nach der Verabschiedung des Young-Plans das Kabinett Müller im Amt zu belassen. Der neue Kanzler sollte, wenn es nach Hindenburg und seinen Ratgebern ging, Heinrich Brüning heißen. Ihm wollte der Reichspräsident dann im Bedarfsfall auch die Vollmachten nach dem Notstandsartikel 48 zugestehen.

Die Gründe, die Schleicher veranlaßt hatten, auf Brüning zu setzen, erläuterte der General seinem zivilen Verbündeten Otto Meissner folgendermaßen: Brüning sei „als Zentrumsabgeordneter mit konservativer Einstellung, als erfahrener Politiker und national gestimmter ehemaliger Frontsoldat der geeignete Mann; ihm würden die Rechtsparteien keine grundsätzliche Gegnerschaft entgegenbringen und er würde auch in der Reichswehr Vertrauen genießen. Auf der anderen Seite wäre Brüning durch seine sozialpolitische Einstellung auch bei den Sozialdemokraten sehr geschätzt."[33]

Ende des Jahres 1929 war Schleichers Meinung, daß das Kabinett Müller nicht zu halten sei, zur unumstößlichen Gewißheit geworden. Dem entsprach die Systematik, mit der er die „Brüning-Lösung" vorbereitete. Brüning selbst verhielt sich in seinen Gesprächen mit Schleicher dem amtierenden Kanzler gegenüber loyal. Der Fraktionsvorsitzende des Zentrums wollte die Große Koalition bis zum Herbst 1930 weiterregieren und noch in den Genuß eines großen außenpolitischen Erfolges, der Rheinlandräumung, kommen lassen. Freilich sollte die Große Koalition zuvor den Young-Plan ratifizieren und einschneidende Sparmaßnahmen beschließen.

Der Kern der Krisenplanung in Hindenburgs Umgebung war, daß nicht der Sozialdemokrat Hermann Müller, sondern erst sein bürgerlicher Nachfolger die außerordentlichen Notstandsvollmachten erhielt. In diesem Sinn wirkten Groener und Schleicher auf den alten Herrn ein, aber Hindenburg war ohnehin schon entschlossen, die Sozialdemokraten so rasch wie möglich aus der Macht im Reich zu entfernen. Der Zeitpunkt der Trennung war gekommen, wenn die Große Koalition erstens nicht mehr gebraucht wurde und zweitens ihre Kompromißfähigkeit endgültig erschöpft war. Für diesen Fall galt es vorzubauen. In der ersten Januarhälfte 1930 erkundigte sich der

Reichspräsident bei Hugenberg und Westarp, wie sich die Deutschnationalen zu einem etwaigen „Hindenburg-Kabinett“ verhalten würden. Dessen Zuschnitt zeichnete sich bereits damals ab. Dem Grafen Westarp gegenüber sprach Meissner am 15. Januar 1930 von „einer antiparlamentarischen und antimarxistischen Regierungsbildung“, die nicht an den Deutschnationalen scheitern dürfe, weil Hindenburg sonst nicht von dem „Regieren mit den Sozialdemokraten loskommen könne“.[34]

Das erste große Ereignis im Jahr 1930 war die Unterzeichnung des Young-Plans in Den Haag am 20. Januar. Für Deutschland war am wichtigsten, daß an dem Zahlungsschema und der Zahlungssumme, wie die Experten sie im Juni 1929 vorgelegt hatten, nichts geändert wurde. Der Reichsbankpräsident hatte durch zusätzliche politische Bedingungen den Abschluß der Verhandlungen nochmals gefährdet, die Reichsregierung aber diesmal nicht zum Rückzug bewegen können. Auf der anderen Seite hatte auch die sozialdemokratische Reichstagsfraktion keinen Erfolg, als sie die Reichsregierung aufforderte, den Fehdehandschuh aufzugreifen, den Schacht ihr abermals zugeworfen hatte. Reichskanzler Müller konterte den Vorstoß mit der Bemerkung, daß die Regierung erfolgreich gegen Schacht erst dann kämpfen könne, wenn die Reichsfinanzen saniert seien.[35]

Einen Zusammenhang zwischen der Sanierung der Finanzen und dem Young-Plan stellte am 28. Januar 1930 auch das Zentrum her. Auf Vorschlag Heinrich Brünings beschloß der Fraktionsvorstand, dem Reichskanzler solle „eröffnet werden, daß mit einer positiven Zustimmung des Zentrums zum Young-Plan nicht zu rechnen ist, wenn die Regierung nicht rechtzeitig Maßnahmen vorschlägt und die Zustimmung der Parteien dazu einholt, die die Kassensanierung vor Annahme des Young-Plans sicherstellen. Es müssen aber auch die Steuerfragen so früh vorgelegt werden, daß vor der dritten Lesung des Young-Plans die Ausschußverhandlungen begonnen haben müssen und die Parteien gebunden sind.“

Mit Brünings Junktim begann das letzte Kapitel in der Geschichte der Großen Koalition. Der Fraktionsvorsitzende des Zentrums wollte keinen Konflikt entfachen, als er Young-Plan und Finanzreform zu einem Paket zusammenschnürte. Vielmehr ging es ihm darum, den wirksamsten außenpolitischen Hebel zu benutzen, um das dringlichste innenpolitische Problem zu lösen. Den Ernst der Lage erläuterte Brüning seinen Vorstandskollegen am 28. Januar mit einem Hinweis auf die Finanzen der Länder, die von Reichszuschüssen existentiell abhängig waren: Komme es nicht zur raschen Sanierung im Reich, würden etwa in Bayern und Baden im April keine Gehälter mehr ausgezahlt werden.

Reichskanzler Müller sah hinter Brünings Initiative die Absicht, jetzt möglichst weitgehende Bindungen für die Zukunft durchzusetzen, da die Große Koalition nach Verabschiedung des Haager Abkommens auseinanderzufallen drohe. Doch dem Regierungschef schien eine andere Gefahr noch ernster: Die Finanzreform, erklärte er am 30. Januar im Kabinett, werde die

Ratifizierung des Young-Plans erheblich verzögern und ebendies der Opposition von rechts Auftrieb geben. Die beiden Kabinettsmitglieder der DVP, Außenminister Curtius und Finanzminister Moldenhauer, stimmten dem Kanzler nachdrücklich zu. Verkehrsminister Stegerwald dagegen verteidigte das Junktim seiner Partei mit dem Hinweis auf „Strömungen" im Reichstag, die nach der Verabschiedung des Young-Plans den Reichstag auflösen und die Finanzreform mit Hilfe des Artikels 48 durchführen wollten.

Die Sozialdemokraten gaben dem Kanzler Rückendeckung. Zwar forderten in der Reichstagsfraktion einige Abgeordnete ein eigenes Junktim – Zustimmung zum Young-Plan nur bei einer Finanzreform, in die auch sozialdemokratische Vorstellungen eingingen –, aber die große Mehrheit lehnte eine solche Verknüpfung von Innen- und Außenpolitik entschieden ab. Im Kabinett hielt Innenminister Severing Stegerwalds Andeutungen zum Notstandsartikel eine Erfahrung aus früheren Weimarer Krisenjahren entgegen: Selbst in der Zeit der schlimmsten Finanznot des Reiches seien Steuerverordnungen nicht mit Hilfe des Artikels 48, sondern nur auf Grund eines Ermächtigungsgesetzes erlassen worden. Doch alle Appelle an das Zentrum fruchteten nichts. Stegerwald beharrte auf dem Junktim, und damit stand fest, daß es ohne Finanzreform keine Mehrheit für die Young-Gesetze geben würde.[36]

Den Februar über arbeitete das Kabinett an Lösungen der Finanzprobleme, ohne daß es zu einer Einigung kam. Eine Anhebung der Beiträge zur Arbeitslosenversicherung von 3,5 auf 4%, wie die Sozialdemokraten sie forderten, lehnte die DVP ebenso ab wie eine Erhöhung direkter Steuern und ein Notopfer der Festbesoldeten; umgekehrt wollte die SPD die von den anderen Parteien verlangten höheren Massensteuern nicht ohne gleichzeitige Belastung des Besitzes hinnehmen. Am 2. März verabschiedete die Reichstagsfraktion der DVP eine einstimmig gebilligte Erklärung, die Zugeständnisse bei der Arbeitslosenversicherung und ein Notopfer der Beamten so entschieden ablehnte, daß der Schluß nahelag, die Volkspartei wolle nunmehr die Große Koalition aufkündigen.

Ebendies war die Absicht des rechten Flügels der DVP und von Ernst Scholz, Stresemanns Nachfolger als Parteivorsitzender und bis 1929 Vorsitzender des Reichsbundes der höheren Beamten. Am 24. Januar hatten sich „rechtsstehende Kreise der Deutschen Volkspartei" in einer „streng vertraulichen" Besprechung auf ihre nächsten Ziele verständigt. Demnach mußte die SPD, falls sie sich einer radikalen Sanierung der Arbeitslosenversicherung versagte, „entweder aus der Regierung *ausscheiden*, oder die Volkspartei muß durch ihren Austritt die Regierung des Reichskanzlers *Müller stürzen*". Am 4. Februar gab Scholz zu erkennen, daß dies auch seine Meinung war. Gegenüber dem Abgeordneten Erich von Gilsa, dem Vertrauensmann von Paul Reusch, und anderen Vertretern des rechten Parteiflügels erklärte er, es sei seine Absicht, nach Erledigung des Young-Plans „in ultimativer Form an das Kabinett die Aufforderung zu richten, gesetzlich festgelegte

Bindungen für die Finanz- und Steuerreform vorzunehmen. Dabei sagte *Scholz* uns vertraulich, daß er hierbei bewußt auf einen Bruch mit der Sozialdemokratie hinarbeiten wolle. Er hat im Hinblick auf diesen Bruch auch schon Verbindungen mit Schiele, Treviranus und Brüning aufgenommen."[37]

In der Fraktion gab es jedoch auch andere Stimmen. Hinter den gemäßigten Kräften um die Minister Curtius und Moldenhauer, die den Konfrontationskurs der Rechten ablehnten, stand noch immer die Mehrheit der Abgeordneten: Moldenhauer schätzte den Rückhalt der „ständigen Opposition" auf 15 Parlamentarier, was ein Drittel der Fraktion gewesen wäre; Brüning meinte Anfang März, Gemäßigte und Radikale hielten sich bei der DVP in etwa die Waage. Auch die Spitzenverbände der Unternehmer drängten vorläufig nicht zum Bruch der Großen Koalition. Am 27. Februar ließen sie die Abgeordneten in einem Rundschreiben wissen, zwischen dem Young-Plan und der Finanzreform, wie das Regierungsprogramm vom Dezember 1929 sie vorsehe, gebe es einen engen Zusammenhang. Das entsprach der Position von Zentrum und BVP, nicht aber der Linie des rechten Flügels der DVP.

Auf der anderen Seite konnten die Gegner der Großen Koalition auf einen mächtigen Verbündeten setzen: den Reichspräsidenten. Am 1. März empfing Hindenburg den Fraktionsvorsitzenden des Zentrums, Heinrich Brüning, und fragte ihn ganz offen, „ob die Zentrumspartei bereit sei, auch einer anderen Regierung ihre Unterstützung zu geben". Brüning winkte ab. Es sei die übereinstimmende Meinung des Fraktionsvorstandes, sagte er, daß man die augenblickliche Koalition möglichst lange aufrechterhalten und mit ihr den Young-Plan und eine Reihe wichtiger innerer Reformgesetze verabschieden solle. Eine Durchführung dieser Vorhaben ohne die Sozialdemokraten würde starke Erschütterungen hervorrufen, eine Mehrheit ohne die SPD überdies ganz unsicher sein. Gegen Ende des Gesprächs faßte Brüning den Standpunkt des Zentrums dahin zusammen, „daß wir zumindest eine Bindung der Parteiführer auf die Finanzgesetze verlangen und einstimmig den Wunsch hätten, daß die jetzige Koalition noch eine Zeitlang aufrechterhalten würde".[38]

Am 5. März geschah das, womit die wenigsten Beobachter noch gerechnet hatten: Das Kabinett der Großen Koalition einigte sich auf Deckungsvorschläge für den Reichshaushalt 1930. Einer der wesentlichsten Punkte war die Erhöhung der „Industriebelastung", die nach Annahme des Young-Plans eigentlich hatte wegfallen sollen, von 300 auf 350 Millionen RM im Jahr 1930, womit die Forderung der SPD nach einer direkten Besitzsteuer, wenn auch nur auf ein Jahr befristet, erfüllt wurde. Ebenso wichtig war eine andere Konzession des Finanzministers: Der Vorstand der Reichsanstalt für Arbeitsvermittlung und Arbeitslosenversicherung wurde ermächtigt, die Beiträge autonom von 3½ auf 4% zu erhöhen. Was die Senkung von Leistungen anging, durfte der Vorstand der Reichsanstalt der Reichsregierung Vorschläge machen, die aber nur mit Zustimmung des Reichstags in Kraft treten konnten. In beiden Fällen – Beitragserhöhung und Vorschläge zur

Minderung von Leistungen – bedurften Beschlüsse des Vorstands der Mehrheit der Stimmen der Vertreter sowohl der Arbeitgeber als auch der Arbeitnehmer, während die Vertreter der öffentlichen Körperschaften nicht mitstimmen durften. Zugeständnisse mußten auch die sozialdemokratischen Minister machen. Sie verzichteten auf die Rückerstattung der Lohnsteuer für 1931 und erklärten sich damit einverstanden, daß an den Finanzminister der Auftrag erging, ein langfristiges Sparprogramm aufzustellen, das die Grundlagen für eine Steuersenkung schaffen und die laufenden Ausgaben für 1931 unter den Stand von 1930 drücken sollte.

Die Einigung im Kabinett war ein Triumph der Gemäßigten aus allen Lagern. Aber die Erleichterung über den endlich gefundenen Kompromiß währte nicht lange. In der sozialdemokratischen Fraktion und bei den Freien Gewerkschaften gab es viel Kritik an dem, was die Kabinettsmitglieder der SPD dem Finanzminister zugesagt hatten, und entsprechende Änderungswünsche. Von der DVP dagegen kam eine glatte Ablehnung. Nach einer stürmisch verlaufenen Sitzung lehnte die Reichstagsfraktion am 6. März, trotz einer Rücktrittsdrohung Moldenhauers, den Kabinettsbeschluß in wesentlichen Punkten ab. Auch die Unternehmerverbände legten Verwahrung gegen die Kompromißlinie der Reichsregierung ein. Am 6. März drohte die Vereinigung der deutschen Arbeitgeberverbände, sie werde gegebenenfalls ihre Mitarbeit im Vorstand der Reichsanstalt einstellen, und einen Tag später erklärten die industriellen Spitzenverbände, das Programm der Regierung entspreche nicht den „Notwendigkeiten einer auf Belebung der Wirtschaft und Verminderung der Arbeitslosigkeit gerichteten Finanz- und Wirtschaftspolitik".

Eine andere Kampfansage schleuderte der Reichsregierung am gleichen 7. März der Reichsbankpräsident entgegen: Schacht erklärte seinen Rücktritt und begründete das vor dem Zentralausschuß der Reichsbank damit, daß das Haager Reparationsabkommen für Deutschland eine Deflationskrise heraufbeschwöre und damit Wirtschaft und Währung gefährde. Der Zeitpunkt war geschickt gewählt: Am 6. März hatte der Reichstag mit der zweiten Lesung der Young-Gesetze begonnen, und Schacht mochte hoffen, mit seinem demonstrativen Schritt eine Mehrheit für die neue Reparationsregelung vielleicht doch noch verhindern zu können. Die Reichsregierung handelte sofort. Auf Vorschlag von Franz von Mendelssohn, dem Präsidenten des Generalrats bei der Reichsbank, sprach sie sich noch am Abend des 7. März für den früheren Reichskanzler und Reichsfinanzminister Hans Luther als Nachfolger Schachts aus. Luther genoß in der Wirtschaft großes Ansehen, und seit dem „Wunder der Rentenmark" stand sein Name für die Stabilität der deutschen Währung. Der Generalrat folgte der Empfehlung und wählte Luther am 11. März zum neuen Reichsbankpräsidenten.[39]

Schwerer als die letzte Krise um den Reichsbankpräsidenten Schacht war die Krise um das Deckungsprogramm vom 5. März zu lösen. Die DVP beharrte auf ihrem Nein zur Industriebelastung und zur Erhöhung der Beiträge zur Arbeitslosenversicherung; die BVP verlangte den Verzicht auf die vom Kabinett beschlossene Biersteuererhöhung. Den bayerischen Forderungen kamen SPD, Zentrum und DDP ein gutes Stück entgegen. Ein Zuschlag zur Biersteuer sollte nicht vom Reich verfügt, sondern den Ländern anheimgestellt werden. Der Dissens mit der DVP aber blieb bestehen, so daß Müller am 9. März den Rücktritt seines Kabinetts ins Auge faßte.

Am 11. März kam jedoch ein überraschendes Signal vom Reichspräsidenten: In getrennten Gesprächen mit Brüning und Müller erklärte er seine Bereitschaft, der Regierung die Vollmachten des Artikels 48 zu gewähren. Damit schien sichergestellt, daß entweder das Finanzprogramm des Kabinetts oder leicht abgewandelte Vorschläge einer „Rumpfkoalition“ aus SPD, Zentrum und DDP in Kraft treten würden – wenn nicht durch Beschluß einer Reichstagsmehrheit, dann durch eine Notverordnung des Reichspräsidenten. Das Zentrum honorierte die Zusicherung Hindenburgs mit der Feststellung, das Junktim vom 28. Januar habe seinen Zweck erfüllt. Am 12. März wurden die Young-Gesetze in dritter Lesung mit 265 gegen 192 Stimmen bei 3 Enthaltungen angenommen. Unter den Ja-Stimmen waren die fast aller Parlamentarier des Zentrums; die meisten Abgeordneten der BVP stimmten dagegen mit Nein und enthielten sich anschließend bei einem Mißtrauensantrag der KPD gegen die Regierung Müller demonstrativ der Stimme. Der Protest der Bayern hatte weniger mit den Reparationen als mit einem beliebten Getränk zu tun: Zwei Tage zuvor hatte Otto Braun den jüngsten Biersteuer-Kompromiß mit der Erklärung, Preußen werde dieser Regelung keinesfalls zustimmen, praktisch zu Fall gebracht.[40]

Nach der Ratifizierung der Young-Gesetze schien der Weg frei für die Sanierung der Finanzen – vorausgesetzt, Hindenburg stand zu dem Versprechen, das er Müller und Brüning am 11. März gegeben hatte. Doch die wichtigsten Berater des Reichspräsidenten waren nicht der Meinung, das er dies tun sollte. Aus ihrer Sicht war Hindenburgs Zusage in dem Augenblick hinfällig, wo sie ihren Zweck, die Zustimmung des Zentrums zum Haager Abkommen, erfüllt hatte. Danach konnte die „Kamarilla“ wieder daran gehen, den Reichspräsidenten auf ihre Linie festzulegen: die Bildung eines Präsidialkabinetts ohne die Sozialdemokraten.

Am 18. März bereits konnte der volksparteiliche Abgeordnete von Gilsa seinem industriellen Auftraggeber Paul Reusch unter Berufung auf einen „sehr gut unterrichteten Gewährsmann“ mitteilen, Hindenburg habe „anscheinend auf Betreiben von Groener und Schleicher“ den Vorschlag abgelehnt, den Reichstag aufzulösen, der Regierung die Vollmachten nach Artikel 48 einzuräumen und die Minister Curtius und Moldenhauer zum Verbleiben im Kabinett zu bewegen. Am gleichen 18. März verwies General von Schleicher Staatssekretär Meissner nochmals auf die Richtigkeit „meiner Lösung“, also eines bürgerlichen Kabinetts mit präsidialer Rückendeckung. Die Antwort erfolgte prompt. Am 19. März machte Meissner seinen Bundesgenossen im Reichswehrministerium auf jenen offenen Brief Hindenburgs an Müller vom Vortag aufmerksam, in dem der Reichspräsident in geradezu befehlendem Ton energische Hilfsmaßnahmen für die ostdeutsche Landwirtschaft gefordert hatte. Meissners Erläuterung war überdeutlich: „Das ist die erste Etappe zu *Ihrer* Lösung! Das ist auch die Unterlage zum besten, war wir haben können, zum Führertum ‚Hindenburg'."[41]

Schauplatz der nächsten Runde im Kampf um die Macht war Mannheim. Dort tagte am 21. und 22. März der Parteitag der DVP. Der Parteivorsitzende Ernst Scholz warf der Sozialdemokratie einerseits vor, sie mache grundsätzlich antikapitalistische Politik, besonders auf steuerlichem Gebiet, obwohl der Staat auf kapitalistischer Grundlage beruhe; sie sei offiziell für Schwarz-Rot-Gold, im Herzen aber für die rote Fahne. Andererseits gab sich Scholz ganz realpolitisch. Wer mit den Verhältnissen rechne, wie sie seien, erklärte er, müsse mindestens zur Zeit feststellen, daß eine Regierung gegen oder auch ohne die Sozialdemokraten auf die Dauer kaum möglich sei.

Die scheinbare Großmut des Parteiführers hatte einen triftigen Grund: Als Scholz seine Rede hielt, wußte er mit an Sicherheit grenzender Wahrscheinlichkeit bereits, was ein Beamter des Auswärtigen Amtes am 20. März dem im Urlaub weilenden Minister Curtius mitgeteilt hatte, daß nämlich der Reichspräsident mit einem Scheitern der Großen Koalition rechnete und den Abgeordneten Brüning mit der Bildung eines „Hindenburg-Kabinetts" zu beauftragen gedenke. Scholz konnte sich also eine konziliante Sprache leisten und den Schwarzen Peter der SPD zuschieben – eine Taktik, die sich sowohl mit Blick auf die Öffentlichkeit wie auf den gemäßigten Flügel der eigenen Partei empfahl. In der Sache ließ die DVP freilich keinen Zweifel daran, daß ihr an einem Kompromiß mit den Sozialdemokraten nicht mehr gelegen war. Auf Antrag der schwerindustriell beherrschten Rheinisch-Westfälischen Arbeitsgemeinschaft bestätigte der Parteitag ausdrücklich jenen Beschluß der Reichstagsfraktion vom 2. März, der Kompromisse bei der Arbeitslosenversicherung und ein Notopfer der Beamten strikt verworfen hatte.

Die Schwerindustrie befand sich zur Zeit des Mannheimer Parteitags in einer sehr viel günstigeren Position als noch Anfang März. Denn seit der Annahme der Young-Gesetze machte auch der Reichsverband der Deutschen Industrie Front gegen die Große Koalition. Am 14. März beantwortete der Vorsitzende des RDI, Carl Duisberg, einen Brief Moldenhauers vom 10. März. Darin hatte der Finanzminister angekündigt, er werde nach der Ratifizierung des Reparationsabkommens sein Amt zur Verfügung stellen, weil nicht nur seine politischen Freunde, sondern auch „die Wirtschaft" ihm das Vertrauen entzogen hätten. Duisberg reagierte auf diese Mitteilung mit einem Telegramm, das sich nur als Aufforderung zum Rücktritt verstehen ließ: „Wenn Ihre Partei Kabinettsbeschlüsse nicht mitmachen kann, was ich voll und ganz verstehe, und Sie Konsequenzen daraus ziehen, verlieren Sie durchaus nicht das Vertrauen der Wirtschaft. Im Gegenteil, das bleibt Ihnen dann erst erhalten."[42]

Am 25. März, drei Tage nach dem Parteitag der DVP, fand eine Parteiführerbesprechung beim Reichskanzler statt. Ein Kompromiß zwischen den Flügelparteien wurde abermals nicht gefunden. Für die SPD lehnte Rudolf Breitscheid eine Lösung ab, auf die sich die Experten der bürgerlichen Koalitionsfraktionen am 15. März verständigt hatten: Danach durfte die Reichsanstalt Sparmaßnahmen auch ohne gesetzliche Ermächtigung beschließen und erst, wenn sie das getan hatte, die Beiträge erhöhen. Scholz widersprach namens der DVP jeder Beitragserhöhung über den derzeitigen Stand von 3½% hinaus, wenn nicht gleichzeitig die Leistungen für die Arbeitslosen gesenkt wurden. Der Abgeordnete Oscar Meyer von der DDP regte statt einer Beitragserhöhung um ½% eine solche um lediglich ¼% an, fand aber damit nur die persönliche Zustimmung Moldenhauers, nicht die der DVP. Die SPD dagegen ließ sich am folgenden Tag auf Meyers Kompromißvorschlag ein.

Auf eine Einigung der Parteien drängte bei dem Treffen vom 25. März am stärksten Heinrich Brüning. Am 26. März teilte er dem Vorstand der Zentrumsfraktion mit, was er vermutlich nicht erst seit diesem Tag wußte: „Diesem Kabinett wird der Reichspräsident nicht die Vollmachten für Artikel 48 geben, außerdem seien staatsrechtlich nicht alle Lösungen mit ihm zu machen." Gerade deshalb hielt Brüning es für erforderlich, noch einen letzten Versuch zur parlamentarischen Lösung der Krise zu unternehmen. Am Vormittag des 27. März unterbreitete er auf einer neuerlichen Parteiführerbesprechung einen Vorschlag, den er mit Scholz und Meyer abgestimmt hatte. Der Kern des „Brüning-Kompromisses" war die Vertagung des Streits um die Erhöhung der Beiträge. Die Reichsanstalt sollte Sparmaßnahmen einleiten und im Bedarfsfall Zuschüsse des Reiches erhalten, die alljährlich im Haushaltsplan festzulegen waren; wenn die Lage am Arbeitsmarkt sich weiter verschlechterte, mußte die Reichsregierung entscheiden, ob sie auf dem Gesetzesweg entweder die Beiträge erhöhen oder die Leistungen senken oder zwecks Finanzierung der Reichsdarlehen die indirekten Steuern erhöhen wollte.[43]

Was Brüning vorschlug, war eine deutliche Abschwächung des Kabinettsbeschlusses vom 5. März zu Lasten der Arbeitslosen. Die größten Bedenken mußten bei den Sozialdemokraten der vorläufige Verzicht auf höhere Beiträge und die Einschränkung der Darlehenspflicht des Reiches hervorrufen, und diese Punkte waren es denn auch, die die Unterhändler der SPD zu der Feststellung veranlaßten, sie könnten dem Entwurf nicht zustimmen. Die Vertreter der DVP wollten sich noch nicht festlegen, äußerten aber Zweifel, ob die Fraktion die Einsparungen für ausreichend halten würde. Die Aussprache endete mit dem Beschluß, den Fraktionen die Gelegenheit zu einer Stellungnahme zu geben, und zwar in Form eines Ja oder Nein zum bisherigen Verhandlungsergebnis. In einer Ministerbesprechung, die um 12 Uhr begann, sprach sich nur Arbeitsminister Wissell eindeutig gegen den „Brüning-Kompromiß" aus; alle anderen Kabinettsmitglieder stimmten dem

Vorschlag des Kanzlers zu, die Regierung solle sich, wenn es keine Mehrheit für ihre eigenen Beschlüsse gebe, mit dem zwischen den Parteien vereinbarten Programm abfinden.

Am Nachmittag tagten die Fraktionen. Bei den Sozialdemokraten sprach sich Wissell als einziges Kabinettsmitglied gegen den „Brüning-Kompromiß" aus, ebenso ein Namensvetter des Reichskanzlers, der stellvertretende Vorsitzende des Allgemeinen Deutschen Gewerkschaftsbundes, Hermann Müller (Lichtenberg), der in drohendem Ton vor einem Konflikt zwischen Partei und Gewerkschaften warnte. Die entschiedensten Befürworter der Kabinettsempfehlung waren der Reichskanzler und Innenminister Severing. Die Mehrheit stand jedoch so eindeutig auf seiten der Kritiker, daß es nur wenige Gegenstimmen gab, als Otto Wels den Antrag stellte, die Fraktion möge an der Regierungsvorlage vom 5. März festhalten.

Die sozialdemokratischen Abgeordneten wußten, als sie den Brüning-Kompromiß ablehnten, daß die anderen Fraktionen, mit Ausnahme der BVP, den Vorschlag angenommen hatten. Umstritten war er nur in der DVP, wo der schwerindustrielle Flügel den endgültigen Bruch mit der SPD erzwingen wollte. Der stellvertretende Fraktionsvorsitzende, Albert Zapf, verteidigte den Kompromiß mit der Bemerkung, nicht die Volkspartei, sondern die SPD habe eine Niederlage erlitten. Ernst Scholz meinte ebenfalls, mit Brünings Entwurf habe die DVP eine „starke Etappe" erreicht. Bei der Abstimmung sprachen sich 25 Abgeordnete für und 16 gegen den Vorschlag des Zentrumspolitikers aus.

Um 17 Uhr begann die letzte Kabinettssitzung der Großen Koalition. Müller brachte als Alternative zum Rücktritt nochmals den Artikel 48 ins Spiel, worauf Moldenhauer erklärte, dieser Weg scheide wegen der tiefgreifenden Meinungsverschiedenheiten im Kabinett aus. Mit der weiteren Feststellung, daß eine ausreichende Mehrheit im Reichstag nicht mehr vorhanden sei, kündigte der Finanzminister die Große Koalition faktisch auf. Severings Forderung, die Regierung solle sich dem Reichstag in „offener Feldschlacht" stellen, ging infolgedessen ins Leere und hätte allenfalls noch von einem Rumpfkabinett aufgegriffen werden können. Während einer kurzen Pause, in der die Zentrumsminister sich mit Brüning berieten, erfuhr Joseph Wirth von Staatssekretär Meissner, daß Hindenburg dieser Regierung die Vollmachten nach Artikel 48 nicht geben werde. Nach Wiedereröffnung der Sitzung empfahl Moldenhauer den Rücktritt des Kabinetts und kündigte für den Fall, daß die Mehrheit der Minister gegen den Willen der DVP die Deckungsvorlagen im Steuerausschuß einbringen sollte, seinen eigenen Rücktritt an. Daraufhin stelle Müller fest, daß das Reichskabinett offenbar zu demissionieren wünsche, was er unverzüglich dem Reichspräsidenten mitteilen werde. Mit einem Dank Müllers an das Kabinett und Respektbekundungen mehrerer Minister gegenüber dem Kanzler endete die letzte Sitzung der letzten parlamentarischen Mehrheitsregierung der ersten deutschen Republik.[44]

Der 27. März 1930 bildet eine der tiefsten Zäsuren in der Geschichte der Weimarer Republik. Im Rückblick gibt es keinen Zweifel, daß an diesem Tag die Zeit relativer Stabilität definitiv zu Ende ging und die Auflösungsphase der ersten deutschen Demokratie begann. Aber auch viele Zeitgenossen waren sich der Tiefe des Einschnitts bewußt. Die „Frankfurter Zeitung" sprach am 28. März von einem „schwarzen Tag..., doppelt unheilvoll, weil der Gegenstand des Streits mit seiner Kleinheit in einem so grotesken Mißverhältnis zu den verhängnisvollen Folgen steht, die daraus erwachsen können". Auch aus den Reihen der Sozialdemokraten, die mit ihrem Beschluß das Ende der Regierung Müller besiegelt hatten, wurde bald Kritik laut. Im Maiheft der von ihm herausgegebenen theoretischen Zeitschrift „Die Gesellschaft" legte Rudolf Hilferding dar, warum er dem Argument der Parteimehrheit nicht folgen konnte, nach einer Zustimmung zu Brünings Vorschlägen wäre ein Leistungsabbau im Herbst nicht mehr zu verhindern gewesen. „Gerade vom Standpunkt der Sicherung der Arbeitslosenversicherung erscheint der Rücktritt aus der Regierung zumindest als kein Gewinn. Die Befürchtung, im Herbst wäre es doch zur Verschlechterung gekommen, erscheint für einen so schwerwiegenden Schritt nicht ausreichend; es ist nicht gut, aus Furcht vor dem Tode Selbstmord zu verüben."

Von den Folgen der Entscheidung vom 27. März war zumindest eine vorhersehbar: die Verschiebung der innenpolitischen Machtbalance von der Legislative zur Exekutive. Hilferding drückte prägnant aus, was schon damals vielen bewußt war: „Es unterliegt keinem Zweifel, daß, wenn das Parlament in seiner grundlegenden und wichtigsten Funktion versagt, nämlich eine Regierung zu bilden, die Macht des Reichspräsidenten sich auf Kosten und durch Schuld des Parlaments erweitert und der Reichspräsident Funktionen ausüben muß, die zu erfüllen sich der Reichstag versagt. Nimmt man hinzu, daß diese Lähmung des Parlaments von sehr starken Gruppen direkt gewünscht und gefördert wird, so wird man verstehen, daß die eigentliche Gefahr für die Zukunft des deutschen Parlamentarismus nicht von außen, nicht von einem gewaltsamen Putsch her droht, sondern von innen her; Ajax fällt durch Ajax' Kraft. Gerade diese Gefahr zu vermeiden, war ja stets ein zwingendes Moment für die Sozialdemokratie, in den schwierigsten Situationen die Verantwortung zu übernehmen."[45]

Für die sozialdemokratische Selbstkritik gab es gute Gründe. Mit der Annahme des Brüning-Kompromisses hätte die Große Koalition sich gewiß kein langes Leben erkauft, aber die Selbstentmachtung des Parlaments noch einmal vermieden. Die Sozialdemokratie wäre nicht in die fatale Lage gekommen, sich selbst dafür verantwortlich zu machen, daß ihr Einfluß nach dem 27. März 1930 ungleich geringer war als zuvor. Dieser Selbstvorwurf wog um so schwerer, als die Folgen immer drückender wurden. Aber so richtig es war, an der politischen Weisheit der Parteimehrheit und der Freien Gewerkschaften in den letzten Märztagen des Jahres 1930 zu zweifeln, so hatten doch beide das Ende der parlamentarischen Mehrheitsregierung nur billigend in Kauf genommen. Die Sozialdemokraten waren ungeschickt genug, sich in der letzten Krise der Großen Koalition den Schwarzen Peter zuschieben zu lassen. Die Architekten des Machtwechsels aber saßen auf dem rechten Flügel des Regierungslagers oder gehörten zur außerparlamentarischen Rechten.

Wie sehr die DVP nach Stresemanns Tod sich von liberalen Positionen entfernt hatte, machte schlagartig ein Ereignis vom Anfang des Jahres 1930 deutlich. In Thüringen wurde am 14. Januar der Nationalsozialist Wilhelm Frick Innen- und Volksbildungsminister einer Regierung, an der auch die DVP beteiligt war. Vordergründig erinnerte die Situation der rechten Flügelpartei der Großen Koalition damit an die der Sozialdemokraten im Herbst 1923: Die linke Flügelpartei der damaligen Großen Koalition unter Stresemann war einige Wochen lang in Sachsen und Thüringen gleichzeitig auch Koalitionspartnerin der Kommunisten. Aber während der politische Spagat für die SPD mit der Auflösung der mitteldeutschen Linkskoalitionen und dem Machtverlust im Reich endete, konnte die DVP 1930 ihren Machtanteil auf Landes- wie auf Reichsebene zunächst behaupten. Die Schwerkraft der deutschen Politik hatte sich so weit nach rechts verlagert, daß das Ausscheiden der SPD aus der Reichsregierung mehr Logik für sich hatte als ein Bruch der Rechtskoalition in Thüringen.[46]

Die Politik der Deutschen Volkspartei und der hinter ihr stehenden Unternehmerkreise orientierte sich seit jeher mehr an den wirtschaftlichen Rahmenbedingungen des Sozialen als an den sozialen Rahmenbedingungen der Wirtschaft. Je mehr sich die wirtschaftliche Krise zuspitzte, desto einseitiger wurde der Primat der Wirtschaft betont. Die maßgebenden Sozialdemokraten waren ihrerseits durchaus bereit, den Erfordernissen der Wirtschaft Rechnung zu tragen. Als die Freien Gewerkschaften im Januar 1930 Staatskredite zur Belebung der Konjunktur forderten, hielt ihnen Otto Braun die Maxime entgegen: „Wir sind jetzt in der Krise, die durch die Pumpwirtschaft nur zeitweilig hinausgeschoben worden war". Braun bekannte sich damit zu jenem Sanierungskonsens, der die Große Koalition überdauern und die gemäßigte Phase der Präsidialkabinette prägen sollte. Aber dieser Konsens, der für die deutsche Politik in der Endphase der ersten Republik nicht minder wichtig war als der Inflationskonsens in den frühen und der Rationalisierungskonsens in den mittleren Weimarer Jahren, ging einher mit einem anhaltenden Verteilungsdissens: Die Frage, wer die Lasten der notwendigen Sanierung zu tragen hatte, wurde von den Sozialdemokraten meist anders beantwortet als von den bürgerlichen Parteien.[47]

Je weiter rechts die bürgerlichen Parteien standen, desto eindeutiger fiel ihr Verdikt aus, daß die soziale Überforderung der Wirtschaft nur durch eine Abkehr von der parlamentarischen Demokratie zu überwinden war. Diese Regierungsform hatte nach Meinung der etablierten Rechten die Interessen von Arbeitnehmern und Verbrauchern in einer Weise aufgewertet, die mit dem Gemeinwohl nicht mehr zu vereinbaren war. Von einer Stärkung der

Präsidialgewalt erhoffte sich, wer so dachte, nicht nur größere politische Stabilität, sondern auch eine Gesundung der Wirtschaft. Doch eine solche Sicht der Dinge war Anfang der dreißiger Jahre längst kein Monopol der Rechten mehr. Die Dauerkrise des deutschen Parlamentarismus hatte dazu geführt, daß es auch in der bürgerlichen Mitte kaum noch überzeugte Anhänger dieses Systems gab. Und auch bei den Sozialdemokraten war die Unzufriedenheit mit der Koalitionspolitik zuletzt so stark, daß die meisten im März 1930 ein Ende mit Schrecken einem vermeintlichen Schrecken ohne Ende vorzogen.

Die Kräfte, die innerhalb der Großen Koalition und in der Umgebung des Reichspräsidenten am zielstrebigsten auf ein Präsidialsystem hinarbeiteten, stellten sich die Entparlamentarisierung leichter vor, als sie war. Die parlamentarische Demokratie hatte in den vergangenen Jahren eher schlecht als recht funktioniert, aber sie sicherte den Wählern doch ein gewisses Maß an Einfluß auf die Regierung. Wer die Exekutivgewalt verselbständigen wollte, kam notwendigerweise mit politischen Teilhabeansprüchen in Konflikt, die sehr viel älter waren als die Republik von Weimar. Das allgemeine Wahlrecht hatte ein Recht auf Partizipation begründet, das sich nicht einfach abschaffen ließ. Die Ausschaltung der Massen mußte, wie die Dinge in Deutschland lagen, massenhaften Protest hervorrufen. Offen war im Frühjahr 1930 nur, wer aus dem Wettbewerb um die wirksamste Artikulation des Protestes als Sieger hervorgehen würde.[48]

13.

Die Ausschaltung der Massen

Zwischen dem Rücktritt der Regierung Müller und der Bildung des neuen Kabinetts Brüning vergingen nur drei Tage – ein Zeichen dafür, daß Hindenburgs Berater den Machtwechsel gut vorbereitet hatten. Heinrich Brüning war, als er am 30. März 1930 das Amt des Reichskanzlers antrat, 44 Jahre alt. Der asketische Junggeselle aus dem westfälischen Münster hatte ein breit angelegtes, vorwiegend historisches und staatswissenschaftliches Studium absolviert und 1915 mit einer Promotion über die Verstaatlichung der englischen Eisenbahnen abgeschlossen. Das Erlebnis, das ihn wie die meisten Politiker seiner Generation am stärksten prägte, war der Weltkrieg. Brüning war trotz schwacher Konstitution und Kurzsichtigkeit als Freiwilliger zu den Fahnen geeilt; er wurde verwundet, dekoriert und zum Leutnant der Reserve befördert. Erinnerungen an seine Zeit als Frontoffizier waren ein bevorzugtes Thema, wann immer der Zentrumspolitiker in kleinem Kreis auf sich selbst zu sprechen kam.

Im November 1918 gehörte Brüning zur „Gruppe Winterfeldt" – einem Spezialverband, der den Auftrag hatte, die Revolution niederzuschlagen. Seine politische Karriere begann im September 1919, als ihn der preußische Wohlfahrtsminister Adam Stegerwald zum persönlichen Referenten machte. Ein Jahr später wurde Brüning Geschäftsführer des christlich-nationalen Deutschen Gewerkschaftsbundes. Er behielt dieses Amt bei, als er im Mai 1924 als Abgeordneter des Zentrums erstmals in den Reichstag gewählt wurde. Binnen kurzem stieg er zum maßgeblichen Haushaltsexperten seiner Partei auf und wurde schließlich im Dezember 1929 zum Vorsitzenden der Reichstagsfraktion gewählt. Kein anderer Politiker des Zentrums hatte in der Gesamtpartei soviel Rückhalt wie Brüning: Die Arbeitnehmer standen auf Grund seiner gewerkschaftlichen Tätigkeit hinter ihm; die konservativen Kräfte beeindruckte er als Anwalt einer zurückhaltenden staatlichen Ausgabenpolitik und durch sein betont nationales Auftreten.

Brünings ausgeprägter Patriotismus war wohl auch eine Reaktion auf weitverbreitete konfessionelle Ressentiments: Wie zur Zeit des Kulturkampfes blickten auch noch sechs Jahrzehnte danach viele Protestanten, verweltlichte nicht minder als gläubige, auf die Katholiken als Deutsche herab, deren nationale Zuverlässigkeit nicht über jeden Zweifel erhaben war. Brüning litt unter solchen Vorurteilen. Es kostete ihn, wie Staatssekretär Pünder notierte, große Überwindung, am 26. Mai 1932, wenige Tage vor seinem Sturz als Reichskanzler, an der Fronleichnamsprozession vor der Sankt-Hedwigs-Kathedrale teilzunehmen und so seinen Katholizismus in Berlin öffentlich zur Schau zu stellen. Aber schon aus Rücksicht auf seine Partei durfte er auch nicht den Eindruck hervorrufen, als schäme er sich seiner Konfession. Auf die Nachsicht des evangelischen Deutschland konnte er nur hoffen, wenn er sich weiterhin um den Nachweis bemühte, daß er an nationaler Gesinnung hinter niemandem zurückstand.

In seinen Memoiren, die erst 1970, kurz nach seinem Tod, erschienen, hat Brüning behauptet, er habe als Reichskanzler zielstrebig auf die Wiederherstellung der Monarchie hingearbeitet, genauer gesagt: auf die Errichtung einer parlamentarischen Monarchie englischen Musters. Tatsächlich war Brüning ein Mann des vorrepublikanischen Deutschland, der sich dem Bismarckreich innerlich sehr viel mehr verbunden fühlte als Weimar. Aber es gibt nicht einen einzigen zeitgenössischen Beleg dafür, daß er während seiner Regierungszeit seine praktische Politik am Ziel einer monarchistischen Restauration ausgerichtet hat. Erst in der zweiten Hälfte der dreißiger Jahre hat Brüning rückblickend von solchen Absichten gesprochen – möglicherweise, um mit dieser Parole konservative Gegner Hitlers hinter sich zu scharen und von sich selbst das Bild eines in langen Zeiträumen denkenden politischen Strategen zu entwerfen.

Die Wirklichkeit der Jahre 1930 bis 1932 sah anders aus: Der Reichskanzler Heinrich Brüning war vollauf mit dem beschäftigt, was man heute „Krisenmanagement" nennen würde. Das schloß die Verfolgung längerfristiger Ziele nicht aus, aber diese fielen kaum aus dem Rahmen des damals Üblichen. Wie fast allen maßgeblichen Politikern aus den Reihen der bürgerlichen Parteien ging es ihm in der Zeit der Großen Krise vor allem darum, das System von Versailles zu überwinden und Deutschland wieder zum Status einer voll gleichberechtigten Großmacht, ja der kontinentalen Führungsmacht zu verhelfen. Auch aus diesem Grund mußte ihm an einer starken Regierung und einer Zurückdrängung des Reichstags liegen. Doch um diese Ziele zu erreichen, bedurfte es keiner Rückkehr zur Monarchie. Im Gegenteil: Was Brüning außenpolitisch wollte, hätte er durch einen polarisierenden Restaurationskurs innenpolitisch durchkreuzt. Nichts spricht dafür, daß er sich als Regierungschef einer derart kontraproduktiven Politik verschrieben hat.[1]

Das Kabinett Brüning, das am 31. März 1930 zu seiner konstituierenden Sitzung zusammentrat, schien auf den ersten Blick ein hohes Maß an politischer Kontinuität zu verbürgen. Acht der zwölf Minister hatten, wenn auch teilweise an der Spitze anderer Ressorts, bereits der Regierung der Großen Koalition angehört, nämlich:

Vizekanzler und Wirtschaftsminister Hermann Dietrich (DDP),
Außenminister Julius Curtius (DVP),
Innenminister Joseph Wirth (Zentrum),
Finanzminister Paul Moldenhauer (DVP),
Reichswehrminister Wilhelm Groener (parteilos),
Arbeitsminister Adam Stegerwald (Zentrum),

Verkehrsminister Karl Theodor v. Guérard (Zentrum),
Postminister Georg Schätzel (BVP).

Neulinge waren die Minister, die aus Parteien rechts von der bisherigen Koalition kamen:

Justizminister Johann Victor Bredt (Wirtschaftspartei),
Ernährungsminister Martin Schiele (DNVP),
Minister für die besetzten Gebiete Gottfried Treviranus (Volkskonservative Vereinigung).

An den Forderungen eines der neuen Minister wäre die Kabinettsbildung am 29. März fast gescheitert. Martin Schiele, Präsident des Reichslandbundes und persönlicher Kandidat Hindenburgs, verlangte derart weitgehende Hilfsmaßnahmen für die Landwirtschaft und Abstriche an der Arbeitslosenhilfe, daß der Reichspräsident eingreifen mußte. Am Ende setzte sich Schiele in der Agrar-, nicht aber in der Sozialpolitik durch. Sein Reichstagsmandat legte Schiele bei der Annahme seines Ministeramtes nieder, so daß zunächst offen blieb, wie seine Partei, die DNVP, sich der neuen Regierung gegenüber verhalten würde. Justizminister Bredt sollte dem Kabinett die Unterstützung einer Partei einbringen, die bisher noch keiner Reichsregierung angehört hatte, aber über einen gewissen Rückhalt bei Handwerkern, kleinen Kaufleuten und Hausbesitzern verfügte. Am weitesten rechts stand der Kapitänleutnant a. D. Treviranus, der im Dezember 1929 aus Protest gegen den Kurs Hugenbergs aus der DNVP ausgetreten war und Ende Januar 1930 zusammen mit anderen ehemaligen Deutschnationalen und den Abgeordneten der Christlich-Nationalen Bauern- und Landvolkpartei die Volkskonservative Vereinigung gegründet hatte.

Trotz des hohen Anteils an Ministern aus dem Kabinett Müller konnte es von Anfang an keinen Zweifel daran geben, daß die Regierung Brüning ein Kabinett neuen Typs war. Als Hindenburg am 28. März Brüning den Auftrag zur Kabinettsbildung erteilte, bedeutete er dem Zentrumspolitiker, „daß er es angesichts der parlamentarischen Schwierigkeiten nicht für zweckmäßig halte, die neue Regierung auf der Basis koalitionsmäßiger Bindungen aufzubauen". Der neue Reichskanzler wußte aber, daß er notfalls auf jene Vollmachten zurückgreifen konnte, die der Reichspräsident Brünings Vorgänger verwehrt hatte: die Notstandsbefugnisse nach Artikel 48 der Reichsverfassung. Entsprechend deutlich wurde Brüning am 1. April in seiner knappen Regierungserklärung. Sein Kabinett, beschied er die Abgeordneten, werde der „letzte Versuch sein, die Lösung mit diesem Reichstage durchzuführen".

Der Mißtrauensantrag der SPD, über den der Reichstag am 3. April abstimmte, wurde mit 253 gegen 187 Stimmen abgelehnt. Die Regierung Brüning verdankte diesen Erfolg der Tatsache, daß sich bei den Deutschnationalen noch einmal die gemäßigten Kräfte um den Grafen Westarp und die

Vertreter der landwirtschaftlichen Interessen durchgesetzt hatten. Doch der Debattenbeitrag, mit dem der Parteivorsitzende Hugenberg aufwartete, enthielt so scharfe Angriffe gegen das neue Kabinett, daß niemand auf den Gedanken kommen konnte, die DNVP betrachte sich als Teil des Regierungslagers. Das Kabinett Brüning mußte daher jederzeit mit einer Abstimmungsniederlage rechnen. Es konnte dieser Möglichkeit indes einigermaßen gefaßt ins Auge sehen, da Hindenburgs Zusicherungen der Regierung die Sicherheit gaben, daß sie am längeren Hebel saß als der Reichstag. Das Kabinett Brüning war zwar noch keine offene, aber doch vom ersten Tag seiner Amtszeit an eine verdeckte Präsidialregierung.[2]

Der ersten parlamentarischen Kraftprobe vom 3. April folgte neun Tage später eine zweite. Der Reichstag mußte über die Deckungsvorlagen zum Reichshaushalt 1930 entscheiden, die der Reichsrat bereits am 24. März, also noch zur Zeit der Großen Koalition, angenommen hatte. Um die Deutschnationalen unter Druck zu setzen, beschloß die Regierung ein Junktim: Schieles Agrarprogramm, darunter eine befristete Ermächtigung zur Erhöhung der Zölle auf Getreide und Vieh, konnte nur zusammen mit der Dekkungsvorlage in Kraft treten. Die Drohung bewirkte den offenen Bruch in der deutschnationalen Fraktion: 6 Abgeordnete nahmen an der Abstimmung vom 12. April nicht teil; 23, unter ihnen Hugenberg, lehnten den Antrag der Regierungsparteien ab; 31 mit Westarp an der Spitze stimmten mit Ja und verhalfen damit der Regierung zu einer knappen Mehrheit. Nach dem gleichen Muster verliefen am 14. April die Abstimmungen in der dritten Lesung.

Zwei Monate danach geriet das Kabinett Brüning in seine erste Krise. Am 19. Juni reichte Finanzminister Moldenhauer sein Rücktrittsgesuch ein, nachdem seine eigene Partei, die DVP, eine von ihm vorgeschlagene „Reichshilfe der Festbesoldeten“ mit brüskierender Schärfe zurückgewiesen und der schwerindustrielle Flügel seine Demission verlangt hatte. Einen Nachfolger konnte Brüning erst fünf Tage später benennen: Es war Vizekanzler Hermann Dietrich, ein badischer Jurist und Gutsbesitzer, der schon zu Hermann Müllers Zeiten für die DDP dem Kabinett angehört hatte. Das bisher von Dietrich geleitete Wirtschaftsministerium übernahm am 27. Juni kommissarisch der Staatssekretär dieses Ressorts, Ernst Trendelenburg – ein Nichtpolitiker also, der wohl Brünings Vorstellungen von „sachlicher Politik“ entgegenkam, aber nicht in der Lage war, dem Kabinett zu einer stärkeren Verankerung im Reichstag zu verhelfen.

Die Kabinettskrise vom Juni warf ein Schlaglicht auf den zunehmenden Ernst der Haushaltslage. Die Deckungsbeschlüsse vom April reichten schon längst nicht mehr aus, um den Finanzbedarf des Reiches zu befriedigen. Neue Überlegungen erzwang vor allem die anhaltend hohe Arbeitslosigkeit. Die Erhöhung der Beiträge zur Arbeitslosenversicherung von 3,5 auf 4,5 % – darauf hatte sich das Kabinett am 5. Juni verständigt – löste nur einen kleinen Teil der Probleme. Daher sah sich die Regierung zu einer weiteren „Reform“ genötigt: Sie beschloß, die bislang unbegrenzte Darlehenspflicht des Reiches für die Reichsanstalt für Arbeitsvermittlung und Arbeitslosenversicherung vom 1. April 1931 ab auf eine Höchstsumme zu beschränken, die jährlich im Haushaltsplan festzulegen war. Zusätzliche Einnahmen sollten unter anderem eine Ledigensteuer und ein Zuschlag zur Einkommenssteuer erbringen. Das umstrittene Notopfer der Beamten und Angestellten fand schließlich doch noch die Zustimmung aller Regierungsparteien. Am 8. Juli erklärte der Vorsitzende der DVP, Ernst Scholz, seine Partei würde die Reichshilfe der Festbesoldeten hinnehmen, wenn gleichzeitig eine allgemeine „Bürgersteuer" eingeführt werde. Da diese Abgabe nicht gestaffelt war, mußte sie die einkommensschwachen Haushalte besonders hart treffen. Dennoch beugte sich die Regierung am 4. Juli dem Junktim der Volkspartei und löste damit prompt einen Proteststurm bei Sozialdemokraten und Kommunisten aus.

Eine parlamentarische Mehrheit für die revidierte Deckungsvorlage war durch den Kabinettsbeschluß noch keineswegs gesichert. Am 11. Juli lehnte der Steuerausschuß des Reichstags die Regierungsvorlage für eine Reichshilfe der Festbesoldeten mit den Stimmen von DNVP, SPD und KPD ab, worauf Finanzminister Dietrich erklärte, daß die Regierung an einer zweiten Lesung kein Interesse mehr habe. Verhandlungen mit den beiden wichtigsten Oppositionsparteien brachten keine Fortschritte: Die Deutschnationalen verhielten sich schroff abweisend; die Sozialdemokraten unterbreiteten Kompromißvorschläge, auf die Brüning nicht eingehen konnte. Der harte Kern der sozialdemokratischen Forderungen war nämlich die Preisgabe der Bürgersteuer (im Volksmund auch „Kopf-" oder „Negersteuer" genannt), auf die die DVP unter keinen Umständen verzichten wollte. Das Kabinett wäre also auseinandergebrochen, wenn Brüning der SPD nachgegeben hätte. Als der Reichstag am 15. Juli zur zweiten Lesung der Deckungsvorlage zusammentrat, war eine parlamentarische Krisenlösung mithin schon so gut wie ausgeschlossen.[3]

Am zweiten Tag der Debatte, dem 16. Juli, ließ Hindenburg offiziell verlautbaren, welche Konsequenzen er aus der verfahrenen Situation zu ziehen gedachte: Er habe dem Reichskanzler die Vollmacht gegeben, das Deckungsprogramm auf Grund des Artikels 48 in Kraft zu setzen, falls seine parlamentarische Verabschiedung scheiterte, und den Reichstag aufzulösen, falls dieser die Aufhebung der erlassenen Notverordnungen beschloß oder dem Kabinett das Mißtrauen aussprach. Für die Sozialdemokraten protestierte deren Fraktionsvorsitzender, Rudolf Breitscheid, sofort mit der Feststellung, der Artikel 48 sei dazu da, „um unter Umständen dem Staat zu helfen und den Staat zu schützen, nicht aber um einer einzelnen Regierung aus ihrer Verlegenheit zu helfen, die die Mehrheit nicht findet, die sie sich selbst vorgestellt hat".

Doch die Entwicklung zum Regime der Notverordnungen war nicht mehr aufzuhalten. Nachdem der Reichstag den Artikel 2 der Deckungsvorlage, der die Reichshilfe des öffentlichen Dienstes regelte, mit 256 gegen 193

Stimmen abgelehnt hatte, erklärte Brüning, die Reichsregierung lege auf die Fortführung der Debatte keinen Wert mehr. Noch am gleichen Tag, dem 16. Juli, ergingen die ersten beiden Notverordnungen der Regierung Brüning. Die erste umfaßte die Deckungsvorlage mitsamt der Bürgersteuer; die zweite eröffnete den Gemeinden die Möglichkeit, eine Getränkesteuer zu erheben.

Tags darauf gingen, wie nicht anders zu erwarten, bei Reichstagspräsident Paul Löbe zwei Anträge der SPD ein: Der Reichstag möge erstens der Regierung Brüning das Mißtrauen aussprechen und zweitens die beiden Notverordnungen außer Kraft setzen. Über diese Anträge mußte das Plenum am folgenden Tag beraten und beschließen, sofern sich nicht eine Mehrheit für eine Vertagung fand. Eine Vertagung hätte am ehesten im Interesse der Deutschnationalen gelegen, die andernfalls Gefahr liefen, bei der Abstimmung erneut und diesmal wohl endgültig auseinanderzufallen. Hugenberg mochte den offenen Bruch mit den Gemäßigten längst für unvermeidbar halten; als Parteiführer mußte er dennoch den Eindruck vermeiden, er habe nicht alles getan, um die Einheit der DNVP zu bewahren. So schlug er am Nachmittag des 17. Juli in einem Gespräch mit Brüning und Dietrich die Verständigung über ein großes Zukunftsprogramm vor, darunter den Aufbau einer antimarxistischen Front, den Kampf gegen den Young-Plan und die „Umwandlung" der Regierung zunächst in Preußen und später auch im Reich. Da Brüning diesen Forderungen nicht zustimmen konnte und sich seinen ablehnenden Standpunkt auch von den wichtigsten Mitgliedern des Kabinetts bestätigen ließ, mußte die deutschnationale Fraktion Farbe bekennen. In einer Sitzung am Abend des 17. Juli ergab sich nach langer Aussprache eine Mehrheit von 34 zu 21 Stimmen für den Aufhebungsantrag der SPD. Um sich im Reichstag zu behaupten, hätte die Regierung mindestens 39 deutschnationale Stimmen benötigt.[4]

Die letzte Sitzung des vierten Reichstags der Weimarer Republik begann am 18. Juli, kurz nach zehn Uhr. Namens der SPD warf Otto Landsberg, der Volksbeauftragte von 1918/19, der Regierung Brüning vor, durch den Erlaß der beiden Notverordnungen habe sie die Verfassung verletzt, da im Deutschen Reich die öffentliche Sicherheit und Ordnung nicht erheblich gestört oder gefährdet seien, die Voraussetzung für die Anwendung des Artikels 48 folglich fehle. Reichsinnenminister Joseph Wirth erwiderte, für das Reich, die Länder und Gemeinden sei ein finanzieller Notstand vorhanden, der sich mit parlamentarischen Mitteln nicht beheben lasse, weil eine Mehrheitsbildung im Reichstag nicht möglich sei. Für die Mehrheit der Deutschnationalen behauptete der Fraktionsvorsitzende Oberfohren, die Regierung habe ihre Versprechungen, namentlich im Hinblick auf die Hilfe für den deutschen Osten, nicht gehalten. Für die Minderheit der DNVP begründete Graf Westarp das Nein zum Aufhebungsantrag der SPD damit, daß die wirtschaftliche Not eine stabile Regierung erfordere und keine weiteren Erschütterungen durch Regierungskrisen und Wahlkämpfe vertrage. Reichsfinanzminister Dietrich meinte gegen Ende seiner Rede, die Frage sei jetzt nachgerade die, „ob wir Deutsche ein Haufen von Interessenten oder ein Staatsvolk sind". Für Wilhelm Koenen, der für die KPD sprach, war es klar, „daß die Maßnahmen, die Brüning vorbereitet, Schritte zur Aufrichtung der faschistischen Diktatur sind".

Die Abstimmung über den sozialdemokratischen Antrag, der Reichstag möge die Außerkraftsetzung der beiden Notverordnungen vom 16. Juli verlangen, erbrachte eine klare Mehrheit: 236 Abgeordnete stimmten mit Ja, 222 mit Nein. Unter den Ja-Stimmen waren die der SPD, der KPD, der NSDAP und die von 32 Abgeordneten der DNVP. Die übrigen Parteien und 25 deutschnationale Abgeordnete stimmten mit Nein. Über die Mißtrauensanträge von SPD und KPD konnte der Reichstag schon nicht mehr abstimmen. Denn unmittelbar nachdem Präsident Löbe die Annahme des sozialdemokratischen Antrags bekanntgegeben hatte, verlas Reichskanzler Brüning eine Verordnung des Reichspräsidenten: „Nachdem der Reichstag heute beschlossen hat, zu verlangen, daß meine auf Grund des Artikels 48 der Reichsverfassung erlassenen Notverordnungen vom 16. Juli außer Kraft gesetzt werden, löse ich auf Grund des Artikels 25 der Reichsverfassung den Reichstag auf. Berlin, den 18. Juli 1930. Der Reichspräsident. von Hindenburg. Der Reichskanzler. Dr. Brüning." Brünings letzte Worte wurden von lärmenden Zurufen der Kommunisten begleitet: „Nieder mit dieser Hungerregierung!" Wenige Minuten vor ein Uhr mittags schloß der Reichstagspräsident die Sitzung mit dem Satz: „Damit sind unsere Arbeiten hier beendet."

Der Auflösung des Reichstags folgten noch am gleichen Tag die Aufhebung der Notverordnungen und die Festsetzung des Termins für Neuwahlen: Es war der 14. September 1930. Am 26. Juli erließ der Reichspräsident eine neue „Notverordnung zur Behebung finanzieller, wirtschaftlicher und sozialer Notstände". Sie war umfassender angelegt als die beiden Verordnungen vom 16. Juli und wich in manchen Punkten von ihnen ab. So wurde die Bürgersteuer nun doch ansatzweise gestaffelt. Statt des allgemeinen Satzes von 6 RM im Jahr hatten leistungsschwache Steuerzahler nur 3 RM, die Bezieher der höchsten Einkommen dagegen bis zu 1 000 RM zu entrichten. Neu aufgenommen wurden auf Drängen von Reichslandbund, DNVP und DDP ein Vollstreckungsschutz für überschuldete Betriebe der ostdeutschen Landwirtschaft und andere Bestimmungen aus dem Entwurf eines Osthilfegesetzes, den der Reichstag nicht mehr hatte verabschieden können. Ansonsten blieb es im wesentlichen bei dem, was das Kabinett schon zuvor beschlossen hatte: der Reform der Arbeitslosenversicherung, der Reichshilfe der Festbesoldeten, einem Zuschlag zur Einkommenssteuer und der Ledigensteuer. Die Gemeinden konnten selbst entscheiden, ob sie die Bürgersteuer oder eine örtliche Biersteuer oder beide Steuern nebeneinander erheben wollten.[5]

Dem Übergang von der verdeckten zur offenen Präsidialregierung im Juli 1930 wohnte eine gewisse Zwangsläufigkeit inne. Nachdem der Reichspräsident vier Monate zuvor der parlamentarischen Mehrheitsregierung eine Absage erteilt hatte, erfüllte sich während der Julikrise nur das Gesetz, nach dem der neue Reichskanzler am 30. März sein Amt angetreten hatte. Brüning konnte den Sozialdemokraten nicht entgegenkommen, ohne den rechten Flügel des Regierungslagers zu verprellen; dies aber durfte er nicht tun, weil er sonst gegen die Logik seiner Berufung verstoßen hätte. Infolgedessen war der Handlungsspielraum des Kanzlers sehr gering.

Noch geringer war freilich der Spielraum der Sozialdemokraten. Sie konnten die ungestaffelte Bürgersteuer, auf der die Regierung bis zur Auflösung des Reichstags bestand, nicht hinnehmen, ohne die eigenen Anhänger massiv herauszufordern und den Kommunisten einen billigen Trumpf zuzuspielen. Auf der anderen Seite wußten die führenden Politiker der SPD, obenan Hermann Müller und Otto Braun, nur zu gut, daß sie den Konflikt mit Brüning nicht zur totalen Konfrontation steigern durften. Denn solange die Sozialdemokraten in Preußen zusammen mit dem Zentrum regierten, besaß der Kanzler ein Mittel, um die größte deutsche Partei unter Druck zu setzen: Er konnte jederzeit mit der Aufkündigung der anderen Berliner Koalition drohen. Es hing ganz vom Ausgang der Reichstagswahlen ab, in welchem Maß Brüning von diesem Mittel künftig Gebrauch machen würde.[6]

Den Wahlen vom 14. September sah die Regierung Brüning bemerkenswert gelassen entgegen. Die Tatsache, daß bei den sächsischen Landtagswahlen vom 22. Juni die Nationalsozialisten die Zahl ihrer Mandate von 5 auf 14 steigern und zur zweitstärksten Partei nach der SPD aufsteigen konnten, empfanden Kanzler und Minister nicht als das Menetekel, das es war. Vielmehr setzte Brüning darauf, daß er mit seiner „sachlichen" Politik die Mehrheit der Deutschen würde überzeugen können. Außerdem fiel in die ersten Monate seiner Regierung neben harten Sparmaßnahmen auch ein großer außenpolitischer Erfolg, der freilich noch auf das Konto der Großen Koalition ging: Am 30. Juni wurde, entsprechend den Haager Vereinbarungen vom August des Vorjahres, die vorzeitige Räumung der letzten Zone des besetzten Rheinlandes abgeschlossen. Reichspräsident und Reichsregierung würdigten das Ereignis mit einem Aufruf, der in Paris Verstimmung hervorrief: Die Erklärung sprach von den Leiden der rheinischen Bevölkerung und fremder Machtwillkür, erwähnte aber mit keinem Wort, daß ohne französisches Entgegenkommen die Räumung erst 1935 erfolgt wäre.

Der auftrumpfende Ton der offiziellen deutschen Verlautbarung fügte sich gut zu dem betont nationalen Profil, das Brüning der deutschen Außenpolitik zu geben versuchte. Eine Veränderung an der Spitze des auswärtigen Dienstes unterstrich die Kurskorrektur nach rechts: Anfang Juni wurde der langjährige Staatssekretär des Auswärtigen Amtes und enge Mitarbeiter Stresemanns, Carl von Schubert, als Botschafter nach Rom abgeschoben und durch den sehr viel „forscheren" Bernhard Wilhelm von Bülow ersetzt. Der brillante Jurist, Neffe des Reichskanzlers der Jahre 1900 bis 1909, verkörperte wie kaum ein anderer die wilhelminische Tradition des Auswärtigen

Amtes. Ebendies machte ihn zu einem Mann nach dem Herzen Brünings, der als Reichskanzler auf die Außenpolitik sehr viel mehr Einfluß nahm als die meisten seiner Vorgänger.

Das deutsch-französische Verhältnis wurde im Juli 1930 nicht nur durch die Kommentare zur Rheinlandräumung belastet. Zur gleichen Zeit brach die Reichsregierung auch, trotz positiver Signale aus Paris, die Verhandlungen über eine vertragliche Lösung der Saarfrage ab. Wenig später, am 8. Juli, erteilte das Kabinett dem Projekt eines europäischen Staatenbundes, das der französische Außenminister Briand am 17. Mai vorgelegt hatte, eine schroffe Absage. Brüning selbst drängte auf eine Antwort, die dem französischen Beharren auf dem Status quo das deutsche Interesse an einer „gerechten und dauerhaften Ordnung Europas" entgegenstellte, „in dem Deutschland seinen ausreichenden natürlichen Lebensraum haben müsse". Um der erhofften innenpolitischen Wirkung willen beschloß die Reichsregierung, der deutschen Antwort an Briand eine „möglichst volkstümliche Fassung" zu geben.[7]

Auch in Richtung Osten trug das Kabinett Brüning verstärktes Selbstbewußtsein zur Schau. Polen bekam dies besonders zu spüren: Ein Handelsvertrag zwischen beiden Ländern, den die Regierung Müller nach jahrelangen zähen Verhandlungen im März 1930 unterzeichnet hatte, stieß in der neuen Regierung auf den Widerspruch von Landwirtschaftsminister Schiele. Wie in den Jahren zuvor war es vor allem ein Punkt des Vertragswerkes, gegen den sich die deutsche Landwirtschaft auflehnte: der preisgünstige Import polnischer Schweine. Schiele erreichte einen Ratifizierungsaufschub, dem der Vertrag, wegen der Auflösung des Reichstags, schließlich zum Opfer fiel. Nach dem Erstarken der extremen Rechten bei den Septemberwahlen hielt es die Regierung Brüning nicht mehr für angebracht, das Ratifizierungsgesetz dem Reichstag vorzulegen.

Was die Regierung Brüning in den ersten Monaten ihrer Amtszeit auf dem Gebiet der internationalen Beziehungen erklärte und tat, unterschied sich in Form und Inhalt deutlich von der Außenpolitik der Großen Koalition, ja aller Kabinette, in denen Gustav Stresemann Außenminister gewesen war. Zwar hatte auch schon Hermann Müller im September 1928 im Zusammenhang mit der Abrüstungsfrage nationalere Töne angeschlagen, als sie in der „Locarno-Ära" von deutschen Regierungen zu hören gewesen waren, und Ende Februar 1930, wenige Wochen vor seinem Sturz, willigte der sozialdemokratische Reichskanzler, der großdeutschen Tradition seiner Partei eingedenk, sogar in die „Prüfung" des brisanten, von Außenminister Curtius betriebenen Projekts einer deutsch-österreichischen Zollunion ein. Dennoch blieb, solange die Sozialdemokraten an der Regierung beteiligt waren, der deutsche Revisionismus gedämpft, weil an die Prinzipien der „Verständigungspolitik" gebunden. Erst nach dem Bruch der Großen Koalition konnten sich die Kräfte durchsetzen, die das System von Versailles offensiv überwinden wollten und allen Vorstellungen von „Paneuropa" eine sehr viel konkreter erscheinende Vision entgegensetzten: das Ziel eines wirtschaftlich und politisch von Deutschland geführten „Mitteleuropa".[8]

Der Kurswechsel in der deutschen Außenpolitik war mitbedingt durch den Rechtsruck der bürgerlichen Mitte, der lange vor 1930 begonnen hatte, sich aber nach dem Ende der Großen Koalition verstärkt fortsetzte. Das Zentrum hatte schon im Dezember 1928 mit der Wahl von Ludwig Kaas zum Parteivorsitzenden die Weichen nach rechts gestellt. Nach der Übernahme des Kanzleramtes durch Brüning rechtfertigte die Partei vorbehaltlos die Politik des Regierungschefs im allgemeinen und die Zurückdrängung des Reichstags im besonderen. Kaas betonte am 29. Juli auf einer Tagung des Parteivorstandes, das Zentrum wolle die Demokratie nicht stürzen, sondern erhalten und den Parlamentarismus nicht vernichten, sondern veredeln und disziplinieren. Sehr viel präziser war die Mahnung, die der Trierer Prälat an die Adresse der Sozialdemokratie richtete. Für den Fall, daß die SPD nochmals wie am 18. Juli mit den Deutschnationalen gegen Brüning stimmen sollte, drohte er mit der Aufkündigung der Preußenkoalition.

Die andere klassische Mittelpartei, die DDP, hatte ebenfalls schon zur Zeit der Großen Koalition begonnen, ihren Kurs nach rechts zu korrigieren und sich der DVP anzunähern. Auslösendes Moment war die verheerende Wahlniederlage von 1928. Der politische Liberalismus besaß in der Wählerschaft offenbar kaum noch Anhang: Handwerker und Kleinhändler, 1919 eine Hauptstütze der Linksliberalen, hatten sich 1920 in großer Zahl der DVP, 1924 der DNVP und 1928 der Wirtschaftspartei zugewandt. Der Angst des gewerblichen Mittelstandes, zwischen Großkapital und marxistischer Arbeiterbewegung erdrückt zu werden, hatten die Liberalen wenig entgegenzusetzen. Infolgedessen stieg die Bereitschaft der DDP, lieber Abstriche an liberalen Prinzipien wie der Gewerbefreiheit als weitere Stimmenverluste hinzunehmen. Im April 1930 akzeptierten die Demokraten sogar eine diskriminierende Sondersteuer auf den Umsatz von Warenhäusern und Konsumgenossenschaften – ein Zugeständnis, mit dem sich das Kabinett Brüning die Unterstützung der Wirtschaftspartei erkaufte.

Am 27. Juli, neun Tage nach der Auflösung des Reichstags, unternahm die Führung der DDP einen nachgerade verzweifelten Versuch, den weiteren Niedergang der Partei aufzuhalten: Zusammen mit der Volksnationalen Reichsvereinigung um Artur Mahraun, den „Hochmeister" des Jungdeutschen Ordens, und einigen jüngeren Mitgliedern der DVP hoben Erich Koch-Weser, Hermann Dietrich und andere maßgebliche Politiker der DDP die „Deutsche Staatspartei" aus der Taufe. Der Verzicht auf den Begriff „demokratisch" war für die Krise des Liberalismus ebenso bezeichnend wie die Großzügigkeit, mit der die Führer der DDP über die antisemitische Ausrichtung der Jungdeutschen hinwegsahen. Die erste Folge der überstürzten Parteigründung war der Parteiwechsel eines prominenten Abgeordneten: Anton Erkelenz, der Verbandssekretär der Hirsch-Dunckerschen Gewerkvereine, trat am 29. Juli aus der DDP aus und in die SPD ein. Für die

Reichstagswahl mußte die neue Partei sich auf weitere Verluste gefaßt machen: Es war höchst ungewiß, ob das jüdische Bürgertum, bislang eine der verläßlichsten Säulen des deutschen Liberalismus, das Zusammengehen mit den Jungdeutschen tolerieren oder sich nicht vielmehr von der Staatspartei abwenden würde.[9]

Hoffnungen, auch die DVP werde sich der Staatspartei anschließen, erfüllten sich nicht. Die Volkspartei verfolgte ihre eigenen Sammlungspläne und dachte nicht daran, die Staatspartei als gleichberechtigten Partner anzuerkennen. Was dann auf der rechten Mitte zustandekam, verdiente freilich nicht den Namen Sammlung. Am 18. August erschien nach langwierigen Verhandlungen ein gemeinsamer Wahlaufruf der DVP, der Wirtschaftspartei und der neugegründeten Konservativen Volkspartei, in dem sich die drei Parteien zum „Reformwerk" des Reichspräsidenten bekannten. Die Bezeichnung „Hindenburgprogramm" war der Grund, weshalb die Staatspartei, die ebenfalls zur Unterzeichnung eingeladen worden war, eine Mitwirkung ablehnte. Der Reichspräsident, erläuterte Mahraun, dürfe seiner hohen und unparteiischen Stellung wegen nicht als Vorwand in der Wahlbewegung benützt werden.

Die Konservative Volkspartei, die solche Bedenken nicht teilte, war am 23. Juli von den Volkskonservativen um Treviranus und der Anti-Hugenberg-Fronde um den Grafen Westarp ins Leben gerufen worden. Die ehemaligen Deutschnationalen erfreuten sich der massiven finanziellen Unterstützung durch die Industrie, die in ihrer Mehrheit mit Hugenbergs scharf antigouvernementalem Kurs unzufrieden war. Aber der Kristallisationskern einer bürgerlichen Sammlungsbewegung, als der sich die Konservative Volkspartei verstand, wurde die neue Gruppierung ebensowenig wie die Staatspartei. In den Reichstagswahlkampf von 1930 zogen die bürgerliche Mitte und die gemäßigte Rechte nicht minder zersplittert als bei früheren Wahlen.[10]

Die größte deutsche Partei bezeichnete die Wahl vom 14. September als eine Entscheidung zwischen „Bürgerblock und Sozialdemokratie, Arbeit und Kapital, Demokratie und Diktatur". Die Regierung Brüning wolle, so hieß es im Wahlaufruf des sozialdemokratischen Parteivorstands vom 19. Juli, die Reichen und die Leistungsfähigen verschonen und die Lasten den Armen und Schwachen auferlegen. „Der Kampf der Sozialdemokraten gegen die soziale Reaktion ist nicht nur ein Kampf um das Recht des Parlaments, sondern auch ein Kampf um das Recht des Volkes. Dieses Recht des Volkes wollen auch die Nationalsozialisten, die erklärten Anhänger der Diktatur, vernichten. Sie wollen die brutale Gewalt mit Messer und Revolver zum staatlichen System erheben. Dabei leisten ihnen die Kommunisten durch ihre Kampfmethoden sowie durch die Zersplitterung der Arbeiterschaft wertvolle Dienste." Der Aufruf schloß mit den Worten: „Gegen die Regierung Brüning, die mit dem Großkapital verbrüdert ist und die Arbeiterklasse niederschlagen will! Vorwärts zum Kampf für Demokratie und Sozialismus, für das arbeitende Volk, für die Sozialdemokratie!"

Die von der SPD gerügten Kommunisten schlugen in einer Weise zurück, die die kritischen Bemerkungen der Sozialdemokraten als gelinde Untertreibung erscheinen ließ. Am 24. August veröffentlichte die „Rote Fahne" eine „Programmerklärung zur nationalen und sozialen Befreiung des deutschen Volkes". Der Text stand ganz in der „nationalbolschewistischen" Tradition des Jahres 1923 und war vor allem darauf abgestellt, Wähler von der äußersten Rechten zur KPD herüberzuziehen. Hitler und den Nationalsozialisten machten die Kommunisten den Vorwurf, sie schwiegen über die Nöte der deutschen Bauernbevölkerung Südtirols, weil sie in einem Geheimvertrag mit der italienischen Faschistenregierung die deutschen Gebiete Südtirols den ausländischen Eroberern ausgeliefert hätten.

Weit schärfer aber waren die Attacken auf die Sozialdemokratie. Ihre Führer seien „nicht nur die Henkersknechte der deutschen Bourgeoisie, sondern gleichzeitig die freiwilligen Agenten des französischen und polnischen Imperialismus. Alle Handlungen der verräterischen, korrupten Sozialdemokratie sind fortgesetzter Hoch- und Landesverrat an den Lebensinteressen der arbeitenden Massen Deutschlands." Sich selbst bezeichneten die Kommunisten als die einzigen, die sowohl gegen den Young-Plan als auch gegen den Versailler Raubfrieden kämpften. „Wir Kommunisten sind gegen jede Leistung von Reparationszahlungen, gegen jede Bezahlung internationaler Schulden... Nur der Hammer der proletarischen Diktatur kann die Ketten des Young-Plans und der nationalen Unterdrückung zerschlagen. Nur die soziale Revolution kann die nationale Frage Deutschlands lösen."[11]

Bei den Nationalsozialisten riefen die nationalistischen Parolen der Kommunisten nur Spott und Hohn hervor. Alfred Rosenberg, der Hauptschriftleiter des „Völkischen Beobachters", nannte die Programmerklärung der KPD „unseren bisher größten Sieg". Zähneknirschend müsse die bolschewistische Leitung die nationalsozialistischen Losungen stehlen. „Sie stiehlt aber und das gilt es sich zu merken – nicht, um die Losungen zu erfüllen, sondern um die Betrogenen nochmals zu betrügen. Wir werden das in alle Versammlungen hinausrufen: Der weltanschauliche Zusammenbruch des Kommunismus ist von ihm selbst zugegeben. Er muß jetzt auf Diebstahl ausgehen, um noch leben zu können. Selten waren wir stolzer, als wir das aus der ‚Roten Fahne' feststellen konnten."

Das zentrale Thema der nationalsozialistischen Wahlagitation war, ähnlich wie bei der KPD, der Kampf gegen den Young-Plan und die „Young-Parteien". In einer gigantischen Welle von Versammlungen versuchte die NSDAP die Massen gegen das „System" von Weimar zu mobilisieren, das Deutschland unter das Sklavenjoch der jüdischen Weltfinanz gebracht habe. Was sie an die Stelle des verhaßten „Systems" setzen würden, blieb vorerst unklar und verschwommen. Sicher war nur, daß das Notverordnungsregime den Parlamentarismus in eine Farce verwandelt hatte und eben darum den Nationalsozialisten eine einmalige Chance gab: Sie konnten sich als Anwälte des politisch entrechteten Volkes präsentieren, die mit dem Führerstaat eine

Alternative sowohl zur Parteienherrschaft als auch zum bürokratischen Präsidialsystem zu bieten schienen.

Mit den Kommunisten verband die Nationalsozialisten neben dem radikalen Gegensatz zum „System" auch ein vergleichbar hohes Maß innerer Geschlossenheit. Die KPD hatte sich in den vorausgegangenen Jahren erst von „linken" Abweichlern wie Ruth Fischer, Arkadij Maslow und Arthur Rosenberg, dann von den „rechten", angeblich zum Reformismus neigenden Kräften um den früheren Parteivorsitzenden Heinrich Brandler getrennt; Anfang 1930 folgte die Kapitulation der „Versöhnler", die nach Ansicht der Parteiführung den Kampf gegen die „rechte Gefahr" bewußt hintertrieben hatten. Nach Ausschaltung der „Rechten" und „Versöhnler" konnten Komintern und deutsche Parteiführung daran gehen, einige „ultralinke" Auswüchse zu korrigieren, für die in typisch stalinistischer Manier nachträglich *ein* Mann verantwortlich gemacht wurde: der Leiter der Revolutionären Gewerkschafts-Opposition, Paul Merker, der den Kampf gegen die „Sozialfaschisten" bis zu der Parole gesteigert hatte: „Schlagt die kleinsten Zörgiebels aus den Schulen und Spielplätzen!" Ab Ende März 1930 waren die Kommunisten auf Grund eines Beschlusses ihres Zentralkomitees wieder gehalten, die „Einheitsfront von unten" herzustellen – also zwischen sozialdemokratischen Arbeitern und ihren „konterrevolutionären" Führern zu unterscheiden. Anfang April enthob das „Polbüro" Merker seiner Funktion und ordnete Disziplinarmaßnahmen gegen seine Anhänger an. Als der Reichstagswahlkampf begann, war die KPD von Abweichlern so radikal gesäubert wie noch nie zuvor.[12]

Die Nationalsozialisten wurden ihre Abweichler ebenfalls rechtzeitig zum Beginn des Wahlkampfes los. Am 4. Juli 1930 erschien im „Sächsischen Beobachter", einem von Hitler „verbotenen" Blatt, ein Manifest unter der Überschrift „Die Sozialisten verlassen die NSDAP". Darin riefen Otto Strasser und 24 andere Nationalsozialisten, die sich als Wahrer des sozialistischen Parteierbes verstanden, alle Gleichgesinnten auf, sich von der NSDAP zu trennen und in einer neuen Bewegung, der „Kampfgemeinschaft Revolutionärer Nationalsozialisten", zusammenzuschließen. Der Partei Hitlers machten sie den Vorwurf, sie sei mehr und mehr von ihrem „sozialistischen" Programm aus dem Jahr 1920 abgewichen und befinde sich im Zustand der Verbürgerlichung und Verbonzung. Im Gegensatz zu Hitler lehnten Otto Strasser und seine Gefolgsleute einen Interventionskrieg gegen die Sowjetunion entschieden ab: Sie forderten ein völkisches Großdeutschland, eine klare Absage an monarchistische Restaurationsbestrebungen und die Brechung des „Besitzmonopols".

Da die „Revolutionären Nationalsozialisten" sich auf einen strikten Antiparlamentarismus festgelegt hatten, lehnten sie eine Beteiligung an den Reichstagswahlen ab. Schon aus diesem Grund wurden sie für die NSDAP zu keiner ernsten Gefahr. Otto Strassers Anhang in der Partei erwies sich als viel kleiner, als dieser gehofft und Hitler gefürchtet hatte: Im Mai 1931 soll die Kampfgemeinschaft im ganzen Reich 5 000 Mitglieder gehabt haben. Im Endergebnis war das Ausscheiden der Revolutionären Nationalsozialisten ein Gewinn für Hitler: Im Reichstagswahlkampf von 1930 konnte er unangefochten als Führer einer Bewegung auftreten, die nicht die bestehende Gesellschaftsordnung umstürzen, sondern das derzeitige politische System beseitigen wollte und auch dies nicht mit putschistischer Gewalt, sondern nur unter voller Ausnutzung des legalen Spielraums, den die Verfassung ihren Gegnern ließ.[13]

Der Wahlkampf war überschattet von zahlreichen gewaltsamen Zusammenstößen, vor allem zwischen Nationalsozialisten und Kommunisten, wobei einmal diese, das andere Mal jene die Angreifer waren. Ende Juli wurde nach einem blutigen Handgemenge zwischen Anhängern von NSDAP und KPD in Ernstthal im Erzgebirge einem nationalsozialistischen Stadtverordneten das rechte Auge ausgestochen. Am 12. September berichtete der „Vorwärts", auf einer Versammlung der NSDAP in Essen habe ein unbekannter junger Bursche einem nationalsozialistischen Studenten einen tödlichen Messerstich versetzt. Besonders blutig war der letzte Tag des Wahlkampfes. Am 13. September wurden in Berlin ein Nationalsozialist erschossen und eine Kommunistin durch Revolverschüsse schwer verletzt; bei einer Saalschlacht in Schwerte an der Ruhr starb ein Kommunist durch einen Messerstich ins Herz; Schlägereien, Messerstechereien und Schießereien gab es ferner in Münster, Chemnitz, Hanau und Aachen.[14]

Als am Abend des 14. September die Wahllokale schlossen, stand als erstes fest, daß seit der Wahl zur Nationalversammlung am 19. Januar 1919 nicht mehr so viele Deutsche an einer Wahl zum nationalen Parlament teilgenommen hatten: Mit 82 % lag die Wahlbeteiligung höher als bei allen früheren Reichstagswahlen der Weimarer Republik. Die eigentliche Sensation des 14. September 1930 aber waren die erdrutschartigen Stimmengewinne der NSDAP, der nunmehr zweitstärksten Partei Deutschlands. Von etwas über 800 000 Stimmen im Mai 1928 war sie auf 6,4 Millionen angewachsen; prozentual bedeutete das einen Anstieg von 2,6 auf 18,3 %; die Zahl der Mandate schnellte von 12 auf 107 empor. Beachtlich, aber weit weniger dramatisch waren die Gewinne der KPD: Sie stieg von 10,6 auf 13,1 % der Stimmen und von 54 auf 77 Reichstagssitze.

Alle anderen Parteien gehörten zu den Verlierern. Die Deutschnationalen wurden halbiert; von 14,3 % fielen sie auf 7 %. Bei den beiden liberalen Parteien setzte sich der Niedergang weiter fort: Die DVP sank von 8,7 auf 4,5 %, die Deutsche Staatspartei, die frühere DDP, von 4,9 auf 3,8 %. Vergleichsweise bescheiden waren die Verluste der katholischen Parteien: Das Zentrum, das 1928 noch 12,1 % erhalten hatte, verbuchte jetzt 11,8 %, die BVP 3 % statt 3,1 % zwei Jahre zuvor. Weit stärker waren die Einbußen der immer noch größten deutschen Partei: Die SPD fiel von 29,8 auf 24,5 %. Die neugegründete Konservative Volkspartei kam zusammen mit der „welfischen" Deutsch-Hannoverschen Volkspartei auf ganze 1,3 %.

Die Nationalsozialisten zogen, das haben schon Zeitgenossen vermutet und neuere Wahlforscher bestätigt, aus dem Anstieg der Wahlbeteiligung mehr Nutzen als irgendeine andere Partei. Sie sprachen, mit anderen Worten, in besonderem Maß bisherige Nichtwähler an. Doch diese Gruppe bildete im September 1930 keineswegs die wichtigste Quelle des nationalsozialistischen Erfolges. Die meisten Wähler der NSDAP hatten früher für andere Parteien gestimmt. Einer wissenschaftlichen Berechnung zufolge scheint 1930 jeder dritte DNVP-Wähler, jeder vierte DDP- oder DVP-Wähler, jeder siebte Nichtwähler und jeder zehnte SPD-Wähler für die Partei Hitlers gestimmt zu haben. Das konservative und das liberale „Lager" hatten demnach einen sehr viel größeren Anteil am Aufstieg des Nationalsozialismus als die Sozialdemokraten. Und noch einige andere Befunde können als gesichert gelten: Protestanten waren für die NSDAP doppelt so anfällig wie Katholiken; Selbständige, Bauern, Beamten, Rentner und Pensionäre waren unter den Wählern der NSDAP stärker vertreten, als ihrem Anteil an der erwerbstätigen Bevölkerung entsprach, Arbeiter und Angestellte dagegen deutlich schwächer. Die Arbeitslosen schließlich trugen zum Aufstieg des Nationalsozialismus nur wenig bei: Erwerbslose Arbeiter gaben ihre Stimme sehr viel häufiger der Partei Thälmanns als der Hitlers.[15]

Die Anziehungskraft, die der Nationalsozialismus auf die Mittelschichten ausübte, war so offenkundig, daß der Soziologe Theodor Geiger schon im Herbst 1930 den Erfolg der NSDAP als Ausdruck einer „Panik im Mittelstand" deutete. Der Sozialdemokrat Geiger verband seine Diagnose mit einer Mahnung an die eigene Partei, den Zusammenhang zwischen der „ideologischen Verwirrung der Mittelschichten" und der „ideologischen Selbstabsperrung des Parteisozialismus" zu erkennen. In der Tat hatte die SPD den kleinen Selbständigen Steine statt Brot geboten, als sie unter dem Einfluß der ehemaligen Unabhängigen Sozialdemokraten 1925 an den Beginn ihres „Heidelberger Programms" die ebenso alte wie falsche marxistische Behauptung stellte, in Industrie, Handel und Verkehr dränge der Großbetrieb mit innerer Notwendigkeit den Kleinbetrieb immer mehr zurück und verringere seine soziale Bedeutung.

Daß die kleinen Gewerbetreibenden angesichts eines solchen Verdikts ihre politische Heimat nicht bei den Sozialdemokraten sehen konnten, verstand sich von selbst. Es war auch nicht schwer zu erklären, daß der „alte Mittelstand" von liberalen und konservativen Parteien enttäuscht war, die den Handwerkern und kleinen Kaufleuten nicht geben konnten, was diese verlangten: einen wirksamen Schutz vor der Konkurrenz der Großunternehmen. Aber die selbständigen und die unselbständigen Mittelschichten in Stadt und Land waren nicht das einzige Reservoir, aus dem die NSDAP schöpfte. Hitlers Partei hatte auch zahlreiche Arbeiter für sich gewonnen, und zwar vornehmlich solche, die zuvor nicht für SPD und KPD, sondern für eine der bürgerlichen Parteien gestimmt hatten – Arbeiter ohne proletarisches Klassenbewußtsein, die in der Landwirtschaft, im Handwerk oder einem mittelständischen Betrieb beschäftigt waren und sich an eine Kirche, zumeist die evangelische, gebunden fühlten.[16]

Die NSDAP war, daran konnte es schon 1930 keinen Zweifel geben, in höherem Maß „Volkspartei" als irgendeine andere Partei der ersten deutschen Republik. Kommunisten und Sozialdemokraten sprachen ein in sich gespaltenes Arbeitnehmermilieu, Zentrum und BVP kirchentreue Katholiken an; die liberalen und konservativen Parteien hatten ihre Anhänger ganz überwiegend bei Protestanten aus bürgerlichen und bäuerlichen Schichten. Die sozialen und konfessionellen Milieus waren zwar um 1930 längst nicht mehr so fest gegeneinander abgeschottet wie im Kaiserreich; Schallplatte, Film und Rundfunk hatten begonnen, einer neuen, die Milieugrenzen überspringenden Massenkultur den Boden zu bereiten. Doch die „alten" Parteien erkannten die Herausforderung kaum, die in dieser Entwicklung lag. Die Nationalsozialisten dagegen nutzten die Mittel der modernen Massenkommunikation konsequent und trugen einem verbreiteten Bedürfnis nach Gemeinschaft jenseits von Stand, Klasse und Konfession Rechnung – einem Bedürfnis, das die anderen Parteien nicht sahen, geschweige denn befriedigen konnten. Wie rückwärtsgewandt vieles war, was die NSDAP ihren Wählern versprach, der Erfolg dieser Partei war auch eine Frucht ihrer Fähigkeit, sich den Bedingungen des Massenzeitalters anzupassen und in diesem Sinn „Modernität" zu beweisen.

Die Antwort, die die Nationalsozialisten auf das Gemeinschaftsbedürfnis gaben, war, 1930 nicht anders als in den Jahren zuvor, ein extremer Nationalismus: Er sollte alles überwölben, was die Deutschen trennte. Judenfeindliche Parolen gingen mit den nationalen häufig Hand in Hand, wurden aber während des Wahlkampfes von 1930 weniger stark in den Vordergrund gerückt als früher – und das vor allem deshalb, weil es der NSDAP um die Gewinnung der Arbeiter ging, die für eine antisemitische Agitation weithin unempfänglich waren. Der Begriff „Sozialismus", der geeignet war, bürgerliche Wähler zu irritieren, wurde von der NSDAP beharrlich umgedeutet: Sozialismus im Sinne Hitlers meinte demnach nicht die Abschaffung des privaten Eigentums, sondern Gleichheit der sozialen Chancen und eine Wirtschaftsgesinnung, die auf dem Grundsatz „Gemeinnutz vor Eigennutz" beruhte.[17]

Die republikanischen Parteien, wie national sie sich auch fühlen mochten, konnten den Nationalismus der Nationalsozialisten nicht zu übertrumpfen versuchen. Das Bekenntnis zur demokratischen Republik aber, das überzeugte Anhänger Weimars der radikalen Rechten entgegenhielten, mobilisierte nur noch eine Minderheit. Selbst innerhalb der Weimarer Koalition, die ja in Preußen immer noch zusammenhielt, war mit republikanischem Pathos wenig auszurichten: Zu sehr gingen die Meinungen über das, was an Weimar erhaltenswert war, auseinander. Die nächstliegende Reaktion auf die politische Polarisierung, wie sie sich im Wahlergebnis des 14. September niederschlug, war ohnehin die Rückkehr zu den Quellen der eigenen Kraft.

Für die Sozialdemokratie hieß das festere Einbindung ihrer Anhänger in den Sozialismus als Kulturbewegung und Lebensform, für das Zentrum Rückbesinnung auf die gemeinschaftstiftende Katholizität.[18]

Der bürgerliche Liberalismus repräsentierte ein sehr viel weniger fest umrissenes, in seinen politischen Überzeugungen labileres Milieu als Sozialdemokratie und Zentrum. Die Abwanderung ihrer Wähler nach rechts beantworteten die liberalen Parteien mit einer Umorientierung in derselben Richtung. Das galt für die DVP, an der schon bald nach Stresemanns Tod kaum noch etwas „liberal" zu nennen war, wie für die ehemalige DDP. Ihre Verbindung mit der antisemitischen Volksnationalen Reichsvereinigung hatte sich am 14. September nicht ausgezahlt: Die Abwanderung des gewerblichen Mittelstandes hielt an, und vermutlich waren nicht wenige enttäuschte jüdische Wähler zur SPD übergewechselt. Drei Wochen nach der Wahl spaltete sich die eben gegründete Deutsche Staatspartei schon wieder: Am 7. Oktober erklärten die Jungdeutschen um Artur Mahraun wegen unüberwindbarer weltanschaulicher Differenzen ihren Austritt aus der Partei. Erich Koch-Weser, der die Fusion aktiv betrieben hatte, legte daraufhin sein Amt als Parteivorsitzender nieder; an das Zusammengehen mit den Jungdeutschen erinnerte fortan nur noch der neue Parteiname.[19]

Der Niedergang des Liberalismus ließ nicht nur jüdische Wähler, sondern auch einen der bekanntesten deutschen Schriftsteller nach einer neuen politischen Heimat Ausschau halten. Im Oktober 1930 appellierte Thomas Mann in einer „Deutschen Ansprache", die er im Beethoven-Saal zu Berlin hielt, an das deutsche Bürgertum, sich mit der Sozialdemokratie zu verbünden und sich dabei vom „Phantom" des Marxismus nicht schrecken zu lassen. Allein die Sozialdemokraten schienen dem Autor der „Buddenbrooks" noch in der Lage, dem fanatischen Nationalismus der Nationalsozialisten Paroli zu bieten. Thomas Mann begründete sein Plädoyer vor allem damit, daß die Sozialdemokraten für den friedlichen Aufbau Europas standen und die zuverlässigste Stütze der Politik Gustav Stresemanns gewesen waren. Wenn er die Meinung vertrete, daß der politische Platz des deutschen Bürgertums an der Seite der Sozialdemokratie sei, so verstehe er das Wort „politisch" im Sinne der unauflöslichen Einheit von Innen- und Außenpolitik. „Marxismus hin, Marxismus her – die geistigen Überlieferungen deutscher Bürgerlichkeit gerade sind es, die ihr diesen Platz anweisen; denn nur der Außenpolitik, die der deutsch-französischen Verständigung gilt, entspricht eine Atmosphäre im Innern, in der bürgerliche Glücksansprüche wie Freiheit, Geistigkeit, Kultur überhaupt noch Lebensmöglichkeit besitzen. Jede andere schlösse eine nationale Askese und Verkrampfung in sich, die den furchtbarsten Widerstreit zwischen Vaterland und Kultur und damit unser aller Unglück bedeuten würde."[20]

Der Untertitel „Ein Appell an die Vernunft", den Thomas Mann seinem, von feindseligen Zwischenrufen immer wieder unterbrochenen Vortrag gab, erinnerte, ob gewollt oder nicht, an eine vielbeachtete Forderung Otto

Brauns. Am 15. September, einen Tag nach der Reichstagswahl, hatte der preußische Ministerpräsident in einem Interview mit der amerikanischen Nachrichtenagentur United Press erklärt, er halte es für ganz ausgeschlossen, daß die radikalen Parteien in die Lage kommen würden, ihre Regierungsrezepte praktisch zu erproben. „Ich halte es vielmehr für sicher, daß eine Große Koalition aller Vernünftigen sich zusammenschließen wird, um mit einer zweifellos ausreichenden Regierungsmajorität zunächst energisch alle Kräfte auf Bekämpfung der Arbeitslosigkeit und auf die Verbesserung der wirtschaftlichen Existenzbedingungen der breiten Massen zu konzentrieren."[21]

Otto Brauns Aufruf an alle Vernünftigen hatte kaum bessere Chancen, Gehör zu finden, als Thomas Manns Appell an die Vernunft des Bürgertums. Eine Große Koalition, wie der preußische Ministerpräsident sie forderte, stieß im September 1930 auf unüberwindbare Hindernisse. Das wichtigste war Hindenburgs Weigerung, die SPD wieder an der Macht zu beteiligen. Von Wirtschaftspartei und Deutscher Volkspartei war auch nicht zu erwarten, daß sie ihr Nein zu einem Regierungsbündnis mit den Sozialdemokraten unter dem Eindruck der Septemberwahlen revidieren würden. Bei den Sozialdemokraten lehnte nicht nur der linke Flügel, sondern auch die Parteiführung eine formelle Große Koalition ab, die, so wie die neuen Mehrheitsverhältnisse lagen, außer der DVP mindestens noch die Wirtschaftspartei hätte einschließen müssen. Rudolf Hilferding, einer der gouvernementalsten Sozialdemokraten, erläuterte am 18. September Staatssekretär Hans Schäffer vom Reichsfinanzministerium, warum die SPD nicht in ein Kabinett Brüning eintreten könne. „Es sei notwendig, daß sie sich nicht gegenüber der Arbeiterschaft so kompromittiere, daß ihr nachher die Massen weglaufen. Dann falle der einzige Pfeiler."[22]

Ebenso wie eine Erweiterung nach links schied für das Kabinett Brüning aber auch eine solche nach rechts aus. Eine Koalition mit den Nationalsozialisten war für Zentrum, BVP und Staatspartei undenkbar. Auch die Reichswehrführung und der Reichsverband der Deutschen Industrie hielten die NSDAP im Herbst 1930 für keine regierungsfähige Partei. Daran änderte auch Hitlers Auftritt als Zeuge im Hochverratsprozeß gegen die Ulmer Reichswehroffiziere Scheringer, Ludin und Wendt vorerst noch nichts. Auf Antrag des Verteidigers der drei jungen Nationalsozialisten als Zeuge vorgeladen, behauptete Hitler am 25. September vor dem Reichsgericht unter Eid, die NSDAP werde die Macht nur auf legalem Weg übernehmen. Nachdem ihn der Vorsitzende auf seine Bemerkung angesprochen hatte, nach einem Sieg der Nationalsozialisten würden Köpfe in den Sand rollen, fügte Hitler dann allerdings hinzu, auf dem Weg der ordentlichen Gesetzgebung werde ein Staatsgerichtshof geschaffen werden, der die Schuldigen am November 1918 abzuurteilen habe. Deren Hinrichtung werde also auf gesetzlicher Grundlage erfolgen.[23]

Da weder Nationalsozialisten noch Sozialdemokraten als Regierungspartei in Frage kamen, mußte das Minderheitskabinett Brüning sich um eine

Tolerierungsmehrheit bemühen. Daß die NSDAP sich zu irgendwelchen Abreden dieser Art bereit finden würde, konnte man von vornherein ausschließen. Auch bei den Sozialdemokraten war mit heftigen Widerständen gegen eine Tolerierung Brünings zu rechnen. Für den linken Flügel hatte der Abgeordnete Max Seydewitz bereits unmittelbar nach der Reichstagswahl in der Zeitschrift „Klassenkampf" erklärt, die Absichten des Zentrumskanzlers seien nicht weniger faschistisch als die von den Nationalsozialisten empfohlenen Methoden, und es sei daher nicht zu verstehen, „warum die Sozialdemokratie in ihrem Kampf für Demokratie und gegen Faschismus einen Unterschied machen soll zwischen Brünings und Hitlers Faschismus". Doch es waren auch andere Töne zu vernehmen. In dem schon erwähnten Gespräch mit Schäffer bemerkte Hilferding am 18. September, das richtigste sei, „die Dinge außerhalb der Regierung mitzumachen, dann könne man die Wähler auf den Tag vertrösten, an dem es anders kommen werde". So wie Hilferding dachten auch Hermann Müller und, nachdem klar war, daß es eine reguläre Große Koalition nicht geben würde, auch die beiden wichtigsten Männer der preußischen Sozialdemokratie: Otto Braun und der Vorsitzende der Landtagsfraktion, Ernst Heilmann.[24]

Am 23. September fand in der Wohnung Hilferdings ein erstes, „ganz geheimes" Gespräch zwischen Brüning und Hermann Müller statt, bei dem es um eine künftige Zusammenarbeit ging. Eine Woche später trafen sich Müller und Wels mit dem Reichskanzler in der Wohnung von Staatssekretär Pünder im Berliner Stadtteil Lichterfelde. Das Ergebnis hielt der Gastgeber in einem Tagebucheintrag vom 30. September fest: „Nach der heutigen Aussprache scheint es mir tatsächlich nicht ausgeschlossen, daß zur Vermeidung einer Rechtsdiktatur die Sozialdemokratie das Kabinett Brüning unterstützt."[25]

Während sich die Führung der SPD in den folgenden Tagen bemühte, die Partei von der Notwendigkeit einer Politik des kleineren Übels zu überzeugen, nahm der Reichskanzler Kontakte in eine ganz andere politische Himmelsrichtung auf. Am 5. Oktober traf er sich in der Wohnung von Reichsminister Treviranus mit Hitler und dem thüringischen Innenminister Frick. Die Begegnung war erst durch Hitlers jüngsten Legalitätsschwur möglich geworden. Ob Brüning tatsächlich, wie er in seinen Memoiren behauptet, den Führer der Nationalsozialisten bei diesem Gespräch in seine langfristigen Zielsetzungen, darunter die Restauration der Monarchie, eingeweiht hat, ist höchst zweifelhaft. Vermutlich ging es dem Kanzler vor allem darum, Hitler den Ruf nach einer sofortigen Revision des Young-Plans und einem Moratorium für die deutschen Reparationszahlungen auszureden: Beide Forderungen kamen Brüning sehr ungelegen, weil sie geeignet waren, eine von der Regierung angestrebte Auslandsanleihe zu gefährden.

Aber der Versuch, Hitler zu überzeugen, schlug fehl. „Nationalsozialisten grundsätzlich auf anderem Standpunkt, und zwar in völliger Erkenntnis der katastrophalen Folgen ihres Vorschlages", notierte Pünder über die Mitteilungen, die Brüning am 7. Oktober Hindenburg machte. Auf längere Sicht wollte der Kanzler ein Zusammenwirken mit den Nationalsozialisten dennoch nicht ausschließen. Grundsätzlich und auf Dauer, so meinte er gegenüber dem Reichspräsidenten, dürfe man die Mitarbeit keiner Partei ablehnen, sofern sie ihre Ansichten mäßige und sich an den legalen Weg halte.[26]

Bei den Sozialdemokraten war inzwischen eine wichtige Entscheidung gefallen. Am 3. Oktober verabschiedete die Reichstagsfraktion eine Resolution, die schon im ersten Satz aussprach, was fortan für die SPD oberste Priorität haben würde: „Die sozialdemokratische Reichstagsfraktion sieht nach dem Ausgang der Reichstagswahlen in der Erhaltung der Demokratie, der Sicherung der Verfassung und dem Schutz des Parlamentarismus ihre erste Aufgabe." Weiter hieß es, die Sozialdemokratie kämpfe für die Demokratie, um die Sozialpolitik zu schützen und die Lebenshaltung der Arbeiterschaft zu heben. „Nur die Sicherung eines streng verfassungsmäßigen Regierens ermöglicht die notwendige Arbeitsbeschaffung zur Milderung des wirtschaftlichen Niedergangs. Die sozialdemokratische Reichstagsfraktion wird unter Wahrung der Lebensinteressen der arbeitenden Massen für die Sicherung der parlamentarischen Grundlage und für die Lösung der dringendsten finanzpolitischen Aufgaben eintreten."

Der Beschluß der sozialdemokratischen Fraktion enthielt zwar keine ausdrückliche Zustimmung zu dem neuesten, am 29. September verabschiedeten Sparprogramm der Regierung, das unter anderem eine Kürzung der Beamtengehälter um 6% und eine Anhebung der Beiträge zur Arbeitslosenversicherung von 4½% auf 6½% vorsah. Aber für das Kabinett war zunächst viel wichtiger, daß die SPD sich zur Verständigung in den wichtigsten Fragen bereit erklärt hatte. Damit war jene breite Strömung in der Sozialdemokratie unterlegen, die es für besser hielt, die Nationalsozialisten an der Regierung zu beteiligen und sich eben dadurch „abwirtschaften" zu lassen. Der Beschluß vom 3. Oktober bedeutete einen Sieg der Realpolitiker, denen es von Anfang an um ein doppeltes Ziel ging: die Abwehr einer Rechtsregierung im Reich, gleichviel ob die Nationalsozialisten offen oder verdeckt an ihr beteiligt waren, und die Aufrechterhaltung der Koalitionsregierung aus SPD, Zentrum und Deutscher Staatspartei in Preußen.[27]

Am 13. Oktober 1930 trat der neugewählte Reichstag zu seiner ersten Sitzung zusammen. Sie begann mit einem Eklat. Um gegen ein Uniformverbot der preußischen Regierung zu protestieren, erschienen die 107 Abgeordneten der NSDAP in den braunen Hemden der SA im Plenarsaal. Vor dem Reichstag hatten sich Tausende von Nationalsozialisten versammelt. „Konnten im Reichstage die Nationalsozialisten der preußischen Polizei spotten, so glaubten es ihre Anhänger auf der Straße auch zu können", schreibt Otto Braun in seinen Erinnerungen. „Sie inszenierten daher am Tage der Eröffnung des Reichstags einen kleinen Judenpogrom durch Einschlagen der Schaufenster jüdischer Geschäfte, Warenhäuser und Cafés und Belästigung jüdischer Straßenpassanten, einen Unfug, dem die anfangs überraschte, dann energisch eingreifende Polizei bald ein Ende machte."

Drei Tage später trug Heinrich Brüning seine Regierungserklärung vor. Die wichtigste Botschaft des Kanzlers war, daß der Überbrückungskredit eines amerikanischen Bankenkonsortiums über 125 Millionen Dollar an die Voraussetzung gebunden sei, daß die Ermächtigung zu seiner Annahme und die Vereinbarung über die Tilgung durch ein Gesetz erfolge. Das war ein wichtiges Druckmittel gegenüber dem Reichstag – und es trug mit dazu bei, daß die Regierung sich ihrer Sache einigermaßen sicher sein konnte.

In der anschließenden Debatte stellte Hermann Müller klar, daß die SPD den Anträgen auf Aufhebung der Notverordnung vom 26. Juli, die von KPD, NSDAP und DNVP eingebracht worden waren, nicht zustimmen werde. Für die NSDAP betonte Gregor Strasser, der Reichsorganisationsleiter seiner Partei und Bruder des abtrünnigen Otto Strasser, die Nationalsozialisten, die „Antiparlamentarier aus Prinzip", müßten gegenüber bürgerlichen Diktaturplänen heute „nahezu die Schützer der Weimarer Verfassung" sein. „Wir sind jetzt für die Demokratie Weimars, wir sind für das Republikschutzgesetz, solange es uns paßt. Und solange werden wir jede Machtposition auf der Grundlage dieser Demokratie verlangen und erhalten, solange wir wollen."

Der Sprecher der Kommunisten, Wilhelm Pieck, verzichtete hingegen darauf, den Umsturzplänen seiner Partei den Mantel der Legalität umzuhängen. Um das fluchwürdige System der kapitalistischen Ausbeutung und Knechtung zu stürzen, gebe es nur einen Weg, sagte er: „Revolution und damit Vernichtung des Kapitalismus und Unschädlichmachung aller derjenigen, die dieses System stützen. Das ist die Aufgabe, die sich die Kommunistische Partei gestellt hat, und es wird der Tag kommen, wo die Arbeitermassen, wo die Erwerbslosen unter Führung der Kommunistischen Partei dieses Parlament der Unternehmer und Faschisten auseinanderjagen. Dann werden an seiner Stelle die deutschen Sowjets zusammentreten und die Diktatur des Proletariats aufrichten, um damit an die Stelle dieser verfaulten bürgerlichen Gesellschaft und dieser Hungerrepublik ein freies sozialistisches Sowjetdeutschland zu setzen."

Am späten Abend des 18. Oktober begannen, immer wieder von Tumulten unterbrochen, die Abstimmungen. Mit den Stimmen der SPD wurden das Gesetz über die Schuldentilgung verabschiedet, die Anträge auf Aufhebung der Notverordnung an den Haushaltsausschuß überwiesen und ein Antrag der Regierungsfraktionen angenommen, über alle Mißtrauensanträge zur Tagesordnung überzugehen. Zu den Ja-Stimmen gehörten unter anderem die der Reichspartei des deutschen Mittelstandes, die noch am 13. Oktober ihr Parteimitglied, Justizminister Bredt, aus dem Kabinett hatte abberufen wollen und keinen Zweifel daran ließ, daß sie sich nicht mehr als Regierungspartei betrachtete; unter den Nein-Stimmen waren die der Deutschnationalen und des Deutschen Landvolkes, womit alle Vertreter der Großlandwirtschaft ihre

Gegnerschaft zum Kabinett Brüning zu erkennen gaben. In den frühen Morgenstunden des 19. Oktober vertagte sich der Reichstag bis zum 3. Dezember. Die Regierung Brüning hatte nicht nur eine Schlacht gewonnen, sondern auch, was ebenso wichtig war: Zeit.[28]

Die Sozialdemokraten luden sich mit der Entscheidung, Brüning zu tolerieren, eine schwere Last auf. Sie strapazierten die Geduld ihrer Anhänger und boten ihren Gegnern willkommene Angriffsflächen. Von den Kommunisten bekam die SPD zu hören, sie verrate durch die Stützung der „Diktatur Brüning" die Arbeiterklasse und treibe den Prozeß der Faschisierung Deutschlands voran. Die Nationalsozialisten erhielten dank der Tolerierungspolitik der SPD die Chance, sich als einzige wirkungsvolle Oppositionsbewegung rechts von den Kommunisten zu präsentieren. Da der Reichstag seit dem Herbst 1930 weniger zu sagen hatte als selbst im Kaiserreich, mußte sich der Protest noch mehr als bisher auf die Straße verlagern. Im Kampf um die außerparlamentarische Mobilisierung der Massen vermochten nur jene mitzuhalten, die dem Regime der Notverordnungen ein klares Nein entgegensetzten. Die SPD schaltete sich durch die Tolerierung Brünings aus diesem Wettlauf selbst aus.

Dennoch war die Tolerierungspolitik für die Sozialdemokraten solange eine Politik ohne Alternative, als sie die Macht in Preußen, den wichtigsten Teil der ihnen verbliebenen staatlichen Macht, behalten wollten. Und sie mußten die Macht im größten deutschen Staat behaupten, um die Nationalsozialisten wirksam bekämpfen zu können. In Preußen war die SPD auf die Partei Brünings, das Zentrum, angewiesen. Brachte die Sozialdemokratie im Reich Brüning zu Fall, so stürzte mit großer Wahrscheinlichkeit kurz darauf Otto Braun in Preußen. Mit Braun fiel dann auch Carl Severing, der seit dem 31. Oktober 1930 wieder preußischer Innenminister war; mit Severing aber verlor die SPD die Kontrolle über die preußische Polizei, das wichtigste staatliche Machtmittel im Kampf gegen den Nationalsozialismus.[29]

Wie sehr die regierenden Sozialdemokraten Preußens vom Wohlwollen des Zentrums abhingen, führte ihnen Brüning Ende November 1930 drastisch vor Augen. Die Regierung hatte eine Notverordnung vorbereitet, die einerseits neue Lasten, andererseits gewisse, von den Sozialdemokraten angemahnte Erleichterungen bringen sollte. Das Nein der Nationalsozialisten und der Deutschnationalen stand bereits fest. Unter diesen Umständen, erklärte Brüning laut Protokoll am 30. November in einer Kabinettssitzung, an der auch Staatssekretär Weismann vom preußischen Staatsministerium teilnahm, „müsse die Sozialdemokratie dem Kabinett eine Mehrheit für die Notverordnung schaffen. Sollte die Sozialdemokratie sich hier versagen, werde vom Zentrum die Frage der Preußenkoalition aufgerollt werden. Er, der Reichskanzler, nehme an, daß die Sozialdemokratie und insbesondere auch der Preußische Ministerpräsident sich hierüber ganz im klaren seien. Staatssekretär Weismann bestätigte, daß der Preußische Ministerpräsident sich hierüber vollkommen im klaren sei."

Überlegungen des Machterhalts waren es jedoch nicht allein, die die Sozialdemokraten zur Stützung Brünings veranlaßten. Es gab in einem zentralen Punkt auch sachliche Übereinstimmung zwischen dem Regierungslager und der SPD: Äußerste Sparsamkeit war notwendig, um die Folgen der schädlichen „Pumpwirtschaft" zu überwinden. Was Brüning am 27. November vor dem Hauptausschuß des Reichsverbandes der Deutschen Industrie ausführte, hätte so ähnlich auch Braun sagen können: „Diejenigen, die glauben, daß man alles und jedes Elend und alle Fehler im innenpolitischen und wirtschaftlichen Leben Deutschlands auf die Reparationsfrage zurückzuführen hätte, führen meines Erachtens das deutsche Volk in die Irre und verhindern eine Selbsterkenntnis des deutschen Volkes. Sie verhindern, daß die Maßnahmen rechtzeitig getroffen werden, die wir auch treffen müßten, wenn es gar keine Reparationsleistungen gäbe... Lieber Unpopularität auf Monate und ein ganzes Jahr tragen, als noch einmal den Fehler machen, zu früh an die Frage heranzugehen."[30]

Der fortdauernde Sanierungskonsens erklärt mit, weshalb die Sozialdemokraten die neue Notverordnung, die Hindenburg am 1. Dezember unterzeichnete, nur maßvoll kritisierten. Die SPD hatte unter anderem eine schärfere Staffelung der Bürgersteuer und in der Krankenversicherung Gebührenfreiheit für Erwerbslose erreicht; dafür nahm sie nun soziale Härten wie die Ende September vom Kabinett beschlossene Kürzung der Beamtengehälter und neue Maßnahmen zum Schutz der Landwirtschaft, darunter höhere Zölle auf Weizen und Gerste, in Kauf. Die von den Kommunisten organisierten Hungerdemonstrationen, die vom 3. Dezember an die Sitzungen des Reichstags begleiteten, konnten die Sozialdemokraten nicht beeindrucken: Am 6. Dezember verwarf das Plenum mit den Stimmen der SPD die Anträge auf Aufhebung der jüngsten Notverordnung wie auch der vorangegangenen vom 26. Juli. Am Tag darauf vertagte sich der Reichstag auf den 3. Februar 1931.[31]

Der „Vorwärts" sah das Hohe Haus gern in die Ferien ziehen. Drei Monate nach der Neuwahl, hieß es am 13. Dezember im Leitartikel des sozialdemokratischen Parteiorgans, seien wohl alle einer Meinung darüber, „daß dieser Reichstag eine Mißgeburt ist und daß man froh sein kann, wenn man von ihm nichts hört und nichts sieht". Ernst Heilmann, der Vorsitzende der preußischen Landtagsfraktion, der auch ein Reichstagsmandat innehatte, meinte, ein Reichstag mit 107 Nationalsozialisten und 77 Kommunisten könne in Wirklichkeit nicht arbeiten. „Ein Volk, das einen solchen Reichstag wählt, verzichtet damit effektiv auf die Selbstregierung. Und sein Gesetzgebungsrecht wird automatisch durch den Art. 48 ersetzt. Diese für jeden Freund der Demokratie höchst betrübliche Tatsache muß man hinnehmen, bis das deutsche Volk zu einer gescheiteren Wahl fähig geworden ist."

Otto Braun erinnerte am 17. Dezember in einem Rundfunkvortrag daran, daß er in der Amtszeit Friedrich Eberts gegen jeden Mißbrauch des Artikels 48 gekämpft hatte. „Ich wollte und will den demokratischen Grundgedanken der Verfassung nicht dadurch in sein Gegenteil verkehren, daß auf diesem Wege unter Umständen der Willkür Tür und Tor geöffnet wird. Aber Voraussetzung ist, daß der hauptsächliche Machtfaktor, den die Verfassung kennt, das aus dem Volk hervorgegangene Parlament, willens und fähig ist, die ihm von der Verfassung gewiesenen Aufgaben und die für das Volk lebenswichtigen Arbeiten zu erledigen. Erweist sich das Parlament, zum Teil infolge seiner Durchsetzung mit antiparlamentarischen Gruppen dazu als unfähig, dann, aber auch nur dann, muß das politische SOS-Notzeichen gegeben werden, dann muß das Notventil der Verfassung für so lange Zeit geöffnet werden, bis der akute Notstand beseitigt ist, den das Parlament nicht meistern konnte oder nicht meistern wollte." Der „Vorwärts" veröffentlichte den Vortrag Brauns unter der Überschrift „Erziehung zur Demokratie!"[32]

Die Grundannahme der sozialdemokratischen Tolerierungspolitik war, daß die Regierung Brüning die Nationalsozialisten von der Macht fernhalten wollte. Doch im Spätjahr 1930 häuften sich Ereignisse, die dieser Annahme zuwiderliefen. Innenminister Wirth konnte sich Ende Oktober im Kabinett nicht mit seiner Absicht durchsetzen, dem Land Braunschweig, das seit vier Wochen einen nationalsozialistischen Innenminister hatte, die Polizeigelder zu sperren. Am 10. November bat Reichswehrminister Groener den Reichskanzler, eine Kabinettsentscheidung über die „hochpolitische" Frage herbeizuführen, ob die NSDAP legal oder illegal sei. Bisher hatte das Reichswehrministerium Angehörige dieser Partei aus den Betrieben der Wehrmacht entfernt. Aber nun kamen Groener Zweifel: Hitler hatte geschworen, nur legal die Macht zu ergreifen, und der Reichskanzler selbst war mit dem Führer der Nationalsozialisten zu offiziellen Verhandlungen zusammengetroffen.

Am 19. Dezember erklärte Brüning in der von Groener erbetenen Aussprache, zur Frage der Legalität oder Illegalität der NSDAP könne das Reichskabinett jetzt noch nicht endgültig Stellung nehmen. „Auf jeden Fall müsse die Reichsregierung sich davor hüten, dieselben falschen Methoden gegen die Nationalsozialisten anzuwenden, welche in der Vorkriegszeit gegen die Sozialdemokraten angewendet worden seien. Anstelle des Reichswehrministers würde er vorläufig in Heeresbetrieben sich um die Parteizugehörigkeit der Arbeiter nicht mehr kümmern." Auch im Hinblick auf den Grenzschutz sprach sich Brüning für eine großzügige Praxis aus: Zwar dürften in Oberschlesien und andernorts nicht ganze nationalsozialistische Formationen, aber doch einzelne Nationalsozialisten aufgenommen werden. Das Reichskabinett erhob dem Protokoll zufolge „keine Einwendungen gegen diese grundsätzliche Stellungnahme des Reichskanzlers".

Der Unterschätzung der nationalsozialistischen Gefahr entsprach die Überschätzung der Drohung, die von den Kommunisten ausging. Am 12. Dezember bezeichnete der Kanzler vor dem Vorstand der Zentrumsfraktion die KPD als die gefährlichere Partei, und Kaas ergänzte, daß die führenden

Sozialdemokraten, darunter auch der neue preußische Innenminister Severing, derselben Auffassung seien. Die KPD hatte sich diese Einschätzung in erster Linie selbst zuzuschreiben. Während die NSDAP den Eindruck erweckte, sie strebe die Macht auf strikt legalem Weg an, betonten die Kommunisten stets aufs neue, daß sie entschlossen seien, ihr revolutionäres Ziel „Sowjetdeutschland" mit revolutionären Mitteln zu erreichen – einschließlich dessen, was Wilhelm Pieck am 17. Oktober im Reichstag die „Unschädlichmachung" aller Stützen des kapitalistischen Systems genannt hatte. Tatsächlich stand nach Meinung Stalins in Deutschland die wachsende Zersetzung der kapitalistischen Gesellschaft, aber noch nicht die kommunistische Revolution auf der Tagesordnung. Doch die Angst, die die Kommunisten hervorriefen, war gleichwohl real, und niemand profitierte mehr davon als ihre radikalsten Widersacher: die Nationalsozialisten.[33]

Dafür, daß die politische Radikalisierung auch im neuen Jahr nicht abebbte, sorgte schon die steigende Arbeitslosigkeit: Mitte Januar 1931 wurde mit 4,765 Millionen Erwerbslosen eine neue Rekordhöhe erreicht. Die Zeitungen berichteten fast täglich über Straßenkrawalle und Saalschlachten, die nicht selten Menschenleben forderten. Doch das politische Leben Deutschlands ging nicht im Kampf zwischen den extremen Kräften von rechts und links auf. Parallel zur Polarisierung gab es vielmehr eine gewisse Stabilisierung der politischen Lage.

Bereits im Dezember 1930 hatte Brüning in vertraulichen Gesprächen mit Regierungsparteien und SPD über Möglichkeiten gesprochen, den agitatorischen Mißbrauch des Parlaments durch Nationalsozialisten und Kommunisten zu unterbinden. Im Januar wurden die Verhandlungen fortgeführt und am 3. Februar – dem Tag, an dem der Reichstag zu seiner ersten Sitzung im neuen Jahr zusammentrat – abgeschlossen. Das Ergebnis war ein Antrag zur Änderung der Geschäftsordnung, der zwei wesentliche Neuerungen brachte. Die erste sollte die Bewilligungsfreude des Reichstags zügeln: Anträge, die eine Erhöhung der Ausgaben oder Senkung der Einnahmen zur Folge haben konnten, mußten mit einem Deckungsvorschlag verbunden sein; sie waren zunächst den zuständigen Ausschüssen zu überweisen und durften nur noch in Zusammenhang mit den dazugehörigen Titeln des Haushaltsplans beraten werden.

Die zweite Änderung schob unechten Vertrauensanträgen einen Riegel vor – Anträgen von der Art, wie sie im Dezember 1930 die Nationalsozialisten im Reichstag eingebracht hatten, um andere Parteien, namentlich die Sozialdemokraten, in Verlegenheit zu bringen und bloßzustellen. Künftig war nur noch eine Fassung zugelassen, die klarstellte, daß der Reichstag der Reichsregierung oder einem ihrer Minister das Vertrauen entzog. Dazu kam eine Änderung des Pressegesetzes, die einen Mißbrauch der parlamentarischen Immunität, vor allem durch Kommunisten und Nationalsozialisten, verhindern sollte: Abgeordneten war es fortan untersagt, als Redakteur einer Zeitung oder Zeitschrift verantwortlich zu zeichnen.

Die lautstarken Proteste von KPD, NSDAP und DNVP waren vergebens. Am frühen Morgen des 10. Februar 1931 nahm der Reichstag die Vorlage mit 297 gültigen Stimmen ohne Gegenstimmen an. Die radikalen Oppositionsparteien beteiligten sich nicht an der Abstimmung. In der folgenden Sitzung am Nachmittag des 10. Februar erklärten die Nationalsozialisten, angesichts „des organisierten Verfassungsbruches" würden sie den „Tributreichstag" verlassen. Da die Deutschnationalen sich diesem Schritt anschlossen, erlebte der Reichstag mehrere Wochen lang eine Art Rückkehr zur Normalität. Für eine radikale Opposition sorgten, solange die Rechtsparteien das Parlament boykottierten, lediglich die Kommunisten.[34]

Der Auszug der radikalen Rechten änderte schlagartig die Mehrheitsverhältnisse im Reichstag. Theoretisch gab es nun eine „marxistische" Majorität: 206 bürgerlichen Abgeordneten standen zusammen 230 Sozialdemokraten und Kommunisten gegenüber. Es war von vornherein absehbar, daß das für die SPD große Probleme mit sich bringen mußte. Wann immer die Kommunisten die Sozialdemokraten als stille Teilhaber des Regierungslagers präsentieren wollten, konnten sie es tun. Einen geradezu idealen Anlaß bot der umstrittenste Posten bei den anstehenden Beratungen über den Reichshaushalt 1930: die vom Reichswehrminister geforderte und von der Regierung beschlossene erste Baurate für den Panzerkreuzer „B". Der Streit um den Panzerkreuzer „A" lag erst zweieinhalb Jahre zurück, und wenn schon im Herbst 1928 soziale Gründe gegen den Bau des Panzerschiffes gesprochen hatten, dann erst recht im Frühjahr 1931. Aber die Sozialdemokraten wußten auch, was ein Nein zum Panzerkreuzer „B" zur Folge haben würde: den Rücktritt nicht nur Groeners, sondern auch Brünings. Damit stand der Erfolg der Tolerierungspolitik insgesamt auf dem Spiel: Eine Ablehnung des Panzerschiffes konnte zur Berufung einer Rechtsregierung führen.

Obwohl Brüning der SPD für den Fall, daß sie den zweiten Panzerkreuzer hinnahm, nur ganz geringfügige Zugeständnisse anbot, entschieden sich die Sozialdemokraten schließlich, bei der entscheidenden Abstimmung am 20. März Stimmenthaltung zu üben. Aber nicht alle Abgeordneten hielten sich an den Beschluß. 29 Parlamentarier nahmen an der Abstimmung nicht teil; 9, ausnahmslos Linke, gaben zusammen mit den Kommunisten Nein-Stimmen ab. Das war der schwerste Fall von Disziplinbruch seit der Parteispaltung im Ersten Weltkrieg. Dennoch erhielten bis auf einen Abgeordneten die Abweichler, die mit Nein gestimmt hatten, die Unterstützung ihrer Parteigliederungen, in drei Fällen bis hinauf zur Ebene des Parteibezirks. Aber von einer breiten Welle der Solidarisierung konnte keine Rede sein. Der Disziplinbruch, mit dessen Folgen sich der nächste Parteitag der SPD Anfang Juni in Leipzig zu befassen hatte, war bei der großen Mehrheit der Sozialdemokraten noch unpopulärer als der Panzerkreuzer, der bislang höchste Preis der Tolerierungspolitik.[35]

Am gleichen 20. März 1931, an dem die SPD den Bau des Panzerkreuzers „B" ermöglichte, erlag einer der unermüdlichsten Befürworter der Tolerierungspolitik, der frühere Reichskanzler Hermann Müller, einem lange verschleppten Gallenleiden. Der Vorsitzende der SPD, der zwei Tage zuvor sein 55. Lebensjahr vollendet hatte, war keiner der Großen in der Geschichte der deutschen Sozialdemokratie, kein Mann kühner Konzeptionen und schon gar keine charismatische Führerpersönlichkeit. Er war der erste Diener seiner Partei, ein Mann des Ausgleichs und der Pflichterfüllung. Als Reichskanzler der Jahre 1928 bis 1930 hatte er sein Äußerstes gegeben, und in dem einen Jahr, das ihm nach seinem Sturz noch verblieb, tat er alles, um die Brücken zwischen der Sozialdemokratie und den gemäßigten Kräften des Bürgertums nicht einstürzen zu lassen.

Brüning wußte, was er Hermann Müller zu verdanken hatte. Im Reichstag erinnerte der Kanzler daran, wie sehr Müller darunter gelitten hatte, daß er als deutscher Außenminister am 28. Juni 1919 seine Unterschrift unter den Vertrag von Versailles hatte setzen müssen. Brüning nannte seinen Vorgänger im Kanzleramt einen „nationalen Mann von stärkstem vaterländischen Handeln und Denken" und bewegte die Sozialdemokraten damit tief. Wels und Breitscheid gingen, nachdem der Reichskanzler seine Rede beendet hatte, auf Brüning zu und sprachen ihm den Dank ihrer Fraktion aus. Als am 26. März der Trauerzug der Berliner Sozialdemokraten mit dem Leichenwagen an der Spitze die Höhe des Vorhofs des Reichspräsidentenpalais erreichte, trat Hindenburg, schwarz gekleidet, auf die Freitreppe und entblößte sein Haupt. Es hatte Reichswehrminister Groener große Mühe gekostet, dem Reichspräsidenten diese persönliche Geste gegenüber dem letzten sozialdemokratischen Reichskanzler abzuringen.[36]

Der Reichstag hatte sich zu diesem Zeitpunkt bereits wieder in die Ferien entlassen – auf lange Zeit, bis zum 13. Oktober 1931. Brüning hatte ursprünglich eine noch längere Vertagung, bis in den November, angestrebt, war dann aber doch den protestierenden Sozialdemokraten ein kleines Stück entgegengekommen. Die Regierung suchte den Spielraum, den sie durch die reguläre Verabschiedung des Reichshaushalts 1931 und die befristete Selbstabdankung des Reichstags gewonnen hatte, sogleich nach Kräften zu nutzen. Am 28. März – zwei Tage nach Beginn der außerordentlichen parlamentarischen Sommerpause – erließ der Reichspräsident eine Notverordnung zur Bekämpfung politischer Ausschreitungen. Sie traf die Kommunisten weit schwerer als die Nationalsozialisten. In den ersten drei Monaten nach dem 28. März gab es wegen politischer Ausschreitungen insgesamt 3 418 Polizeiaktionen oder Maßnahmen der Strafverfolgungsbehörden; davon betrafen 2 027 Fälle die KPD, wobei ihre Nebenorganisationen noch nicht mitgerechnet waren.

Es muß nicht an politischer Einäugigkeit von Polizei und Justiz gelegen haben, daß die Kommunisten die Hauptbetroffenen der neuen Notverordnung waren. Denn es gab nicht nur den von der Führung der KPD propagierten „wehrhaften Kampf gegen den Faschismus", wozu Boykottaktionen, Mieterstreiks und Demonstrationen gehörten, sondern auch zahllose Fälle individuellen Terrors gegenüber den Anhängern Hitlers. Die Parteileitung mißbilligte solche Aktivitäten und hatte deswegen schon im Juni 1930 die im Herbst des Vorjahres ausgegebene Parole „Schlagt die Faschisten, wo ihr sie trefft!" aus dem Verkehr gezogen. Sie gestattete überdies die Bewaffnung mit Schußwaffen offiziell nur dem – seit dem Verbot im Mai 1929 illegal fortbestehenden – Roten Frontkämpferbund, der sich als Vorhut einer künftigen Roten Armee verstand, und dem 1931 gegründeten Parteiselbstschutz, einem Geheimbund mit der Aufgabe, die führenden Funktionäre und die Einrichtungen der KPD zu schützen.

Aber der alltägliche Antifaschismus ließ sich nicht durchgängig von oben kontrollieren. Selbst in der Reichshauptstadt, wo die Zentrale der KPD ihren Sitz hatte, geschah vieles ohne und gegen die Anweisungen der Parteiführung. Daß dem so war, hing eng mit dem sozialen Wandel während der zwanziger Jahre zusammen. Die alten Arbeiterviertel waren noch „proletarischer" geworden – eine Folge des Wegzugs besser verdienender Arbeiter in Stadtteile, wo die Wohnungsnot nicht so drückend war wie im Wedding oder in Friedrichshain. Die reinen Arbeiterviertel waren in den frühen dreißiger Jahren die eigentlichen Hochburgen der Arbeitslosigkeit und eben darum auch der Kommunisten. Mit der Zahl der Erwerbslosen stieg die Zahl der Bewohner, die den ganzen Tag im „Kiez" verbrachten. Diese kleine Welt wollten die aktiven jungen Kommunisten und die „wilden Cliquen" jugendlicher Arbeitsloser gegen den paramilitärischen Arm der Nationalsozialisten, die SA, verteidigen. Seit 1929 waren Hitlers „braune Bataillone" nämlich verstärkt dazu übergegangen, Stützpunkte im proletarischen Feindesland zu errichten. Mit jeder kommunistischen Stammkneipe, die zum „Sturmlokal" der SA wurde, ging ein Stück Heimat an den Klassenfeind verloren – und als Handlanger des Klassenfeindes galt auch der SA-Mann, der selbst Arbeiter war und im gleichen Viertel wohnte.

Wer so dachte, der empfand nur zu leicht die Verwundung, ja selbst die Tötung des Feindes als legitim. Ob im konkreten Fall Nationalsozialisten oder Kommunisten die Angreifer waren, war oft schwer zu entscheiden. Politische Morde wurden jedenfalls in den frühen dreißiger Jahren von beiden Seiten in beträchtlicher Zahl begangen. Anfang 1930 etwa fiel der Berliner SA-Führer Horst Wessel einem solchen Verbrechen zum Opfer. Sein Mörder, der Zuhälter Ali Höhler, war zwar kein Mitglied der KPD, wurde aber von den Kommunisten gegen Wessel zur Hilfe gerufen. Die Nationalsozialisten standen den Kommunisten an physischer Brutalität nicht nach. Am 14. März 1931, wenige Tage vor Erlaß der neuen Verordnung, ermordeten, um nur ein Beispiel zu nennen, drei Mitglieder der Hamburger NSDAP versehentlich den kommunistischen Bürgerschaftsabgeordneten Ernst Henning: Die Täter hatten den Parlamentarier mit dem örtlichen Führer des Roten Frontkämpferbundes verwechselt.[37]

Gegen Hindenburgs Verordnung protestierten die Nationalsozialisten genau so heftig wie die Kommunisten. Intern freilich erließ Hitler einen Parteibefehl, wonach die Mitglieder der NSDAP formal die Verordnung nicht verletzen durften, und löste damit eine Rebellion des Berliner SA-Führers Walther Stennes aus. Die Erhebung wurde zwar rasch niedergeworfen und die SA noch mehr als bisher auf Hitler eingeschworen, aber der Eindruck blieb haften, daß der Legalitätskurs der NSDAP in den eigenen Reihen nach wie vor umstritten war. Eine schwere Niederlage mußten die Nationalsozialisten zur gleichen Zeit in Thüringen hinnehmen: Am 1. April stürzte der Landtag den Innen- und Volksbildungsminister Wilhelm Frick. Die DVP, die hierbei den Ausschlag gab, begründete ihr Votum damit, daß die NSDAP, die doch eine Bewegung und keine Partei sein wolle, sich als die parteiischste von allen Parteien entpuppt habe. Zu alledem kam noch eine ungewollte Wirkung des Auszugs aus dem Reichstag: Die öffentliche Aufmerksamkeit für die Nationalsozialisten ließ nach. Von der staatlichen Macht schien die NSDAP im Frühjahr 1931 weiter entfernt als ein halbes Jahr zuvor.[38]

Anzeichen für eine Wende zum Besseren gab es auch in der Wirtschaft. Mit Befriedigung registrierte die „Gewerkschafts-Zeitung“, das Organ des ADGB, im April 1931, daß das Abgleiten der Wirtschaftskurve seit einigen Wochen zum Stillstand gekommen, der Tiefstand der Krise also möglicherweise bereits erreicht sei. In der Tat waren die Kurse der Wertpapiere, vor allem der festverzinslichen, in letzter Zeit wieder gestiegen, und die Zahl der Arbeitslosen war im April 1931 gegenüber dem März etwas stärker zurückgegangen als im April 1930. Die Vorhersage der „Gewerkschafts-Zeitung“ von Ende Mai klang gedämpft optimistisch: „Auch in diesem Jahr kann man mit weiterer saisonüblicher Ausweitung der wirtschaftlichen Tätigkeit rechnen, angesichts der allgemeinen Wirtschaftslage wird sie sich aber in ziemlich engen Grenzen abspielen“.[39]

Bei genauerem Hinsehen gab es indes keinen Grund, auf ein schnelles Abebben der Krise zu hoffen. Anfang März bezifferte Reichsfinanzminister Dietrich den Fehlbetrag der Reichskasse für das erste Vierteljahr 1931 mit 430 Millionen RM. Dazu kamen noch 83 Millionen RM für einen Überbrükkungskredit zugunsten der Reichsanstalt für Arbeitsvermittlung und Arbeitslosenversicherung, die trotz der Beitragserhöhung vom letzten Oktober – von 4½ auf 6½% – ihre gesetzlich vorgeschriebenen Leistungen nicht mehr erfüllen konnte. Am 23. April teilte Dietrich dem Kabinett mit, wegen der Ausfälle auf der Einnahmenseite müßte die Ausgabenseite des Reichshaushalts 1931 um 440 Millionen RM gesenkt werden. Der ungedeckte Geldbedarf der Reichskasse belaufe sich im Mai auf 90 und im Juni auf rund 180 Millionen RM.

Der Zustand der Reichsfinanzen war im Frühjahr 1931 in der Tat so bedrohlich, daß die Reichsregierung nicht mehr darum herumkam, eine neue Notverordnung vorzubereiten. Die SPD, von der es entscheidend abhing, ob eine solche Verordnung Bestand hatte, war in diesem Punkt derselben Ansicht wie das Kabinett. Allerdings widersprachen die Unterhändler der sozialdemokratischen Reichstagsfraktion der Meinung Brünings und Dietrichs, daß das Defizit unter keinen Umständen durch Einnahmeerhöhungen, sondern nur durch Einsparungen zu decken sei. Dem Fraktionsvorsitzenden Breitscheid erschien die Gefahr, daß die geplante Notverordnung neue soziale Härten mit sich bringen werde, sogar so groß, daß er dem Kanzler am 29. April die Einberufung des Reichstags in Aussicht stellte. Die preußischen Sozialdemokraten Braun und Severing dagegen vertraten im Mai einen völlig anderen Standpunkt: Es sei besser, so bedeuteten sie Brüning, das Notwendige, und wenn es noch so schmerze, auf einen Schlag zu tun, statt im Winter mit einer neuen Notverordnung herauszukommen, die dann vielleicht von den Sozialdemokraten nicht mehr hingenommen werden könnte.[40]

Was den Zeitpunkt anging, an dem die Notverordnung zu erlassen war, legte sich der Reichskanzler am 7. Mai fest: Sie müsse *vor* dem mehrfach verschobenen deutsch-britischen Treffen in Chequers veröffentlicht werden, „damit England sähe, in welcher Lage Deutschland sich befinde". An Brünings Absicht gab es nichts zu deuteln: London sollte durch härteste Sparmaßnahmen davon überzeugt werden, daß Deutschland sein Äußerstes tat, um seinen Reparationspflichten nachzukommen, aber eben dadurch immer tiefer in die Krise geriet, was wiederum verheerende Auswirkungen auf die Weltwirtschaft haben mußte. Aber die „Notleine der Reparationen" zu ziehen, lehnte der Kanzler nach wie vor ab. Eine materielle Änderung müsse aufgeschoben werden, bis in Amerika der Präsident, in Frankreich das Parlament gewählt und die Abrüstungskonferenz zum Abschluß gekommen sei – drei Ereignisse, die erst 1932 auf der Tagesordnung standen. Bis dahin, genauer gesagt: bis zum Amtsantritt des neuen Präsidenten der Vereinigten Staaten im März 1933, galt es durchzuhalten – was immer der Preis dieser Politik sein mochte.

Brünings oberste Priorität lag damit klar zutage: Die Reparationsfrage mußte ein für allemal aus der Welt geschafft werden. Wäre der Kanzler allein Herr des Verfahrens gewesen, hätte er das Problem bis zum Frühjahr oder Sommer 1932 vertagt. Aber er wußte wohl, daß es aus innenpolitischen Gründen nicht möglich war, so lange auszuhalten. Deshalb war er bereit, im Juni einen ersten Schritt zu tun, nämlich den Transferaufschub für den geschützten Teil der Annuitäten anzukündigen. Nach dem Young-Plan mußte eine solche Ankündigung 90 Tage im voraus erfolgen. Eine wesentliche Entlastung des Reichshaushalts versprach sich der Kanzler von dem Aufschub nicht, wohl aber eine gewisse Beruhigung der öffentlichen Meinung. Während Brüning tatsächlich auf eine längerfristige und radikale Gesamtlösung des Reparationsproblems hinarbeitete, sollte das deutsche Volk glauben, die Regierung tue alles, um eine kurzfristige Milderung der Reparationslasten zu erreichen.

Der Kanzler fand mit seiner Linie keineswegs nur Zustimmung. In einer Ministerbesprechung vom 30. Mai widersprach ihm der Reichsbankpräsident. Luther, der den Zeitpunkt für reparationspolitische Schritte ohnehin noch nicht für gekommen hielt, gab Brünings doppeltem Spiel schon deshalb keine Chance, weil „das Ausland schließlich mithören werde, was nach innen geschähe“. Das zentrale Argument des obersten Währungshüters aber war, daß der deutsche Kredit leiden werde, wenn das Reich einen Transferaufschub ankündigen sollte. Einen anderen Grund, der gegen Brünings Taktik sprach, nannte Reichsinnenminister Wirth. Er vertrat in der gleichen Sitzung die Ansicht, „daß innenpolitisch die Situation nicht mehr lange zu halten sein werde. Es werde keine Diktatur geben, die dem Volk klarmachen könne, daß die Reparationsfrage hinzuhalten sei. Darum glaube er, daß es besser sei, in diesem Jahr zu einer Zwischenlösung zu kommen als im nächsten Jahr zu gar keiner Lösung.“

Brüning konterte sofort. Er werde keiner Zwischenlösung zustimmen, sagte er, die in vermehrter Sachleistung oder Aufnahme einer Anleihe bestehen werde, „denn eine solche Lösung bedeutete nichts anderes als sich für fünf Jahre politisch zu binden“. In dieser Hinsicht waren sich Brüning und Luther ganz einig. Der Reichsbankpräsident gab dem Kanzler Schützenhilfe mit der Erklärung, „daß eine Entscheidung, durch die wir im Winter einige 100 Millionen Entlastung erführen, ohne eine Gesamtlösung zu erreichen, eine schlimmere Situation herbeiführen werde als die, in der wir jetzt leben“.[41]

Eine Zwischenlösung, wie Wirth sie anregte, war eine wirkliche Alternative zur Politik des Alles oder nichts, für die Brüning und Luther standen. Der Vorschlag des Innenministers deckte sich weitgehend mit dem, was auch die Sozialdemokraten befürworteten. Zu verwirklichen war eine solche Lösung jedoch nur auf dem Weg der Verständigung mit dem kapitalstarken Frankreich: Um Paris zu reparationspolitischem Entgegenkommen und zur Vergabe von Anleihen zu bewegen, hätte Deutschland seine Forderungen nach der Revision des Vertrags von Versailles und namentlich nach militärischer Gleichberechtigung, wohl auch den Weiterbau an Panzerkreuzer „B“, zunächst einmal zurückstellen müssen. Vor allem aber wäre es notwendig gewesen, einen Plan zu den Akten zu legen, auf den sich die Reichsregierung eben erst, am 18. März, festgelegt hatte: eine Zollunion mit Österreich.

Eine Prüfung dieses Projekts hatte ein Jahr zuvor schon die Regierung der Großen Koalition beschlossen. Es war von Anfang an absehbar, daß die Westmächte, allen voran Frankreich, in einem solchen Vorhaben eine Weichenstellung in Richtung „Großdeutschland“, also die Vorbereitung des vollen Anschlusses Österreichs an das Deutsche Reich, sehen würden. Tatsächlich ging es Außenminister Curtius, dem Architekten der Zollunion, genau darum. Dem Kabinett erläuterte er am 16. März, „politisch sei der Anschluß noch nicht reif, wirtschaftlich könne er jetzt, unter vorsichtigster Berücksichtigung der außenpolitischen Schwierigkeiten bei einem solchen Vorgehen, entscheidend gefördert werden“.

Doch der Anschluß Österreichs war nur ein Etappenziel. Die Zollunion gehörte in einen weit größeren Zusammenhang: die Verstärkung des deutschen Einflusses auf „Zwischeneuropa“ – die mittleren und kleineren Staaten von Finnland bis zum Balkan. Der handelspolitische Zusammenschluß zwischen Berlin und Wien mußte es Deutschland wesentlich erleichtern, seine Position in Südosteuropa auszubauen. Die Zollunion war, so gesehen, ein wichtiger Schritt in Richtung eines deutsch geprägten Mitteleuropa, ja einer kontinentalen Hegemonie des Reiches. Eben deshalb mußte Paris den Beschluß vom 20. März als gezielte Herausforderung empfinden: An eine deutsch-französische Verständigung in der Reparationsfrage war nicht zu denken, solange die Reichsregierung an der Zollunion festhielt.

Viele Beobachter verstanden es als Reaktion auf den deutschen Vorstoß, daß am 13. Mai Aristide Briand, der Anwalt einer deutsch-französischen Verständigung, bei der Wahl zum Präsidenten der Republik seinem Gegenkandidaten, dem Präsidenten des Senats, Paul Doumer, unterlag. Am 18. Mai mußte sich Curtius im Genfer Völkerbundsrat damit abfinden, daß die Frage der Zollunion auf Antrag Großbritanniens zur Nachprüfung an den Internationalen Gerichtshof in Den Haag überwiesen wurde und Österreich sich verpflichtete, in der Zwischenzeit jede weitere Verhandlung über das Projekt zu unterlassen. Die Richter sollten feststellen, woran es nach Meinung von Paris, London und Rom sowieso keinen Zweifel gab: Die Zollunion widersprach dem Genfer Protokoll über den wirtschaftlichen und finanziellen Wiederaufbau Österreichs von 1922, also internationalem Recht.

Damit war der Zollunionsplan praktisch bereits gescheitert. Was Außenminister Curtius und Staatssekretär von Bülow mit ihrem wilhelminisch anmutenden Coup bewirkt hatten, war eine schwere diplomatische Niederlage Deutschlands und eine nachhaltige Verschlechterung des Verhältnisses zu Frankreich. Da das Kabinett dem Plan zugestimmt hatte, trugen aber auch die übrigen Minister, an ihrer Spitze der Kanzler, die Verantwortung für die Folgen einer Entscheidung, die geradezu darauf angelegt schien, Europa vom fehlenden Augenmaß der Deutschen zu überzeugen.[42]

In Deutschland gab es nur wenig Kritik an der Politik, die in das Debakel von Genf geführt hatte. Von rechts waren Angriffe auf die Zollunion ohnehin nicht zu erwarten, aber auch die Sozialdemokraten, von jeher großdeutsch gesinnt, hielten sich auffallend zurück. Einer der wenigen, die gegen den Strom schwammen, war der hessische Reichstagsabgeordnete Carlo Mierendorff, einer der „jungen Rechten“ in der SPD. In den „Sozialistischen Monatsheften“ prangerte er Mitte April 1931, also noch vor der Entscheidung des Völkerbundsrates, die Zollunion, das „Revisionsgeschwätz“ und die „verworrene Planlosigkeit“ der Regierungspolitik an und verlangte von Deutschland den „Mut zu einer großzügigen Verständigung mit Frankreich, die den Aufbau des Vereinigten Europäischen Kontinents einleitet“.

Von der Kritik an der deutschen Außenpolitik schritt Mierendorff fort zu einer Generalkritik an der Politik Brünings und, wenn auch vorsichtig, an der Tolerierungspolitik der SPD. „Mit Besorgnis registriert man unter der

Fülle der für die Sommerpause in Aussicht genommenen Regierungsmaßnahmen ausschließlich solche der gewohnten fiskalischen Natur. Das ist Verwaltung, keine Politik. Das ist administrativer Schematismus, kein schöpferischer politischer Gedanke, der kühn den verhängnisvollen Zirkel sprengt. Die Sozialdemokratie wird mit höchster Wachsamkeit alle Vorgänge verfolgen müssen, um rechtzeitig einzugreifen. Es kann nicht der Sinn des ‚Tolerierens' sein, einfach hinzunehmen, was von ‚oben' geschieht. Die Grenzen der Tolerierung liegen dort, wo durch Fehler oder Unterlassungen ihr Erfolg in Frage gestellt wird."[43]

Auf dem sozialdemokratischen Parteitag, der vom 31. Mai bis zum 5. Juni 1931 in Leipzig stattfand, gab es zwar viel Kritik an der Tolerierungspolitik, aber noch mehr Beifall für das Hauptargument ihrer Verteidiger. „Der Nationalsozialismus ist durch uns von der Regierungsmacht zurückgehalten worden", erklärte Wilhelm Sollmann, der stellvertretende Vorsitzende der Reichstagsfraktion, „und wenn es im Oktober 1930 gelungen ist, die Auslieferung des Reichstagspräsidiums, die Auslieferung der Reichswehr und der Schupo an die Nationalsozialisten zu verhindern, dann glaube ich, sollte keine Kritik im einzelnen uns an der Feststellung hindern: das ist nicht nur ein großer, das ist ein europäischer Erfolg der deutschen Sozialdemokratie."

Das Verhalten der neun Reichstagsabgeordneten, die am 20. März gegen den Panzerkreuzer „B" gestimmt hatten, wurde vom Parteitag mit großer Mehrheit mißbilligt. Für die Zukunft legte sich die SPD darauf fest, derartige Disziplinverstöße als parteischädigendes Verhalten zu bewerten, also mit dem Ausschluß aus der Partei zu ahnden. Mit der Billigung der bisherigen Tolerierungspolitik wollten die Sozialdemokraten der Reichsregierung jedoch keinen Blankoscheck ausstellen. Der Parteitag nahm mit überwältigender Mehrheit einen Berliner Antrag an, der dem Kabinett Brüning den Abbruch der Tolerierung androhte, falls es in der neuen Notverordnung einen weiteren Leistungsabbau in der Arbeitslosenversicherung vorsehen sollte.[44]

Gelegenheit, sich an dieser Entscheidung messen zu lassen, erhielt die SPD sofort. Die seit längerem erwartete Notverordnung wurde von Reichspräsident von Hindenburg am 5. Juni 1931 unterzeichnet – dem Tag, an dem der Leipziger Parteitag der deutschen Sozialdemokratie zu Ende ging.

14.

Die Politik der Depression

Für Schlagzeilen sorgte am 6. Juni 1931 nicht nur die „Zweite Notverordnung zur Sicherung von Wirtschaft und Finanzen". Aufsehen erregte auch der begleitende Aufruf der Reichsregierung. In bisher ungekannter Schärfe prangerte das Kabinett Brüning die „Tributzahlungen", also die Reparationen, an, die Deutschland als Käufer schwächten und zur Drosselung seiner Einfuhr nötigten. „Wir haben alles angespannt, um unseren Verpflichtungen aus dem verlorenen Krieg nachzukommen. Auch ausländische Hilfe haben wir hierfür in weitem Ausmaße in Anspruch genommen. Das ist nicht mehr möglich. Die Einsetzung der letzten Kräfte und Reserven aller Bevölkerungskreise gibt der deutschen Regierung das Recht und macht es ihr dem eigenen Volk gegenüber zur Pflicht, vor der Welt auszusprechen: Die Grenze dessen, was wir unserem Volk an Entbehrungen aufzuerlegen vermögen, ist erreicht!"

Die sozialen Härten der Notverordnung übertrafen in der Tat die schlimmsten Erwartungen. Invaliden und Kriegsversehrte erhielten niedrigere Renten; die Unterstützungssätze in der Arbeitslosenversicherung wurden durchschnittlich um 10 bis 12% gesenkt, und damit minderten sich automatisch auch die Sätze der Krisenfürsorge – des Auffangnetzes, in das Erwerbslose fielen, wenn sie nach Ablauf von 26, bei besonders schlechter Arbeitsmarktlage nach 39 Wochen aus der Hauptunterstützung „ausgesteuert" wurden oder wenn sie nicht lange genug beschäftigt gewesen waren, um in den Genuß der Hauptunterstützung zu gelangen.

Da dieser Leistungsabbau noch nicht ausreichte, um den Fehlbetrag der Krisenfürsorge in Höhe von 245 Millionen RM zu decken, sah die Verordnung eine neue Krisensteuer vor, die als Zuschlag zur Lohn- und Einkommensteuer erhoben werden sollte. Die Rückerstattung von zuviel gezahlter Lohnsteuer entfiel. Beamte und Angestellte mußten abermals Gehaltskürzungen hinnehmen, die sich je nach der Höhe der Bezüge und der Ortsklasse zwischen 8 und 4% des bisherigen Gehalts bewegten. Die Gehaltskürzungen und der Verzicht auf die Rückerstattung der Lohnsteuer sollten vor allem den Gemeinden helfen, die wachsenden Lasten für die Wohlfahrtserwerbslosen zu tragen – die unterste Schicht der Arbeitslosen, in die absank, wer keinen Anspruch mehr auf Hilfe aus der Krisenfürsorge hatte.

Was die Notverordnung an öffentlichen Leistungen enthielt, war bescheiden. Die Reichsbahn sollte zusätzliche Aufträge in Höhe von 200 Millionen RM vergeben, um so 120 000 Arbeiter zu beschäftigen. Ansonsten war öffentliche Arbeitsbeschaffung nur im Rahmen eines Freiwilligen Arbeitsdienstes vorgesehen, für den die Reichsanstalt für Arbeitsvermittlung und Arbeitslosenversicherung zuständig war. Zu den Betätigungsfeldern des Arbeitsdienstes gehörten die Herrichtung von Siedlungs- und Kleingartenland, die Amelioration von Böden, die Verbesserung von örtlichen Verkehrswegen sowie Arbeiten, „die der Hebung der Volksgesundheit dienen". Diese Zielsetzungen entsprachen dem, was rechte Wehrverbände wie der „Stahlhelm" seit langem forderten – und diese Bünde waren nunmehr offiziell eingeladen, an der Organisation des Freiwilligen Arbeitsdienstes mitzuwirken.[1]

Falls die Regierung Brüning geglaubt hatte, der begleitende „Tributaufruf" werde die Empörung über die Notverordnung dämpfen oder auf die Reparationen ablenken, war das ein Irrtum. Die Proteste kamen aus allen politischen Lagern. Kommunisten und Nationalsozialisten, Deutschnationale und Wirtschaftspartei verlangten die Einberufung des Reichstags; der „Vorwärts" nannte es selbstverständlich, daß die Sozialdemokraten gegen den antisozialen Inhalt der Notverordnung kämpfen würden; die Fraktion der Deutschen Staatspartei, der Partei von Reichsfinanzminister Dietrich, erklärte, sie halte wesentliche Teile der Notverordnung für verfehlt, und selbst in Brünings eigener Partei gab es Proteste: Die Arbeiterbeiräte des Zentrums äußerten auf einer Konferenz in Duisburg die Erwartung, daß die Reichsregierung eine „Möglichkeit zur Beseitigung unbilliger Härten" eröffne.[2]

Reichskanzler Brüning, der die Notverordnung zu verantworten hatte, weilte vom 5. bis 9. Juni zusammen mit Außenminister Curtius in England. Am 6. und 7. Juni fand auf dem traditionellen Landsitz des Premierministers in Chequers das erste offizielle deutsch-britische Regierungstreffen nach dem Krieg statt. Ein wichtiges Thema war jener Aufruf zur Reparationsfrage, der just am ersten Konferenztag veröffentlicht wurde. Premierminister MacDonald und Außenminister Henderson hielten die deutsche Erklärung für einen fatalen Fehler. Henderson verlas zustimmend eine erste Stellungnahme seines amerikanischen Kollegen Stimson, wonach Deutschland durch diesen Vorstoß mehr an Kredit verlieren werde, als es an reparationspolitischen Erleichterungen erwarten könne. Am Ende nahmen Brüning und Curtius dann doch etwas mehr aus Chequers mit als Hendersons Anregung, die Deutschen sollten sich hinsichtlich der Reparationen mit Frankreich verständigen. Die Briten ließen sich zwar nicht zum deutschen Standpunkt in der Reparationsfrage bekehren, gaben aber zu erkennen, daß sie gegen einen Antrag auf ein Transfermoratorium, wie Brüning ihn für die nächste Zukunft angekündigt hatte, keine grundsätzlichen Bedenken hatten.

Die Rückkehr nach Berlin geriet für Brüning zu einem Spießrutenlaufen. Der Sonderzug, der Kanzler und Außenminister von Bremerhaven nach Berlin brachte, wurde an allen Bahnhöfen von Nationalsozialisten mit Schmähungen empfangen und mit Steinen beworfen. Auch auf dem Berliner Bahnhof Friedrichstraße warteten Tausende von Anhängern Hitlers auf Brüning. Als der Kanzler aus dem Bahnhofsgebäude heraustrat, gellten ihm Pfiffe und Buhrufe entgegen. Dank der Absperrungsmaßnahmen der preußischen Polizei kam es jedoch zu keinen ernsten Zwischenfällen.

Kurz danach erfuhr Brüning von Vizekanzler Dietrich und den Staatssekretären Meissner und Pünder, wie sehr sich während seiner Abwesenheit die Lage verschlechtert hatte: In den letzten acht Tagen war der Devisenabfluß ständig gewachsen. Reichsbankpräsident Luther bezifferte am nächsten Morgen dem Kanzler gegenüber die Verluste, die seit dem 26. Mai eingetreten waren, auf 600 Millionen RM. In der anschließenden Ministerbesprechung nannte Luther als einen der Gründe dieser Entwicklung den Zusammenbruch der Österreichischen Kreditanstalt am 11. Mai. Der Reichsbankpräsident ließ aber auch keinen Zweifel daran, daß der „Tributaufruf" der Reichsregierung wesentlich zu dieser Entwicklung beigetragen hatte: Die Gerüchte um eine deutsche Initiative in der Reparationsfrage und ein baldiges Transfermoratorium gefährdeten den auswärtigen Kredit Deutschlands ebenso wie den inneren Geldmarkt. Die gleiche Wirkung ging von dem weitverbreiteten Eindruck aus, der Reichstag werde in Bälde zusammentreten und die Aufhebung der Notverordnung verlangen.

Der Kanzler stellte sofort klar, daß er die Einberufung des Reichstages oder des Haushaltsausschusses nicht hinnehmen werde. Ausgeschlossen sei auch die Anmeldung eines Moratoriums *vor* dem für Ende Juli zu erwartenden Besuch des amerikanischen Außenministers Stimson in Berlin. „Die Reichsregierung werde, falls sie in diesen Punkten ihren Willen nicht durchsetze, demissionieren, und zwar nicht etwa zwecks Bildung eines neuen Kabinetts, sondern endgültig."[4]

Die Lage war so ernst, wie Brüning sie sah. Zwei Parteien, die seine Regierung bislang gestützt hatten, waren zu diesem Zeitpunkt keine sicheren Partner mehr. Sozialdemokraten und Deutsche Volkspartei forderten beide Änderungen der Notverordnung. Die DVP war empört über die neuerlichen Gehaltskürzungen und die Krisensteuer und verlangte deswegen die Einberufung des Reichstags. Die Sozialdemokraten mahnten soziale Erleichterungen für die breiten Massen an, legten sich aber vorläufig nicht auf ein vorzeitiges Ende der Parlamentspause fest.

Der Kurswechsel der DVP erregte im In- und Ausland mehr Aufsehen als die maßvollen Erklärungen der SPD. Viele Beobachter interpretierten den Beschluß, den die Fraktion der Volkspartei am 11. Juni mit der knappen Mehrheit von 15 zu 13 Stimmen gefaßt hatte, so, daß sich nun offenbar „die Wirtschaft" von Brüning lossage. Die Reichsbank bekam diese Einschätzung durch einen dramatisch erhöhten Devisenabfluß zu spüren, den sie am 13. Juni mit einer Erhöhung des Diskontsatzes von 5 auf 7% beantwortete. Tatsächlich ging die Devisenabgabe daraufhin deutlich zurück. Aber das Reichsbankdirektorium war sich durchaus bewußt, daß seine jüngste Maßnahme die Konjunktur weiter drücken und ohnehin gefährdeten Unternehmungen und Banken einen tödlichen Schlag versetzen konnte.

Brüning nahm die Verhandlungen mit den Parteien am 13. Juni, unmittelbar nach seiner Rückkehr von Gut Neudeck in Ostpreußen, auf, wo er Hindenburg über die politische Lage und die Gespräche von Chequers berichtet hatte. Zu den ersten Gesprächspartnern gehörten Ministerpräsident Otto Braun und die Vertreter der sozialdemokratischen Reichstagsfraktion, darunter der Parteivorsitzende Otto Wels. Die Unterhändler der SPD bestanden vor allem auf *einer* Änderung der Notverordnung, nämlich der Wiedereinführung der Arbeitslosenunterstützung für Jugendliche. Der Kanzler gab sich in diesem Punkt konziliant: Eine neue Notverordnung könne im Oktober kleinere Änderungen bringen. Bis dahin aber dürfe an der Notverordnung vom 6. Juni nicht gerüttelt und vor allem der Reichstag nicht einberufen werden.

Schwieriger war die Unterredung mit Eduard Dingeldey, der Ende 1930 die Nachfolge von Ernst Scholz als Vorsitzender der DVP angetreten hatte. Der Kanzler stellte der Deutschen Volkspartei die Erfüllung einer zentralen Forderung, eine weitgehende Auflockerung des bestehenden Tarifrechts, und zu einem späteren Zeitpunkt, etwa anläßlich des Beginns von Reparationsverhandlungen, auch eine Kabinettsumbildung in Aussicht. Als neuen Reichswirtschaftsminister schlug Brüning Albert Vögler, den Vorstandsvorsitzenden der Vereinigten Stahlwerke, vor. Das hätte einen scharfen Ruck nach rechts bedeutet, mußte Dingeldey also sympathisch sein. Die Öffentlichkeit sollte allerdings von diesen Perspektiven nichts erfahren. Denn die nächstliegende Wirkung einer entsprechenden Nachricht war absehbar: Die Sozialdemokraten würden, wenn sie von Brünings Absichten Kenntnis erhielten, die Einberufung des Reichstags verlangen und damit genau das tun, was der Kanzler um jeden Preis verhindern wollte.

Brüning war um ebendieses Nahzieles willen der DVP weit entgegengekommen. Aber was er Dingeldey anvertraute, war nicht bloß Ausfluß einer kurzfristigen Taktik. Eine Wendung nach rechts entsprach den Prioritäten, die Brüning sich gesetzt hatte. Da Deutschland wieder eine gleichberechtigte Großmacht werden sollte, mußten die Reparationszahlungen ganz und für immer aufhören. Um dies zu erreichen, galt es, den harten Deflationskurs auch dann fortzusetzen, wenn er noch mehr soziales Elend zur Folge hatte. Neue Auslandsanleihen, zumal solche aus Frankreich, hätten diesen Preis senken können. Aber sie wären nur um einen anderen Preis zu haben gewesen: die Mäßigung des nationalen Revisionismus und die Abkehr vom Standpunkt des „Alles oder nichts" in der Reparationsfrage. Da Brüning diesen Preis, im Gegensatz zu den Sozialdemokraten, nicht zahlen wollte und als Kanzler eines Präsidialkabinetts unter Hindenburg wohl auch nicht zahlen konnte, hatten seine Kurskorrekturen nach rechts eine gewisse innere Logik für sich.[5]

Links von der Mitte stieß Brüning am 15. Juni auf unerwartet harten Widerstand. Während einer Unterredung mit Vertretern aller gewerkschaftlichen Spitzenverbände gelang es dem Kanzler nicht, Theodor Leipart, dem Vorsitzenden des Allgemeinen Deutschen Gewerkschaftsbundes, die Forderung nach sofortigem Zusammentreten des Reichstags auszureden. Leiparts unnachgiebige Haltung verfehlte nicht ihre Wirkung auf die SPD. Eine Delegation der Reichstagsfraktion drängte Brüning am Nachmittag des 15. Juni, wenigstens der Einberufung des Haushaltsausschusses zuzustimmen – ein Ansinnen, das der Reichskanzler sogleich mit einer Rücktrittsdrohung konterte.

Nur bei den preußischen Sozialdemokraten konnte Brüning sicher sein, daß sie weiterhin unbeirrt auf seiner Seite standen. In einer Besprechung mit ausgewählten Parteiführern erklärte Otto Braun am 15. Juni, man könne keine Reparationspolitik treiben, wenn der Reichstag versammelt sei. Innenminister Severing äußerte die Befürchtung, wenn jetzt der Reichstag einberufen werde, könne das leicht ein Signal für ähnliche Vorgänge wie bei der ersten Sitzung des neugewählten Reichstags im Oktober 1930 sein, nur daß diesmal nicht die Nationalsozialisten, sondern die Kommunisten die Träger der Demonstration sein würden. „Er habe in seinem Geschäftsbereich als Polizeiminister die sichere Erfahrung gemacht, daß die Kommunistische Partei unter dem Heer der Arbeitslosen agitiere und dort fruchtbaren Boden für ihre Pläne gefunden habe."

Severings pessimistische Bemerkungen lagen ganz auf der Linie von Reichswehrminister Groener, der zuvor gewarnt hatte, wenn die Dinge sich bei einem Zusammentreten des Reichstags überstürzen sollten, „so stünde Deutschland an der Schwelle einer neuen Revolution. Wer den Mut habe, diese Schwelle zu überschreiten und eine Lage herbeizuführen, aus der nur Waffengewalt wieder heraushelfen könne, möge die Verantwortung für die Folgen übernehmen". Tatsächlich rechnete die Reichsregierung mit der Gefahr sozialer Unruhen und hatte daher mit Zustimmung Hindenburgs die Reichswehrkommandeure angewiesen, alle erforderlichen Maßnahmen vorzubereiten. Gab es am folgenden Tag im Ältestenrat des Reichstags eine Mehrheit für eine Einberufung des Plenums oder des Haushaltsausschusses, so trat die deutsche Staatskrise in ein neues Stadium. Das wahrscheinlichste Ergebnis war dann ein neues, offen antiparlamentarisches Kabinett Brüning. Seine wichtigste Stütze wäre nicht mehr eine parlamentarische Tolerierungsmehrheit, sondern die Reichswehr gewesen. Das Präsidialsystem hätte sich in dieser zweiten Phase in eine verdeckte Militärdiktatur gewandelt.

Am Vormittag des 16. Juni tagten die Fraktionen. Landvolk und Wirtschaftspartei sprachen sich für eine Einberufung des Reichstags aus. Die sozialdemokratische Fraktion forderte auf Vorschlag des Vorstands mit 70 gegen 57 Stimmen die Einberufung des Haushaltsausschusses. Die DVP hob mit 18 gegen 9 Stimmen ihren am 11. Juni gefaßten Beschluß auf Einberufung des Reichstags auf und begründete das zum einen mit dem Ergebnis der Verhandlungen zwischen Brüning und Dingeldey, zum anderen damit, daß Deutschnationale und Nationalsozialisten auch dann nicht bereit seien, Mitverantwortung zu übernehmen, wenn die Forderungen der Volkspartei erfüllt würden. Damit stellte die DVP klar, worum es ihr bei ihren jüngsten Manövern gegangen war: um die Schaffung einer rechten Tolerierungsmehrheit für ein personell erneuertes Kabinett Brüning.

In der Sitzung des Ältestenrates, die um 12 Uhr mittags begann, wurden sämtliche Anträge auf Einberufung des Reichstags, eingebracht von NSDAP, KPD, DNVP, Wirtschaftspartei und Landvolk, abgelehnt. Die Entscheidung über den sozialdemokratischen Antrag auf Einberufung des Haushaltsausschusses wurde dagegen bis 18 Uhr vertagt, nachdem Staatssekretär Pünder für den Fall, daß dieser Antrag eine Mehrheit finden sollte, den Rücktritt der Reichsregierung angekündigt hatte. Nach der Unterbrechung der Sitzung verhandelte Brüning nochmals mit Wels, Breitscheid und Hilferding. Der Reichskanzler taktierte dabei elastisch. Er war bereit, den Haushaltsausschuß schon im August tagen zu lassen, und er versprach zudem, die Regierung werde bei den Ausführungsbestimmungen zur Notverordnung manche Härten mildern und namentlich bedürftigen Jugendlichen auch ohne formellen Anspruch Arbeitslosenunterstützung gewähren. Gleichzeitig aber setzte Brüning sein schärfstes Druckmittel ein. Über den Abgeordneten Paul Hertz ließ er die sozialdemokratische Fraktion wissen, das Zentrum werde die Preußenkoalition aufkündigen, falls die SPD die Einberufung des Haushaltsausschusses erzwinge.

Die Pression wirkte. Nach leidenschaftlicher Debatte beschloß die Fraktion mit großer Mehrheit, auf die Einberufung des Haushaltsausschusses zu verzichten. Von Preußen war in der Entschließung der Sozialdemokraten nicht die Rede, wohl aber von Brünings Bereitschaft, alsbald Verhandlungen zur Änderung der Notverordnung aufzunehmen. Um 18 Uhr trat der Ältestenrat wieder zusammen. Die Kommunisten nahmen den fallengelassenen Antrag der SPD auf Einberufung des Haushaltsausschusses wieder auf, doch nur Nationalsozialisten und Deutschnationale stimmten dafür, so daß der Antrag der Ablehnung verfiel.

„Ein Tag von ungeheurer Bedeutung geht eben zu Ende", schrieb der Staatssekretär der Reichskanzlei, Hermann Pünder, kurz vor Mitternacht in sein Tagebuch. „*Wir haben gesiegt!* Ein starker Druck ist von uns Regierenden genommen. Draußen ging das Leben seinen Gang, und nur die Wenigsten wußten oder ahnten, daß sich vielleicht der Bürgerkrieg anbahnte. Jedenfalls hätten wir ohne das heutige Ergebnis in 14 Tagen die Gehälter, Pensionen, Kriegsrenten usw. nicht mehr gezahlt. Doch wir haben gesiegt!"[6]

Bei den Sozialdemokraten schleuderte die äußerste Linke nach der Entscheidung vom 16. Juni der Parteimehrheit ein „Bis hierher und nicht weiter" entgegen. Der „Klassenkampf" veröffentlichte am 1. Juli mit der Bitte um Zustimmungserklärungen einen „Mahnruf an die Partei", der die Unterschriften der Herausgeber Max Adler, Kurt Rosenfeld, Max Seydewitz und Heinrich Ströbel trug. Darin hieß es: „Macht Schluß mit der Tolerierungspolitik, begrabt die Illusionen, mit dieser Tolerierungspolitik, mit diesem Ausweichen und Zurückweichen das größere Übel von der Arbeiterklasse abwenden zu können, erkennt, daß nur die Überwindung der kapitalistischen Klassengesellschaft dem Proletariat den Weg aus dieser Krise des Kapitalismus öffnen kann."

Fast gleichzeitig erschien in der theoretischen Parteizeitschrift „Die Gesellschaft" ein Artikel mit ganz anderem Tenor. Der Herausgeber Rudolf Hilferding meinte in seinem „In Krisennot" betitelten Beitrag, die Entscheidung der sozialdemokratischen Reichstagsfraktion sei die wohl schwerste psychologische Belastung jedes einzelnen Mitgliedes gewesen. „Es war nicht so, daß sich etwa zwei geschlossene Gruppen in der Fraktion gegenüberstanden; das Ringen um den richtigen Beschluß war in die Seele jedes einzelnen verlegt, und jeder einzelne mußte sich immer wieder fragen, welche Entscheidung das größere – Unglück bedeutet. Es war für jeden eine tragische Situation und ihr Ernst überschattete die Reden und Argumentationen."

Begründet sei diese Tragik in dem Zusammentreffen der schweren Wirtschaftskrise mit dem politischen Ausnahmezustand, den die Wahlen vom 14. September 1930 geschaffen hätten. „Der Reichstag ist ein Parlament gegen den Parlamentarismus, seine Existenz eine Gefahr für die Demokratie, für die Arbeiterschaft, für die Außenpolitik. Mag man die Regierung für noch so schlecht halten, ließe man diesem Reichstag zu den ihm allein gemäßen politischen Entscheidungen freie Bahn, so wäre nur eine noch reaktionärere Regierung das unvermeidliche Resultat. Die Demokratie zu behaupten gegen eine Mehrheit, die die Demokratie verwirft, und das mit den politischen Mitteln einer demokratischen Verfassung, die das Funktionieren des Parlamentarismus voraussetzt, es ist fast die Lösung der Quadratur des Kreises, die da der Sozialdemokratie als Aufgabe gestellt wird – eine wirklich noch nicht dagewesene Situation."[7]

So schwer die größte deutsche Partei an ihrer Entscheidung trug, die meßbaren Auswirkungen ihres Votums gaben der Fraktionsmehrheit recht. Die Devisenverluste der Reichsbank, die sich am 16. Juni auf 80 Millionen RM belaufen hatten, gingen am 17. Juni auf 10 Millionen RM zurück und sanken am 18. Juni noch weiter ab. Auch auf dem inneren Geldmarkt kehrte eine gewisse Beruhigung ein: Am 19. Juni erhielt das Reich den dringend benötigten Kassenkredit in Höhe von 250 Millionen RM.

Am gleichen Tag aber schnellten auch die Devisenabzüge wieder nach oben – auf 70 Millionen RM. Meldungen über den drohenden Zusammenbruch des Textilkonzerns Nordwolle, eines eng mit der Darmstädter und Nationalbank verbundenen Unternehmens, waren der Anlaß der neuen Panik. Die Notendeckung in Gold und Devisen lag am Abend des 19. Juni nur noch um 100 Millionen RM über dem Mindestsatz von 40%, den Bankgesetz und Young-Abkommen vorschrieben. Wurde diese Grenze unterschritten, so stieg automatisch der Diskontsatz. Das Bankgesetz wollte auf diese Weise verhindern, daß ein vermehrter Umlauf an inländischen Banknoten an die Stelle abgezogener Auslandsgelder trat.

Am folgenden Tag, dem 20. Juni 1931, drohte die Krise in eine Katastrophe umzuschlagen. Die Reichsbank kündigte zunächst scharfe Kreditrestriktionen an und bemühte sich sodann um einen Rediskontkredit der Bank von England, der die Devisenreserven der Reichsbank wieder etwas vergrößern sollte. Als dieser Versuch fehlschlug, schien der finanzielle und wirtschaftliche Zusammenbruch Deutschlands unmittelbar bevorzustehen. Doch am späten Nachmittag traf dann die rettende Botschaft aus Amerika ein: Präsident Hoover schlug ein einjähriges Moratorium für alle staatlichen Zwangsschulden, für die deutschen Reparationen ebenso wie für die interalliierten Kriegsschulden, vor. Aus innenpolitischen Gründen bestand Hoover freilich auf einer entsprechenden formellen Bitte des Reichspräsidenten. Am gleichen Abend ging das gewünschte Telegramm Hindenburgs an den Präsidenten der Vereinigten Staaten ab. Unmittelbar danach gab dieser seinen Plan der Weltöffentlichkeit bekannt.

Brüning hätte das Hoover-Moratorium als einen großen politischen Erfolg feiern können. Aber der Reichskanzler versuchte ganz bewußt, die Bedeutung des historischen Ereignisses zu verkleinern. Da es ihm darum ging, die Reparationen ein für allemal zu beseitigen, fühlte er sich verpflichtet, sofort allen entgegenzutreten, die jetzt, wie die Sozialdemokraten, die Stunde für gekommen hielten, die schlimmsten sozialen Härten der jüngsten Notverordnung zu beseitigen oder wenigstens abzumildern.

In einer Ansprache, die am späten Abend des 23. Juni von allen deutschen Sendern ausgestrahlt wurde, erklärte Brüning, nicht 1931, sondern erst das folgende Jahr werde den Höhepunkt der finanziellen Schwierigkeiten bringen. „Zu glauben, daß nach Annahme des Vorschlags des Präsidenten Hoover alle Nöte in Deutschland beseitigt wären, wäre die gefährlichste Illusion, in die sich das deutsche Volk wiegen könnte... Das deutsche Volk würde sich um jedes Verständnis der Welt und um jedes Vertrauen bringen, wenn es nicht festhalten würde an dem Grundsatz einer absoluten, auch unter Opfern durchzuführenden Sanierung unserer öffentlichen Finanzen... Der Vertrauensbeweis, der in dem weltgeschichtlichen Schritt des Präsidenten Hoover liegt, kann nur Früchte tragen, wenn das deutsche Volk fest entschlossen ist, aus eigener Kraft den Weg der größten Sparsamkeit auf allen Gebieten weiterzugehen."

Während Hoovers Initiative in Deutschland breite Zustimmung fand, fühlte sich Paris vom amerikanischen Präsidenten düpiert. Frankreich, der wichtigste Reparationsgläubiger Deutschlands, war in der Nacht vom 20. zum 21. Juni von Washington vor eine vollendete Tatsache gestellt worden – eine Behandlung, die man an der Seine als demütigend empfand. Infolgedessen bemühte sich die französische Diplomatie, das Moratorium zu verwässern: Deutschland sollte den unabdingbaren, ungeschützten Teil der Young-Annuitäten weiterzahlen, vier Fünftel des Betrages aber als verzinsliches Darlehen der Bank für Internationalen Zahlungsausgleich zurückerhalten. Die deutschen Sachlieferungen nach dem Young-Plan gingen, wenn der französische Standpunkt sich durchsetzte, unvermindert weiter. Entrüstet wies Berlin sogleich ein weiteres französisches Ansinnen zurück: den Verzicht auf die Zollunion mit Österreich und den Bau des Panzerkreuzers „B".

Angesichts des französischen Widerstands ließ sich der von Hoover vorgeschlagene Termin für den Beginn des Schuldenfeierjahres, der 1. Juli, nicht mehr einhalten. Erst am Abend des 6. Juli ging das diplomatische Ringen mit einem Kompromiß zu Ende: Deutschland mußte der in Paris getroffenen Vereinbarung zufolge den ungeschützten Teil der Reparationen auch im Feierjahr, vom 1. Juli 1931 bis zum 30. Juni 1932, weiterzahlen, erhielt den Betrag aber in voller Höhe in Form von Garantiebonds der Bank für Internationalen Zahlungsausgleich an die Deutsche Reichsbahn zurück. Die aufgeschobenen Zahlungen waren ebenso wie die Garantiebonds zinspflichtig und ab 1. Juli 1933 in zehn Jahresraten zurückzuzahlen. Die Frage der Sachlieferungen wurde einem Sachverständigenausschuß überwiesen. Falls Deutschland nach Ablauf des Feierjahres einen Zahlungsaufschub nach dem Young-Plan in Anspruch nahm, behielt sich Frankreich freie Hand für seinen Anteil am ungeschützten Teil der Annuitäten vor.

Die Reichsregierung quittierte das Ergebnis der Pariser Verhandlungen mit einem Dank an Hoover und einer Mahnung an das deutsche Volk. Deutschland dürfe, so hieß es in einem Aufruf vom 7. Juli, in seinen äußersten Anstrengungen, zu sparen, nicht nachlassen. „Die gesamten Erleichterungen, die der Hooverplan Deutschland bringen wird, werden zur Konsolidierung der öffentlichen Finanzen restlos benötigt und verwendet werden; die hierdurch eintretende Erleichterung des Geld- und Kreditmarktes muß der deutschen Wirtschaft zugute kommen. Eine Erhöhung irgendwelcher Ausgaben des Reiches, auf welchem Gebiet auch immer, ist während des Feierjahres nicht möglich".

Wer immer noch gehofft hatte, das Hoover-Moratorium werde eine Phase der sozialen Erleichterungen einleiten, war mithin einem Irrtum erlegen: Die Regierung Brüning hielt unbeirrt daran fest, daß es in der Frage der Reparationen nur *eine* Lösung, das definitive Ende der „Tribute", geben konnte. Da eine großzügigere Ausgabenpolitik die Reparationsgläubiger kaum von der Notwendigkeit eines solchen radikalen Schnitts überzeugt hätte, schien es logisch, die bisherige Deflationspolitik im wesentlichen unverändert fortzusetzen. Im übrigen wurde das Moratorium zwar praktiziert, seine Ratifizierung durch den amerikanischen Kongreß aber stand noch aus. Die Regierung Brüning durfte also erwarten, daß sie zumindest bei Teilen der deutschen Öffentlichkeit Verständnis für ihre Warnungen vor übertriebenem Optimismus finden würde.[8]

Das Hoover-Moratorium löste aber auch aus einem anderen Grund keine Euphorie aus: Während in Paris noch verhandelt wurde, häuften sich in Deutschland Meldungen über drohende Firmen- und Bankzusammenbrüche. Am 13. Juli trat dann das Ereignis ein, das einen neuen Abschnitt der deutschen Depression einleitete: Die Darmstädter und Nationalbank, kurz Danatbank genannt, nach der Deutschen Bank die größte deutsche Privatbank, brach zusammen. Da die Danatbank eng mit dem bankrotten Nordwolle-Konzern verflochten war, konnte ihr Kollaps die Sachkenner kaum überraschen. Für das breite Publikum aber war die Nachricht vom 13. Juli eine Sensation. Die Reichsregierung hatte einer Panik dadurch vorbeugen wollen, daß sie am 12. Juli die volle Garantie für alle Einlagen der Danatbank übernahm. Doch diese Maßnahme konnte nicht verhindern, daß am Tag darauf ein allgemeiner Run auf die übrigen Sparkassen und Banken einsetzte. Das Kabinett sah sich daher zu einem weiteren dramatischen Schritt genötigt. Durch eine Notverordnung ließ sie für den 14. und 15. Juli sämtliche Banken und Sparkassen schließen.

Die deutsche Bankenkrise, die am 13. Juli 1931 begann, legte eine grundlegende Schwäche der deutschen Volkswirtschaft frei. Seit der Inflation waren die Banken in extremem Maß von Auslandskapital abhängig, und wie viele Kommunen neigten auch sie dazu, kurzfristige Darlehen langfristig anzulegen. In Zeiten guter Konjunktur wurden solche Kredite regelmäßig verlängert; in einer Krise konnten sie jedoch schlagartig und massenhaft abgerufen werden und eine gefährdete Bank damit in den Ruin treiben.

Das Kabinett Brüning nutzte die „Bankfeiertage" zur Verabschiedung neuer Notverordnungen, die die begrenzte Wiederaufnahme des Zahlungsverkehrs ab 16. Juli regelten und den Devisenverkehr rigorosen Beschränkungen unterwarfen. Die Reichsbank hob am 15. Juli den Diskontsatz von 7 auf 10% und den für die Sparkassen besonders wichtigen Lombardsatz von 8 auf 15% an. Die Erhöhung des Diskontsatzes gestatteten es der Reichsbank, den Umlauf der Reichsbanknoten entsprechend dem Bankgesetz zu vergrößern. Die Zahlungsmittelknappheit und die Einschränkung des Devisenverkehrs führten dazu, daß bei der Reichsbank erhebliche Mengen an Devisen eingingen und so die Basis der Notenausgabe erweiterten.

Der Zahlungsverkehr wurde nach der zweitägigen Zwangspause zunächst nur in eng begrenztem Umfang wieder aufgenommen. Vom 16. bis 17. Juli durften die Kreditinstitute und Postscheckämter nur dann Bargeld auszahlen oder Überweisungen tätigen, wenn die Mittel zur Zahlung von Löhnen, Gehältern und Pensionen sowie von Sozialleistungen, Versicherungsbeiträgen und Steuern benötigt wurden. Ansonsten galten auch die Tage vom 16. bis 18. Juli als Bankfeiertage. In der Zeit von Montag, den 20. Juli, bis Mittwoch, den 5. August, durften alle Kontoinhaber Beträge abheben, die, zeitlich gestaffelt, von höchstens 100 bis höchstens 300 RM reichten. Entsprechend wurde bei Überweisungen verfahren. Am 5. August nahmen die Banken den Zahlungsverkehr wieder voll auf, drei Tage später auch die Sparkassen.

Eine der größten deutschen Banken, die Dresdner Bank, die am 14. Juli kurz vor dem Zusammenbruch gestanden hatte, wurde Ende Juli mit öffentlichen Mitteln saniert: Das Reich übernahm 75% des gesamten Aktienkapitals. Auch bei der Danatbank sprang das Reich ein. Es streckte der rheinisch-westfälischen Schwerindustrie das Geld vor, das diese brauchte, um die Aktien der Bank zu erwerben. Doch damit war die Sanierung nicht abgeschlossen. Im Winter 1931/32 setzte sich in der Reichsregierung die Einsicht durch, daß eine Fusion beider Banken für das Reich weniger kostspielig sei als eine getrennte Stützung. Da der freiwillige Zusammenschluß nicht gelang, wurde er im Februar 1932 durch Notverordnung vollzogen. Die neue Dresdner Bank, das Ergebnis dieser Fusion, war faktisch eine Staatsbank. Auf andere Weise galt das auch von der Commerz- und Privatbank, die sich im März 1932 mit dem Barmer Bankverein vereinigte. An ihr war nicht nur das Reich direkt beteiligt, sondern über einen Aktienanteil von mehr als 50% auch die Golddiskontbank, eine „Tochter" der Reichsbank.

Um eine neue Bankenkrise ein für allemal auszuschließen, wurde das Leitungspersonal der betroffenen Banken in großem Umfang ausgewechselt. Für hinreichende Transparenz im Bankwesen sollten, gemäß einer Notverordnung vom 19. September 1931, ein Reichskommissar für das Bankgewerbe und ein Bankenkuratorium sorgen, das als verlängerter Arm der Reichsbank wirkte. Eine weitere Notverordnung vom 6. Oktober 1931 verwandelte die Sparkassen in Anstalten des öffentlichen Rechts mit eigenem Vermögen. Damit ging der Einfluß, den Gemeinden und Gemeindeverbände auf die Sparkassen ausgeübt hatten, beträchtlich zurück. Einer neuerlichen Pumpwirtschaft der Gemeinden schob dieselbe Notverordnung einen wirksamen Riegel vor: Kommunalkredite durften die Sparkassen nur noch bis zur Höhe von 25% ihrer Gesamteinlagen vergeben. Bis auf weiteres aber gab es überhaupt keine Kommunalkredite mehr: So bestimmte es eine Notverordnung vom 5. August 1931, die unverändert in Kraft blieb.

Die Bankenkrise vom Juli 1931 versetzte dem Vertrauen in das kapitalistische Wirtschaftssystem einen schwereren Schlag als die jahrzehntelange Agitation von Marxisten unterschiedlichster Couleur. Die Menschenschlangen, die am 13. Juli vor Sparkassen und Banken standen, um ihre Ersparnisse zu retten, waren ebenso ein Sinnbild der großen Krise wie die Erwerbslosen, die sich auf einem Arbeitsamt ihre Unterstützung oder in einer städtischen Notküche ein kärgliches Mahl abholten. Daß der Staat die Banken noch einmal rettete, indem er sie – nicht der Form, aber dem Inhalt nach – weitgehend verstaatlichte, war nicht geeignet, den Respekt vor dem Kapitalismus, seinen Einrichtungen und seinen Repräsentanten, wiederherzustellen oder den Regierenden neue Freunde zu schaffen. Es waren Steuergelder, mit deren Hilfe unternehmerisches Versagen korrigiert wurde, und das schadete dem Ansehen des Staates nicht weniger als dem der „Wirtschaft". Der Schock, den die Bankenkrise auslöste, war tief und folgenschwer. Erst im Sommer 1931 setzte sich allmählich die Einsicht durch, daß diese Wirtschaftskrise keine der üblichen war, sondern eine langanhaltende Depression, die ihren Tiefpunkt noch nicht erreicht hatte und deren Ende nicht abzusehen war.[9]

Auch im Ausland rief die deutsche Bankenkrise große Beunruhigung hervor. Präsident Hoover regte sogleich eine internationale Konferenz an, die praktische Folgerungen aus dem Geschehen ziehen sollte. Auf einen englischen Vorschlag hin wurde das Treffen auf den 20. Juli nach London einberufen; teilnehmen sollten die USA, Großbritannien, Frankreich, Italien, Belgien, Deutschland und Japan. Auf Einladung der französischen Regierung legten Brüning und Curtius auf dem Weg zur Londoner Konferenz am 18. und 19. Juli eine Zwischenstation in Paris ein. Die Gespräche verliefen in angenehmer Atmosphäre, erbrachten aber keine Annäherung der Standpunkte. Frankreich bot Deutschland eine langfristige Anleihe an, verlangte dafür aber einen Preis, den die Deutschen nicht bezahlen wollten und nicht bezahlten konnten: Das Reich sollte zehn Jahre lang auf eine Revision sowohl des Young-Plans als auch des Vertrags von Versailles verzichten. Das Nein zur Pariser Offerte fiel Brüning nicht schwer: Kurz vor seiner Abreise aus Berlin hatte ihm der amerikanische Botschafter Sackett mitgeteilt, daß seine Regierung es ablehne, sich unter den französischen Bedingungen an einer finanziellen Hilfe für Deutschland zu beteiligen.

Auf der Londoner Siebenmächtekonferenz, die vom 20. bis 23. Juli stattfand, war Frankreich völlig isoliert. Amerika und England setzten sich mit ihrer Ansicht durch, daß Deutschland wirtschaftliche Hilfe ohne politische Vorbedingungen zuteil werden sollte. Damit schied zwar eine langfristige Anleihe, die es nur unter Mitwirkung des kapitalstarken Frankreich geben konnte, aus. Mit den Ergebnissen des Treffens konnte die deutsche Delegation dennoch zufrieden sein. Drei Beschlüsse versprachen Deutschland eine erhebliche Erleichterung. Erstens sollte der 100-Millionen-Kredit, den die Reichsbank am 25. Juni von der Bank für Internationalen Zahlungsausgleich erhalten hatte, nach seiner Fälligkeit am 25. September um drei Monate verlängert werden. Zweitens sollten sich die Finanzinstitute der verschiedenen Länder auf gemeinsame Maßnahmen verständigen, die geeignet waren, Deutschland vor weiteren Abzügen von Auslandskrediten zu schützen. Drittens erging an die Bank für internationalen Zahlungsausgleich die Empfehlung, sofort ein Komitee einzusetzen, dem es oblag, den Kreditbedarf Deutschlands und in diesem Zusammenhang auch die Möglichkeit zu prüfen, einen Teil der kurzfristigen in langfristige Anleihen umzuwandeln.

Der Beschluß, die an Deutschland vergebenen Auslandskredite möglichst „stillzuhalten", begann sofort zu wirken: Die Kreditabzüge gingen stark zurück. Am 29. Juli wurden zwischen deutschen Banken auf der einen, englischen und amerikanischen Banken auf der anderen Seite Grundzüge eines Stillhalteabkommens vereinbart. Am 8. August konstituierte sich in Basel, dem Sitz der Bank für internationalen Zahlungsausgleich, unter dem Präsidium von Albert H. Wiggin, dem Vorsitzenden des Verwaltungsrates der Chase National Bank of New York, der von der Londoner Konferenz vorgeschlagene Sachverständigenausschuß. Die Empfehlung, die Kreditlage Deutschlands durch Experten prüfen zu lassen, bedeutete einen historischen Durchbruch im Streit um die Reparationen. Der Name des Vorsitzenden des Sachverständigenausschusses war in dieser Hinsicht geradezu ein Programm: Wiggin stand an der Spitze der New Yorker Bank, die, was die kommerziellen Kredite anging, Deutschlands Hauptgläubigerin war. Aus ebendiesem Grund hatte sie ein elementares Interesse daran, daß die Devisen, die das Reich durch Exportüberschüsse erwarb, für die Rückzahlung von privaten Anleihen und nicht von Reparationen verwandt wurden.

Drei Tage nach der konstituierenden Sitzung des Wiggin-Ausschusses, am 11. August, schloß ein anderes Expertengremium seine Arbeit ab. Die Sachverständigen, die die praktische Durchführung des Hoover-Plans zu prüfen hatten, sprachen sich für einen Kompromiß in der umstrittenen Frage der Sachlieferungen nach dem Young-Plan aus: Bestimmte Sachlieferungen sollten auch im Schuldenfeierjahr weitergehen, aber soweit wie möglich aus Krediten der Bank für Internationalen Zahlungsausgleich finanziert werden. Wiederum eine Woche später, in der Nacht vom 18. zum 19. August, kam eine Einigung über das Stillhalteabkommen zustande. Es stundete die kurzfristigen deutschen Auslandsschulden in Höhe von 6,3 Milliarden RM auf zunächst freilich nur sechs Monate.

Gleichzeitig legte der Wiggin-Ausschuß den vom Herausgeber des „Economist", Lord Walter Thomas Layton, redigierten Bericht über die Wirtschaftslage Deutschlands vor. Er kam zu dem Schluß, Handelsbarrieren, vor allem der Vereinigten Staaten, behinderten den Export, mit dessen Hilfe Deutschland seine Reparationen erwirtschaften sollte, und trügen so mittelbar zu der überhöhten Kreditaufnahme Deutschlands bei. Eine konsequente Liberalisierung des Welthandels war die eine, offen ausgesprochene Empfehlung des Layton-Berichts. Eher zwischen den Zeilen konnte man eine andere Botschaft lesen: Deutschland verdiene Vertrauen, und zwar auch in Gestalt langfristiger Anleihen. Als ernstes Hindernis stehe dem die ungewisse Zukunft der Reparationen entgegen. Der Sinn dieser Bemerkungen war nicht schwer zu entschlüsseln: Ein rasches Ende der Reparationen würde der Erholung nicht nur der deutschen, sondern auch der Weltwirtschaft dienen.[10]

Die Folgen, die sich aus der Londoner Siebenmächtekonferenz ergaben, waren alles in allem erfreulich für Deutschland. Die Aussichten, zu einer Revision des Young-Plans zu gelangen, hatten sich erheblich gebessert. Die Besuche des amerikanischen Außenministers Stimson vom 25. bis 27. Juli und des britischen Premierministers MacDonald am 28. Juli in Berlin waren ebenfalls dazu angetan, Brüning mit der Hoffnung zu erfüllen, daß es nach dem Ablauf des Hoover-Moratoriums keine Rückkehr zum Young-Plan geben würde.

Aber der Reichskanzler dachte gar nicht daran, diesen Eindruck auch der deutschen Öffentlichkeit zu vermitteln. Noch aus London gab er Anweisung, die für Deutschland positiven Resultate der Konferenz tunlichst zu untertreiben. Aus seiner Sicht ließen die Zugeständnisse der Gläubigerstaaten auch gar keine anderen Schlußfolgerungen zu: Die harte Deflationspolitik hatte begonnen, sich auszuzahlen, und mußte daher unbeirrt fortgesetzt werden. Die wirtschaftliche Not und das soziale Elend, ja selbst die politische Radikalisierung waren Argumente, die sich zugunsten einer Generalbereinigung der Reparationsfrage, des vordringlichsten Anliegens Brünings, einsetzen ließen. Die große Krise hatte also ihr Gutes; sie konnte dem nationalen Interesse Deutschlands, so wie der Reichskanzler es verstand, dienstbar gemacht werden. Nicht die Überwindung, sondern die politische Nutzung der Depression: das war seit dem Frühjahr 1931 der rote Faden in Brünings Politik.[11]

Bis in den Sommer 1931 hinein hatte der Kanzler sich darauf verlassen können, daß die maßgeblichen Kräfte der deutschen Gesellschaft seine Sparpolitik bei mancher Kritik im einzelnen mittrugen. Der Sanierungskonsens, der von den Unternehmern bis zur Führung der Sozialdemokratie reichte, beruhte auf der Einsicht, daß die Pumpwirtschaft der früheren Jahre dringend der Korrektur bedurfte. Im Hochsommer 1931 aber begann dieser Konsens zu bröckeln. Die Krise hatte ein Ausmaß erreicht, das Zweifel am Sinn einer weiteren Deflationspolitik wecken mußte. Dazu kamen Wirkungen des Hoover-Moratoriums: Es war nun schwieriger als zuvor, jedwede Forderung nach Belebung der Wirtschaft mit dem Hinweis auf die Reparationslasten zu entkräften.

In einer Ministerbesprechung vom 3. August, zu der auch Vertreter der Wirtschaft und namhafte Sozialdemokraten geladen waren, machten einige Sachverständige neuartige Vorschläge zur Ankurbelung der Konjunktur. Die weitestgehenden Forderungen erhob Hermann Warmbold, Vorstandsmitglied des größten deutschen Chemiekonzerns, der IG Farben. Er verlangte kurzfristige Inlandskredite gegen Warendeckung, um auf diese Weise dem Binnenmarkt, der noch stärker geschrumpft war als der Außenhandel, neue Impulse zu geben. Ähnlich äußerten sich Hermann Schmitz, ebenfalls Vorstandsmitglied der IG Farben, und der Braunkohlenindustrielle Paul Silverberg, der es für geradezu selbstverständlich hielt, „daß man eine ausgesprochene Deflation nur mit Mitteln bekämpfen kann, die wie eine Inflation aussehen. Man muß nur verhüten, daß die inflatorischen Dinge dauernd werden."

Die deutlichste Gegenposition bezog der führende theoretische Kopf der deutschen Sozialdemokratie, Rudolf Hilferding. Zu Silverbergs Vorschlag, Schatzanweisungen als Grundlage für Giralgeld zu benutzen, meinte er knapp, davon gingen Inflationsgefahren aus. Tatsächlich war angesichts massenhaft brachliegender Kapazitäten eine inflatorische Wirkung künstlicher Kreditschöpfung nicht zu befürchten. Aber das Inflationstrauma saß tief, und bei dem Marxisten Hilferding trat noch die Überzeugung hinzu, daß Krisen des kapitalistischen Systems ihren notwendigen Gang nehmen mußten und nicht durch staatliche Eingriffe abgekürzt werden konnten. Der Reichskanzler widersprach nur einem Redner mit Nachdruck. Er wandte sich gegen eine von Schmitz ins Gespräch gebrachte langfristige Auslandsanleihe. „Würden wir auf eine langfristige Anleihe jetzt losgehen", sagte Brüning, „so würden wir (die Lösung der) Reparationsfrage unmöglich machen und die gleichen Fehler machen wie im Jahre 1929. Das mache ich nicht mit."

Die Gesprächsrunde vom 3. August hatte keine praktischen Auswirkungen. Aber sie machte doch deutlich, daß starke Kräfte im Unternehmerlager mit Brünings Deflationspolitik unzufrieden waren, ja sie für gefährlich hielten. Breiteren Rückhalt in der Industrie hatte jedoch eine andere Kritik an der Regierungspolitik: Brüning sollte, so forderten am 30. Juli neun prominente Wirtschaftsführer, darunter Krupp, Klöckner, Silverberg, Vögler und Reusch, in einem Schreiben an den Kanzler, endlich radikal mit dem bisherigen System der Arbeitslosenversicherung und der Lohnfestsetzung brechen. An die Stelle von Versicherungsleistungen wollten die Unterzeichner wieder eine Fürsorge im Bedürfnisfall gesetzt sehen, und zum staatlichen Schlichtungswesen und der Unabdingbarkeit der Tarifverträge hieß es, sie hätten den Lohn, der nun einmal der bedeutendste Unkostenfaktor der Produktion sei, starr und unelastisch gemacht. Für die Behebung aller Mängel gab es, folgte man dem Brief, ein einfaches Mittel: „Man muß der Wirtschaft die Fesseln abnehmen und das Wirtschaften nach den ewig gültigen ökonomischen Gesetzen wieder freigeben, damit sie ihre Kräfte entfalten kann. Dann wird sie ganz von selbst immer größere Massen von brachliegenden Arbeitskräften aufsaugen."[12]

Es lag auf der Hand, daß ein Kurswechsel im Sinn der Briefschreiber ein Ende der stillen Allianz zwischen Brüning und den Sozialdemokraten bedeuten mußte. In diesem Sinn hatte sich bereits am 15. Juli die von der Schwerindustrie beherrschte Rheinisch-Westfälische Arbeitsgemeinschaft in der DVP geäußert. „Jedes Paktieren mit links führt nur zum dauernden Ausbluten Deutschlands", berichtete Erich von Gilsa, einer der engsten Mitarbeiter von Paul Reusch, dem Generaldirektor der Gutehoffnungshütte, tags darauf seinem Auftraggeber. Falls Hugenberg und Hitler sich einer Zusammenarbeit mit Brüning verweigerten, bleibe nur übrig „entweder eine Diktatur oder ein Versuch einer Regierung *Hitler – Hugenberg*, der gegenüber sich die Deutsche Volkspartei abwartend verhalten müsse".

Einen „völligen Bruch mit den Kräften des internationalen Marxismus" verlangte am 22. Juli auch der größte agrarische Interessenverband, der Reichslandbund, der sich längst der „nationalen Opposition" zurechnete, in einer Eingabe an Hindenburg. Der oft gehörte Einwand, man könne nicht ohne die Sozialdemokratie regieren, sei falsch, denn er beruhe auf einer Verwechslung von Sozialdemokratie und Arbeiterschaft, und keine Politik habe die deutschen Arbeiter mehr betrogen als die, die von der Sozialdemokratie beeinflußt gewesen sei. „Fünf Millionen Arbeitslose und Kurzarbeiter sind der Beweis."[13]

Wer die Sozialdemokraten von der Macht entfernen wollte, der durfte sich nicht damit begnügen, ihren Tolerierungspakt mit Brüning zu attackieren. Mindestens ebenso wichtig war es, ihnen ihr „Bollwerk" Preußen zu nehmen. Auf ebendieses Ziel arbeitete seit Anfang Februar 1931 der „Stahlhelm" mit einem Volksbegehren zur Auflösung des preußischen Landtags hin. Es wurde von NSDAP, DNVP und DVP unterstützt, und Ende Juni, als die

Eintragungsfrist endete, hatten sich 5,96 Millionen Stimmberechtigte in die Listen zugunsten eines Volksentscheids eingetragen. Am 9. Juli lehnte der Landtag das Volksbegehren ab; den Volksentscheid setzte die Regierung auf den 9. August fest.

Da die Zahl der Eingetragenen beträchtlich unter dem Stimmenanteil lag, den die drei Rechtsparteien bei der Reichstagswahl vom 14. September 1930 in Preußen erhalten hatten, war die Koalitionsregierung Otto Brauns wegen des Ausgangs des Volksentscheids nicht sonderlich beunruhigt. Am 22. Juli aber geschah etwas, was die Chancen für einen Erfolg des Plebiszits schlagartig erhöhte: Das Zentralkomitee der KPD sprach sich für die Teilnahme am Volksentscheid aus, den sie fortan den „roten Volksentscheid" nannte. Um den „Sozialfaschismus" zu schlagen, scheuten die Kommunisten also nicht einmal mehr vor einem zeitweiligen Zusammengehen mit den „Nationalfaschisten" zurück.

Die Anweisung zu diesem Kurswechsel kam aus der Politkommission des EKKI, des Exekutivkomitees der Kommunistischen Internationale. Die Entscheidung fiel wahrscheinlich am 18. Juli, während Brüning in Paris weilte. Die deutsch-französischen Verhandlungen wurden in Moskau als Anzeichen dafür gewertet, daß sich eine Kapitulation der deutsche Bourgeoisie vor dem französischen Imperialismus anbahne. Da eine Verständigung mit Frankreich ganz auf der Linie der SPD gelegen hätte, richtete sich nunmehr ein verschärftes Trommelfeuer auf jene „soziale Hauptstütze der Bourgeoisie", als welche das 11. Plenum des EKKI im Frühjahr 1931 die Sozialdemokratie gebrandmarkt hatte. Daß die Alternative zu Braun nicht Thälmann hieß, war sicher auch Stalin und seinen Gefolgsleuten bewußt. Ein Erfolg des Volksentscheids konnte nach Lage der Dinge nur einen scharfen Rechtsruck in Preußen und bald darauf wohl auch im Reich zur Folge haben. Offenbar war eine solche Entwicklung aber in den Augen der sowjetischen Führung ein kleineres Übel als „die Unterwerfung Deutschlands unter den französischen Imperialismus, die Einbeziehung Deutschlands in den Antisowjetblock", vor der die „Prawda" am 18. Juli warnte. Die sowjetische Staatsräson erforderte mithin auf absehbare Zeit nicht einen Sieg des deutschen Kommunismus, sondern eine Niederlage der prowestlichen Kräfte Deutschlands.

Vor ihren Anhängern suchte die KPD die Beteiligung am Volksentscheid am 24. Juli mit der Behauptung zu verteidigen, daß im Preußen Otto Brauns und Carl Severings die Arbeiterschaft mehr unterdrückt sei als selbst zu Zeiten der Hohenzollern. „Mit ihrer Politik sind Braun und Severing die Bahnbrecher des Faschismus geworden. Keine ergebenere Schildwache, keine besseren Verteidiger kann sich die Brüning-Front wünschen als die Preußenregierung. Solange Braun und Severing regieren, solange kann Brüning seine Notverordnungspolitik gegen das Volk weiter durchführen."

Der Volksentscheid vom 9. August 1931 endete mit einem Mißerfolg der Parteien, die ihn betrieben hatten. 9,8 Millionen oder 37,1 % der Wahlberechtigten stimmten mit Ja, aber für ein Gelingen wäre die absolute Mehrheit von 13,4 Millionen Stimmen erforderlich gewesen. Möglicherweise hatte die Beteiligung der KPD manche bürgerlichen Wähler davon abgehalten, ihre Stimme gegen die regierende Weimarer Koalition abzugeben. Sicher aber ist, daß viele Kommunisten am 9. August ihrer Partei den Gehorsam verweigerten. In ausgesprochen „roten" Bezirken Berlins wie Wedding und Friedrichshain erzielten die Parteien des Volksentscheids weniger Stimmen als am 14. September 1930 die KPD allein. Die Verblendung der Komintern hatte den deutschen Kommunisten eine schwere Niederlage beigebracht.[14]

Doch noch am Abend des 9. August setzte die KPD ihre Katastrophenpolitik mit einem kaltblütigen Verbrechen fort. Auf dem Bülowplatz, in unmittelbarer Nähe der kommunistischen Parteizentrale, des Karl-Liebknecht-Hauses, wurden die beiden Polizeibeamten Lenk und Anlauf, im linksradikalen Milieu unter den Spitznamen „Totenkopf" und „Schweinebacke" bekannt, hinterrücks erschossen. Den Polizeiwachtmeister Willig trafen zwei Schüsse, die ihn schwer verletzten.

Hinter der Tat stand der von Hans Kippenberger geleitete illegale Militärpolitische Apparat der KPD. Die politische Anweisung kam, wenn der damalige kommunistische Funktionär Herbert Wehner in seinen später, 1946, verfaßten „Notizen" die Vorgeschichte richtig wiedergibt, von dem Mitglied des Zentralkomitees, Heinz Neumann, und zwar in der Absicht, „durch die Tat und die zu erwartenden Repressalien die Aufmerksamkeit vom Ergebnis des Volksentscheids abzulenken und eine neue Situation zu schaffen. Und das war kaltblütig vorher geplant worden als Alternative zu einem auch von Neumann nicht wahrscheinlich gehaltenen Erfolg der Volksabstimmung". Am 21. August erging, nachdem die Polizei zuvor das Karl-Liebknecht-Haus nach Waffen und belastendem Material untersucht hatte, ein Haftbefehl gegen fünf Personen wegen Mordverdachts. Als mutmaßlicher Täter wurde der Bereitschaftsführer des Parteiselbstschutzes der KPD, Erich Mielke, der spätere Minister für Staatssicherheit der Deutschen Demokratischen Republik, angeklagt. Es gelang ihm, nach Belgien zu fliehen.[15]

Die Terroraktionen der KPD riefen einen Eindruck hervor, der von der Partei gewünscht wurde, aber nicht der Wirklichkeit entsprach. Die Kommunisten gaben sich als eine zum gewaltsamen Umsturz entschlossene Partei, ihre illegalen Apparate bildeten jedoch zu keiner Zeit ein effektives Gegengewicht zu den staatlichen Gewalten. Es gab wohl Vorbereitungen auf die Illegalität, aber sie standen weithin nur auf dem Papier. Die paramilitärischen Übungen, denen sich junge Kommunisten unterzogen, bestanden im Schießen mit Kleinkaliberwaffen und im Barrikadenbau. Alles, was der Extremismus von links bewirkte, war, daß dieser überschätzt und der von rechts unterschätzt wurde.[16]

Das erleichterte es den Nationalsozialisten, allmählich in den Staatsapparat einzudringen. Seit Ende März 1931 konnten die „Sturmabteilungen" der NSDAP, auf Grund einer Absprache zwischen ihrem „Stabschef", Ernst

Röhm, und Generalmajor von Schleicher, dem Chef des Ministeramtes im Reichswehrministerium, sich ohne jede politische Diskriminierung am paramilitärischen Grenzschutz beteiligen. Am 23. September sah Severing bereits Anlaß zu der Feststellung, daß das Reichswehrministerium, was den Grenzschutz anging, mit rechtsgerichteten Organisationen in engerer Verbindung stehe als mit dem preußischen Innenministerium. Schleichers Linie entsprach zu diesem Zeitpunkt etwa derjenigen der gemäßigten Kreise in der Schwerindustrie: Brüning mochte Kanzler bleiben, aber er sollte sich aus der Abhängigkeit von den Sozialdemokraten lösen und behutsam der „nationalen Opposition" annähern. Eine Verlagerung der Achse der Regierungspolitik von links nach rechts: das war es, worauf die Reichswehrführung im Spätsommer und Frühherbst 1931 hinarbeitete.[17]

Von der gemäßigten Linken bekam die Reichsregierung um dieselbe Zeit nur milden Tadel zu hören. Der Vorsitzende des Allgemeinen Deutschen Gewerkschaftsbundes, Theodor Leipart, kritisierte zwar auf dem Bundeskongreß seiner Organisation, der vom 31. August bis 4. September 1931 in Frankfurt am Main stattfand, scharf die Wirtschaftspolitik des Kabinetts Brüning, das offensichtlich glaube, ohne und gar gegen die Arbeiterschaft regieren zu können. Aber an eine Aufkündigung der Tolerierungspolitik dachten die Freien Gewerkschaften nicht. „Ein Sturz der Brüning-Regierung wäre sehr leicht von uns herbeizuführen", erklärte der Vorsitzende des Deutschen Metallarbeiterverbandes und Reichstagsabgeordnete der SPD, Alwin Brandes, ein ehemaliger Unabhängiger Sozialdemokrat, in seiner Schlußansprache. „Unter den gegebenen Umständen würde er aber keine Besserung der Lage der Arbeiterschaft bringen. Im Gegenteil, es würde ein wirtschaftliches Chaos, eine politische Katastrophe die Folge sein und damit eine noch weit schlimmere Leidenszeit für die Arbeiter."

Zustimmende Rufe aus den Reihen der Delegierten begleiteten die anschließende Bemerkung Brandes', in der das Selbstverständnis der sozialdemokratischen Arbeiterbewegung auf geradezu klassische Weise Ausdruck fand. „Ein Bürgerkrieg, wie ihn die linksradikalen Kreise fordern, weil sie glauben oder zumindest angeben zu glauben, damit das Los der Arbeiterklasse bessern zu können – ein solcher Bürgerkrieg würde das komplizierte wirtschaftliche Gewebe Deutschlands völlig zerfetzen und würde dadurch wahrscheinlich auf viele Jahrzehnte hinaus diese Wirtschaft zertrümmern und zerstören. Und nicht nur das. Gleichviel, wie der Ausgang einer solchen Katastrophe sein würde, die Folge müßte und würde auch sein, daß Deutschland selbst zerstückelt, daß die deutsche Kultur zerstört würde."[18]

Brandes' Partei schickte sich um dieselbe Zeit an, einen Trennungsstrich zu ihrem äußersten linken Flügel zu ziehen, der die Tolerierungspolitik von Anfang an abgelehnt und seit der Krise um die jüngste Notverordnung mit zunehmender Schärfe öffentlich angegriffen hatte. Einen der beiden unmittelbaren Anlässe für den Bruch war die von Max Seydewitz und Kurt Rosenfeld betriebene Gründung der linkssozialistischen Wochenschrift „Die Fakkel", die sich in ihrer ersten Ausgabe vom 4. September als „Sprößling der deutschen Zensurfreiheit und der Leipziger Demokratie" bezeichnete. (Daß mit „Leipziger Demokratie" nicht der letzte Parteitag der SPD, sondern das Reichsgericht gemeint war, wurde erst einige Wochen später klargestellt – oder doch behauptet). Der andere Anlaß war eine vom Präsidenten der Deutschen Friedensgesellschaft, Fritz Küster, Ende Juli auf einer Tagung des Verbandes in Hagen einberufene Sonderkonferenz anwesender Sozialdemokraten, die sich gegen die „nationalistisch-militärfromme und Tolerierungspolitik der SPD und die pseudorevolutionäre Katastrophenpolitik der KPD" wandte und die Gründung einer linkssozialistischen Partei ins Auge faßte.

Am 27. September beschloß daraufhin der Parteiausschuß der SPD unter Berufung auf ein 1925 ergangenes Verbot von Sonderkonferenzen und Sonderveranstaltungen, die Zugehörigkeit zur Deutschen Friedensgesellschaft und die Unterstützung der Freien Verlagsgesellschaft, bei der die „Fackel" erschien, für unvereinbar mit der Mitgliedschaft in der SPD zu erklären. Drei Tage später antworteten acht Reichstagsabgeordnete, darunter Max Seydewitz, Kurt Rosenfeld und Heinrich Ströbel, sie würden ungeachtet aller Vorwürfe die „Fackel" weiterführen. Am 29. September schloß der Parteivorstand Seydewitz und Rosenfeld aus der SPD aus. Vier Reichstagsabgeordnete und sieben ehemalige Mitglieder der Reichsleitung der (auf dem Leipziger Parteitag aufgelösten) Jungsozialisten erklärten sich mit Seydewitz und Rosenfeld solidarisch, ebenso einige Ortsvereine, namentlich aus den Bezirken Zwickau-Plauen und Chemnitz, sowie eine Versammlung der Sozialistischen Arbeiterjugend in Breslau. Von der schlesischen Hauptstadt ging auch die Einladung zu einer Funktionärskonferenz aus, die am 2. Oktober in Breslau zur Gründung der Sozialistischen Arbeiterpartei aufrief. Zwei Tage später wurde in Berlin die SAP offiziell ins Leben gerufen.

Doch über das Format einer politischen Sekte kam die neue Partei, den Sympathiekundgebungen bekannter Intellektueller wie Albert Einstein, Carl von Ossietzky und Lion Feuchtwanger zum Trotz, nicht hinaus. Stärkeren Zulauf hatte sie nur in den Bezirken, wo ihre Gründer aktiv waren, und aus den Reihen junger Sozialdemokraten. Einer von ihnen war der Lübecker Herbert Frahm, der später, im norwegischen Exil, den Kampfnamen Willy Brandt annahm. Was der damals Achtzehnjährige im Januar 1932 schrieb, war wohl den meisten aus dem Herzen gesprochen, die gleich ihm im Sozialistischen Jugendverband, der Jugendorganisation der SAP, aktiv waren: „Der Wandlungsprozeß in uns hat sich soweit vollzogen, daß wir der SPD ideologisch nicht mehr näher stehen als irgendeiner anderen proletarischen Partei. Im Gegenteil, vielleicht stehen wir der SPD am wenigsten nahe."

Als im März 1932 eine starke Minderheit der „Kommunistischen Partei Deutschlands (Opposition)", der Gruppe um den früheren Vorsitzenden der KPD, Heinrich Brandler, zur SAP stieß, gewann diese etwa 1 000 Mitglieder. Im ganzen Reich zählte die SAP jedoch niemals mehr als 25 000 Mitglieder. Das entsprach etwa 2,5 % des Mitgliederbestandes der SPD und rund

8% desjenigen der KPD. Bei den preußischen Landtagswahlen vom 24. April 1932 entfielen auf die SAP nur 0,4% der Stimmen. So schwer viele Sozialdemokraten an der Tolerierungspolitik trugen, ein Disziplinbruch, wie ihn die Parteiführung den linken Dissidenten vorwarf, galt der großen Mehrheit als unverzeihlich.[19]

Die Abspaltung der äußersten Linken erfolgte zu einer Zeit, als es der sozialdemokratischen Reichstagsfraktion gerade gelungen war, der Regierung Brüning einige sozialpolitische Zugeständnisse abzuringen. Am 7. September verständigten sich SPD und Kabinett darauf, die Bemessungsgrundlage für die Arbeitslosenunterstützung anzuheben, die Saisonarbeiter besser zu stellen, als es nach der Notverordnung vom 5. Juni vorgesehen war, und die Rückzahlungspflicht bei der Krisenfürsorge wieder zu beseitigen. Für die Regierung Brüning war die Einigung mit den Sozialdemokraten jedoch eine zweischneidige Sache. Denn was der SPD gelegen kam, erschien vielen Unternehmern als untragbar. Am massivsten äußerte sich Paul Reusch. Bereits am 6. September, einen Tag vor der Übereinkunft zwischen Kabinett und SPD, schrieb er dem Geschäftsführenden Präsidialmitglied des Reichsverbandes der Deutschen Industrie, Ludwig Kastl, er, Reusch, sei der Meinung, „daß Herr *Brüning*, nachdem die Erwartungen, die wir auf ihn gesetzt haben, sich nicht erfüllt haben und nachdem er nicht den Mut hat, sich von der Sozialdemokratie zu trennen, von der Wirtschaft und vom Reichsverband auf das allerschärfste bekämpft werden muß und daß ihm die Industrie ganz offen ihr Mißtrauen aussprechen soll".

Die Beziehungen zwischen Schwerindustrie und Reichsregierung verschlechterten sich noch weiter, als das Kabinett sich am 30. September durch eine Notverordnung ermächtigen ließ, die Arbeitgeber und Arbeitnehmer des Ruhrkohlenbergbaus von den Beiträgen zur Arbeitslosenversicherung zu befreien. Die Maßnahme hatte einen sozial entlastenden Effekt: Statt einer Lohnsenkung um 7%, wie sie ein (durch die gleiche Notverordnung in Kraft gesetzter) Schiedsspruch vom 29. September vorsah, mußten die Kumpel lediglich eine Einbuße von 3,5% hinnehmen. Die „Deutsche Bergwerks-Zeitung", das Organ der Montanindustriellen, warf daraufhin der Regierung Brüning vor, sie stecke den Kopf in den Sand, „um gewissen Kreisen der Arbeiterschaft eine Lohnsenkung etwas schmackhafter zu machen und einen Gefallen zu erweisen". Paul Reusch kommentierte am 4. Oktober in einem Brief an seinen Berliner Beauftragten, Martin Blank, die Haltung Brünings mit den Worten: „Der Reichskanzler scheut den Kampf gegen die Massen und wird infolgedessen unterliegen."[20]

Furcht vor einer Radikalisierung der Massen war jedoch nur ein Grund, weshalb die Regierung im Tarifkonflikt an der Ruhr soziales Entgegenkommen zeigte. Die Subventionierung des Bergbaus war auch eine Reaktion auf eine Herausforderung ganz anderer Art: die Loslösung des britischen Pfundes vom Goldstandard am 20. September. Das neue, seit dem 25. August amtierende Kabinett der nationalen Konzentration unter MacDonald, das sich auf eine parlamentarische Mehrheit aus Konservativen, Liberalen und einer kleinen, abgespaltenen Gruppe von ehemaligen Labour-Abgeordneten stützte, wollte mit diesem dramatischen Schritt den verheerenden Folgen weiterer Kredit- und Goldabzüge bei der Bank von England entgehen. Die Weigerung der britischen Staatsbank, Gold gegen Pfund Sterling einzutauschen, versetzte nicht nur die Finanzwelt in Schrecken. Nach der deutschen Bankenkrise vom Juli war Londons Abkehr vom Goldstandard die zweite große Erschütterung des kapitalistischen Wirtschaftssystems innerhalb weniger Monate.

Der Beschluß des britischen Kabinetts hatte zunächst eine Abwertung des Pfundes um 20 %, dann, in den ersten vier Wochen nach dem 20. September, die Lösung von 25 weiteren Währungen vom Goldstandard zur Folge. Die Abwertung verbilligte die Ausfuhr der betreffenden Länder, wogegen sich andere Staaten, darunter Italien, die Niederlande und Dänemark, durch Zollerhöhungen abzuschirmen suchten – mit der Folge, daß am 20. November auch England selbst, das die Bewegung ausgelöst hatte, zu Schutzzöllen überging.

Der deutsche Export war durch die Abwertungsspirale ebenso bedroht wie durch die Welle des Protektionismus. Dem britischen Beispiel konnte Deutschland schon deshalb nicht folgen, weil der Young-Plan ihm Währungsmanipulationen, wie die Preisgabe des Goldstandards eine gewesen wäre, ausdrücklich untersagte. Die Subventionierung der Ruhrkohle diente infolgedessen als Aushilfsmittel: Sie sollte die Absatzchancen nicht nur der Kohle, sondern auch der kohleverarbeitenden Industrien erhalten helfen. Ansonsten gab es für den Reichskanzler, wie er am 2. Oktober im Kabinett erklärte, nur eine Antwort auf den englischen Schritt und seine Folgen: Um den deutschen Exportüberschuß zu sichern, müsse der „Schrumpfungsprozeß“ fortgesetzt werden. Das hieß: weiterer Abbau von Löhnen und Gehältern, aber auch weitere Senkung der Preise.[21]

Die „Dritte Verordnung zur Sicherung von Wirtschaft und Finanzen und zur Bekämpfung von politischen Ausschreitungen“, die der Reichspräsident am 6. Oktober unterzeichnete, war noch nicht die praktische Umsetzung dieser Maxime. In erster Linie löste die neue Notverordnung vielmehr die Zusagen ein, mit denen sich Brüning die weitere Tolerierung durch die SPD erkauft hatte. Die Unterstützungsdauer in der Arbeitslosenversicherung wurde weniger stark gekürzt, als es die Reichsregierung zunächst beabsichtigt hatte, nämlich nicht von 26 auf 16, sondern nur auf 20 Wochen. Die Unterstützungssätze, die die Regierung auf den Stand der Krisenfürsorge hatte senken wollen, sollten in ihrer bisherigen Höhe erhalten bleiben. Jugendliche Erwerbslose erhielten wieder einen gesetzlichen Anspruch auf Arbeitslosenunterstützung, sofern ihre Familie nicht für den Unterhalt aufkommen konnte. Den Gemeinden stellte das Reich zur Erleichterung der Wohlfahrtslasten für den kommenden Winter 230 Millionen RM zur Verfügung. Einen Teilbetrag von 80 Millionen RM durften die Länder an die

Gemeinden verteilen. Severing hatte diese Bestimmung mit dem Argument durchgesetzt, daß er andernfalls nicht länger die Aufrechterhaltung von Ruhe und Ordnung in Preußen garantieren könne.

Dazu kamen Ausgaben für landwirtschaftliche Siedlung und die Förderung von „Primitivsiedlungen“, namentlich von Randsiedlungen von Erwerbslosen in der Nähe großer Städte. Sozial belastend wirkten die Senkung der Hauszinssteuer, aus deren Ertrag der Wohnungsbau finanziert wurde, um 20% und die Ermächtigung der Reichsregierung, im Bedarfsfall die Ausgaben der Sozialversicherungsträger herabzusetzen. Die weitere Senkung von Löhnen, Gehältern und Preisen, mit der Brüning auf die Abwertung des englischen Pfundes antworten wollte, blieb der nächsten Notverordnung vorbehalten.[22]

Weit mehr Aufsehen als die Notverordnung erregte das andere große Ereignis des 7. Oktober 1931: der Rücktritt der Regierung Brüning und der Auftrag Hindenburgs an den bisherigen Reichskanzler, ein neues Kabinett zu bilden. Die jüngste Regierungskrise, die in der Demission vom 7. Oktober gipfelte, hatte am 3. September begonnen. An diesem Tag erklärten der österreichische Vizekanzler Schober und Reichsaußenminister Curtius vor dem Europaausschuß des Völkerbundsrates in Genf, daß beide Länder das Projekt einer deutsch-österreichischen Zollunion nicht weiterverfolgen würden. Dieser Verzicht war der Preis, den Wien für die Sanierung Österreichs mit Hilfe internationaler Kredite entrichten mußte. Die Zollunion wäre freilich auch ohne die gemeinsame Erklärung von Schober und Curtius nicht zustandegekommen: Am 5. September entschied der Internationale Gerichtshof in Den Haag mit 8 gegen 7 Stimmen, daß der Plan dem Genfer Protokoll von 1922 über den wirtschaftlichen und finanziellen Wiederaufbau Österreichs widerspreche, also vertragswidrig sei.

Damit war die Position von Curtius, dem eigentlichen Urheber der Zollunion, unhaltbar geworden. Nicht nur die „nationale Opposition“, sondern auch die Zentrumszeitung „Germania“ griff ihn scharf an; seine eigene Partei, die DVP, forderte ihn zur Demission auf. Diesem Druck war Curtius nicht gewachsen. Aus Genf zurückgekehrt, vereinbarte er mit Brüning einen Rücktrittstermin kurz nach dem für den 27. und 28. September anberaumten Besuch des französischen Ministerpräsidenten Laval und seines Außenministers Briand in Berlin. Dieser Abrede gemäß bat Curtius am 3. Oktober den Kanzler, beim Reichspräsidenten seine Entlassung zu beantragen.

Eine Regierungskrise konnte aus dem Rücktrittsgesuch von Curtius allerdings nur erwachsen, weil der Kanzler von einflußreichen Kräften zu einer Wendung nach rechts gedrängt wurde. Am 6. September hatte sich Schleicher, am 13. September Hindenburg in diesem Sinn geäußert. Am 3. Oktober verlangte der schwerindustrielle Flügel der DVP, die Partei solle in die Opposition überwechseln und nach dem Beginn der Reichstagssession am 13. Oktober einen Mißtrauensantrag gegen die Reichsregierung einbringen. Brüning selbst hielt eine Anlehnung an die Rechte längerfristig durchaus für notwendig, knüpfte eine solche Kurskorrektur aber an eine Bedingung: Die „nationale Opposition“ müsse sich verpflichten, Hindenburg, dessen Amtsperiode im Frühjahr 1932 endete, erneut zum Reichspräsidenten zu wählen. Dazu war Hugenberg, wie er dem Kanzler am 27. August darlegte, nicht bereit, und von Hitler war in dieser Frage nicht mehr Nachgiebigkeit zu erwarten als vom Führer der Deutschnationalen.

Hindenburg bestand dennoch darauf, daß Brüning sich von Ministern trennte, die dem Reichspräsidenten mißfielen – sei es, daß sie als zu links oder zu katholisch galten oder aus anderen Gründen beim Staatsoberhaupt in Ungnade gefallen waren. Zu den Kabinettsmitgliedern, die Brüning auswechseln sollte, gehörten neben Curtius Wirth, Stegerwald, Guérard, Treviranus und Schiele, außerdem Staatssekretär Pünder. Am 7. Oktober, als Brüning ihm die Gesamtdemission des Kabinetts anbot, rückte Hindenburg von dieser Maximalforderung ab: Die neue Regierung solle parteipolitisch nicht gebunden sein und ein stärker konservatives Profil aufweisen. Brüning versprach, diesen Wunsch zu erfüllen, worauf der Reichspräsident den Rücktritt der Regierung annahm und den amtierenden Kanzler ersuchte, ein neues Kabinett zu bilden.[23]

Am 9. Oktober war die Bildung des zweiten Kabinetts Brüning abgeschlossen. Es stand nicht ganz so weit rechts, wie Hindenburg es gewünscht hatte. Einen führenden Großunternehmer zum Eintritt in die Regierung zu bewegen, gelang Brüning nicht: Vögler und Silverberg sagten ab. Immerhin übernahm mit Hermann Warmbold ein Mann der Chemieindustrie das seit langem vakante Wirtschaftsministerium. Das bisher vom linken Flügelmann des Zentrums, Joseph Wirth, geleitete Innenministerium übertrug Brüning, nachdem sein ursprünglicher Kandidat, der frühere Reichswehrminister Geßler auf massiven Widerstand auch bei der Reichswehr gestoßen war, kommissarisch Reichswehrminister Groener. Der hochkonservative, den Deutschnationalen nahestehende Staatssekretär Joël trat an die Spitze des Justizministeriums, das er faktisch schon seit dem Ausscheiden von Johann Victor Bredt im Dezember 1930 geleitet hatte. Treviranus wurde an Stelle von Guérard Verkehrsminister, und Brüning selbst trat Curtius' Nachfolge als Außenminister an. Die übrigen Minister blieben in ihren Ämtern. Am 7. November erweiterte sich das Kabinett noch um ein zehntes Mitglied: Der Rittergutsbesitzer und Abgeordnete der Christlich-Nationalen Landvolkpartei, Hans Schlange-Schöningen, wurde zum Reichskommissar für die Osthilfe und gleichzeitig zum Reichsminister ohne Geschäftsbereich ernannt.[24]

Die Deutsche Volkspartei gehörte Brünings zweitem Kabinett nicht mehr an. Am 7. Oktober plädierte ihr Pressedienst dafür, die „nationale Opposition“ an der Regierung zu beteiligen. Drei Tage später beschlossen Parteiausschuß und Reichstagsfraktion der DVP unter dem Druck der schwerindustriellen Interessenvertreter, der Regierung im Reichstag das Mißtrauen auszusprechen. Der Bruch zwischen dem rechten Flügel des Unternehmerlagers und dem Kabinett Brüning war endgültig vollzogen. Eine Gelegenheit, sich vor aller Öffentlichkeit in die „nationale Opposition" einzureihen, hätte am folgenden Tag, dem 11. Oktober, in Bad Harzburg bestanden: Dorthin hatten die Parteien und Verbände der entschiedenen Rechten zu einer Heerschau aufgerufen. Doch außer Ernst Brandi, einem der Kohlebergwerksdirektoren der Vereinigten Stahlwerke, nahm an diesem Treffen kein bekannter Großindustrieller teil. Offenbar scheuten auch die härtesten Kritiker Brünings in der Unternehmerschaft noch davor zurück, sich vorbehaltlos der radikalen Rechten anzuschließen.

Am Treffen der „nationalen Opposition" in Bad Harzburg nahmen Vertreter von NSDAP, DNVP, „Stahlhelm", Reichslandbund und Alldeutschem Verband teil, außerdem zahlreiche Mitglieder ehedem regierender Fürstenhäuser, unter ihnen der Hohenzollernprinz und SA-Führer August Wilhelm („Auwi"), der Abgeordnete Sachsenberg von der Wirtschaftspartei, der frühere Chef der Heeresleitung, General von Seeckt, seit 1930 Abgeordneter der DVP im Reichstag, und der frühere Reichsbankpräsident Schacht. Hugenberg prangerte den „Blutterror des Marxismus" und den „Kulturbolschewismus" an; Hitler, der tags zuvor erstmals von Hindenburg empfangen worden war, erregte vor allem deswegen Aufsehen, weil er, als nach dem Vorbeimarsch seiner SA Formationen des „Stahlhelm" folgten, demonstrativ die Tribüne verließ; Schacht gelang es, mit Angriffen auf die Reichsbank eine tagelange hektische Debatte auszulösen. Die Beschlüsse der „Harzburger Front" enthielten nichts Überraschendes. Nationalsozialisten und Deutschnationale kündigten einige gemeinsame Anträge im Reichstag an, darunter ein Mißtrauensvotum gegen die Regierung Brüning, ein Ersuchen an den Reichspräsidenten, den Reichstag aufzulösen und Neuwahlen auf den 8. November anzuberaumen, und schließlich einen Antrag auf Außerkraftsetzung aller Notverordnungen.

Die Initiative zum Harzburger Treffen war von Hugenberg ausgegangen. Hitler nutzte die Gelegenheit, um aller Welt vor Augen zu führen, daß er Koalitionspartner besaß, die ihm bei der „Machtergreifung" behilflich sein konnten; Wilhelm Frick, der frühere, Anfang April über einen Mißtrauensantrag gestürzte thüringische Innen- und Volksbildungsminister, brachte vor den in Harzburg versammelten Nationalsozialisten, unter Hinweis auf das Vorbild Mussolinis, dieses Kalkül sogar ganz offen zur Sprache. Aber zugleich demonstrierte Hitler durch sein bewußt provozierendes Verhalten, daß er nicht bereit war, sich von den Deutschnationalen für ihre Zwecke einspannen zu lassen. Seine Anhänger sollten ebenso wie seine Gegner wissen, wer in der „nationalen Opposition" das Sagen hatte: er und seine Nationalsozialisten und nicht irgendwelche Honoratioren, Parteien und Bünde der bürgerlichen Rechten.[25]

Den Sozialdemokraten erleichterte es der Ablauf der Harzburger Tagung, sich mit dem nach rechts gerückten zweiten Kabinett Brüning abzufinden. Daß die „faschistische Reaktion" die Reichsregierung massiv angriff, genügte fast schon, diese in den Augen der SPD erträglich erscheinen zu lassen. Schachts Ausführungen zur Währungspolitik inspirierten den „Vorwärts" am 12. Oktober zu der Schlagzeile „Die Harzburger Inflationsfront". In der Reichstagsdebatte wurden von sozialdemokratischen Rednern auch noch andere Pläne von „Harzburgern" zitiert, die offenkundig auf Geldentwertung angelegt waren, darunter Überlegungen Hugenbergs über eine Binnenwährung. Mit Brüning, der sich ebenfalls scharf gegen entsprechende Projekte wandte, gab es in diesem Punkt volle Übereinstimmung. Bei der Abstimmung über die Mißtrauensanträge stimmte die SPD am 16. Oktober mit Nein. Daß die Regierung sich knapp behaupten konnte, lag freilich auch am Abstimmungsverhalten der Wirtschaftspartei: Brüning hatte die Splittergruppe mit der Drohung erpreßt, er werde andernfalls Informationen über das Geschäftsgebaren einer mit der Partei eng verbundenen, soeben zusammengebrochenen Berliner Mittelstandsbank an die Öffentlichkeit geben. Ein weiterer Erfolg für die Regierung war, daß das Plenum am gleichen Tag einen Antrag des Zentrums annahm, der Reichstag möge sich bis zum 23. Februar 1932 vertagen.[26]

Das Vakuum, das der Reichstag mit seiner Vertagung hinterließ, sollte, zeitweilig zumindest, ein Wirtschaftsbeirat füllen. Den Anstoß zur Einberufung eines solchen Gremiums hatte am 24. September der kommissarische Leiter des Reichswirtschaftsministeriums, Staatssekretär Trendelenburg, gegeben. Der wirtschaftspolitische Zweck des Wirtschaftsbeirates lag klar zutage: Das Kabinett wollte Arbeitgeber und Arbeitnehmer auf die Notwendigkeit weiterer Lohn- und Preissenkungen einschwören und damit der nächsten Notverordnung ein gewisses Maß an gesellschaftlicher Legitimation verschaffen. Der Reichskanzler verfolgte mit dem Wirtschaftsbeirat jedoch auch noch eine andere Absicht: Hindenburg, dem die feierliche Eröffnung und das zeremonielle Schlußwort zufielen, sollte der Öffentlichkeit zeigen, daß er noch im Vollbesitz seiner geistigen Kräfte war. Wenn der Reichspräsident, der am 2. Oktober 84 Jahre alt geworden war, bei diesen Auftritten eine gute Figur machte, wuchsen seine Chancen, im nächsten Frühjahr erneut in das höchste Staatsamt gewählt zu werden. So jedenfalls dachte Brüning, und das gab dem Experiment des Wirtschaftsrates aus seiner Sicht eine geradezu historische Bedeutung.

Hindenburg erfüllte die ihm zugedachte Aufgabe: Er verlas am 29. Oktober und am 23. November die beiden kurzen Ansprachen, die ihm sachkundige Ministerialbeamte, darunter Staatssekretär Pünder, aufgesetzt hatten. Den erhofften sachlichen Konsens aber erbrachte der Wirtschaftsbeirat nicht. Im Gegenteil: Die Kluft zwischen Gewerkschaften und Unternehmerverbänden wurde tiefer, und die Regierung erweckte eher Mißtrauen als Verständnis für ihre Pläne. Andeutungen Brünings, die Tarifverträge müßten aufgelockert werden, blieben hinter dem zurück, was die Arbeitgeber für erforderlich hielten, reichten aber aus, um die Gewerkschaften zu verärgern. Die Vertreter der Landwirtschaft fühlten sich so sehr in der Minderheit, daß sie am 19. November, einige Tage vor Abschluß der Verhandlungen, die weitere Teilnahme verweigerten. Falls Brüning wirklich geglaubt hatte, der Wirtschaftsbeirat werde sich als eine Art ständisches Ersatzparlament bewähren, mußte ihn der Ausgang des Versuchs enttäuschen.[27]

Am 25. November, zwei Tage nach Abschluß der Verhandlungen des Wirtschaftsbeirates, ereignete sich in Hessen ein Vorfall, der tagelang für Schlagzeilen sorgte. Ein abtrünniger Landtagsabgeordneter der NSDAP übergab dem Frankfurter Polizeipräsidenten politisch brisante Materialien, die tags darauf als „Boxheimer Dokumente" bekannt wurden. Es handelte sich um Pläne führender hessischer Nationalsozialisten für den Fall einer Machtergreifung. Zu den vorgesehenen Maßnahmen gehörten unter anderem die folgenden: „Jede Schußwaffe ist binnen 24 Stunden an die... (SA, Landeswehren o. ä.) abzuliefern. Wer nach Ablauf dieser Frist im Besitz einer Schußwaffe betroffen wird, wird als Feind der... (SA, Landeswehren o. ä.) und des deutschen Volkes ohne Verfahren auf der Stelle erschossen... Jeder im Dienste öffentlicher Behörden oder öffentlicher Verkehrsanstalten stehende Beamte, Angestellte und Arbeiter hat sofort seinen Dienst wieder aufzunehmen, Widerstand und Sabotage wird mit dem Tode bestraft."

Während sozialdemokratische und liberale Zeitungen Alarm schlugen und die Boxheimer Dokumente als Beweis für die wahren Absichten der Nationalsozialisten werteten, reagierten Oberreichsanwalt Karl August Werner und das Reichsjustizministerium ganz anders. Werner beteuerte, das Vorgehen der Darmstädter Polizei, die Hausdurchsuchungen bei verdächtigen Nationalsozialisten durchgeführt hatte, sei nicht von ihm, sondern von Severing veranlaßt worden. Ob der Tatbestand des Hochverrats gegeben sei, müsse erst noch geklärt werden. Ministerialrat Richter vom Reichsjustizministerium erklärte mit ausdrücklicher Zustimmung seines Ministers, Joël, gegenüber der Reichskanzlei, zur Erfüllung des Tatbestandes des Hochverrats sei beim Täter der Vorsatz erforderlich, gewaltsam die Verfassung zu stürzen. „Die Aufstellung des beiliegenden Entwurfs einer Bekanntmachung sowie der Notverordnung als solche sei noch keine strafbare Handlung. Denkbar sei zum Beispiel der Fall, daß ein Geschichtsprofessor oder auch ein Phantast derartige Projekte ausarbeiteten."

Die Anweisung, die Bedeutung der Boxheimer Dokumente tunlichst zu verkleinern, kam von keinem Geringeren als Brüning selbst. Dem Kanzler ging es vor allem darum, erste Sondierungen zwischen Zentrum und NSDAP nicht zu belasten: Nach den hessischen Landtagswahlen vom 15. November, aus denen die Nationalsozialisten als überlegene Sieger hervorgegangen waren, war eine schwarz-braune Koalition mit 37 von 70 Sitzen die einzig mögliche Art von Mehrheitsregierung, und Brüning hielt eine solche Lösung – vorausgesetzt, die NSDAP bekam nicht die Kontrolle über die Polizei – durchaus für wünschenswert.

Am 30. November sah sich der Oberreichsanwalt aber schließlich doch genötigt, ein Hochverratsverfahren gegen die Urheber der Boxheimer Dokumente einzuleiten. Die NSDAP gab daraufhin ihre Absicht zu Protokoll, die in die Affäre verwickelten Parteimitglieder bis zum Abschluß der Untersuchung von ihren Parteifunktionen zu entbinden. Elf Monate später, am 12. Oktober 1932, setzte der vierte Senat des Reichsgerichts nach nichtöffentlicher Beratung den Verfasser der Boxheimer Dokumente, den Gerichtsassessor Werner Best, aus Mangel an Beweisen außer Verfolgung.[28]

Der politischen Linken brachte die Justiz sehr viel weniger Verständnis entgegen als den Nationalsozialisten. Am 23. November 1931 verurteilte das Reichsgericht den leitenden Redakteur der „Weltbühne", Carl von Ossietzky, und den Schriftsteller und Flieger Walter Kreiser wegen eines Anfang 1929 erschienenen Artikels („Windiges aus der deutschen Luftfahrt") auf Grund des Gesetzes gegen den Verrat militärischer Geheimnisse vom 3. Juni 1914 zu einem Jahr und 6 Monaten Gefängnis. Vergeblich wies die sozialdemokratische Reichstagsfraktion am 25. November die Reichsregierung in einer Interpellation darauf hin, daß in dem Artikel der „Weltbühne" keinerlei Geheimnisse enthalten waren, sondern nur Dinge „enthüllt" wurden, die entweder einer breiten Öffentlichkeit bekannt oder sogar im Protokoll des Haushaltsausschusses vom 3. Februar 1929 gedruckt zu lesen waren. Im Mai 1932 mußte Ossietzky seine Gefängnisstrafe in Tegel antreten; Kreiser entkam dem Vollzug des Urteils durch Flucht ins Ausland.[29]

Die nachsichtige Haltung, die Brüning im Herbst 1931 den Nationalsozialisten gegenüber einnahm, war mit der Reichswehrführung abgestimmt. Groener und Schleicher hielten ebenso wie der Kanzler den Versuch für notwendig, die NSDAP aus ihrer radikalen Oppositionsrolle herauszuführen und in den Staat einzugliedern. Die Probe aufs Exempel sollte Hitlers Ja zu einer Wiederwahl Hindenburgs sein – ein Thema, über das Brüning schon am 10. Oktober bei einer geheimgehaltenen Begegnung mit dem Führer der Nationalsozialisten im Hause von Treviranus gesprochen hatte, ohne freilich irgendwelche Zusagen von Hitler zu erhalten. Von einer Regierungsbeteiligung der NSDAP – zuerst in Hessen, später auch im Reich – versprach sich Brüning eine Zähmung dieser Partei. „Man müsse", sagte er am 20. November zu Staatssekretär Schäffer vom Reichsfinanzministerium, „auch wohl die Nationalsozialisten, und zwar möglichst noch im Rahmen einer parlamentarischen Regierung, in die Verantwortung zwingen. In Hessen werde es alsbald geschehen. Die große Gefahr, die es zu vermeiden gelte, sei, daß sich die Nationalsozialisten bis zur Präsidentenwahl in der Opposition hielten. Dann sei es sehr möglich, daß Hitler im zweiten Wahlgang zum Reichspräsidenten gewählt würde, und das würde für lange Zeit die Politik festlegen."

Eine Regierungsbeteiligung der NSDAP schien Brüning auch deswegen ein geschickter taktischer Schachzug zu sein, weil sich auf diese Weise eine Spaltung der Harzburger Front bewerkstelligen ließ. Mit Sympathie verfolgte der Kanzler daher den Versuch des Deutschnationalen Handlungsgehilfen-Verbandes – der 1893 gegründeten, größten Angestelltengewerkschaft innerhalb des christlich-nationalen Deutschen Gewerkschaftsbundes –, die

Nationalsozialisten zu einer Annäherung an das Zentrum und zu einem gemeinsamen Vorgehen gegen die von Hugenberg geführte soziale Reaktion zu bewegen. In Hessen allerdings war den Koalitionsbemühungen des Zentrums kein Erfolg beschieden: Die NSDAP forderte faktisch die ganze Macht für sich, was das Zentrum am 11. Dezember, wenn auch in verbindlicher Sprache, zurückwies. Das von dem Sozialdemokraten Bernhard Adelung geführte Koalitionskabinett aus SPD und Zentrum, das am 8. Dezember zurückgetreten war, blieb infolgedessen als geschäftsführende Regierung weiterhin im Amt und überdauerte sogar eine vom Staatsgerichtshof angeordnete neue Landtagswahl am 19. Juni 1932.[30]

Brünings Versuche, Brücken zu den Nationalsozialisten zu schlagen, riefen nicht nur bei den Sozialdemokraten, sondern auch innerhalb des Regierungslagers starke Irritationen hervor. Der „Vorwärts" protestierte am 6. Dezember unter der Überschrift „Brüning, wehr dich!" gegen internationale Pressekonferenzen Hitlers, die den Eindruck vermittelten, als spreche hier der künftige Regierungschef. Tags darauf schrieb der Vorsitzende der Staatsparteilichen Fraktionsgemeinschaft, August Weber, an den Reichskanzler, seine Fraktion sei geschlossen der Meinung, „daß das passive Verhalten der Reichsregierung zu dem herausfordernden, die staatliche Autorität und die nationalen Interessen der deutschen Politik aufs schwerste gefährdenden Auftreten des Nationalsozialismus nicht mehr verstanden wird und nicht länger tragbar ist".

Am 8. Dezember fand sich Brüning schließlich zu einigen klärenden Worten bereit. In einer Rundfunkansprache, in der er die soeben erlassene „Vierte Notverordnung zur Sicherung von Wirtschaft und Finanzen und zum Schutz des inneren Friedens" erläuterte, attackierte er die Doppelbödigkeit von Hitlers Legalitätsbeteuerungen. Die Kritik des Kanzlers gipfelte in dem Satz: „Wenn man erklärt, daß man, auf legalem Wege zur Macht gekommen, die legalen Schranken durchbrechen werde, so ist das keine Legalität, und sie ist es noch weniger, wenn zu gleicher Zeit in engerem Kreise Rachepläne verfaßt und vorgebracht werden."[31]

Der Notverordnung vom 8. Dezember 1931, dem Hauptthema von Brünings Rede, waren heftige Auseinandersetzungen im Kabinett vorausgegangen. Umstritten war vor allem die Frage, ob es nicht längst an der Zeit sei, den Binnenmarkt durch eine Kreditausweitung zu beleben. Der beredteste Fürsprecher einer solchen aktiven Konjunkturpolitik war Wirtschaftsminister Warmbold, der sich aber gegen Reichsbankpräsident Luther nicht durchzusetzen vermochte. Luther beharrte auf dem Standpunkt, es fehle der Wirtschaft nicht an Kredit, sondern an Aufträgen, und im übrigen dürfe der heilsame Prozeß der Deflation nicht vorzeitig abgebrochen werden.

Brüning und Finanzminister Dietrich sahen die Folgen der fortschreitenden Deflation sehr viel skeptischer als Luther. Aber da für den Kanzler die Beendigung der Reparationszahlungen das übergeordnete Ziel war, lehnte er jede Maßnahme ab, die im Ausland den Eindruck hervorrufen konnte,

Deutschland sei bei gutem Willen durchaus in der Lage, seine staatlichen Zwangsschulden zu bezahlen. Eine kreditfinanzierte Arbeitsbeschaffung verbot sich daher aus Brünings Sicht von selbst. Auf der anderen Seite wollte der Regierungschef das Realeinkommen der Arbeitnehmer auch nicht weiter vermindern. Denn auf diese Weise wäre die Konjunktur ganz zum Erliegen gekommen und die Zahl der Arbeitslosen, die im November erstmals die Fünf-Millionen-Marke übersprungen hatte, ins Gigantische gestiegen – mit finanziellen und sozialen Folgen, die nicht mehr zu kontrollieren waren.

Brünings Ausweg bestand darin, Lohn- und Preissenkungen derart zu verbinden, daß die Massenkaufkraft nicht wesentlich abnahm und die Absatzchancen deutscher Erzeugnisse im Ausland stiegen. Zur Belebung der Konjunktur sollte eine staatlich verordnete Zinssenkung beitragen. Dazu mußte logischerweise eine Herabsetzung des Diskontsatzes gehören, gegen die sich Luther aber verbissen wehrte. Am Ende stand ein Kompromiß: Statt der Senkung des Diskontsatzes um 2%, wie sie das Kabinett gewünscht hatte, beschloß der Zentralbankrat am 9. Dezember eine Senkung lediglich um 1% – von 8 auf 7% –, während der Lombardsatz von 10 auf 8% herabgesetzt wurde. Die halbherzige Maßnahme war kaum dazu angetan, der Konjunktur kräftige Impulse zu geben. Ein anderer Beschluß, den das Kabinett gegen den Protest von Wirtschaftsminister Warmbold faßte, mußte sogar das schiere Gegenteil bewirken: Um den Ausgleich der öffentlichen Haushalte sicherzustellen, wurde die Umsatzsteuer von 0,85 auf 2% erhöht.

Die Verordnung vom 8. Dezember war in erster Linie eine deutsche Antwort auf die Wende im Außenhandel, die Großbritannien durch die Abkehr vom Goldstandard eingeleitet hatte. Die Senkung von Zinsen und Preisen war geeignet, die Exportchancen Deutschlands beträchtlich zu verbessern. Eine Abwertung der Mark hätte den deutschen Ausfuhrinteressen noch mehr gedient, aber sie war erstens durch den Young-Plan Deutschland untersagt, und sie hätte zweitens die Reparationspolitik Brünings durchkreuzt: Große Exportgewinne Deutschlands waren kaum verträglich mit dem Ziel, die Reparationsgläubiger zu einer radikalen Abkehr vom Young-Plan zu bewegen. War die Reparationsfrage erst einmal gelöst, sollte nach Brünings und Luthers Meinung die Mark drastisch abgewertet werden. Der Kanzler dachte, wenn er den Sachverhalt in seinen Memoiren richtig wiedergibt, für diesen Zeitpunkt an eine Herabsetzung des Außenwertes der Reichsmark um nicht weniger als 20%.

Die innere Architektur der Notverordnung machte es Sozialdemokraten und Gewerkschaften schwer, sich frontal gegen sie zu wenden. Auf der einen Seite standen der Abbau der Löhne um etwa 10, in Ausnahmefällen sogar um 15%, und die Kürzung der Gehälter um 9%, auf der anderen erstmals einschneidende Maßnahmen zur Senkung von Preisen, Mieten und Zinsen. So sollten die gebundenen Preise und die Preise für Markenwaren um 10%, die Altbaumieten um etwa 7,5%, die Zinsen für langfristige Inlandsforderungen um durchschnittlich 25 % gesenkt werden. Die zuletzt genannten Vorschriften wirkten geradezu sensationell und veranlaßten den „Vorwärts" zu dem Urteil, die Notverordnung bleibe auf alle Fälle „der stärkste und umfassendste Eingriff, der innerhalb der kapitalistischen Welt jemals vom Staat in die Wirtschaft unternommen worden ist. Von der sogenannten freien Wirtschaft ist nichts mehr übrig geblieben."

Was die Sozialdemokraten beeindruckte, empörte die Unternehmer. Der Reichsverband der Deutschen Industrie monierte am 11. Dezember in einem Rundschreiben an seine Mitglieder, der Inhalt der Notverordnung stelle „gegenüber den von uns vertretenen Grundsätzen der individualistischen Wirtschaftsordnung einen ungeheuren staatlichen Eingriff in die bestehenden privatwirtschaftlichen Verhältnisse dar". Das Urteil über die einzelnen Bestimmungen fiel sehr viel differenzierter aus. Die Erhöhung der Umsatzsteuer stieß auf scharfe Kritik; dagegen fand alles Beifall, was der Senkung der Produktionskosten diente. „Wenn diese Maßnahmen früher getroffen worden wären, dann wäre damit schon ein großer Teil der jetzigen Schwierigkeiten vermieden worden. Wenn sie erst jetzt, unter dem äußersten Druck der Not, getroffen werden, dann können wir nur die Hoffnung aussprechen, daß es noch nicht zu spät sei."

Neben der Wirtschafts- und Finanzpolitik regelte die Notverordnung auch Fragen der inneren Sicherheit. Am spektakulärsten wirkte das allgemeine Verbot von Uniformen und Abzeichen für politische Vereinigungen. Obwohl sich diese Maßnahme in erster Linie gegen die Nationalsozialisten richtete, rief sie bei den Sozialdemokraten Widerspruch hervor. „Daß es bis auf weiteres den Verteidigern der Republik in gleicher Weise wie ihren Feinden verboten sein soll, ihre Gesinnung in Kleid und Abzeichen erkennen zu lassen, muß Erbitterung hervorrufen", kommentierte der „Vorwärts", der sich damit zum Anwalt des republikanischen Wehrverbandes, des Reichsbanners Schwarz-Rot-Gold, machte.[32]

Während in Deutschland über das Für und Wider der neuen Notverordnung gestritten wurde, erörterte der Beratende Sonderausschuß bei der Bank für Internationalen Zahlungsausgleich in Basel die Frage, ob Deutschland seine Reparationspflichten noch erfüllen könne. Die Einsetzung des Gremiums hatte die Reichsregierung, unter Berufung auf die einschlägige Bestimmung des Young-Plans, am 20. November beantragt. Am 7. Dezember nahm der Sonderausschuß seine Arbeit auf; am 23. Dezember legte er das Ergebnis seiner Beratungen vor. Es war nicht mehr und nicht weniger als ein Plädoyer für eine Totalrevision des Young-Plans. Der Schlüsselsatz lautete: „Die Anpassung aller zwischenstaatlichen Schulden (Reparationen und anderer Kriegsschulden) an die gegenwärtige zerrüttete Lage der Welt, die, wenn neues Unheil verhindert werden soll, ohne Verzug stattfinden muß, ist der einzige Schritt von Dauer, der geeignet wäre, das Vertrauen wiederherzustellen, das die sicherste Grundlage wirtschaftlicher Stabilität und wahren Friedens ist."

Mehr hatte niemand in Deutschland erwarten können. Erst am 22. Dezember – einen Tag, bevor der Sonderausschuß seinen Bericht vorlegte – hatte der amerikanische Kongreß nach zähen Debatten das Hoover-Moratorium angenommen; der Widerstand gegen eine völlige Streichung der interalliierten Kriegsschulden war nach wie vor stark. Infolgedessen war es auch wenig wahrscheinlich, daß Frankreich rasch auf seinen Reparationsanspruch verzichten würde. Im Frühjahr 1932 mußten Kammerwahlen stattfinden – eine Tatsache, die den Handlungsspielraum der Pariser Regierung zusätzlich einschränkte. Die Reparationskonferenz, die auf Grund des Basler Berichts Anfang 1932 in Lausanne zusammentreten sollte, konnte also nur dann zu einem schnellen Abschluß kommen, wenn Deutschland kompromißbereit war und nicht auf der vollständigen Beseitigung der Reparationen bestand.

Doch ebendies war Brünings Ziel, und auch nach dem Erfolg von Basel dachte der Kanzler nicht daran, sich hiervon etwas abhandeln zu lassen. Von der Bank von England ermutigt, auf Zeitgewinn zu setzen, erklärte er am 8. Januar 1932 dem britischen Botschafter, Sir Horace Rumbold, daß Deutschland weder jetzt noch in Zukunft Reparationen zahlen könne. Durch eine Indiskretion gelangte diese Mitteilung in die Presse, so daß bereits am 9. Januar feststand: Die Reichsregierung war nicht an einer raschen Lösung des Reparationsproblems interessiert.

An Brünings Absichten gibt es nichts zu deuteln. Staatssekretär Pünder hielt am 8. Januar das Ergebnis einer Besprechung fest, die der Reichskanzler tags zuvor mit Staatssekretär von Bülow vom Auswärtigen Amt und den deutschen Botschaftern in Paris, London und Rom abgehalten hatte. Der Aktenvermerk faßte zusammen, worin die Gesprächsteilnehmer völlig übereinstimmten: „Die nochmalige eingehende Durchsprache der Gesamtlage ergab allseits die klare Erkenntnis, daß die katastrophale Weltwirtschaftskrise reparationspolitisch für uns auch ihr Gutes habe. Abgesehen von dem politischen Widerstand in Frankreich ist eigentlich auf der ganzen Welt die Erkenntnis durchgedrungen, daß der Zeitabschnitt der Reparationen abgelaufen ist. Wenn aber erst einmal der Zeitabschnitt der schlimmsten Depression behoben und eine leichte Besserung zu verspüren ist, haben wir diese reparationspolitischen Trümpfe aus der Hand verloren... Die übereinstimmende Auffassung ging aus diesem Grunde heute dahin, den Gedanken eines neuen Provisoriums nicht weiter zu verfolgen, sondern an dem Gedanken einer endgültigen Lösung, und zwar in Gestalt einer völligen Streichung der Reparationen, festzuhalten."

Die Linie, mit der Brüning in die Reparationsverhandlungen des Jahres 1932 einzutreten gedachte, war demnach klar: Es galt, die wirtschaftliche Krise politisch voll auszunutzen, selbst wenn das noch größeres soziales Elend und weitere politische Radikalisierung bedeutete. Die Reichsregierung setzte auf einen Aufschub der Lausanner Reparationskonferenz, die am 25. Januar beginnen sollte, und sie erreichte dieses Ziel. Am 20. Januar wurde das Treffen abgesagt, ohne daß es eine Einigung über einen neuen

Termin gegeben hätte. Der deutsche Botschafter in London, Konstantin Freiherr von Neurath, erklärte dem britischen Außenminister Simon, auch ein vollständiges Moratorium, das die ungeschützten Annuitäten einbeziehe, würde keine Erleichterungen bringen, wenn nicht noch vor dem 1. Juli – dem Tag, an dem das Hoover-Moratorium auslief – Verhandlungen über eine endgültige Regelung der Reparationsfrage begännen.[33]

Von der politischen Rechten brauchte Brüning keine Proteste zu gewärtigen, als er seine betont nationale Position in der Reparationsfrage öffentlich bekräftigte. Aber selbst bei einem Teil der gemäßigten Linken fand der Kurs des Kanzlers wohlwollendes Verständnis. Am 16. Dezember 1931 bereits hatte Theodor Leipart, der Vorsitzende des Allgemeinen Deutschen Gewerkschaftsbundes, die Parole „Schluß mit den Reparationen" ausgegeben und damit sowohl Beifall als auch Widerspruch ausgelöst: Zustimmung bei den Zuhörern, die just an diesem Tag die „Eiserne Front", einen Zusammenschluß von SPD, Freien Gewerkschaften, Reichsbanner Schwarz-Rot-Gold und Arbeitersportvereinen gegen die Gefahr von rechts, ins Leben riefen, und eine sofortige Zurechtweisung durch Rudolf Breitscheid, den Vorsitzenden der sozialdemokratischen Reichstagsfraktion, der dem Gewerkschaftsführer einen Verstoß gegen Beschlüsse der Sozialistischen Arbeiter-Internationale, ja eine „bedenkliche Nähe" zum Nationalsozialismus vorwarf.[34]

Leipart war sich offenbar nicht bewußt, daß seine, mit Brüning abgesprochene Rede einem Ziel zuwiderlief, das die Freien Gewerkschaften zur gleichen Zeit zu propagieren begannen: einer teilweise kreditfinanzierten Arbeitsbeschaffung. Am 23. Dezember 1931 legten der Konjunkturexperte des ADGB, der aus Rußland stammende Wladimir Woytinski, der Vorsitzende des Deutschen Holzarbeiterverbandes, Fritz Tarnow, und der sozialdemokratische Reichstagsabgeordnete Fritz Baade eine Ausarbeitung vor, die rasch unter der Abkürzung „WTB-Plan" – so benannt nach den Anfangsbuchstaben der drei Autoren – bekannt wurde. Der Entwurf sah die Beschäftigung von einer Million Erwerbslosen mit öffentlichen Arbeiten und zu diesem Zweck eine Währungsanleihe der Reichsbank vor. Die Anleihe sollte einen Teil der Kosten des Programms abdecken, die Woytinski und seine Mitarbeiter mit zwei Milliarden RM bezifferten. Die Arbeitsbeschaffung werde, so hieß es in der Vorlage, eine Belebung der Konsumgüterindustrie hervorrufen und damit weitere Arbeitslose wieder in die Beschäftigung hineinsaugen. Eine inflatorische Wirkung sei angesichts riesiger brachliegender Kapazitäten im Produktionsapparat nicht zu befürchten.

Mit dem Standpunkt des Alles oder nichts in der Reparationsfrage war der WTB-Plan schwerlich zu vereinbaren. Gab Deutschland größere Beträge für öffentliche Arbeitsbeschaffung aus, konnte es die Westmächte wohl kaum noch von der Notwendigkeit überzeugen, die Reparationen ganz zu streichen. Umgekehrt hätte die Bereitschaft zu einer Kompromißlösung – etwa einem längerfristigen Moratorium, gefolgt von einigen abschließenden Jahreszahlungen weit unter dem Niveau des Young-Plans – die Chancen einer

Auslandsanleihe und damit einer Belebung der Konjunktur erhöht. Doch nachdem die Gewerkschaften Brünings hartem Kurs in der Reparationsfrage Rückendeckung gegeben hatten, war eine Abkehr von der Deflationspolitik noch unwahrscheinlicher als zuvor.

Spiegelbildlich verkehrt war die Haltung der Sozialdemokratischen Partei. Die befürwortete einerseits, schon aus Rücksicht auf die französischen Sozialisten, eine gleichzeitige internationale Verständigung über Reparationen und interalliierte Schulden, widersprach insofern also dem nationalen Rigorismus Brünings. Auf der anderen Seite verwarf die SPD eine aktive Konjunkturpolitik, wie die Experten der Freien Gewerkschaften sie verlangten, und fand sich damit in Übereinstimmung mit dem Reichskanzler. Der „WTB-Plan", der am 26. Januar 1932 seine endgültige Fassung erhielt, konnte infolgedessen nicht zur gemeinsamen Plattform der sozialdemokratischen Arbeiterbewegung werden. Unterstützt vom AfA-Bund, der Dachorganisation der freigewerkschaftlichen Angestelltenverbände, schlugen die Sachverständigen der SPD am 8. und 9. Februar einen Kompromiß vor: Partei und Gewerkschaften sollten eine staatliche Arbeitsbeschaffung nicht isoliert, sondern als Teil eines sozialistischen „Umbaus der Wirtschaft" fordern und sich nicht auf eine zusätzliche Kreditschöpfung festlegen. Der Bundesausschuß des ADGB folgte am 16. Februar dieser Linie: Die Resolution zum Thema Arbeitsbeschaffung enthielt keinerlei konkrete Aussagen zur Frage der Finanzierung. Wenn der WTB-Plan je Aussichten gehabt hatte, ein propagandistischer Erfolg zu werden, gab es sie nach dieser Entschließung kaum noch.

Mehreres kam zusammen, was die Sozialdemokraten davon abhielt, mit der Deflationspolitik der Regierung Brüning zu brechen. Da war einmal das marxistische Parteierbe, das sie in dem Glauben gefangen hielt, Krisen gehörten zur Natur des kapitalistischen Systems und müßten bis zum bitteren Ende ausgestanden werden. Zum anderen wirkte auch in der SPD das nach, was der sozialdemokratische Wirtschaftswissenschaftler Gerhard Colm die „Angst vor der Inflationsangst" nannte: die Furcht, die Wähler würden die Partei bestrafen, wenn sie nicht mehr ohne Wenn und Aber die Stabilität der Mark verteidigte. Schließlich hatten die Sozialdemokraten seit dem Herbst 1931 der nationalistischen Rechten immer wieder inflationäre Neigungen nachgesagt. Wie sollten sie jetzt ein Programm unterschreiben, gegen das sich leicht derselbe Vorwurf erheben ließ?[35]

Von einem Sanierungskonsens aber konnte man, der orthodoxen Haltung der SPD zum Trotz, um die Jahreswende 1931/32 nicht mehr sprechen. Im Januar legte Ernst Wagemann, Präsident des Statistischen Reichsamtes und Leiter des Instituts für Konjunkturforschung, ein Reformprogramm vor, mit dem er den Spielraum der Banken für autonome Kreditschöpfung zu erweitern trachtete. Brüning war darüber so aufgebracht, daß er einen öffentlichen Vortrag Wagemanns zu diesem Thema am liebsten verhindert hätte.

Auch innerhalb des Kabinetts wurde der Ruf nach einer aktiven Konjunkturpolitik lauter. Wirtschaftsminister Warmbold und Arbeitsminister Stegerwald drängten seit Anfang 1932 auf Maßnahmen zur Belebung der Wirtschaft, von denen sie sich auch eine innenpolitische Entspannung erhofften. Am 5. Februar berief sich das Wirtschaftsministerium sogar ausdrücklich auf den WTB-Plan und Argumente Woytinskis. Doch von einer „Schaffung zusätzlicher Kaufkraft durch Kreditausweitung", wie sie der Autor der Denkschrift, Oberregierungsrat Wilhelm Lautenbach, forderte, wollte Brüning nach wie vor nichts wissen. In einer Chefbesprechung vom 20. Februar bekannte sich der Kanzler zwar dazu, „ausreichende Mittel für ein Arbeitsbeschaffungsprogramm freizumachen". Aber diese Mittel sollten nicht auf dem Kreditweg, sondern, zu einem erheblichen Teil jedenfalls, dadurch aufgebracht werden, daß sie den Arbeitslosen entzogen wurden.

Neben dem Kanzler war es immer wieder Reichsbankpräsident Luther, der am schärfsten gegen alle Versuche „künstlicher" Kreditschöpfung Front machte. Luther ging es wie Brüning in erster Linie darum, unerwünschte politische Folgen eines großangelegten Arbeitsbeschaffungsprogrammes abzuwehren: Die Reparationsgläubiger dürften nicht den Eindruck gewinnen, als verfüge die deutsche Wirtschaft doch noch über beträchtliche Kraftreserven, und in Deutschland selbst sollte sich keine neue Inflationsmentalität ausbreiten.

In ihrem tatsächlichen Verhalten war die Reichsbank jedoch weniger rigide, als sie sich nach außen gab. Am 4. März konterte Luther eine Ankündigung von Reichsfinanzminister Dietrich, er werde nach der Präsidentenwahl mit einem Arbeitsbeschaffungsprogramm hervortreten und hierfür einen Kredit von 2 Milliarden RM beantragen, mit der Feststellung, die Reichsbank habe sich bislang keinem Einzelprogramm versagt, das auf dem Wege der Kreditgewährung zu befriedigen gewesen sei. Als Beispiel nannte Luther die Kreditierung von sowjetischen Exportaufträgen, den sogenannten „Russengeschäften", und die Finanzierung von Betriebskrediten für die im Juli 1931 gegründete Akzept- und Garantiebank – eine Zwischenstelle zwischen den privaten Banken und der Reichsbank. Was die Reichsbank aber unter keinen Umständen wolle und wollen dürfe, „das ist ein großes allgemeines Programm, das im Wege der Krediterweiterung durchzuführen ist. Das würde das Vertrauen zu ihr vollkommen erschüttern... Die Aufgabe ist, dafür zu sorgen, daß bis zum Juli, in dem die internationalen Fragen gelöst werden, durchgehalten wird."

Brüning hielt diese Zeitvorstellung für übertrieben optimistisch. Im Sommer 1932 werde man mit der Reparationsfrage noch nicht fertig werden, meinte er in der gleichen Besprechung vom 4. März. Selbst wenn bis zum Juli unter der Hand eine Einigung mit England und Frankreich zustande kommen sollte, sei es doch sehr zweifelhaft, ob Amerika, kurz vor der Nominierung der Präsidentschaftskandidaten, bereit sein werde, dieses heiße Eisen anzufassen. Werde Hoover wiedergewählt, könne man ab November wieder verhandeln; werde er nicht wiedergewählt, könnten Verhandlungen nicht vor dem März 1933, dem Amtsantritt des neuen Präsidenten, beginnen. „Bis dahin müssen wir durchhalten."

Staatssekretär Schäffer, der die Besprechung protokollierte, kam am Abend des 4. März im kleineren Kreis nochmals auf den Zeitplan des Kanzlers zurück. Zwischen beiden entspann sich, Schäffers Aufzeichnungen zufolge, folgender Dialog: *Schäffer*: „Ich halte es für ausgeschlossen, daß wir ohne eine internationale Entspannung und eine entsprechende Beruhigung der Wirtschaftslage bis zum nächsten Frühjahr durchhalten." *Brüning*: „Das müssen wir aber. Die anderen dürfen nicht den Eindruck haben, daß wir schwach werden." *Schäffer*: „Wir dürfen aber auch nicht bluffen, sonst brechen wir nachher plötzlich zusammen. Ob es nicht richtig wäre, den Engländern und Italienern sowie den Amerikanern, die ihre Politik nach unserer Lage einstellen müssen, ganz offen die Wahrheit zu sagen, ist mir zweifelhaft. Ich würde es tun. Sie können uns sonst später mit Recht vorwerfen, daß sie nur deswegen nicht anders und rascher gehandelt haben, weil wir ihnen unseren wahren Zustand verschwiegen haben." *Brüning*: „Wir müssen unbedingt bis zum Frühjahr 1933 durchhalten, und wenn wir Betrug anwenden sollten."[36]

Den Staatssekretär des Reichsfinanzministeriums dürften die Ausführungen des Kanzlers kaum noch überrascht haben. Schon am 28. Februar hatte Schäffer in einer Denkschrift zur Haushaltslage eine nüchterne Bilanz der Folgen gezogen, die sich aus der Verschiebung der Reparationskonferenz ergaben. Den vergangenen Herbst und Winter über sei der Finanzbedarf in der ausdrücklichen Annahme berechnet worden, daß es im Februar 1932 zu einer dauerhaften oder vorübergehenden Reparationslösung und daraufhin zu einer nicht unerheblichen Belebung der Wirtschaft kommen werde. Nachdem klar war, daß die Wendung zum Besseren vorerst nicht eintreten würde, galt es, die Mittel zusammenzuhalten, also keinerlei neue Mittel zu bewilligen und die bestehenden möglichst herunterzudrücken. „Jetzt müssen die ganzen Kräfte der Reichsregierung und der Reichsbank darauf gerichtet sein, die Kassenlage des Reiches, der Länder und der Gemeinden so stark zu halten, daß wir über den Verhandlungszeitraum hinauskommen und nicht durch ein Zusammenklappen während der Verhandlungen zu Zugeständnissen genötigt werden. Hinter diesem Ziel müßten Osthilfe-Finanzierung, Arbeitsbeschaffungsprogramm und Siedlung unbedingt zurücktreten, so schmerzlich und politisch unerfreulich dies auch ist."

Den tieferen Grund dieses Dilemmas sah Schäffer nicht so sehr in der Entwicklung der deutschen und der Weltwirtschaft als vielmehr in Fehlern der deutschen Politik. „Wir haben immer mehrere Ziele gleichzeitig verfolgt, ohne uns darüber klar zu werden, daß unsere Kräfte für ihre gleichzeitige Erreichung nicht stark genug waren, und wir haben oft den rechten Augenblick verpaßt, um das zu jenem Zeitraum unwesentlichere Ziel hinter dem wesentlicheren zurücktreten zu lassen. Wir haben die deutsch-österreichische Zoll-Union eingeleitet, die nur durchgeführt werden konnte, wenn wir davon absehen wollten, die Reparationsfrage unmittelbar aufzurollen. Als wir uns entschlossen, diese letztere Frage in der öffentlichen Meinung aufzurühren und Regierungsschritte in Aussicht zu stellen, fanden wir nicht den Absprung, um die deutsch-österreichische Zoll-Union und möglicherweise eine Vertagung der Abrüstungskonferenz zur Durchdrückung unserer Reparationsziele einzusetzen."

Schäffers Urteil traf den Kern der Sache: Brünings mittlerweile monoman gewordene Ausrichtung am Primat der Außenpolitik im allgemeinen und der Reparationsfrage im besonderen. Deswegen tat der Kanzler auch in der Abrüstungsfrage das gerade Gegenteil dessen, was der Staatssekretär des Finanzministeriums für richtig hielt. Als London im Dezember 1931 einen Aufschub der seit langem geplanten Genfer Abrüstungskonferenz vom Februar auf den Frühsommer 1932, bis in die Zeit nach den französischen Kammerwahlen, anregte, lehnte der Kanzler das ab. Die Abrüstungskonferenz sollte schließlich, soweit es nach ihm ging, nicht nur Deutschland die militärische Gleichberechtigung bringen, sondern auch als reparationspolitischer Hebel dienen. Das taktische Kalkül des Kanzlers war in sich schlüssig: Frankreich würde aller Voraussicht nach hinsichtlich der eigenen Abrüstung keine Zugeständnisse machen und sich damit auf der Genfer Konferenz isolieren; wenn dies geschah, schwächte Paris aber auch seine Position in der bevorstehenden Auseinandersetzung um die Reparationen, handelte also ungewollt im deutschen Interesse.[37]

Nicht wirtschaftliche Zwangsläufigkeiten, sondern selbstgesetzte politische Ziele bestimmten mithin Brünings Politik im Frühjahr 1932. Bis in das Kabinett und seinen engsten Beraterkreis hinein waren die Prioritäten des Kanzlers umstritten. Alternativen wurden immer wieder zur Diskussion gestellt, aber regelmäßig verworfen. Es lag gewiß vor allem an der Hartnäkkigkeit und Zielstrebigkeit des Regierungschefs, daß die Kritiker seiner Linie nicht zum Zuge kamen. Doch da Deutschland nun einmal nicht mehr parlamentarisch, sondern präsidial regiert wurde und der Reichspräsident Paul von Hindenburg hieß, war es unwahrscheinlich, daß sich ein Kanzler, der weniger „national" war als Heinrich Brüning, lange an der Macht hätte behaupten können.

15.

Die Logik des kleineren Übels

Das überragende Ereignis des Frühjahrs 1932 waren die Reichspräsidentenwahlen. Hindenburgs siebenjährige Amtszeit lief am 25. April aus. Brüning arbeitete seit dem Herbst 1931 auf eine Wiederwahl des nunmehr vierundachtzigjährigen Generalfeldmarschalls hin, wobei der Kanzler es vorgezogen hätte, die unübersehbaren Risiken einer Volkswahl zu vermeiden und statt dessen die Amtsperiode Hindenburgs auf parlamentarischem Weg verlängern zu lassen. Dazu war allerdings eine verfassungsändernde Zweidrittelmehrheit im Reichstag erforderlich, und die war nur zu erreichen, wenn auch die „nationale Opposition" zustimmte. Seinen Memoiren zufolge hat Brüning am 6. Januar Hitler für den Fall, daß dieser sich als erster für die Wiederwahl Hindenburgs aussprach, sogar die „Führung der Politik", also das Kanzleramt, in Aussicht gestellt. Aber fünf Tage später, am 11. Januar, verständigten sich Hitler und Hugenberg darauf, dem Kanzler eine Absage zu erteilen. Damit blieb nur noch die normale, von der Verfassung vorgeschriebene Lösung übrig: die Wahl des Reichspräsidenten durch das deutsche Volk. Brüning hatte eine innenpolitische Niederlage erlitten und überdies Hitler zu dem Trumpf verholfen, sich öffentlich als Hüter der Verfassung aufspielen zu können.[1]

Ob Hindenburg dafür gewonnen werden konnte, sich noch einmal einem Wahlkampf um das höchste Staatsamt zu stellen, war zu diesem Zeitpunkt keineswegs sicher. Der Kanzler setzte auf das Pflichtgefühl des Greises, der als einziger Deutschland vor einem nationalsozialistischen Reichspräsidenten zu bewahren vermochte. Möglicherweise hat Brüning auch, wie er in seinen Memoiren behauptet, Hindenburg für den Gedanken zu gewinnen versucht, daß er, wenn er im Amt verblieb, die Wiederherstellung der Monarchie vorbereiten könne. Entscheidend aber war, daß die Initiative für die Wiederwahl von „rechts" kam. Hindenburg konnte zwar nur siegen, wenn auch die Sozialdemokraten für ihn stimmten. Doch seine Bereitschaft zur Kandidatur hing in erster Linie davon ab, ob konservative Kreise ihn drängten, dem Vaterland zuliebe das Opfer einer weiteren Amtszeit auf sich zu nehmen.[2]

Am 1. Februar 1932 erschien der Aufruf eines „Hindenburg-Ausschusses", an dessen Spitze der parteilose Berliner Oberbürgermeister Heinrich Sahm stand. Der Reichspräsident wurde darin vorgestellt als „der Erste im Kriege, der Erste im Frieden und der Erste im Herzen seiner Mitbürger". „Hindenburg", hieß es weiter, „das ist die Überwindung des Parteigeistes, das Sinnbild der Volksgemeinschaft, die Führung in die Freiheit". Unterschrieben war der Appell von dem Dichter Gerhart Hauptmann, dem Maler

Max Liebermann, dem „Hochmeister“ des Jungdeutschen Ordens, Artur Mahraun, dem Vorsitzenden des Reichsverbandes der Deutschen Industrie, Carl Duisberg, dem Generalsekretär der Hirsch-Dunckerschen Gewerkvereine, Ernst Lemmer, und zwei ehemaligen Reichswehrministern, Otto Geßler und Gustav Noske. Noske, seit 1920 Oberpräsident der preußischen Provinz Hannover, war der einzige Sozialdemokrat unter den Unterzeichnern.

Das konservative Deutschland war im „Hindenburg-Ausschuß“ viel weniger stark vertreten, als Präsident und Kanzler gehofft hatten. Von den Führern der „nationalen Verbände“ und der Großlandwirtschaft hatte nicht einer den Aufruf unterschrieben. Da der „Stahlhelm“, dem der Reichspräsident als Ehrenmitglied angehörte, kein Votum für den Amtsinhaber abgeben wollte, zögerte auch der Reichskriegerbund „Kyffhäuser“, sich offen zu Hindenburg, seinem Ehrenpräsidenten, zu bekennen. Erst am 14. Februar legte der Gesamtvorstand des Kyffhäuserbundes dann doch ein Treuebekenntnis zum Reichspräsidenten ab, und einen Tag später gab Hindenburg schließlich bekannt, daß er sich im Bewußtsein seiner „Verantwortung für das Schicksal unseres Vaterlandes“ für eine etwaige Wiederwahl zur Verfügung stelle.

Hindenburgs Erklärung veranlaßte die Parteien der gemäßigten Rechten und der Mitte, sich öffentlich auf seine Seite zu schlagen. Die „Harzburger Front“ hingegen brach auseinander. „Stahlhelm“ und Deutschnationale wollten sich dem Führungsanspruch der Nationalsozialisten nicht unterwerfen und stellten am 22. Februar einen eigenen Kandidaten auf: den zweiten Bundesvorsitzenden des „Stahlhelm“, Theodor Duesterberg. Am gleichen Tag verkündete Joseph Goebbels, der Berliner Gauleiter der NSDAP, im Sportpalast: „Hitler wird unser Reichspräsident!“ Vier Tage später ließ sich der Führer der Nationalsozialisten zum Regierungsrat der braunschweigischen Gesandtschaft in Berlin ernennen – der Vertretung eines Landes, das seit Oktober 1930 von einem Koalitionskabinett aus Deutschnationalen und Nationalsozialisten regiert wurde. Damit erhielt der Österreicher Adolf Hitler, was ihm für die Bewerbung um das Amt des Reichspräsidenten noch fehlte: die deutsche Staatsbürgerschaft.[3]

Auf der politischen Linken gab es bereits seit dem 12. Januar einen Präsidentschaftsbewerber: Ernst Thälmann, der vom Zentralkomitee der KPD als „roter Arbeiterkandidat“ für die Nachfolge Hindenburgs nominiert wurde. Von Thälmann erwarteten Komintern und deutsche Parteiführung, daß er, sollte die SPD sich wirklich für die Unterstützung Hindenburgs entscheiden, einen erheblichen Teil der sozialdemokratischen Arbeiter zu sich herüberziehen würde. Ganz abwegig war dieses Kalkül nicht. Denn mochten die Mitglieder und Anhänger der SPD seit dem Beginn der Tolerierungspolitik im Oktober 1930 auch vieles mitgetragen haben, was den Vorstellungen der Partei strikt zuwiderlief, so mußte eine Wahlempfehlung für den überzeugten Monarchisten Hindenburg vielen Sozialdemokraten doch als Zumutung sondergleichen erscheinen.

Die Regierung Brüning tat nichts, um den Sozialdemokraten die Entscheidung für Hindenburg zu erleichtern. Vielmehr forderte sie Anfang 1932 die größte demokratische Partei durch Äußerungen und Aktionen heraus, die sich nur als gezielte Umwerbung der äußersten Rechten verstehen ließen. Am 22. Januar antwortete der Reichskanzler in einem ausführlichen Offenen Brief auf eine Denkschrift, mit der Hitler sein Nein zu einer parlamentarischen Verlängerung der Amtsperiode des Reichspräsidenten begründet hatte, und erkannte damit nach dem Urteil des „Vorwärts" einen „politischen Bandenführer" als gleichberechtigte Macht an. Eine Woche später schloß Reichswehrminister Groener durch einen Erlaß nur noch Mitglieder solcher Parteien vom Dienst in der Reichswehr aus, die, wie die namentlich genannte KPD, „in ihrem Programm die revolutionäre Gesinnung und Staatsfeindlichkeit zur dauernden Grundlage ihrer Partei gemacht haben". Der NSDAP bescheinigte Groener damit indirekt, daß sie nicht mehr verfassungsfeindlich sei.

Am 24. Februar, dem zweiten Tag einer kurzen, von ständigen Tumulten geprägten Reichstagssession, sprach Brüning in aller Öffentlichkeit davon, daß er und seine Partei sich darum bemüht hätten, „auch die Oppositionsgruppen schärfster Tonart schrittweise an den Staat heranzubringen". Der Chancen für die Rechtsparteien, die Regierung und die Verantwortung in Deutschland zu übernehmen, seien in den vergangenen Jahren unzählige gewesen; Versuche seien „immer und immer wieder gemacht worden (Rufe von den Nationalsozialisten: Unter dem Joch des Zentrums!), auch von meiner Partei". Eine Enthüllung Brünings rief laut Protokoll „stürmischen, langanhaltenden Beifall und Händeklatschen bei den Parteien der Mitte" hervor, bei den Sozialdemokraten dagegen betretenes Schweigen. Die Nationalsozialisten, sagte er, sollten ihn, den Kanzler, nicht in irgendeiner Weise mit dem 9. November 1918 in Verbindung bringen. „Meine Herren, am 9. November war ich in der Truppe, die die Spitze der Gruppe Winterfeldt zur Niederwerfung der Revolution gebildet hat."

Brünings historischer Exkurs war eine Reaktion auf den Eklat, den tags zuvor Joseph Goebbels mit der Bemerkung ausgelöst hatte, Hindenburg werde „gelobt von der Berliner Asphaltpresse, gelobt von der Partei der Deserteure". Damit war die SPD gemeint, für die der Abgeordnete Kurt Schumacher, ein schwer kriegsversehrter Freiwilliger von 1914, dem Redner der NSDAP die stürmisch umjubelte Antwort entgegenschleuderte, die ganze nationalsozialistische Agitation sei „ein dauernder Appell an den inneren Schweinehund im Menschen", und wenn am Nationalsozialismus irgend etwas anzuerkennen sei, dann die Tatsache, „daß ihm zum erstenmal in der deutschen Politik die restlose Mobilisierung der menschlichen Dummheit gelungen" sei. Was der Kanzler tags darauf über seine Rolle im November 1918 sagte, war das Gegenteil einer Ehrenerklärung für die Sozialdemokratie – es kam eher einer amtlichen Unterstützung der nationalsozialistischen Kampagne gegen die „Novemberverbrecher" gleich.[4]

Doch selbst der provozierende Auftritt Brünings vermochte die SPD nicht mehr von der Entscheidung abzubringen, die am 26. Februar, dem letzten Tag der Reichstagssession, der Öffentlichkeit mitgeteilt wurde, aber kaum noch eine Überraschung war. Unter der Überschrift „Schlagt Hitler!" erschien am 27. Februar der Aufruf, den der Parteivorstand tags zuvor beschlossen hatte. Darin hieß es, das deutsche Volk stehe am 13. März, dem Tag des ersten Wahlgangs der Reichspräsidentenwahl, vor der Frage, „ob Hindenburg bleiben oder ob er durch Hitler ersetzt werden soll". Hindenburg, der 1925 von der Rechten gegen die Stimmen der Sozialdemokratie gewählt worden sei, habe seine einstigen Anhänger enttäuscht. „Weil er unparteiisch war und es bleiben will, weil er für einen Staatsstreich nicht zu haben ist, darum wollen sie ihn jetzt beseitigen."

Die Alternative des 13. März arbeitete der sozialdemokratische Parteivorstand so scharf heraus, daß die Wahlparole der SPD zu einer Sache von politischer Logik und Moral wurde. „Hitler statt Hindenburg, das bedeutet: Chaos und Panik in Deutschland und ganz Europa, äußerste Verschärfung der Wirtschaftskrise und der Arbeitslosennot, höchste Gefahr blutiger Auseinandersetzungen im eigenen Volke und mit dem Ausland. Hitler statt Hindenburg, das bedeutet: Sieg des reaktionärsten Teils der Bourgeoisie über die fortgeschrittenen Teile des Bürgertums und über die Arbeiterklasse, Vernichtung aller staatsbürgerlichen Freiheiten, der Presse, der politischen, gewerkschaftlichen und Kulturorganisationen, verschärfte Ausbeutung und Lohnsklaverei." Jede Stimme, die gegen Hindenburg abgegeben werde, sei eine Stimme für Hitler; jede Stimme, die Thälmann entrissen und Hindenburg zugeführt werde, sei ein Schlag gegen Hitler. An die Parteimitglieder erging daher die Aufforderung: „Setzt alle Kräfte ein, damit der entscheidende Schlag schon im ersten Wahlgang fällt! Befreit mit diesem einen Schlag das deutsche Volk von der faschistischen Bedrohung! Schlagt Hitler! Darum wählt Hindenburg!"

Einem führenden Sozialdemokraten war die rein negative, gegen Hitler gerichtete Begründung der sozialdemokratischen Wahlparole zu wenig. In einem persönlichen Manifest, das der „Vorwärts" am 10. März veröffentlichte, nannte der preußische Ministerpräsident Otto Braun, der sozialdemokratische Kandidat im ersten Wahlgang der Reichspräsidentenwahlen von 1925, Hindenburg die „Verkörperung von Ruhe und Stetigkeit, von Mannestreue und hingebender Pflichterfüllung für das Volksganze". Zwar trenne ihn, Braun, in Weltanschauung und politischer Einstellung eine tiefe Kluft von Herrn von Hindenburg. „Doch hat das Menschliche, das heute in unserem öffentlichen Leben leider kaum noch Geltung hat, eine Brücke über diese Kluft geschlagen, die uns zusammenführt und eint in dem Streben, jeder nach seiner Überzeugung, das Wohl des Volkes zu fördern. Ich habe den Reichspräsidenten kennengelernt als einen Mann, auf dessen Wort man bauen kann, als einen Menschen reinen Wollens und abgeklärten Urteils, erfüllt von kantischem Pflichtgefühl... Ich wähle Hindenburg und appelliere an die Millionen Wähler, die vor sieben Jahren für mich gestimmt (haben) und an alle, die darüber hinaus mir und meiner Politik Vertrauen entgegenbringen: Tut desgleichen, schlagt Hitler, wählt Hindenburg!"

Engagierter als Braun trat im Wahlkampf allenfalls *ein* Politiker für Hindenburg ein: Heinrich Brüning. Ähnlich wie der preußische Ministerpräsident hatte der Reichskanzler in der Vergangenheit persönliche Zusammenstöße mit dem Reichspräsidenten gehabt; besser als jeder andere wußte Brüning, daß der Greis an der Spitze des Staates weniger denn je fähig war, schwierige politische Zusammenhänge zu begreifen und sich ein eigenes Urteil zu bilden. Aber das alles zählte nicht, weil es keinen anderen Kandidaten gab, der Hitler schlagen konnte. Deshalb zeichnete der Kanzler am 11. März in seiner letzten großen Wahlkundgebung im Berliner Sportpalast vom Reichspräsidenten ein Bild, das von der Wirklichkeit auf schon peinliche Weise Lügen gestraft wurde. Er möchte den Menschen finden, sagte Brüning, der in der gleichen Weise wie Hindenburg in der Lage sei, „die Dinge scharf und schnell zu durchschauen und ihnen in wenigen Sätzen eine klassische Formulierung zu geben". Der Kanzler rechnete Hindenburg zu den „wirklichen Führern" und den „von Gott gesandten Männern", nannte ihn das „Symbol deutscher Kraft und Einheit in der ganzen Welt" und schloß mit dem Ausruf: „Hindenburg muß siegen, weil Deutschland leben muß."

Hindenburg selbst hielt während des Wahlkampfes nur eine Kandidatenrede, die am 10. März über den Rundfunk ausgestrahlt wurde. Er habe sich für eine Wiederwahl zur Verfügung gestellt, sagte der Reichspräsident, um dem Vaterland die Erschütterungen zu ersparen, in die es durch die Wahl eines extremen Parteimannes versetzt werden würde. Er bestritt ausdrücklich, daß er seine Kandidatur aus den Händen der Linken oder einer schwarzroten Koalition entgegengenommen habe. Vielmehr seien die ersten Ersuchen, sich erneut um das Amt des Reichspräsidenten zu bewerben, von Gruppen der Rechten ausgegangen. Auf „überparteilicher Grundlage Kandidat des deutschen Volkes zu sein und als solcher denen entgegenzutreten, die nur Kandidaten einer Partei sind", das halte er für eine vaterländische Pflicht. Hindenburg erinnerte an den „Geist von 1914 und an die Frontgesinnung, die nach dem Mann fragte und nicht nach dem Stand oder der Partei", beschwor die „Volksgemeinschaft" und versprach, wie einst im Krieg so auch jetzt auszuharren und dem deutschen Volk in Treue zu dienen.[5]

Am späten Abend des 13. März stand fest, daß es einen zweiten Wahlgang geben würde: Mit 49,6 % der abgegebenen gültigen Stimmen hatte Hindenburg die erforderliche absolute Mehrheit knapp verfehlt. Hitler war mit 30,1 % Zweiter geworden, mit weitem Abstand gefolgt von Thälmann, auf den 13,2 % der Stimmen entfielen, und Duesterberg, der es auf 6,8 % brachte.

173 000 Stimmen mehr hätten genügt, um dem amtierenden Reichspräsidenten zum Sieg zu verhelfen. Anders als 1925 schnitt er überall dort besonders gut ab, wo die Sozialdemokraten ihre Hochburgen hatten und der

Bevölkerungsanteil der Katholiken überdurchschnittlich groß war; in den evangelisch-agrarischen Gebieten dagegen, in denen er sieben Jahre zuvor überlegen gesiegt hatte, lagen seine Ergebnisse weit unter dem Reichsdurchschnitt. Wenn man von Bayern absah, verlor Hindenburg bei seinen Stammwählern, während er bei seinen früheren Gegnern gewann.[6]

Hitler war ein großes Risiko eingegangen, als er sich auf das politische Duell mit dem Feldmarschall einließ. Zwar eroberte der Führer der Nationalsozialisten fünf Millionen Stimmen mehr als seine Partei bei der letzten Reichstagswahl vom September 1930. Aber die Propaganda der NSDAP hatte die Siegeserwartungen der „alten Kämpfer" derart hochgetrieben, daß viele von ihnen, als das Wahlergebnis bekannt wurde, in tiefe Depression versanken und die Hakenkreuzfahnen auf halbmast setzten. Hitler selbst freilich suchte den Eindruck zu erwecken, als sei der Sieg zum Greifen nahe. Noch in der Nacht zum 14. März gab er die Parole aus, alle Kräfte auf den zweiten Wahlgang am 10. April zu konzentrieren: „Der Angriff muß sofort in der schärfsten Form erneut aufgenommen werden... Der erste Wahlkampf ist beendet, der zweite hat mit dem heutigen Tage begonnen. Ich werde auch ihn mit meiner Person führen!"[7]

Die KPD verbuchte es als Erfolg, daß sie gegenüber der letzten Reichstagswahl fast 400000 Stimmen hinzugewonnen hatte, räumte aber „in bolschewistischer Selbstkritik" ein, daß es ihr nur „teilweise gelungen" sei, „die schändlichen Manöver der Sozialdemokratischen Partei, die betrügerischen Redensarten vom ‚kleineren Übel', vom ‚Staatskapitalismus', die Politik der ‚Eisernen Front' zu zerschlagen und die Millionen sozialdemokratischer und gewerkschaftlich organisierter Arbeiter von der Richtigkeit unserer Politik zu überzeugen und sie vom Einfluß des Sozialfaschismus loszureißen". Für den zweiten Wahlgang, in dem es noch klarer als im ersten um die Alternative Hindenburg oder Hitler gehen mußte, hielt das Zentralkomitee der KPD nichtsdestoweniger an der Kandidatur Ernst Thälmanns fest. Den „Hauptstoß in der Arbeiterklasse" gelobte die Partei, entsprechend einer Weisung Stalins vom November 1931, gegen die Sozialdemokratie zu richten. Der wichtigste Zweck der „Kampfkandidatur des Genossen Thälmann" war damit klar: Mehr denn je galt es, „den Charakter der SPD als des gemäßigten Flügels des Faschismus und des Zwillingsbruders des Hitlerfaschismus klar zum Bewußtsein zu bringen".[8]

Die Kräfte, die Hindenburg an die Schwelle des Sieges geführt hatten, gaben sich nach dem Wahlausgang erleichtert. Der sozialdemokratische Parteivorstand erklärte am 16. März, Hitler sei geschlagen, Deutschland bleibe vor entsetzlichem Unheil bewahrt und die ganze Welt werde von einer furchtbaren Drohung befreit. Einen Tag später ließ der preußische Innenminister Severing alle Geschäftsstellen der NSDAP und SA durchsuchen. Dabei stellte sich heraus, daß die SA am Wahltag auf Befehl der Parteileitung in München in Alarmbereitschaft gestanden und sich für eine gewaltsame Auseinandersetzung bereitgehalten hatte.

Genau das war Severing am 8. März, also fünf Tage vor der Wahl, vom kommissarischen Reichsinnenminister Groener brieflich mitgeteilt worden. Die NSDAP verklagte Preußen vor dem Staatsgerichtshof in Leipzig. Als bei der Verhandlung am 24. März der Vertreter des preußischen Innenministeriums unter Berufung auf den Brief vom 8. März behauptete, der Reichsinnenminister habe das Vorgehen der preußischen Polizei veranlaßt, reagierte Groener verärgert: Als Aufforderung zu energischem Vorgehen wollte der Doppelminister sein Schreiben nachträglich nicht mehr verstanden wissen.

Groeners Wankelmut rief eine ganz Phalanx von Ländern – Preußen, Bayern, Baden, Württemberg, Sachsen und Hessen – auf den Plan. Auf einer Konferenz am 5. April wurden dem Reichsinnenminister wegen seiner bisherigen Untätigkeit scharfe Vorhaltungen gemacht. Nicht nur die sozialdemokratischen Innenminister – Severing aus Preußen, Maier aus Baden und Leuschner aus Hessen – verlangten ein Verbot der SA, sondern auch ihr bayerischer Kollege Stützel, ein Politiker der BVP. Die „Einheitsfront der Länder", von der der ebenfalls anwesende Reichsjustizminister Joël sprach, beeindruckte auch Groener. Er entschloß sich, dem Kabinett den Entwurf einer Notverordnung vorzulegen, die das Verbot von SA und SS aussprach.[9]

Am gleichen 5. April informierte Severing die Presse ausführlich über das Material, das bei den Haussuchungen vom 17. März von der Polizei sichergestellt worden war. Es erbrachte, jedenfalls nach Meinung des preußischen Innenministers, den Nachweis hoch- und landesverräterischer Handlungen der NSDAP. In Pommern und der Grenzmark Posen-Westpreußen gab es demnach bei der SA Pläne, sich Waffen aus den Depots des ostdeutschen Grenzschutzes zu besorgen und im Fall eines polnischen Einmarsches dem Grenzschutz jede Hilfe zu verweigern. Außerdem hatten sich die Nationalsozialisten durch Spitzel genaue Kenntnisse über Gliederung, Stärke und Bewaffnung der Polizei verschafft, Richtlinien für den Aufbau eines Nachrichtendienstes herausgegeben und für ihre „Machtübernahme" einen Generalmobilmachungsplan erarbeitet, der die Besetzung von Gas-, Wasser- und Elektrizitätswerken vorsah.

Was Severing über die geheime Militärpolitik der Nationalsozialisten bekanntgab, schockierte zunächst auch die Reichswehrführung. Der Chef des Ministeramtes im Reichswehrministerium, General von Schleicher, war im ersten Augenblick so empört, daß er Groener ausdrücklich in der Absicht bestärkte, SA und SS zu verbieten. Doch diese Entschlossenheit währte nicht lange. Am 8. April empfing Schleicher zwei Reichstagsabgeordnete: Eduard Dingeldey, den Vorsitzenden der Deutschen Volkspartei, und Günther Gereke, ein namhaftes Mitglied der Christlich-Nationalen Bauern- und Landvolkpartei. Beide warnten vor einem Verbot der SA, weil es aller Voraussicht nach ihren Parteien bei der preußischen Landtagswahl am 24. April schweren Schaden zufügen würde. Schleicher fand diese Bedenken einleuchtend und schlug am 9. April Groener eine andere Taktik vor: Der Reichsinnenminister solle Hitler in ultimativer Form auffordern, die SA so umzubilden, daß diese ihren militärischen und den Staat bedrohenden Charakter verlor.

Schleicher erhielt zwar den Auftrag, einen entsprechenden Brief an Hitler zu entwerfen; überzeugt aber hatte der General seinen Minister nicht. Auch der Reichspräsident, mit dem Groener am Nachmittag des 9. April sprach, hielt es für besser, die SA gleich zu verbieten, als erst noch an Hitler zu schreiben. Von Hindenburg zur Härte ermuntert, verfaßte Groener am 10. April, dem Tag des zweiten Wahlgangs der Reichspräsidentenwahl, eine Denkschrift an den Reichskanzler, in der er sich für die sofortige Auflösung der paramilitärischen Organisationen der NSDAP aussprach. Der Innenminister begründete die Notwendigkeit dieses Schrittes damit, daß die Vorkommnisse der letzten Wochen jenen Ländern wie Bayern und Preußen recht gegeben hätten, die vom Reich ein energisches Vorgehen gegen die Privatarmeen Hitlers verlangten.

Am späten Nachmittag des Wahlsonntags beriet ein kleiner Kreis von Ministern und Staatssekretären unter Vorsitz Brünings die Denkschrift Groeners. Staatssekretär Meissner machte gleich nach dem Vortrag des kommissarischen Innenministers deutlich, daß Hindenburg inzwischen in seinem Urteil schwankend geworden war. Der Reichspräsident gab nunmehr zu erwägen, ob es nicht doch besser sei, ein „klares und scharfes Ultimatum von etwa einer Woche" an Hitler zu richten, und Meissner ließ auch keinen Zweifel, warum Hindenburg zur Vorsicht mahnte: „Der Herr Reichspräsident habe einige Sorge wegen der zu erwartenden Angriffe gegen ihn."

Schleicher, der ebenfalls an der Besprechung teilnahm und maßgeblichen Anteil am Stimmungsumschwung Hindenburgs hatte, verlas dann den Entwurf seines Briefes an Hitler. Der Text löste bei Justizminister Joël und Staatssekretär Zweigert vom Innenministerium schwere staatsrechtliche Bedenken aus. Groener meinte, es gehe jetzt nur noch um die Alternative: scharfes Zupacken oder Kapitulation vor der SA. Brüning schloß sich dieser Auffassung an und illustrierte sein Plädoyer mit Beobachtungen, die er in der vergangenen Woche während einer Wahlkampfreise durch fast alle Teile Deutschlands gesammelt hatte. Damit war auf Kabinettsebene die Entscheidung gefallen – im Sinne jener harten Linie, zu der die Sozialdemokraten und die wichtigsten Länder die Reichsregierung seit längerem gedrängt hatten.[10]

Dem zweiten Wahlgang der Reichspräsidentenwahl ging ein kurzer, aber intensiver Wahlkampf voraus. Er fiel – auf Grund einer Notverordnung zur Sicherung des Osterfriedens, die für die Zeit vom 20. März bis 3. April öffentliche politische Wahlversammlungen verbot – in die wenigen Tage vom 4. bis 9. April. Nachdem der „Stahlhelm" schon am 14. März klargestellt hatte, daß sein stellvertretender Bundesvorsitzender Duesterberg nicht mehr kandidieren würde, gab es nur noch drei Bewerber: Hindenburg, Hitler und Thälmann.

Wie sich die Wähler Duesterbergs am 10. April verhalten würden, war kaum vorherzusagen. Der „Stahlhelm" empfahl Stimmenthaltung; die

Deutschnationalen schlossen für sich eine „aktive Beteiligung" am zweiten Wahlgang mit der Begründung aus, über die Wiederwahl Hindenburgs sei bereits am 13. März entschieden worden, und wichtiger als die Reichspräsidentenwahl sei die preußische Landtagswahl zwei Wochen später: „Alle Fragen treten heute hinter die eine zurück: Preußen! Hier liegt jetzt der Hebel zum Sturze des Systems."

Von den großen Interessenverbänden der Wirtschaft sprach sich als einziger der Reichslandbund offen für Hitler aus. Die industriellen Organisationen gaben offiziell keine Wahlparole aus. Carl Duisberg, der Vorsitzende des Reichsverbandes der Deutschen Industrie, hatte sich zwar schon vor dem ersten Wahlgang für Hindenburg eingesetzt und die Unternehmer zu Spenden für die Wiederwahl des amtierenden Reichspräsidenten aufgerufen. Doch nur wenige Unternehmer folgten diesem Appell, aus dem Bereich der rheinisch-westfälischen Schwerindustrie lediglich Krupp, Silverberg und Flick. Die meisten Ruhrmagnaten lehnten es ab, Hindenburg öffentlich zu unterstützen, weil dies auch als Bekenntnis zu Brüning und seiner Zusammenarbeit mit den Sozialdemokraten hätte gedeutet werden können – einer Politik, die der rechte Flügel des Unternehmerlagers seit dem Sommer 1931 scharf bekämpfte.

Doch daraus folgte noch nicht, daß die Zechenherren sich einen nationalsozialistischen Reichspräsidenten gewünscht hätten. Fritz Thyssen, der Aufsichtsratsvorsitzende der Vereinigten Stahlwerke und ein früher Förderer Hitlers, war in dieser Hinsicht eine Ausnahme. Ende Januar 1932 hatte Thyssen dem Führer der NSDAP zu einem vielbeachteten Auftritt vor dem Düsseldorfer Industrieclub verholfen. Aber als er anläßlich der Reichspräsidentenwahlen für Hitler warb, fand er bei den Großunternehmern keinen Anklang. Etwas anderes war eine Zusammenarbeit zwischen den bürgerlichen Rechtsparteien und der NSDAP als Grundlage einer neuen Reichsregierung. Dieses Ziel hatte auch der Generaldirektor der Gutehoffnungshütte, Paul Reusch, im Auge, als er am 19. März mit Hitler zusammentraf und ihm für den zweiten Wahlgang der Reichspräsidentenwahl die wohlwollende Neutralität „seiner" Zeitungen, der „Münchner Neuesten Nachrichten", des „Schwäbischen Kurier" und des „Fränkischen Kurier" versprach.[11]

Hitler versuchte in den sechs Tagen vom 4. bis 9. April Deutschland aus der Luft zu erobern. Mit dem Flugzeug durcheilte der Herausforderer Hindenburgs das Reich, sprach zu Hunderttausenden und erweckte den Eindruck der Allgegenwart. „Hitler über Deutschland" lautete das Motto dieses Wahlkampfes – des modernsten, technisch perfektesten, den es bis dahin gegeben hatte.

Während Hitler das „System" anprangerte und ihm seine Vision einer deutschen Volksgemeinschaft entgegenstellte, beschwor Thälmann in einem „letzten Appell" das eine Ziel der Kommunisten: „Alle Macht in die Hände der Arbeiterklasse, ein sozialistisches Rätedeutschland im Bündnis mit der Sowjetunion und ihrer siegreichen Roten Armee". Im Lager Hindenburgs fochten wiederum die „Eiserne Front" der Sozialdemokraten und die bürgerlichen Regierungsparteien. Ihr unermüdlichster Wahlkämpfer war der Reichskanzler. Schärfer als je zuvor attackierte er „das nationalsozialistische System rücksichtslosester und verantwortungslosester Demagogie". Die Nationalsozialisten revanchierten sich auf Brünings letzter Wahlkundgebung in Königsberg, die vom Rundfunk in ganz Deutschland übertragen wurde. Die Gefolgsleute Hitlers brachten kistenweise weiße Mäuse in die Versammlungshalle, ließen sie dort laufen und erzeugten so eine Unruhe, die die Rede des Kanzlers um einen guten Teil ihrer Wirkung brachte.[12]

Den Sieg Hindenburgs konnte das letzte Störmanöver der Nationalsozialisten nicht mehr verhindern. Am späten Abend des 10. April stand fest, daß der bisherige Reichspräsident einen überzeugenden Auftrag für eine zweite Amtsperiode erhalten hatte. Auf Hindenburg entfielen 53 %, auf Hitler 36,8 %, auf Thälmann 10,2 %.

Die Gegner Hitlers konnten aufatmen; Anlaß zu Triumphgefühlen hatten sie nicht: Der Generalfeldmarschall hatte zwar mit großem Vorsprung gesiegt, aber dem Führer der NSDAP war es gelungen, gegenüber dem ersten Wahlgang viel mehr Stimmen hinzuzugewinnen als der Reichspräsident. Die Wähler Duesterbergs waren, soweit sie am zweiten Wahlgang überhaupt teilnahmen, in größerer Zahl zu Hitler als zu Hindenburg übergewechselt. Die Verluste Thälmanns gingen in erster Linie darauf zurück, daß viele Anhänger der KPD, entgegen der Parole des Zentralkomitees, am 10. April den Urnen fernblieben. Einige hatten freilich auch, wie sich aus örtlichen Ergebnissen ablesen läßt, für Hitler, wieder andere für Hindenburg gestimmt. Insgesamt lag die Wahlbeteiligung am 10. April mit 83,5 % deutlich niedriger als am 13. März, als sie sich noch auf 86,2 % belaufen hatte.[13]

Am schwersten war die Wahl Hindenburgs, wie schon am 13. März, den Sozialdemokraten gefallen. Aber keine Partei konnte den Sieg des Amtsinhabers mit solchem Recht als ihren Erfolg betrachten wie die SPD. Ernst Heilmann, der Fraktionsvorsitzende der preußischen Landtagsfraktion, kommentierte denn auch das Ereignis vom 10. April in dem von ihm redigierten Diskussionsorgan „Das Freie Wort" geradezu überschwenglich: „Hindenburg, mit einem Vorsprung von sechs Millionen Stimmen vor Hitler, mit einer starken absoluten Mehrheit zum Reichspräsidenten wiedergewählt, ist trotz aller Einreden *ein großer Sieg der Partei, ein Triumph der Demokratie*."

Tatsächlich war der Sieg Hindenburgs ein Ergebnis der sozialdemokratischen Tolerierungspolitik. Hätten die Anhänger der SPD nicht seit dem Herbst 1930 Gelegenheit gehabt, sich an eine Politik des kleineren Übels zu gewöhnen, wären sie im Frühjahr 1932 kaum davon zu überzeugen gewesen, daß sie einen eingefleischten Monarchisten an die Spitze der Republik wählen mußten, um die nationalsozialistische Diktatur zu verhindern. Ebendies war die Alternative der Reichspräsidentenwahl: Außer dem Feldmarschall gab es niemanden, der in der Lage war, über den verbliebenen Anhang der

Weimarer Koalition hinaus einen Teil der traditionellen Rechten an sich zu binden und damit die Nationalsozialisten auf den zweiten Platz zu verweisen. Daß Hindenburg kein Mann der Demokratie war, wußten die Sozialdemokraten so gut wie irgend jemand sonst. Doch bislang hatte sich der Reichspräsident als ein Mann von Recht und Gesetz erwiesen, der auch die ungeliebte Verfassung respektierte. Mehr war, wie die Dinge lagen, bei den Reichspräsidentenwahlen von 1932 von Weimar nicht mehr zu retten. Gemessen an dem, was am 10. April noch einmal vermieden wurde, war es viel.[14]

Für den Sieger war das Ergebnis des zweiten Wahlgangs keine reine Freude. Es schmerzte Hindenburg tief, daß er seinen Erfolg nicht der Rechten, sondern Sozialdemokraten und „Katholen" zu verdanken hatte. Sein aktivster Wahlkämpfer bekam den Groll des Greises bereits am 15. April zu spüren. Als Brüning dem Reichspräsidenten zur Wiederwahl gratulierte und ihm, um der Form Genüge zu tun, den Rücktritt der Regierung anbot, gab Hindenburg zu erkennen, daß er die Demission zwar nicht zum gegenwärtigen Zeitpunkt annehmen wolle, sich aber vorbehalte, später darauf zurückzukommen.

Während des Gesprächs zwischen Präsident und Kanzler kam ein weiterer Anlaß für die Verstimmung des alten Herrn zum Vorschein: Über seinen ehemaligen Regimentskameraden Oskar von Hindenburg hatte Schleicher den Reichspräsidenten davon überzeugt, daß ein Verbot der SA und SS politisch inopportun sei, weil es zu einem neuen Konflikt zwischen Hindenburg und der Rechten führen müsse. Infolgedessen versuchte der Reichspräsident, dem Kanzler die geplante Notverordnung auszureden. Doch dieser beharrte auf der Linie, auf die er sich tags zuvor festgelegt hatte, und nach einem langen Gespräch mit Brüning und Groener, das am 12. April stattfand, gab Hindenburg nach. Am 13. April wurde die „Notverordnung zur Sicherung der Staatsautorität" vom Kabinett einstimmig verabschiedet und unmittelbar danach verkündet und vollzogen.

Die Nationalsozialisten hatten im voraus von dem beabsichtigten Verbot von SA und SS erfahren und belastendes Material meist rechtzeitig in Sicherheit bringen können. Deswegen verlief die Durchsuchung des „Braunen Hauses" in München und zahlreicher SA-Heime im ganzen Reich nahezu ergebnislos. Das Verbot seiner paramilitärischen Organisationen nahm Hitler einstweilen hin. Noch am 13. April rief er die SA- und SS-Männer auf, den „augenblicklichen Machthabern" keinen Anlaß zu bieten, die bevorstehenden Landtagswahlen unter irgendwelchen Vorwänden auszusetzen. Am folgenden Tag kündigte die NSDAP an, sie werde die Reichsregierung vor dem Staatsgerichtshof verklagen.[15]

In der Öffentlichkeit rief das Verbot von SA und SS ein zwiespältiges Echo hervor. Die regierungsnahen und die sozialdemokratischen Zeitungen sahen in der Maßnahme einen Akt staatlicher Notwehr, während deutschnationale Blätter von einer parteipolitischen Schlagseite nach links sprachen und es hervorhebenswert fanden, daß das Reichsbanner Schwarz-Rot-Gold nicht mit derselben Elle gemessen werde wie die paramilitärischen Verbände der Nationalsozialisten. Das entsprach ganz dem Tenor zahlreicher Eingaben an den Reichspräsidenten und an das Reichswehrministerium gerichteter Proteste. Schleicher operierte seinem Minister gegenüber am 15. April sogar mit einer unverhüllten Drohung: Die Reichswehr werde das Verbot nicht ruhig hinnehmen.

Am gleichen Tag bestellte Hindenburg, ohne daß Groener davon wußte, den Chef der Heeresleitung, General von Hammerstein, zu sich. Hammerstein, der eine Woche zuvor das SA-Verbot noch nachdrücklich verteidigt hatte, übergab dem Reichspräsidenten auf dessen Verlangen Materialien über das Reichsbanner, die größtenteils aus Zeitungsmeldungen vom 15. April bestanden, die ihrerseits aus der Wehrmachtsabteilung des Reichswehrministeriums stammten. Hindenburg hielt die dürftigen Unterlagen für so beweiskräftig, daß er Groener sogleich schriftlich aufforderte, er möge gegen Organisationen, die ähnlich geartet seien wie SA und SS, ebenso vorgehen wie gegen diese. Hindenburg setzte sich damit über den Reichskanzler hinweg, der am 14. April zur Abrüstungskonferenz nach Genf abgereist war. Geltendem Recht widersprach es auch, daß der Reichspräsident sich vom Chef der Heeresleitung Material aushändigen ließ, ohne zuvor die Genehmigung des Reichswehrministeriums eingeholt zu haben. Ein offener Affront gegenüber Groener und dem Gesamtkabinett war es schließlich, daß Hindenburg seine Anweisung an den Doppelminister, bevor diese den Empfänger erreicht hatte, der Presse übergab.

Als Groener am 16. April den Brief erhielt, hatte er sich vorsorglich schon mit Karl Höltermann, dem Führer des Reichsbanners, verständigt. Dieser verwies alle Behauptungen, sein Verband widme sich einer militärischen Ausbildung, in das Reich der Legende und war darüber hinaus bereit, jetzt, wo die Putschgefahr offenkundig nachgelassen habe, die Eliteeinheiten des Reichsbanners – die Schutzformationen, kurz „Schufos" genannt – in Urlaub zu schicken. Auf Grund dieser Zusagen und Erläuterungen erklärte Groener, weder Reichsbanner noch Stahlhelm betrieben eine militärische Ausbildung, und wenn das Reichsbanner in den letzten Monaten auf das Auftreten der SA mit einer Stärkung seiner Organisation reagiert habe, so werde es diese Schritte gewiß in kürzester Frist rückgängig machen. Dieser Feststellung folgte eine Ankündigung, die öffentlich nur wenig beachtet wurde: Groener bekannte sich zur Schaffung einer einheitlichen, die gesamte deutsche Jugend erfassenden Sportorganisation, der eindeutig paramilitärische Aufgaben zugedacht waren und die nur dann einen Sinn ergab, wenn man sie als Vorstufe zu einer Miliz, ja der Rückkehr zur allgemeinen Wehrpflicht verstand.

Da das Reichsbanner sich an Höltermanns Versprechen hielt und die „Schufos" sofort auflöste, fiel es der Reichsregierung nicht schwer, ihre neue Linie beizubehalten. Am 23. April trafen sich Brüning und Groener am Bodensee – der Kanzler war von Genf aus angereist, um am folgenden Tag in der preußischen Enklave Achberg von seinem Stimmrecht bei der Landtagswahl Gebrauch zu machen – und einigten sich darauf, nichts gegen das Reichsbanner zu unternehmen. Bei Hindenburg aber fand dieser Beschluß, als Groener ihm am 26. April Bericht erstattete, durchaus keinen Beifall. Unterstützt von seinem Staatssekretär Meissner, verlangte er eine Strafandrohung für den Fall, daß sich die „Schufos" neu bilden sollten.

Am 3. Mai versuchte das Kabinett, das wieder unter dem Vorsitz Brünings tagte, dem Reichspräsidenten ein Stück entgegenzukommen. Es beschloß eine Notverordnung, die alle Wehrverbände der Aufsicht des Reichsinnenministeriums unterstellte. Eine weitere Notverordnung verbot mit sofortiger Wirkung die kommunistischen Freidenkerverbände und erfüllte damit eine Forderung kirchlicher Kreise, die Hindenburg sich zu eigen gemacht hatte. Der Reichspräsident unterzeichnete beide Notverordnungen, die erste freilich nur mit massiven Vorbehalten. Daß die Rechtsformationen restlos verboten blieben, die Linksverbände hingegen lediglich der Kontrolle des Innenministers unterworfen wurden, empfand er als ungerecht.

Die Regierung Brüning hatte, als sie, dem Drängen der Länder folgend, SA und SS verbot, die Balance leicht nach links verlagert und damit das genaue Gegenteil dessen getan, was Hindenburg von ihr erwartete: nämlich eine deutliche Kurskorrektur nach rechts. Der Gedanke an einen Regierungswechsel lag also in der Luft. Aber noch hatte Brüning eine wichtige außenpolitische Aufgabe zu erfüllen: Er sollte Deutschland auf der bevorstehenden Reparationskonferenz in Lausanne vertreten, auf der er gewiß bessere Erfolgschancen hatte als ein Kanzler aus den Reihen der „nationalen Opposition". Deshalb hielt Hindenburg den Zeitpunkt für eine Entlassung Brünings noch nicht für gekommen. Die Folge war, daß das SA-Verbot bis auf weiteres bestehen blieb.[16]

Zwei Wochen nach dem zweiten Wahlgang der Reichspräsidentenwahl wurden die meisten Deutschen erneut zu den Urnen gerufen. Am 24. April fanden Landtagswahlen in Preußen, Bayern, Württemberg, Hamburg und Anhalt statt. Während der letzten Tage des Wahlkampfes kam es vielerorts wieder zu schweren Zusammenstößen, vor allem zwischen Nationalsozialisten und Sozialdemokraten. In München entfesselte die SA am 22. April Saalschlachten, um Versammlungen mit dem Berliner Polizeipräsidenten Grzesinski zu sprengen: Der Sozialdemokrat hatte die Nationalsozialisten am 7. Februar mit der Äußerung herausgefordert, man solle Hitler mit der Hundepeitsche aus Deutschland hinaustreiben. Ebenfalls am 22. April wurde Otto Wels nach einer Kundgebung in seinem Kölner Hotel von Nationalsozialisten unter Führung des volltrunkenen Reichstagsabgeordneten Robert Ley niedergeschlagen und am Kehlkopf verletzt. Am 26. April erließ das Amtsgericht Köln einen Haftbefehl gegen den nationalsozialistischen Volksvertreter.

Der preußische Landtag faßte in seiner letzten Sitzung am 12. April einen folgenschweren Beschluß: Mit der Mehrheit der Regierungsparteien änderte er seine Geschäftsordnung. Bislang war für die Wahl des Ministerpräsidenten im zweiten Wahlgang eine Stichwahl zwischen den beiden aussichtsreichsten Kandidaten vorgesehen; es reichte also die relative Mehrheit der Stimmen aus. Infolge der Änderung war für den zweiten und jeden weiteren Wahlgang die absolute Mehrheit der abgegebenen Stimmen erforderlich.

Die Wirkung war die eines konstruktiven Mißtrauensvotums: Der Landtag konnte den amtierenden Regierungschef nur dadurch ablösen, daß er mit der Mehrheit der abgegebenen Stimmen einen Nachfolger wählte. Der „Vorwärts" gab überraschend klar zu erkennen, worauf die sozialdemokratischen Initiatoren des Antrags spekulierten: Falls es nach dem 24. April eine „negative" Mehrheit aus „nationaler Opposition" und Kommunisten geben sollte, lag es an der KPD, ob sie durch eine Rückkehr zur alten Regelung eine Minderheitsregierung der Rechten ans Ruder bringen wollte.[17]

Die fünf Landtagswahlen vom 24. April brachten den Nationalsozialisten, wie allgemein erwartet, große Stimmengewinne. In Preußen, Württemberg, Hamburg und Anhalt stieg die NSDAP zur stärksten Partei auf; nur in Bayern konnte die BVP einen knappen Vorsprung von zwei Sitzen behaupten. Die Kommunisten vermochten ihren Stimmenanteil, von einer Ausnahme abgesehen, zu vergrößern, während die Sozialdemokraten und die nichtkatholischen bürgerlichen Parteien stark verloren. Die Ausnahme war Hamburg, wo die letzte Bürgerschaftswahl erst vor sieben Monaten stattgefunden hatte: Hier gewannen SPD und Staatspartei Stimmen dazu, wohingegen die KPD deutlich schlechter abschnitt als bei der vorangegangenen Wahl. Verglichen mit der letzten Reichstagswahl vom September 1930 gab es jedoch nur *einen* Gewinner: die Nationalsozialisten. Die Sozialdemokraten und die nichtkatholischen bürgerlichen Parteien mußten in allen Ländern, die Kommunisten überall außer in Bayern Stimmenverluste hinnehmen. An das Ergebnis Hitlers vom 10. April kam die NSDAP freilich nirgendwo ganz heran.[18]

Die Landtagswahlen vom April führten zunächst nur in einem Land zu einem Regierungswechsel: In Anhalt wurde der sozialdemokratische Ministerpräsident Heinrich Deist, der das Land, von einer kurzen Unterbrechung im Jahr 1924 abgesehen, seit dem Juli 1919 regierte, im Mai 1932 durch den Nationalsozialisten Alfred Freyberg abgelöst, der seine Wahl den Stimmen der bürgerlichen Rechten verdankte. In Bayern und Württemberg konnten sich die in die Minderheit geratenen bürgerlichen Kabinette, in Hamburg ein Senat der Großen Koalition mit Hilfe der „Dietramszeller Notverordnung", benannt nach dem Urlaubsort des Reichspräsidenten, vom 27. September 1931 geschäftsführend im Amt behaupten. Diese Verordnung erlaubte es Landesregierungen und Gemeindeverwaltungen, alle Maßnahmen, die zum Ausgleich des Haushalts erforderlich waren, unter Abweichung vom geltenden Landesrecht auf dem Verordnungsweg zu treffen.[19]

Der Ausgang der Preußenwahl war mit der größten Spannung erwartet worden. Die Nationalsozialisten waren von 9 auf 162 Mandate emporgeschnellt, die Sozialdemokraten von 137 auf 94 Sitze abgesunken. Für die Weimarer Koalition gab es, da auch die Staatspartei schwere, das Zentrum leichte Verluste zu verzeichnen hatten, keine Mehrheit mehr: Sie verfügte nur noch über 163 von 423 Sitzen. Aber eine alternative Mehrheit war auch nicht in Sicht: Selbst wenn alle Abgeordneten von DNVP und DVP einen nationalsozialistischen Kandidaten unterstützten, kam dieser nicht auf die erforderlichen 212, sondern lediglich auf 200 Stimmen. Die befürchtete „negative" Mehrheit war Wirklichkeit geworden: Zusammen kamen Nationalsozialisten und Kommunisten auf 219 Sitze – eine Majorität, die keine Regierung bilden, nach der Änderung der Geschäftsordnung aber auch die amtierende Regierung nicht stürzen konnte.

Die preußischen Wähler hatten sich in ihrer Mehrheit gegen die Regierung Braun ausgesprochen – am 24. April 1932 also das getan, was sie nach dem Willen der extremen Kräfte von rechts und links schon beim Volksentscheid zur Auflösung des Landtags am 9. August 1931 hätten tun sollen. Die Wählerentscheidung war aber nicht nur ein Votum gegen die seit 1925 regierende Weimarer Koalition, sondern gegen Weimar schlechthin. Die absolute Mehrheit wollte etwas radikal anderes als die parlamentarische Demokratie, war aber im Hinblick auf die Alternative zutiefst in sich gespalten: Der weitaus größere Teil optierte für einen Führerstaat, wie ihn die Nationalsozialisten auf ihr Banner geschrieben hatten, ein sehr viel kleinerer Teil für ein kommunistisches System nach dem Vorbild der Sowjetunion.

Da es für keine der beiden Alternativen eine Mehrheit gab, war an eine parlamentarische Krisenlösung nur in Gestalt eines Kompromisses zu denken. Am ehesten vorstellbar erschien, der negativen hessischen Erfahrung vom Herbst 1931 zum Trotz, eine schwarz-braune Koalition aus Zentrum und Nationalsozialisten. Das preußische Zentrum schloß ein solches Regierungsbündnis in seiner ersten Erklärung zum Wahlausgang keineswegs aus, knüpfte daran jedoch eine Bedingung, die die Nationalsozialisten allenfalls verbal erfüllen konnten: Das Zentrum sei bereit, „mit allen Parteien zusammenzuarbeiten, die auf der Grundlage der Verfassung dem Wohle des ganzen Volkes zu dienen entschlossen sind".

Die Sozialdemokraten erhoben gegen Verhandlungen zwischen Zentrum und Nationalsozialisten keine Einwände, sondern hielten sie nach Lage der Dinge für unvermeidbar. „Diesen Verhandlungen vorzugreifen, liegt weder in unserer Macht noch in unserer Absicht", schrieb der „Vorwärts" am 25. April. „Nur so viel kann gesagt werden: Sollten diese beiden Parteien miteinander einig werden, so müßte zum mindesten eine von ihnen ihr Wesen sehr stark verändern. Das Produkt einer solchen Einigung könnte von der Sozialdemokratie nur mit dem allerschärfsten Mißtrauen betrachtet werden – denn was dann herauskäme, könnte nur das allerreaktionärste Bürgerblockregiment sein, das Deutschland jemals erlebt hat."

Über das mutmaßliche Ergebnis von schwarz-braunen Koalitionsgesprächen gingen die Meinungen innerhalb der SPD jedoch weit auseinander.

Otto Braun, seit langem krank und im Frühjahr 1932 in einer ausgeprägt depressiven Gemütsverfassung, war, wie Friedrich Stampfer berichtet, überzeugt, „daß das Experiment einer parlamentarischen Regierung mit den Nationalsozialisten gemacht werden müsse". Carl Severing dachte offenbar ähnlich defätistisch. Am 26. April erklärte er gegenüber United Press, eine „Regierungsbeteiligung der NSDAP in Preußen und im Reich" könne „natürlich nur als eine Beteiligung an der Regierung in Frage kommen, d. h. im Verein mit Parteien, die eine Gewähr dafür bieten, daß die Grundgesetze der Verfassung nicht verletzt werden".

Während Braun und Severing eine schwarz-braune Koalition für die wahrscheinlichste Krisenlösung hielten, erwartete Ernst Heilmann, der Fraktionsvorsitzende und eigentliche strategische Kopf der preußischen Sozialdemokratie, daß die Gespräche an der Unnachgiebigkeit der NSDAP scheitern würden. „Die einzige Möglichkeit der Fortsetzung des staatlichen Lebens wäre dann, daß die Regierung Braun-Severing als geschäftsführendes Kabinett weiter amtet." Eine solche Lösung setzte freilich eine dramatische Umorientierung auf der äußersten Linken voraus. Heilmann appellierte an die Kommunisten, ein Minderheitskabinett Braun zumindest de facto zu tolerieren. „Die KPD muß jetzt neu entscheiden, ob sie weiter dem Phantom einer unmittelbaren revolutionären Entscheidung nachjagen und damit den Faschismus zum Herrn in Deutschland machen und sich selber töten will oder nicht. Wenn nur deutsche Arbeiterinteressen bei der KPD eine Rolle spielten, wäre allerdings diese Entscheidung nicht eine Sekunde zweifelhaft."

Heilmanns taktisches Konzept war in sich schlüssig: Erst wenn Koalitionsverhandlungen zwischen Zentrum und Nationalsozialisten gescheitert waren, würde das Zentrum sich entschließen, die bisherige, in die Minderheit geratene Koalition fortzusetzen. Daher durfte die SPD schwarz-braune Gespräche nicht als solche verurteilen und schon gar nicht sich vorzeitig der Regierungsverantwortung entledigen. Der vorsorgliche Aufruf an die Kommunisten, ein geschäftsführendes Kabinett Braun als das, verglichen mit einer Rechtsregierung, kleinere Übel zu tolerieren, durfte einstweilen nur in verhaltener Form vorgetragen werden. Eine allzu deutliche Umwerbung der KPD drohte nämlich das zu bewirken, was es zu vermeiden galt: Der SPD konnte nicht daran gelegen sein, das Zentrum zu verschrecken und am Ende in die Arme der Nationalsozialisten zu treiben.[20]

Ganz aussichtslos war Heilmanns Appell an die KPD nicht. Unter dem Eindruck der Stimmengewinne Hitlers beim zweiten Wahlgang der Reichspräsidentenwahl hatte die Komintern mittlerweile eine taktische Kurskorrektur in Sachen „Einheitsfront" vollzogen. Ein Aufruf „An alle deutschen Arbeiter", den das Exekutivkomitee der Kommunistischen Internationale zusammen mit Vertretern der KPD und der Revolutionären Gewerkschafts-Opposition verfaßte, schlug den Sozialdemokraten gegenüber neue Töne an. Der zentrale Passus lautete: „Wir sind bereit, mit jeder Organisation, in der

Arbeiter vereinigt sind, und die wirklich den Kampf gegen Lohn- und Unterstützungsabbau führen will, gemeinsam zu kämpfen!" Zwar enthielt auch diese Proklamation die üblichen scharfen Angriffe auf die Führer von SPD und Freien Gewerkschaften, aber die für überfällig erklärte „Einheitsfront des Kampfes" gegen die „kapitalistischen Räuber und gegen die immer frecher auftretenden faschistischen Banden" wurde auch nicht mehr ausdrücklich auf eine „Einheitsfront von unten" beschränkt.

Die Komintern hätte es am liebsten gesehen, wenn der Aufruf „An alle deutschen Arbeiter" noch vor den fünf Landtagswahlen vom 24. April veröffentlicht worden wäre. Doch das deutsche „Polbüro" entschied anders und verabschiedete die Erklärung formell erst unter dem Datum vom 25. April. In der gleichen Ausgabe der „Roten Fahne", in der der Appell erschien, wurde auch eine erste praktische Konsequenz der neuen Taktik gezogen. Der Leitartikel „Zum Wahlausgang" stellte klar, daß die KPD nicht beabsichtige, den Nationalsozialisten in Preußen an die Regierung zu verhelfen: „Bei schärfstem prinzipiellem Kampf gegen die Regierung Braun-Severing, gegen ihre Politik der Notverordnungsdiktatur und ihr Wegbereitertum für Hitler, stehen wir Kommunisten in Todfeindschaft dem blutigen Hitlerfaschismus gegenüber. Wir werden alles tun, um mit Hilfe der proletarischen Klassenkraft ihm den Weg zur Regierungsmacht zu versperren, seinen Terror zu brechen und ihn durch den neuen roten Vormarsch der Arbeiterklasse entscheidend zu schlagen." Der Maiaufruf des Zentralkomitees der KPD brachte die neue Botschaft auf die knappe Formel: „Die Regierungsteilnahme der Nationalsozialisten wäre ein gefährlicher Schritt auf dem Wege zur offenen, blutigen Diktatur."

Mit der Korrektur der Taktik ging eine personelle Veränderung in der Führung der KPD einher: Heinz Neumann, der die ultralinke Generallinie immer um einige Grade radikaler vertreten hatte als Ernst Thälmann, wurde am 24. Mai in Absprache mit Stalin aus dem Sekretariat, dem innersten Machtzentrum, entfernt. Dasselbe Schicksal widerfuhr seinem engsten Verbündeten, Leo Flieg. Zu den „Aufsteigern" gehörten Walter Ulbricht, „Polleiter" des Bezirks Berlin-Brandenburg, und Wilhelm Pieck, bisher deutscher Vertreter beim EKKI und einer der Initiatoren des neuen Kurses: Beide wurden zu Kandidaten des Sekretariats bestellt.

Wenn Komintern und KPD ernsthaft entschlossen waren, Konsequenzen aus der Erkenntnis zu ziehen, daß der „Hitlerfaschismus" die alles überragende Gefahr war, mußte das eine radikale Abkehr von ihren bisherigen Positionen zur Folge haben. Die Tolerierung des Minderheitskabinetts Braun hätte, ungeachtet aller flankierenden Abgrenzungsrhetorik, ein kommunistisches Pendant zur sozialdemokratischen Politik des kleineren Übels bedeutet. Da aber immer noch die Parole galt, daß der „Hauptstoß" innerhalb der Arbeiterklasse gegen die Sozialdemokratie, die angebliche „soziale Hauptstütze der Bourgeoisie", zu führen sei, und auch die Kampfformel vom „Sozialfaschismus" nicht aus dem Verkehr gezogen wurde, war Skepsis gegenüber der neuen Taktik angebracht. In den ersten vier Wochen nach der Preußenwahl blieb der KPD und dem geschäftsführenden Kabinett Braun die Probe aufs Exempel ohnehin erspart: Der neugewählte Landtag konnte frühestens am 24. Mai zusammentreten, und für ebendiesen Tag hatte die bisherige Regierung ihre formelle Demission angekündigt.[21]

Seit Anfang Mai sprach indes einiges dafür, daß das Kabinett Braun auch über diesen Termin hinaus im Amt bleiben würde. Reichskanzler Brüning hatte zwar keine grundsätzlichen Bedenken gegen eine schwarz-braune Koalition, wollte den Nationalsozialisten aber auf keinen Fall den Posten des preußischen Ministerpräsidenten und die Kontrolle über die preußische Polizei zugestehen. Am 30. April, unmittelbar nach seiner Rückkehr von der Abrüstungskonferenz in Genf, setzte Brüning im geschäftsführenden Vorstand der Zentrumspartei einen entsprechenden Beschluß durch und korrigierte damit die Haltung des preußischen Zentrums, das bis dahin der Forderung der NSDAP nicht widersprochen hatte, als stärkste Partei müsse sie den Ministerpräsidenten stellen. Damit sanken die Chancen für eine schwarz-braune Koalition beträchtlich: Die Bereiche, die das Zentrum den Nationalsozialisten verwehren wollte, waren genau die, auf die es bei einer Machtübernahme ankam.

Hitler wußte zu diesem Zeitpunkt aber wohl auch schon besser als Brüning selbst, wie geschwächt die Stellung des Zentrumskanzlers war. Am 28. April dürfte der Führer der NSDAP in einem Geheimgespräch mit Schleicher aus erster Hand erfahren haben, daß die Reichswehrführung nicht mehr hinter Brüning stand. Eine schwarz-braune Koalition unter einem nichtnationalsozialistischen Ministerpräsidenten – Brünings Kandidat für diesen Posten war der Leipziger Oberbürgermeister und Reichspreiskommissar Carl Goerdeler, ein ehemaliger Deutschnationaler – hätte vermutlich dazu beigetragen, die Position des Kanzlers wieder zu festigen. Am 19. Mai stellte Hitler klar, daß es mit ihm eine parlamentarische Krisenlösung nicht geben würde. Die nationalsozialistische Bewegung, sagte er vor der preußischen Landtagsfraktion seiner Partei, habe nicht dreizehn Jahre gekämpft, um die Politik des heutigen Deutschland in irgendwelchen Koalitionen fortzusetzen.[22]

Anzeichen einer herannahenden Regierungskrise gab es seit Ende April, und sie verdichteten sich in der Folgezeit immer mehr. Von der Abrüstungskonferenz in Genf kehrte Brüning am 30. April mit fast leeren Händen zurück: Das deutsche Drängen auf militärische Gleichberechtigung hatte zwar beim amerikanischen Außenminister Stimson, in geringerem Maß auch beim britischen Premierminister MacDonald Verständnis gefunden, nicht jedoch beim französischen Ministerpräsidenten Tardieu, der es schon mit Blick auf die Kammerwahlen vom 1. und 8. Mai vorzog, unnachgiebige Härte zu demonstrieren. An der entscheidenden Gesprächsrunde, die vom 26. bis 29. April in Bessinge stattfand, nahm Tardieu, angeblich wegen eines Kehlkopfleidens, gar nicht erst teil.[23]

Zu der Post, die Brüning in Berlin vorfand, gehörte ein Brief des Reichswirtschaftsministers an den Reichspräsidenten. Unter dem Datum des 28. April bat Warmbold um seine Entlassung aus dem Amt. In verschleierter Form deutete der Minister an, was ihn zu diesem Schritt veranlaßte: die Vergeblichkeit aller seiner Versuche, das Kabinett zu einer aktiven Konjunkturpolitik zu bewegen. Da Warmbold aus dem Vorstand der IG Farben kam, lag es nahe, den Rücktritt auch noch anders zu deuten: als Absage der chemischen Industrie an Brüning. Für den Kanzler war es besonders mißlich, daß sein Kandidat für die Nachfolge, Carl Goerdeler (den er außerdem zum Vizekanzler und preußischen Ministerpräsidenten machen wollte und als seinen eigenen Nachfolger auserkoren hatte), nicht bereit war, neuer Reichswirtschaftsminister zu werden. Am Ende stand eine Verlegenheitslösung: Staatssekretär Trendelenburg, der das Ressort schon einmal – vom Juni 1930 bis zum Oktober 1931 – kommissarisch geleitet hatte, wurde am 6. Mai von Hindenburg abermals mit der Wahrnehmung der Geschäfte des Reichswirtschaftsministers beauftragt.

Weniger Beachtung fand in der Öffentlichkeit ein anderer Rücktritt: Am 2. Mai empfing Brüning den Abschiedsbesuch des Staatssekretärs des Reichsfinanzministeriums, Hans Schäffer, eines seiner engsten Berater und freimütigsten Kritiker. Schäffer hatte sich zum Amtsverzicht entschlossen, weil er die Verantwortung für die Finanzpolitik des Reiches nicht mehr glaubte tragen zu können. Brüning erreichte es zwar, daß der Staatssekretär seinen Rücktritt bis zum 15. Mai hinausschob und der Regierung damit eine peinliche Parlamentsdebatte ersparte. (Die Reichstagssession war auf die Zeit vom 9. bis 12. Mai angesetzt.) Aber für die Eingeweihten war Schäffers Absicht ein weiteres untrügliches Zeichen, daß die Autorität des Kanzlers zusehends verfiel.[24]

Bedrohlicher als alles andere waren für Brüning die Aktivitäten Schleichers: Der Chef des Ministeramtes im Reichswehrministerium arbeitete seit Ende April in engem Zusammenspiel mit den Nationalsozialisten auf den Sturz des Zentrumskanzlers hin. Am 26. April empfing Schleicher den Berliner SA-Führer, Graf Helldorf; am 28. April und 7. Mai traf er sich mit Hitler. „Der Führer hat eine entscheidende Unterredung mit General Schleicher", notierte am 8. Mai Joseph Goebbels in sein Tagebuch. „Einige Herren aus der engsten Umgebung des Reichspräsidenten sind dabei. Alles geht gut. Der Führer hat überzeugend zu ihnen geredet. Brüning soll in den nächsten Tagen schon fallen. Der Reichspräsident wird ihm sein Vertrauen entziehen. Der Plan geht dahin, ein Präsidialkabinett zu installieren; der Reichstag wird aufgelöst, alle Zwangsgesetze sollen fallen, wir bekommen Agitationsfreiheit und liefern dann ein Meisterstück an Propaganda."

Schleicher kannte mithin spätestens seit dem 7. Mai den Preis, den Hitler für die Tolerierung eines neuen, eindeutig rechten Kabinetts verlangte: Neuwahlen zum Reichstag und die Aufhebung des SA-Verbots. Der Reichspräsident dürfte Schleichers Mitteilungen über sein Gespräch mit Hitler gern gehört haben. Als Hindenburg am 9. Mai dem Kanzler seinen Wunsch mitteilte, in den nächsten Tagen mit allen Parteiführern, außer denen der Kommunisten, zu sprechen, ging es ihm vorrangig um eine Unterredung: die mit Hitler.

Brüning, der das Kalkül der Kamarilla um Hindenburg durchschaute, bat den Reichspräsidenten, die Gesprächsrunde auf Ende Mai zu verschieben. In den nächsten Tagen müsse der Reichstag, mit den Stimmen der SPD, ein Kreditermächtigungsgesetz verabschieden; in Genf begännen in Kürze neue Abrüstungsgespräche, deren Erfolg gefährdet werde, wenn sich der Eindruck verbreite, in Deutschland stehe ein Regierungswechsel unmittelbar bevor. Nach dem Zusammentreten des preußischen Landtags am 24. Mai sei aber ein Appell des Reichspräsidenten zum Zusammenschluß aller Gruppen zwischen Zentrum und Nationalsozialisten durchaus willkommen. Er selbst, Brüning, befürworte eine solche Koalition in Preußen, und er sei bereit, nach Abschluß der Reparationskonferenz in Lausanne, die am 16. Juni beginnen sollte, der Neubildung einer Regierung auch im Reich den Weg frei zu machen.

Da Hindenburg ungeachtet aller Widerreden darauf bestand, schon jetzt mit den Parteiführern zu sprechen, drohte der Kanzler mit seinem sofortigen Rücktritt. Daraufhin gab der Reichspräsident nach und erklärte sich damit einverstanden, die Gespräche auf die Zeit nach dem 24. Mai zu verschieben. Brüning hatte nochmals Zeit gewonnen, wußte aber nunmehr definitiv, daß seine Tage als Kanzler gezählt waren.[25]

Am gleichen 9. Mai, an dem der Reichspräsident den Reichskanzler empfing, begann eine viertägige Session des Reichstags. Ihr erster Höhepunkt war am 10. Mai eine vergleichsweise maßvolle, ja konstruktive Rede des Reichsorganisationsleiters der NSDAP, Gregor Strasser, in der die Arbeitsbeschaffung einen zentralen Platz einnahm. Es fiel allgemein auf, daß Strasser die Freien Gewerkschaften betont freundlich behandelte und von der „dogmatisch verrannten, teilweise fremdrassig intellektuell beeinflußten Führung der Sozialdemokratischen Partei“ abhob; er zitierte sogar, als er sich zur „produktiven Kreditschöpfung“ bekannte, die Vorarbeiten von Wladimir Woytinski, ohne zu erwähnen, daß der Konjunkturexperte Jude war. Zu einem geflügelten Wort wurde Strassers Bemerkung von der „großen antikapitalistischen Sehnsucht“, die durch das deutsche Volk gehe und heute vielleicht schon 95 Prozent desselben bewußt oder unbewußt erfaßt habe.

Es war offenkundig, daß die Nationalsozialisten, die bislang vor allem die evangelischen Mittelschichten in Stadt und Land für sich gewonnen hatten, nunmehr verstärkt um die Stimmen der Arbeiter werben würden. Der zweite Mann der NSDAP bezweckte mit seinem staatsmännischen Auftreten nach Meinung der meisten Beobachter aber auch noch etwas anderes: Er wollte eine Brücke zum Zentrum schlagen, ohne das es auf absehbare Zeit nun einmal keine parlamentarischen Mehrheiten gab.

Die Schlagzeilen beherrschte tags darauf jedoch nicht Strasser, sondern Groener. Der Reichswehr- und kommissarische Innenminister hatte einen sehr schlechten Tag. Wegen eines Furunkels auf der Stirn mußte er einen Verband tragen; zudem hatte er wohl hohes Fieber. Der nationalsozialistische Abgeordnete Hermann Göring, ein Träger der Kriegsklasse des Ordens Pour le Mérite, forderte ihn mit Attacken heraus, in die, wenn Brünings späteres Zeugnis zutrifft, vertrauliche, von Schleicher vermittelte Informationen aus dem Reichswehrministerium eingeflossen waren. Groener, ohnehin kein guter Redner, ließ sich zu einer improvisierten Antwort verleiten, in der er das Verbot der SA zu verteidigen versuchte. In einer Flut von höhnischen Zwischenrufen aus den Reihen der Nationalsozialisten ging der Minister förmlich unter; seine Ausführungen waren kaum noch zu verstehen; die Sitzung mußte schließlich unterbrochen werden.

„Er hat sein eigenes Grablied gesungen", schrieb Goebbels in sein Tagebuch und übertrieb damit nicht. „Der katastrophale Eindruck der Rede ist allgemein", notierte abends ein anderer Tagebuchschreiber, der Staatssekretär der Reichskanzlei, Hermann Pünder, „so z. B. auch bei sehr ruhig und loyal denkenden Männern auf der Regierungsbank, wie den Ministern Joël, Schätzel und Schlange, bei den Staatssekretären Schlegelberger, Zweigert und eigentlich bei *allen* anderen".

Abgeordnete der Konservativen Volkspartei hatten schon unmittelbar nach Groeners Auftritt von Brüning die Entlassung des Ministers gefordert. Am Morgen des 11. Mai ließ Schleicher Pünder mitteilen, wenn Groener jetzt nicht abgehe, würden er, Schleicher, und die übrigen Spitzen der Generalität des Reichswehrministeriums sofort ihren Abschied einreichen. Pünder schlug statt dessen einen längeren Urlaub Groeners vor, was Brüning unterstützte, der Doppelminister aber ablehnte. Er wolle als Reichswehrminister zurücktreten, als Reichsminister des Innern jedoch im Amt bleiben, war sein eigenes Fazit. Dazu hätte er freilich erst einmal zum Innenminister ernannt werden müssen. Denn dem Kabinett gehörte er bisher nur als Reichswehrminister an; als solcher war er am 9. Oktober 1931 mit der Wahrnehmung der Geschäfte des Reichsinnenministers beauftragt worden.

Die Entscheidung über das weitere Schicksal Groeners war noch nicht gefallen, als Brüning am dritten Debattentag zu einer großen Rede das Wort ergriff. Der Reichskanzler setzte sich teils kritisch, teils zustimmend mit den Ausführungen Strassers vom Vortag auseinander, widmete sich ansonsten aber vor allem außenpolitischen Fragen. Er verlangte die militärische Gleichberechtigung Deutschlands und, unter Hinweis auf die bevorstehende Konferenz von Lausanne, die völlige Streichung der Reparationen; er mahnte die Deutschen, sie sollten nur nicht in den letzten fünf Minuten weich werden, und schloß unter stürmischem Beifall der Mehrheit mit einem kämpferischen Appell: „Es spielt auch gar keine Rolle, was Sie (gemeint waren die Nationalsozialisten) über mich im Lande verbreiten; es läßt mich absolut kühl. Wenn ich mich dadurch beeindrucken ließe, dann würde ich den schwersten Fehler machen, den zu machen irgend jemand im Augenblick in der Lage wäre: ich würde die Ruhe auch innenpolitisch verlieren, die, meine Damen und Herren, an den letzten hundert Metern vor dem Ziel das absolut Wichtigste ist."

Der 12. Mai war der Tag der Abstimmungen – und einer Schlägerei im Restaurant des Reichstags. Der Kapitänleutnant a. D. Helmuth Klotz, ein zu den Sozialdemokraten übergewechselter ehemaliger Nationalsozialist, der die Öffentlichkeit anhand von Privatbriefen über die Homosexualität des Stabschefs der SA, Ernst Röhm, informiert hatte, wurde von Nationalsozialisten, darunter Reichstagsabgeordneten, überfallen und in der Wandelhalle blutig geschlagen. Reichstagspräsident Löbe rief die Polizei herbei, die während einer halbstündigen Sitzungspause vier Abgeordnete der NSDAP als Mittäter identifizierte. Daß der jüdische Polizeivizepräsident Bernhard Weiß (in Goebbels' „Angriff" beharrlich „Isidor" genannt) die Truppe befehligte, gab den Nationalsozialisten das Stichwort zu wütenden Schmähungen.

Das von der Regierung eingebrachte Gesetz über Schuldentilgung und Kreditermächtigung hatte der Reichstag schon vor dem Zwischenfall angenommen. Noch breiter war die Mehrheit für einen eindeutig verfassungswidrigen, aber nichtsdestoweniger populären Antrag des Zentrums, der die zwangsweise Entlassung von weiblichen Beamten vorsah, wenn die Versorgung der Familie anderweitig gesichert war. Nach der Sitzungspause wurden die Mißtrauensanträge gegen das Kabinett Brüning, die NSDAP, DNVP und KPD eingebracht hatten, mit den Stimmen der Regierungsparteien und der SPD abgelehnt. Weitere Abstimmungen fanden, obwohl noch Mißtrauensanträge gegen die Minister Schiele und Schlange-Schöningen vorlagen, nicht statt. Als Präsident Löbe nach einer weiteren Sitzungspause die vier tatverdächtigen Abgeordneten der NSDAP für 30 Tage von den Sitzungen ausschloß, weigerten sich diese, den Plenarsaal zu verlassen. Daraufhin unterbrach Löbe die Sitzung auf unbestimmte Zeit. Die Protokollanten hielten die genaue Uhrzeit fest: Es war 14 Uhr 43.[26]

Der Fall Groener war zu diesem Zeitpunkt noch immer nicht gelöst. Zwar lag inzwischen eine Erklärung Groeners vor, wonach er das Reichswehrministerium aufgeben und sich künftig ganz auf das Innenministerium konzentrieren wolle. Aber Hindenburg wollte den völligen Bruch mit Groener und machte es Brüning zur Auflage, während des Pfingsturlaubs des Reichspräsidenten auf Gut Neudeck keinerlei personelle Veränderungen vorzunehmen. Der Kanzler konnte bei diesem Gespräch am 12. Mai, unmittelbar vor Hindenburgs Abreise nach Ostpreußen, auch noch keinen Kandidaten für das Amt des Reichswehrministers präsentieren. Schleicher, dem er am gleichen Tag die Nachfolge Groeners angetragen hatte, war dem Kanzler eine Antwort bisher schuldig geblieben.

Die Nachricht, daß Groener seinen Abschied als Reichswehrminister nehme, wurde allgemein als Anfang vom Ende des Kabinetts Brüning verstanden. Dem „Vorwärts" zufolge lief das Gerücht um, daß ein „Ultimatum der Generäle" Groener zu Fall gebracht habe. Die „Frankfurter Zeitung" sah die Ursache für Groeners Teildemission in der „Rückwirkung des SA-Verbotes auf die Stimmung der Kreise, auf die die Führer der Reichswehr angewiesen sind". Die Nationalsozialisten hatten Grund zum Jubeln. „Groener ist als Reichswehrminister zurückgetreten", notierte Goebbels in sein Tagebuch. „Das ist der erste Erfolg. Er ist über die Schlinge gestolpert, die er sich selbst gelegt hatte. Und dann haben wir sie zugezogen."[27]

Während Hindenburg in Ostpreußen Urlaub machte, bereitete das Kabinett eine neue Notverordnung zur Wirtschafts- und Sozialpolitik vor. Am 21. Mai lag der Inhalt im wesentlichen fest. Auf der einen Seite standen wiederum tiefe Einschnitte in die sozialen Leistungen: Die Betreuungsfrist für die Empfänger der Hauptunterstützung in der Arbeitslosenversicherung wurde von 20 auf 13 Wochen herabgesetzt, die der anschließenden Krisenfürsorge von 38 auf 45 Wochen erhöht, so daß es bei einer Gesamtdauer von 58 Wochen blieb. Anspruch auf Krisenfürsorge sollte allerdings fortan nur noch haben, wer seine Bedürftigkeit nachweisen konnte. In der Hauptunterstützung, der Krisenfürsorge und der gemeindlichen Wohlfahrtshilfe, der untersten Fürsorgestufe, wurden die Unterstützungssätze drastisch gesenkt.

Auf der anderen Seite wollte der Staat auch etwas für Zwecke der Arbeitsbeschaffung tun, wobei das Kabinett den hierfür vorgesehenen Betrag von ursprünglich über 1 Milliarde auf zuletzt 135 Millionen RM herunterdrückte, die teils aus dem ordentlichen Haushalt, teils mit Hilfe der Reichsbank aufgebracht werden sollten. Ländliche und Stadtrandsiedlung, Bodenverbesserung, Straßen- und Wasserstraßenbau waren die Schwerpunkte der Arbeitsbeschaffung, ihr Träger der Freiwillige Arbeitsdienst – eine kostensparende Lösung, da dieser den Erwerbslosen Löhne weit unter dem Tarifniveau und großteils in Gestalt von Naturalien zahlen durfte. Unter dem Strich standen also Maßnahmen, die den Namen „Arbeitsbeschaffungsprogramm" nicht verdienten und vor allem *einen* Zweck hatten: die Fortsetzung und Verschärfung des Deflationskurses politisch durchsetzbar zu machen.[28]

Eng verknüpft mit den Plänen zur Arbeitsbeschaffung war die Siedlungspolitik. Ihre unermüdlichen Befürworter im Kabinett waren Arbeitsminister Adam Stegerwald und Finanzminister Hermann Dietrich. Der ehemalige christliche Gewerkschaftsführer Stegerwald war seit langem der Ansicht, daß die Industrialisierung in Deutschland das gesunde Maß weit überschritten hatte und daß dieses Übel nur zu kurieren war, wenn viele Menschen aus den großen Städten zurück aufs Land gebracht wurden. Die Massenarbeitslosigkeit war aus dieser Sicht nur ein Symptom der Krankheit, die Überindustrialisierung hieß. Zu ähnlichen Schlüssen gelangte Hermann Dietrich, ein Vorkämpfer der vorstädtischen Kleinsiedlung. Beide drängten bereits Anfang Februar 1932 den Reichskommissar für die Osthilfe, Hans Schlange-Schöningen, seine Tatkraft nicht nur der Rettung hochverschuldeter Rittergüter, sondern auch der Siedlung in den dünnbevölkerten Agrargebieten des deutschen Ostens zuzuwenden.

Bislang hatte Schlange-Schöningen in der Tat eine Osthilfe betrieben, die vor allem den Großbetrieben zugute kam. Seine erste Notverordnung vom 16. November 1931 gewährte Gutsbesitzern einen Vollstreckungsschutz, von dem Bauern nur träumen konnten. Die Verordnung zur landwirtschaftlichen Entschuldung vom 6. Februar 1932 sah vor, daß Gläubiger mit „Osthilfe-Entschuldungsbriefen" abgefunden werden konnten – auch dies eine Maßnahme, die den großen Gütern sehr viel mehr nützte als kleineren Betrieben. Grundsätzlich aber war Schlange-Schöningen von der Notwendigkeit einer verstärkten Siedlung durchaus überzeugt, ja er sah in ihr, ähnlich wie Stegerwald und Dietrich, ein, wenn nicht *das* Heilmittel gegen die Arbeitslosigkeit.

Am 9. Mai legte Schlange nach langwierigen Beratungen zwischen den Ressorts den Entwurf einer Notverordnung vor, die den Gedanken der Siedlung in den Vordergrund rückte. Der Reichskommissar für die Osthilfe wurde ermächtigt, Güter, die nicht mehr entschuldungsfähig waren, „freihändig" oder auf dem Weg der Zwangsversteigerung für das Reich zu erwerben. Dieses konnte das Land dann für Zwecke der bäuerlichen Siedlung verwenden. Das Kabinett verabschiedete den Entwurf am 20. Mai in leicht veränderter Fassung. Umstritten war nur noch die Zuständigkeit: Das Siedlungswesen unterstand dem Reichsarbeitsminister, der sich aber im konkreten Fall mit dem Ostkommissar abzustimmen hatte. Am 21. Mai verständigten sich Stegerwald und Schlange auf eine Regelung, die den Reichskommissar als den Sieger erscheinen ließ.[29]

Am gleichen Tag erfuhr auch die Öffentlichkeit durch ein von Pünder verfaßtes Kommuniqué von den Siedlungsplänen. Unmittelbar danach setzte eine großangelegte Kampagne des Reichslandbundes gegen den Kabinettsentwurf ein. Der größte landwirtschaftliche Dachverband war seit dem Herbst 1930 fest in den Händen der „nationalen Opposition"; seit dem Dezember 1931 gehörte dem vierköpfigen Präsidium neben drei Deutschnationalen ein führender Agrarpolitiker der NSDAP an. Bei dieser politischen Ausrichtung mußte der Verband die Siedlungsverordnung geradezu als Himmelsgeschenk empfinden: Die Regierung Brüning lieferte den Agrariern ein Argument, das es ihnen erlaubte, dem Kabinett einen Anschlag auf die überkommene Eigentumsordnung vorzuwerfen.

Für die Proteste gab es einen Adressaten, von dem man wußte, daß er für die Sorgen und Wünsche der ostdeutschen Landwirtschaft ein offenes Ohr hatte: Paul von Hindenburg. Während der Reichspräsident auf Gut Neudeck weilte, wandten sich neben anderen die Präsidenten des Reichslandbundes, Graf Kalckreuth, und des Deutschen Landwirtschaftstages, Ernst Brandes, der Gutsbesitzer Weiß aus Groß-Plauen sowie die Geschäftsstellen des Landbundes in der Grenzmark Posen-Westpreußen und Sachsen in Briefen an das Staatsoberhaupt.

Der Tenor war stets derselbe. Das Zwangsversteigerungsrecht der Behörden sei, so formulierte es der Direktor der Ostpreußischen Landgesellschaft,

Freiherr von Gayl, ein „weiterer Eingriff und neues Abgleiten in den Staatssozialismus". Durch das Bekanntwerden des Entwurfs seien weite Kreise des Ostens in Landwirtschaft und städtischem Mittelstand sehr beunruhigt. „Die Zermürbung der Seelen macht im Osten leider Fortschritte. Sie wirkt allmählich auf die Widerstandskraft der Kreise, welche bisher Träger des nationalen Wehrwillens gegenüber den Polen sind. Diese Beobachtung ist auch den militärischen Stellen nicht entgangen. In dieser kritischen Zeit müßte alles vermieden werden, was geeignet sein kann, den Widerstandswillen zu schwächen."

Die Eingaben zeitigten rasch die erhoffte Wirkung. Am 25. Mai ließ Hindenburg Schlange durch Meissner mitteilen, in ihrer gegenwärtigen Fassung könne er der Verordnung nicht zustimmen. Was den Reichspräsidenten besonders störte, war das Herzstück des Entwurfs: das Recht des Reiches, auch von sich aus, ohne Antrag der Gläubiger, Güter zwangszuversteigern. Hindenburg verlangte eine Mitwirkung der berufsständischen Organe der Landwirtschaft bei entsprechenden Entscheidungen – ein Vorschlag, der darauf abzielte, Schlanges Entwurf jeden „Biß" zu nehmen.[30]

Auch für Brüning brachte Meissner, als er am 26. Mai von einem kurzen Besuch in Neudeck nach Berlin zurückkehrte, eine Botschaft des Reichspräsidenten mit. Er empfinde nach wie vor Verehrung für den Reichskanzler, ließ Hindenburg ausrichten, wolle ihn, wenn irgend möglich, im Amt halten. Doch das Kabinett müsse nach rechts umgebaut werden – mit Leuten wie Schleicher und Goerdeler, aber ohne Nationalsozialisten. Wenn es in Preußen zu einer Koalition mit der Partei Hitlers käme, was der Reichspräsident für sehr wünschenswert halte, dann könnten die Nationalsozialisten zur Tolerierung eines Rechtskabinetts im Reich gebracht werden. Groener wolle er, Hindenburg, überhaupt nicht mehr im Kabinett haben, auch nicht als Innenminister.

Hindenburg war demnach weiterhin entschlossen, zum frühestmöglichen Zeitpunkt eine Regierung der Rechten zu bilden. Daß dieses Ziel ohne einen Kanzlerwechsel nicht zu erreichen war, mußte auch dem Reichspräsidenten klar sein. Denn Brüning konnte nur dann an die Spitze einer Rechtsregierung treten, wenn er bereit war, den Verlust seiner persönlichen Glaubwürdigkeit hinzunehmen – also politischen Selbstmord zu begehen. Was Hindenburg bislang vor einer Entlassung des Kanzlers hatte zurückschrecken lassen, war der Gedanke an die Reparationskonferenz in Lausanne. Der Reichspräsident schien es allerdings für möglich zu halten, daß Brüning einen Erfolg bei diesen Verhandlungen auch dann bewirken könne, wenn er in einem Rechtskabinett das Amt des Außenministers beibehielt: Von entsprechenden Überlegungen in Hindenburgs Umgebung hatte Staatssekretär Meissner dem deutschnationalen Reichstagsabgeordneten Quaatz schon am 6. Mai berichtet. Doch nichts sprach dafür, daß Brüning bereit war, ein solches Angebot aufzunehmen. Das politische Prestige, das er in der Mitte und bei der gemäßigten Linken genoß, hätte er als Außenminister einer

Regierung der nationalistischen Rechten wohl ebenso eingebüßt wie als deren Kanzler.

Auch in Preußen verlief die Entwicklung nicht so, wie Hindenburg sich das vorstellte. Am 24. Mai – dem Tag, an dem der neugewählte Landtag zu seiner konstituierenden Sitzung zusammentrat – erklärte die Regierung Braun formell ihren Rücktritt. Am 25. Mai wählte eine Mehrheit des Landtags den Nationalsozialisten Kerrl zum Präsidenten. Er verdankte seine Wahl der Stimmenthaltung des Zentrums, das sich, in Absprache mit Brüning, an das ungeschriebene, aber keineswegs zwingende Gesetz hielt, wonach die stärkste Fraktion den Präsidenten stellte. Die Wahl Kerrls war indes kein Anzeichen dafür, daß sich eine breitere schwarz-braune Verständigung anbahnte. „Daß in Preußen eine Lösung *mit* den Nazis zustande kommt, sehr zweifelhaft, kann sich zum mindesten noch Monate hinziehen", notierte Pünder am 26. Mai über das Gespräch zwischen Brüning und Meissner in sein Tagebuch. „Solange Lösung im Reich nicht hinausschieben, siehe auch Lausanner Konferenz! Wenn aber keine Lösung in Preußen, dann natürlich auch keine Unterstützung (durch die Nationalsozialisten, H. A. W.) im Reich möglich. Nachher Reichskanzler mit mir allein. Er erwägt stark, völlig zurückzutreten und der Rechten die Sache zu überlassen. Dann auch nicht als Außenminister. Weiß auch noch nicht, ob er Notverordnung vorlegen soll. Will zunächst mal darüber schlafen. *Sonntag* (29. Mai, H. A. W.) sein entscheidender Vortrag beim Reichspräsidenten."[31]

Zu Optimismus hatte Brüning in der Tat keinen Anlaß. Besser als irgend jemand sonst wußte er, daß ein Durchbruch in der Reparationsfrage noch keineswegs zum Greifen nahe war. Als ihn der französische Botschafter François-Poncet am 13. Mai auf die am meisten beachtete Passage seiner jüngsten Reichstagsrede, die Bemerkung von den „letzten hundert Metern vor dem Ziel", ansprach, schränkte der Kanzler ein: „Es komme bei der Beurteilung der Entfernung vom Ziel auf die Gesamtstrecke an." Am 27. Mai erklärte Brüning in einer internen Besprechung, in Lausanne werde Deutschland die Streichung der Reparationen fordern müssen. „Diese Forderung wird sich allerdings kaum sofort durchsetzen lassen, wenigstens noch nicht auf dieser Konferenz. Die Gegenseite wird nicht bereit sein, anzuerkennen, daß Deutschland auch in aller Zukunft nicht mehr in die Lage kommen wird, Überschüsse für die Reparationsleistungen zu erzielen." Bei so viel Pessimismus konnte der Kanzler kaum noch darauf setzen, daß der Hinweis auf Lausanne ausreichen würde, Hindenburg den Wunsch nach einem raschen Regierungswechsel auszutreiben.

Die Öffentlichkeit erfuhr am 27. Mai nichts von Brünings düsteren Prognosen, wohl aber von einer Entschließung der deutschnationalen Reichstagsfraktion zur Siedlungsverordnung. Zwei Tage vor Hindenburgs Rückkehr nach Berlin holte die Partei Hugenbergs zu ihrem bisher massivsten Schlag gegen die Politik der Regierung Brüning aus. „Der Weg, den die Reichsregierung mit dieser Notverordnung zu gehen gewillt ist, stellt sich als vollendeter Bolschewismus dar", hieß es in der Resolution. „Die vorliegende Notverordnung bringt niemandem eine Hilfe, weder dem Eigentümer noch dem Gläubiger, weder dem Staat noch dem Volk. Sie verletzt aber brutal alle Grundsätze der in der Verfassung verbürgten Eigentumsrechte. Sie vermehrt die wirtschaftliche Not in Stadt und Land, wird Tausende von Menschen von Haus und Hof jagen; vor allem aber steigert sie das Gefühl der Rechtsunsicherheit der Menschen im deutschen Osten gegen die Willkür der eigenen Regierung und schwächt daher die heute besonders wichtige seelische Widerstandskraft der Deutschen im bedrohten Osten."

Ohne die Deutschnationalen konnte Hindenburg, solange er Nationalsozialisten nicht zu Reichsministern machen wollte, keine Kurskorrektur nach rechts durchsetzen. Deshalb gab es spätestens seit dem 27. Mai kein Zurück mehr hinter seine Weigerung, die Siedlungsverordnung zu unterschreiben. Der Reichskommissar für die Osthilfe sah seinerseits keinen Spielraum mehr für Kompromisse. Am 27. Mai teilte Schlange-Schöningen Meissner telefonisch mit, er fürchte, „daß ich hier torpediert werde von ostpreußischen Latifundienbesitzern, die in Neudeck auf den Herrn Reichspräsidenten eingewirkt haben". Es gebe Gerüchte, daß Hindenburg ihn, Schlange, als „Agrarbolschewik" bezeichnet habe. Wenn der Reichspräsident sein Abschiedsgesuch haben wolle, könne er es sofort bekommen.

Meissner bestritt zwar, daß Hindenburg sich abträglich über den Reichskommissar geäußert habe. Doch Schlange schrieb noch am gleichen Tag mit Brünings Zustimmung einen Brief, in dem er den Reichspräsidenten vor die Alternative stellte, ihn entweder seines vollen Vertrauens zu versichern oder zu entlassen. Mit dieser Entscheidung band Schlange das Kabinett: Es konnte sich nicht die dritte Ministerkrise innerhalb eines Monats leisten; es stand und fiel daher mit der Siedlungsverordnung.[32]

Am Sonntag, den 29. Mai, vormittags elf Uhr, fand das verabredete Gespräch zwischen dem Reichspräsidenten und dem Reichskanzler statt. Brüning, der von den Intrigen der Kamarilla einiges, aber längst nicht alles erfahren hatte, ging, dem Zeugnis Pünders zufolge, „*wenig angriffsfreudig* und wenig zuversichtlich" in die Besprechung. Hindenburg empfing ihn, so schilderte er es später in seinen Memoiren, betont kühl. Nachdem der Reichskanzler nochmals die Grundzüge seiner Politik und namentlich seine Bemühungen um eine Wendung nach rechts dargelegt hatte, die zuerst in den Ländern, dann auch im Reich vollzogen werden sollte, erwiderte der Reichspräsident „in barschem, groben Ton": „Über Ihre Neigung, nach rechts zu gehen, hört man aber auch ganz andere Ansichten". Dann verlas Hindenburg eine handschriftliche Notiz etwa folgenden Inhalts: „1. Die Regierung erhält, weil sie zu unpopulär ist, von mir nicht mehr die Erlaubnis, neue Notverordnungen zu erlassen. 2. Die Regierung erhält von mir nicht mehr das Recht, Personaländerungen vorzunehmen."

Laut seinen Erinnerungen antwortete Brüning: „‚Wenn ich die mir soeben vorgelesenen Äußerungen richtig verstehe, so wünschen Sie, Herr Reichspräsident, die Gesamtdemission des Kabinetts.‘ Antwort des Reichspräsidenten: ‚Jawohl. Diese Regierung muß weg, weil sie unpopulär ist.‘ Ich erklärte: ‚Ich werde morgen das Kabinett zusammenrufen und die Gesamtdemission des Kabinetts beschließen lassen.‘ Der Reichspräsident: ‚Ich ersuche darum, daß es möglichst schnell geschieht!‘ Mich fassend, erwiderte ich ruhig, ich selbst sähe es als Staatsnotwendigkeit an, daß möglichst schnell ein neues Kabinett gebildet würde. ‚Ich kann morgen früh alsbald die Demission überbringen.‘ Der Reichspräsident: ‚Tun Sie das.‘“

Als Hindenburg gegen Ende des Gesprächs Brüning aufforderte, als Außenminister in der neuen Regierung zu bleiben, lehnte dieser ab. „Einstweilen sei für ihn eine solche Beteiligung auch schon im Hinblick auf die *Wähler des Reichspräsidenten* ein Ding der Unmöglichkeit“, sagte der Kanzler laut Pünders Notizen, die dieser am Nachmittag des 29. Mai auf Grund von Brünings Bericht anfertigte. „Er sagte, die Treue und Dankbarkeit gegen diese Wählerschaften dürfe sich nicht schon nach wenigen Wochen in dieser Weise zeigen. Diesen *recht deutlichen* Hinweis schien der Reichspräsident völlig zu überhören ... Ich brauche in diesen Zeilen kaum darauf hinzuweisen, daß der Reichskanzler, ohne sich das deutlich anmerken zu lassen, über diese kaltschnäuzige Art des Präsidenten mit Recht innerlich äußerst empört war.“

Am Vormittag des folgenden Tages, des 30. Mai, führte Brüning vor der letzten Kabinettssitzung noch eine Reihe von Gesprächen, darunter eines mit Otto Wels. Der Vorsitzende der Sozialdemokraten versicherte dem Kanzler, seine Partei sei bereit, weitere Opfer zu bringen, wenn Brüning im Amt bleibe. Dem Kabinett berichtete der Kanzler um 10 Uhr von der Unterredung, die er tags zuvor mit Hindenburg geführt hatte. Alle Minister stimmten Brünings Schlußfolgerung zu, daß der Rücktritt des Kabinetts nach Lage der Dinge unvermeidlich sei.

Das anschließende Gespräch mit dem Reichspräsidenten währte nur wenige Minuten. „Die Zeit für den Vortrag war ursprünglich nach dem Aufmarsch der Skagerakwache angesetzt. Im letzten Augenblick wurde sie abgeändert“, schreibt Brüning in seinen Memoiren. „Ich wurde auf 11 Uhr 55 bestellt. Um 11 Uhr 54 wurde ich hereingeführt zum Reichspräsidenten. Ich überbrachte die Demission. Einige höfliche Worte auf beiden Seiten. Schon klang die Musik der Matrosenwache von der Hohenzollernstraße her durch den Garten. Ich erhob mich. Der Reichspräsident sagte: ‚*Ich mußte Sie wegen meines Namens und meiner Ehre entlassen.*‘ Antwort: ‚Herr Reichspräsident, auch ich habe einen Namen und eine Ehre vor der Geschichte zu verteidigen!‘ Sekunden des Schweigens, die Musik wird lauter. Ich sagte: ‚Herr Reichspräsident, ich muß mich jetzt verabschieden, damit Sie rechtzeitig beim Aufziehen der Wache in das Portal treten können.‘“

Hindenburg machte noch einen letzten Versuch, Brüning zum Bleiben als Außenminister zu bewegen. Wiederum lehnte der Kanzler ab. Dann sagte Brüning: „‚Ich hoffe nur eins, Herr Reichspräsident, daß Ihre Ratgeber Sie nicht auf einen Weg drängen, der zum Verfassungsbruch führt.‘ Der Reichspräsident sah mich scharf an. Schon klopfte es an der Tür. Anscheinend hatte man Sorge, die Unterhaltung dauere zu lange. Die Unterhaltung hatte drei und eine halbe Minute gedauert. Ich verbeugte mich stumm, zog mich im Vorraum an, ging durch den Garten zurück, während der Reichspräsident in das Portal trat und die Ehrenkompanie der Marine mit klingendem Spiel salutierte.“[33]

Der Sturz Brünings war ein tiefer historischer Einschnitt. Am 30. Mai 1932 endete die gemäßigte Phase des Präsidialsystems. Ihr hervorstechendes Merkmal war seit dem Oktober 1930 die parlamentarische Tolerierung der Reichsregierung durch die Sozialdemokratie. Die größte republikanische Partei stützte das Kabinett Brüning in der doppelten Absicht, eine noch weiter rechtsstehende Reichsregierung zu verhindern und die Weimarer Koalition mit Zentrum und Deutscher Staatspartei in Preußen aufrechtzuerhalten. Daraus erwuchs eine wechselseitige Abhängigkeit: Die SPD konnte Brüning nicht stürzen, ohne Braun zu Fall zu bringen; das Zentrum, die andere große republikanische Kraft, durfte die Preußenkoalition nicht aufkündigen, weil es sonst Brünings Kanzlerschaft gefährdet hätte.

Der Rechten gegenüber verteidigte das Zentrum das preußische Regierungsbündnis damit, daß die Sozialdemokratie auf diese Weise gehindert werde, „mit den Kommunisten zusammen auf die Straße zu gehen“. Tatsächlich fiel die SPD seit dem Herbst 1930 als Oppositionspartei aus, was den Nationalsozialisten die Chance gab, sich als *die* oppositionelle Kraft rechts von den Kommunisten zu präsentieren, und es der KPD erleichterte, unzufriedene Wähler der SPD für sich zu gewinnen. Die Sozialdemokraten konnten, wenn sie die Macht in Preußen nicht preisgeben wollten, nicht anders, als Brüning zu tolerieren. Aber sie begaben sich damit zugleich auch der Möglichkeit, im Wettkampf um die außerparlamentarische Mobilisierung der Massen mitzuhalten. Als die Regierung Braun am 24. April 1932 ihre parlamentarische Mehrheit verlor, brach für die preußische Sozialdemokratie eine Welt zusammen: Der SPD verblieb augenscheinlich nur noch die triste Alternative, entweder ein schwarz-braunes Kabinett mit den gewohnten parlamentarischen Mitteln zu bekämpfen oder mit stillschweigender Duldung der Kommunisten ein geschäftsführendes Minderheitskabinett Braun weiteramtieren zu lassen.[34]

Das Arrangement zwischen Brüning und der Sozialdemokratie war indes nicht nur eine Daseinsbedingung des gemäßigten Präsidialsystems, sondern auch seine Achillesferse. Die politischen und sozialen Zugeständnisse, mit denen der Zentrumskanzler seine Tolerierung durch die SPD erkaufte, erschienen den Kräften rechts vom Regierungslager seit langem als ein untragbar hoher Preis. Eine Alternative zu dieser Variante des Präsidialsystems begann sich abzuzeichnen, seit die NSDAP mit ihren Legalitätsbeteuerungen Glauben fand. In dem Maß, wie die Nationalsozialisten zu *der* Massenbewegung der Rechten aufstiegen, wuchs bei Teilen der alten Eliten die

Neigung, die Partei Hitlers an den Staat heranzuführen – durch Regierungsbeteiligung in den Ländern, namentlich in Preußen, und durch eine Art Duldungspakt im Reich. Die Tolerierungspolitik sollte also gewissermaßen von links nach rechts umgepolt werden, wobei der NSDAP aber, anders als der SPD unter Brüning, eine wirklich „tragende" Rolle zugedacht war.

Auch Brüning strebte spätestens seit dem Herbst 1931 eine politische Einbindung der Nationalsozialisten an. Vor dem Tor zur Staatsmacht errichtete er jedoch eine hohe Hürde: Die NSDAP sollte sich glaubhaft auf den Boden der Verfassung stellen und nicht in den Besitz der entscheidenden Herrschaftsmittel wie der Polizei und der Reichswehr gelangen. Das war, gemessen an den Erwartungen Hitlers, nichts Geringeres als die Quadratur des Kreises. Die traditionelle Rechte formulierte ihre Bedingungen für eine Machtzulassung der Nationalsozialisten sehr viel weniger präzise. Nur so viel war sicher, daß Hindenburg und seine Kamarilla im Frühjahr 1932 nicht daran dachten, die entscheidenden Machtbastionen der Hitler-Bewegung zu überlassen. Die Nationalsozialisten waren ihnen als Juniorpartner willkommen, aber nicht als ihre politischen Erben.

Brünings Vizekanzler Hermann Dietrich sah, wie er am 12. Juni 1932 vor dem Gesamtvorstand der Deutschen Staatspartei erklärte, die „tieferen Gründe" für die Entlassung des Zentrumskanzlers darin, „daß eine Schicht, die vorher im Staat keinen Einfluß mehr hatte, nämlich das Alt-Preußentum, die Herrschaft wieder an sich zu nehmen gewillt ist". Dietrich berief sich bei seinem Urteil auf ein Gespräch mit Schleicher. Tatsächlich gehörten die preußischen Rittergutsbesitzer in ihrer großen Mehrheit zu Brünings entschiedensten Gegnern. Was Hindenburg an seinem ersten Präsidialkanzler auszusetzen hatte, war zu einem guten Teil das Echo von Gesprächen mit ostpreußischen Gutsnachbarn, darunter seinem Freund Elard von Oldenburg-Januschau.

Dennoch war Dietrichs Verdikt nur bedingt richtig. Zum einen übten die Junker nicht erst seit dem Frühjahr 1932 starken politischen Einfluß aus. Das Privileg des direkten Zugangs zu Hindenburg hatten sie vielmehr seit dessen erster Wahl im Jahr 1925, und durch den Übergang zum Präsidialsystem im März 1930 war der politische Kurswert dieser Art von informeller Machtteilhabe gewaltig gestiegen. Zum anderen waren die ostelbischen Agrarier nicht die einzige Fraktion der Kamarilla, die den Sturz Brünings auf ihr Konto schreiben konnte. Die Weichen für den Regierungswechsel stellte im April 1932 die Reichswehrführung um General von Schleicher. Der Chef des Ministeramtes im Reichswehrministerium entfachte die Krise um das SA-Verbot, um zuerst Groener und dann Brüning zu Fall zu bringen. Schleicher handelte mit Hitler konspirativ die Bedingungen aus, unter denen die NSDAP ein Rechtskabinett tolerieren wollte: die Aufhebung des Verbots von SA und SS, die Auflösung des Reichstags und Neuwahlen. Er war es, der Hindenburg für das neue Arrangement der Kräfte gewann und ihm schließlich auch den Nachfolger für Brüning präsentierte. Der General hatte also allen Grund, Dietrich gegenüber seinen eigenen Anteil am Kanzlersturz zu verschleiern.

Während Hindenburgs Pfingsturlaub auf Neudeck erfuhr zumindest einer seiner Gutsnachbarn aus erster Hand, daß der Reichspräsident sich demnächst von seinem bisherigen Kanzler trennen würde. „Das *Brüning*-Kabinett ist erledigt", schrieb der „alte Januschauer" am 21. Mai, noch bevor Meldungen über die Siedlungsverordnung zu ihm gedrungen waren, an den Freiherrn von Gayl. Wann der Kanzlerwechsel stattfinden würde, stand zu diesem Zeitpunkt allerdings noch nicht fest, da Hindenburg unsicher war, ob er nicht doch den Ausgang der Reparationskonferenz in Lausanne abwarten sollte, ehe er Brüning entließ. Die Kampagne gegen die Siedlungsverordnung und die ultimativ formulierte Entschließung der Deutschnationalen brachte den Reichspräsidenten dann in Zugzwang. Wenn er nicht die Rükkendeckung der Kräfte aufs Spiel setzen wollte, auf die das neue Kabinett angewiesen war, mußte er rasch handeln. Daß Brüning sein Amt schon Ende Mai räumen mußte, ging in der Tat auf das Drängen namhafter Vertreter des „Alt-Preußentums" zurück.[35]

Von keinem Kanzler der Weimarer Republik läßt sich mit solchem Recht wie von Brüning sagen, daß sein Charakterbild, von der Parteien Gunst und Haß verzerrt, in der Geschichte schwankt. Den einen gilt er als ein Mann, der die Grundlagen der deutschen Demokratie systematisch unterhöhlt hat und darüber zu einem unfreiwilligen Wegbereiter Hitlers wurde. Andere sehen in ihm den Vertreter einer konservativen Alternative sowohl zum gescheiterten parlamentarischen System als auch zur nationalsozialistischen Diktatur. Der zweiten Lesart zufolge war Brünings Politik auf weiten Strecken historisch notwendig und erst sein Sturz der Beginn des Wegs in die Katastrophe.

Richtig ist, daß die parlamentarische Demokratie von Weimar bereits gescheitert war, als Brüning am 30. März 1930 Kanzler wurde. Nach dem Zerbrechen der Großen Koalition war der Übergang zum offenen Präsidialsystem nur noch eine Frage der Zeit. Die sozialdemokratische Politik der Tolerierung legte der Verselbständigung der Exekutivgewalt bis zum Sturz Brünings Fesseln an, die den Anhängern des autoritären Staates ein fortwährendes Ärgernis waren. So gesehen, bestand eine Schrumpfform des Weimarer Parlamentarismus noch bis Ende Mai 1932 fort.

Brünings rigoroser Deflationskurs beruhte bis weit in die zweite Hälfte des Jahres 1931 hinein auf einem breiten gesellschaftlichen Konsens. Nicht nur das bürgerliche Regierungslager, auch die Sozialdemokratie bejahte die Notwendigkeit einer konsequenten Sparpolitik, weil sich nur so die Folgen der ungesunden Pumpwirtschaft der vorangegangenen Jahre korrigieren ließen. Zugunsten äußerster Sparsamkeit sprach auch, daß an eine Revision des Young-Plans kaum zu denken war, wenn der Staat großzügige Mittel für Zwecke der Arbeitsbeschaffung aufbrachte.

Erst seit der Jahreswende 1931/32 gab es die Möglichkeit zu einer grundsätzlichen Kurskorrektur. Nachdem der amerikanische Kongreß das Hoover-Moratorium ratifiziert und der Basler Sonderausschuß den Young-Plan als obsolet bezeichnet hatte, hätte Brüning zu einer aktiven Konjunkturpolitik übergehen können. Aber seine Prioritäten waren andere: Im Vordergrund stand die völlige Streichung der Reparationen, und um dieses Zieles willen setzte er seine Politik der gewollten Depression fort. Es war eine Politik der moralischen Erpressung. Die Reparationsgläubiger sollten sehen, wohin sie Deutschland trieben: in wachsendes Massenelend und zunehmende politische Radikalisierung.[36]

Durch die Reparationen trugen die Siegermächte des Weltkriegs wesentlich zur Verschärfung der deutschen Staats- und Wirtschaftskrise bei. Aber die Reparationen erklären nicht, warum Brüning es ablehnte, den erweiterten Handlungsspielraum in der Wirtschaftspolitik zu nutzen, den er seit Anfang 1932 besaß. Was ihm eine Änderung der bisher verfolgten Linie unmöglich erscheinen ließ, war sein ausgeprägter Nationalismus – ein Nationalismus, mit dem er sich und seinen Landsleuten beweisen konnte, daß die Katholiken ebenso gute Deutsche waren wie die Protestanten. Auf einem anderen Blatt steht, daß Hindenburg und seine Berater eine „weichere" Haltung Brünings in der Reparationsfrage schwerlich akzeptiert hätten. Brünings Vorgänger Hermann Müller hatte sich nur deswegen bis Ende März 1930 im Amt halten können, weil der maßgebliche Teil der alten Führungsschicht ein starkes Interesse daran hatte, daß die Große Koalition den Young-Gesetzen zu einer parlamentarischen Mehrheit verhalf. Brüning vermochte seine Regierungszeit im Frühjahr 1932 mit dem Argument zu verlängern, daß kein Kanzler der Rechten so gute Chancen hatte wie er, den Young-Plan ein für allemal aus der Welt zu schaffen. Als er den Reichspräsidenten mit dieser Behauptung nicht mehr beeindrucken konnte, mußte er gehen.

Auf eine paradoxe Weise war Brüning zugleich der stärkste und der schwächste Kanzler in der bisherigen Geschichte der Weimarer Republik: der stärkste, weil er vom Reichstag unabhängiger war als alle seine Vorgänger, der schwächste, weil noch nie ein Regierungschef vom Wohlwollen des Reichspräsidenten so abhängig gewesen war wie er. In letzter Instanz zählte nicht, was Brüning wollte, sondern was der Reichspräsident und seine Umgebung für erforderlich hielten. Ob Brüning in seiner Zeit als Reichskanzler auf die Restauration der Hohenzollern-Monarchie hingearbeitet hat oder nicht, ist daher nur von begrenztem historischen Interesse. Die Abhängigkeit von Hindenburg ließ Brüning auch von Anfang an keine Möglichkeit, zum Architekten einer „konservativen Alternative" zu werden. Was die Kamarilla anstrebte, wird mit dem Begriff „konservativ" nicht zureichend beschrieben. Die Pläne derer, die das Ohr des Reichspräsidenten hatten, liefen auf einen autoritären Staat hinaus, in dem der Wille der Massen nur noch gedämpft zur Geltung kommen sollte. Die entscheidende Säule eines solchen Regimes wäre nicht mehr das Parlament, sondern die Reichswehr gewesen.

Brünings Entlassung brachte die Befürworter einer autoritären Krisenlösung ihrem Ziel ein gutes Stück näher. Wäre es Hindenburg darum gegangen, von Weimar soviel wie möglich zu bewahren, hätte er an seinem vom Reichstag tolerierten Kanzler festhalten müssen. Neuwahlen waren erst im September 1934 fällig, und bis dahin mochte sich die wirtschaftliche Lage gebessert und die Flut des Radikalismus verlaufen haben. Aber auf der Tagesordnung des Kreises um Hindenburg standen nicht die Bewahrung und die Reform der Demokratie, sondern ihr weiterer Abbau. Diesem Vorhaben konnte ein Kanzler der nationalistischen Rechten in der Tat sehr viel dienlicher sein als ein Politiker der rechten Mitte wie Heinrich Brüning.[37]

16.

Die Drohung des Bürgerkrieges

Der Name von Brünings Nachfolger wurde bereits am 25. Mai an der Berliner Gerüchtebörse gehandelt. Nach einem Gespräch mit Werner von Alvensleben, einem Vertrauensmann Schleichers, schrieb Goebbels in sein Tagebuch: „Kanzler v. Papen, Außen Neurath. Dann noch eine Reihe unbekannterer Namen." Franz von Papen, bis zu den Wahlen vom 24. April einer der am weitesten rechtsstehenden Hinterbänkler der Zentrumsfraktion im preußischen Landtag, nach wie vor Hauptaktionär und Aufsichtsratsvorsitzender des Parteiblattes „Germania" sowie Vorstandsmitglied mehrerer landwirtschaftlicher Interessenverbände, behauptet dagegen in seinen Memoiren, Schleicher habe ihn erst am 28. Mai mit der Frage seiner Kanzlerschaft überrascht.

Die Motive für Schleichers Einfall sind nicht belegt, aber unschwer zu entschlüsseln. Papen galt als hochkonservativ, war ansonsten jedoch ein weithin unbeschriebenes Blatt, versprach also ein lenkbarer Kanzler zu werden. Gegenüber dem Grafen Westarp, dem Hindenburg gern die Nachfolge Brünings übertragen hätte, hatte der westfälische Gutsbesitzer vom Jahrgang 1879 den großen Vorteil, daß er kein persönlicher Feind Hugenbergs war. Seine Mitgliedschaft im Zentrum mochte es aus Schleichers Sicht der Partei Brünings erleichtern, sich mit dem Kanzlerwechsel abzufinden und die neue Regierung zu unterstützen. Für Hindenburg war die katholische Konfession von Schleichers Kandidat gewiß kein Grund zur Freude. Dafür entstammte Papen dem Adel, und seine Zuneigung zu Hindenburg hatte er schon 1925, bei dessen erster Wahl zum Reichspräsidenten, öffentlich zu Protokoll gegeben.

Einige Daten aus der Biographie des neuen Reichskanzlers waren ganz nach dem Geschmack des Generalfeldmarschalls: Nach der Ausbildung in Kadettenanstalten hatte Papen Dienst im königlich preußischen Pagenkorps und als Ulanenoffizier getan, sich als Renn- und Hindernisreiter einen Namen gemacht, eine mehrjährige Generalstabsausbildung absolviert und Anfang 1914, nunmehr Hauptmann, den Posten des Militärattachés an der deutschen Botschaft in Washington übernommen. In die amerikanische Zeit fiel eine Episode, von der viele Zeitungen nach seiner Ernennung zum Kanzler berichteten: Zu Beginn des Weltkrieges hatte Papen von Washington aus Sabotageakte in Kanada und den USA vorbereitet; nach seiner Ausweisung als „persona ingrata" im Dezember 1915 fanden die Briten bei einem Zwischenaufenthalt in einem englischen Hafen einschlägiges Beweismaterial im Reisegepäck des deutschen Diplomaten. Nach Deutschland zurückgekehrt, wurde Papen zunächst Bataillonskommandeur an der Westfront und fand anschließend als Generalstabsoffizier beim türkischen Verbündeten Verwendung. Seine zivile Nachkriegskarriere begann 1921 mit der Wahl in den preußischen Landtag.[1]

Papens Ernennung zum Reichskanzler gingen Gespräche des Reichspräsidenten mit den Vertretern der Parteien voraus. Politisches Gewicht hatte lediglich *eine* Unterredung – die mit Hitler und Göring am späten Nachmittag des 30. Mai. Für eine „ersprießliche Zusammenarbeit mit einer vom Herrn Reichspräsidenten gebildeten neuen Regierung" stellte der Führer der NSDAP der amtlichen Aktennotiz Meissners zufolge nur zwei Bedingungen, nämlich „erstens die möglichst rasche Auflösung des Reichstags und die Neuwahl eines Reichstags, welcher der Volksstimmung entspräche, und zweitens die alsbaldige Aufhebung der die NSDAP diffamierenden Verordnungen, insbesondere das SA-Verbot".

Hitlers Ausführungen entsprachen dem, was er in den vorangegangenen Wochen schon Schleicher gesagt hatte. Hindenburg erhielt durch das Gespräch also eine Bestätigung des Kalküls, das hinter dem Sturz Brünings stand. Daß der Reichspräsident bereit war, die Bedingungen der Nationalsozialisten zu erfüllen, verstand sich nach dem bisherigen Verlauf der Ereignisse von selbst. Der mutmaßliche Ausgang von Neuwahlen schien weder Schleicher noch Hindenburg zu irritieren: Nachdem die NSDAP am 29. Mai bei den Landtagswahlen in Oldenburg die absolute Mehrheit der Sitze erobert hatte, konnte es kaum noch einen Zweifel geben, daß die Nationalsozialisten auch in den neuen Reichstag als die mit Abstand stärkste Partei einziehen würden.

Das einzige Hindernis, das Ende Mai einer Ernennung Papens noch im Weg stand, war die Haltung des Zentrums. Für die katholische Partei war es nach der demütigenden Entlassung Brünings geradezu ein Gebot der Selbstachtung, daß sie den Machenschaften der Kamarilla eine demonstrative Absage erteilte. Unmittelbar nachdem Papen am 31. Mai von Hindenburg den Auftrag zur Bildung einer „Regierung der nationalen Konzentration" erhalten hatte, machte daher der Parteivorsitzende Kaas dem Kanzlerkandidaten klar, daß das Zentrum es als Verrat betrachten würde, wenn dieser tatsächlich die Nachfolge Brünings antreten sollte.

Daraufhin erklärte Papen dem Reichspräsidenten in einer zweiten Unterredung, er komme als Reichskanzler nicht in Frage, da er nicht mit der erhofften „Hochzeitsgabe", der parlamentarischen Unterstützung seiner Partei und damit der politischen Mitte, aufwarten könne. Doch Hindenburg ließ sich von diesem Einwand nicht beeindrucken und appellierte an Papens patriotisches Pflichtgefühl. Der Griff ans Portepee wirkte sofort: Papen nahm den Auftrag zur Regierungsbildung an und brach damit das gegenteilige Versprechen, das er soeben Kaas gegeben hatte. Um der Konsequenz seines Umfalls, dem Ausschluß aus dem Zentrum, zuvorzukommen, erklärte der designierte Kanzler noch am 31. Mai seinen Parteiaustritt.[2]

Am Abend des 1. Juni – der Kanzler war inzwischen ernannt und die vorläufige Zusammensetzung der neuen Regierung bekanntgegeben worden

– erschien der „Vorwärts“ mit einer Schlagzeile, die Eingang in die Geschichtsbücher fand: „Das Kabinett der Barone“. Tatsächlich gehörten der Regierung, als sie am 6. Juni mit der Ernennung eines Arbeitsministers endlich vollständig war, ein Graf, vier Freiherren, zwei weitere Adlige und nur drei Bürgerliche an. Die Namen waren:

Reichskanzler	Franz von Papen
Reichsminister des Auswärtigen	Konstantin Freiherr von Neurath
Reichsminister des Innern	Wilhelm Freiherr von Gayl
Reichsfinanzminister	Lutz Graf Schwerin von Krosigk
Reichsjustizminister	Franz Gürtner
Reichswehrminister	Kurt von Schleicher
Reichswirtschaftsminister	Hermann Warmbold
Reichsarbeitsminister	Hugo Schäffer
Reichsminister für Ernährung und Landwirtschaft	Magnus Freiherr von Braun
Reichspost- und Verkehrsminister	Paul Freiherr von Eltz-Rübenach.

Der Kanzler war nicht das einzige Kabinettsmitglied, dessen politisches Vorleben von der liberalen und sozialdemokratischen Presse kritisch durchleuchtet wurde. Landwirtschaftsminister von Braun, ein gebürtiger Ostpreuße, hatte sich in den Augen der republikanischen Kräfte durch seine Beteiligung am Kapp-Lüttwitz-Putsch in Verruf gebracht. Innenminister von Gayl, bisher Direktor der Ostpreußischen Landgesellschaft sowie Vertreter Ostpreußens im Reichsrat, und Justizminister Gürtner, zuvor Leiter desselben Ressorts in der bayerischen Regierung, waren ebenso wie Braun Mitglieder der DNVP; um den „überparteilichen“ Anspruch des neuen Kabinetts zu unterstreichen, erklärten freilich alle drei, nachdem sie zu Reichsministern ernannt worden waren, ihren Austritt aus der Partei.

Den Deutschnationalen nahe stand der bisherige deutsche Botschafter in London, Konstantin von Neurath, der schon einmal, bei der Bildung des zweiten Kabinetts Brüning im Herbst 1931, als Kandidat für das Amt des Außenministers genannt worden war. Finanzminister Lutz Graf Schwerin von Krosigk war seit 1929 Ministerialdirigent des Hauses gewesen, das er nun zu leiten hatte. Ein Fachmann war auch der strenggläubige Katholik Eltz-Rübenach, bislang Präsident der Reichsbahndirektion Karlsruhe. Arbeitsminister Hugo Schäffer war bis 1923 Direktor der Krupp-Werke, danach Präsident des Reichsversicherungsamtes und des Reichsversorgungsgerichts gewesen. Hermann Warmbold war das einzige Kabinettsmitglied, das schon früher einer Reichsregierung angehört hatte – als Reichswirtschaftsminister des zweiten Kabinetts Brüning, aus dem er Anfang Mai, enttäuscht über seine eigene Erfolglosigkeit, ausgeschieden war.

Als der starke Mann des „Kabinetts der nationalen Konzentration“ galt allgemein der neue Reichswehrminister Kurt von Schleicher, der als politisierender General seit vielen Jahren hinter den Kulissen die Fäden gezogen hatte und nun erstmals ins volle Rampenlicht der Öffentlichkeit trat. Im April 1882 in Brandenburg geboren, war Schleicher ein typischer „Schreibtischgeneral": Von einer kurzen Zeit im Sommer 1917 abgesehen, hatte er nie ein Truppenkommando innegehabt. Als langjähriger Referent des Reichswehrministeriums für den Reichswehrhaushalt hatte er tiefe Einblicke in das parlamentarische Leben tun können und sich bei den Parteien der Mitte den Ruf eines realpolitisch denkenden Militärs erworben. Unter Groener, der ihn seinen „cardinal in politicis" nannte, stieg der Chef des Ministeramtes im Reichswehrministerium zum politisch einflußreichsten deutschen General auf, wobei ihm besonders zustatten kam, daß er ein früherer Regimentskamerad Oskar von Hindenburgs, des „in der Verfassung nicht vorgesehenen" Sohnes des Reichspräsidenten, war und über diesen eine persönliche Verbindung zum eigentlichen Machtzentrum der späten Republik aufbauen konnte.[3]

Im Kabinett von Papen hatten mithin diejenigen Kräfte das Übergewicht, die Brüning zu Fall gebracht hatten: der ostelbische Rittergutsbesitz und die eng mit ihm verbundene militärische Führungsschicht. Verglichen mit den altpreußischen Eliten, war die Industrie in der neuen Regierung nur schwach vertreten, was vor allem die exportorientierten Branchen mit Sorge erfüllte. Überhaupt keine Repräsentanten im Kabinett hatten der gewerbliche Mittelstand und die Arbeitnehmerschaft. Ob die Autorität des Reichspräsidenten und das Machtpotential der Reichswehr ausreichen würden, die außerordentlich schmale gesellschaftliche Grundlage der Regierung auszugleichen, war ungewiß. Sicher war hingegen, daß das Kabinett im Reichstag eine breite Mehrheit gegen sich hatte: Außer SPD und KPD sagten auch Zentrum, BVP und Staatspartei der Regierung von Papen sofort den schärfsten Kampf an.

Die sozialdemokratische Reichstagsfraktion beschloß folgerichtig am 2. Juni, im Reichstag einen Mißtrauensantrag gegen die Reichsregierung einzubringen. Vor einer Abstimmung über diesen Antrag brauchte sich das Kabinett allerdings nicht zu fürchten. Am 4. Juni unterzeichnete Reichspräsident von Hindenburg eine Verordnung über die sofortige Auflösung des Reichstags. Er begründete diesen Schritt damit, daß der Reichstag „nach dem Ergebnis der in den letzten Monaten stattgehabten Wahlen zu den Landtagen der deutschen Länder dem politischen Willen des deutschen Volkes nicht mehr entspricht".

Am gleichen Tag gab der neue Reichskanzler seine Regierungserklärung ab. Es war das erste Mal in der Geschichte der Weimarer Republik, daß eine solche Rede nicht vor dem Reichstag gehalten, sondern über den Rundfunk ausgestrahlt wurde. Auch anderes wirkte neuartig. Papen kündigte nicht konkrete Maßnahmen an, sondern erging sich in Polemik. Er sprach von der „Mißwirtschaft der Parlamentsdemokratie" und warf den Nachkriegsregierungen vor, sie hätten „durch einen sich ständig steigernden Staatssozialismus" den Staat „zu einer Art Wohlfahrtsanstalt" zu machen versucht. Der

„moralischen Zermürbung des deutschen Volkes, verschärft durch den unseligen gemeinschaftsfeindlichen Klassenkampf und vergrößert durch den Kulturbolschewismus", stellte er „die unveränderlichen Grundsätze der christlichen Weltanschauung" entgegen.

Die inhaltsreichste Passage der Regierungserklärung klang wie eine Drohung: „Damit die Zahlungen der nächsten Tage und Wochen zur Aufrechterhaltung des staatlichen Apparates geleistet werden können, ist die Regierung gezwungen, einen Teil der von der alten Regierung geplanten Notmaßnahmen zu erlassen." Die Schlußsätze machten nochmals den politischen Standort des Kabinetts deutlich. Durch die Auflösung des Reichstags, sagte Papen, werde „die Nation vor die klare und eindeutige Entscheidung gestellt, mit welchen Kräften sie den Weg der Zukunft zu gehen gewillt ist. Die Regierung wird, unabhängig von Parteien, den Kampf für die seelische und wirtschaftliche Gesundung der Nation, für die Wiedergeburt des neuen Deutschlands führen."

So ungewöhnlich wie Form und Inhalt von Papens Regierungserklärung war auch die Tatsache, daß das zurückgetretene Kabinett sich zu einer Gegenerklärung veranlaßt sah. Sie gipfelte in dem Satz: „Wir haben kein Trümmerfeld geschaffen, sondern unter schwierigsten wirtschaftlichen und finanziellen Voraussetzungen die Grundlagen für neues Werden gelegt." Sehr viel schärfer reagierte das sozialdemokratische Parteiorgan. Der „Vorwärts" nannte die Rundfunkrede des Reichskanzlers „eine einzige Klassenkampferklärung von oben" und fuhr fort: „Wir setzen ihr die Klassenkampferklärung von unten entgegen. Der Kampf zwischen den Baronen und dem Volk muß ausgefochten werden! Erst wenn das hochmütige Herrentum endgültig besiegt ist, wird eine wirkliche Volksgemeinschaft möglich sein. Die Regierung, die diese Erklärung erlassen hat, ist eine Regierung nach Hitlers Herzen. Die Barone wünschen, daß Nationalsozialisten gewählt werden! Gebt ihnen die Antwort, die sie verdienen."[4]

Am 14. Juni, zehn Tage nach Papens Regierungserklärung, unterzeichnete Hindenburg die erste Notverordnung des neuen Kabinetts. „Man kann nur sagen, ‚sauber abgeschrieben'", kommentierte der frühere Staatssekretär der Reichskanzlei, Hermann Pünder, in seinem Tagebuch. Tatsächlich entsprach die Verordnung mit dem beschönigenden Titel „Maßnahmen zur Erhaltung der Arbeitslosenhilfe und Sozialversicherung, sowie zur Erleichterung der Wohlfahrtslasten der Gemeinden" weitgehend dem, worauf sich das Kabinett Brüning noch kurz vor seinem Sturz verständigt hatte. So wurden die Unterstützungssätze der Arbeitslosenversicherung um durchschnittlich 23%, die der anschließenden Krisenfürsorge um insgesamt 17% und die gemeindlichen Wohlfahrtssätze um 15% gesenkt. In einem wesentlichen Punkt ging das Kabinett von Papen über den Entwurf der vorangegangenen Regierung noch erheblich hinaus. Hatte das Kabinett Brüning die Betreuungsfrist in der Arbeitslosenversicherung von 20 auf 13 Wochen verkürzen wollen, so sah das Kabinett von Papen eine Bedürftigkeitsprüfung bereits nach 6 Wochen vor. Danach erlosch praktisch jeder versorgungsähnliche Anspruch. An seine Stelle trat ein Fürsorgesystem auf einem Niveau weit unterhalb dessen, was man gemeinhin unter „Existenzminimum" verstand.[5]

Die Wirkungen der Notverordnung lassen sich aus einer Erhebung des Gesamtverbandes der christlichen Gewerkschaften Deutschlands ablesen. Der Zentralverband christlicher Bauarbeiter errechnete einen durchschnittlichen Unterstützungsrückgang von 20%, in manchen Fällen bis 50%. Der Zentralverband der christlichen Fabrik- und Tabakarbeiter ermittelte bei den von ihm befragten 119 Arbeitslosen in Schlesien einen durchschnittlichen täglichen Unterstützungssatz je Familienmitglied von 55 Pfennigen. Das Fazit des Gesamtverbandes aus sämtlichen Einzelerhebungen lautete: „Nach Abzug der sehr empfindlich drückenden Kosten für die Miete verbleiben durchschnittlich 29 Pfennige täglich je Person zur Bestreitung des Lebensunterhaltes. Für Bekleidung, Beleuchtung und Heizung bleibt nichts übrig, keinerlei Kulturbedarf kann geweckt werden."

Einer von den 5,6 Millionen Arbeitssuchenden, die die amtliche Statistik für den Juni 1932 ausweist, war der vom Gesamtverband befragte P. F. aus Berlin-Spandau. Er schilderte an seinem Beispiel *das* Problem, das den Erwerbslosen im Sommer 1932 wie kein anderes auf den Nägeln brannte: die Wohnungsnot. „Meine feste Wohnung war bis zum 11. August 1932 in Berlin N 113, B... straße", gab er zu Protokoll. „Meine Unterstützung betrug nach der Notverordnung für vier Personen 18,40 RM. Die Wohnung kostete monatlich 36,10 RM. So blieben mir zum Leben wöchentlich 10,07 RM oder je Tag und Familienmitglied 36 Pfg. Unter diesen Umständen konnte ich die Wohnung nicht mehr halten und sah mich gezwungen, in eine ‚Wohnlaube' bei einem Mietpreis von monatlich 10,– RM zu ziehen. Es ist nun zu befürchten, daß das Wohlfahrtsamt diese Ersparnis von monatlich 26,10 RM bei der Unterstützungsbemessung in Zukunft berücksichtigen wird."

Arbeitslosensiedlungen in Gestalt von „Laubenkolonien" am Rande der großen Städte waren um 1932 für viele Menschen längst ein vertrauter Anblick. Andere Arbeitslose, die die Miete für ihre Wohnung nicht mehr bezahlen konnten oder die Hoffnung aufgegeben hatten, in ihrer engeren Heimat einen Arbeitsplatz zu finden, gingen auf die Wanderschaft. Anfang November 1931 bezifferte die „Vossische Zeitung" die Zahl der obdachlosen Wanderer auf 400000, von denen nur 35000 täglich Unterkunft in Asylen und Herbergen fänden.

Nie war das „Heer auf der Walze", von dem das liberale Berliner Blatt sprach, größer als im schwersten Krisenjahr 1932. Genaue Zahlen liegen nicht vor, aber die Not der Menschen auf der Landstraße ist sicher bezeugt. „Wer einmal erlebt hat, was es heißt, sein Heim verloren zu haben, mit Frau und Kindern vor dem Nichts zu stehen, ohne Aussicht auf Arbeit und Verdienst, der hat das Leben wohl von der schwersten Seite kennengelernt", so hieß es im Februar 1933 in einem Bericht der Zeitschrift „Soziale Berufsarbeit". „Wer offenen Auges auf den Hauptwanderstraßen Deutschlands, z.B. zwischen Berlin – der Uckermark – Mecklenburg und Pommern oder dem westdeutschen Industriegebiet – Mecklenburg – Berlin wandernde Familien beobachtet hat, wer sie gesprochen und von ihrem Schicksal gehört hat, der sah in einen Abgrund tiefsten, menschlichen Elends. Vater, Mutter und eine ganze Schar trippelnder Kinder. Der Vater trägt einen schweren Rucksack oder zieht einen Handwagen. Die Mutter schiebt den Kinderwagen mit dem Jüngsten oder den zwei jüngsten Kindern inmitten von allem möglichen Hausrat und Kleidungsstücken... Fragt man die einzelnen Familien nach dem Woher und Wohin, erhält man immer die gleiche Antwort: ‚Wir suchen Arbeit'."

Zum Wohnungselend kam der Hunger hinzu. Schon im Juli 1931 hatte der Arzt und Ernährungswissenschaftlicher Helmut Lehmann in einem Aufsatz für die Zeitschrift „Die Tat" die Feststellung getroffen, Deutschland erlebe zur Zeit „eine verschleierte Hungersnot größten Ausmaßes mit den Gefahren der schwersten Folgen für Leib und Seele. Wir sehen eine drohende Gefährdung der nächsten Generation. Wir haben in breitesten Schichten unseres Volkes – wohl in ganz Deutschland – das Ernährungsminimum schon um die Hälfte unterschritten." Grießsuppe, Pellkartoffeln, Bohnensalat – so oder ähnlich sah die typische Hauptmahlzeit aus, die die Familie eines Erwerbslosen zu sich nahm. Wenn es einmal Fleisch gab, war es meist Kuh- oder Pferdefleisch. Mit der Kinderzahl sank der Ernährungsstandard der Erwachsenen. Bei einem Ehepaar mit vier Kindern kam die statistische „Vollperson" nach Lehmanns Berechnungen nur noch auf 40% des täglichen Minimums. Waren die Kinder zwischen 9 und 14 Jahre alt, fiel der Anteil auf knapp 32%.

Kinder und Jugendliche gehörten zu den Hauptopfern der Arbeitslosigkeit. Ärzte stellten bei den Kindern von Erwerbslosen einen schlechteren Gesundheitszustand fest als bei anderen Kindern, Lehrer einen deutlichen Abfall der schulischen Leistungen. Heranwachsende lernten die Arbeitslosigkeit frühzeitig selber kennen. In ganz Deutschland kamen 1931 auf 717000 Volksschulabgänger 160000 offene Lehrstellen; nicht einmal jeder vierte Schulabsolvent erlangte also einen Arbeitsplatz. In den großen Städten sammelten sich viele der erwerbslosen Jugendlichen in „Wilden Cliquen", von denen die meisten Wandergruppen waren, nicht wenige aber auch in die Kriminalität absanken. Soweit die „Wilden Cliquen" sich für Politik interessierten, was nur eine Minderheit tat, neigten sie am häufigsten den Kommunisten zu. Aber auch der KPD gelang es nicht, die erwerbslosen Jugendlichen fest an sich zu binden: Das anarchische Element in den Cliquen widerstrebte der Parteidisziplin, die dem deutschen Kommunismus längst zur zweiten Natur geworden war.[6]

Auch bei den erwachsenen Arbeitslosen hatten die Kommunisten unter allen Parteien noch die größten Chancen, Gehör zu finden. Während der Krisenjahre wurde die KPD immer mehr zu einer Partei der Erwerbslosen:

Nur noch 11 % der Mitglieder sollen Ende 1931 erwerbstätige Betriebsarbeiter gewesen sein. Die Erwerbslosen, die sich den Nationalsozialisten anschlossen, waren häufiger Angestellte als Arbeiter, und bei den Sozialdemokraten lag der Anteil der beschäftigten Arbeitnehmer an der Mitgliedschaft um ein Vielfaches höher als bei den Kommunisten.

Organisieren konnte aber auch die KPD die Erwerbslosen nicht. Zwar gab es 1932 nach offiziellen Angaben 2 200 Erwerbslosenausschüsse der Partei und 1 400 Erwerbslosengruppen der Revolutionären Gewerkschafts-Opposition. Doch die Arbeitslosen waren bereits zu verelendet, um sich noch für abstrakte Parolen wie die kommende Revolution oder die Verteidigung der Sowjetunion mobilisieren zu lassen. Die beschäftigten Arbeiter wollten dagegen in aller Regel ihre Arbeitsplätze nicht durch Streiks gefährden. „Durch das... Argument der Arbeiter: Angst vor Streikbruch durch Erwerbslose wird die große Entfremdung sichtbar, die infolge der Massenarbeitslosigkeit zwischen Betriebsarbeitern und Erwerbslosen entstanden ist", hieß es 1932 in einem Bericht der sächsischen Bezirksleitung der KPD über die Situation bei den Textilarbeitern. Die Entsolidarisierung innerhalb der Arbeiterschaft wirkte lähmend auf die Gewerkschaften, und sie zehrte mehr, als nach außen sichtbar wurde, an der Moral beider großen Arbeiterparteien.[7]

Auf die Notverordnung vom 14. Juni reagierten SPD und KPD mit scharfen Worten. Der „Vorwärts" meinte, eine solche Verordnung könne nur von einer Regierung erlassen werden, „die glaubt, überhaupt keine Rücksicht mehr auf die Massen des Volkes nehmen zu müssen". Die „Rote Fahne" forderte einen „gemeinsamen Massenaufmarsch des arbeitenden Volkes im Lustgarten" sowie Arbeitsniederlegungen und „Stempelstreiks" der Erwerbslosen. Am 15. Juni protestierten die Vertreter aller Gewerkschaftsrichtungen bei ihrem ersten Gespräch mit dem neuen Reichsarbeitsminister Hugo Schäffer gegen einen Sozialabbau, der alle Grenzen des Erträglichen überschritten habe. Aber größere Aktionen blieben aus. Zu einem Zeitpunkt, da auf 100 Gewerkschaftsmitglieder 43 Arbeitslose und 22 Kurzarbeiter kamen, war an ein gemeinsames Handeln von Erwerbslosen und beschäftigten Arbeitern wohl in der Tat nicht ernsthaft zu denken.[8]

Mit dem Widerstand der Linken brauchte die Regierung von Papen infolgedessen auch nicht zu rechnen, als sie am 16. Juni, wiederum über eine Notverordnung, das Verbot von SA und SS aufhob und das Tragen von Uniformen wieder allgemein zuließ. Damit war, nach der Auflösung des Reichstags, Hitlers zweite Bedingung für eine Duldung des Kabinetts von Papen erfüllt. Die Erwartung des Reichspräsidenten, die dieser am gleichen Tag in einem Brief an Reichsinnenminister von Gayl äußerte, „daß der politische Meinungskampf in Deutschland sich künftig in ruhigeren Formen abspielen wird und daß Gewalttätigkeiten unterbleiben", wurde indes nicht von allen Landesregierungen geteilt. Zwei von ihnen, die badische und die bayerische, erließen prompt am 16. und 17. Juni eigene Uniformverbote und riefen damit geharnischte Proteste Hitlers hervor.

Diese zeitigten rasch die erhoffte Wirkung. Am 26. Juni erklärte Gayl im Kabinett, auf die Dauer werde es für die Polizei unmöglich sein, gegen zwei Fronten zu kämpfen, nämlich gegen die KPD und gegen die NSDAP. „Auch unter diesem Gesichtspunkt sei die Aufhebung des SA-Verbots und die völlige Eingliederung der Nationalsozialisten in den Staat dringend erforderlich." Da die beiden süddeutschen Länder sich auf einer Konferenz der Innenminister am folgenden Tag weiterhin weigerten, auf die Linie der Reichsregierung einzuschwenken, erging am 28. Juni eine neue Notverordnung des Reichspräsidenten, die sämtliche Uniform- und Umzugsverbote der Länder aufhob.

Anders als die Regierung der Großen Koalition in Karlsruhe und das von der BVP geführte Minderheitskabinett in München hielt sich die geschäftsführende Regierung Preußens im Streit um die Aufhebung des SA-Verbots auffallend zurück. Severing, darauf bedacht, der Reichsregierung keinen Vorwand zum Einschreiten gegen Preußen zu liefern, forderte am 27. Juni auf einer von ihm einberufenen Konferenz der Innenminister seine Kollegen sogar auf, die neue Notverordnung hinzunehmen und äußerstenfalls das Reich beim Staatsgerichtshof zu verklagen oder eine Delegation zum Reichspräsidenten zu schicken. Der preußische Innenminister begründete sein Votum damit, daß die Reichswehr die Verhängung des Ausnahmezustands vorbereite und nur auf einen Anlaß warte. Eine Äußerung, die sich so deuten ließ, hatte Schleicher am 21. Juni im Kabinett tatsächlich gemacht. Severings Hinweis wirkte: Bayern und Baden gaben ihre Opposition auf. Obwohl die Zahl der politischen Gewalttaten seit der Aufhebung des SA-Verbots sprunghaft angestiegen war, führten alle Länder die Notverordnung vom 28. Juni widerspruchslos aus.[9]

An der Spitze des preußischen Kabinetts stand seit dem 4. Juni als amtierender geschäftsführender Ministerpräsident das dienstälteste Regierungsmitglied, Wohlfahrtsminister Heinrich Hirtsiefer vom Zentrum. Der sechzigjährige Otto Braun hatte am gleichen Tag unter Hinweis auf seinen schlechten Gesundheitszustand einen „Urlaub" angetreten, aus dem er nicht in sein Amt zurückzukehren gedachte. Seit den Landtagswahlen vom 24. April fühlte er sich nicht mehr als legitimer Ministerpräsident; ohne Auftrag des Volkes konnte er sich keine verantwortliche Regierungstätigkeit vorstellen. Deswegen hatte der ehedem starke Mann seinen Freunden auch von jener Änderung der Geschäftsordnung abgeraten, durch die die Wahl eines Nachfolgers bislang verhindert worden war. Für Braun konnte es jetzt nur noch darum gehen, einer schwarz-braunen Koalition das Feld zu überlassen. Aus einer Minderheitsposition um die Behauptung der Macht zu kämpfen, wie es der Vorsitzende der sozialdemokratischen Landtagsfraktion, Ernst Heilmann, und der Berliner Polizeipräsident Grzesinski von ihm verlangten, hielt Braun für undemokratisch und daher abwegig.

Am 6. Juni schaltete sich Papen in die preußische Krise ein. Ohne das geschäftsführende Kabinett zu informieren, forderte der Reichskanzler den nationalsozialistischen Landtagspräsidenten Kerrl auf, den Landtag früher als vorgesehen einzuberufen, damit dieser so rasch wie möglich einen Ministerpräsidenten wählen könne. Auf Hirtsiefer und den parteilosen Finanzminister Klepper versuchte der Reichskanzler mit dem Argument Druck auszuüben, das Reich könne Preußen nur dann aus seinen finanziellen Schwierigkeiten helfen, wenn es dort eine ordnungsmäßig bestellte Regierung gebe. Am 8. Juni aber brachte das geschäftsführende Kabinett einen Haushaltsausgleich aus eigener Kraft zuwege, so daß das Reich für die Sanierung des Etats nicht mehr benötigt wurde.

Eine parlamentarische Krisenlösung war indes weiterhin nicht in Sicht: Bei den Koalitionsverhandlungen mit der NSDAP, die in den folgenden Tagen erstmals formell geführt wurden, erklärte sich das Zentrum zwar bereit, einen deutschnationalen, nicht jedoch einen nationalsozialistischen Ministerpräsidenten zu wählen – ein Ansinnen, das Hitlers Unterhändler strikt zurückwiesen. Das „Kabinett der Barone" hielt nunmehr den Zeitpunkt für gekommen, dem Zentrum massiv zu drohen. Am 11. Juni beschwor Gayl vor den Vereinigten Ausschüssen des Reichsrats die „ultima ratio" für Preußen: die Einsetzung eines Reichskommissars. Am 12. Juni äußerte sich Papen gegenüber den Staats- und Ministerpräsidenten der süddeutschen Länder im gleichen Sinn wie tags zuvor sein Innenminister.[10]

Über ein Eingreifen des Reiches in Preußen machte sich Mitte Juni auch ein Sozialdemokrat Gedanken. In einem Gespräch mit Gayl faßte Severing eine Situation ins Auge, die nach dem 31. Juli – dem inzwischen festgelegten Termin der Reichstagswahl – zu erwarten war. Wenn das Parlament nicht arbeitsfähig sei, drohten größere Unruhen, und in diesem Fall könne er sich „sehr wohl vorstellen, daß das Reich zu ihrer wirksamen Abwehr die eigenen Machtmittel mit denen des größten Gliedstaates zusammenfassen würde". So jedenfalls stellte es Severing in einer im Oktober 1932 dem Staatsgerichtshof vorgelegten Aufzeichnung dar. Gayl berichtete dem Kabinett am 21. Juni über die Unterredung in vergröbernder Form. Severing habe ihm gegenüber betont, „daß die Reichsregierung wohl bald gezwungen sein werde, in Preußen und einigen anderen Ländern Reichskommissare einzusetzen". Am 25. Juni behauptete der Reichsinnenminister, „der preußische Innenminister habe ihm erklärt, er hätte sich an der Hetze gegen das Kabinett nicht beteiligt. Wenn ein Reichskommissar für Preußen bestimmt werden sollte, dann möchte es nicht zu spät geschehen."

Da inzwischen auch in nationalsozialistischen Blättern zu lesen stand, Severing habe Gayl gedrängt, einen Reichskommissar in Preußen einzusetzen, sah sich der preußische Innenminister zu einem Dementi gezwungen. Am 25. Juni erklärte er, er habe ganz im Gegenteil die Reichsregierung dringend davor gewarnt, ohne durchschlagende rechtliche Gründe die Reichsaufsicht oder gar die Einsetzung eines Reichskommissars gegenüber einem Lande in Anwendung zu bringen. In Preußen sei und bleibe die Polizei fest in seiner Hand. Doch was immer Severing Gayl gegenüber tatsächlich gesagt haben mochte, der Reichsinnenminister durfte davon ausgehen, daß die geschäftsführende Regierung Preußens keinen Widerstand leisten würde, wenn das Reich in verfassungsrechtlich korrekter Form die Polizei des Landes seiner eigenen Befehlsgewalt unterstellen sollte. Severing nahm offenbar an, die Reichsregierung wolle die Machtmittel des Reiches und Preußens lediglich zusammenfassen, um den offenen Bürgerkrieg zu vermeiden. Die Möglichkeit, daß es dem Kabinett von Papen in erster Linie darauf ankommen könnte, die Sozialdemokraten aus der Macht im größten deutschen Staat zu entfernen, schien er nicht zu sehen.[11]

Die Sozialdemokratische Partei attackierte das „Kabinett der Barone“ seit seiner Einsetzung mit gleichbleibender Schärfe. Nur auf *einem* Gebiet entdeckte die SPD gewisse Gemeinsamkeiten mit der Reichsregierung: dem Feld der Außenpolitik. Schon am ersten Tag von Papens Kanzlerschaft vermerkte der „Vorwärts“, alldeutsche Kräfte hätten den ehemaligen Zentrumsabgeordneten heftig angegriffen, weil er deutsch-französische Verständigungspolitik treibe. Tatsächlich unterhielt Papen gute Beziehungen zu einflußreichen Zirkeln in Politik und Großindustrie des Nachbarlandes, die eine enge deutsch-französische Zusammenarbeit mit antisowjetischer Stoßrichtung anstrebten.

Auf der Reparationskonferenz in Lausanne, die am 16. Juni begann, versuchte sich der Reichskanzler an der Quadratur des Kreises: Er verlangte einerseits eine weitreichende Revision des Vertrags von Versailles, darunter die Streichung des Kriegsschuldartikels 231 und die völlige militärische Gleichberechtigung Deutschlands, und schlug andererseits Frankreich einen Konsultativpakt mit dem Ziel eines Bündnisses und eine ständige Kooperation der Generalstäbe vor. Das Scheitern des ehrgeizigen Vorhabens war unausweichlich: Auf die Revisionsforderung konnte sich der neue, radikalsozialistische Ministerpräsident Herriot, der Sieger der Kammerwahlen vom Mai, nicht einlassen; mit der Idee eines festen deutsch-französischen Bündnisses stieß Papen den britischen Premier MacDonald vor den Kopf.

Vorhersehbar war auch, daß Deutschland nicht mit seiner Ausgangsposition auf dem engeren Gebiet der Konferenz durchkommen würde: der Streichung der Reparationen ohne irgendeine Abschlußzahlung. MacDonald war zwar geneigt, auf diese Forderung einzugehen, verband damit aber eine Bedingung, die Papen nicht erfüllen konnte: einen zumindest vorläufigen deutschen Verzicht auf eine aktive Revisionspolitik. Für Herriot hingegen war es unmöglich, ohne eine Schlußzahlung vor die Kammer zu treten. Der Betrag, den Frankreich verlangte, wurde allerdings während der Verhandlungen heruntergedrückt: von 7 Milliarden bis auf eine Maximalhöhe von 3 Milliarden RM. Diese Summe sollte Deutschland frühestens nach Ablauf von drei Jahren und innerhalb eines längeren Zeitraums in Gestalt von Reichsschuldverschreibungen zahlen – vorausgesetzt, daß das wirtschaftliche Gleichgewicht inzwischen völlig wiederhergestellt war. Obwohl Schleicher und Gayl schwere Bedenken erhoben, erklärte sich Papen, nachdrücklich unterstützt von Reichsbankpräsident Luther, mit dieser Regelung schließlich einverstanden. Am 9. Juli setzte er seine Unterschrift unter das Abkommen von Lausanne.

Wenn der Reichskanzler in seiner abschließenden Rede behauptete, das deutsche Ziel, eine endgültige Lösung des Reparationsproblems, sei damit erreicht, traf das nur teilweise zu. Die Ratifizierung des Abkommens durch die Parlamente in London und Paris hing nämlich davon ab, ob sich die Vereinigten Staaten zu einer befriedigenden Regelung der interalliierten Schuldenfrage bereit fanden. Doch es war in hohem Maß unwahrscheinlich, daß Deutschland jemals wieder, bis auf einen eher symbolischen Rest, Reparationen würde zahlen müssen. Papen heimste in Lausanne einen Erfolg ein, den er Brüning verdankte. Das Ergebnis übertraf sogar noch die Erwartungen, die der Zentrumskanzler Ende Mai für realistisch gehalten hatte. Die Folgen von Brünings Durchhaltekurs aber überdauerten Lausanne: Seine rigorose Reparationspolitik hatte die wirtschaftliche Depression vertieft, die soziale Verelendung gesteigert und die politische Radikalisierung vorangetrieben. Wer die Nutznießer dieser Politik sein würden, war wenige Wochen vor der Reichstagswahl vom 31. Juli kaum noch zweifelhaft.[12]

In Deutschland fand das Ergebnis von Lausanne ein gemischtes Echo. Papen hatte noch während der Konferenz durch öffentliche Erklärungen derart überhöhte Hoffnungen genährt, daß er sich, nach Deutschland zurückgekehrt, über die scharfe Kritik „nationaler" Kreise kaum wundern durfte. Mit die schlechtesten Noten erhielt der Kanzler von der deutschnationalen Presse, während sich Hitlers „Völkischer Beobachter" zwar auch ablehnend, aber noch vergleichsweise maßvoll äußerte. Die „Germania", deren Aufsichtsratsvorsitzender bis vor kurzem noch Franz von Papen geheißen hatte, fand, gegenüber dem Stand von Januar 1932 lasse das Abkommen von Lausanne keinen Fortschritt erkennen. Dagegen lobten liberale Blätter wie die „Vossische Zeitung" und das „Berliner Tageblatt" die Haltung des Reichskanzlers, und auch der sozialdemokratische „Vorwärts" meinte anerkennend, in Lausanne habe die Verständigungspolitik über den Unverstand gesiegt.[13]

Eindeutiger als irgendeine andere Partei versuchte die KPD, aus „Lausanne" eine Wahlkampfparole zu machen. „Nur wir Kommunisten kämpfen gegen den Pakt, den die Papen-Regierung mit den Tributgläubigern in Lausanne abgeschlossen hat", schrieb die „Rote Fahne" am 9. Juli. „Nur der Kommunismus zerschlägt den Versailler Pakt." Die Wahlagitation der Kommunisten richtete sich indes keineswegs ausschließlich gegen das Kabinett von Papen und die Nationalsozialisten, sondern nicht minder scharf gegen die Sozialdemokratie. Schon Ende Juni hatte Wilhelm Knorin, Mitglied des Präsidiums des Exekutivkomitees der Kommunistischen Internationale, in einem Telegramm aus Moskau gegen „opportunistische Auswüchse" der Einheitsfronttaktik protestiert. Darunter waren zu verstehen gemeinsame Aufrufe „roter", reformistischer und christlicher Betriebsräte, lokale Verbrüderungen kommunistischer und sozialdemokratischer Funktionäre, Rufe nach einer „Einheitsfront ohne Führer" und örtliche Einheitsfrontangebote an SPD, ADGB oder sogar an die abtrünnigen Kommunisten in Heinrich Brandlers KPO.

Am 14. Juli zog die KPD einen Schlußstrich unter jene kurze Phase einer elastischeren Einheitsfronttaktik, die mit dem Aufruf „An alle deutschen Arbeiter" vom 25. April begonnen hatte. Die Furcht vor einer schleichenden Sozialdemokratisierung der Partei veranlaßte das Sekretariat, örtlichen und regionalen Einheitsfrontangeboten einen Riegel vorzuschieben. „Jede Vernachlässigung unseres Kampfes gegen die sozialfaschistischen Führer, jede Verwischung des prinzipiellen Gegensatzes zwischen uns und der SPD, jede Kapitulation vor den Phrasen der SPD-Führer gegen *Hitler* und *Papen*, jedes leiseste Zugeständnis an die opportunistische Ideologie gefährdet die Durchführung unserer revolutionären Massenpolitik", hieß es in dem Rundschreiben an die Bezirke.

Die „Antifaschistische Aktion", von der KPD am 25. April ins Leben gerufen und als Gegenstück zur „Eisernen Front" von SPD, Freien Gewerkschaften, Reichsbanner und Arbeitersportbewegung gedacht, konnte fortan nur noch als das erscheinen, was sie von Anfang an war: eine Agitationsfiliale der Kommunistischen Partei. Der Aufruf, den Albert Einstein, Heinrich Mann und Käthe Kollwitz am 17. Juni an SPD und KPD gerichtet hatten, sie sollten während des Wahlkampfes zusammengehen, und zwar am besten durch gemeinsame Kandidatenlisten oder doch zumindest in Form von Listenverbindungen, hatte sich nun endgültig als intellektuelles Wunschdenken erwiesen. Aber auch realistischere Versuche maßgeblicher Sozialdemokraten, mit den Kommunisten im Vorfeld der Reichstagswahl zu einem „Burgfrieden" oder „Nichtangriffspakt" zu gelangen, waren spätestens seit dem Rundschreiben vom 14. Juli zu Makulatur geworden. Die KPD war, angeleitet von der Komintern, zu ihrer früheren Taktik zurückgekehrt: einem unbedingten Kampf gegen die „Sozialfaschisten", der den gleichen Rang hatte wie der Kampf gegen „Nationalfaschismus" und „Reaktion".[14]

Der Reichstagswahlkampf vom Sommer 1932 war der blutigste, den Deutschland je erlebt hatte. Die meisten Gewalttaten gingen auf das Konto von Kommunisten und Nationalsozialisten. Unmittelbar nach Aufhebung des SA-Verbots kam es in vielen Gebieten des Reiches, besonders häufig im Industrierevier an Rhein und Ruhr, zu Zusammenstößen politischer Gegner. Die Anhänger der KPD schienen vergessen zu haben, daß ihr Zentralkomitee sie im November 1931 nachdrücklich vor Akten des individuellen Terrors gewarnt hatte; Schießereien mit Nationalsozialisten waren jedenfalls wieder an der Tagesordnung. Die SA-Männer standen den Kommunisten an physischer Gewalttätigkeit kaum nach. Aus Berlin wurden fast täglich Feuerüberfälle von Nationalsozialisten auf Kommunisten und von Kommunisten auf Nationalsozialisten gemeldet, wobei die jeweiligen Stammkneipen bevorzugte Angriffsziele waren. In der ersten Junihälfte starben in Preußen 3 Menschen bei politischen Ausschreitungen, und zwar 2 Nationalsozialisten und 1 Kommunist. In der zweiten Hälfte des Monats, nach der Aufhebung des SA- und Uniformverbots, stieg die Zahl der politisch motivierten Todesfälle auf 17 an, darunter 12 auf nationalsozialistischer und 5 auf kommunistischer Seite. Unter den 86 Toten des Juli waren 38 Nationalsozialisten und 30 Kommunisten.

Besonders blutig verliefen regelmäßig die Sonntage. Am 10. Juli etwa gab es im gesamten Reichsgebiet 17 Tote, 10 tödlich Verletzte und 181 Schwerverletzte. Den Rekord hielt die schlesische Kreisstadt Ohlau mit 4 Toten und 34 Verletzten. Hier hatten sich Angehörige des Reichsbanners Schwarz-Rot-Gold eine Schlacht mit SA und SS geliefert, woraufhin, da die Ortspolizei völlig versagte, eine Eskadron des in Ohlau stationierten 11. Reiterregiments eingriff und die Straßen unter rücksichtslosem Einsatz von Karabiner und Revolver räumte. Am gleichen Tag versuchten Nationalsozialisten, das Gewerkschaftshaus im holsteinischen Eckernförde zu stürmen: Zwei junge Landarbeiter starben durch Messerstiche; einer der Angreifer kam, angeblich durch Schüsse seiner Kameraden, ums Leben. In Bremen wurde ein Polizeibeamter durch eine Explosion getötet, als er gerade bei Kommunisten eine Durchsuchung nach Waffen durchführte.[15]

Die Eskalation der politischen Gewalt veranlaßte den Vorsitzenden der deutschnationalen Fraktion im preußischen Landtag, Friedrich von Winterfeld, am 8. Juli den Reichskanzler zum Eingreifen in Preußen aufzufordern. „Jetzt sind in Preußen Zustände eingetreten, die offenem Bürgerkrieg gleichen", schrieb Winterfeld. „Die preußische Polizei ist schon heute dank ihrer Führung nicht mehr Herr der Lage, wie die täglichen zahlreichen Mordtaten an den verschiedensten Stellen Preußens beweisen. Eine weitere schwere Gefahr liegt darin, daß die Polizei zum großen Teil sozialdemokratischen Polizeipräsidenten untersteht, von denen bekannt ist, daß sie oder ihre Parteifreunde enge Verbindung mit den Kommunisten aufgenommen haben. Die Disziplin in der Schutzpolizei muß hierdurch auf das schärfste erschüttert werden, und es ist erstaunlich, daß heute überhaupt noch die Polizeioffiziere ihre Mannschaften in der Hand haben." Am gleichen Tag trugen Winterfeld und sein Kollege Borck dieselben Vorwürfe mündlich im Reichsinnenministerium und auch dem Staatssekretär der Reichskanzlei, Erwin Planck, vor.

Was der deutschnationale Politiker über Querverbindungen zwischen sozialdemokratischen Polizeipräsidenten und der KPD behauptete, war frei erfunden. Winterfeld unterließ auch jeden Hinweis darauf, daß die Zahl der politischen Zusammenstöße mit Todesfolge erst nach der Aufhebung des SA- und Uniformverbots am 16. Juni nach oben geschnellt war. Nichts hätte also näher gelegen, als beide Verbote neu zu erlassen. Aber das Reichskabinett zog aus dem Anwachsen des politischen Terrors andere Schlußfolgerungen. In einer Ministerbesprechung am 11. Juli, die unter Vorsitz Papens stattfand, erklärte Reichsinnenminister von Gayl, wenn in Preußen eine starke Staatsgewalt vorhanden wäre, müßte die kommunistische Gefahr nicht zu so erheblicher Beunruhigung Anlaß geben. „In Wahrheit sei jedoch die Autorität der Regierung in Preußen stark erschüttert. Die Polizei erlebe, daß die nationalsozialistische Bewegung immer stärker anwachse, erhalte jedoch Befehle von Minister Severing zur Bekämpfung dieser Bewegung."

Gayl hielt nunmehr den „psychologischen Moment" zum Eingreifen für gekommen und schlug vor, dem Reichspräsidenten eine Verordnung vorzulegen, durch die ein Reichskommissar für Preußen eingesetzt werde. Diese Aufgabe solle der Reichskanzler übernehmen, der seinerseits Unterkommissare einsetzen könne. Auf diese Weise würden sich die Beziehungen zwischen dem Reich und Preußen neu gestalten lassen. Eine Klage der jetzigen preußischen Regierung beim Staatsgerichtshof sei zwar möglich, aber aussichtslos. Die Regierungen der süddeutschen Länder und Sachsens müßten vom Reich beruhigt werden. Am Ende der Sitzung konnte Papen feststellen, daß das Reichskabinett sich über die Einsetzung eines Reichskommissars in Preußen einig sei, wobei die Begründung und Formulierung der Verordnung den Ministerien für Inneres und Justiz überlassen bleibe.

Einen Tag später bereits beriet das Reichskabinett den Entwurf einer Notverordnung. Gayl unterstrich den Ernst der Lage mit einer Mitteilung, die dramatisch klang: Der Staatssekretär des preußischen Innenministeriums, Wilhelm Abegg, habe Verhandlungen „wegen eines Zusammenschlusses der SPD mit der KPD" geführt. Tatsächlich hatte Abegg, der der Deutschen Staatspartei angehörte, ohne Wissen Severings am 4. Juni zwei Mitglieder der KPD, den Reichstagsabgeordneten Torgler und den preußischen Landtagsabgeordneten Kasper, zu sich gebeten und an sie appelliert, gegen Terrorakte aus den eigenen Reihen vorzugehen – etwa über einen „Geheimbefehl", der dann der Polizei bei einer Durchsuchung in die Hände fallen könne. Außerdem regte Abegg an, die Kommunisten sollten von ihrer scharfen Opposition ablassen. „Es könne ihnen doch auch nichts daran liegen, daß die Nationalsozialisten ans Ruder kämen oder ein Reichskommissar für Preußen bestellt werde."

Zeuge des Gesprächs war Regierungsrat Diels, der deutschnationale Beamte von der Unterredung informierte, die ihrerseits das Reichsinnenministerium verständigten. Daß Severing das eigenmächtige Vorgehen Abeggs mißbilligte und den Staatssekretär deswegen scharf gerügt hatte, ergab eine Befragung von Diels durch Ministerialrat Wienstein von der Reichskanzlei. Spätestens seit dem 19. Juli kannte auch Papen diesen Sachverhalt.

In der Ministerbesprechung vom 12. Juli legte das Kabinett fest, was zu tun sei, wenn die Einsetzung eines Reichskommissars mit einem Generalstreik beantwortet werden sollte. In diesem Fall, erklärte Gayl auf eine entsprechende Frage von Wirtschaftsminister Warmbold, müsse der militärische Ausnahmezustand verhängt werden; außerdem stehe die Technische Nothilfe, die während der Unruhen von 1919 gegründete Organisation zur

Sicherung lebenswichtiger Betriebe, zur Verfügung. Nach dieser Klarstellung billigte das Kabinett den Verordnungsentwurf des Innenministers und einigte sich auch auf einen Zeitplan: Am Mittwoch, den 20. Juli, um 10 Uhr vormittags sollten die preußischen Minister Hirtsiefer, Severing und Klepper in die Reichskanzlei gebeten werden. Dort werde ihnen der Reichskanzler die Verordnung des Reichspräsidenten über die Einsetzung eines Reichskommissars in Preußen mitteilen.

Doch noch am gleichen Tag machte Severing dem Reichskabinett einen Strich durch die Rechnung. In einem Erlaß vom 12. Juli verpflichtete er die Polizeibehörden, bei der Anmeldung von Versammlungen und Aufzügen unter freiem Himmel scharf zu prüfen, ob ausreichende Polizeikräfte zum Schutz der Teilnehmer zur Verfügung stünden, im anderen Fall aber ein Verbot der Veranstaltung zu erlassen. In einem Funkspruch an die Polizeibehörden forderte der preußische Innenminister schärfstes Vorgehen gegen unbefugtes Waffentragen und möglichst lange Ausdehnung der Haft gegen alle Personen, die mit Waffen angetroffen wurden. Die Bevölkerung rief Severing angesichts der sich mehrenden gewaltsamen Zusammenstöße zu Ruhe und Besonnenheit auf.

In der Ministerbesprechung vom 13. Juli wies Justizminister Gürtner auf den Erlaß Severings hin, worauf Gayl einräumte, daß der preußische Innenminister in der Tat der Reichsregierung „den Boden für die geplante Aktion in Preußen im Moment entzogen habe. Es sei abzuwarten, wie der Erlaß sich auswirke. Deshalb müsse von dem gestrigen Beschluß über die sofortige Einsetzung eines Reichskommissars Abstand genommen werden." Schleicher und die übrigen Minister stimmten dem Protokoll zufolge dieser Schlußfolgerung Gayls zu.

Tags darauf empfing Hindenburg auf seinem ostpreußischen Gut Neudeck den Reichskanzler und den Reichsinnenminister. Papen berichtete zunächst über die Ergebnisse der Reparationskonferenz; anschließend erläuterte Gayl die Vorbereitungen für die Einsetzung eines Reichskommissars in Preußen. Der Reichspräsident gab daraufhin, wie Gayl am 16. Juli dem Kabinett berichtete, dem Reichskanzler eine Blankovollmacht: Er unterzeichnete, ohne ein Datum einzusetzen, die Verordnung über die Wiederherstellung der Sicherheit und Ordnung im Gebiet des Landes Preußen und eine Verordnung über den Belagerungszustand, die zunächst nur für Berlin und die Mark Brandenburg gelten sollte. Ernährungsminister von Braun teilte noch mit, daß zwei führende Männer aus Großindustrie und Großlandwirtschaft, nämlich Gustav Krupp, der Vorsitzende des Reichsverbandes der Deutschen Industrie, und Ernst Brandes, der Präsident des Deutschen Landwirtschaftsrates, die sofortige Verhängung des Belagerungszustandes für das gesamte Reichsgebiet wünschten. Dann vertagte sich das Kabinett, ohne einen neuerlichen Beschluß gefaßt zu haben.[16]

Der 17. Juli 1932, der als „Altonaer Blutsonntag" in die Geschichte einging, erlaubte es der Regierung von Papen dann doch noch, zum ursprünglichen Zeitplan für den Schlag gegen Preußen zurückzukehren. Seit dem nationalsozialistischen Überfall auf das Gewerkschaftshaus in Eckernförde am 10. Juli liefen im preußischen Regierungsbezirk Schleswig-Holstein, zu dem auch Altona gehörte, Gerüchte um, demnächst würden die Kommunisten „Rache für Eckernförde" nehmen. Noch gespannter wurde die Lage, als am 12. Juli in einem Wassergraben bei St. Michaelisdonn in Dithmarschen die Leiche eines seit zwei Tagen vermißten Funktionärs der KPD gefunden wurde. Der Regierungspräsident Waldemar Abegg, ein Bruder des Staatssekretärs, verbot daraufhin für das folgende Wochenende die meisten Kundgebungen von NSDAP, KPD und SPD. Zu den wenigen Ausnahmen gehörte ein Werbemarsch der Nationalsozialisten durch Altona.

Abeggs Entscheidung, Altona vom Demonstrationsverbot auszunehmen, war ein unbegreiflicher Fehler. Ebenso unbegreiflich war, daß der sozialdemokratische Polizeipräsident Eggerstedt, der auch ein Reichstagsmandat innehatte, sich ausgerechnet in diesen Tagen auf einer Wahlkampfreise befand und daß seine wichtigsten Mitarbeiter Urlaub machten. Denn an zweierlei konnte es keinen Zweifel geben: Die SA wollte mit einem Marsch durch die „roten" Hochburgen die Kommunisten provozieren, und die Anhänger der KPD waren nicht gewillt, diese Herausforderung tatenlos hinzunehmen.

Am 17. Juli, kurz vor 17 Uhr, fielen die ersten Schüsse – abgegeben von Kommunisten in dem Augenblick, als gerade ein besonders berüchtigter SA-Sturm die Kreuzung Große Johannesstraße-Große Marienstraße-Schauenburgerstraße passierte. Der SA-Mann Koch war auf der Stelle tot; einige andere Teilnehmer wurden verletzt. Die Polizei erwiderte das Feuer mit Pistolen und Karabinern. Am Ende waren 18 Tote aus der Zivilbevölkerung zu beklagen, von denen die meisten durch abprallende Schüsse getroffen worden waren. Unter den Opfern befanden sich eine Angehörige der NS-Frauenschaft aus Eppendorf, drei Mitglieder der KPD, zwei Frauen, die der KPD angehörten oder nahestanden, ein Mitglied der SPD und eines des Reichsbanners.[17]

Der Berliner Polizeipräsident Albert Grzesinski wurde am Abend des 17. Juli aus dem preußischen Innenministerium telefonisch von den Vorgängen in Altona in Kenntnis gesetzt und gefragt, was er tun würde, wenn er preußischer Minister des Innern wäre. Seinen im Jahr darauf verfaßten Erinnerungen zufolge lautete die Antwort, „daß ich den Polizeipräsidenten von Altona und den Regierungspräsidenten des Bezirkes ... sofort ihrer Posten entheben und über Altona den Ausnahmezustand verhängen würde". Eine solche Tat, meinte Grzesinski rückblickend, „hätte die republikanische Öffentlichkeit zum Kampf aufgescheucht und die Reaktion in die Abwehr gedrängt".

Der zuständige Minister dachte jedoch nicht an eine derartige Demonstration der Entschlossenheit. Wenn Carl Severing in seinen Memoiren kein Irrtum unterlaufen ist, berichtete er am 16. Juli, also einen Tag vor dem „Blutsonntag", im sozialdemokratischen Parteivorstand, daß alles auf die

Einsetzung eines Reichskommissars in Preußen noch vor der Reichstagswahl hindeute. „Für die Haltung der sozialdemokratischen Minister in der Preußenregierung und der sie stützenden Parteien komme es maßgebend darauf an, in welchen Formen die Einsetzung erfolgen würde, ob die verfassungsmäßigen Bestimmungen gewahrt bleiben oder ob sich Schleicher stark genug fühlen würde, sich über Verfassungsbestimmungen hinwegzusetzen. Dabei stelle sich die Frage, ob gegen ein ungesetzliches, von der Reichswehr gedecktes Vorgehen ein Einsatz der Polizei, gestützt von den Massen der Eisernen Front, möglich und geboten sei. Trotz aller Zersetzungsversuche sei die Berliner Polizei in ihrer Mehrheit der republikanischen Regierung treu ergeben. Im Hinblick auf die Gefechtsstärke der Reichswehr und der Polizei sei der Einsatz aber nur dann zu vertreten, wenn man ihn auf eine Demonstration von kurzer Dauer beschränken würde."

In diesem Augenblick, so Severing weiter, habe ihn der Chefredakteur des „Vorwärts", Friedrich Stampfer, unterbrochen und bemerkt, „daß ich kein Recht habe, auf Kosten meiner Polizeibeamten tapfer zu sein. Das war auch meine Meinung. Ich hatte keineswegs die Absicht, dem Parteivorstand die angedeutete Art der Abwehr zu *empfehlen*. Andererseits fühlte ich mich aber verpflichtet, alle *Möglichkeiten* des Widerstandes oder eines sichtbaren Protests in diesem Gremium zu erörtern. Die Besprechung kam einmütig zu dem Ergebnis, bei allem, was kommen möge, die Rechtsgrundlage der Verfassung nicht zu verlassen."

Otto Wels, einer der beiden Parteivorsitzenden der SPD, erinnerte sich rund ein halbes Jahr später an eine weitere Begegnung mit Severing, an der auch Hans Vogel, der andere Parteivorsitzende, und der Reichstagsabgeordnete Paul Hertz teilnahmen. Bei diesem Gespräch, das Wels zufolge am 18. Juli stattfand, habe Severing die Frage aufgeworfen, ob jetzt nicht der Zeitpunkt für den Rücktritt der preußischen Minister gekommen sei. Severing habe zur Begründung auf ein am gleichen Tag ergangenes allgemeines Demonstrationsverbot verwiesen, das ohne jede Fühlungnahme mit den Ländern ergangen war. Von einem solchen Schritt will Wels, unterstützt von Vogel und Hertz, Severing dringend abgeraten haben. „Ein plötzlicher Rücktritt *Severings* hätte ... die große Zahl der Parteigenossen, die in Gemeinden und Ländern in besoldeter und ehrenamtlicher Stellung waren, vor die Frage gestellt, welche Konsequenzen für sie dadurch entständen. Eine Zustimmung zu der Anregung *Severings* konnten wir allein nicht verantworten. Sein Rücktritt hätte in der Partei schwersten Widerspruch gefunden. Wir wollten deshalb die in Frage kommenden Instanzen damit befassen."[18]

Das von Severing erwähnte allgemeine Verbot von Versammlungen unter freiem Himmel hatte die Reichsregierung seit dem 12. Juli geplant; die Ereignisse von Altona gaben ihr einen Grund, das Vorhaben in die Tat umzusetzen. Am gleichen 18. Juli forderte der nationalsozialistische Präsident des preußischen Landtags, Hans Kerrl, in einem Brief an Papen das Reich auf, die Polizeigewalt in Preußen zu übernehmen. Ebenfalls am 18. Juli beschwerte sich Hitler in einem Brieftelegramm aus Königsberg beim Reichskanzler über „ungeheuerliche Provokationen" der Polizei und verlangte von Papen, er solle dem „unverantwortlichen Treiben einer auf Tumulte hinsteuernden Polizeipolitik" unverzüglich ein Ende bereiten.

Solcher Aufrufe bedurfte die Reichsregierung jedoch schon gar nicht mehr. Der „Altonaer Blutsonntag" lieferte ihr den Anlaß, den Zeitplan vom 12. Juli wieder in Kraft zu setzen, wonach der Schlag gegen Preußen am 20. Juli stattfinden sollte. Noch am 18. Juli wurden Hirtsiefer, Severing und Klepper auf den übernächsten Tag, 10 Uhr vormittags, zu einer Besprechung in die Reichskanzlei eingeladen. Auf die Frage nach den Gegenständen der Verhandlung erfuhr Severings Ministerialdirektor Nobis, es werde um finanzielle, landwirtschaftliche und innenpolitische Themen gehen. Sehr viel präzisere Informationen erhielt Hitler am Nachmittag des 19. Juli auf einem Flugplatz in der Nähe von Cottbus: Göring, Goebbels und Röhm berichteten ihm, daß am folgenden Tag ein Reichskommissar in Preußen eingesetzt und der Essener Oberbürgermeister Bracht diese Aufgabe übernehmen werde. „Zwar eine halbe Lösung, aber immerhin etwas", kommentierte Goebbels in seinem Tagebuch.

Die Morgenzeitungen des 20. Juli schilderten die Lage so, als sei der Reichskommissar schon fast eine vollendete Tatsache. Der „Vorwärts" erschien unter der Schlagzeile „Hände Weg von Preußen! Nazi-Kerrl fordert Reichskommissar!" Doch Meldungen über Abwehrmaßnahmen suchte man im sozialdemokratischen Parteiorgan vergebens. Da die preußische Regierung über die Absichten des Reichskabinetts spätestens seit dem 18. Juli keine Illusionen mehr haben konnte, hätte sie allen Grund gehabt, von sich aus den Ausnahmezustand über Preußen zu verhängen. Ein solcher Präventivschlag, wie ihn Grzesinski nach seinem eigenen Zeugnis am Morgen des 20. Juli Severing vorschlagen wollte, wäre die wohl letzte Chance gewesen, die Einsetzung des Reichskommissars zu verhindern. Aber Severing war für den Berliner Polizeipräsidenten nicht erreichbar, und nach allem, was wir über die Lagebeurteilung des preußischen Innenministers wissen, hätte er den Ratschlag seines Parteifreundes auch nicht befolgt.[20]

Kurz nach 10 Uhr begann in der Reichskanzlei die Besprechung mit den drei preußischen Ministern. Auf der Seite des Reiches nahmen außer Papen Innenminister von Gayl, Staatssekretär Planck und als Protokollant Ministerialrat Wienstein teil, auf der preußischen Seite neben Hirtsiefer, Severing und Klepper Ministerialdirektor Nobis. Der Reichskanzler behauptete, die Dinge in Preußen hätten sich so entwickelt, daß er den Reichspräsidenten um Erlaß einer Notverordnung nach Artikel 48 betreffend die Wiederherstellung der öffentlichen Sicherheit und Ordnung habe bitten müssen. Dann verlas Papen den Text der Verordnung, die den Reichskanzler zum Reichskommissar machte und ermächtigte, die Mitglieder des preußischen Staatsministeriums ihres Amtes zu entheben, selbst die Dienstgeschäfte des preußischen Ministerpräsidenten zu übernehmen und andere Personen als Kommissare des Reichs mit der Führung der preußischen Ministerien zu betrauen. Sodann gab Papen bekannt, daß er auf Grund der Verordnung den Ministerpräsidenten Braun und den Minister des Innern Severing ihrer Ämter enthoben und den Essener Oberbürgermeister Bracht zum preußischen Innenminister ernannt habe.

Severing legte Verwahrung ein. Die Verordnung entspreche nicht der Verfassung; Sicherheit und Ordnung seien in Preußen nicht weniger gewährleistet als in anderen Ländern. Wenn es in Preußen mehr Zusammenstöße gebe, dann liege das daran, daß sich hier die meisten Unruhegebiete befänden. „Er werde nur der Gewalt weichen oder dann gehen, wenn er durch eine ausdrückliche Anordnung des Reichspräsidenten oder durch einen Beschluß des Landtags abgesetzt werde", gibt das amtliche Protokoll seine weiteren Ausführungen wieder. „Wer Wind säe, werde Sturm ernten. Er befürchte einen Bürgerkrieg infolge des Vorgehens der Reichsregierung."

Papens Antwort mündete in die Frage, was Severing unter Anwendung von Gewalt verstehe. Der preußische Innenminister erwiderte, „daß er nur der Brachialgewalt weichen werde". Wohlfahrtsminister Hirtsiefer bestritt ebenso wie Severing, daß die Verordnung verfassungsmäßig sei, und fragte, warum das Reich nicht gemäß Artikel 15 der Reichsverfassung die Behebung der Mängel verlangt habe, die es rügen zu müssen meine. Papen meinte, er könne den preußischen Ministern nicht verwehren, sich an den Staatsgerichtshof zu wenden. Unmittelbar nachdem die drei Minister die Reichskanzlei verlassen hatten, wurde über Berlin und die Mark Brandenburg der militärische Ausnahmezustand verhängt.

Otto Braun wurde die Nachricht von seiner Absetzung durch einen Beamten der Reichskanzlei übermittelt, der kurz vor 11 Uhr an der Tür seines Hauses in Berlin-Zehlendorf klingelte. Der Ministerpräsident erwog einen Augenblick lang, ins Staatsministerium zu fahren und sich dort verhaften zu lassen. Das konnten ihm seine engsten Mitarbeiter jedoch telefonisch rasch ausreden. Statt dessen schrieb Braun dem Kanzler einen Brief, in dem er feststellte, daß die Maßnahmen des Reiches jeder rechtlichen Grundlage entbehrten, und Papen bat, ihm die Gründe seines Vorgehens darzulegen.

Um dieselbe Zeit wurde die Reichswehr aktiv. Gegen 11 Uhr 30 teilte Generalleutnant von Rundstedt, als Wehrkreisbefehlshaber des Reichswehrkreises III von Schleicher inzwischen zum Inhaber der vollziehenden Gewalt ernannt, dem Berliner Polizeipräsidenten Grzesinski telefonisch mit, er und der Kommandeur der Schutzpolizei, Heimannsberg, seien abgesetzt. Auf die Bitte, Grzesinski möge einen Termin für die Amtsübergabe an die beiden Nachfolger, den bisherigen Essener Polizeipräsidenten Melcher und Polizeioberst Poten, nennen, kündigte der Sozialdemokrat einen Rückruf an und beriet sich erst einmal telefonisch mit Severing. Dieser bezeichnete den Belagerungszustand, im Unterschied zu seiner eigenen Absetzung, als rechtmäßig und empfahl dem Polizeipräsidenten, sich den Weisungen des Generals zu fügen.

Grzesinski entschied sich jedoch, beraten von seinem Stellvertreter, Bernhard Weiß, anders und lehnte das Ansinnen Rundstedts ab. Gegen 17 Uhr erschienen daraufhin Reichswehroffiziere im Polizeipräsidium, nahmen Grzesinski, Weiß und Heimannsberg in „Schutzhaft" und brachten sie ins Kameradschaftsheim der Reichswehr nach Moabit. Nach etwa zweieinhalb Stunden wurden sie wieder in die Freiheit entlassen. Zuvor hatten sie eine Erklärung unterzeichnet, in der sie versicherten, daß sie sich jeder weiteren dienstlichen Maßnahme enthalten würden, nachdem sie mit Gewalt aus dem Amt entfernt worden seien.

Währenddessen hatte die preußische Staatsregierung ihre Haltung in einem Schreiben an den Reichskanzler klargelegt. Die Maßnahmen der Reichsregierung stellten eine Verletzung der Reichs- wie der preußischen Verfassung dar, und daher habe sie, die preußische Regierung, die Entscheidung des Staatsgerichtshofes angerufen. Zugleich habe sie den Erlaß einer einstweiligen Verfügung beantragt, wonach die Absetzung der preußischen Minister und die Usurpation ihrer Rechte im Reichsrat außer Kraft zu setzen seien. Der Antrag auf Erlaß einer einstweiligen Verfügung betraf mithin nur diejenigen Maßnahmen, die die preußische Regierung sofort als null und nichtig erachtete. Die Frage, ob das Reich gemäß dem zweiten Abschnitt des Artikels 48 die preußische Polizei einem Reichskommissar unterstellen durfte, blieb der endgültigen Entscheidung des Staatsgerichtshofes vorbehalten. Dasselbe galt für die Frage, ob Preußen die ihm obliegenden Pflichten nicht erfüllt hatte. Ebendies behauptete die Reichsregierung, indem sie sich auch auf den ersten Absatz desselben Artikels berief, womit der Eingriff den Charakter einer Reichsexekution erhielt.

Die rechtliche Argumentation der preußischen Regierung war stichhaltig. Das Reich durfte unter keinen Umständen einem Land die verfassungsmäßige Regierung und das Recht der Vertretung im Reichsrat nehmen. Da die Verordnung des Reichspräsidenten ebendies tat, stellte das Vorgehen des Kabinetts einen Verfassungsbruch dar – ja nichts Geringeres als einen Staatsstreich. Die bisher nicht abgesetzten Minister waren daher in vollem Recht, als sie eine Einladung Papens (unter dem bewußt provozierenden Briefkopf „Der Preußische Ministerpräsident") zu einer Sitzung der preußischen Staatsregierung auf den gleichen Nachmittag, 17 Uhr, ablehnten. Eine solche Sitzung könne nur unter dem Vorsitz eines preußischen Ministers abgehalten werden, hieß es in dem Schreiben der Staatsregierung vom 20. Juli.

Der Brief traf gegen 15 Uhr auf der anderen Seite der Wilhelmstraße, in der Reichskanzlei, ein. Wenig später verständigte sich Papen mit Gayl und einigen leitenden Beamten darauf, daß nunmehr alle preußischen Minister zu entlassen seien. In einer Ministerbesprechung, die um 18 Uhr begann, wurde dieser Schritt formell beschlossen. Papen berichtete, daß er am Vormittag die wichtigsten Landesregierungen von der Aktion gegen Preußen unterrichtet habe und daß dabei nur vom bayerischen Gesandten Protest eingelegt worden sei. Der Reichskommissar für das preußische Ministerium des Innern,

Bracht, informierte das Kabinett von einer „in freundschaftlichen Formen" verlaufenen Unterredung, die er um 16 Uhr mit Severing in dessen Dienstzimmer gehabt hatte. Dabei war auch die Art und Weise der Amtsenthebung abgesprochen worden: „Heute abend gegen 8 Uhr werde Severing das Amtszimmer im preußischen Ministerium des Innern räumen, nachdem er, Dr. Bracht, in Gegenwart des Polizeipräsidenten Melcher und eines Polizeioffiziers ihn zum Verlassen des Dienstzimmers aufgefordert habe." Danach erörterte das Kabinett noch die Liste der politischen Beamten, die jetzt auszuwechseln waren: Sie reichte von den Staatssekretären über die Oberpräsidenten bis zu den Polizeipräsidenten.[21]

Der Schlag gegen Preußen war bereits in vollem Gang, als am Sitz des Allgemeinen Deutschen Gewerkschaftsbundes in der Inselstraße die Bezirkssekretäre und Verbandsvorsitzenden der Freien Gewerkschaften zu einer Besprechung zusammentraten. Da auch Fragen der Erwerbslosenunterstützung und der Wahlkampftaktik auf der Tagesordnung standen, nahmen Vertreter des sozialdemokratischen Parteivorstandes und des Reichsbanners, mit Wels und Höltermann an der Spitze, an der Sitzung teil. Mitten in Leiparts einleitendes Referat platzte ein Anruf Grzesinskis, der die Anwesenden über die Verhängung des Ausnahmezustandes informierte. Wels, von Leipart um seine Einschätzung gebeten, wertete der eigenen Erinnerung zufolge das Vorgehen der Reichsregierung als „offenen Staatsstreich" und stellte dann einen historischen Vergleich an. „Die Erinnerung an den Kapp-Putsch liegt nahe. Haben wir heute die Masse des Volkes in der gleichen Geschlossenheit hinter uns wie 1920? Die Frage müsse ich verneinen. Kommunisten und Nationalsozialisten ständen gegen uns. Die Staatsmacht, d. h. die Reichswehr, desgleichen. Ebenso die Beamtenschaft und das Bürgertum in weitesten Kreisen."

Damit war die Frage, ob Gewerkschaften und SPD die Massen zum Generalstreik aufrufen sollten, im Grunde bereits beantwortet. Keiner der Teilnehmer sprach sich für den Einsatz dieses Kampfmittels aus; alle Redner sahen vielmehr die Alternative so, wie Wels sie darlegte: „In zehn Tagen sei die Reichstagswahl. Käme es jetzt zu Kämpfen, so würden die Wahlen nicht stattfinden. Jetzt nicht und für lange Zeit nicht. Das Fundament der Republik sei damit erschüttert. Sollten wir unbekümmert um die Folgen einen ungleichen Kampf aufnehmen und der Reaktion den Vorwand liefern, wir selbst hätten die Wahl unmöglich gemacht, oder sollten wir sagen: vor allem Sicherung der Reichstagswahl am 31. Juli?"

Severing, den Wels noch während der Sitzung aufsuchte, warnte ebenfalls, der Generalstreik würde eine sofortige Militärdiktatur bedeuten. „Die Folge sei Kampf mit den Waffen. Die Schutzpolizei könne nicht gegen die Reichswehr kämpfen, abgesehen (davon), daß er keine Befehlsgewalt mehr habe, würde sie es auch in ihrer übergroßen Zahl nicht wollen."

Als Wels in die Inselstraße zurückkehrte, hatte der Berliner Bezirksvorsitzende der SPD, Franz Künstler, bereits Handzettel gegen etwaige kommunistische Parolen in Auftrag gegeben. Von seiten sämtlicher Richtungsgewerkschaften lag ein Aufruf an die Arbeiter, Angestellten und Beamten vor, auf die „neuesten politischen Vorgänge" besonnen zu reagieren und die entscheidende Antwort am 31. Juli zu geben. Derselben Linie folgte eine Erklärung des sozialdemokratischen Parteivorstands, die der „Vorwärts" noch am Abend des 20. Juli in einem Extrablatt veröffentlichte: „Es liegt beim deutschen Volke, durch seinen Machtspruch am 31. Juli dem gegenwärtigen Zustand ein Ende zu bereiten, der durch das Zusammenwirken der Reichsregierung mit den Nationalsozialisten entstanden ist. Die Organisationen sind in höchste Kampfbereitschaft zu bringen. Strengste Disziplin ist mehr denn je geboten. Wilden Parolen von unbefugter Seite ist Widerstand zu leisten! Jetzt vor allem mit konzentrierter Kraft für den Sieg der Sozialdemokratie am 31. Juli! Freiheit!"

Von den Kommunisten kamen am 20. Juli die Parolen, mit denen die Sozialdemokraten rechneten. Das Zentralkomitee der KPD stellte „vor der proletarischen Öffentlichkeit" an SPD, ADGB und AfA-Bund die Frage, ob sie bereit seien, mit den Kommunisten zusammen in den Generalstreik zu treten. Die Massenaktion sollte den Sturz der „faschistischen Militärdiktatur" und der „faschistischen Papen-Regierung" herbeiführen. Von der Wiedereinsetzung des Kabinetts Otto Braun war dagegen im Aufruf der KPD nicht die Rede. Dieses Ziel hätte die Partei Ernst Thälmanns auch kaum auf ihr Banner schreiben können, nachdem sie eben erst, am 2. Juni, im preußischen Landtag einen Mißtrauensantrag gegen ebendieses Kabinett eingebracht hatten. (Der Antrag wurde mit den Stimmen der Rechtsparteien angenommen, blieb aber folgenlos, da die Regierung bereits am 24. Mai ihren Rücktritt erklärt hatte.) Die Sozialdemokraten hatten es infolgedessen leicht, das Ansinnen der Kommunisten als pure Agitation zurückzuweisen. Die deutsche Arbeiterklasse werde sich die „Wahl ihrer Mittel und die Stunde ihres Handelns nicht von den Bundesgenossen der Nationalsozialisten im Kampf gegen Braun und Severing vorschreiben lassen", hieß es in einer Erklärung des Parteiausschusses der SPD vom 21. Juli.

In Berlin blieb am 20. Juli alles ruhig. In den Arbeitervierteln wurde die Absetzung der Regierung Braun lebhaft diskutiert; im Wedding hißten Sozialdemokraten teils schwarz-rot-goldene, teils rote Fahnen mit den drei Pfeilen, dem Symbol der „Eisernen Front"; in Parteiversammlungen der SPD gab es Hochrufe auf Braun, Severing und Grzesinski. Auch außerhalb der Reichshauptstadt drängten die Arbeiter nirgendwo zur Aktion. Im Betriebsrat der Junkers-Werke in Dessau wurde Ernst Fraenkel, der Syndikus des Deutschen Metallarbeiterverbandes, am 20. Juli Zeuge des fehlenden Kampfeswillens bei den Gewerkschaften. Redner, die wie er einen Streik befürworteten und auf den Kapp-Lüttwitz-Putsch verwiesen, erhielten stets die gleiche Antwort: „Ja, aber damals hat es auch keine Massenarbeitslosigkeit gegeben."[22]

Die Regierung von Papen konnte sich schon am Abend des 20. Juli ihres Erfolges sicher sein. Gegen 20 Uhr wurde Severing im preußischen Innenministerium in der Weise seines Amtes enthoben, die Bracht ihm am Nachmittag angekündigt hatte. Papen rechtfertigte den Schlag gegen Preußen in einer Ansprache über alle deutschen Sender damit, daß die abgesetzte Regierung nicht mehr fähig gewesen sei, die erforderlichen Maßnahmen gegen die staatsfeindliche Betätigung der KPD zu treffen. Der Reichskanzler nannte es die sittliche Pflicht einer jeden Regierung, „einen klaren Trennungsstrich zwischen den Feinden des Staates, den Zerstörern unserer Kultur und den um das Gemeinwohl ringenden Kräften unseres Volkes zu ziehen. Weil man sich in maßgebenden politischen Kreisen nicht dazu entschließen kann, die politische und moralische Gleichsetzung von Kommunisten und Nationalsozialisten aufzugeben, ist jene unnatürliche Frontenbildung entstanden, die die staatsfeindlichen Kräfte des Kommunismus in eine Einheitsfront gegen die aufstrebende Bewegung der NSDAP einreiht."

Der Berliner Gauleiter der „aufstrebenden Bewegung" kam nicht umhin, den Architekten des Staatsstreichs insgeheim Anerkennung zu zollen. „Alles rollt wie am Schnürchen ab", schrieb Joseph Goebbels am 21. Juli in sein Tagebuch. „Die Roten sind beseitigt. Ihre Organisationen leisten keinen Widerstand ... Einige Polizei- und Oberpräsidenten abgesetzt. Der Generalstreik unterbunden. Es laufen zwar Gerüchte von einem bevorstehenden Reichsbanneraufstand um, aber das ist ja alles Kinderei. Die Roten haben ihre große Stunde verpaßt. Die kommt nie wieder."

Bei den Sozialdemokraten gab es nicht nur Zustimmung zum Verhalten der Führung, sondern auch Empörung über die Hinnahme des Preußenschlags. „Wo blieb der Widerstand?" schrieb der spätere Ministerpräsident von Nordrhein-Westfalen, Heinz Kühn, der den 20. Juli 1932 als Jugendführer des Reichsbanners Schwarz-Rot-Gold in Köln erlebte, in seinen 1980 veröffentlichten Erinnerungen. „Was war aus den großen Worten der Kundgebungen geworden? ‚Reichsbanner', ‚Schufo', ‚Eiserne Front', ‚Hammerschaften' – wir warteten ungeduldig, wir Jungen am ungeduldigsten. Die Hundertschaften waren in Bereitschaft gerufen, wir hofften auf das Losungswort – bis abends der Telefonanruf aus Berlin kam: Wir haben das Reichsgericht angerufen! Ich konnte meine Enttäuschung erst nach Jahren überwinden, obwohl ich die Entwicklung vorausgeahnt hatte. Noch in der Nacht vergrub ich meine Parabellum-Pistole im elterlichen Schrebergarten. Nun war alles aus!"[23]

Es waren in der Tat vor allem aktive jüngere Sozialdemokraten, die nach dem Untergang Weimars dazu neigten, im 20. Juli 1932 eine letzte verpaßte Chance zur Rettung der Republik zu sehen. Um den ungenutzten Widerstandswillen des Reichsbanners Schwarz-Rot-Gold wurde schon frühzeitig ein Mythos gewoben, der jedoch nüchterner Betrachtung nicht standhält. Was der republikanische Wehrverband an Waffen aufzubieten hatte, zählte bei einer militärischen Auseinandersetzung mit der Reichswehr nicht. Nach der Aufhebung des SA-Verbots waren zwar auch die etwa 250000 Mann starken „Schufos", die Eliteformationen des Reichsbanners, wieder aufgestellt worden. Aber sie konnten allenfalls den zahlenmäßig fast doppelt so starken und sehr viel besser bewaffneten paramilitärischen Verbänden der Rechten, SA, SS und „Stahlhelm", eine Zeitlang widerstehen, die sich mit Sicherheit an einem Kampf zur Niederwerfung der „Marxisten" aktiv beteiligt hätten.

Auf der anderen Seite hätte das Reichsbanner wohl die Unterstützung von Teilen der preußischen Polizei erhalten, die aber der Reichswehr, was die Ausstattung mit Waffen anging, hoffnungslos unterlegen war. Und gänzlich unvorstellbar war, daß die Kommunisten Seite an Seite mit der verhaßten „Severing-Polizei" gekämpft hätten. Ein Aufruf zum bewaffneten Widerstand wäre das Signal zum Bürgerkrieg geworden, bei dem nicht das Reichsbanner, sondern die militantesten Verbände von rechts und links die Kampfesweise bestimmt hätten. Angesichts der Kräfteverhältnisse war dabei ein Sieg der in sich gespaltenen Linken von vornherein ausgeschlossen.

Schlüssig waren auch die Argumente gegen einen Generalstreik. Bei nominell sechs, tatsächlich, wenn man die „unsichtbaren Arbeitslosen" mitzählte, über sieben Millionen Erwerbslosen hätte sich ein politischer Massenstreik nicht lange durchhalten lassen. Der letzte Generalstreik in Deutschland, nach dem Kapp-Lüttwitz-Putsch, hatte bei annähernder Vollbeschäftigung stattgefunden; die Putschisten von 1920 hatten keinen nennenswerten Rückhalt in der Gesellschaft und die legitime Staatsgewalt gegen sich; es gab keine Massenbewegung der extremen Rechten, und die KPD war auf Reichsebene noch eine Splitterpartei. Hätten Sozialdemokratie und Freie Gewerkschaften unter den radikal andersartigen Bedingungen des Sommers 1932 zu Generalstreik und bewaffnetem Kampf aufgerufen, wäre das eine Entscheidung für den ehrenvollen Untergang gewesen – eine Entscheidung, die demokratische Massenorganisationen wohl nicht treffen *durften*.[24]

Die Versäumnisse der Sozialdemokraten fielen in die Zeit vor dem Staatsstreich. Wenn es denn im Juli 1932 überhaupt noch Möglichkeiten gab, den Eingriff des Reiches abzuwenden, dann waren es Maßnahmen auf der von Grzesinski befürworteten Linie bis hin zur Proklamation des Ausnahmezustands durch die preußische Staatsregierung. Aber Severing hielt die „Verreichlichung" der preußischen Polizei im Grunde für einen sinnvollen, ja über kurz oder lang notwendigen Präventivschlag gegen die volle Machtübernahme der Nationalsozialisten. Was für den autoritären Reichsinnenminister von Gayl eine Nebenabsicht beim Preußenschlag gewesen sein mag, war aus der Sicht des sozialdemokratischen Innenministers von Preußen eine teilweise Rechtfertigung der Aktion vom 20. Juli. Weil er in der Reichswehr einen Partner gegen die totalitäre Gefahr von rechts sah, folgte Severing mithin auch unter Papen noch jener Logik des kleineren Übels, die der Sozialdemokratie unter Brüning zur zweiten Natur geworden war.

Schon Zeitgenossen haben das Verhalten der regierenden preußischen Sozialdemokraten mit der Erfahrung einer schweren Niederlage, der verlorenen Landtagswahl vom 24. April 1932, zu erklären versucht. „Die republikanische Macht in Preußen ist faktisch bereits am 24. April verloren gegangen", urteilte der sozialdemokratische Reichstagsabgeordnete Carlo Mierendorff Ende Juli in den „Sozialistischen Monatsheften". Mitte August griff Ernst Heilmann diesen Gedanken im „Freien Wort" auf. „Die ‚Machtpositionen' der Sozialdemokratie beruhen auf dem Willen des Volkes, und auf nichts anderem. Die ‚Machtpositionen' in Preußen sind am 24. April durch die Entscheidung des Volkes selbst verloren worden, nicht erst am 20. Juli." Tatsächlich waren es Zweifel an der eigenen demokratischen Legitimation, die Braun und Severing im Sommer 1932 wie gelähmt erscheinen ließen.

Doch es gab tiefere Gründe für die Passivität von SPD und Freien Gewerkschaften am 20. Juli 1932. Die Hinnahme des Staatsstreichs war *auch* eine Folge der zwanzig Monate währenden Tolerierungspolitik und der langjährigen führenden Beteiligung der SPD an der preußischen Regierung. Regierungspartei zu sein, formell in Preußen und informell im Reich, und gleichzeitig Bürgerkriegspartei im Wartestand: das war objektiv unmöglich. Die SPD büßte am 20. Juli 1932 die Reste der Macht ein, die sie nur deshalb so lange hatte behaupten können, *weil* sie seit dem Herbst 1930 alles auf eine Karte gesetzt hatte: die Abwehr des Nationalsozialismus auf dem Boden der Verfassung und im Bunde mit den gemäßigten Teilen des Bürgertums.

Ein scharfsinniger Beobachter aus den Reihen der sozialdemokratischen Linken, Arkadij Gurland, hat im Juni 1932, also noch vor dem „Preußenschlag", rückblickend gemeint, die Tolerierungspolitik habe sich auf das Postulat gestützt, „daß die Hauptgefahr für die Demokratie in der Bürgerkriegsgefahr beschlossen liege; ihre praktische Zielsetzung war daher weniger die Erhaltung der Demokratie als die Erhaltung der *Legalität*, weniger die Vereitelung eines unparlamentarischen Regierungssystems als die Vereitelung des *Bürgerkriegs*". Diesem Postulat folgte die Sozialdemokratie auch am 20. Juli 1932. Sie hielt sich damit an das Gesetz, nach dem sie 1918, bei der Gründung der ersten deutschen Republik, angetreten war.[25]

Mit der Absetzung der geschäftsführenden Regierung Braun endete ein ungewöhnliches Kapitel der preußischen Geschichte. Aus dem Staat der Hohenzollern war nach 1918 die zuverlässigste Stütze der Republik unter allen deutschen Ländern geworden. Das alte Preußen war nicht von der Bildfläche verschwunden, aber die Szene beherrschten bis zum Frühjahr 1932 die drei Weimarer Parteien. Koalitionspolitik war in Preußen, anders als im Reich, alles in allem eine Erfolgsgeschichte. Die republikanische Stabilität im größten deutschen Einzelstaat hatte gewiß auch damit zu tun, daß über zwei besonders konfliktträchtige Bereiche wie Außen- und Sozialpolitik auf Reichs- und nicht auf Landesebene entschieden wurde. Mindestens ebenso wichtig war, daß der Übergang vom Dreiklassenwahlrecht zum allgemeinen Wahlrecht in Preußen zur Entstehung einer neuen „politischen Klasse" führte, die viel weniger von Verhaltensmustern der monarchischen Vergangenheit geprägt war, als das von Regierenden und Parlamentariern im

Reich galt. Das demokratische Preußen nutzte seine Chance, solange es eine Mehrheit für die Demokratie in Preußen gab. Papens Staatsstreich beseitigte nicht nur die Reste der preußischen Demokratie, sondern den Staat Preußen. Das alte Preußen, das am 20. Juli 1932 über das republikanische Preußen triumphierte, bezahlte seinen Sieg mit einem Preis, der den Sieg langfristig in eine Niederlage zu verwandeln drohte.[26]

Unmittelbar nach der Absetzung des Kabinetts Braun begann die große Säuberung. Staatssekretäre und Ministerialdirektoren, Ober-, Regierungs- und Polizeipräsidenten, die den bisherigen Koalitionsparteien angehörten, wurden in den einstweiligen Ruhestand versetzt und durch konservative Beamte, häufig Deutschnationale, ersetzt. Von den vier sozialdemokratischen Oberpräsidenten blieb nur einer übrig: Gustav Noske in Hannover. Der ehemalige Reichswehrminister stand nach Meinung der Reichsregierung so weit rechts von seiner Partei, daß er sein Amt behalten konnte.

Viele sozialdemokratische Beamte wurden im Zuge von „Sparmaßnahmen" entlassen. So waren unter den 69 Ministerialbeamten, die ihre Stelle auf Grund eines Erlasses vom 12. November 1932 verloren, 40 Angehörige der Weimarer Parteien. Andere republikanische Beamte schob die Regierung der Reichskommissare in weniger bedeutsame Positionen ab. Ende 1932 waren, abgesehen von den politischen und den eingesparten Beamten, auch 23 Regierungsräte, Regierungsassessoren, Oberregierungsräte und Ministerialräte wegen republikanischer Gesinnung aus Ministerien, Oberpräsidien und Polizeipräsidien entfernt werden. Unter den neu ernannten Beamten waren so viele Adlige, daß der „Vorwärts" am 6. Oktober von einer zielbewußten „Restauration der Vormachtstellung des Adels und des ostelbischen Junkertums in der preußischen Verwaltung" sprechen konnte. Innerhalb weniger Monate wurde damit von den Kommissaren des Reiches zunichte gemacht, was die sozialdemokratischen Innenminister Severing und Grzesinski in zwölf Jahren an Republikanisierung der preußischen Verwaltung zuwege gebracht hatten.[27]

Der Staatsstreich vom 20. Juli 1932 war nicht nur ein Schlag gegen die Republik, sondern auch gegen den Föderalismus. Deswegen stellten sich die süddeutschen Länder, allen voran Bayern, sofort auf die Seite Preußens. Die bayerische Staatsregierung rief noch am 20. Juli den Staatsgerichtshof an; Baden tat den gleichen Schritt am Tag darauf; am 21. Juli legte Württemberg, am 22. Juli Hessen beim Reichspräsidenten Rechtsverwahrung gegen die Notverordnung vom 20. Juli ein.

Auf einer Länderkonferenz in Stuttgart versuchten sich Papen und Gayl am 23. Juli zu rechtfertigen, konnten aber allenfalls die Vertreter jener Landesregierungen überzeugen, die von den Rechtsparteien getragen wurden. Die Hauptsorge der süddeutschen Länder war, daß der Preußenschlag zum Auftakt einer zentralistischen Reichsreform werden könnte. Der Reichsrat, der seit 1930 in dem Maß an politischem Gewicht gewonnen hatte, wie der Reichstag an Bedeutung verlor, drohte zum verlängerten Arm der Reichsregierung zu werden, wenn die preußischen Stimmen künftig nur noch verdeckte Reichsstimmen waren. Zwar versicherte Gayl, daß nicht der Reichskanzler die preußischen Stimmen instruieren werde, sondern der kommissarische Innenminister Bracht. Aber damit waren die Befürchtungen der traditionell föderalistischen Landesregierungen in München, Stuttgart und Karlsruhe keineswegs ausgeräumt.[28]

Zwei Tage nach der Länderkonferenz, am 25. Juli, fällte der Staatsgerichtshof in Leipzig seine vorläufige Entscheidung im Konflikt zwischen Preußen und Reich: Er lehnte den Antrag der abgesetzten preußischen Regierung ab, auf dem Weg einer einstweiligen Verfügung dem Reichskommissar die Ausübung seiner Dienstgeschäfte zu untersagen. Zur Begründung erklärte Reichsgerichtspräsident Bumke, die von Preußen begehrte Verfügung würde eine „Scheidung der Staatsgewalt" bewirken, die geeignet sei, eine „Verwirrung im Staatsleben" herbeizuführen. Der „Vorwärts" meinte dazu, der Staatsgerichtshof habe sich der Macht gebeugt und dadurch der Idee des Rechtsstaates, die eine bürgerliche Idee sei, einen schweren Stoß versetzt. Das Zentrumsblatt „Germania" verlangte, der Staatsgerichtshof möge schnellstens sein endgültiges Urteil sprechen. Die deutschnationalen Zeitungen waren mit dem Spruch zufrieden: Sie feierten die Ablehnung des preußischen Antrags als großen moralischen Erfolg der Reichsregierung.

Am 26. Juli hob der Reichspräsident den sechs Tage zuvor verhängten Ausnahmezustand für Berlin und Brandenburg wieder auf. Auch in der Reichshauptstadt und ihrem Umland konnte infolgedessen in den letzten fünf Tagen vor dem 31. Juli ein „normaler" Wahlkampf geführt werden. Die Nationalsozialisten setzten ganz auf Hitler, den sie als „letzte Hoffnung" der Deutschen bezeichneten. Unter den politischen Versprechungen der NSDAP nahm die Parole „Arbeit und Brot" den vordersten Platz ein. Ein in großer Auflage verbreitetes „Wirtschaftliches Sofortprogramm" kündigte „Arbeitsbeschaffung durch produktive Kreditschöpfung" an.

Die Sozialdemokraten verlangten dagegen einen „Umbau der Wirtschaft" mit umfassenden Verstaatlichungen. Auf dieses Programm hatten sich am 21. Juni ADGB und AfA-Bund verständigt. Eine Arbeitsbeschaffung durch die öffentlichen Hände gehörte zwar auch zu den gewerkschaftlichen Forderungen, aber doch nur als ein Punkt unter anderen. Vom ursprünglichen „WTB-Plan", der Anfang des Jahres allgemein lebhafte Beachtung gefunden hatte, war kaum noch etwas übrig geblieben. Den Trumpf, sich den Wählern als Arbeitsbeschaffungspartei zu präsentieren, überließen die Sozialdemokraten den Nationalsozialisten.[29]

Am 30. Juli, einen Tag vor der Reichstagswahl, fand in der Reichskanzlei eine geheime Besprechung zwischen den Freien Gewerkschaften und den wichtigsten Mitgliedern des „Kabinetts der Barone" statt. Vermittelt hatte diese Unterredung der frühere Staatssekretär Hans Schäffer, der seit Mai 1932 Generaldirektor des Ullstein-Verlags war. Auf seiten der Regierung nahmen Papen, Gayl und Schleicher, auf der Gewerkschaftsseite Leipart, sein Stellvertreter Graßmann, der auch sozialdemokratischer Reichstagsabgeordneter war, und das Vorstandsmitglied des ADGB Eggert teil. Die Sprecher des ADGB sparten nicht mit Kritik an Worten und Taten der Regierung, während Kanzler und Minister um Verständnis für ihre Politik warben. Schleicher meinte, auch die Gewerkschaften würden das Vorgehen gegen Preußen, wenn ihnen erst einmal alle Zusammenhänge und Gründe bekannt seien, für gerechtfertigt erklären. Papen bat den Vorsitzenden des ADGB und seine Kollegen, ihren starken Einfluß auf die SPD zu nutzen, damit diese der Regierung das Arbeiten im Reichstag ermögliche.

Auf einer anschließenden Besprechung im Büro des ADGB hielt Leipart als seinen Eindruck fest, „daß die Regierung nicht gewillt sei, sich beiseite drängen zu lassen. Sie habe sich auf Jahre eingerichtet. Im übrigen dürfte man es bei aller politischen Meinungsverschiedenheit doch mit klugen und anständigen Leuten zu tun haben, die natürlich ihre politischen Ziele verfolgten. Der maßgebliche Mann sei *Schleicher*." Graßmann war der gleichen Auffassung. Schleicher sei „ein kluger Kopf mit weitem Gesichtskreis, der durchaus nicht nur Soldat sei. Er versuche mit einfachen Mitteln durchzusetzen, was er für richtig halte."

Sensationeller noch als der Inhalt waren Tatsache und Zeitpunkt der Geheimkonferenz vom 30. Juli. Zehn Tage nach dem Preußenschlag fanden die maßgebenden Funktionäre des ADGB nichts dabei, mit den Verantwortlichen des Staatsstreiches zusammenzutreffen. Für die Gewerkschaftler bedeutete die Einladung eine Art diplomatischer Anerkennung durch die Regierung von Papen; sie meinten es ihren Mitgliedern schuldig zu sein, auch mit einem Kabinett der autoritären Rechten Kontakte zu pflegen. Besonders viel lag den Vertretern des ADGB daran, daß sie von der Regierung nicht zu den „vaterlandsfeindlichen", sondern zu den „patriotischen" Kräften gerechnet wurden. Eine Distanzierung von der SPD hatten Leipart, Graßmann und Eggert nicht im Sinn. Etwas anderes war der Eindruck, der sich den Regierenden am 30. Juli aufdrängen mußte. Wenn zur gleichen Zeit, in der die Sozialdemokratische Partei schärfste Angriffe gegen das „Kabinett der Barone" richtete, sozialdemokratische Gewerkschaftler mit ebendiesem Kabinett ein geradezu freundschaftliches Gespräch führten, war das ein Anlaß, an der inneren Geschlossenheit der „Eisernen Front" zu zweifeln – und bei nächster Gelegenheit praktische Folgerungen aus der Zwietracht beim Gegner zu ziehen.[30]

Am gleichen Tag, an dem die Gewerkschaften mit Papen verhandelten, verloren in Deutschland zehn Menschen bei politischen Gewalttaten ihr Leben. Am 31. Juli, dem Wahlsonntag, waren es nochmals zwölf. Das Wahlergebnis war, auf den ersten Blick jedenfalls, ein triumphaler Erfolg Hitlers. Bei einer Wahlbeteiligung von 84,1 %, der höchsten seit 1920, entfielen 37,4 % der abgegebenen gültigen Stimmen auf die NSDAP. Das war ein Zuwachs von 19,1 % gegenüber der vorangegangenen Reichstagswahl vom 14. September 1930. Die Zahl der nationalsozialistischen Mandate stieg von

107 auf 230. Sehr viel bescheidenere Gewinne verbuchten die Kommunisten, die von 13,1 auf 14,5 % kletterten. Zuwächse erzielten auch die beiden katholischen Parteien: Das Zentrum verbesserte sich von 11,8 auf 12,5 %, die BVP von 3 auf 3,2 %. Alle anderen Parteien gehörten zu den Verlierern. Die SPD sank von 24,5 auf 21,6 %, die DNVP von 7 auf 5,9 %, die DVP von 4,5 auf 1,2 % und die Deutsche Staatspartei von 3,8 auf 1 %. Die übrigen Parteien kamen zusammen auf 2,7 %.

Den Nationalsozialisten war es gelungen, die Parteien der liberalen Mitte und der gemäßigten Rechten sowie die Splitterparteien zu beerben und zahlreiche Erst- und Nichtwähler zu sich herüberzuziehen. Hitlers Partei war stark, wo die evangelische Konfession überwog und die Selbständigen, also vor allem Bauern, Handwerker und Kaufleute, überproportional vertreten waren. Bei einem hohen Anteil von Industriearbeitern und erst recht bei einem hohen Katholikenanteil schnitt die NSDAP dagegen vergleichsweise schlecht ab. Sie war in evangelischen Landgebieten erfolgreicher als in evangelischen Städten und zog in Großstädten weniger Wähler an als in mittleren und kleineren Städten. In der regionalen Verteilung der nationalsozialistischen Stimmen spiegelten sich alle diese Faktoren. Der Norden und der Osten Deutschlands waren sehr viel stärker „braun" eingefärbt als der Süden und der Westen; aber auch in Hessen, Franken, der Pfalz und im nördlichen Württemberg hatte die NSDAP alle anderen Parteien überrundet. Der „Spitzenreiter" unter den 35 Wahlkreisen war Schleswig-Holstein, wo 51 % der Stimmen auf die Nationalsozialisten entfielen.

Als relativ immun gegenüber den Parolen des Nationalsozialismus erwiesen sich, wie schon 1930, das katholische Milieu und, in geringerem Maß, der in sich gespaltene „marxistische" Wählerblock. Dem politischen Katholizismus war es nach 1930 gelungen, jenen Erosionsprozeß aufzuhalten, der im Kaiserreich begonnen und sich in den zwanziger Jahren fortgesetzt hatte. Der Ansturm der extremen Rechten stärkte bei den kirchentreuen Katholiken das Bewußtsein ihrer Zusammengehörigkeit. Die Sozialdemokraten, die sich nicht nur der Angriffe der Nationalsozialisten, sondern auch einer radikalen Konkurrenz von links in Gestalt der Kommunisten zu erwehren hatten, waren bei ihrem Bemühen um die Konsolidierung des eigenen Milieus nicht ganz so erfolgreich, aber sie konnten sich einigermaßen behaupten. Die beiden größten demokratischen Parteien vermittelten ihren Anhängern ein Gefühl von politischer Heimat, indem sie an vorpolitische Werte appellierten: den gemeinsamen Glauben im einen, die Klassensolidarität im anderen Fall. Was den beiden republikanischen Parteien zugute kam, nutzte aber noch lange nicht der Republik: Die Befestigung des katholischen und des sozialdemokratischen Milieus bewirkte auch eine Abschottung beider Parteien gegeneinander.

In der bürgerlich-protestantischen Wählerschaft hatte nur das konservative Milieu einen Rest an Eigenständigkeit gegenüber der NSDAP behauptet: Die knapp 6 % Stimmen für die DNVP, die ihre Hochburgen nach wie vor in Ostelbien hatte, bildeten den harten Kern des ehedem sehr viel größeren monarchistischen Lagers. Nahezu ausradiert war der politische Liberalismus. Die Nationalsozialisten waren zu *der* großen Protestbewegung gegen das „System" geworden, der sich anschloß, wen nicht starke Überzeugungen von diesem Schritt abhielten. Daß die Partei Hitlers ihren Wählern höchst Widersprüchliches versprach, wurde von diesen kaum bemerkt. Was zählte, war die Hoffnung, daß es Deutschland und den Deutschen nach einer „nationalen Revolution" besser gehen würde als in der Gegenwart.[31]

Umrisse einer parlamentarischen Mehrheit ließen sich jedoch nach dem 31. Juli nicht erkennen. Die Nationalsozialisten stellten zwar die mit Abstand stärkste Fraktion des Reichstags, aber gegenüber dem zweiten Wahlgang der Reichspräsidentenwahl am 10. April und den Landtagswahlen vom 24. April hatten sie kaum noch zugelegt. Von einer Mehrheit waren sie auch dann weit entfernt, wenn ihnen die Deutschnationalen und kleinere rechte Parteien zu Hilfe kamen. Theoretisch denkbar war allenfalls eine schwarzbraune Koalition, doch war es nach den hessischen und preußischen Erfahrungen höchst zweifelhaft, ob ein solches Bündnis Gestalt annehmen würde.

Die erste „offizielle" Bewertung des Wahlergebnisses trug Reichskanzler von Papen am 1. August in einem Interview mit Associated Press vor. Darin sagte er, seine Regierung beabsichtige keinesfalls, sich um die Bildung einer Koalition im Reichstag zu bemühen. Gleichzeitig betonte er aber auch, der Zeitpunkt sei gekommen, wo die nationalsozialistische Bewegung am Wiederaufbau des Vaterlandes tätig mithelfen müsse. An das Zentrum, seine frühere Partei, appellierte Papen, es solle nicht durch ein Mißtrauensvotum das Odium einer Regierungskrise auf sich laden.

In die Ungewißheit über die weitere Entwicklung platzte am 1. August die Meldung von nationalsozialistischen Attentaten in Königsberg, bei denen zwei Kommunistenführer getötet, mehrere Sozialdemokraten und der kurz zuvor abgesetzte Regierungspräsident von Bahrfeldt, ein Mitglied der DVP, durch Schüsse verletzt wurden. Bomben- und Revolverattentate gab es am gleichen Tag auch in anderen Städten Ostpreußens, in Schlesien und im Holsteinischen. Am 3. August wurden im oberschlesischen Kreuzburg ein Nationalsozialist, der früher Kommunist gewesen war, von einigen seiner ehemaligen Genossen ermordet und in Großdeuben in Sachsen ein SA-Mann durch einen Bauchschuß getötet. Besonders blutig waren die Tage zwischen dem 7. und 9. August. Im masurischen Lötzen wurde ein Reichsbannerführer von einem SA-Mann erschossen; ebenfalls als Opfer von Nationalsozialisten starben Reichsbannerleute auch im oberschlesischen Kreis Leobschütz, in Görlitz und in Bad Sachsa im Harz. In Reichenbach im Erzgebirge wurde ein SS-Mann durch die Handgranate zerrissen, die er gerade auf einen sozialdemokratischen Redakteur werfen wollte.

Im Unterschied zu den Wochen vor der Reichstagswahl waren Anfang August sehr viel häufiger Nationalsozialisten als Kommunisten die Täter bei politischen Gewaltverbrechen. Vielfach wurden alte Rechnungen beglichen, nicht selten Überläufer von früheren Gesinnungsfreunden überfallen, verletzt oder getötet. Im ländlichen Osten, wo die meisten Anschläge stattfanden, war das politische Klima nationalistischer und die SA stärker als in den Industriegebieten des Westens, wo der „rote Massenselbstschutz" der KPD den Nationalsozialisten während des Wahlkampfes einige schwere Niederlagen zugefügt hatte. Die Anweisungen zu den Terrorakten kamen meist von den Kreis- oder Provinzialführungen der SA, nicht von höheren Instanzen. Doch es gab auch keine Gegenbefehle von Hitler oder Röhm, dem Terror ein Ende zu bereiten.[32]

Die neue Welle politischer Gewalt zwang die Reichsregierung zum Handeln. Nachdem sie den Preußenschlag damit begründet hatte, daß im größten deutschen Staat unter einem sozialdemokratischen Innenminister Sicherheit und Ordnung nicht mehr gewährleistet seien, konnte sie jetzt, wo die preußische Polizei einem Reichskommissar, also ihr selbst unterstand, den nationalsozialistischen Terror nicht hinnehmen, ohne alle Glaubwürdigkeit zu verlieren. An den politischen Zielen, die die SA mit ihren Anschlägen verfolgte, hatte auch Papen keinen Zweifel. „Offenbar versuche man von bestimmter Seite, durch Beunruhigung der Öffentlichkeit das Ergebnis zu erzwingen, daß Hitler die Führung der Regierung in die Hände nehmen müsse", erklärte der Reichskanzler am 9. August im Kabinett.

Am gleichen Tag noch beschloß die Reichsregierung eine Notverordnung gegen den politischen Terror. Die Todesstrafe wurde auf Totschlag aus politischen Beweggründen sowie auf Totschlag ausgedehnt, der an einem Polizeibeamten oder einem Angehörigen der Wehrmacht begangen wurde. Ebenfalls mit der Todesstrafe bedroht wurden die Verbrechen der Brandstiftung, des Sprengstoffanschlags und der Gefährdung von Eisenbahntransporten. Auf Grund der Ermächtigung einer Notverordnung vom 6. Oktober 1931 verfügte die Reichsregierung die Einrichtung von Sondergerichten in den durch politischen Terror besonders stark gefährdeten Bezirken. Diese Sondergerichte arbeiteten nach einem beschleunigten Verfahren. Ihre Urteile waren keinem Rechtsmittel unterworfen und deshalb sofort mit ihrer Verkündung rechtskräftig und vollstreckbar.

Am 10. August um 0 Uhr trat die Notverordnung in Kraft. Eineinhalb Stunden später wurde in Potempa im Landkreis Gleiwitz ein Verbrechen begangen, dessen Brutalität aus dem Rahmen des mittlerweile alltäglichen Terrors herausfiel. Betrunkene SA-Leute überfielen den arbeitslosen polnischen Oberschlesier Konrad Pieczuch, einen Sympathisanten der KPD, im Schlaf, schossen ihn an und trampelten ihn vor den Augen seiner Mutter zu Tode. Die meisten Tatverdächtigen konnten von der Polizei innerhalb von zwei Tagen festgenommen werden. Nach der neuen Rechtslage mußte man mit Todesurteilen des zuständigen Sondergerichts Beuthen rechnen. Ebenso sicher war, daß es in diesem Fall zu einer Kraftprobe zwischen NSDAP und Regierung kommen würde – sofern die Nationalsozialisten zu diesem Zeitpunkt nicht bereits im Besitz der Macht waren.[33]

Diesem Ziel schien Hitler in der ersten Augusthälfte zeitweilig sehr nahe zu sein. Am 6. August traf er sich in der Nähe von Berlin zu einem Geheimgespräch mit dem Reichswehrminister. In stundenlangen Gesprächen gelang es dem Führer der NSDAP, Schleicher davon zu überzeugen, daß er, Hitler, die Führung der Reichsregierung übernehmen müsse. Hitler forderte überdies für seine Partei die Ämter des preußischen Ministerpräsidenten sowie, jeweils in Personalunion, die Ressorts für Inneres, Erziehung und Landwirtschaft im Reich und in Preußen, ferner das Reichsjustiz- und ein neu zu schaffendes Reichsluftfahrtministerium. Auch hierfür scheint Hitler Schleichers grundsätzliche Zustimmung erhalten zu haben.

Damit hatte der „starke Mann" des Kabinetts, der zugleich einer der einflußreichsten Berater Hindenburgs war, eine dramatische Kehrtwendung vollzogen. Was Schleicher Hitler zugestand, war zwar nicht die ganze Macht, aber doch alles, was für die innenpolitische Vorherrschaft der Nationalsozialisten notwendig war. Offenbar hielt Schleicher es Anfang August 1932 für eine ausreichende Sicherung gegen eine Alleinherrschaft der NSDAP, wenn die Reichswehr ihrer Kontrolle entzogen blieb. Auch Papen hat zumindest einen Augenblick lang, bei einem Gespräch mit dem Reichspräsidenten am Vormittag des 10. August, unmittelbar nach Hindenburgs Rückkehr aus Neudeck, einem Reichskanzler Hitler das Wort geredet – an der Spitze einer schwarz-braunen Mehrheitsregierung. Aber Papen und Schleicher waren nicht *die* Kamarilla, und was eine Kanzlerschaft Hitlers anging, hatte Hindenburg seine ganz persönliche Meinung. Schleicher behauptete (im Entwurf eines Briefes an die „Vossische Zeitung" vom 30. Januar 1934), er habe Hindenburg in Neudeck von Hitlers Forderungen berichtet, worauf der Reichspräsident „seinen ‚unumstößlichen' Willen, Hitler nicht zu berufen, in der ernstesten Weise und mit fast ungnädigen Worten" bekundet habe. Bei der Unterredung mit Papen am 10. August fiel Hindenburgs vielzitierte Bemerkung, es sei doch ein starkes Stück, daß er den „böhmischen Gefreiten" zum Reichskanzler machen solle.

Am späten Nachmittag des 10. August zeigte sich, daß auch im Reichskabinett die Ansichten über eine eventuelle Machtübertragung an Hitler weit auseinandergingen. Für eine Regierungsbeteiligung der Nationalsozialisten sprachen sich indirekt Justizminister Gürtner und, deutlicher, Finanzminister von Krosigk aus, der letztere mit der saloppen Bemerkung, daß sich der Bürgerkrieg am ehesten vermeiden lasse, wenn man den Wilddieb zum Förster mache. Der entschiedenste Widerstand gegen eine nationalsozialistisch geführte Regierung kam von Reichsinnenminister von Gayl, der sogar bereit war, einen „Kampf auf Leben und Tod" mit der NSDAP zu führen, in diesem Zusammenhang von einer „Revolution von oben" sprach und offen eine verfassungswidrige Lösung befürwortete: die Auflösung des Reichstags, die Vertagung von Neuwahlen und die Oktroyierung eines neuen Wahlrechts. Außenminister von Neurath versicherte Gayl seiner vollen Übereinstimmung; Warmbold, Schäffer und Braun befürworteten den Fortbestand des jetzigen Kabinetts; Papen und Schleicher zeigten die verschiedenen Optionen auf, wollten sich aber nicht auf eine bestimmte Krisenlösung festlegen.[34]

Tags darauf, am 11. August, fand in Gegenwart des Reichspräsidenten die traditionelle Verfassungsfeier der Reichsregierung statt. Es war das erste Mal in der Geschichte der Weimarer Republik, daß der Festredner bei dieser Gelegenheit eine Ansprache gegen das Verfassungswerk von 1919 hielt. Reichsinnenminister von Gayl begann mit der Feststellung, daß die Weimarer Verfassung die Deutschen nicht einige, sondern trenne, und plädierte dann für eine Verfassungsreform im autoritären Sinn. Seine Kernpunkte waren die Heraufsetzung des Wahlalters, die Gewährung von Zusatzstimmen an Familienernährer und Mütter, eine Verselbständigung der Regierungsgewalt und die Schaffung einer berufsständischen ersten Kammer, die ein Gegengewicht zum Reichstag bilden sollte.

Zur selben Zeit, in der der Innenminister seine Absage an Weimar vortrug, unternahmen die Nationalsozialisten einen Erpressungsversuch. Rechtzeitig vor Verhandlungen, die Reichspräsident und Reichskanzler am 12. und 13. August mit Hitler zu führen beabsichtigten, wurden starke SA-Verbände rund um die Reichshauptstadt zusammengezogen. „Macht die Herren sehr nervös“, notierte Goebbels am 11. August. „Das ist der Zweck der Übung. Sie werden schon nachgeben.“

Hitler steigerte die Unruhe noch, als er ein für den 12. August vereinbartes Gespräch mit Papen auf den folgenden Tag verschob. Am Vormittag des 13. August suchte Hitler zusammen mit dem Stabschef der SA, Ernst Röhm, den Reichswehrminister, danach mit dem Vorsitzenden der nationalsozialistischen Reichstagsfraktion, Wilhelm Frick, den Reichskanzler auf. Von beiden hörte er, daß der Reichspräsident bisher nicht gewillt war, ihm bei der auf den Nachmittag angesetzten Besprechung das Amt des Reichskanzlers anzutragen. Papen bot, ohne daß Hindenburg ihn hierzu ermächtigt hätte, Hitler den Posten des Vizekanzlers in seiner Regierung an und gab ihm sogar sein Wort, er wolle nach einer Phase der vertrauensvollen Zusammenarbeit, wenn der Reichspräsident Hitler besser kennengelernt habe, zu seinen Gunsten zurücktreten. Doch Hitler lehnte die Offerte ab und bestand weiterhin auf der Kanzlerschaft. Papen konnte daraufhin nur noch erwidern, daß die Entscheidung bei Hindenburg liege.

Am Gespräch mit dem Reichspräsidenten, das um 16 Uhr 15 begann und etwa 20 Minuten dauerte, nahmen auf der Staatsseite auch Papen und Staatssekretär Meissner, auf der Seite der Nationalsozialisten Hitler, Frick und Röhm teil. Meissners amtlichem Protokoll zufolge fragte Hindenburg Hitler zunächst, ob er und seine Partei bereit seien, sich an der gegenwärtigen Regierung von Papen zu beteiligen. Hitler verneinte das und erklärte, „bei der Bedeutung der nationalsozialistischen Bewegung müsse er die Führung einer Regierung und die Staatsführung in vollem Umfange für sich und seine Partei verlangen. Der Herr *Reichspräsident* erklärte hierauf mit Bestimmtheit, auf diese Forderung müsse er mit einem klaren, bestimmten ‚Nein' antworten. Er könne es vor Gott, seinem Gewissen und seinem Vaterlande nicht verantworten, einer Partei die gesamte Regierungsgewalt zu übertragen, noch dazu einer Partei, die einseitig gegen Andersdenkende eingestellt wäre. Es sprächen hiergegen auch eine Reihe anderer Gründe, die er nicht einzeln aufführen wolle, wie die Besorgnis vor größeren Unruhen, die Wirkung für das Ausland usw."

Nachdem Hitler die Frage Hindenburgs, ob er nun in die Opposition gehen werde, bejaht hatte, ermahnte ihn der Reichspräsident, diese Opposition ritterlich zu führen. Gegen etwaige Terror- und Gewaltakte, wie sie leider auch von Mitgliedern der SA verübt worden seien, werde er mit aller Schärfe einschreiten. Beim Abschied bemühte sich Hindenburg um einen etwas versöhnlicheren Ton: „Wir sind ja beide alte Kameraden und wollen es bleiben, da später uns der Weg doch wieder zusammenführen kann. So will ich Ihnen dann auch jetzt kameradschaftlich die Hand reichen."

Dem Empfang beim Reichspräsidenten folgte ein heftiger Zusammenstoß zwischen Hitler und Papen. Der Führer der Nationalsozialisten hielt dem Reichskanzler vor, er hätte ihn davon unterrichten müssen, daß Hindenburgs Entschluß bereits feststehe. Statt dessen habe Staatssekretär Planck Frick noch kurz vor der Unterredung versichert, eine Entscheidung sei bisher nicht gefallen. Papen bedauerte den Ausgang, der für Deutschland die schwersten Folgen haben könne, gab sich aber ansonsten selbstbewußt und kündigte an, er werde die staatlichen Machtmittel gleichmäßig scharf gegen rechts und links anwenden. Als Frick ihn daraufhin fragte, ob er denn eine Militärdiktatur ohne jede Resonanz im Volk aufrichten wolle, erwiderte Papen laut einer von Hitler, Frick und Röhm unterzeichneten Erklärung: „Ja, wenn Sie in die Regierung eingetreten wären, in drei Wochen wären Sie ohnehin dort gewesen, wohin Sie heute wollen."

Am Abend des 13. August erschien ein amtliches Kommuniqué über das Gespräch zwischen Hindenburg und Hitler. Schleicher, über das Auftreten Hitlers tief verärgert, hatte darauf gedrungen, einen knappen und scharfen Text zu verfassen. Die Verlautbarung entsprach dieser Empfehlung so sehr, daß Staatssekretär Planck seinem Vorgänger Pünder gegenüber von einer „Emser Depesche" sprechen konnte. Der entscheidende Satz besagte, der Reichspräsident habe Hitlers Forderung nach der gesamten Staatsgewalt mit der Begründung abgelehnt, „daß er es vor seinem Gewissen und seinen Pflichten dem Vaterlande gegenüber nicht verantworten könne, die gesamte Regierungsgewalt ausschließlich der nationalsozialistischen Bewegung zu übertragen, die diese Macht einseitig anzuwenden gewillt sei."

Es half Hitler nichts, daß er sogleich, und formal zu Recht, klarstellte, er habe gar nicht die *gesamte* Staatsgewalt verlangt. Vor der deutschen und der Weltöffentlichkeit war er bloßgestellt wie noch kein anderer Parteiführer, den Hindenburg empfangen hatte. Hitler empfand die Behandlung durch den Reichspräsidenten als schwere politische Niederlage. In der Tat hatte er seit seinem gescheiterten Münchner Putsch vom 8. und 9. November 1923 nicht mehr einen solchen Rückschlag erlebt wie am 13. August 1932.

Zwei Tage danach zog das Kabinett Bilanz. Papen beharrte darauf, daß man auch künftig versuchen müsse, die nationalsozialistische Bewegung als tragenden Faktor an den Staat heranzuführen, ihr diesen freilich nicht ohne die Möglichkeit der Kontrolle ausliefern dürfe. Viel Zustimmung fand der Kanzler mit seiner Erkenntnis, daß das „überparteiliche Präsidialkabinett" der Verankerung im Volk bedürfe und vor allem an seinen Erfolgen im Kampf gegen die Arbeitslosigkeit gemessen wurde. Das Motto der Regierung müsse lauten: „Handeln, Handeln, Handeln".

Schleicher hielt es innenpolitisch für das Wichtigste, den Gegner (gemeint war die NSDAP) ins Unrecht zu setzen, und nannte es eine Lehre aller Bürgerkriege, daß der Angreifer stets im Unrecht geblieben sei. Außenpolitisch dürfe nichts geschehen, was vom Volk nichts als national empfunden werde. Besonders unverblümt sprach wieder Gayl. „Mit dem Parlamentarismus sei es auf absehbare Zeit vorbei", und dem Volk müsse man durch Vorverhandlungen mit den Parteien klar machen, daß eine ersprießliche Zusammenarbeit zwischen der Regierung und diesem Reichstag nicht möglich sei. Ansonsten unterstützte der Innenminister, wie zuvor Schleicher und danach die übrigen Minister, den Appell des Kanzlers, sich durch Leistungen eine Vertrauensgrundlage im Volk zu schaffen.

Die erste Probe aufs Exempel fiel nicht eben überzeugend aus. Am 18. August erschien eine Badepolizeiverordnung des kommissarischen preußischen Innenministers Bracht. Darin verbot Severings Nachfolger das öffentliche Nacktbaden, unsittliches Verhalten im Wasser und das Betreten öffentlicher Gaststätten im Badeanzug. Zur einheitlichen Handhabung der Verordnung erschien am 28. September noch der sogenannte „Zwickelerlaß". Öffentliches Baden war Frauen in Preußen fortan nur noch gestattet, wenn sie einen Badeanzug trugen, „der Brust und Leib an der Vorderseite des Oberkörpers vollständig bedeckt, unter den Armen fest anliegt sowie mit angeschnittenen Beinen und einem Zwickel versehen ist". Der Spott, den Bracht auf sich zog, mußte auch Papen treffen. Er hatte am 12. August die Sitzung des kommissarischen preußischen Staatsministeriums geleitet, auf der Bracht seine Maßnahmen ankündigte.[35]

Bevor die Regierung ernsthaft daran gehen konnte, ihre Einsichten vom 15. August in die Tat umzusetzen, zwang ihr Hitler eine Kraftprobe auf. Am 22. August fällte das Sondergericht Beuthen die Urteile im Potempa-Prozeß. Auf Grund der Notverordnung gegen politischen Terror vom 9. August wurden vier der angeklagten Nationalsozialisten wegen gemeinschaftlichen politischen Totschlags, einer wegen Anstiftung zum politischen Totschlag zum Tode verurteilt. Tatsächlich hatten die Täter im Kraftwagen eine Strecke von etwa zwanzig Kilometern zurückgelegt, um die Tat zu verüben, so daß es sich um einen planmäßig vorbereiteten Überfall und einen vorsätzlich begangenen Mord handelte.

Die Verkündigung des Urteils löste bereits im Gerichtssaal ungeheure Erregung aus. Der schlesische SA-Führer Heines rief den Richtern zu, das deutsche Volk werde in Zukunft andere Urteile fällen, und fügte drohend hinzu: „Das Urteil von Beuthen wird das Fanal zu deutscher Freiheit werden." Auf den Straßen der oberschlesischen Stadt kam es anschließend zu schweren Tumulten. Nationalsozialisten stürmten jüdische Geschäfte und schlugen bei sozialdemokratischen und Zentrumszeitungen die Schaufenster ein. Hitler sandte den Verurteilten das folgende Telegramm: „Meine Kameraden! Angesichts dieses ungeheuerlichen Bluturteils fühle ich mich mit Euch in unbegrenzter Treue verbunden. Eure Freiheit ist von diesem Augenblick an eine Frage unserer Ehre, der Kampf gegen eine Regierung, unter der dieses möglich war, unsere Pflicht."

Ebenfalls am 22. August verkündete ein Sondergericht in Brieg die Urteile im Prozeß wegen der Ohlauer Unruhen vom 10. Juli, bei denen zwei SA-Männer getötet worden waren. Wegen schweren Landfriedensbruchs in Tateinheit mit schwerer Körperverletzung wurden zwei führende Männer des Reichsbanners Schwarz-Rot-Gold zu drei beziehungsweise vier Jahren Zuchthaus verurteilt. Die unterschiedlichen Strafmaße in den Urteilen der beiden Sondergerichte erklärten sich schon daraus, daß die Straftaten von Ohlau vor, die von Potempa nach Inkrafttreten der neuen Notverordnung begangen worden waren. Dessenungeachtet nahm Hitler die Sprüche der Sondergerichte zum Anlaß einer Kampfansage an die Reichsregierung. „Herr v. Papen, Ihre blutige ‚Objektivität' kenne ich nicht!", hieß es in seinem, am 24. August vom „Völkischen Beobachter" verbreiteten Aufruf. Er schloß mit den Worten: „Angesichts dieses ungeheuerlichen Bluturteils gibt es für uns erst recht nur einen einzigen Lebensinhalt: Kampf und wieder Kampf. Wir werden den Begriff des Nationalen befreien von der Umklammerung durch eine ‚Objektivität', deren wirkliches inneres Wesen das Urteil von Beuthen gegen das nationale Deutschland aufpeitscht. Herr v. Papen hat damit seinen Namen mit dem Blute nationaler Kämpfer in die deutsche Geschichte eingezeichnet. Die Saat, die nun aufgehen wird, wird man künftig durch Strafen nicht mehr beschwichtigen können. Der Kampf um das Leben unserer fünf Kameraden setzt nun ein!"

Joseph Goebbels versuchte seinen „Führer" noch zu übertrumpfen. Unter der Überschrift „Die Juden sind schuld" schrieb er in dem von ihm herausgegebenen „Angriff": „Wir werden ... das deutsche Volk fragen, ob dieses Urteil in seinem Namen gesprochen wurde, und wenn nein, ob es nicht an der Zeit ist, die Männer und Parteien von der Bühne wegzufegen, die sich hier in dreister Überheblichkeit anmaßen, für das Volk und sein Wohl die Gesetze in Anspruch zu nehmen. Niemals vergessen! Wir werden nicht Ruhe lassen, bis dieses Regiment mit seinen journalistischen Steigbügelhaltern aus der Macht verjagt ist ... Die Juden sind schuld ... Das Strafgericht kommt ... Es wird die Stunde kommen, da die Staatsgewalt andere Aufgaben zu erfüllen hat, als die Verräter am Volk vor der Wut des Volkes zu schützen. Vergeßt es nie, Kameraden! Sagt es Euch hundertmal am Tage vor, daß es Euch bis in Eure tiefsten Träume verfolgt: Die Juden sind schuld! Und sie werden dem Strafgericht, das sie verdienen, nicht entgehen.“

Die Reichsregierung antwortete auf die nationalsozialistischen Angriffe mit einer amtlichen Mitteilung. Darin hieß es, sie, die Reichsregierung, werde nötigenfalls alle Machtmittel des Staates einsetzen, um den Vorschriften des Rechtes unparteiisch Geltung zu verschaffen, und sie werde nicht dulden, daß sich irgendeine Partei gegen ihre Anordnungen auflehne. Der folgende Satz klang indes bereits sehr viel weniger hart: „Ebensowenig wird sich die preußische Staatsregierung durch politischen Druck in der pflichtgemäßen Prüfung beeinflussen lassen, ob sie ihr Begnadigungsrecht im Falle der Beuthener Todesurteile ausüben kann.“

Für Gnadenakte war in der Tat die preußische Staatsregierung zuständig. Doch seit dem 20. Juli übte der Reichskanzler als Reichskommissar die oberste Regierungsgewalt in Preußen aus, und darum stand Papen selbst vor einer schwierigen Entscheidung. Die Vollstreckung der Todesurteile konnte zum Signal für den offenen Bürgerkrieg werden. Eine Begnadigung setzte dagegen die Reichs- wie die kommissarische Regierung Preußens dem Verdacht aus, sie hätten vor dem Druck der Nationalsozialisten kapituliert. Den maßgebenden Akteuren erschien die zweite Gefahr weniger bedrohlich. Am 30. August erklärte Reichspräsident von Hindenburg bei einer Besprechung mit Papen, Gayl und Schleicher in Neudeck, nicht aus politischen, sondern lediglich aus rechtlichen Gründen sei er persönlich für die Begnadigung der Täter. Die Tat sei ja nur eineinhalb Stunden nach Inkrafttreten der Verordnung gegen politischen Terror begangen worden, und es sei nicht anzunehmen, daß die Täter von diesen Strafverschärfungen Kenntnis gehabt hätten. Mit ebendieser Begründung beschloß die kommissarische Staatsregierung am 2. September unter Vorsitz Papens, die Mörder von Potempa zu lebenslänglichem Zuchthaus zu begnadigen.

Die Entscheidung ließ sich rechtfertigen. Die liberale „Frankfurter Zeitung“, von den Nationalsozialisten der „Judenpresse“ zugerechnet, hatte schon unmittelbar nach dem Beuthener Urteil mit dem gleichen Argument, das auch Hindenburg und die kommissarische Regierung Preußens vorbrachten, eine Begnadigung der Täter gefordert. Gegner der Todesstrafe hatten es ohnehin schwer, dagegen zu protestieren, daß sie in einem konkreten Fall nicht vollstreckt wurde. Der politische Skandal im „Fall Potempa“ war denn auch nicht der Gnadenakt, sondern die Tatsache, daß sich der Führer der größten deutschen Partei vorbehaltlos hinter Gefolgsleute stellte, die einen politischen Gegner auf bestialische Weise umgebracht hatten. Seit dem 22. August 1932 war noch klarer als zuvor, was Deutschland zu gewärtigen hatte, wenn Hitler eines Tages doch noch zur Macht gelangen sollte.[36]

Die Auseinandersetzung um das Beuthener Urteil war noch in vollem Gang, als die Reichsregierung sich am 25. August auf Umrisse einer neuen Wirtschaftspolitik festlegte. An diesem Tag fand eine von Finanzminister von Krosigk angeregte Besprechung mit Vertretern des Reichsverbandes der Deutschen Industrie statt, auf der Wirtschaftsminister Warmbold erstmals im Zusammenhang darlegte, wie er sich einen erfolgreichen Kampf gegen die weitere Schrumpfung der Wirtschaft vorstellte. Die Unternehmer müßten für die Dauer eines Jahres auf doppelte Weise entlastet werden: zum eine durch die Nichterhebung bestimmter öffentlicher Abgaben und Steuern, zum anderen durch eine elastischere Gestaltung der Arbeitsverträge. Vor allem komme es darauf an, Betriebe mit niedrigeren Löhnen zu erhalten, wenn andernfalls der Zusammenbruch drohe. Entscheidend sei die Neueinstellung von Arbeitskräften. Anders als zur Zeit Brünings erhielt Warmbold diesmal die volle Unterstützung seines Kanzlers. Eine Fortsetzung der Deflationspolitik würde den Zusammenbruch der Währung herbeiführen, sagte Papen.

Was die Regierung den Unternehmern am 25. August vortrug, lief auf eine radikale Wende in der Wirtschaftspolitik hinaus. Das Kabinett von Papen war entschlossen, aktive Konjunkturpolitik zu treiben. Staatliche Anreize sollten die private Investitionstätigkeit beleben, und zu diesem Zweck war die Regierung auch bereit, die Kreditvergabe großzügiger zu gestalten. Kein Regierungsmitglied, sondern der Vorsitzende des RDI, Gustav Krupp von Bohlen und Halbach, deutete an, daß die neue Wirtschaftspolitik durch das Ergebnis der Reparationskonferenz von Lausanne wesentlich erleichtert wurde. Die Reaktion der Industriellen war insgesamt sehr positiv. Die „Lockerung der Tariffesseln" entsprach einer alten Unternehmerforderung und hatte, was die Arbeitgeber mit Genugtuung erfüllte, bereits begonnen: Eine Richtlinie von Arbeitsminister Schäffer wies die staatlichen Schlichter an, vom 15. Juni ab Schiedssprüche nicht mehr für verbindlich zu erklären und die Gestaltung der Lohnverhältnisse den Tarifparteien zu überlassen.

In vier Ministerbesprechungen zwischen dem 26. August und dem 3. September nahm das Wirtschaftsprogramm seine endgültige Gestalt an. Vom 1. Oktober 1932 ab sollten die Finanzämter an die Unternehmer ein Jahr lang für einen Teil der von ihnen zu entrichtenden Steuern Steuergutscheine ausgeben. Steuergutscheine sollten auch Arbeitgeber bekommen, die zusätzliche Arbeitskräfte einstellten. Die Steuergutscheine dienten den Banken als Kreditunterlage; sie waren lombardfähig gestaltet und zum Börsenhandel zugelassen. Der Steuernachlaß für die Unternehmer sollte am 1. April 1934 einsetzen und sich auf fünf Jahre verteilen.

Das Gutscheinsystem des Kabinetts von Papen war ein kühner Fall von antizyklischem „deficit spending" im Sinne des englischen Wirtschaftswissenschaftlers John Maynard Keynes, der seine Theorie zusammenfassend freilich erst 1936 vorlegte. Der Vorgriff auf Steuererträge der Zukunft war im Sommer 1932 durchaus kein Hasardspiel mehr. Just am 27. August veröffentlichte das Institut für Konjunkturforschung seinen Vierteljahresbericht, in dem von „Ansätzen zu einem Tendenzumschwung in der Weltwirtschaft" die Rede war, die „nachhaltig und in breiter Front" erkennbar seien. Die lang vermißten Gegenkräfte, die stets im vorgeschrittenen Stadium des Abschwungs ausgelöst würden, begännen sich wieder zu regen und würden, vor allem in den USA und Großbritannien, durch großzügige Staatseingriffe gestützt. Die weitere Entwicklung der Weltwirtschaft beurteilten die Konjunkturforscher optimistisch: Offenbar spiele sich „in der vielfach bereits totgeglaubten Unternehmerwirtschaft der Automatismus und mit ihm der zyklische Ablauf nach den Regeln früherer Konjunkturerfahrungen wieder ein".

Die Steuergutscheine waren jedoch nur ein Teil des neuen Wirtschaftsprogramms. Der andere Teil bezweckte eine weitgehende Beseitigung des geltenden Tarifrechts. Arbeitgeber, die zusätzliche Arbeitskräfte einstellten, durften die Tariflöhne auf näher bestimmte Weise unterschreiten – im Höchstfall bis zu 12,5 %. Noch weiter ging die Entlastung bei Betrieben, die andernfalls nicht weitergeführt werden konnten: Sie durften die Tariflöhne um 20 % senken. Was die Regierung in diesem Teil ihres Programms dekretierte, konnte von den Gewerkschaften nur als staatliche Kampfansage verstanden werden.

Auf einer Tagung des Westfälischen Bauernvereins in Münster am 28. August entwickelte Papen die Grundzüge des Wirtschaftsprogramms. Die Belebung der Wirtschaft betonte er dabei schon viel mehr als den sozialen Abbau. Besondere Beachtung fand Papens Bekenntnis zum freien Unternehmertum. Die wesentlichste lebendige Kraft im Wirtschaftsleben sei die persönliche private Initiative, sagte er. „Die Stärkung der persönlichen Energie und die Entwicklung der persönlichen Leistungsfähigkeit, die Steigerung des Gefühls der eigenen Verantwortung – das sind die geistigen Mittel, mit denen die Privatwirtschaft auch in Zukunft imstande sein muß, die menschlichen Bedürfnisse, vielleicht besser als jedes andere Wirtschaftssystem, das uns anempfohlen wird, zu befriedigen."

Der „Kurs von Münster" verhalf Papen bei den Unternehmern zu einem großen Zuwachs an Vertrauen. Hatte es bis dahin, zumal bei den ausfuhrorientierten Wirtschaftszweigen und beim Handel, gegen das „Kabinett der nationalen Konzentration" starke Vorbehalte wegen seiner protektionistischen Agrarpolitik gegeben, so setzte nun ein Stimmungsumschwung zugunsten der autoritären Regierung ein. Hierzu trug auch Enttäuschung über die Nationalsozialisten bei. Das „Wirtschaftliche Sofortprogramm", mit dem die NSDAP in den Wahlkampf gezogen war, galt in Unternehmerkreisen als „staatssozialistisch" und damit hochgradig gefährlich. Mit Sorge verfolgten viele Industrielle – auch solche, die Hitlers Partei finanziell unterstützt hatten – die Bemühungen um eine schwarz-braune Koalition. Ein Bündnis von NSDAP und Zentrum schien nicht nur mit der Gefahr einer Rückkehr zum parlamentarischen System verbunden, sondern drohte auch eine Aufwertung der von beiden Parteien vertretenen Arbeitnehmerinteressen nach sich zu ziehen. Unter diesen Gesichtspunkten wurde das Kabinett von Papen im Spätsommer 1932 fast über Nacht zur Wunschregierung der meisten Unternehmer.

Dem Reichskanzler kam die Unterstützung durch die Industrie schon deswegen sehr gelegen, weil der Reichslandbund, der weitgehend von den Nationalsozialisten kontrolliert wurde, dem Reichskabinett am 22. August „ernsteste politische Konsequenzen" für den Fall angedroht hatte, daß es keine energische Schutzmaßnahmen zugunsten der Landwirtschaft ergriff. Papen reagierte zunächst barsch. Er nannte den Reichslandbund eine „einseitige Interessenvertretung", der es an „Übersicht und Einsicht in die gesamte Wirtschaftsführung" fehle. Am 27. August beschloß das Kabinett jedoch, eine Reihe von Zöllen für landwirtschaftliche Erzeugnisse wie Gurken, Fruchtsäfte, lebende und geschlachtete Gänse zu erhöhen und künftig, soweit nach den geltenden Handelsverträgen zulässig, Einfuhren auch mengenmäßig zu beschränken. Die Balance der Interessen, die das Kabinett vertrat, verlagerte sich im August 1932 zwar ein Stück weit zur Industrie hin. Eine Vernachlässigung landwirtschaftlicher Forderungen konnte sich die Regierung aber schon aus Rücksicht auf den Reichspräsidenten nicht leisten.[37]

Einen Tag nach Papens Münsteraner Programmrede befolgte das Kabinett auf außenpolitischem Gebiet eine Devise, die Schleicher zwei Wochen zuvor ausgegeben hatte: Es versuchte den nationalen Bedürfnissen in der Bevölkerung durch einen demonstrativen Schritt Rechnung zu tragen. Am 29. August überreichte Außenminister von Neurath in Anwesenheit des Reichswehrministers dem französischen Botschafter François-Poncet eine Note zur Abrüstungskonferenz. Die Reichsregierung forderte darin die volle militärische Gleichberechtigung Deutschlands und kündigte einen „Umbau" der Wehrmacht an, wobei sie besonders die Notwendigkeit einer wehrpflichtigen Miliz betonte, die mithelfen solle, die innere Ordnung und den Grenz- und Küstenschutz aufrechtzuerhalten. Mit dem bisherigen Ergebnis der Abrüstungskonferenz in Genf könne sich Deutschland nicht abfinden. Deutschland habe das gleiche Recht auf nationale Sicherheit wie jeder andere Staat. Deswegen dürfe die Frage der deutschen Gleichberechtigung nicht mehr länger offen bleiben. „Es wird wesentlich zur Beseitigung der Spannungen und zur Beruhigung der politischen Verhältnisse beitragen, wenn endlich die militärische Diskriminierung Deutschlands verschwindet, die vom deutschen Volke als Demütigung empfunden wird und die zugleich die Herstellung eines ruhigen Gleichgewichts in Europa verhindert."

Das Echo der Note war nicht nur im Empfängerland negativ. Auch Großbritannien, mit dem Frankreich unmittelbar nach der Reparationskonferenz von Lausanne einen Konsultativpakt abgeschlossen hatte, äußerte sich entschieden ablehnend zu den deutschen Aufrüstungsplänen, und in den USA und Italien, die dem deutschen Anspruch auf Gleichberechtigung mehr Wohlwollen entgegenbrachten, war die Verstimmung ebenfalls groß. Ob die Note vom 29. August der Regierung von Papen innenpolitisch nützen würde, war höchst zweifelhaft; außenpolitisch hatte die Aktion Deutschland zunächst einmal isoliert.[38]

Zu einer Weichenstellung der deutschen Innenpolitik wurde der 30. August 1932. An diesem Tag empfing der Reichspräsident Papen, Gayl und Schleicher in Neudeck. Dem wirtschaftspolitischen Programm der Regierung stimmte Hindenburg zu; er hielt lediglich den Hinweis für angebracht, daß man die Opfer gleichmäßig auf die verschiedenen Berufsstände verteilen müsse. Die Zustimmung des Reichspräsidenten fanden auch der allgemeine Lagebericht des Kanzlers mitsamt dessen Schlußfolgerungen: Da es im Reichstag aller Voraussicht nach keine Mehrheit gebe, die zur Zusammenarbeit mit dem Reichspräsidenten bereit sei und auch eine etwaige schwarzbraune Koalition nur eine „scheinbare" oder „negative" Mehrheit bilden könne, werde die Reichsregierung ihm, Hindenburg, wohl demnächst die Auflösung des Reichstags vorschlagen.

Die Runde erörterte dann die mutmaßliche Dauer von Koalitionsgesprächen zwischen Zentrum und Nationalsozialisten, um sich anschließend dem brisantesten Problem zuzuwenden. Nach der Auflösung des Reichstags, sagte Papen, ergebe sich die Frage, ob in der verfassungsmäßigen Frist von 60 Tagen Neuwahlen stattfinden sollten. „Wenn man die Wahlen für später hinausschiebt, so ist dies formell eine Verletzung der diesbezüglichen Verfassungsvorschrift, aber es liegt ein staatlicher Notstand vor, der den Herrn Reichspräsidenten durchaus dazu berechtigt, die Wahlen hinauszuschieben. Der Herr Reichspräsident habe in seinem Eid auch die Pflicht übernommen, Schaden vom deutschen Volke abzuwenden; eine Neuwahl in dieser politisch erregten Zeit mit all den Terrorakten und Mordtaten wäre aber ein großer Schaden am deutschen Volke."

Reichsinnenminister von Gayl, der den Aufschub von Neuwahlen am 10. August als erster im Kabinett zur Sprache gebracht hatte, sekundierte dem Kanzler. Papen selbst versicherte abschließend: „Wenn der Generalfeldmarschall und Reichspräsident von Hindenburg, der die Verfassung stets getreu gehalten hat, sich entschließt, aus Gründen eines besonderen Notstandes von der Verfassung einmal abzuweichen, wird man sich im deutschen Volke durchaus damit zufrieden geben." Danach gab Hindenburg die Erklärung ab, auf die seine drei Besucher warteten: „Der Herr *Reichspräsident* sprach sich dahin aus, daß er, um Nachteil vom deutschen Volk abzuwenden, es vor seinem Gewissen verantworten könne, bei dem staatlichen Notstand, der nach Auflösung des Reichstags gegeben sei, die Bestimmungen des Artikel 25 dahin auszulegen, daß bei der besonderen Lage im Lande die Neuwahl auf einen späteren Termin verschoben werde."

Für Papen, Gayl und Schleicher war diese Zusage Hindenburgs mindestens ebenso wichtig wie die umstandslos erteilte und sogleich unterzeichnete Blankovollmacht zur Auflösung des Reichstags. Der Reichspräsident und die drei wichtigsten Mitglieder der Regierung hielten es mithin für vertretbar, die Reichsverfassung mit der Begründung zu durchbrechen, daß ein Staatsnotstand ihnen keine andere Wahl lasse. Es gab deutsche Staatsrechtler, die bereit waren, einen solchen Schritt als ultima ratio zu rechtfertigen. Der bekannteste unter ihnen, Carl Schmitt, entwickelte in seiner Schrift „Legalität und Legitimität", die am 10. Juli, also zehn Tage vor dem Preußenschlag, abgeschlossen vorlag, die These von den zwei Verfassungen, in die die Weimarer Reichsverfassung zerfalle: den ersten, organisatorischen Hauptteil, der formal und wertfrei sei, und den zweiten, den Grundrechtsteil, den Schmitt als substanzhaft und wertbestimmt charakterisierte. Unter günstigen Bedingungen hatten beide Teile nebeneinander bestehen können, doch diese Bedingungen gehörten Schmitt zufolge der Vergangenheit an. Der erste Hauptteil war von den Staatsorganen selbst außer Kraft gesetzt worden, während der zweite weiterhin galt. Dieser eigentliche Teil der Verfassung ließ sich nur noch retten, wenn der erste Teil preisgegeben wurde. Im Namen seiner höheren, plebiszitären „Legitimität" durfte der Reichspräsident mithin der bloß formalen „Legalität" des pluralistischen Parteienstaates den Kampf ansagen und sie überwinden.

In der Logik von Schmitts Konstruktion lag es, auch Plänen für einen autoritären Staat die Weihe der Legitimität zu geben, sofern der Reichspräsident sie mit seiner Autorität stützte. Schmitts Kollege Johannes Heckel argumentierte sehr viel differenzierter. In einem Aufsatz „Diktatur, Notverordnungsrecht, Verfassungsnotstand mit besonderer Rücksicht auf das Budgetrecht", der im Oktober 1932 im „Archiv des öffentlichen Rechts" erschien, legte Heckel dar, daß Deutschland seit der Reichstagswahl vom 31. Juli in den Zustand der Verfassungslähmung eingetreten war. Da zwei offen verfassungsfeindliche Parteien, NSDAP und KPD, über die absolute Mehrheit der Sitze verfügten, fiel der Reichstag als handlungsfähiges Verfassungsorgan aus. Eine Änderung dieses Zustands war auch durch Neuwahlen nicht zu erwarten. Der Reichspräsident konnte sich in dieser Situation des akuten Verfassungsnotstandes laut Heckel auf seine Pflicht berufen, dem „politischen Gesamtzweck der Verfassung trotz der abnormen Lage und in Anpassung an sie gerecht zu werden". Freilich durfte er den Aufschub von Neuwahlen nicht zu dem Zweck nutzen, den Papen und Gayl im Sinn hatten: der Durchsetzung einer neuen autoritären Verfassung. Als Inhaber der kommissarischen Diktaturgewalt durfte der Reichspräsident nur ein „dictator ad tuendam constitutionem", nicht ein „dictator ad constituendam constitutionem" sein – er hatte die Verfassung zu schützen, aber es stand ihm nicht zu, sie neu zu schaffen.[39]

Was die demokratischen Parteien im August 1932 zur Lösung der deutschen Staatskrise beitrugen, war nicht geeignet, die These von der Verfassungslähmung zu entkräften. Die Sozialdemokraten neigten mehrheitlich dazu, in einer schwarz-braunen Koalition ein kleineres Übel zu sehen als in einer Hinnahme des Kabinetts von Papen. Einige, wie der Vorsitzende des AfA-Bundes, der Reichstagsabgeordnete Siegfried Aufhäuser, hielten sogar gelegentliche „sozialistische" Abstimmungskoalitionen aus SPD, KPD und NSDAP für eine zukunftsträchtige Perspektive. Das Zentrum bemühte sich nach dem Eklat vom 13. August verstärkt um Koalitionen mit der NSDAP in Preußen und im Reich, wobei einer der bislang schärfsten Kritiker des Nationalsozialismus, der stellvertretende Parteivorsitzende Joseph Joos, einer der prominentesten Führer des Verbandes katholischer Arbeiter- und Knappenvereine Westdeutschlands, sich jetzt besonders stark für eine Zusammenarbeit mit den Nationalsozialisten einsetzte – unter anderem mit dem Argument, beide Parteien könnten sich auf ein Programm praktischer Arbeitsbeschaffung verständigen, das, anders als das einseitig unternehmerfreundliche Wirtschaftsprogramm Papens, einen breiten Widerhall bei den Massen finden werde. Einen ähnlichen Standpunkt nahmen der Deutschnationale Handlungsgehilfen-Verband und Teile der christlichen Gewerkschaften ein.

Der angesehenste und einflußreichste Mann des Zentrums, Heinrich Brüning, war jedoch nach wie vor nicht bereit, den Nationalsozialisten die Ämter des preußischen Ministerpräsidenten und des preußischen Innenministers zu überlassen. Auf einen solchen Verzicht hätte sich vielleicht Gregor Strasser eingelassen, der eine Koalition mit Zentrum und Bayerischer Volkspartei ernsthaft anstrebte. Aber gegen seinen „Führer" wagte der Reichsorganisationsleiter der NSDAP nicht zu handeln, und Hitler, der selbst am 29. August mit Brüning verhandelte, bestand auf den Ämtern, die der Zentrumspolitiker den Nationalsozialisten vorenthalten wollte.

Eine parlamentarische Krisenlösung war also auch vier Wochen nach der Reichstagswahl nicht in Sicht. Tatsächlich handelte es sich bei der schwarzbraunen Koalition zu keiner Zeit um etwas anderes als ein Wunsch- und Trugbild. Die Nationalsozialisten hätten, um ein Bündnis mit dem Zentrum zu dessen Bedingungen einzugehen, aufhören müssen, eine totalitäre Partei, also sie selbst, zu sein. Ein Pakt mit den Parteien des politischen Katholizismus hätte für Hitler nur unter einer Voraussetzung Sinn ergeben: der Gewißheit, daß er sich dieser Partner binnen kurzem entledigen konnte. Da er damit nicht rechnen durfte, kam für ihn nur die Führung eines Präsidialkabinetts in Frage – die Lösung, die ihm Hindenburg nicht zugestehen wollte und, solange er sich an seinen Amtseid hielt, nicht zugestehen durfte.

Der Begriff „Staatsnotstand" beschrieb die deutsche Wirklichkeit spätestens seit dem 31. Juli 1932 durchaus zutreffend. Von Weimar war seitdem nichts mehr zu retten, wenn der Buchstabe der Verfassung über ihren Sinn triumphierte. Den Notstandsplanern vom 30. August ging es aber nicht um die Wahrung des Verfassungskerns, sondern um etwas ganz anderes: die Nutzung der Staatskrise für die Errichtung eines autoritären Regimes. Die Auswege aus der Krise, über die Ende August 1932 in der Regierung und bei den Parteien diskutiert wurde, führten nicht aus der Krise heraus, sondern immer tiefer in sie hinein.[40]

17.

Der Aufschub des Staatsnotstands

Der 30. August 1932 war nicht nur der Tag des Neudecker Notstandstreffens, sondern auch der konstituierenden Sitzung des neugewählten Reichstags. Die Alterspräsidentin, die Kommunistin Clara Zetkin, geboren am 5. Juli 1857, gab zum Abschluß ihrer Ansprache der Hoffnung Ausdruck, sie werde auch noch das Glück erleben, als Alterspräsidentin den ersten Rätekongreß Sowjetdeutschlands zu eröffnen. Dann wählte eine starke Mehrheit den Nationalsozialisten Hermann Göring zum Präsidenten. Für Göring stimmte auch das Zentrum, das sich dabei auf den parlamentarischen Brauch berief, wonach die stärkste Fraktion den Präsidenten stellte. Bei der Wahl des ersten Vizepräsidenten unterlag der Sozialdemokrat Paul Löbe, obwohl auch das Zentrum ihn unterstützte, gegen den Zentrumsabgeordneten Thomas Esser, der von den Nationalsozialisten vorgeschlagen worden war. Am Ende der Abstimmungen gab es ein „marxistenreines" Präsidium, was Göring zu der Feststellung veranlaßte, daß der Reichstag über eine „große, arbeitsfähige nationale Mehrheit verfügt und somit in keiner Weise der Tatbestand eines staatsrechtlichen Notstands gegeben ist".

Der Sinn dieser Bemerkung war klar: Die Nationalsozialisten wollten, indem sie sich als Hüter der Verfassung aufspielten, Reichspräsident und Reichsregierung in die Defensive drängen. Zu diesem taktischen Kalkül paßte auch eine gemeinsame Erklärung der NSDAP und des Zentrums vom 1. September. Darin hieß es, daß zwischen beiden Parteien Verhandlungen begonnen hätten und fortgesetzt würden „mit dem Ziele der Beruhigung und Festigung der innerpolitischen Verhältnisse in Deutschland auf längere Sicht". Die Verlautbarung ließ nicht den Schluß zu, daß Hitler nunmehr tatsächlich auf eine schwarz-braune Koalition setzte. Fürs erste ging es ihm lediglich darum, sich alle Optionen offen zu halten und etwaige Staatsstreichspläne des Kabinetts von Papen zu durchkreuzen.

Die Reichsregierung ignorierte die Signale der Nationalsozialisten, so gut es ging. Hindenburg lehnte Görings Bitte um einen Empfang des Reichstagspräsidiums in Neudeck mit höflichen Worten ab und verwies darauf, daß er in der nächsten Woche nach Berlin zurückkehren werde. Am 4. September verkündete das Kabinett jene Notverordnung zur Belebung der Wirtschaft, auf die sich die Minister in den Tagen zuvor geeinigt hatten. Ein anderer Teil der Kabinettsbeschlüsse schlug sich in der Ausführungsverordnung „zur Vermehrung und Erhaltung der Arbeitsgelegenheit" vom 5. September nieder. Die zweite Verordnung setzte das System der tariflichen Lohnvereinbarung weitgehend außer Kraft und löste damit scharfe Proteste bei den Gewerkschaften aus. Bei einem Gespräch mit Reichsarbeitsminister Schäffer bezeichneten die Vertreter aller Richtungsgewerkschaften die Verordnung als verfassungswidrig und kündigten rechtliche Schritte dagegen an. Diese Drohung brauchte die Regierung indes nicht sonderlich zu erschrecken. Schon am 9. September verständigte sich der Bundesausschuß des Allgemeinen Deutschen Gewerkschaftsbundes darauf, aller Kritik zum Trotz an den Ausführungsbestimmungen zu der Verordnung mitzuwirken.

Am gleichen Tag empfing Hindenburg, der seit dem 8. September wieder in Berlin weilte, das Reichstagspräsidium. Göring und Esser appellierten an den Reichspräsidenten, mit dem Reichstag zusammenzuarbeiten, während der deutschnationale Vizepräsident Graef sich zum Anwalt des Präsidialkabinetts von Papen machte. Hindenburg bestritt dem Reichstagspräsidium das Recht, irgendwelche politischen Verhandlungen zu führen, und betonte, daß die gegenwärtige Reichsregierung nach wie vor sein Vertrauen habe. Wenn der Reichstag anderer Meinung sei, könne er ein Mißtrauensvotum beschließen. Aber auch in diesem Fall sei er, der Reichspräsident, nicht entschlossen, sich von der Reichsregierung zu trennen.[1]

Die Verhandlungen zwischen den beiden katholischen Parteien und den Nationalsozialisten gingen währenddessen weiter, erbrachten aber keinerlei Fortschritt in der Sache. Hitler wollte sich vom Zentrum keine Fesseln anlegen lassen, und er dachte auch nicht daran, auf Strassers Vorschlag einzugehen, Zentrum und NSDAP sollten sich an einer Regierung unter Schleicher als Reichskanzler beteiligen. Der Reichswehrminister selbst erteilte entsprechenden Plänen am 10. September eine Absage, indem er öffentlich Gerüchten entgegentrat, wonach er, Schleicher, bereit sein könnte, „zu einer Verfälschung des Gedankens einer unabhängigen Präsidialregierung durch ein tatsächlich von den Parteien gebildetes Kabinett die Hand zu bieten". Hitler sah zu diesem Zeitpunkt nur noch einen Ausweg aus der Krise: Auf einer „Führerbesprechung" im Berliner Hotel „Kaiserhof" stellte er am 8. September klar, daß die Partei sich auf Neuwahlen einstellen müsse – und zwar je früher, desto besser.[2]

Am 12. September trat der Reichstag zu seiner zweiten Sitzung zusammen. Einziger Punkt der Tagesordnung war die Entgegennahme einer Regierungserklärung. Doch gleich zu Beginn stellte der kommunistische Abgeordnete Torgler den Antrag, die Tagesordnung zu ändern und zunächst die Anträge seiner Fraktion auf Aufhebung der beiden Notverordnungen vom 4. und 5. September und dann die Mißtrauensanträge gegen das Kabinett von Papen zu erledigen. Eine solche Änderung der Tagesordnung konnte schon durch den Widerspruch eines einzigen Abgeordneten verhindert werden – aber zur allgemeinen Verblüffung erhob niemand Einwände, auch nicht die deutschnationale Fraktion. Die NSDAP beantragte, um Hitlers Entscheidung über das weitere Vorgehen einzuholen, die Unterbrechung der Sitzung um eine halbe Stunde. Nach Annahme des Antrags drängte das Zentrum die Nationalsozialisten, die Anträge der KPD abzulehnen. Hitler entschied sich jedoch für Zustimmung und entzog damit weiteren Verhandlungen mit dem Zentrum fürs erste den Boden.

Papen war vom Gang der Ereignisse völlig überrumpelt worden. Er hatte weder den Vorstoß der KPD noch das Ausbleiben von Widerspruch einkalkuliert und war ohne die Auflösungsorder, die Hindenburg am 30. August in Neudeck – ohne Datum – unterzeichnet hatte, im Reichstag erschienen. Erst in der Sitzungspause besorgte er sich die „rote Mappe", um sie dann, als er den Sitzungssaal wieder betrat, demonstrativ vorzuzeigen. Nach Wiedereröffnung der Sitzung sagte Göring, nachdem sich vorher kein Widerspruch gegen die Tagesordnung geltend gemacht habe, „kommen wir jetzt zur Abstimmung über die Anträge Torgler. Wir stimmen ab." Auf Torglers Zuruf „Namentlich, Herr Präsident!" bestätigte er: „Die Abstimmung ist namentlich."

Erst nachdem das Stichwort „Abstimmung" gefallen war, erhob sich der Reichskanzler und bat ums Wort. Göring blickte indes angestrengt nach links, zu den Kommunisten, und ignorierte die Wortmeldung. Als Staatssekretär Planck ihn unter großer Unruhe auf die Wortmeldung des Reichskanzlers hinwies, erwiderte er barsch: „Die Abstimmung hat begonnen." Auch Papen selbst bat ein zweites Mal ums Wort – wiederum vergeblich. Dann legte er die rote Auflösungsorder auf den Tisch des Präsidenten, was Göring geflissentlich übersah.

Kanzler und Minister hatten den Plenarsaal bereits verlassen, als der Reichstagspräsident das Ergebnis der gemeinsamen Abstimmung über die Anträge auf Aufhebung der Verordnung und den Mißtrauensantrag der KPD bekanntgab. Von 560 abgegebenen Stimmzetteln war einer ungültig. 512 Abgeordnete hatten mit Ja gestimmt, 42 mit Nein, 5 hatten sich enthalten. Die Nein-Stimmen kamen von DNVP und DVP; die Abgeordneten der Deutschen Staatspartei, des Christlich-Sozialen Volksdienstes, der Deutschen Bauernpartei und der Wirtschaftspartei waren der Abstimmung ferngeblieben. Alle anderen Fraktionen hatten für die kommunistischen Anträge gestimmt.

Der Reichstag quittierte das Abstimmungsergebnis laut Protokoll mit „stürmischem Beifall und Händeklatschen". Göring erklärte anschließend, während der Abstimmung habe ihm der Reichskanzler ein Schreiben überreicht, „das gegengezeichnet ist von einem Reichskanzler und einem Reichsinnenminister, die durch das Mißtrauensvotum der Volksvertretung als gestürzt zu gelten haben. Hiermit ist das Schreiben hinfällig geworden." Dann verlas Göring die „Verordnung des Reichspräsidenten über die Auflösung des Reichstags vom 12. September 1932". Sie lautete: „Auf Grund des Art. 25 der Reichsverfassung löse ich den Reichstag auf, weil die Gefahr besteht, daß der Reichstag die Aufhebung meiner Notverordnung vom 4. September d. J. verlangt." Nach einem abermaligen Hinweis auf die Ungültigkeit des Schreibens schlug Göring vor, die Sitzung aufzuheben und tags darauf wieder zusammenzutreten. Unter dem Beifall seiner Parteifreunde erklärte er sodann die Sitzung für beendet.

Tatsächlich war der Reichstag aufgelöst, seit der Reichskanzler die Auflösungsorder auf den Tisch des Präsidenten gelegt hatte. Die Abstimmung über die Anträge der KPD war infolgedessen verfassungsrechtlich ohne Belang. Die Reichstagsfraktion der SPD beschloß denn auch noch am 12. September, die Rechtswirksamkeit der Auflösung anzuerkennen und an einer von Göring einberufenen Sitzung des Ältestenrates nicht teilzunehmen. Statt dessen berief Paul Löbe, der Vorsitzende des Ausschusses zur Wahrung der Rechte der Volksvertretung, des sogenannten „Überwachungsausschusses", ebendieses, von der Auflösung des Reichstags nicht betroffene Gremium für den folgenden Tag zu einer Sitzung ein, um die von Göring in seine Schlußansprache aufgeworfenen staatsrechtlichen Fragen zu klären. In dieser Sitzung räumte der Reichstagspräsident selber ein, daß die Auflösung des Reichstags formaljuristisch zu Recht erfolgt sei. Von einer Anrufung des Staatsgerichtshofes, von der Göring tags zuvor gesprochen hatte, war nun keine Rede mehr.

Für das Kabinett von Papen bedeutete die Reichstagssitzung vom 12. September eine schwere Niederlage. Mehr als vier Fünftel der Abgeordneten hatten der „Regierung der nationalen Konzentration" bescheinigt, daß sie in Wahrheit die Regierung einer kleinen Minderheit war. Dazu kam, daß der Kanzler sich das Debakel in erster Linie selbst zuzuschreiben hatte. Auch seine Anhänger mußten sich fragen, ob er der richtige Mann war, um das ehrgeizige Programm seines Kabinetts zu verwirklichen.[3]

Am Abend des 12. September trug Papen seine Regierungserklärung doch noch vor – aber nicht vor den Abgeordneten des Reichstags, sondern vor dem deutschen Volk, soweit es Gelegenheit hatte, der Rundfunkübertragung zu folgen. Der Reichskanzler ging mit dem verfassungswidrigen Verhalten Görings scharf ins Gericht, sprach von Erfolgen und Absichten seiner Regierung und wandte sich dann überraschend ausführlich der angestrebten Verfassungs- und Reichsreform zu. An die Stelle des Systems der formalen Demokratie, das im Urteil der Geschichte und in den Augen der deutschen Nation abgewirtschaftet habe, müsse eine neue Ordnung treten, eine „wahrhaft unparteiische nationale Staatsführung", die sich auf die Macht und Autorität des vom Volk gewählten Reichspräsidenten stütze. Das Wahlalter solle heraufgesetzt und die Volksvertretung organisch mit den Selbstverwaltungskörpern, offenbar im Sinne einer berufsständisch geprägten ersten Kammer, verbunden werden. Zwischen der preußischen und der Reichsregierung gelte es eine „organische Verbindung" herzustellen, die ein Neben- und Gegeneinander für die Zukunft ausschließe. Das deutsche Volk werde über die neue Verfassung, die ihm die Regierung nach sorgfältiger Prüfung vorlegen werde, selbst zu entscheiden haben. Papen schloß seine Rede mit dem Ausruf: „Mit Hindenburg und für Deutschland!"

Was der Reichskanzler im letzten Teil seiner Regierungserklärung vortrug, waren die Umrisse jenes „neuen Staates", den die Regierung von Papen seit dem Sommer 1932 zu errichten strebte. Ausführlicher als der Kanzler legte der Publizist Walther Schotte in einer von Papen eingeleiteten und damit zu offiziösem Rang erhobenen Broschüre dar, was den „neuen Staat" von der parlamentarischen Demokratie von Weimar unterscheiden sollte. Der „neue Staat" war ein mit berufsständischen Elementen versetzter autoritärer Präsidialstaat. Der Wille des Volkes äußerte sich vorrangig in einem einmaligen Wahlakt, der plebiszitären Legitimation des Staatsoberhaupts. Nicht der Reichstag, sondern der Reichspräsident verkörperte den allgemeinen Willen; er bildete das Machtzentrum. Der Reichstag sollte durch ein neues Wahlrecht, das das Alter, den Familienstand und die Kinderzahl berücksichtigte, entradikalisiert werden und seine Macht als Gesetzgebungsorgan mit einem Oberhaus teilen. In dieser, vom Reichspräsidenten berufenen ersten Kammer wirkten, soweit es nach den Vorstellungen der Architekten des „neuen Staates" ging, die Berufsstände harmonisch zusammen. Wenn ein Verfassungsentwurf, der sich an diesen Vorgaben orientierte, die Zustimmung einer Mehrheit der Deutschen gefunden hätte, wäre dies ein Akt weitgehender Selbstentmachtung des Volkes gewesen.

Papen, Gayl und ihre publizistischen Zuarbeiter konnten darauf setzen, daß die parlamentarische Demokratie im Jahr 1932 nur noch wenige engagierte Befürworter hatte. Schon 1927 hatte der konservative Schriftsteller Edgar Jung, jetzt ein maßgeblicher Berater des Kanzlers, in einem vielgelesenen Buch das parlamentarische System als die „Herrschaft der Minderwertigen" denunziert; ein autoritärer, angeblich überparteilicher Präsidialstaat war der gemeinsame Nenner jener Umbaupläne, die seit langem in rechten Zirkeln wie dem „Herrenclub" und dem Kreis um die Zeitschrift „Die Tat", entwikkelt worden waren. Ansonsten bot das Lager derer, die sich als Träger einer „konservativen Revolution" verstanden, kein einheitliches Bild. Der „Tatkreis" um den Publizisten Hans Zehrer, der enge Beziehungen zu Schleicher unterhielt, betonte die Rolle der Massen weit stärker als die Intellektuellen im persönlichen Umfeld Papens. Die Rolle, die der Reichswehrminister in den innenpolitischen Bündnisdiskussionen vom Spätsommer 1932 spielte, hatte zwar häufig mehr mit den wechselnden Projekten seiner Ratgeber als mit eigenen ausgefeilten Plänen zu tun. Aber soviel war bereits im September erkennbar: Schleicher stand der immer deutlicher werdenden Volksferne des von ihm ausgesuchten Kanzlers zunehmend skeptisch gegenüber.[4]

So klein die Zahl derer war, die der Weimarer parlamentarischen Demokratie nachtrauerten, so sicher war doch, daß jeder Versuch, das Wahlrecht weniger allgemein und weniger gleich zu machen, auf eine massive Opposition von den Kommunisten über die demokratischen Parteien bis hin zu den Nationalsozialisten gestoßen wäre. Wenn die Regierung Popularität gewinnen wollte, durfte sie nicht das Wahlrecht entdemokratisieren, sondern mußte Erfolge vorweisen – namentlich auf dem Gebiet, das den Massen am meisten auf den Nägeln brannte: dem Kampf gegen die Arbeitslosigkeit.

Es war vor allem Schleicher, der das Kabinett auf diesen Weg drängte. Der Reichswehrminister verfolgte mit Sympathie die Bemühungen eines Kreises um den Präsidenten des Deutschen Landgemeindetages und Reichstagsabgeordneten der Christlich-Nationalen Bauern- und Landvolkpartei, Günther Gereke, der eine kreditfinanzierte Arbeitsbeschaffung durch unmittelbare Aufträge öffentlicher Körperschaften propagierte. Mehr noch als das Programm des Gereke-Kreises faszinierte Schleicher die Zusammensetzung dieser Gesprächsrunde: In ihr waren unter anderem Nationalsozialisten, der „Stahlhelm", das Reichsbanner Schwarz-Rot-Gold und die Freien Gewerkschaften vertreten. Für Schleicher und seinen Ideengeber Hans Zehrer wurde der Gereke-Kreis dadurch zum Modell einer Partei- und Klassengrenzen überspringenden „Querfront", von der sie sich einen gesellschaftlichen Rückhalt für das Präsidialsystem erhofften. Am 5. September durfte Gereke dem Kanzler und einigen Fachministern seine Überlegungen vortragen. Praktische Folgen hatte sein Auftritt zunächst nicht, weil insbesondere Finanzminister Schwerin von Krosigk starke Bedenken wegen inflationärer Wirkungen des Gereke-Plans äußerte. Aber Schleicher pflegte den Kontakt zum Gereke-Kreis weiter und förderte damit den Eindruck, daß er sich vom Regierungskurs Papens vorsichtig abzusetzen begann.[5]

Im Unterschied zur öffentlichen Arbeitsbeschaffung war ein anderes Anliegen des Reichswehrministers im Kabinett ganz unumstritten: die Förderung des Wehrsports. Am 12. September, wenige Stunden vor der dramatischen Reichstagssitzung, nahmen die Minister zustimmend von einem Erlaß des Reichspräsidenten Kenntnis, wonach ein Reichskuratorium für Jugendertüchtigung berufen wurde. Billigung fand auch die Satzung des „Vereins zur Förderung des Geländesports". Dem Protokoll zufolge stimmte das Kabinett darin überein, „daß die körperliche Ausbildung der Jugend, welche durch das Reichskuratorium für Jugendertüchtigung erstrebt wird, für die Landesverteidigung von größter Bedeutung ist".

Die längerfristigen Absichten, die Schleicher mit der Organisation des Wehrsports verfolgte, legte er am 17. Oktober in einem Brief an den Kanzler dar: Zusammen mit dem Freiwilligen Arbeitsdienst und der 1919 gegründeten Technischen Nothilfe sollte das Reichskuratorium für Jugendertüchtigung die „Sicherstellung der Landesverteidigung durch eine gesunde, leistungsfähige und einsatzbereite junge Mannschaft" gewährleisten. Mit der Errichtung des Reichskuratoriums würden „der vom Geist der Wehrhaftigkeit bestimmte Geländesport der Nationalerziehung dienstbar" gemacht und zugleich die „Fundamente der kommenden Wehrmiliz" gelegt. Am Endziel Schleichers gab es mithin keinen Zweifel: Es ging ihm bei allen Schritten zum „Umbau" der Reichswehr um nichts Geringeres als die Wiedereinführung der allgemeinen Wehrpflicht.

Aber auch als innenpolitisches Instrument gedachte der Reichswehrminister das Reichskuratorium zu gebrauchen: Ähnlich wie der Gereke-Kreis sollte es zu einem Kristallisationskern der angestrebten „Querfront" werden. Schleicher hoffte, die politischen Wehrverbände, von der SA über den „Stahlhelm" bis zum Reichsbanner Schwarz-Rot-Gold, dadurch zähmen zu können, daß er sie in den Dienst der „sachlichen Aufbauarbeit des Volksganzen" stellte. Die Zusammenführung der verfeindeten paramilitärischen Verbände sollte im Rahmen des Reichskuratoriums, Freiwilligen Arbeitsdienstes und des geplanten Notwerks der deutschen Jugend, eines Winterhilfswerks für erwerbslose Jugendliche, erfolgen. Beim Freiwilligen Arbeitsdienst war dieses Vorhaben teilweise bereits gelungen: Zu seinen Trägern gehörten neben rechten Verbänden wie dem „Stahlhelm" mittlerweile auch die Freien Gewerkschaften und das Reichsbanner. Am Reichskuratorium hätte sich das Reichsbanner ebenfalls gern beteiligt: Sein Bundesvorsitzender Höltermann sah in der Reichswehr die einzige Kraft, die eine Machtübernahme der Nationalsozialisten noch aufhalten konnte, und erhoffte sich von einer paramilitärischen Schulung einen Zugewinn an Schlagkraft für seinen Verband. Doch für die SPD, der innerhalb der „Eisernen Front" die politische Richtlinienkompetenz zufiel, kam eine Mitwirkung an der Militarisierung der deutschen Gesellschaft und an Schleichers Aufrüstungspolitik nicht in Frage. Am 10. November entschied der Parteiausschuß, daß das Reichsbanner dem Reichskuratorium für Jugendertüchtigung nicht beitreten durfte.[6]

In der gleichen Sitzung vom 12. September, in der das Kabinett der Errichtung des Reichskuratoriums zustimmte, faßte es auch noch einen anderen, nicht minder wichtigen Beschluß zur Wehrpolitik. Reichsaußenminister von Neurath teilte mit, daß der französische Botschafter François-Poncet ihm tags zuvor die Antwort seiner Regierung auf die deutsche Denkschrift vom 29. August überreicht habe, in der das Reich seine volle militärische Gleichberechtigung verlangte. Neurath nannte die Pariser Note „durchaus unbefriedigend"; in den Hauptpunkten weiche sie einer Entscheidung aus. Der Außenminister zog daraus die Schlußfolgerung, daß es nicht in Deutschlands Interesse liegt, an den weiteren Verhandlungen der Abrüstungskonferenz in Genf teilzunehmen. Das Kabinett stimmte zu, und am 14. September erging ein entsprechendes Schreiben an den Präsidenten der Abrüstungskonferenz, den früheren britischen Außenminister Henderson. Um vor aller Welt deutlich zu machen, daß Frankreich an dieser Zuspitzung schuld sei, reiste Neurath am 28. September von der Tagung des Völkerbundsrates in Genf ab, ohne sich noch die Rede anzuhören, die der französische Ministerpräsident Herriot am gleichen Tag in diesem Gremium hielt.[7]

Der Kabinettsbeschluß vom 12. September markierte eine neue Etappe im Kampf um die Wiederaufrüstung Deutschlands, aber zugleich war er ein Stück deutscher Innenpolitik. Die Regierung hielt sich damit an die Parole, die Schleicher am 15. August ausgegeben hatte: Außenpolitisch dürfe nichts geschehen, was vom Volk nicht als national empfunden werde. Nach ihrer schweren Niederlage im Reichstag erschien es der Regierung noch wichtiger als zuvor, durch eine betont nationale Außenpolitik Stärke zu demonstrieren.

Die große Kraftprobe im Innern, auf die Papen, Gayl und Schleicher sich, freilich ohne ausdrücklichen Auftrag ihrer Kollegen, am 30. August in Neudeck mit Hindenburg verständigt hatten, traute sich das Kabinett nach dem Debakel vom 12. September aber nicht mehr zu. In der Ministerbesprechung vom 14. September sprachen sich nur Gayl und Schleicher für eine unbefristete Vertagung von Neuwahlen aus. Der Reichswehrminister berichtete, die Staatsrechtslehrer Carl Schmitt, Erwin Jacobi und Carl Bilfinger hätten die Frage, ob sich die Verletzung des Verfassungsartikels 25, der die Neuwahl des Reichstags spätestens sechzig Tage nach seiner Auflösung vorschrieb, rechtfertigen lasse, unter Hinweis auf ein „echtes Staatsnotrecht" bejaht. Alle anderen Minister und auch der Reichskanzler hielten den Zeitpunkt für ein Abweichen von der Verfassung noch nicht für gekommen. Am 17. September beschloß das Kabinett, dem Reichspräsidenten als Termin für die Neuwahl des Reichstags den 6. November, das spätestmögliche Datum, vorzuschlagen. Am 20. September unterzeichnete Hindenburg die entsprechende Verordnung.[8]

Uneinig war sich das Kabinett auch auf einem anderen Gebiet: der Agrarpolitik. Am 27. August war die Regierung einer Forderung des Reichslandbundes entgegengekommen und hatte grundsätzlich – unter dem Vorbehalt, daß dies nach den geltenden Handelsverträgen zulässig war – eine Einfuhrkontingentierung für landwirtschaftliche Erzeugnisse beschlossen. Die industriellen Spitzenverbände beantworteten diese Entscheidung mit scharfen Protesten. Die betroffenen Länder, so lautete der schwer zu widerlegende Einwand, würden dadurch zu Abwehrmaßnahmen herausgefordert, die neue Gefahren für den ohnehin notleidenden deutschen Export heraufbeschwören müßten. In der Kabinettssitzung vom 17. September machten sich Neurath, Krosigk, Warmbold und Schäffer dieses Argument nachdrücklich zu eigen. Papen stellte sich jedoch auf die Seite seines Landwirtschaftsministers, und am 26. September trug Magnus von Braun in einer Rede auf der Hauptversammlung des Bayerischen Landwirtschaftsrates in München eine lange Liste von Produkten vor, die künftig nur noch in beschränktem Umfang eingeführt werden sollten: Neben Zwiebeln, Tomaten, Erbsen und den wichtigsten Obstsorten waren Schmalz, Butter und Käse, außerdem Schlachtrinder, Karpfen und Speck von der Kontingentierung betroffen.

Einen Tag nach dem Landwirtschaftsminister ging der Wirtschaftsminister an die Öffentlichkeit. Am 27. September warnte Warmbold vor der Industrie- und Handelskammer Köln vor den fatalen Folgen einer Autarkiepolitik. Am 11. Oktober schloß sich das Direktorium der Reichsbank dieser Mahnung an: Die Kontingentierungspläne bedeuteten eine Gefahr für den deutschen Außenhandel, für die Devisenlage der Reichsbank und damit für die deutsche Währung. Von den Ländern, mit denen Deutschland wegen der Einfuhrbeschränkungen Verhandlungen führte, drohten vor allem zwei mit scharfen Sanktionen: Dänemark und Italien. Da sich eine Einigung nicht erzielen ließ, trat die Reichsregierung schließlich am 3. November, drei Tage vor der Reichstagswahl, den Rückzug an. Vom umfassenden Kontingentierungsprogramm blieb nur eine Beschränkung der Buttereinfuhr übrig. Dem

Reichslandbund wurde als Ausgleich eine Stützung der Getreidepreise zugestanden.[9]

Auch im Bereich der Verfassungsreform blieb es bei Ankündigungen. Papen nutzte einen Staatsbesuch in München, um am 12. Oktober vor dem Bayerischen Industriellenverband eine staatspolitische Grundsatzrede zu halten. Er setzte dem „marxistischen Begriff der staatlich reglementierten Fürsorge für jeden Bürger" den einer „wahren christlichen Volksgemeinschaft" entgegen und bekannte sich zur „unzerstörbaren Idee des heiligen Deutschen Reiches". Der Kanzler entwarf das Bild einer „machtvollen und überparteilichen Staatsgewalt..., die nicht als Spielball von den politischen und gesellschaftlichen Kräften hin- und hergetrieben wird, sondern über ihnen unerschütterlich steht". Die Reichsregierung müsse unabhängiger von den Parteien gestaltet werden und dürfe nicht Zufallsmehrheiten ausgeliefert sein. „Das Verhältnis zwischen Regierung und Volksvertretung muß so geregelt werden, daß die Regierung und nicht das Parlament die Staatsgewalt handhabt. Als Gegengewicht gegen einseitige, von Parteiinteressen herbeigeführte Beschlüsse des Reichstags bedarf Deutschland einer besonderen Ersten Kammer mit fest abgegrenzten Rechten und starker Beteiligung an der Gesetzgebung."

Der Reichskanzler ging damit kaum über das hinaus, was er schon in seiner Rundfunkrede vom 12. September gesagt hatte. Der für die Verfassungsreform zuständige Innenminister wurde auch nicht sehr viel konkreter, als er am 28. Oktober auf dem Jahresbankett der Berliner Presse sprach. Gayl setzte sich für eine „Sicherung" gegen den „überspitzten Parlamentarismus" ein, ließ aber offen, worin diese Sicherung bestehen sollte: einem Ausbau der Rechte des Reichsrats, der Schaffung einer berufsständischen Kammer oder einer Mischung von beidem. Der Minister bestritt, daß die Regierung das allgemeine, gleiche, direkte und geheime Wahlrecht aufheben wolle, widerlegte sich dann jedoch selbst mit dem Satz: „Wir halten es... für richtig, das aktive und passive Wahlalter um etwa fünf Jahre heraufzusetzen und den selbständigen Familienernährern, gleichviel ob Mann oder Frau, und den Kriegsteilnehmern eine Zusatzstimme zu gewähren, welche die Bedeutung der Familienernährer für unser Volk unterstreicht und den Kriegsteilnehmern den Dank des Vaterlandes zum Ausdruck bringt." Ende Oktober 1932 war damit nur das eine klar: Die „Regierung der nationalen Konzentration" beabsichtigte, das Rad der Geschichte kräftig zurückzudrehen, aber sie wußte offenkundig selbst noch nicht, wie sie das deutsche Volk zu einem weitgehenden Verzicht auf seine demokratischen Rechte bringen konnte.[10]

Als Gayl seine Rede hielt, lag bereits seit drei Tagen das mit Spannung erwartete Urteil des Staatsgerichtshofes zum „Preußenschlag" und damit eine Grundsatzentscheidung in Sachen Reichsreform, eines Kernstücks der geplanten Verfassungsreform, vor. Die Leipziger Richter erklärten die Verordnung des Reichspräsidenten vom 20. Juli 1932 für verfassungsmäßig, soweit sie den Reichskanzler zum Reichskommissar für das Land Preußen einsetzte und ihn ermächtigte, preußischen Ministern vorübergehend Amtsbefugnisse zu entziehen und selbst zu übernehmen. Diese Ermächtigung durfte sich aber, so hieß es dann weiter wörtlich, „nicht darauf erstrecken, dem preußischen Staatsministerium und seinen Mitgliedern die Vertretung des Landes Preußen im Reichsrat oder gegenüber dem Landtage, dem Staatsrat oder gegenüber anderen Ländern zu entziehen. Soweit den Anträgen hiernach nicht entsprochen wird, werden sie zurückgewiesen."

Das Leipziger Urteil vom 25. Oktober 1932 gab also teils dem Kläger, teils dem Beklagten recht. Die preußische Staatsgewalt wurde dementsprechend zwischen der geschäftsführenden Regierung Braun und der vom Reich eingesetzten kommissarischen Regierung aufgeteilt. Diese behielt die tatsächliche Exekutivgewalt, jene als wichtigstes Recht die Vertretung Preußens im Reichsrat. Obschon das Kabinett Braun dadurch keine reale Macht zurückgewann, konnte es doch als Erfolg verbuchen, daß ihm eine schuldhafte Pflichtverletzung nicht nachzuweisen war. Die Reichsregierung übte zwar weiterhin die Kontrolle über die staatlichen Machtbefugnisse des größten deutschen Einzelstaates, darunter seine Polizei, aus, mußte jedoch die Feststellung hinnehmen, daß sie am 20. Juli mit der Absetzung der preußischen Regierung verfassungswidrig gehandelt hatte. Dieses Verdikt traf auch den Reichspräsidenten, in dessen Namen diese Maßnahme ergangen war.

Das Urteil war, wie immer man die Dinge drehen und wenden mochte, eine Niederlage der Reichsregierung – was indes nicht dasselbe bedeutete wie einen Sieg des alten preußischen Kabinetts. Der „Vorwärts" ließ sich von „besonderer Seite" einen Kommentar schreiben, der den Nagel auf den Kopf traf. Die Leipziger Entscheidung sei keine rechtliche, sondern eine politische, meinte der Autor. „Der Staatsgerichtshof ist dem schweren Konflikt mit dem Reich ausgewichen, der sich ergeben hätte, wenn er den Anspruch der preußischen Regierung *in vollem Umfang* anerkannt haben würde ... Sein Urteil ist das *Gegenteil* eines salomonischen: es hat das strittige Kindlein fein säuberlich in zwei Hälften zerlegt und jeder der streitenden Mütter *je eine Hälfte* zuerkannt ... Damit bestehen nun nach diesem Urteil *beide* zu Recht: der Staatskommissar und die Preußen-Regierung, freilich mit einem gewaltigen Unterschied: der erste zwar vorübergehend, doch mit überragender Machtfülle, die andere zwar als Dauergebilde, aber praktisch mit geringerer Wirkungsmöglichkeit. Wie sich das praktisch auswirken wird und soll, wissen die Götter."

Die Reichsregierung behauptete in einer ersten Stellungnahme, der Staatsgerichtshof habe die Notverordnung vom 20. Juli 1932 in vollem Umfang bestätigt. Dem widersprachen sofort die preußischen Staatsminister: Die Verordnung werde in ihrer rechtlichen Grundlage wie in der von ihr ausgesprochenen Ermächtigung wesentlich eingeschränkt. Otto Braun berief noch am 25. Oktober für den folgenden Tag eine Sitzung des preußischen Staatsministeriums ein. Vor der Presse äußerte sich der Ministerpräsident anschließend bewußt staatsmännisch: Seine Regierung sei bereit, loyal und sachlich, zum Besten des Reiches und Preußens an der Lösung aller klärungsbedürftigen Fragen mitzuwirken. Zu diesen gehörten vor allem das Recht der preußischen Minister, Einsicht in die laufenden Geschäfte zu nehmen, und ihre Ausstattung mit einem ausreichenden Beamtenapparat.

Doch Papen dachte gar nicht daran, Braun entgegenzukommen. Am 27. Oktober erklärte der Kanzler in einer Sitzung der kommissarischen preußischen Staatsregierung, die Reichsregierung sei entschlossen, „sich in keiner Weise durch das frühere Preußische Staatsministerium in die Exekutive hineinreden zu lassen“. Zwei Tage später wiederholte er diesen Standpunkt anläßlich eines Zusammentreffens mit Braun beim Reichspräsidenten. Die Exekutive, sagte er, könne nicht geteilt werden und müsse beim Reichskommissar bleiben. Braun selbst verhielt sich defensiv. Er lege selbst gar keinen Wert auf die Amtstätigkeit, die ihm durch das Urteil des Staatsgerichtshofes zugewiesen sei, bemerkte der Ministerpräsident. „Ich wäre gern schon früher aus dem Amte geschieden, aber es ging nicht. Jetzt, nachdem der Staatsgerichtshof uns diese Aufgabe ausdrücklich zugewiesen hat, komme ich gar nicht mehr aus dem Amte heraus. Ich muß also solange aushalten, bis eine neue preußische Regierung gebildet ist.“

Der fehlende Kampfeswille Brauns erleichterte es der Reichsregierung, das Leipziger Urteil nach Kräften zu sabotieren. Am 29. Oktober wurde das preußische Wohlfahrtsministerium aufgelöst, und am 31. Oktober vervollständigte Papen als Reichskommissar für Preußen die kommissarische Staatsregierung durch die Ernennung mehrerer stellvertretender Reichskommissare. Einer von ihnen war Reichsernährungsminister Magnus von Braun, der damit in Personalunion auch die meisten Befugnisse des preußischen Landwirtschaftsministers übernahm. Gleichzeitig wurden Bracht und der soeben zum Stellvertreter des Reichskommissars für den Bereich des preußischen Finanzministeriums ernannte frühere Staatssekretär Popitz als Reichsminister ohne Geschäftsbereich in die Reichsregierung aufgenommen. Die personelle Verzahnung der beiden Regierungen war ein Stück Reichsreform – freilich einer anderen als der, auf die Braun hingearbeitet hatte. Die Maßnahmen vom 31. Oktober bekräftigten nur, was seit dem 20. Juli 1932 feststand: Preußen war de facto kein Bundesstaat mehr, sondern eine reichsunmittelbare Verwaltungseinheit.

Während das Reich in Preußen Herrschaft ausübte, kämpfte das preußische Staatsministerium um Diensträume, Personal und Akteneinsicht. Brauns Wunsch, wieder seinen Amtssitz in der Wilhelmstraße zu beziehen, lehnte Bracht rundweg ab. Statt dessen wies der stellvertretende Reichskommissar dem Staatsministerium einen Raum im preußischen Wohlfahrtsministerium zu, der durch Trennwände aus Pappe in drei kleine Zimmer aufgeteilt wurde. Von dort aus „regierte“ fortan das Kabinett Otto Braun. Als der Ministerpräsident am 3. November in einer Pressekonferenz ankündigte, er werde sich beim Reichspräsidenten wegen dieser Behandlung beschweren, reagierten viele seiner Parteifreunde enttäuscht. Sie hatten mehr erwartet und befürchteten nun negative Auswirkungen bei der Reichstagswahl. Das demokratische „8-Uhr-Abendblatt" monierte, daß Braun nicht „sofort mit der Faust auf den Tisch geschlagen und eine große Aktion des Staatsministeriums eingeleitet" habe. Das Blatt gab dem Ministerpräsidenten auch eine Leseempfehlung, ein Buch mit dem Titel „Wie werde ich energisch?"[11]

Der zweite Reichstagswahlkampf des Jahres 1932 verlief weit weniger blutig als der erste und ohne besondere Höhepunkte. Die spektakulärste Wahlkundgebung fand nicht in Deutschland statt, sondern in Paris. Der Vorsitzende der KPD, Ernst Thälmann, der ohne französisches Visum, also illegal, nach Frankreich eingereist war, trat am 31. Oktober gemeinsam mit dem Vorsitzenden der französischen Kommunisten, Maurice Thorez, in der Salle Bullier auf und hielt dort eine scharfe Kampfrede gegen das „Diktat von Versailles, den räuberischen Young-Plan und den Pakt von Lausanne". Beide Parteivorsitzenden bekannten sich zu einem gemeinsamen Manifest, das Thälmann bereits am 25. Oktober der Öffentlichkeit übergeben hatte. Darin forderten die kommunistischen Parteien Deutschlands und Frankreichs den Umsturz des „Versailler Systems". Die Schlüsselsätze lauteten: „Das räuberische Diktat unterdrückt zahllose Millionen in Elsaß-Lothringen, West- und Ostpreußen, Posen, Oberschlesien, Südtirol, ohne sie zu befragen, durch brutale Annexion. Es preßt sie unter die Herrschaft des imperialistischen Frankreich und seiner Vasallenstaaten, des faschistischen Polen, der Tschechoslowakei, unter die Gewalt Belgiens und Litauens oder die faschistische Barbarei Mussolinis. Auch das österreichische Volk wird durch das Versailler System, den Vertrag von St. Germain und den neuen Völkerbundspakt, jedes Rechts auf Selbstbestimmung beraubt."

Das Manifest stand ganz in der Tradition jener „Programmerklärung zur nationalen und sozialen Befreiung des deutschen Volkes", mit der die KPD im August 1930 versucht hatte, Stimmen aus dem nationalsozialistischen Lager für sich zu gewinnen. Es lag zudem voll auf der Linie des 12. Plenums des Exekutivkomitees der Kommunistischen Internationale vom August und September 1932. Auf dieser Konferenz war die KPD angewiesen worden, einerseits eine Kampagne gegen „Nationalismus und Chauvinismus" zu führen, andererseits selbst nationalistische Ziele zu propagieren, darunter die „Losung des ‚Sozialistischen Sowjetdeutschland', die auch die Möglichkeit eines freiwilligen Anschlusses des österreichischen Volkes und anderer deutscher Gebiete gewährleistet".

Das Spiel mit dem nationalistischen Feuer rechtfertigte sich aus der Sicht der Komintern durch den damit verfolgten Zweck: die Vorbereitung der Machtübernahme durch die Arbeiterklasse. Um desselben Zieles willen kam es darauf an, wirtschaftliche und politische Teilkämpfe auszulösen und sie in Massenaktionen überzuführen, bis die revolutionäre Situation eintrat, in der die kommunistischen Parteien an der Spitze der Mehrheit der Arbeiterklasse die Machtfrage in ihrem Sinn entscheiden konnten. Das für die KPD wichtigste Ergebnis des 12. Plenums stand in den Thesen zum Referat des Sekretärs des Exekutivkomitees, Otto Kuusinen. Es lautete: „Nur wenn der Hauptschlag gegen die Sozialdemokratie, diese soziale Hauptstütze der Bourgeoisie, gerichtet wird, kann man den Hauptklassenfeind des Proletariats, die Bourgeoisie, mit Erfolg schlagen und zerschlagen. Und nur, wenn die Kommunisten zwischen den sozialdemokratischen Führern und den sozialdemokratischen Arbeitern unterscheiden, können sie die Mauer, die sie häufig von den sozialdemokratischen Arbeitern trennt, im Namen der revolutionären Einheitsfront von unten niederreißen."[12]

Unmittelbar vor der Reichstagswahl erhielt die KPD Gelegenheit, die „revolutionäre Einheitsfront von unten" in Richtung auf die Nationalsozialisten zu erweitern und damit dem Kampf gegen Sozialdemokratie und Freie Gewerkschaften eine neue Wendung zu geben. Seit September war es in zahlreichen, vor allem kleineren und mittleren Betrieben zu Abwehrkämpfen gegen den Lohnabbau, eine Folge der tarifpolitischen Verordnung vom 5. September, gekommen. Die Aktionen ließen den Schluß zu, daß in der Arbeiterschaft allmählich wieder die Bereitschaft wuchs, ihre Interessen mit Streiks zu verteidigen. Nicht bei allen, aber bei den meisten dieser Arbeitskämpfe war die Revolutionäre Gewerkschafts-Opposition (RGO), die Betriebsorganisation der KPD, die treibende Kraft. Das galt auch von der größten Arbeitsniederlegung vom Herbst 1932, dem Streik bei der Berliner Verkehrs-Gesellschaft (BVG), der am 3. November begann.

Der gültige Tarifvertrag bei den kommunalen Verkehrsbetrieben der Reichshauptstadt war bereits am 30. September ausgelaufen. Die Direktion der BVG hatte zunächst, unter Hinweis auf wachsende Fehlbeträge, eine Lohnsenkung um 14 bis 23 Pfennig pro Stunde verlangt, war dann aber vom freigewerkschaftlichen Gesamtverband der Arbeitnehmer der öffentlichen Betriebe und des Personen- und Warenverkehrs auf einen sehr viel geringeren Lohnabbau festgelegt worden: Vom 1. November ab sollten die Stundenlöhne auf unbestimmte Zeit um 2 Pfennig sinken. Gegen diese Regelung machten sogleich KPD und RGO Front. Die Mobilisierung der Belegschaften übernahmen kommunistisch gelenkte „Einheitsausschüsse", denen auch freigewerkschaftlich organisierte Arbeiter und Mitglieder der Nationalsozialistischen Betriebszellen-Organisation (NSBO) angehörten. Eine Delegiertenkonferenz dieser „Einheitsausschüsse" setzte eine Urabstimmung aller Beschäftigten durch, die am 2. November stattfand und eine Zweidrittelmehrheit für den Streik erbrachte. Nach der Satzung des Gesamtverbandes konnte eine Genehmigung zum Ausstand „im allgemeinen" aber erst dann gegeben werden, wenn sich seine Mitglieder zu drei Vierteln dafür aussprachen. Mit dem Argument, daß diese qualifizierte Mehrheit nicht erreicht sei, erklärte die Funktionärskonferenz des Gesamtverbandes die Ausrufung des Streiks für abgelehnt – ebenso freilich auch das Ergebnis der bisherigen Verhandlungen mit der BVG.

Der Gesamtverband hatte einen schweren Fehler gemacht, als er, entgegen seiner Satzung, einer Urabstimmung unter den zu zwei Dritteln unorganisierten Belegschaften der BVG zustimmte. Nachdem sich aber eine starke Mehrheit für den Streik ausgesprochen hatte, konnte ein Nein zum Ausstand nur noch eines bewirken: die Isolierung der Gewerkschaft. Den Delegierten der „Einheitsausschüsse" kam dieses Ergebnis durchaus gelegen. Am Abend des 2. November beschlossen sie einstimmig, am nächsten Morgen in den Streik zu treten. In die zentrale Streikleitung wurden neben den führenden Funktionären von KPD und RGO sowie einigen oppositionellen Gewerkschaftlern auch vier Mitglieder der NSBO und zwei Frauen von BVG-Arbeitern gewählt.

Die KPD hatte sich schon im Mai 1932 zu der taktischen Notwendigkeit bekannt, im Bedarfsfall auch nationalsozialistische Arbeiter in Streikkomitees aufzunehmen. Der NSDAP fiel ein derartiges Zusammenspiel mit den „Bolschewisten" nicht nur aus ideologischen Gründen schwer; sie mußte auch an die zu erwartenden Folgen bei der Reichstagswahl denken. Doch der Berliner Gauleiter war bereit, dieses Risiko in Kauf zu nehmen. „Viele bürgerliche Kreise werden durch unsere Teilnahme am Streik abgeschreckt", schrieb Goebbels am 3. November in sein Tagebuch. „Das ist aber nicht das Entscheidende. Diese Kreise kann man später leicht wiedergewinnen, hat man aber den Arbeiter einmal verloren, dann ist er auf immer verloren."

Die Streikparole wurde weitgehend befolgt. Am 3. November fuhr in Berlin keine U-Bahn mehr; sofern Straßenbahnen und Omnibusse die Depots verließen, wurden sie unterwegs von Streikenden zum Halten gebracht und häufig beschädigt. Am Nachmittag fällte die Schlichtungskammer nach kurzen Vorverhandlungen mit den Tarifparteien einen Schiedsspruch, der im wesentlichen das früher erzielte Ergebnis bestätigte: Die Stundenlöhne sollten auf unbefristete Zeit um 2 Pfennig gesenkt werden. Diesen Schiedsspruch nahm die BVG an, während die Gewerkschaften ihn ablehnten. Nachdem der staatliche Schlichter am Abend den Schiedsspruch für verbindlich erklärt hatte, forderte die BVG ihr streikendes Personal durch Säulenanschlag und Plakate auf, die Arbeit bis Freitag, den 4. November, 14 Uhr, wieder aufzunehmen. Für den Fall der Weigerung drohte die Direktion die fristlose Entlassung an.

In der Nacht zum 4. November spitzte sich die Lage weiter zu. Die Polizei führte zahlreiche Verhaftungen durch, die der „Vorwärts" als „wahllos" bezeichnete. Am frühen Freitagmorgen kam es in der Nähe des Straßenbahnhofs Belziger Straße in Schöneberg zu schweren Zusammenstößen zwischen Streikenden und der Polizei, wobei ein nationalsozialistischer Zollbeamter getötet wurde. Gegen 10 Uhr vormittags traten die Obleute des Gesamtverbandes zusammen, mißbilligten das Verhalten der Polizei, sprachen ihren Unterhändlern das Vertrauen aus und forderten ihre Mitglieder auf, die Arbeit wiederaufzunehmen. Doch gegen die Mehrheit der Streikwilligen war dieser Beschluß nicht zu verwirklichen. Kommunisten und Nationalsozialisten lösten in den meisten Stadtteilen schwere Unruhen aus. In der

Hauptstraße in Schöneberg errichtete die SA Barrikaden; ein halbbesetzter Omnibus wurde mit Steinen bombadiert; die Polizei gab zuerst Schreckschüsse, dann gezielte Schüsse in die Menge ab. Insgesamt wurden am Nachmittag des 4. November drei Menschen durch Polizeikugeln getötet, acht schwer verletzt.

„In Berlin herrscht Revolutionsstimmung", notierte Goebbels erfreut. „Unser Ruf bei der Arbeiterschaft hat sich in ganz wenigen Tagen glänzend gehoben. Wenn sich das auch bei dieser Wahl noch nicht auswirken sollte, für die Zukunft ist dieser Aktivposten von gar nicht abzumessender Bedeutung." Der „Vorwärts" beobachtete einige Fälle von „Verbrüderung von Nazis und Kozis" und meinte dazu: „Gestern noch ‚Braune Mordpest' hüben, und ‚Rotes Untermenschentum' drüben! Heute in treuester Bundesgenossenschaft vereint! Welchem klassenbewußten Arbeiter sollte da nicht die Schamröte ins Gesicht steigen!"

Auch der Reichskanzler meldete sich zu Wort. In einer Wahlrede, die am Abend des 4. November von allen deutschen Sendern ausgestrahlt wurde, prangerte er die wilden Streiks an, die von den Nationalsozialisten Arm in Arm mit den Kommunisten vom Zaun gebrochen würden, um den Wirtschaftsfrieden zu stören, und nannte diese Ausstände „ein Verbrechen gegen die Gesamtheit der Nation, die hier ihre letzten Kraftreserven eingesetzt hat". Ganz auf der Linie des von ihm propagierten „starken Staates" versicherte Papen seinen Zuhörern aber auch, „daß gegen solche Friedensstörer wie hier in Berlin mit größter Strenge vorgegangen werden wird".

Erst am 7. November, einen Tag nach der Reichstagswahl, kam der Verkehr in Berlin allmählich wieder in Gang. Am Abend beschloß die Zentrale Streikleitung den Abbruch des Kampfes. Den sozialdemokratischen Gewerkschaftsfunktionären warf sie vor, sie hätten als erste, zusammen mit Polizeioffizieren, eine Bresche in die Einheitsfront der Arbeiter geschlagen und sich damit als beste Stütze der Papen-Regierung in der BVG erwiesen. Am 8. November, als der Verkehr bereits wieder völlig normal lief, erklärte auch die NSBO den Streik für beendet. Die Stimmenverluste, die die Nationalsozialisten am 6. November in Berlin hinnehmen mußten, waren in den bürgerlichen Vierteln ungleich höher als in den Arbeiterbezirken. Goebbels konnte also hoffen, daß sich der BVG-Streik langfristig doch noch für seine Partei bezahlt machen würde: im Sinne eines Vertrauenszuwachses beim großstädtischen Proletariat.[13]

Verluste der Nationalsozialisten waren nicht nur in Berlin, sondern im ganzen Reich das herausragende Merkmal der zweiten Reichstagswahl des Jahres 1932. Gegenüber der vorausgegangenen Wahl vom 31. Juli büßte die NSDAP über 2 Millionen Stimmen ein. Ihr Anteil sank von 37,3 auf 33,1 %, die Zahl der Mandate von 230 auf 196. Zu den Verlierern gehörte auch die SPD, die über 700 000 Stimmen weniger erhielt als im Juli und von 21,6 auf 20,4 % fiel. Gewinner waren die Deutschnationalen und die Kommunisten: Die Partei Hugenbergs legte über 900 000 Stimmen zu, was einem Zuwachs von 5,9 auf 8,9% entsprach; die KPD kletterte dank eines Zugewinns von rund 600000 Stimmen von 14,5 auf 16,9%. Die beiden katholischen Parteien hatten leichte Verluste zu verbuchen: Das Zentrum ging von 12,5 auf 11,9%, die BVP von 3,2 auf 3,1% zurück. Die Deutsche Staatspartei behauptete ihren Anteil von 1,0%, während die DVP sich von 1,2 auf 1,9% und der im württembergischen Pietismus verankerte Christlich-Soziale Volksdienst von 1,0 auf 1,2% verbessern konnten. Auffallend stark war der Rückgang der Wahlbeteiligung: Sie fiel gegenüber dem Juli von 84,1 auf 80,6%.

Im Wahlergebnis schlug sich vor allem politische Frustration nieder. Die Wahl vom 6. November war, wenn man die beiden Wahlgänge der Reichspräsidentenwahl und die Landtagswahlen mitrechnete, für die meisten Deutschen der fünfte Urnengang des Jahres 1932. Daß die Zahl der Nichtwähler von 7 Millionen im Juli auf 8,6 Millionen im November stieg, entsprang zuallererst einem Überdruß am Wählen. Die NSDAP, die zuvor den größten Nutzen aus der Politisierung von bisherigen Nichtwählern gezogen hatte, war hiervon am meisten betroffen. Gerade „unpolitische" Wähler mußten enttäuscht sein, daß ihre Stimmabgabe auf die praktische Politik kaum Einfluß hatte. Doch es war gewiß nicht nur Wahlmüdigkeit, die viele Deutschen veranlaßte, am 6. November zu Hause zu bleiben, sondern auch Unzufriedenheit mit „ihrer" Partei, mochte es die NSDAP oder die SPD, das Zentrum oder die BVP sein.

Offenkundig war auch ein gewisser, obschon begrenzter Vertrauensgewinn des Kabinetts von Papen, ablesbar an den vergleichsweise guten Ergebnissen von DNVP und DVP. Die Regierung und die sie stützenden Parteien zogen Nutzen aus den ersten Anzeichen einer wirtschaftlichen Erholung, die sich als Erfolg von Papens aktiver Konjunkturpolitik deuten ließen. Der staatlich gelenkte Rundfunk tat das Seine, um die Regierungsarbeit in hellem Licht erstrahlen zu lassen. Dazu kam Ernüchterung über den politischen und sozialen Radikalismus der Nationalsozialisten. An Hitlers provozierendes Auftreten nach dem Mord von Potempa hatte Papen in seiner Rundfunkrede vom 4. November nachdrücklich erinnert, und das Zusammenspiel mit den Kommunisten beim Berliner Verkehrsstreik schockierte nicht nur in den Villenvierteln der Reichshauptstadt, sondern wirkte abschreckend auf viele bürgerliche Wähler in ganz Deutschland. Zu Triumphgefühlen hatte die Regierung dennoch keinen Anlaß: Der Stimmenanteil der beiden gouvernementalen Parteien war zwar seit dem Juli von 7,1 auf 10,8% gestiegen, aber fast neun Zehntel hatten für Parteien gestimmt, die in Opposition zum „Kabinett der Barone" standen.

Den beiden katholischen Parteien hatten weder die unbedingte Gegnerschaft zu Papen noch die Koalitionsverhandlungen mit den Nationalsozialisten zusätzliche Sympathien eingetragen: Zusammen büßten sie gegenüber der Juliwahl 460000 Stimmen ein. Für eine schwarz-braune Koalition fehlte jetzt auch die numerische Voraussetzung. Auf Zentrum, BVP und NSDAP entfielen 286 Mandate – 7 weniger, als für die absolute Mehrheit erforderlich waren. Eine „parlamentarische" Krisenlösung war mithin nach dem 6. November noch schwerer vorstellbar als nach dem 31. Juli.[14]

Links von der Mitte gab es eine bemerkenswerte Kräfteverschiebung. Hatten die Sozialdemokraten bei den Juliwahlen noch um 7,1% vor den Kommunisten gelegen, so war ihr Vorsprung jetzt auf 3,5% zusammengeschrumpft. Der „Vorwärts" übernahm zwar unter der Überschrift „Marx stärker als Hitler" einen Artikel der Wiener „Arbeiter-Zeitung", der die Tatsache hervorhob, daß SPD und KPD zusammen nunmehr wieder stärker waren als die NSDAP, und daraus die „allerbesten Hoffnungen" ableitete. Aber für die Sozialdemokraten war es ein beunruhigender Gedanke, daß die Kommunisten ihrem Ziel, die SPD zu überrunden, ein gutes Stück nähergekommen waren. In der Sitzung des Parteiausschusses vom 10. November sprach ein „Linker", der Chemnitzer Bezirksvorsitzende Karl Böchel, am deutlichsten aus, was auf dem Spiel stand: „Wir sind im Endspurt mit den Kommunisten. Wir brauchen nur noch ein Dutzend Mandate verlieren, dann sind die Kommunisten stärker als wir... Das wäre der berühmte psychologische Moment für die kommunistische Agitation... Dann sagen sich die Genossen, die treu zur Partei gestanden haben, nun hat die Volksstimmung entschieden, und sie werden versuchen, schnell herauszukommen."

Der Parteivorsitzende der SPD, Otto Wels, gewann dem Wahlergebnis eine sehr viel positivere Note ab. Die Sozialdemokratie habe im Verlauf des Jahres 1932 fünf Schlachten unter dem Ruf „Schlagt Hitler!" geschlagen, sagte Wels in der gleichen Sitzung des Parteiausschusses, „und nach der fünften war er geschlagen". Ähnlich optimistisch wertete der Fraktionsvorsitzende im preußischen Landtag, Ernst Heilmann, den Wahlausgang. Das Ziel der sozialdemokratischen Wahlkämpfe, schrieb er im Diskussionsorgan „Das Freie Wort", sei es immer gewesen, das Schlimmste, die unumschränkte Diktatur Hitlers, zu vermeiden. „Dieses Ziel haben wir – nicht ohne schwere Verluste – erreicht: an die Hitler-Diktatur kann heute kein normaler Mensch mehr glauben... Der Ansturm des Faschismus auf den Staat abgeschlagen, den Nationalsozialisten die erste schwere Niederlage mit ihren unabsehbaren Folgewirkungen beigebracht zu haben, ist schon für die Arbeiterklasse ein Erfolg, in dessen Angesicht Arbeit und Mühe niemanden zu reuen braucht."

Die andere große demokratische Partei, das Zentrum, sah nach dem 6. November nicht die eigenen Bemühungen um einen Kompromiß mit der NSDAP als gescheitert an, sondern das Kabinett von Papen. Die Regierung habe gegen das Volk optiert, und das Volk habe seine Antwort gegeben, erklärte der Parteivorsitzende, Prälat Kaas, am Tag nach der Wahl. „Auf Grund dieses Volksurteils werden wir jeden verantwortbaren Schritt tun zur Überbrückung der Zerrissenheit zwischen den politischen Lagern und zur Ermöglichung einer starken, volksverbundenen Reichsregierung an Stelle des unmöglichen Zustandes von heute." In der „Germania" erschien die Stellungnahme von Kaas unter der Schlagzeile „Niemals mit dieser Regierung". Eine radikal andere Schlußfolgerung zog der deutschnationale „Tag" aus dem Wahlergebnis. Mit der Wahl Hugenbergs zum Parteivorsitzenden im Jahr 1928 sei die Entscheidung der DNVP gefallen. „Damals wie heute gilt es: Weg mit dem Parlamentarismus!" Hugenberg selbst sprach von einem „überzeugenden Sieg" seiner Partei und fuhr dann wörtlich fort: „Die schwarz-braune Mehrheit im Reichstag ist beseitigt. Damit ist eine der wesentlichen Voraussetzungen für die Durchführung des von uns in Volk und Parlament vertretenen Kurses geschaffen... Der Kampf geht weiter. Heil Deutschland!"

Die Nationalsozialisten gaben dem Kabinett von Papen die Schuld am Vormarsch der Kommunisten. Die „hervorstechendste Leistung der Herrenklub-Regierung" sei es, daß sie in wenigen Monaten der KPD zu 100 Mandaten verholfen habe, schrieb der „Völkische Beobachter". Hitler erließ einen Aufruf, in dem er sich gegen jede Verständigung und jeden Kompromiß mit der Regierung wandte. Die Parole sei rücksichtslose Fortsetzung des Kampfes. Goebbels' „Angriff" nannte es eine „selbstverständliche Forderung auch aus dieser Wahl", daß Hitler Reichskanzler werden müsse. „Ob dies auf dem Boden einer parlamentarischen Mehrheit oder in der Form eines Präsidialkabinetts oder einem Mittelding zwischen beiden bewerkstelligt wird, ist eine Frage von untergeordneter Bedeutung."

Das Zentralkomitee der KPD sprach von einer Beschleunigung des revolutionären Aufschwungs und bezeichnete die Kommunisten als die Sieger des Wahlkampfes. Ebenso sah es die „Prawda". Die KPD sei die „Einheitspartei der proletarischen Revolution Deutschlands", und als solche habe sie den Wahlsieg errungen, schrieb das Zentralorgan der KPdSU am 10. November. „Immer größere werktätige Massen gehen in das Lager der Revolution. Revolutionäre Riesenkämpfe stehen bevor. Von der gegenwärtigen Welle der Wirtschaftskämpfe führt der Weg zu immer mächtigeren Streikbewegungen ganzer Industriezweige und ganzer Industriegebiete zum politischen Massenstreik und zum politischen Generalstreik unter der Führung der Kommunistischen Partei, zum Kampf um die proletarische Diktatur."

Am 8. November nahm erstmals auch der Reichskanzler offiziell, in einer Rede vor dem Verein der ausländischen Presse, zum Wahlausgang Stellung. Papen sprach von einer „erfreulichen Zunahme des Verständnisses für die Regierungsarbeit" und gab seiner Hoffnung Ausdruck, nach der Wahl werde es nunmehr zu einer wirklichen nationalen Konzentration kommen. Wörtlich fügte der Kanzler hinzu: „Personenfragen spielen hierbei – ich habe es schon immer betont – keine Rolle."[15]

Im Kabinett, das am 9. November die politische Lage beriet, stieß diese Bemerkung Papens auf den energischen Widerspruch Gayls. „Man deute diese Äußerung als Zeichen von Schwäche", meinte laut Protokoll der Reichsinnenminister. „Es sei unbedingt notwendig, bei nächster Gelegenheit öffentlich zu erklären, daß die Reichsregierung keineswegs daran denke, jeder beliebigen Regierung Platz zu machen und dem Parteiklüngel wieder freie Bahn zu lassen... Der Reichskanzler dürfe auch nicht nochmals betonen, daß er zu einem Rücktritt bereit sei und seine Person kein Hindernis bilden dürfe." Gayl empfahl Verhandlungen mit den Parteien, um die Möglichkeit einer Tolerierung des Reichskabinetts zu prüfen. „Sei dieses Ziel nicht zu erreichen, dann seien die Konsequenzen klar. Es tauche dann der Gedanke einer neuen Reichstagsauflösung auf und damit die Situation eines staatsrechtlichen Notstandes. Für gewisse Zeit werde sich die Diktatur dann nicht vermeiden lassen."

Damit stand der Staatsnotstandsplan vom 30. August erneut auf der Tagesordnung. Aber uneingeschränkte Zustimmung erhielt der Innenminister von keinem seiner Kollegen. Schleicher stimmte ihm im „Endergebnis", nicht aber in den „Methoden" zu. Die Regierung müsse der Öffentlichkeit erst noch beweisen, daß eine Mehrheitsregierung zur Zeit nicht möglich sei. Das könne nur durch den Reichspräsidenten geschehen, nachdem der Reichskanzler mit den Parteien gesprochen habe. Nach einer solchen Feststellung dürfe der Reichstag gar nicht erst zusammentreten – eine Meinung, der sich auch Außenminister von Neurath anschloß. Finanzminister von Krosigk plädierte, unterstützt von den neuen Ministern Bracht und Popitz, für eine Mitregierung der Nationalsozialisten, während Justizminister Gürtner mit Nachdruck vor den Risiken eines Verfassungsbruchs warnte.

Gegen Ende der Beratung wiederholte Papen seine Auffassung, daß die Konzentration der nationalen Kräfte nicht an Personenfragen scheitern dürfe und sein Rücktritt eine solche Konzentration unter Umständen erleichtern könnte. Vielleicht sei es sogar das beste, wenn der Reichspräsident selbst mit Hitler verhandle. Schleicher betonte nochmals die Notwendigkeit, die Parteien ins Unrecht zu setzen. Daher sollten erst der Reichskanzler und dann der Reichspräsident mit ihnen verhandeln. Er sei auch selbst bereit, informell mit Hitler Fühlung aufzunehmen, gab sich aber zugleich „felsenfest davon überzeugt, daß die Nationalsozialisten sich nicht an der Regierung beteiligen würden". Der Vorschlag des Reichswehrministers fand die Zustimmung seiner Kollegen, ebenso die Feststellung des Reichskanzlers, daß weder er noch das Gesamtkabinett dem Reichspräsidenten ihren Rücktritt anbieten würden. Keine Unterstützung fand dagegen die Forderung Papens, die Arbeit an der Verfassungsreform fortzusetzen. Da sich vier Minister, am nachdrücklichsten Schleicher, für die Vertagung der einschlägigen Pläne aussprachen, bedeutete der 9. November 1932 das zumindest vorläufige Ende des Projekts.

Tags darauf berichtete Papen dem Reichspräsidenten über die Ergebnisse der Kabinettssitzung. Die Haltung Hindenburgs wurde in einer Pressemitteilung anschließend mit den Worten umrissen, daß dieser „an dem der Bildung der Regierung von Papen zugrunde liegenden Gedanken der nationalen Konzentration auch weiterhin festhalte". Dementsprechend erteilte der Reichspräsident dem Reichskanzler den Auftrag, „in Besprechungen mit den Führern der einzelnen in Frage kommenden Parteien festzustellen, ob und wieweit sie gewillt seien, die Regierung in der Durchführung des in Angriff genommenen politischen und wirtschaftlichen Programms zu unterstützen".

Hindenburgs Position war demnach klar: Er wollte es bei einem Präsidialkabinett belassen und dachte nicht an einen Kanzlerwechsel. Sehr viel weniger klar war, was Papen wollte. Seine Äußerungen gegenüber der Auslandspresse und im Kabinett legten den Schluß nahe, daß er eine Verständigung mit den Nationalsozialisten suchte und, für seine Person, eine Kanzlerschaft Hitlers nicht ausschloß. Wenn die Informationen zutrafen, die Wilhelm Keppler, der Leiter eines Kreises pronationalsozialistischer Industrieller, am 13. November dem Kölner Bankier Kurt von Schroeder zukommen ließ, hatte Papen einige Tage zuvor dem Aufsichtsratsvorsitzenden der Ilseder Hütte, Ewald Hecker, sogar ausdrücklich versichert, er habe den guten Willen, „sich auf eine Regierung unter der Kanzlerschaft Hi(tlers) zu einigen". Der gleichen Quelle zufolge hat Papen am 11. November in einem Gespräch mit Hecker, dem mittlerweile ganz in das Lager der Nationalsozialisten abgewanderten Hjalmar Schacht und dem persönlichen Vertrauensmann Hitlers, Heinrich Himmler, sich nochmals im gleichen Sinn geäußert.

Von Hecker erfuhr Papen auch, daß demnächst ein größerer Kreis von Persönlichkeiten aus Industrie, Banken und Landwirtschaft in einer Eingabe an Hindenburg die Übertragung des Kanzleramts an Hitler fordern würde. Am 19. November wurde der Brief dem Reichspräsidenten tatsächlich übergeben. Die Absender zollten dem „aufrechten Willen" des derzeitigen Kabinetts anerkennende Worte, stellten jedoch fest, daß es bei der Wahl vom 6. November keine ausreichende Stütze im deutschen Volk gefunden habe. Der wichtigste Satz lautete: „Die Übertragung der verantwortlichen Leitung eines mit den besten sachlichen und persönlichen Kräften ausgestatteten Präsidialkabinetts an den Führer der größten nationalen Gruppe wird die Schwächen und Fehler, die jeder Massenbewegung notgedrungen anhaften, ausmerzen und Millionen Menschen, die heute abseits stehen, zu bejahender Kraft mitreißen."

Das Schreiben trug zwanzig Unterschriften, darunter acht von Mitgliedern des „Keppler-Kreises". Zu diesen gehörten Schacht, Kurt von Schroeder und Hecker. Die meisten Unterzeichner waren mittelständische Unternehmer, Bankiers und Gutsbesitzer. Unterzeichnet hatten die Eingabe auch der geschäftsführende Präsident des Reichslandbundes, Eberhard Graf von Kalckreuth, und Fritz Thyssen, seit langem ein Parteigänger der Nationalsozialisten. Thyssen war neben dem Kaliminenbesitzer August Rosterg der einzige Großindustrielle, der sich in dieser Weise zugunsten Hitlers engagierte. Albert Vögler, der Generaldirektor der Vereinigten Stahlwerke, der selbst nicht unterzeichnete, teilte Schroeder am 21. November mit, daß zwei andere Schwerindustrielle, der Aufsichtsratsvorsitzende der Gutehoffnungshütte, Paul Reusch, und der Generaldirektor von Hoesch, Fritz Springorum, „an und für sich die in dem Schreiben niedergelegte Auffassung teilen und nur darin eine wirkliche Lösung der jetzigen Krise sehen". Unterzeichnen aber wollten beide nicht, weil sie fürchteten, eine derartige politische Stellungnahme würde die Gegensätze innerhalb der Ruhrindustrie allzu deutlich machen.

Der Brief an Hindenburg war also kein Votum *der* Großindustrie. Aber es gab doch andererseits keinen Zweifel, daß die Regierung von Papen nach dem 6. November sich nicht mehr der gleichen, nahezu geschlossenen Unterstützung der „Wirtschaft" erfreute wie im September und Oktober. Das Wahlergebnis war für die Industrie, die den größten Teil ihrer „politischen" Gelder den beiden regierungsfreundlichen Parteien, DVP und DNVP, hatte zukommen lassen, enttäuschend. Besonders alarmierend wirkte der Stimmenzuwachs für die KPD, für den Hitler, nicht ganz zu Unrecht, das Kabinett von Papen verantwortlich machte. Finanzminister von Krosigk drückte eine weitverbreitete Meinung aus, wenn er sein Eintreten für eine Regierungsbeteiligung der NSDAP damit begründete, daß andernfalls große Teile der Nationalsozialisten „einschließlich der Jugend" in das kommunistische Lager abwandern würden. Das war der Hintergrund, vor dem nach der Reichstagswahl auch bei Industriellen ein Stimmungsumschwung zugunsten Hitlers einsetzte. Auf der Tagung des schwerindustriellen „Langnam-Vereins" in Düsseldorf gewann Ende November ein Beobachter sogar den, sicherlich übertriebenen Eindruck, „daß fast die gesamte Industrie die Berufung Hitlers, gleichgültig unter welchen Umständen, wünscht".[16]

Bei den Weimarer Parteien setzte nach dem 6. November eine neue, nachgerade verzweifelte Suche nach Auswegen aus der Staatskrise ein. Zentrum und Bayerische Volkspartei wollten die Hoffnung auf eine Koalition mit den Nationalsozialisten nicht aufgeben – ein Bündnis, für das freilich, angesichts der Sitzverteilung im Reichstag, zusätzliche Partner bei den kleineren Parteien gebraucht wurden. Am 14. November warb der Zentrumsabgeordnete Joseph Wirth in einem Brief an den Fraktionsvorsitzenden der SPD, Rudolf Breitscheid, um Verständnis für das Dilemma seiner Partei. „Das Zentrum setzt seinen Versuch, die Nationalsozialisten zur praktischen Verantwortung im Reiche zu bringen, fort. Wir sind wohl beide der Meinung, daß dieser Versuch ein sehr großes Risiko darstellt. Aber so habe ich wiederholt argumentiert, ohne ein solches Risiko zu übernehmen, führt eben alles zur Ausschaltung des Reichstags und zur Zerstörung der Rechte des Volkes. Um der Demokratie willen geht das Zentrum in diese Sache hinein."

An die SPD richtete Wirth den Appell, als „echte Opposition" einer „Regierung Zentrum + NSDAP + X + Y" eine Chance zu geben, Notverordnungen erst einmal einem Ausschuß zur Nachprüfung zu überweisen und Mißtrauensanträge durch Stimmenthaltung zu Fall zu bringen. Nur so könne Hugenbergs „Zerstörungswerk an der deutschen Demokratie" Einhalt geboten und diese „in ihrem Wesenskern" erhalten werden. Die Sozialdemokratie müsse sich dazu durchringen, zunächst einmal „der Volksvertretung eine Art Atempause, besser gesagt die Existenz" zuzubilligen. „Was bedeutet Partei, was bedeutet politische Entwicklung, wenn die Volksvertretung selbst sich sozusagen aus einem Parteiprinzip heraus, das ich nicht schmähen möchte und auch nicht verkenne, ausschaltet?"[17]

Die Sozialdemokraten hatten vor einer raschen Auflösung des eben gewählten Reichstags mindestens ebensoviel Furcht wie das Zentrum. Die Sorge, daß die KPD bei Neuwahlen im Winter die SPD überrunden könnte, trieb die Parteiführung auf die Suche nach Möglichkeiten, das Nächstliegende *nicht* zu tun, nämlich unmittelbar nach Zusammentreten des Reichstags einen Mißtrauensantrag gegen die Reichsregierung einzubringen oder zu unterstützen. Wels schlug deswegen am 10. November im Parteiausschuß eine Taktik vor, die, wie er sagte, aus dem Zentrum an ihn herangetragen worden sei: Die SPD sollte zunächst den Entwurf eines Ausführungsgesetzes zu Artikel 48 einbringen, um die Machtbefugnisse der Präsidialregierung einzuschränken. Während der drei Lesungen durfte die Regierung dann nicht gestürzt werden. Den Urheber dieser Idee nannte Wels nicht namentlich: Es war Heinrich Brüning, mit dem der Vorsitzende der SPD sich tags zuvor zu einem Meinungsaustausch getroffen hatte.

Wels' Vorschlag fand viel Zustimmung. Hilferding, der sich schon Ende August dafür eingesetzt hatte, das Kabinett von Papen als „kleineres Übel" weiter amtieren zu lassen und nicht etwa durch einen Sturz Papens die Geschäfte Hitlers zu besorgen, rief seine Partei jetzt dazu auf, sich im Parlament eine „wirkliche Kampffront für die nächste Wahl zu schaffen", und stellte die rhetorische Frage: „Was wollen wir den Wählern sagen, wenn dieses Parlament wieder in die Grube fährt?" Severing meinte, wenn die Sozialdemokraten den Parlamentarismus stützen wollten, dürften sie nicht in den Fehler der Kommunisten verfallen, „das Parlament auseinanderzujagen, ehe es seine Tätigkeit begonnen hat". In gleichem Sinn argumentierte Breitscheid: „Wenn Papen den Reichstag sofort wieder auflöst, kommen wir doch wieder nicht zum Wort... Wir müssen ohne jede Koalition mit dem Zentrum und Papen ermöglichen, unsere Fragen, die wir auf dem Herzen haben, zum Ausdruck zu bringen."

Der „Vorwärts" kündigte am folgenden Tag, dem 11. November, die Einbringung eines Ausführungsgesetzes zum Artikel 48 an und rechtfertigte den Verzicht auf den sofortigen Sturz des „Kabinetts der Barone" mit dem Satz: „Der stärkste Stoß gegen die Papen-Regierung... wird durch eine im Reichstag selbst erhobene Kritik an ihrer lediglich von Mißerfolgen reichen Politik geführt werden." Doch einen Ausweg aus der deutschen Staatskrise wies die stärkste demokratische Partei damit nicht. Die Taktik der SPD konnte nur dann einen äußerlichen Erfolg haben, wenn erstens die NSDAP mitspielte und nicht für kommunistische Mißtrauensanträge stimmte, und wenn zweitens die Regierung Beschlüsse, die gegen ihre Politik gerichtet waren, nicht mit der Auflösung des Reichstags beantwortete. Das eine war so unwahrscheinlich wie das andere. Die Sozialdemokraten gaben sich Illusionen hin, wenn sie glaubten, mit dem Reichstag, wie er aus den Wahlen vom 6. November hervorgegangen war, die parlamentarische Demokratie retten zu können.[18]

Von anderer Art waren die Illusionen der Parteien des politischen Katholizismus. Noch immer setzten sie darauf, die Nationalsozialisten durch eine Beteiligung an der Regierung zähmen zu können. Bei den Verhandlungen, die Papen am 16. November mit dem Parteivorsitzenden des Zentrums, Prälat Kaas, und dem Abgeordneten Joos führte – es war das erste von Papens Sondierungsgesprächen mit den Parteien – verlangten beide den Rücktritt des Kabinetts und unmittelbare Verhandlungen zwischen dem Reichspräsidenten und den Parteien. In einer öffentlichen Erklärung, die dem Kanzler bei dieser Gelegenheit übergeben wurde, sprach sich das Zentrum für die „Zusammenfassung der politischen Kräfte zu einer starken Not- und Arbeitsgemeinschaft" aus, was nur als Umschreibung einer Koalition mit den Nationalsozialisten zu verstehen war. Der Vorsitzende der BVP, Fritz Schäffer, äußerte sich sehr viel weniger verschlüsselt. Er bezeichnete es am gleichen Tag dem Reichskanzler gegenüber als notwendig, „die nationalsozialistische Partei zur Beteiligung an der Regierung zu bewegen, selbst unter dem Opfer, Hitler zum Reichskanzler zu ernennen".

Zwei Parteien verweigerten dem Kanzler das erbetene Gespräch. Der Vorstand der sozialdemokratischen Reichstagsfraktion lehnte die Einladung in brüsker Form ab. Sein ganzes Verhalten mache Papen als Verhandlungspartner für die Sozialdemokratische Partei ungeeignet, hieß es in einer Erklärung vom 15. November, die in der Forderung nach dem Rücktritt der Regierung gipfelte. Hitler war höflicher. In einem ausführlichen Brief an den Reichskanzler legte er am 16. November dar, daß er sich auf Grund der Erfahrungen, die er am 13. August gemacht habe, nur noch auf einen schriftlichen Austausch der Standpunkte einlassen wolle. Zu den bisherigen Maßnahmen der Regierung bemerkte der Führer der NSDAP, er halte sie „teils für unzulänglich, teils für undurchdacht, teils für völlig unbrauchbar, ja sogar gefährlich". Eine Unterstützung seiner Partei für eine Fortsetzung dieser Politik schloß Hitler kategorisch aus.

Am 17. November zog das Kabinett die Bilanz aus den Bemühungen des Kanzlers. Papen selbst kam zu dem Schluß, eine „Herbeiführung der nationalen Konzentration" sei unter seiner Kanzlerschaft nicht möglich, und empfahl, dem Reichspräsidenten die Demission des gesamten Kabinetts anzubieten. Schleicher unterstützte diesen Vorschlag und legte Wert auf die Feststellung, daß ohne ein Rücktrittsangebot die nachfolgenden Verhandlungen des Reichspräsidenten wie ein Theatercoup wirken würden. Die übrigen Minister sprachen sich ebenfalls für den Rücktritt aus, wobei Gayl den Vorbehalt machte, das Kabinett müsse geschäftsführend im Amt bleiben. Hindenburg nahm das Rücktrittsangebot noch am gleichen Tag an. Ganz im Sinn des Reichsinnenministers bat er die Regierung jedoch, die Geschäfte vorläufig weiterzuführen.[19]

Die Nachricht vom Rücktritt der Regierung von Papen wurde in fast allen politischen Lagern mit tiefer Genugtuung aufgenommen. Das „Kabinett der Barone“ hatte durch seine Politik die große Mehrheit des Volkes in einer Weise gegen sich aufgebracht, daß es vielen einen Augenblick lang schien, als könne es jetzt nur noch besser werden. Aber wie die Staatskrise überwunden werden sollte, war am 17. November so unklar wie in den Wochen zuvor.

Am 18. November begann Hindenburg die Führer der Parteien zu empfangen. Die Kommunisten gehörten sowieso nicht dazu, aber diesmal auch nicht die Sozialdemokraten: Der Reichspräsident verübelte ihnen die schroffe Absage an Papen. Der erste Gesprächspartner, der deutschnationale Parteivorsitzende Hugenberg, plädierte für eine „überparteiliche Präsidialregierung“ und warnte vor der Unberechenbarkeit Hitlers. Ähnlich, wenn auch nicht ganz so entschieden, argumentierte Dingeldey von der DVP. Dagegen traten Kaas und Schäffer erneut für eine Regierungsbeteiligung der Nationalsozialisten ein, wobei der Vorsitzende der BVP „den Charakter und die Person Hitlers nicht ungünstig“ beurteilte, zugleich aber darauf hinwies, daß wegen der Diktaturgelüste seiner Umgebung „Gegengewichte und starke Persönlichkeiten“ in eine von Hitler geführte Regierung mit eingebaut werden müßten.

Die wichtigsten Unterredungen des Reichspräsidenten waren die mit Hitler. Bei der ersten Begegnung am 19. November warnte der Führer der NSDAP, wenn seine Bewegung zugrunde gehe, „dann kommt Deutschland in die größte Gefahr, denn dann würde es 18 Millionen Marxisten und darunter vielleicht 14 bis 15 Millionen Kommunisten geben. Es ist also durchaus im vaterländischen Interesse gelegen, daß meine Bewegung erhalten bleibt, und das setzt voraus, daß meiner Bewegung die Leitung zufällt.“ Nicht um die Macht gehe es seiner Bewegung, sondern nur um die Führung. Gewiß könne man noch einige Zeit mit einem überparteilichen Kabinett autoritär regieren. „Aber lange würde das nicht dauern, bis Februar wäre eine Revolution da, und Deutschland würde dann aufhören, ein außenpolitischer Machtfaktor zu sein.“

Auf Hindenburgs Frage, ob er mit den anderen Parteien über ein sachliches Programm der Zusammenarbeit zu verhandeln gedenke, antwortete Hitler, das würde er nur tun, wenn er vom Reichspräsidenten den Auftrag zur Regierungsbildung erhalte. „Ich glaube, daß ich eine Basis finden würde, auf der ich und die neue Regierung vom Reichstag ein Ermächtigungsgesetz bekämen. Eine solche Ermächtigung wird vom Reichstag niemand anderes als ich bekommen. Damit wäre die Schwierigkeit gelöst.“

Als Hitler am 21. November von Hindenburg zu einer weiteren Unterredung empfangen wurde, wußte er bereits durch Pressemitteilungen und durch Staatssekretär Meissner, was der Reichspräsident ihm vorschlagen würde: den Versuch, innerhalb von drei Tagen eine parlamentarische Regierung zu bilden. Die Chancen, daß Hitler eine Mehrheit im Reichstag finden würde, standen schlecht. Hugenberg lehnte die Unterstützung eines Kabinetts Hitler strikt ab, und das Zentrum wollte den Nationalsozialisten entweder den Posten des Reichskanzlers oder den des preußischen Ministerpräsidenten zugestehen, aber nicht alle beide. Hitler seinerseits verlangte die Vollmachten des Artikels 48, also die Führung eines Präsidialkabinetts, worauf Hindenburg aber nicht einging. Statt dessen erklärte er – in eindeutigem Widerspruch zu Artikel 53 der Verfassung, wonach der Reichskanzler und auf seinen Vorschlag die Reichsminister vom Reichspräsidenten ernannt und entlassen wurden –, daß er, Hindenburg, sich die Entscheidung über die Besetzung des Auswärtigen Amtes und des Reichswehrministeriums in einer von Hitler geführten Mehrheitsregierung vorbehalte.

Ein anschließender Briefwechsel zwischen Hitler und Staatssekretär Meissner bestätigte, was nach der Unterredung vom 21. November klar war: Hindenburg war nicht bereit, Hitler die Vollmachten des Kanzlers eines Präsidialkabinetts zu gewähren; vielmehr sollte der Führer der NSDAP, wenn er denn eine parlamentarische Mehrheit fand, weniger Befugnisse haben, als sie der Reichskanzler nach der Verfassung besaß. Daß Hitler hierauf nicht eingehen würde, stand von Anfang an fest und war auch von den Beratern des Reichspräsidenten so eingeplant worden. Am 24. November ließ Hindenburg Hitler durch Meissner eine schriftliche, sogleich auch der Presse übermittelte Botschaft zukommen, die sich im Kern nicht von der Entscheidung des 13. August 1932 unterschied: Der Reichspräsident glaube „es vor dem deutschen Volke nicht vertreten zu können, dem Führer einer Partei seine präsidialen Vollmachten zu geben, die immer erneut ihre Ausschließlichkeit betont hat, und die gegen ihn persönlich wie auch gegenüber den von ihm für notwendig erachteten politischen und wirtschaftlichen Maßnahmen verneinend eingestellt war. Der Herr Reichspräsident muß unter diesen Umständen befürchten, daß ein von Ihnen geführtes Präsidialkabinett sich zwangsläufig zu einer Parteidiktatur mit allen ihren Folgen für eine außerordentliche Verschärfung der Gegensätze im deutschen Volke entwikkeln würde, die herbeigeführt zu haben er vor seinem Eid und seinem Gewissen nicht verantworten könne.“[20]

Ein letzter Versuch, doch noch eine parlamentarische Mehrheitsregierung zu bilden, war von Anfang an aussichtslos und wurde wohl nur unternommen, weil Hindenburgs Umgebung es für notwendig hielt, der Öffentlichkeit die Unausweichlichkeit einer präsidialen Lösung nochmals eindringlich vor Augen zu führen: Am 24. November erteilte der Reichspräsident dem Prälaten Kaas den Auftrag, in Gesprächen mit den Parteien die Möglichkeit einer parlamentarischen Krisenlösung auszuloten. Einen Tag später stand der negative Ausgang fest. Kaas mußte dem Reichspräsidenten mitteilen, daß zwar die Vorsitzenden von DVP und BVP, Dingeldey und Schäffer, bereit seien, an Beratungen über das Sachprogramm einer künftigen Regierung teilzunehmen, nicht jedoch Hitler und Hugenberg. Kaas folgerte daraus, daß ein weniger polarisierendes Präsidialkabinett als die Regierung von Papen nun die einzige Lösung sei. Ein solches Kabinett werde zwar keine parlamentarische Mehrheit, doch eine wesentlich erweiterte Basis haben.

Am 25. November beriet das Kabinett über die politische Lage. Schleicher berichtete eingangs über ein Gespräch, das er zwei Tage zuvor mit Hitler geführt hatte. Der Führer der NSDAP hatte demnach präzise Fragen des Reichswehrministers klar beantwortet: Hitler war nicht bereit, in ein neues, nicht von Papen geführtes Kabinett einzutreten; er war entschlossen, eine etwaige Regierung von Schleicher zu bekämpfen; er würde es keinem Nationalsozialisten gestatten, einen Ministerposten in einer Reichsregierung zu übernehmen. Schleicher zog daraus den Schluß, daß durch einen Wechsel des Reichskanzlers nichts zu gewinnen sei.

Papen gab den Standpunkt Hindenburgs wieder. Der Reichspräsident sei fest entschlossen, Hitler nicht zum Chef eines Präsidialkabinetts zu machen und „alle Maßnahmen zu treffen, die etwa notwendig würden". Das konnte nur bedeuten, daß Hindenburg nach wie vor daran dachte, bei einer neuerlichen Auflösung des Reichstags Neuwahlen zu vertagen, die verfassungsmäßige Frist von 60 Tagen also nicht einzuhalten. Der Reichspräsident wolle mehr als bisher für die Beschaffung von Arbeit und Brot getan wissen, und zwar insbesondere dann, wenn der Reichstag wieder aufgelöst werden sollte. „Während dieser Zeit würde der Herr Reichspräsident auch keine Verfassungsänderung vornehmen wollen. Er fühle sich dann vielmehr gerade während der parlamentslosen Zeit als Garant der Reichsverfassung."

Das Reichskabinett war am 25. November bei weitem nicht so kampfentschlossen wie der Reichspräsident. Ernährungsminister von Braun meinte, nach einem Gespräch zwischen Hitler und Hugenberg, das tags zuvor stattgefunden hatte, sei eine Wiederherstellung der „Harzburger Front" möglich, und vielleicht ergebe sich daraus ein Rückhalt für eine neue Reichsregierung. Finanzminister von Krosigk warnte vor einer Situation, in der die Regierung auf die „nationale Jugend" schießen müsse. Eine Reichsregierung mit breiterer Basis könnte dieser Gefahr eher entgehen. Papens Frage, ob er im Amt bleiben solle, fand keine eindeutige Antwort. Die Mehrheit der Minister schien jedoch dem Standpunkt des Reichswehrministers zuzuneigen, daß von einem Kanzlerwechsel keine Wende zum Besseren zu erhoffen sei.

Schleicher begründete dieses Votum auch damit, daß nunmehr mit dem militärischen Ausnahmezustand gerechnet werden müsse. In diesem Fall werde die Aufmerksamkeit der Öffentlichkeit sich auf den Reichswehrminister als den Inhaber der vollziehenden Gewalt richten und von der Person des Kanzlers, „der schon zu sehr angegriffen worden sei", abgelenkt werden. Schleicher versicherte sodann, daß es in der Reichswehr keine Begeisterung für Hitler mehr gebe. „Alle Fragen, die den militärischen Ausnahmezustand beträfen, würden heute, den 25. November, und morgen sorgfältig im Reichswehrministerium durchgeprüft. Man brauche keine Sorge zu haben, daß hier irgend etwas versagen würde."

Ob Schleicher zu diesem Zeitpunkt Papen wirklich noch stützen wollte und seine eigene Kanzlerschaft ausschloß, erscheint zweifelhaft. Sein Hinweis auf die Unpopularität des Kanzlers spricht eher dagegen. Aber auch

Papen selbst war keineswegs entschlossen, um sein Amt zu kämpfen. Er war beeindruckt, als Krosigk ihn am 26. November unter vier Augen nochmals vor blutigen Unruhen warnte, zu denen es kommen würde, falls er Kanzler bliebe. Bei einer Unterredung mit Hindenburg, an der auch der Reichswehrminister teilnahm, bat der amtierende Kanzler am gleichen Tag den Reichspräsidenten, den Auftrag zur Regierungsbildung nicht ihm zu erteilen. Als Hindenburg dennoch auf Papens Kanzlerschaft beharrte, gab der Reichswehrminister, seinem eigenen Bericht zufolge, „angesichts der allgemeinen Opposition gegen Papen, die sich doch auch in der Ruhrindustrie sehr stark bemerkbar macht, den Rat..., vorher die Atmosphäre zu prüfen". Der Reichspräsident hatte dagegen nichts einzuwenden, setzte Schleicher keinen Termin und ließ ihm, was die Auswahl der Gesprächspartner anging, völlig freie Hand.

Der Reichswehrminister vereinbarte sofort die Termine der ersten Unterredungen. Über das Wochenende vom 26. zum 27. November sprach er nacheinander mit Dingeldey, Hugenberg, Kaas und Göring. Dabei erklärten ihm zwei Parteivorsitzende, nämlich Dingeldey und Kaas, daß sie ihn, Schleicher, sehr viel lieber an der Spitze der neuen Präsidialregierung sähen als Papen. Am 28. November führte der Reichswehrminister Verhandlungen mit den Freien Gewerkschaften und der SPD. Den Vorsitzenden des ADGB, Theodor Leipart, und seinen Stellvertreter, Wilhelm Eggert, fragte Schleicher, ob sie gegebenenfalls mit einem Arbeitsminister Stegerwald einverstanden sein würden, worauf Leipart ausweichend antwortete, man wisse ja noch nicht, in welcher Gesellschaft sich der neue Arbeitsminister befinden werde. Einig waren sich beide Seiten, daß die Arbeitsbeschaffung künftig im Vordergrund der Regierungsarbeit stehen müsse. Von sich aus kündigte Schleicher die Aufhebung der Verordnung vom 5. September an, die den Arbeitgebern die Unterschreitung der Tariflöhne erlaubte.

Die Bemerkung des Ministers, Hindenburg erwäge nunmehr, ihm an Stelle Papens das Amt des Reichskanzlers zu übertragen, konterte Leipart mit einem Appell, der nicht eindeutiger hätte ausfallen können: „Wenn es wirklich so steht, dann halte ich es für meine Pflicht, Sie zu bitten, daß Sie dann annehmen." Die konkreten Wünsche des ADGB, darunter die gesetzliche Einführung der 40-Stunden-Woche, faßte Leipart auf Bitten Schleichers tags darauf schriftlich zusammen. Der Reichswehrminister konnte danach sicher sein, daß er mit seinem Vorhaben, einen „Waffenstillstand bis in das nächste Jahr hinein" zu erreichen, bei den Freien Gewerkschaften wohlwollendes Verständnis finden würde.

Ganz anders verlief das Gespräch mit dem Fraktionsvorsitzenden der SPD, Rudolf Breitscheid, das im unmittelbaren Anschluß an die Unterredung mit Leipart und Eggert stattfand. Der ausführlichen, noch am gleichen Tag diktierten Aufzeichnung Breitscheids zufolge distanzierte sich Schleicher eingangs von dem „Verfassungsgequatsche", das er Gayl anlastete und als „überflüssig und gefährlich" bewertete. Dann fragte er Breitscheid, ob es nicht möglich sei, den Reichstag irgendwie in Gang zu setzen. „Er wisse sehr genau, daß irgendeine Art von Tolerierung für die Sozialdemokratie, wie das neue Kabinett auch immer aussehen möge, nicht in Betracht komme. Aber ob es denn keine Möglichkeit gäbe, wenigstens zu verhindern, daß der Reichstag am ersten Tag wieder auffliege."

Breitscheid erwiderte, daß für die Beantwortung dieser Frage doch die Parteien der Rechten und das Zentrum in Betracht kämen. Der SPD würde es natürlich auch wesentlich angenehmer sein, wenn wenigstens eine Debatte im Reichstag zu ermöglichen wäre. Schleicher beklagte daraufhin die Unnachgiebigkeit Hugenbergs, um anschließend mit seinen Wünschen an die Sozialdemokratie noch ein Stück weiterzugehen. „Ob es, so fragte er, für uns nicht möglich sei, wenn sich die Deutschnationalen versagten, dafür zu sorgen, daß die Abstimmung über die Mißtrauensvoten auf einige Zeit vertagt werde, damit die Regierung Gelegenheit zum Arbeiten bekommt. Ich erwiderte ihm, daß das natürlich noch viel schwerer sei als die Ingangsetzung des Reichstags." Würde Papen nochmals mit der Kanzlerschaft betraut, sei für die SPD selbst eine Mithilfe bei der „Ingangsetzung" ausgeschlossen. Im übrigen gehe es nicht nur um Mißtrauensvoten, sondern auch um Notverordnungen – ein Hinweis, der Schleicher dazu veranlaßte, erneut, wie schon gegenüber Leipart, die Aufhebung der Verordnung vom 5. September in Aussicht zu stellen.

Dann kam der Reichswehrminister zum entscheidenden Punkt. „Wenn ... die Regierung gestürzt werde, bleibe doch nichts anderes übrig als eine neue Auflösung, an der niemand ein Interesse haben könne. Wie die Dinge nun ständen, wenn etwa der Reichspräsident erkläre, er werde Neuwahlen erst im Frühjahr vornehmen lassen und gleichzeitig die Versicherung abgäbe, daß in der Zwischenzeit keine Experimente mit der Verfassung usw. gemacht würden? Ob dann die Sozialdemokratie sofort auf die Barrikaden gehen werde?"

Breitscheids Antwort auf die politische Gretchenfrage ließ vieles offen, konnte Schleicher aber kaum ermutigen. „Ich erwiderte ihm, daß ich mich nicht auf die ‚Barrikade' festlegen wolle, daß ich ihm aber erklären müsse, die Sozialdemokratie werde sich gegen einen solchen Verfassungsbruch mit allen Kräften zur Wehr setzen. Unter diesen Umständen, so meinte Schleicher, sehe die Zukunft allerdings recht trübe aus."

Eine Annäherung der Standpunkte gab es auch nicht auf dem Gebiet der Arbeitsbeschaffung. Der Fraktionsvorsitzende der SPD sprach von Informationen, wonach die Regierung Günther Gereke zum Reichskommissar für Arbeitsbeschaffung machen wolle. Diese Absicht werde bei den Sozialdemokraten auf starke Opposition stoßen, weil sie ebenso wie Reichsbankpräsident Luther den Gereke-Plan für ein Inflationsprogramm hielten. Bei der abschließenden Erörterung des Preußenproblems versprach Schleicher, er werde sich, sobald die gegenwärtige Situation geklärt sei, mit Otto Braun darüber unterhalten, „ob denn nicht eine anständige Lösung der derzeitigen Schwierigkeiten möglich gemacht werden könne".

Breitscheid verließ das Reichswehrministerium nach eineinhalb Stunden in der Überzeugung, „daß Schleicher die Kabinettsbildung übernehmen wird, wenn die Alternative lautet: Papen oder er. Er sagt zwar, daß er es ungern tue und im schlimmsten Fall das Amt nur für ein paar Monate behalten werde, da er jeden Eindruck einer Militärherrschaft vermeiden wolle. Aber ich bin überzeugt, daß er, das Einverständnis Hindenburgs vorausgesetzt, die Sache machen wird."[21]

Der „Vorwärts" wählte am Morgen des folgenden Tages, des 29. November, eine sehr viel schroffere Sprache als Breitscheid. Schleicher, der nicht nur der Reichswehrminister des Papen-Kabinetts, sondern auch sein führender Kopf gewesen sei, könne „billigerweise von der Sozialdemokratie auch nicht eine Spur von Vertrauen" erwarten; die Beteiligung an einem „innenpolitischen Waffenstillstand" komme für die SPD nicht in Frage. Doch schon am Abend des gleichen Tages schlug das sozialdemokratische Parteiorgan sehr viel maßvollere Töne an. Inzwischen kursierten in Berlin Gerüchte, daß nun doch Papen wieder Reichskanzler werden solle – und zwar mit dem ausdrücklichen Auftrag, ein Kampfkabinett gegen den Reichstag zu bilden. Der „Vorwärts" reagierte darauf mit der Ankündigung, ein Kanzler, der nicht Papen hieße, werde zwar gewiß auch mit der Opposition der Sozialdemokratischen Partei zu rechnen haben, und diese Opposition werde um so schärfer sein, je mehr der neue Mann die Neigung zeigen werde, den Papen-Kurs fortzusetzen. „Aber Opposition ist eine *normale Funktion* des politischen Lebens, und politische Gegensätze sind noch keine Gefahr für die Existenz der Nation. Das werden sie erst, wenn sie durch eine unverantwortliche Politik der Herausforderung bis zu einer Schärfe gesteigert werden, die eine Entladung unvermeidlich macht."

Damit wurde Schleicher immerhin, wenn auch in verschlüsselter Form, bescheinigt, daß er für die Sozialdemokraten ein kleineres Übel als Papen sei. Vor einem „Kampfkabinett" Papen warnte das Zentralorgan der SPD so eindringlich, daß es wie ein Ultimatum klang. „Papen heißt Krieg! Der Reichspräsident hat nicht das Recht, dem eigenen Volk den Krieg zu erklären!" In Berlin habe die Nachricht, daß eine Wiederbeauftragung des Herrn von Papen bevorstehe, große Bewegung, ja einen „Sturm" hervorgerufen. „Namentlich aus den Betrieben wurde bei uns angerufen mit dem Hinweis darauf, daß diese Nachricht, die sich sofort auch in den Betrieben herumgesprochen hat, *ungeheure Erregung bei der Arbeiterschaft* ausgelöst habe. Von allen Seiten wurde versichert, daß eine Wiederbeauftragung Papens als schwerste *Provokation* der Arbeiterschaft empfunden werden würde."

Die massive, im Verlauf des 29. November etwas abgemilderte Polemik gegen Schleicher entsprang der Sorge der SPD, der bloße Anschein einer neuen „Tolerierungspolitik" werde die Partei einem beispiellosen Trommelfeuer der Kommunisten und einer inneren Zerreißprobe aussetzen. Aber eine „demokratischere" Lösung als ein Präsidialkabinett Schleicher war nicht in Sicht, und der Aufschub von Neuwahlen konnte sehr bald zur letzten

Alternative zur Machtübertragung an Hitler werden. Schleichers Zusicherung, die parlamentslose Zeit nicht für eine autoritäre Verfassungsreform zu mißbrauchen, hätte ein Brückenschlag zu den Weimarer Verfassungsparteien werden können. Doch die SPD wollte diese Brücke nicht betreten. Was die Sozialdemokraten, nicht anders als das Zentrum, der ultima ratio des übergesetzlichen Staatsnotstands entgegensetzten, war ein Verfassungspositivismus, der schon seit den ersten Reichstagswahlen von 1932 schal geworden war. Da sich die Mehrheit der Wähler gegen die Weimarer Demokratie entschieden hatte, konnte die Treue zum Buchstaben der Verfassung kein Mittel mehr sein, ihren rechtsstaatlichen Kernbestand zu retten. Hinter dem unbedingten Nein zur Proklamation des Staatsnotstands stand kein strategisches Konzept, sondern nur taktisches Kalkül – und die Unfähigkeit, sich den Ernstfall bewußt zu machen.

In der Führung der Freien Gewerkschaften wurde die sozialdemokratische Absage an einen Präsidialkanzler Schleicher mit Besorgnis aufgenommen. Der Bundesvorstand des ADGB kam am 29. November trotz aller Bedenken hinsichtlich der „Vertrauenswürdigkeit" Schleichers zu dem Ergebnis, „daß die Gewerkschaften sich nicht selbst ausschalten sollten". Zwar sei die SPD jetzt in einer äußerst schwierigen Lage. „Trotzdem scheine der grundsätzliche Kampf gegen jede Art von Präsidialregierung bedenklich. Die Partei müsse sich überlegen, was nachher werden solle, da keine Möglichkeit bestehe, eine Mehrheit für ein Kabinett zu finden. Opposition um jeden Preis bedeute freiwillige Ausschaltung unseres Einflusses."[22]

Für aufmerksame Beobachter kamen die Gegensätze zwischen ADGB und SPD nicht überraschend. Am 14. Oktober hatte Leipart in der Bundesschule seines Verbandes in Bernau eine Rede zum Thema „Die Kulturaufgaben der Gewerkschaften" gehalten, in der er sich auf demonstrative Weise aus den „Parteifesseln" zu lösen versuchte. „Keine soziale Schicht kann sich der nationalen Entwicklung entziehen", lautete einer der Schlüsselsätze. Die Gewerkschaften hatten ihrem Vorsitzenden zufolge die Arbeiter organisiert, um das „Gemeinschaftsgefühl in ihnen zu wecken und den Gemeingeist zu pflegen"; sie leisteten einen „Dienst am Volk" und führten ihren „sozialen Kampf im Interesse der Nation"; sie entbehrten als Sozialisten nicht des „religiösen Gefühls", ja mehr noch: Sie kannten den „soldatischen Geist der Einordnung und der Hingabe für das Ganze".

Ernst Jüngers kurz zuvor erschienenes Buch „Der Arbeiter. Herrschaft und Gestalt" wurde von Leipart nicht ausdrücklich zitiert. Aber es war unverkennbar, daß der Verfasser der Bernauer Rede – Lothar Erdmann, der Schriftleiter der gewerkschaftlichen Monatsschrift „Die Arbeit" – dem neuesten Werk des bedeutendsten Autors der deutschen Rechten wesentliche Anregungen verdankte: Der Arbeiter als Soldat der Arbeit, der anders als der liberale Bürger der Nation im Ganzen diente, hatte mit einem klassenbewußten Proletarier nichts, mit der von Jünger entworfenen „Gestalt" sehr viel gemein.

Daß ausgerechnet die „Tägliche Rundschau", die im August 1932 mit finanzieller Hilfe des Reichswehrministeriums vom „Tatkreis" um Hans Zehrer übernommen worden war und seitdem, nicht immer zu Recht, als Sprachrohr Schleichers galt, als erste Tageszeitung große Teile von Leiparts Rede abdruckte, war durchaus kein Zufall. Noch spektakulärer war der Beifall, den der Nationalsozialist Gregor Strasser dem Sozialdemokraten Theodor Leipart zollte. Am 20. Oktober erklärte der Reichsorganisationsleiter der NSDAP im Berliner Sportpalast, in Leiparts Rede fänden sich Sätze, „die, wenn sie ehrlich gemeint sind, weite Ausblicke in die Zukunft eröffnen". Nach dem Bericht der „Täglichen Rundschau" forderte Strasser die Gewerkschaften „unter uneingeschränkter Anerkennung ihrer berufsständischen Notwendigkeit auf, aus dem Bekenntnis ihres Vorsitzenden die Folgerungen zu ziehen und ihre parteipolitische Neutralität dadurch offen zu zeigen, daß sie sich von der Partei der ‚Heilmann und Hilferding', der von einer international eingestellten intellektuellen Schicht geführten SPD trennen".

Pressemeldungen, es habe sich nun doch so etwas wie eine Einheitsfront Schleicher-Leipart-Strasser, und damit die vom „Tatkreis" propagierte neue Achse der deutschen Politik, herausgebildet, wurden vom Vorsitzenden des ADGB sogleich dementiert. Aber solche Spekulationen forderte die Bernauer Rede förmlich heraus: Leipart hatte mit seinen nationalen Bekenntnissen der politischen Rechten Signale gegeben, die diese aufnahm. Die Distanzierung von der SPD war beabsichtigt und nicht nur aus dem Augenblick geboren: Spätestens seit der Reichstagswahl vom 31. Juli bereiteten sich Leipart und seine engsten Berater auf eine Situation vor, in der eine enge Bindung an die SPD eher hinderlich war.[23]

Ende November traten die Bemühungen um eine „Querfront" von den Gewerkschaften bis hin zu den Nationalsozialisten in ein neues Stadium. Aber nur bei den Freien Gewerkschaften und den Mittelparteien konnte Schleicher dabei einen gewissen Erfolg verbuchen. Von Hitler dagegen holte sich der Reichswehrminister am 30. November eine Absage. Zunächst hatte der Führer der NSDAP an diesem Tag tatsächlich zu Verhandlungen mit Schleicher in die Reichshauptstadt kommen wollen. Aber dann überlegte er es sich im letzten Augenblick anders, verließ den Nachtzug von München nach Berlin in Jena und fuhr nach Weimar, um am thüringischen Gemeinde- und Kreistagswahlkampf teilzunehmen. Gregor Strasser, der von Berlin nach Weimar eilte, um Hitler doch noch zu einem Arrangement mit Schleicher zu bewegen, konnte den „Führer" nicht mehr umstimmen. Ebenso ging es Oberstleutnant Ott aus dem Reichswehrministerium, der am 30. November Hitler in Weimar das Amt des Vizekanzlers in einem Kabinett Schleicher anbot. Am gleichen 30. November lehnte Hitler auch eine telefonische Einladung von Staatssekretär Meissner ab, am kommenden Tag in Berlin zu einer Aussprache mit dem Reichspräsidenten zusammenzutreffen.

Hitler wußte, daß Hindenburg noch immer nicht bereit war, ihm das Amt des Reichskanzlers zu übertragen. Da er sich mit einer anderen Art von

Machtteilhabe nicht abfinden lassen wollte, ergab ein neuerliches Gespräch mit dem Reichspräsidenten aus seiner Sicht nicht nur keinen Sinn; er mußte sogar befürchten, daß er nach einer Audienz bei Hindenburg abermals – wie am 13. August und, in weniger verletzender Form, auch am 24. November – öffentlich brüskiert werden würde. Von einem Treffen mit dem Reichswehrminister versprach sich Hitler in dieser Situation ebenfalls keinen Nutzen. Denn es war nicht zu erwarten, daß Schleicher, selbst wenn dies seine Absicht gewesen wäre, Hindenburgs Veto gegen eine Kanzlerschaft Hitlers hätte überwinden können. Unter diesen Umständen erschien es dem Führer der NSDAP das Klügste, den Herrschenden in Berlin zunächst einmal die kalte Schulter zu zeigen.

Ob Schleicher in den letzten Novembertagen eine Verständigung mit Hitler für möglich gehalten hat, muß offen bleiben. Die Lagebeurteilung, die er am 25. November im Kabinett vortrug, spricht gegen diese Annahme. Am 1. Dezember aber meinte er gegenüber dem Bevollmächtigten Bayerns, Ministerialdirektor Sperr, die Entscheidung, „ob er Kanzler werde, liege nicht so sehr bei ihm selbst. Sie hänge vielmehr davon ab, ob die Nationalsozialisten irgendwie zu fesseln oder zu mäßigen seien". Das klang so, als ob der Reichswehrminister doch noch auf ein Einlenken Hitlers hoffte. Hätte sich die NSDAP an einer Regierung Schleicher beteiligt, wäre freilich die Flankensicherung nach links gescheitert. Nationalsozialistische Minister mußten eine entschiedene Opposition der Sozialdemokraten zur Folge haben – und, unbeschadet der Differenzen zwischen ADGB und SPD, wohl auch die Gegnerschaft der Freien Gewerkschaften. Die Polarisierung, die Schleicher eindämmen wollte, wäre also stärker gewesen als je zuvor.

Die Alternative zum Arrangement mit der NSDAP als ganzer, und sei es auch nur in der Form eines „Waffenstillstands", war für Schleicher ein Pakt mit Gregor Strasser. Falls Strasser auf eigene Faust handelte und einen erheblichen Teil der Nationalsozialisten in das Regierungslager zog, mußte das völlig neue Perspektiven eröffnen, ja die deutsche Innenpolitik auf geradezu revolutionäre Weise verändern. Doch einstweilen war auch dies eine bloße Spekulation. Schleicher selbst hatte am 9. November im Kabinett zu Protokoll gegeben, er glaube nicht, daß heute noch irgendein nationalsozialistischer Unterführer bereit sein werde, sich in der grundsätzlichen Frage der Regierungsbeteiligung von Hitler zu trennen. Auch drei Wochen später gab es keine Anzeichen, daß Strasser den Kampf gegen Hitlers Politik des „Alles oder nichts" aufnehmen würde. Der Reichsorganisationsleiter der NSDAP kannte zwar besser als irgend jemand sonst den trostlosen Zustand der Parteifinanzen, und wenn außer Hitler *ein* führender Nationalsozialist eine breite Anhängerschaft unter den „alten Kämpfern" der NSDAP hatte, war er es. Aber die direkte Kraftprobe mit Hitler hatte Strasser bislang stets vermieden, und das machte eine Parteispaltung eher unwahrscheinlich.[24]

Einen Durchbruch hatte der Reichswehrminister mit seinen Sondierungen bis zum 30. November also nicht erzielt: Eine parlamentarische Mehrheit für ein von ihm geführtes Kabinett ließ sich nicht erkennen. Aber Schleicher wußte, daß er, verglichen mit Papen, bis weit in die Arbeiterschaft hinein als das kleinere Übel galt. Was die Arbeitsbeschaffung anging, auf die er aus gutem Grund entscheidenden Wert legte, war eine Zusammenarbeit mit den Christlichen und den Freien Gewerkschaften möglich; eine Aufhebung der tarifpolitischen Verordnung vom 5. September versprach auch die Sozialdemokraten zu beeindrucken, die bereits eine Woche danach beim Reichsinnenminister ein Volksbegehren zur Aufhebung ebendieser Verordnung beantragt hatten. Dazu kam eine mittlerweile fast schon vertrauensvolle Beziehung zur Führung des Reichsbanners Schwarz-Rot-Gold. Im Zentrum und bei den anderen Mittelparteien hatte Schleicher ohnehin nie dieselbe Abneigung hervorgerufen wie Papen, und dasselbe galt von den Regierungen der süddeutschen Länder. Auch in der Industrie, die im November 1932 zwischen Papen und Hitler hin- und herschwankte und Schleicher staatssozialistischer Neigungen verdächtigte, durfte der Reichswehrminister auf einen Stimmungsumschwung zu seinen Gunsten hoffen. Dazu bedurfte es im Grunde nur des Bewußtseins, daß er, Schleicher, besser als der amtierende Kanzler und Hitler jene politische Beruhigung herbeiführen konnte, an der den Unternehmern vor allem lag.

Der gesellschaftliche und politische Rückhalt Schleichers war folglich um vieles breiter als der Papens. Das konnte von ausschlaggebender Bedeutung sein, wenn in einer längeren parlamentslosen Zeit mit dem militärischen Ausnahmezustand regiert werden mußte. Vom amtierenden Kanzler unterschied sich Schleicher Ende November ja nicht etwa darin, daß er die Proklamation des Staatsnotstands ausschloß. Er sah nur die Risiken einer, wie auch immer verhüllten Militärdiktatur realistischer als Papen, und eben deshalb wollte er vorbeugend alles tun, was geeignet war, einen Bürgerkrieg zu verhindern.

Papen war seinerseits keineswegs darauf aus, an die Spitze eines offen diktatorischen Kabinetts zu treten. Sofern es nach ihm ging, war ein Arrangement mit den Nationalsozialisten, das Hitler den Kanzlerposten in einer Regierung der nationalen Konzentration überließ, die beste Krisenlösung. Aber maßgeblich war für Papen, was Hindenburg wollte. Wenn der Reichspräsident auf einem Kampfkurs gegen die extremen Kräfte von links und rechts bestand, war der bisherige Regierungschef bereit, auch diesen Weg zu gehen. Da er Schwierigkeiten notorisch unterschätzte, kam es ihm auch nicht in den Sinn, jene innenpolitischen Vorkehrungen für den Staatsnotstand zu treffen, die der Reichswehrminister für unumgänglich hielt. Anders als Schleicher hätte Papen allerdings auch gar keine Chance gehabt, jene Blockade zu durchbrechen, die ein Ergebnis der Politik des „Kabinetts der Barone“ war.

Am späten Nachmittag des 1. Dezember empfing Hindenburg in Gegenwart seines Sohnes Oskar und seines Staatssekretärs Meissner den Reichskanzler und den Reichswehrminister. Nachdem Schleicher von seinen Sondierungen berichtet hatte, kamen, laut einer Aktennotiz Meissners, alle Beteiligten „einmütig" zu dem Schluß, „daß, zur Zeit wenigstens, Aussicht dafür, daß eine Reichstagsmehrheit ein Kabinett Schleicher tolerieren würde, nicht gegeben sei, und daß demgemäß ein Ersatz Papens durch Schleicher keine wesentliche Verbesserung der Lage bedeute und daß ein Kabinett Schleicher ebenso einen Konflikt mit dem Reichstag bedeute wie ein Kabinett Papen".

Schleicher meinte zwar, daß sich im nationalsozialistischen Lager in den nächsten Tagen noch eine andere Auffassung durchsetzen könnte. Vermutlich erwähnte er in diesem Zusammenhang auch, daß ein Gespräch zwischen ihm und Strasser bereits vereinbart war. Aber Hindenburg wollte von einem weiteren Abwarten nichts wissen. „Demgemäß entschied der Herr Reichspräsident dahin, den bisherigen Reichskanzler v. Papen erneut mit der Kabinettsbildung zu betrauen. Herr v. Papen erklärte sich auch bereit, diesen Auftrag anzunehmen unter der Voraussetzung, daß der Herr Reichspräsident ihm für den mit Sicherheit zu erwartenden Konflikt mit dem Reichstag alle präsidialen Rechte zur Verfügung stellen werde." Nach eingehenden staatsrechtlichen Erläuterungen Meissners gab Hindenburg die Zusage, „im Falle eines Konflikts mit dem Reichstag alle erforderlichen Maßnahmen zu ergreifen, um Deutschland vor einem Schaden zu bewahren, der aus einer Verletzung der Pflichten des Reichstags entstehen konnte".

Hindenburgs Entschluß war nicht das Ergebnis nüchterner Abwägungen, sondern der Niederschlag von Stimmungen und Sympathien. Der alte Herr war des Hin und Hers im Kabinett überdrüssig, und er vertraute Papen mehr als Schleicher. Es entsprach zudem seinem soldatischen Denken, einen früher oder später wohl doch unausweichlichen Kampf nicht auf die lange Bank zu schieben, sondern rasch auszufechten. Der „Schreibtischgeneral" von Schleicher sah die Dinge klarer: *Die* Diktatur, für die der Reichspräsident sich entschieden hatte, war die gefährlichste, weil es für sie im Volk keinerlei Rückhalt gab. Die Reichswehr gegen die überwältigende Mehrheit der Bevölkerung antreten zu lassen hieß ihre Moral untergraben und ihre Existenz aufs Spiel setzen. Da der Reichswehrminister eine solche Entwicklung nicht mittragen wollte, lehnte er sich gegen den Reichspräsidenten auf.

Die letzte Chance, das Blatt doch noch in seinem Sinn zu wenden, war eine improvisierte Ministerbesprechung am Morgen des 2. Dezember. Schleicher wußte, daß die Mehrheit der Minister seiner Lagebeurteilung und nicht der von Hindenburg vorgegebenen und von Papen befolgten Linie zuneigte. Ein Beschluß des Kabinetts, der dem Reichswehrminister recht gab, konnte auch den Reichspräsidenten nicht unbeeindruckt lassen, und einen solchen Beschluß galt es herbeizuführen.

In der Ministerbesprechung, die um 9 Uhr begann, bat Schleicher zunächst, den Ausgang seiner für den folgenden Tag geplanten Verhandlungen mit Gregor Strasser abzuwarten. Meissner bemerkte daraufhin, der Reichspräsident sei in einem seelischen Zustand, der einen Aufschub nicht mehr zulasse. Dann teilte Papen mit, daß Hindenburg ihn mit der Bildung des neuen Kabinetts betraut habe, und bat die Minister, sich zur politischen Lage zu äußern. Das tat als erster das älteste Kabinettsmitglied, Außenminister von Neurath: Er sprach sich gegen ein neues Kabinett von Papen aus. Ihm folgte Finanzminister von Krosigk, der schon in den Wochen und Tagen zuvor am nachdrücklichsten vor dem Bürgerkrieg als wahrscheinlicher Folge eines Kampfkabinetts von Papen gewarnt hatte. Krosigk legte seinen Standpunkt erneut dar und drang darauf, die Minister sollten sich sofort, und nicht erst nach Gesprächen zwischen Schleicher und Strasser, gegen ein zweites Kabinett von Papen festlegen. Auf Papens Frage, ob irgend jemand anderer Meinung sei, befürwortete nur Post- und Verkehrsminister von Eltz-Rübenach eine weitere Kanzlerschaft Papens.

Eine dramatische Wendung leitete, mutmaßlich in Absprache mit Schleicher, Justizminister Gürtner ein. Er erklärte, man müsse sich doch vor allem anderen über die Richtlinien und die Gesamtpolitik eines künftigen Kabinetts klar werden, und fragte Schleicher dann, „ob für alle kommenden Eventualitäten die Reichswehr sicher sei". Daraufhin wurde auf Vorschlag des Reichswehrministers Oberstleutnant Ott ins Kabinett gerufen. Er berichtete über ein „Kriegsspiel", das die Reichswehr in den letzten Wochen mit Vertretern von Reichsbahn, Post, Polizei und Technischer Nothilfe abgehalten habe, um für den Fall größerer Streikbewegungen gewappnet zu sein.

Die Wirkung des Auftritts von Ott hielt Krosigk in seinem Tagebuch fest: „Der ausgezeichnete Vortrag legte plastisch die mit Waffengewalt nicht zu erledigenden Schwierigkeiten eines solchen Vorgehens dar und schloß, alle Teilnehmer hätten unter dem erschütternden Eindruck gestanden, die Reichswehr müsse und würde zwar jedem Befehl Folge leisten, aber sie könnten nur bitten und wünschen, daß dieser Kelch an ihnen vorübergehen möge. Wenn *Schleicher* auch das letzte etwas abzuschwächen suchte, indem er sagte, ein Kriegsspiel müsse sich grundsätzlich auf den schlimmsten Fall einstellen, man brauche aber praktisch keineswegs mit diesem schlimmsten Fall zu rechnen, der tiefe Eindruck der Ottschen Ausführungen auf das Kabinett, auch auf den Kanzler, der sich während des Vortrags immer wieder die Augen wischte, war unverkennbar."

Schleicher ging mit dem „Planspiel Ott" ein hohes Risiko ein. Falls er Kanzler wurde und sein Kabinett sich für die Verhängung des Staatsnotstands entschied, konnte ihm der Reichspräsident die Schlußfolgerung dieser Studie entgegenhalten. Schleicher mochte hoffen, daß er, im Unterschied zu Papen, die Gewerkschaften von der Ausrufung des Generalstreiks würde abhalten können – womit die Grundannahme des Planspiels entfallen wäre. Aber er mußte damit rechnen, daß sich der Eindruck festsetzte, Reichswehr und Polizei würden nach einer Vertagung von Reichstagswahlen nicht in der Lage sein, gleichzeitig Nationalsozialisten und Kommunisten in Schach zu halten und außerdem noch die deutsche Ostgrenze gegen einen, im Kriegsspiel unterstellten polnischen Angriff zu verteidigen. Ob der Reichswehrminister diese Gefahr am 2. Dezember bedachte oder nicht: Es ging ihm um die kurzfristige Wirkung der Demonstration, und diese Wirkung trat ein. Als Hindenburg von Papen erfuhr, was sich soeben im Kabinett zugetragen hatte, gab er seinen Widerstand gegen eine Kanzlerschaft Schleichers auf. „Ich bin zu alt geworden, um am Ende meines Lebens noch die Verantwortung für einen Bürgerkrieg zu übernehmen": Mit diesen Worten begründete er, dem Bericht Papens zufolge, die Abkehr von dem Standpunkt, den er noch tags zuvor vertreten hatte.

Papens Verabschiedung unterschied sich wesentlich von der seines Vorgängers Heinrich Brüning. Am 3. Dezember 1932, dem Tag des Amtswechsels, schenkte Hindenburg dem Mann, der sechs Monate lang an der Spitze des „Kabinetts der Barone" gestanden hatte, sein Bildnis mit der Widmung „Ich hatt' einen Kameraden...!" In einem Handschreiben rühmte der Reichspräsident Papens „hingebende und verantwortungsfreudige Arbeit" als Reichskanzler und Reichskommissar für Preußen. Als Schleicher, inzwischen Kanzler, Papen den Posten des deutschen Botschafters in Paris anbot, erhob Hindenburg Einspruch: Er wolle den bisherigen Kanzler angesichts einer sorgenvollen Zukunft noch einige Zeit in seiner Nähe haben, um seinen Rat zu hören. Papen blieb nicht nur in Deutschland; er behielt auch, mit Zustimmung Schleichers, seine Dienstwohnung in der Wilhelmstraße bei. So konnte er sich etwas bewahren, was unter Umständen noch wichtiger war als ein staatliches Amt: das Privileg des unmittelbaren Zugangs zum Reichspräsidenten.[25]

18.

Die Auslieferung des Staates

Das Kabinett von Schleicher, das am 3. Dezember 1932 seine Tätigkeit aufnahm, sah in seiner personellen Zusammensetzung dem vorangegangenen Kabinett von Papen sehr ähnlich. Nur zwei der bisherigen Minister gehörten der neuen Regierung nicht mehr an: Reichsinnenminister von Gayl, der durch den bisherigen stellvertretenden Reichskommissar für Preußen und Reichsminister ohne Geschäftsbereich, Franz Bracht, ersetzt wurde, und Reichsarbeitsminister Hugo Schäffer, dessen Nachfolge der Präsident der Reichsanstalt für Arbeitsvermittlung und Arbeitslosenversicherung, Friedrich Syrup, antrat. Reichswehrminister blieb, starken Bedenken Hindenburgs gegen diese Machtfülle zum Trotz, Kurt von Schleicher. Neu war das Amt eines Reichskommissars für Arbeitsbeschaffung, das dem Präsidenten des Deutschen Landgemeindetages, Günther Gereke, übertragen wurde.

Die Nachricht von der Ernennung des Kabinetts von Schleicher löste höchst unterschiedliche Reaktionen aus. Am positivsten äußerte sich die politische Mitte. Die liberale „Vossische Zeitung" hob hervor, daß das Kabinett von Schleicher mehr gesellschaftlichen Rückhalt habe als die zurückgetretene Regierung von Papen. Das ebenfalls liberale „Berliner Tageblatt" kam zu dem Ergebnis, der Verzicht auf Verfassungsexperimente sei nur ein Teil des innenpolitischen Programms, das der neue Kanzler durchführen müsse, „um das Erbe seines Vorgängers zu liquidieren und die breitere, aber noch immer nicht ausreichende parlamentarische Basis zu verbessern, auf der sein Kabinett beruht". Das führende Zentrumsblatt, die „Germania", gab der Hoffnung Ausdruck, die neue Regierung werde den „entschiedenen Willen zur politischen Beruhigung des Volkes mitbringen". Wenn sie das tue, werde hochaufgespeichertes Mißtrauen beseitigt und neues Vertrauen für Staat und Wirtschaft gewonnen werden können.

Von der politischen Rechten kamen kühle bis ablehnende Kommentare. Die von Hugo Stinnes jr. kontrollierte „Deutsche Allgemeine Zeitung", die sich Mitte November für eine Minderheitsregierung unter Hitler eingesetzt hatte, meinte jetzt, für den Erfolg des Kabinetts werde entscheidend sein, „ob es ihm gelingt, die millionenstarke Bewegung der deutschen Rechten zur Mitarbeit, zunächst auch nur in der Form einer ritterlichen Opposition, zu gewinnen. Nach einer Atempause von zwei oder drei Monaten wird sich dann die Frage des 13. August und des vergangenen November noch einmal stellen." Ganz ähnlich urteilte die ebenfalls der Schwerindustrie nahestehende „Rheinisch-Westfälische Zeitung". Um über die Krise und den Konflikt hinwegzukommen, gebe es nur eine Möglichkeit: „Sammlung des aktiven Nationalismus, einheitliche Zielsetzung für die gesamte nationale Bewegung, Überwindung der parlamentarischen Interessenpolitik und Befreiung der lebendigen Kräfte des Volkes". Der deutschnationale „Berliner Lokal-Anzeiger" sah im Kabinett von Schleicher einen „Schritt in die Bahnen des parlamentarisch Gewohnten – wobei jedem überlassen bleibt, dies als Rückschritt oder Fortschritt zu werten". Die NSDAP erklärte lapidar, sie lehne jede Tolerierung eines Kabinetts Schleicher als mit dem Willen des Volkes nicht vereinbar klar und unzweideutig ab.

Am entgegengesetzten Ende des politischen Spektrums war das Echo am feindseligsten. Die KPD nannte die Schleicher-Regierung „eine neue verschärfte Stufe des faschistischen Regimes". Der Sozialdemokratie warf die parteioffizielle „Internationale Pressekorrespondenz" vor, sie habe unter dem Deckmantel eines „Kampfes gegen Papen" der Regierung Schleicher als einem „kleineren Übel" den Weg bereitet und unterstütze sie unter oppositioneller Maske. „Die KPD ist die einzige Partei, die der Diktatur-Regierung Schleicher den schärfsten Kampf ansagt und Massen gegen sie mobil macht."

Die SPD schien sich ihres Urteils über Schleicher zunächst nicht sicher zu sein. Am 1. Dezember, zwei Tage vor dem Kanzlerwechsel, schrieb Rudolf Hilferding an Karl Kautsky, wenn ein Ministerium Schleicher komme und Papen endgültig beseitigt bleibe, „so gibt es vielleicht mindestens zunächst eine gewisse Entspannung". Rudolf Breitscheid mutmaßte am 3. Dezember im „Vorwärts", der neue Kanzler sei möglicherweise geschickter und weniger unbekümmert als sein Vorgänger. Er rechne wohl mehr als Papen mit den Realitäten, und das könnte ihn veranlassen, gewissen Forderungen der Arbeiterschaft ein geneigteres Ohr zu leihen und auf „wilde Verfassungspläne" zu verzichten. Dennoch werde seine Politik von der sozialdemokratischen durch eine gewaltige Kluft geschieden sein. „Nur mit der Front gegen die Präsidialregierung können wir mit Aussicht auf Erfolg die Wiederbelebung des demokratischen Willens in den heute dem Diktaturgerede zum Opfer gefallenen Arbeitermassen in Angriff nehmen."

Der frühere Reichstagspräsident Paul Löbe wurde tags darauf bereits sehr viel schärfer. „Die Sozialdemokratische Partei wünscht vor dem ganzen Volke zu erklären, daß sie der Regierung Schleicher so wenig einen ‚Waffenstillstand' gewähren kann wie der Regierung Papen. Denn dieses Kabinett Schleicher ist nur die Umbildung jener Regierung Papen, die der deutschen Arbeiterklasse den Krieg erklärt hat auf allen Gebieten... Wir brauchen keinen anderen Verbündeten als den erwachten Proletarier, wir wissen, daß wir mit ihm den verlorenen Boden zurückerobern werden."

Am 5. Dezember wurden offizielle Beschlüsse gefaßt. Der Parteivorstand der SPD kündigte dem Kabinett Schleicher, das nahezu ausschließlich aus Mitgliedern der alten Regierung bestehe, die „allerschärfste Opposition" an. Die sozialdemokratische Reichstagsfraktion beschloß nach heftiger Debatte, einen Mißtrauensantrag gegen die Regierung von Schleicher einzubringen, und begründete das damit, „daß die Zusammensetzung des neuen Kabinetts keine Gewähr dafür bietet, daß sich dessen Politik wesentlich von der des früheren Kabinetts unterscheiden wird". Zu der Minderheit von etwa zwanzig Abgeordneten, die von diesem Schritt nachdrücklich abrieten, gehörten zwei frühere Reichsminister: die Abgeordneten Severing und Hilferding.

Mit ihrem Beschluß, der Regierung von Schleicher das Mißtrauen auszusprechen, wollte die SPD dem Eindruck entgegenwirken, sie betreibe lediglich eine Scheinopposition gegen das neue Kabinett. Tatsächlich ging es den Sozialdemokraten keineswegs um einen raschen Sturz Schleichers und baldige Neuwahlen zum Reichstag. Nach wie vor fürchtete die SPD vielmehr, bei einer neuerlichen Wahl Anfang 1933 könnte leicht eine politische Katastrophe eintreten: die Überflügelung der Sozialdemokraten durch die Kommunisten. Schon deswegen lag der SPD an der Chance, sich eine Zeitlang im Reichstag als energische Opposition darzustellen. Mit ihrem Mißtrauensantrag wollten die Sozialdemokraten äußerlich mit den Kommunisten gleichziehen, die ebenfalls einen solchen Antrag angekündigt hatten. Insgeheim aber setzte die SPD darauf, daß NSDAP und Zentrum das Mißtrauensvotum zu Fall bringen würden. Was das Zentrum anging, war diese Erwartung durchaus begründet. Ansonsten konnten die Sozialdemokraten nur hoffen, daß die Nationalsozialisten vor Neuwahlen noch mehr Angst haben würden als sie selbst.[1]

Am 6. Dezember trat der neugewählte Reichstag zu seiner konstituierenden Sitzung zusammen. Nach einer agitatorischen Rede des nationalsozialistischen Alterspräsidenten, des früheren Generals Litzmann, wählten die Abgeordneten gegen die Stimmen von SPD und KPD abermals Hermann Göring zum Präsidenten. Ein Antrag der KPD, am folgenden Tag den kommunistischen Mißtrauensantrag auf die Tagesordnung zu setzen, wurde mit überwältigender Mehrheit abgelehnt. Mit den Stimmen der NSDAP verwarf das Plenum schließlich einen Antrag der SPD, die nächste Sitzung mit einer Regierungserklärung zu beginnen.

In seiner zweiten Sitzung am 7. Dezember befaßte sich der Reichstag statt dessen unter Punkt 1 der Tagesordnung mit dem nationalsozialistischen Entwurf eines Gesetzes über die Stellvertretung des Reichspräsidenten. Nach Artikel 51 der Weimarer Reichsverfassung wurde der Reichspräsident im Fall seiner „Verhinderung" oder der „vorzeitigen Erledigung der Präsidentschaft" zunächst durch den Reichskanzler vertreten. Hindenburg hatte am 2. Oktober 1932 seinen 85. Geburtstag begangen. Wenn er während der Kanzlerschaft Schleichers starb oder so schwer erkrankte, daß er sein Amt nicht mehr ausüben konnte, wären die Befugnisse des Reichspräsidenten, des Reichskanzlers und des Reichswehrministers vorübergehend in den Händen *eines* Mannes, des Generals von Schleicher, vereinigt gewesen. Ebendies wollten die Nationalsozialisten mit ihrem Vorschlag verhindern, die Stellvertretung des Reichspräsidenten dem Präsidenten des Reichsgerichts zu übertragen. Sie erhielten dafür die Zustimmung der meisten bürgerlichen Parteien und der Sozialdemokraten, denen ein weiterer Machtzuwachs für Schleicher ebenfalls gefährlich erschien. So ergab sich in der dritten Lesung am 9. Dezember mühelos die notwendige verfassungsändernde Mehrheit für den Antrag der NSDAP: Er wurde mit 403 Stimmen gegen 126 Stimmen von KPD und DNVP angenommen.

Große Mehrheiten gab es auch für die Aufhebung des sozialpolitischen Teils der Notverordnung vom 4. September, durch den die Reichsregierung unter anderem zum Erlaß der besonders umstrittenen tarifpolitischen Verordnung vom 5. September ermächtigt worden war, und für eine Vorlage über Straffreiheit für bestimmte politische Delikte. Das Amnestiegesetz war das Ergebnis intensiver Verhandlungen, die NSDAP, KPD und SPD, die drei antragstellenden Fraktionen, mit Reichsjustizminister Gürtner im Rechtsausschuß geführt hatten. Die Anträge auf eine Winterhilfe für die Arbeitslosen und auf Aufhebung der gesamten Notverordnung vom 4. September wurden gegen die Stimmen von Sozialdemokraten und Kommunisten an die zuständigen Ausschüsse überwiesen. Am 9. Dezember vertagte sich der Reichstag, wiederum gegen die Stimmen von SPD und KPD, aber mit Zustimmung der NSDAP, auf unbestimmte Zeit. Der Reichstagspräsident erhielt gleichzeitig die Vollmacht, im Benehmen mit dem Ältestenrat die nächste Sitzung einzuberufen.

Die Gewinnerin der kurzen Reichstagssession war die Regierung von Schleicher. Sie hatte sich der Volksvertretung nicht stellen müssen und keine ernsthafte Niederlage erlitten. Aber auch die Sozialdemokraten glaubten, von einem Erfolg ihrer Politik sprechen zu können. Sie hatten ihre oppositionelle Haltung deutlich gemacht, den ihnen unerwünschten Sturz der Regierung jedoch vermieden. Mehr noch: Es war ihnen gelungen, den Nationalsozialisten den Part einer faktischen Tolerierungspartei zuzuschieben. Die Behauptung des „Vorwärts", „daß dieser Reichstag mit seiner antiparlamentarischen Mehrheit in drei kurzen Sitzungstagen Zeugnis ablegte für den *Wert und die Bedeutung eines arbeitsfähigen Parlaments*", war dennoch schieres Wunschdenken. Im Reichstag ließen sich zwar taktische Mehrheiten für einzelne Fragen der Rechts- und Sozialpolitik zuwegebringen, aber keine konstruktive Mehrheit, die gemeinsame Verantwortung hätte übernehmen können. Die Reichstagssession vom Dezember 1932 wies daher keinen Ausweg aus der deutschen Staatskrise. Die Sozialdemokraten und die bürgerliche Mitte lebten von der Hand in den Mund, und auch das konnten sie nur so lange tun, wie die Nationalsozialisten sich unter dem Druck der Umstände ebenso verhielten.[2]

Eine vorsichtige, auf Zeitgewinn stehende Taktik mußte die NSDAP während der Reichstagssession auch deshalb einschlagen, weil die Einheit der Partei vorübergehend ernsthaft bedroht schien. Bei den thüringischen Gemeindewahlen am 4. Dezember hatten die Nationalsozialisten schwere Verluste erlitten: Gegenüber der Reichstagswahl vom 6. November büßten sie fast ein Viertel, gegenüber der Wahl vom 31. Juli sogar rund 40% der auf sie entfallenen Stimmen ein.

Für den Reichsorganisationsleiter Gregor Strasser, der die Lage der Partei äußerst pessimistisch beurteilte, war die Schlußfolgerung klar: Die NSDAP mußte, wenn sie nicht ihre letzte Chance verspielen wollte, die Politik des Alles oder nichts aufgeben und sich an der Regierung Schleicher beteiligen. Als der neue Reichskanzler ihm am Abend des 4. Dezember das Amt des Vizekanzlers anbot, sagte Strasser nicht nein.

Auf einer „Reichsführerkonferenz" im Berliner Hotel „Kaiserhof" versuchte er tags darauf, Hitler für eine Tolerierung Schleichers zu gewinnen, hatte damit aber ebensowenig Erfolg wie am 30. November in Weimar. Am 8. Dezember entschloß sich Strasser daraufhin, seine sämtlichen Parteiämter niederzulegen. Die „Tägliche Rundschau", die am 9. Dezember als erste Zeitung die sensationelle Nachricht brachte, wertete den Schritt des Reichsorganisationsleiters als politisches Fanal: Nur wenn Strasser an Stelle Hitlers zum Führer der Bewegung gemacht werde, bestehe die Möglichkeit, die NSDAP aus ihrer heillosen Verirrung wieder herauszuführen.

Der Bericht der „Täglichen Rundschau" versetzte Hitler in tiefe Depression. „Wenn die Partei zerfällt, dann mache ich in 3 Minuten mit der Pistole Schluß", bemerkte er in einem nächtlichen Gespräch mit seinen engsten Vertrauten, darunter Goebbels. Doch der befürchtete Coup Strassers blieb aus. Der bisherige Reichsorganisationsleiter brach am 9. Dezember zu seiner Familie nach München auf und machte dann zwei Wochen lang Urlaub in Südtirol. Mit dem Verzicht auf seine Parteiämter hatte Strasser nicht das Signal zu einem Putsch gegen Hitler geben und die NSDAP spalten wollen; er war nur nicht mehr bereit, die Verantwortung für eine Politik zu tragen, die aus seiner Sicht die Partei in den Ruin treiben mußte. „Palastrevolution mißlungen", notierte Goebbels am 10. Dezember in sein Tagebuch. Noch am Abend des 9. Dezember gelang es Hitler, in zwei Reden, zuerst vor den Gauleitern und Inspekteuren, dann vor den Reichstagsabgeordneten der NSDAP, die Partei erneut auf sich einzuschwören. Nach außen hin wurden die Meinungsverschiedenheiten zwischen dem „Führer" und dem zurückgetretenen Reichsorganisationsleiter notdürftig kaschiert. Gregor Strasser aber war fortan, jedenfalls nach Meinung seines Intimfeindes Joseph Goebbels, isoliert, ja ein „toter Mann".[3]

Schleicher sah das anders. Am 13. Dezember hielt er in einer Rede vor den Gruppen- und Wehrkreisbefehlshabern daran fest, daß es weiterhin gelte, eine „Mitarbeit der Nazi unter Strasser unter dem Messiassegen Hitlers" anzustreben. Der Kanzler glaubte sogar versichern zu können, Hitler selbst habe „im Grunde seines Herzens" das Kanzleramt gar nicht gewollt. Im Januar müsse sich klären, ob es eine feste Mehrheit im Reichstag gebe. Sobald der Reichstag einberufen sei, werde die Frage an die Nationalsozialisten zu richten sein, ob sie mitspielen wollten. Wenn sie das verneinten, sei der Kampf da und der Zeitpunkt für die Auflösung von Reichstag und preußischem Landtag gekommen. Um einen solchen Kampf zu gewinnen, müsse das Recht auf seiten der Regierung sein. Deshalb solle sich niemand wundern, wenn immer wieder versucht werde, die Nationalsozialisten mit heranzuholen und vor die Verantwortung zu stellen. Eine Zerschlagung der NSDAP liege nicht im Staatsinteresse.

Auch Mitte Dezember 1932 hielt Schleicher es also immer noch für möglich, zu einer Verständigung mit Hitler *und* Strasser zu gelangen. Erst wenn ein nochmaliger Versuch, die Nationalsozialisten an der Reichsregierung zu beteiligen, gescheitert war, war er bereit, „auf Hauen und Stechen" mit den Nationalsozialisten zu kämpfen. In beiden Fällen war es notwendig, eine Konfrontation mit der gewerkschaftlich organisierten Arbeiterschaft möglichst zu vermeiden. In dieser Hinsicht hatte Schleicher Anlaß zu gedämpftem Optimismus. Am 8. Dezember hatte der Vorsitzende des Gesamtverbandes der christlichen Gewerkschaften, Heinrich Imbusch, dem Reichspräsidenten versichert, seine Organisation habe „großes Vertrauen zu der Reichsregierung und ihrem Leiter, dem Herrn Reichskanzler von Schleicher", und Theodor Leipart, der Vorsitzende des Allgemeinen Deutschen Gewerkschaftsbundes, war am 5. Dezember, zum Ärger vieler seiner sozialdemokratischen Parteifreunde, vom Pariser „Excelsior" mit Bemerkungen zitiert worden, die ein großes Wohlwollen gegenüber dem neuen Kanzler erkennen ließen. Damit war zwar noch längst keine „Querfront" gebildet, aber von einer politischen Isolierung der Reichsregierung konnte man Mitte Dezember auch nicht mehr sprechen.[4]

Als der Reichskanzler am 15. Dezember im Rundfunk sein Regierungsprogramm vortrug, tat er es mit ausgeprägtem Selbstbewußtsein. Er bat seine Zuhörer eingangs, in ihm „nicht nur den Soldaten, sondern den überparteilichen Sachwalter der Interessen aller Bevölkerungsschichten für eine hoffentlich nur kurze Notzeit zu sehen, der nicht gekommen ist, das Schwert zu bringen, sondern den Frieden". Seine Ansichten über eine Militärdiktatur dürften allgemein bekannt sein, aber er wiederhole es heute: „Es sitzt sich schlecht auf der Spitze der Bajonette, d. h. man kann auf die Dauer nicht ohne eine breite Volksstimmung hinter sich regieren." Zunächst aber wolle er zufrieden sein, wenn die Volksvertretung, der er für diese Zeit gern eine gesunde Dosis Mißtrauen zubillige, der Regierung die Gelegenheit gebe, ihr Programm durchzuführen, und das bestehe aus einem einzigen Punkt: „Arbeit schaffen!"

Der Kanzler legte Wert auf die „ketzerische" Feststellung, daß er weder ein Anhänger des Kapitalismus noch des Sozialismus sei und daß für ihn Begriffe wie Privat- oder Planwirtschaft ihren Schrecken verloren hätten. Es gelte, sowohl den Binnenmarkt als auch den Export zu beleben, neben der privaten Investitionstätigkeit auch die öffentliche Arbeitsbeschaffung zu fördern und den engen Zusammenhang zwischen Arbeitsbeschaffung, Siedlung und Grenzsicherung im deutschen Osten zu sehen. Alles das erfordere die „freudige Mitarbeit aller Bevölkerungsschichten", und die sei nur zu erreichen, wenn bei sämtlichen Anordnungen der soziale Gesichtspunkt berücksichtigt werde. „Also ein sozialer General, höre ich manchen meiner Zuhörer mit zweifelndem oder sogar spöttischem Achselzucken sagen. Ja, meine Damen und Herren, es hat in der Tat nichts Sozialeres gegeben als die Armee der allgemeinen Wehrpflicht, in der Arm und Reich, Offizier und Mann in Reih und Glied zusammenstanden und in den Wundertaten des Weltkrieges eine Kameradschaft und ein Zusammengehörigkeitsgefühl bewiesen haben, wie es die Geschichte nicht seinesgleichen kennt."

Etwas konkreter war, was Schleicher zu einigen sozialpolitischen Fragen sagte. Er begrüßte den Beschluß des Reichstags, den sozialpolitischen Teil der Notverordnung vom 4. September aufzuheben, und teilte mit, daß sein Kabinett tags zuvor die hierauf beruhende Verordnung vom 5. September außer Kraft gesetzt habe. Eine weitere Senkung der Arbeitseinkommen bezeichnete er als „weder sozial erträglich noch wirtschaftlich zweckmäßig". Seine Regierung bekenne sich zur Sozialversicherung und werde alles tun, um die Versicherungsträger leistungsfähig zu erhalten. Eine sozialdemokratische Forderung aufgreifend, kündigte der Kanzler eine besondere „Winterhilfe" an, wozu eine Verbilligung von Frischfleisch und Hausbrandkohle gehören sollte. Im außenpolitischen Teil der Regierungserklärung hob Schleicher den deutschen Anspruch auf Gleichberechtigung hervor; im militärpolitischen Abschnitt wiederholte er seine Absicht, die allgemeine Wehrpflicht im Rahmen einer Miliz einzuführen.

Abschließend appellierte der Reichskanzler an Verbände, Gruppen und Parteien, sich der Mitarbeit am Staat nicht zu entziehen. Er selbst werde nicht aufhören, am „Zusammenschluß aller gutwilligen Kräfte" zu arbeiten, die gerade einem Präsidialkabinett den Rückhalt und Widerhall im Volk geben müsse. Die letzten Worte konnten nur als Absage an den Regierungsstil seines Amtsvorgängers Franz von Papen verstanden werden, den er zu Beginn der Rede seinen Freund und einen „Ritter ohne Furcht und Tadel" genannt hatte. „Denen aber, die da meinen, eine autoritäre Staatsführung könne des Rückhalts im Volke entbehren, die darüber hinaus sogar jede Zusammenarbeit mit einem Parlament ablehnen, möchte ich entgegenhalten, daß Wille und Mut allein zum Regieren nicht genügen, daß auch Verständnis für das Empfinden des Volkes und das Erkennen des psychologischen Momentes dazu gehören. Deshalb wird die von mir geführte Reichsregierung für ihre Arbeit den besten Moltke-Spruch ‚Erst wägen, dann wagen' zur Richtschnur nehmen."

Schleichers Regierungserklärung war ein Balanceakt: Er gab „Rechten" und „Linken" etwas und kündigte vieles an, womit eine Mehrheit des Volkes sich einverstanden erklären konnte. Aber gegensätzliche Interessen ließen sich nicht durch elegante Formeln überbrücken. Das galt auch für den Konflikt zwischen Industrie und Landwirtschaft über die Zollpolitik, der schon das Kabinett von Papen in heftige Auseinandersetzungen gestürzt hatte. Schleicher bemerkte dazu salopp, er habe in diesem Zusammenhang das Mittel angewandt, den Reichswirtschafts- und den Reichsernährungsminister „in ein Konklave zu schließen, um die richtige Mittellinie zu finden".

Erfolgreich war dieses Rezept nicht. Was das Kabinett am 21. Dezember beschloß, sah eher einer Kapitulation vor dem Reichslandbund als einem Ausgleich zwischen landwirtschaftlichen Forderungen und den Interessen der übrigen Gesellschaft ähnlich. Durch eine Notverordnung, die am 23. Dezember erging, ermächtigte sich die Reichsregierung, für Margarine zwangsweise die Beimischung von Butter anzuordnen. Die Maßnahme, die mit dem Verfall der Butterpreise begründet wurde und als Hilfe für die bäuerliche Landwirtschaft gedacht war, löste stürmische Proteste von den Gewerkschaften bis zu den Unternehmerverbänden und bei fast allen Parteien aus. Der Reichsverband der Deutschen Industrie warnte, für ein Volksbegehren gegen die neue Notverordnung würden die Stimmen leicht beizubringen sein; die Freien Gewerkschaften verwahrten sich gegen die Verteuerung der Margarine, des „wichtigsten Volksnahrungsmittels", und der „Deutsche", das Organ der christlich-nationalen Gewerkschaften, sprach von einer „Nebenregierung der Großagrarier", deren Einfluß auf den Reichspräsidenten bei jeder Gelegenheit sichtbar werde.

Doch auch die Agrarier waren mit der Notverordnung unzufrieden. Am 29. Dezember verlangte der Präsident des Reichslandbundes, Graf Kalckreuth, eine völlige Buttereinfuhrsperre, was auf einen Handelskrieg mit Holland und Dänemark hinauslief. Für die Rittergutsbesitzer war die massive Unterstützung von Belangen der Milchwirtschaft ein Stück innerverbandlicher Sammlungspolitik. Die bäuerliche Veredelungswirtschaft sollte in eine Front gegen das Kabinett von Schleicher gebracht werden, die das ostelbische Junkertum aus einem ganz anderen Motiv heraus aufzubauen gedachte: Der Kanzler hatte sich in seiner Regierungserklärung zum Siedlungsgedanken bekannt und damit die altpreußischen Großgrundbesitzer in ähnlicher Weise herausgefordert wie sieben Monate zuvor, im Mai 1932, die Regierung Brüning mit ihrer Siedlungsverordnung.[5]

Den Reichskanzler, dem so viel an einem Rückhalt bei den großen Interessengruppen lag, mußte es beunruhigen, daß er Ende des Jahres 1932 fast alle Verbände gegen sich hatte – zwar nur in einer Einzelfrage, aber doch einer, die für die breiten Massen alles andere als unerheblich war. Die bescheidene „Winterhilfe" für die Arbeitslosen, die das Kabinett am nämlichen 21. Dezember beschloß, konnte die Empörung über die Margarineverordnung nicht mildern. Die Regierung des Generals von Schleicher lief Gefahr, ähnlich unpopulär zu werden wie das Kabinett seines Vorgängers.

Es gab jedoch auch Erfolge, auf die das Kabinett am Jahresende zurückblicken konnte. Dazu gehörte die Verordnung des Reichspräsidenten zur Sicherung des inneren Friedens vom 19. Dezember, die unter Hinweis auf die „jetzt sichtlich eingetretene politische Beruhigung" eine Reihe von Sonderstrafbestimmungen für politische Delikte außer Kraft setzte und die im August gebildeten Sondergerichte wieder aufhob. Anlaß zur Befriedigung bot dem Kabinett sodann das Ausbleiben einer „Weihnachtskrise". Am 19. Dezember lehnte der Ältestenrat des Reichstags Anträge von SPD und KPD auf eine Einberufung des Plenums ab, nachdem Staatssekretär Planck zuvor erklärt hatte, daß eine Tagung noch vor Weihnachten für die Regierung einen Konfliktfall bedeuten würde. Wie schon bei der Vertagung des Reichstags am 9. Dezember gewann das Kabinett von Schleicher damit nochmals wertvolle Zeit.

Einen Erfolg sah die Regierung auch in dem Arbeitsbeschaffungsplan, den Reichskommissar Günther Gereke nach schwierigen Debatten im Kabinett und mit der Reichsbank am 21. Dezember vorlegte. Es war ein Sofortprogramm, das Trägern öffentlicher Arbeiten Darlehen bis zu einer vorläufigen Höhe von 500 Millionen RM zur Verfügung stellte, wobei das Reich den größten Teil der Zinslast trug. Das öffentliche Echo blieb allerdings weit hinter den Erwartungen der Regierung zurück. SPD und Gewerkschaften beanstandeten die Beibehaltung von Steuergutscheinen für private Unternehmer mit dem Argument, daß diese Maßnahme des Kabinetts von Papen den Arbeitsmarkt bislang nicht belebt, wohl aber den Kreditspielraum der Reichsbank eingeschränkt habe. Umgekehrt warfen viele Unternehmer Schleicher und Gereke eine einseitige Begünstigung der öffentlichen Wirtschaft vor. Sie forderten daher die Reichsregierung in Eingaben und Resolutionen auf, unverzüglich zu Papens rein privatwirtschaftlich ausgerichteter Konjunkturpolitik, dem „Kurs von Münster", zurückzukehren.[6]

Viel Zustimmung fand hingegen die Entscheidung des Reichskanzlers, den am 12. September beschlossenen Boykott der Genfer Abrüstungskonferenz zu beenden. Ermöglicht wurde dieser Schritt durch eine zwischen den Vereinigten Staaten, Großbritannien, Frankreich, Italien und Deutschland ausgehandelte, am 11. Dezember unterzeichnete Kompromißformel: Sie erkannte einerseits den deutschen Anspruch auf militärische Gleichberechtigung an und trug andererseits französischen Interessen Rechnung, indem sie ein System der Sicherheit für alle Nationen forderte. Außenminister von Neurath rechnete es sich als Verdienst an, daß es trotz schärfsten französischen Widerstandes gelungen sei, aus dem Entwurf der Fünf-Mächte-Erklärung den Satz zu streichen, daß Deutschland nicht aufrüsten dürfe. Auch Schleicher fand, daß damit mehr erreicht worden sei, als man bis vor kurzem für möglich gehalten habe. Frankreich freilich beharrte auf dem Vorrang des Friedensvertrags vor allen späteren Sondervereinbarungen. Ob sich die Formel vom 11. Dezember tatsächlich im Sinne der militärischen Gleichberechtigung Deutschlands auswirken würde, war infolgedessen Ende 1932 noch keineswegs sicher.[7]

Eindeutiger war der Fortschritt auf einem anderen Gebiet der Außenpolitik. Knapp zwei Wochen vor Jahresende konnte Schleicher feststellen, daß die Beziehungen zur Sowjetunion sich unter seiner Kanzlerschaft erheblich verbessert hatten. Der Sturz des frankophilen und sowjetfeindlichen Papen war in Moskau mit großer Erleichterung aufgenommen worden; vom neuen Kanzler dagegen wußte man, daß er gewillt war, die traditionell gute Zusammenarbeit zwischen Reichswehr und Roter Armee fortzusetzen. Kreml und Komintern neigten sogar dazu, Schleichers Position beträchtlich zu überschätzen. Da er das Kanzleramt, die Reichswehr und die gesamte Exekutivgewalt Preußens in seiner Hand vereinigt hatte, galt er als der stärkste Reichskanzler in der bisherigen Geschichte der Weimarer Republik.

Am 19. Dezember 1932 empfing Schleicher den sowjetischen Außenminister Litwinow. Dieser bestätigte, was der Kanzler wohl schon wußte: „Während die Sowjetregierung dem Reichskanzler von Papen mit Mißtrauen gegenübergestanden hätte, wäre das gegenüber der Regierung Schleicher nicht der Fall." Litwinow war auch keineswegs empört, als Schleicher auf die deutschen Kommunisten zu sprechen kam und in diesem Zusammenhang den Widerspruch hervorhob, „der darin bestände, daß sie einerseits vorgäben, den Versailler Vertrag zu bekämpfen, andererseits aber jede Stärkung der militärischen Kraft Deutschlands bekämpften und dem Ausland denunzierten. Gegenüber solchen innenpolitischen Störungen sei Rußland durch seine rigorose Gesetzgebung sicherer als Deutschland." Die Reaktion des sowjetischen Außenministers war entwaffnend. Er würde es, sagte er, „durchaus natürlich finden, wenn man die Kommunisten in Deutschland so behandelte, wie man in Rußland Staatsfeinde zu behandeln pflege".

Nicht minder beruhigend war für Schleicher eine andere Aussage Litwinows. Die Nichtangriffspakte, die die Sowjetunion im Juli 1932 mit Polen und Ende November mit Frankreich abgeschlossen hatte, seien in keiner Weise gegen Deutschland gerichtet, versicherte der Minister. „Ihr Ziel sei lediglich, Beruhigung zu schaffen und der Welt und besonders Frankreich den Vorwand zu nehmen, Rußland als eine Bedrohung des Weltfriedens hinzustellen." Schleicher erwiderte, daß er diese Verträge nicht tragisch nehme. „Wenn es hart auf hart ginge, würden sich die Lebensnotwendigkeiten doch als stärker erweisen als solche Pakte. Diese Lebensnotwendigkeiten würden Rußland aber immer auf die Seite Deutschlands führen" – eine Feststellung, der Litwinow ausdrücklich zustimmte.

Eine konkrete sowjetische Erwartung konnte aber auch Schleicher nicht erfüllen. Seit Juni 1931 harrte ein von beiden Seiten unterzeichnetes Verlängerungsprotokoll zum Berliner Vertrag von 1926, der auf fünf Jahre befristet war, der Ratifizierung durch den Reichstag. Brüning hatte aus außen- wie innenpolitischen Gründen – der Rücksicht auf Frankreich, der Furcht vor einer Konfrontation mit den Nationalsozialisten, aber auch einer tiefen persönlichen Abneigung gegen die Sowjetunion – die Verlängerung hintertrieben, und seit den Wahlen vom 31. Juli 1932 gab es erst recht keine Aussichten mehr, im Reichstag eine Mehrheit für die Ratifizierung zustande zu bringen. Schleicher versprach Litwinow zwar, er wolle prüfen, ob das Protokoll im Notfall auch ohne den Reichstag in Kraft gesetzt werden könne. Aber damit hätte er vermutlich einen Verfassungskonflikt heraufbeschworen, und das konnte er um einer letztlich zweitrangigen Frage willen nicht ernsthaft wollen.

Die Begegnung zwischen Schleicher und Litwinow belegte einmal mehr, daß die Sowjetunion Deutschland wie allen kapitalistischen Ländern gegenüber eine zweigleisige Politik betrieb. Auf kürzere Sicht kam es Moskau vor allem auf die eigene Sicherheit an. Die längerfristige Perspektive für das Verhältnis zwischen der Sowjetunion und Deutschland aber war eine andere. Am 6. Dezember sagte die „Prawda" voraus, die Regierung Schleicher werde wahrscheinlich versuchen, die Gegensätze zwischen der Schwerindustrie und den verarbeitenden Branchen mit inflationären Maßnahmen zu mildern. „Doch die Beschreitung dieses Weges führt zu einer noch größeren Verschärfung der Gegensätze innerhalb der deutschen Bourgeoisie, zur außerordentlichen Zerrüttung des wirtschaftlichen und politischen Systems in Deutschland und zu einem schnellen Heranreifen der revolutionären Krise."

Von der gleichen Warte aus blickte auch die „Rote Fahne" in ihrem Neujahrsartikel in die Zukunft. 1932, hieß es dort, sei „ein Jahr des kommunistischen Triumphes" gewesen. Die deutschen Kommunisten müßten aber auch begreifen, daß sie einer „Periode historischer Ereignisse" entgegengingen. „Fortsetzung des unerbittlichen Kampfes gegen Schleicher, Verstärkung der proletarischen Offensive gegen die kapitalistischen Anschläge auf die Existenz der breiten Massen und ihrer Organisationen, agitieren, marschieren, schlagen, bis der sozialistische Ausweg gebahnt ist – das ist *unsere Inhaltsanzeige des Jahres* 1933. Millionen leben in Deutschland mit dem eisenfesten Willen, das deutsche Glied in der kapitalistischen Länderkette zum Reißen zu bringen. Millionen werden hinzutreten, die im Fegefeuer der kapitalistischen Krisenhölle stählerne Kommunisten werden, bereit, alles einzusetzen für die *Eroberung der Arbeiter- und Bauernrepublik*, für die soziale und nationale Befreiung Deutschlands. ‚Wir können noch eine harte Schule durchmachen', sagte Karl Marx, ‚aber es ist die Vorschule der – ganzen Revolution'."[8]

Sehr viel weniger offensiv klang, was der Führer der Nationalsozialisten zum Jahreswechsel zu sagen hatte. In seinem Neujahrsartikel für die „Nationalsozialistische Korrespondenz" verteidigte Hitler nochmals die Haltung, die er am 13. August und 25. November 1932 eingenommen hatte. Er habe damals Kompromisse abgelehnt, weil diese den Keim der Vernichtung der Partei und damit der deutschen Zukunft in sich trügen. „Ich habe diesen Entschluß aber auch getroffen im Vertrauen, daß die Parteigenossen verstehen werden, daß es für mich persönlich als Mensch und für die meisten meiner Führer leichter sein würde, einen Minister ohne Macht zu spielen, als sich wieder in den Kampf um die Macht zu stürzen. Wenn jemals, dann bin ich gerade heute auf das äußerste entschlossen, das Recht der Erstgeburt der nationalsozialistischen Bewegung nicht für das Linsengericht der Beteiligung an einer Regierung ohne Macht zu verkaufen. Die größte Aufgabe des kommenden Jahres wird die sein, den nationalsozialistischen Kämpfern, Mitgliedern und Anhängern in größter Klarheit vor Augen zu führen, daß die NSDAP kein Selbstzweck ist, sondern nur ein Mittel zum Zweck."

Am 4. Januar 1933 traf sich Hitler im Haus des Bankiers von Schroeder in Köln mit dem Mann, den er für seine Niederlage vom 13. August 1932 in erster Linie verantwortlich machte: Franz von Papen. Die Weichen für diese Unterredung waren am 16. Dezember anläßlich einer Rede Papens im „Herrenclub" zu Berlin gestellt worden, in der sich der frühere Reichskanzler nochmals ausdrücklich für eine Regierungsbeteiligung der NSDAP eingesetzt hatte. Der Vermittler der Zusammenkunft vom 4. Januar war ein Zuhörer Papens, Kurt von Schroeder. Er hatte im Anschluß an die Rede mit dem zurückgetretenen Kanzler gesprochen und konnte sich danach autorisiert fühlen, den Kontakt zu Hitler herzustellen. Allen späteren Beteuerungen Papens zum Trotz war der Zweck, den dieser bei dem Kölner Treffen verfolgte, nicht eine Verständigung zwischen Hitler und Schleicher, sondern ein Brückenschlag zwischen Hitler und Hindenburg. Wenn irgend jemand das Mißtrauen des Reichspräsidenten gegenüber dem „böhmischen Gefreiten" überwinden konnte, dann Papen. Das machte ihn für Hitler zu einem interessanten Gesprächspartner. Umgekehrt bot eine Allianz mit Hitler dem ehemaligen Kanzler eine Chance, wieder ins Zentrum der Macht zurückzukehren.

Bei dem Kölner Gespräch scheinen Papen und Hitler sich auf eine Art „Duumvirat" verständigt zu haben, wobei aber offen blieb, wer an die Spitze einer neuen Reichsregierung treten würde. Mit Sicherheit hat Hitler seinen Anspruch auf die Kanzlerschaft wiederholt. Papen dürfte nach allem, was wir über seine Haltung im August und November 1932 wissen, nicht darauf bestanden haben, daß *ihm* die Führung in einem künftigen „Kabinett der nationalen Konzentration" zufallen müsse. Aber die fortdauernden Vorbehalte Hindenburgs gegen einen Reichskanzler Hitler hat er gewiß auch am 4. Januar nicht unerwähnt gelassen. Im weiteren Verlauf der Unterredung schloß Hitler dann offenbar nicht mehr ganz aus, daß es eine zeitweilige Alternative zu seiner Kanzlerschaft geben könne. Am 10. Januar notierte Goebbels nach einem Gespräch mit seinem „Führer", das am Vortag stattgefunden hatte: „Hitler berichtet mir. Papen scharf gegen Schleicher, will ihn stürzen und ganz beseitigen. Hat noch das Ohr des Alten. Wohnt auch bei ihm. Arrangement mit uns vorbereitet. Entweder die Kanzlerschaft oder Ministerien der Macht. Wehr und Innen. Dies läßt sich hören."

Für die Annahme, daß Hitler eine Zwischenlösung unter der nominellen Kanzlerschaft Papens am 4. Januar nicht kategorisch abgelehnt hat, spricht auch, was der frühere Regierungschef in den folgenden Tagen vertraulich verlauten ließ. Als Papen sich am 7. Januar in Dortmund mit den führenden Industriellen Krupp, Reusch, Springorum und Vögler traf, um ihnen über die Kölner Begegnung zu berichten, verbreitete er den Eindruck, Hitler werde sich wohl doch auf die Rolle eines „Juniorpartners" in einem von konservativen Kräften beherrschten Kabinett beschränken. Ein solches Arrangement wäre ganz im Sinn des rechten Flügels der Schwerindustrie gewesen. Wenn Papen sich zugunsten dieser Lösung betätigte, konnte er nunmehr des Rückhalts bei *einigen* der maßgeblichen Unternehmer sicher sein. Krupp freilich gehörte nicht dazu, und auch nicht der von ihm geführte Reichsverband der Deutschen Industrie. Der Spitzenverband sah trotz mancher Vorbehalte gegen Schleicher keinerlei Anlaß, die derzeitige Regierung durch ein Kabinett auszutauschen, von dem man befürchten mußte, daß es die politische Unruhe im Volk weiter steigern würde.

Die Absicht beider Seiten, das Kölner Gespräch geheimzuhalten, mißlang gründlich. Der Berliner Zahnarzt Hellmuth Elbrechter, der gute Beziehungen zu bekannten Politikern und Journalisten, darunter Schleicher, Brüning, Treviranus, Strasser und Zehrer, unterhielt, hatte von der Begegnung im voraus erfahren und einen Fotografen zum Haus des Bankiers von Schroeder geschickt. Am 5. Januar informierte die „Tägliche Rundschau“ die deutsche Öffentlichkeit in einem sensationell aufgemachten Bericht nicht nur von der Tatsache des Treffens, sondern auch vom angeblichen Inhalt der Unterredung. Demzufolge hatten die Gesprächspartner die Möglichkeiten erwogen, doch noch eine Regierung unter Führung Hitlers zustandezubringen und hierbei Papens gute Verbindung zu Hindenburg zu nutzen. Der frühere Reichskanzler dementierte sofort: Die Aussprache habe keinerlei Spitze gegen Schleicher und die gegenwärtige Regierung gehabt; es sei nur um die Eingliederung der NSDAP in eine nationale Konzentration gegangen. Wenig später folgte noch eine gemeinsame, von Hitler und Papen unterzeichnete Erklärung mit ähnlichem Tenor.[9]

Schleicher, der an der Stoßrichtung des Kölner Gesprächs keinen Zweifel haben konnte, suchte gute Miene zum bösen Spiel zu machen. Nach einer Unterredung, die er am 9. Januar mit Papen hatte, ließ er ein amtliches Kommuniqué herausgeben, in dem es hieß, Behauptungen über Gegensätzlichkeiten zwischen ihm und seinem Amtsvorgänger seien völlig haltlos. Hindenburg, dem Papen in unmittelbarem Anschluß an die Aussprache mit Schleicher unter vier Augen von seiner Unterhaltung mit Hitler berichtete, glaubte dem früheren Kanzler. Staatssekretär Meissner gegenüber bemerkte der Reichspräsident, Hitler bestehe nun nicht mehr auf der Übertragung der gesamten Regierungsgewalt und sei zur Teilnahme an einer Koalitionsregierung mit den Rechtsparteien bereit. Er, Hindenburg, habe auch seine Zustimmung dazu gegeben, daß Papen streng vertraulich auf dieser Basis mit Hitler in Fühlung bleibe. Da nicht anzunehmen sei, daß Hitler die derzeitige Regierung Schleicher unterstützen oder tolerieren werde, komme nur eine Neubildung des Kabinetts unter Papen in Frage.[10]

Eine erste Folge der Zusammenarbeit zwischen Papen und Hitler blieb in der Öffentlichkeit unbemerkt: Schleicher wagte nicht, Gregor Strasser, der kurz vor Weihnachten aus dem Urlaub zurückgekehrt war, zu seinem Vizekanzler und Arbeitsminister zu ernennen. Hindenburg, der den ehemaligen Reichsorganisationsleiter der NSDAP am 6. Januar empfing und einen sehr guten Eindruck von ihm gewann, hatte gegen diesen Vorschlag des Kanzlers nichts einzuwenden. Doch seit dem 4. Januar war Hitlers Position wieder so stark aufgewertet, daß Schleicher Strasser kaum noch eine Chance einräumte, einen nennenswerten Teil der NSDAP in das Regierungslager hinüberzuziehen. Ganz ließ der Kanzler seine Absicht zwar noch nicht fallen, wollte aber doch erst einmal abwarten, bis sich die politische Lage geklärt hatte.

Am gleichen Tag, an dem Hindenburg mit Strasser sprach, empfing Schleicher den preußischen Ministerpräsidenten Otto Braun. Nach außen drang nur, daß beide über den weiterhin schwelenden Konflikt zwischen der Regierung Braun und der Regierung der Kommissare gesprochen hätten und der Ministerpräsident die Aufhebung der Notverordnung vom 20. Juli 1932 gefordert habe. Das war jedoch nur die halbe Wahrheit. Seinen Memoiren zufolge hat Braun am 6. Januar 1933 Schleicher einen kühnen Plan zur Lösung der deutschen Staatskrise vorgelegt. Der Kanzler sollte die Verordnung über den Reichskommissar aufheben, worauf er, Braun, ohne Rücksicht auf seine Gesundheit die Führung der Staatsgeschäfte wieder fest in die Hand nehme wolle.

Weiter schlug Braun dem Kanzler vor: „Sie lösen den Reichstag auf, ich führe die Auflösung des Landtags herbei. Wir schieben die Wahlen bis weit in das Frühjahr hinaus, regieren inzwischen mit Verordnungen und führen einen einheitlichen nachdrücklichen Kampf gegen die Machtansprüche der Nationalsozialisten. Diese haben bei der Novemberwahl bereits zwei Millionen Stimmen verloren, haben ihren Höhepunkt überschritten und befinden sich im Rückgange. Wir brauchen nur noch nachzustoßen, um ihnen bei Frühjahrswahlen eine vernichtende Niederlage zu bereiten..., dann bekommen wir arbeitsfähige Parlamente und können der schwierigen Probleme Herr werden, um so mehr als auch die Wirtschaftskrise offenbar ihren Höhepunkt überschritten hat und Aussicht auf Besserung der Wirtschaftslage besteht."

Erstmals befürwortete damit ein führender Sozialdemokrat den verfassungswidrigen Aufschub von Neuwahlen, um die verfassungsfeindliche Bewegung des Nationalsozialismus von der Macht fernzuhalten. Ob die Sozialdemokratie bereit gewesen wäre, ihrem Parteifreund auf diesem Weg zu folgen, war höchst ungewiß. Aber zur Probe aufs Exempel kam es gar nicht erst. Denn Schleicher konnte Brauns Vorschlag nicht aufgreifen, ohne sich selber zu entmachten. Die Aufhebung der Notverordnung vom 20. Juli 1932 wäre nicht nur von der Rechten als eine Kapitulation vor der Linken verstanden worden. Es war undenkbar, daß Hindenburg sich auf ein solches Ansinnen einließ. Brauns Gedankenspiel entbehrte damit völlig jenes Wirklichkeitssinnes, der den preußischen Ministerpräsidenten früher einmal ausgezeichnet hatte.[11]

Eine Woche nach dem Kölner Treffen zwischen Papen und Hitler mußte Schleicher zur Kenntnis nehmen, daß auch eine mächtige Interessenorganisation entschlossen war, systematisch auf den Sturz seines Kabinetts hinzuarbeiten. Am 11. Januar forderte der Reichslandbund in einer Besprechung mit dem Reichskanzler und den Ministern von Braun und Warmbold, die unter dem Vorsitz des Reichspräsidenten stattfand, erneut die sofortige

Durchführung des Butterbeimischungszwanges für Margarine sowie einen umfassenden Zoll- und Vollstreckungsschutz für die Landwirtschaft. Kurz nach dem Empfang erfuhr die Reichsregierung von einer Entschließung, die der Vorstand des Reichslandbundes bereits einige Stunden zuvor der Presse übergeben hatte. Darin griff der größte landwirtschaftliche Verband die Reichsregierung in einer Weise an, die einer Kriegserklärung gleichkam. „Die Verelendung der deutschen Landwirtschaft, insbesondere der bäuerlichen Veredelungswirtschaft, hat unter Duldung der derzeitigen Regierung ein selbst unter einer rein marxistischen Regierung nicht für möglich gehaltenes Ausmaß angenommen", hieß es in der Erklärung. „Die Ausplünderung der Landwirtschaft zugunsten der allmächtigen Geldbeutelinteressen der international eingestellten Exportindustrie und ihrer Trabanten dauert an... Die bisherige Betätigung der Reichsregierung wird daher auch den wiederholten Aufträgen, die der Herr Reichspräsident erteilt hat, nicht gerecht."

Was der Reichslandbund sagte und wie er es sagte, unterschied sich kaum noch von der nationalsozialistischen Agitation. Der Gleichklang war alles andere als zufällig: Schon seit Dezember 1931 gehörte dem vierköpfigen Präsidium des Reichslandbundes ein führendes Mitglied des „Agrarpolitischen Apparates" der NSDAP, der Reichstagsabgeordnete Werner Willikens, an, was wie ein Stück vorweggenommener „Selbstgleichschaltung" wirkte. Die Aktion vom 11. Januar 1933 war der bisherige Höhepunkt des Zusammenspiels von deutschnationalen Großagrariern und nationalsozialistischen Bauernfunktionären.

Zwei Tage später stieß Richard Walther Darré, der Leiter des „Agrarpolitischen Apparates", nach. In einem Offenen Brief an Schleicher verlangte er ein „entschlossenes Herumreißen des Staatsruders in Richtung des Binnenmarktes", wozu freilich nur eine „Regierung von Männern" in der Lage sei, nicht aber eine „Regierung, die vor lauter Zweifeln nicht weiß, wohin sie sich drehen und wenden soll". Hatte der Präsident des Reichslandbundes, Graf Kalckreuth, beim Empfang durch Reichspräsident und Reichskanzler warnend auf wachsende Erfolge der „kommunistischen Hetze" auf dem Lande hingewiesen, so beschwor Darré am 13. Januar „die unheimlich um sich greifende Bolschewisierung des Deutschen Volkes". Sein Brief schloß mit einer Anspielung auf die exportfreundliche Politik von Bismarcks Nachfolger im Kanzleramt: „Mit dem ‚*General*' von Caprivi fing die Leidenszeit der deutschen Landwirtschaft an. Wolle Gott, daß der ‚*General*' von Schleicher der letzte Vertreter dieser unglückseligen und landwirtschaftsfeindlichen Zeit- und Wirtschaftsepoche ist."

Den Brief Darrés konnte der Kanzler zu den Akten legen, nicht jedoch die Kampfansage des Reichslandbundes. Noch am Abend des 11. Januar veranlaßte Schleicher eine amtliche Verlautbarung, die dem Verband vorwarf, er habe in demagogischer Form sachlich unbegründete Angriffe gegen die Reichsregierung gerichtet. Der Rüge folgte die Sanktion: Die Reichsregierung stellte fest, angesichts der illoyalen Handlungsweise des Vorstands des Reichslandbundes sehe sie sich gezwungen, „von jetzt an Verhandlungen mit Mitgliedern des Vorstands des Reichslandbundes abzulehnen". Der Reichspräsident schloß sich dem Boykott nicht an. Am 17. Januar schrieb er dem Präsidium des Reichslandbundes, er hoffe, daß die von ihm am gleichen Tag unterzeichnete Verordnung über einen verbesserten Vollstreckungsschutz zur Beruhigung der Landwirtschaft beitragen werde.[12]

Die agrarische Kampagne gegen Schleicher erinnerte stark an die hemmungslose Agitation, mit der der Reichslandbund im Mai 1932 den Sturz Brünings betrieben hatte. In der letzten Phase jenes Kampfes war allerdings eine Partei in den Vordergrund getreten, die sich jetzt auffallend zurückhielt: die DNVP. Am 11. Januar erklärte ihr Abgeordneter Hergt im Haushaltsausschuß des Reichstags vielmehr ausdrücklich, auch der Regierung von Schleicher müsse eine „Bewährungsprobe" gegeben werden. Hugenberg bot dem Kanzler zwei Tage später in einem Gespräch sogar eine Regierungsbeteiligung seiner Partei an. Die Bedingung, die er daran knüpfte, konnte Schleicher indes nicht erfüllen, weil er andernfalls Industrie und Gewerkschaften, Mittelstand und Verbraucher gegen sich aufgebracht hätte: Der Parteivorsitzende der Deutschnationalen wollte den mittlerweile chronischen Zwist zwischen Wirtschafts- und Ernährungsministerium dadurch überwinden, daß er beide Ressorts in einer, nämlich seiner Hand vereinigte. Außerdem verlangte Hugenberg gut unterrichteten Quellen zufolge, das umgebildete Kabinett müsse mindestens ein halbes Jahr lang ungestört arbeiten können – eine Forderung, die auf zwei Varianten einer Staatsstreichslösung hinauslief: die Zwangsvertagung des Reichstags oder den Aufschub von Neuwahlen.

Ein angenehmerer Gesprächspartner war für Schleicher Eduard Dingeldey, der Vorsitzende der Deutschen Volkspartei, mit dem der Reichskanzler am 11. Januar zusammentraf. Die DVP hatte schon zwei Tage vorher öffentlich erklärt, sie werde die Regierung Schleicher weiterhin unterstützen. Das stimmte mit der offiziellen Haltung des Reichsverbandes der Deutschen Industrie überein, der am 12. Januar der Erklärung des Reichslandbundes vom Vortag mit bislang beispielsloser Schärfe entgegentrat. Auch von der anderen liberalen Partei erhielt Schleicher Rückendeckung: Am 6. Januar sprach sich der Vorsitzende der Deutschen Staatspartei, Hermann Dietrich, auf dem traditionellen Dreikönigstreffen der württembergischen Demokraten in Stuttgart für die Beibehaltung des derzeitigen Kabinetts aus.

Die zwei Reichstagsabgeordneten der Staatspartei und die elf Parlamentarier der Volkspartei konnten indes nur einen bescheidenen Beitrag zu dem leisten, woran Schleicher gelegen war: einem überzeugenden Rückhalt in der Volksvertretung. Ob das Kabinett eine neuerliche Reichstagssession ohne Mißtrauensvotum überstehen würde, war zu Beginn des Jahres 1933 in der Tat ganz ungewiß. Doch Schleicher wollte nicht mehr auf Zeitgewinn setzen, sondern den gordischen Knoten zerhauen. Am 4. Januar ließ er Staatssekretär Planck im Ältestenrat mitteilen, die Regierung sei jederzeit bereit, vor den Reichstag zu treten und Erklärungen über ihr Programm abzugeben. Sie lege allerdings auch Wert darauf, daß im Anschluß daran eine Klärung der Lage eintrete. Die Reichsregierung würde sich also nicht darauf einlassen, daß der Reichstag sich nach Entgegennahme der Regierungserklärung vertage oder die Abstimmung über die Mißtrauensanträge hinauszögere. Die Nationalsozialisten forderten daraufhin, man solle die Bestimmung des Termins dem nicht anwesenden Reichstagspräsidenten Göring überlassen. Bei Stimmenthaltung der NSDAP und gegen die Stimmen von SPD und KPD, die eine Reichstagssitzung schon am 10. Januar verlangten, beschloß der Ältestenrat sodann die Einberufung des Plenums auf den 24. Januar. Rudolf Breitscheid kommentierte das Verhalten der Nationalsozialisten laut „Vorwärts" mit den Worten, es laufe „praktisch auf eine Tolerierung der Regierung Schleicher" hinaus.[13]

Die Nationalsozialisten setzten in der Tat, anders als Schleicher, nach wie vor auf Zeitgewinn. Am 10. Januar wollte Hitler einen kurzen Aufenthalt in Berlin für ein weiteres Gespräch mit Papen nutzen – diesmal im Haus des politisierenden Sektkaufmanns Joachim von Ribbentrop, der erst kürzlich der NSDAP beigetreten war, im vornehmen Villenviertel Dahlem. Doch dann ließ Hitler Ribbentrop wissen, daß er sich kurzfristig anders entschieden hatte: Er wollte zunächst ein Ereignis abwarten, mit dem er große Hoffnungen verband. Am 15. Januar fanden im zweitkleinsten deutschen Staat, in Lippe-Detmold, Landtagswahlen statt. Dort gedachte Hitler die Scharten der letzten Reichstagswahl und der thüringischen Gemeindewahlen auszuwetzen. Wenn ihm in Lippe der Nachweis gelang, daß die Massen wieder seiner Partei zuströmten, konnte er den konservativen Kräften mit neuem Selbstbewußtsein gegenübertreten und für sich fordern, was ihm nach seiner Meinung zustand: die Führung der nächsten Reichsregierung.

Der norddeutsche Kleinstaat wurde in der ersten Januarhälfte von der NSDAP mit Kundgebungen förmlich überrollt. Hitler selbst sprach auf 16 Großveranstaltungen; dazu kamen Auftritte der gesamten übrigen Parteiprominenz, darunter von Göring, Goebbels, Frick und dem Preußenprinzen August Wilhelm, einem unter dem Kürzel „Auwi" bekannten höheren SA-Führer. Der Einsatz zahlte sich aus. Gegenüber der Reichstagswahl vom 6. November 1932 gewannen die Nationalsozialisten knapp 6000 Stimmen hinzu. Gewinne verbuchte auch die Partei des seit 1920 regierenden Landespräsidenten Heinrich Drake, die SPD: Verglichen mit der Novemberwahl, verbesserte sie sich um rund 4000 Stimmen. Zu den Verlierern gehörten die Deutschnationalen, die gegenüber dem 6. November 4000, und die Kommunisten, die etwa 3500 Stimmen einbüßten.

Die NSDAP feierte sich als die große Siegerin. Ihr regionales Organ, der „Lippische Kurier", überschrieb seinen Bericht mit den Schlagzeilen „Abtreten, Herr von Schleicher! – Hitler siegt in Lippe! – Gewaltiger nationalsozialistischer Stimmengewinn von 34,7 auf 39,6 v. H. gegen letzte Reichstagswahl". Goebbels schrieb in sein Tagebuch: „Partei wieder auf dem Vormarsch. Es hat sich also doch gelohnt."

Tatsächlich war der Erfolg der Nationalsozialisten viel bescheidener, als ihre Propaganda es darstellte. Gegenüber der Wahl vom 31. Juli 1932 hatte sie 3 500 Stimmen verloren, und auf Reichsebene hätte die Partei niemals derart intensiv für sich werben können wie in einem Kleinstaat mit etwa 160 000 Einwohnern. Doch im Augenblick zählte die psychologische Wirkung: Die NSDAP schien wieder im Kommen. Das stärkte Hitlers Position gegenüber der bürgerlichen Rechten, namentlich den Deutschnationalen, denen seine Partei die meisten Stimmen abgenommen hatte. Aber auch gegen Strasser konnte Hitler nun endlich den entscheidenden Schlag wagen. Auf einer Gauleitertagung in Weimar rechnete er am 16. Januar scharf mit dem früheren Reichsorganisationsleiter ab. Das Ergebnis war eindeutig: Strasser fand keine Verteidiger mehr, und Hitlers innerparteiliche Stellung war so unangefochten wie noch nie zuvor.[14]

Am Tag nach der Lippewahl tagte erstmals im neuen Jahr das Reichskabinett, um über die politische Lage zu beraten. Schleicher bemerkte einleitend, „daß es sich im wesentlichen um zwei Fragen handle, nämlich um die Fragen, ob es gelinge, die Nationalsozialisten zur Mitarbeit zu gewinnen oder ob diese den Kampf gegen das Reichskabinett wünschten. Bei der Mitarbeit gebe es natürlich noch gewisse Formen; denkbar sei eine aktive Mitarbeit im Reichskabinett, denkbar sei auch die Form der Tolerierung des Kabinetts oder etwas Ähnliches." Er habe nicht vor, sich auf eine Verzögerung der Entscheidung einzulassen. Falls der Reichstag auf seiner bevorstehenden Sitzung die Mißtrauensanträge auf Punkt 1 der Tagesordnung setzen sollte, werde er ihm eine schriftliche Auflösungsorder schicken.

Dann kam Schleicher auf die Frage zurück, die am Vorabend seiner Kanzlerschaft das Kabinett gespalten hatte: das Problem, ob es nach einer Auflösung des Reichstags innerhalb der verfassungsmäßigen Frist von sechzig Tagen Neuwahlen geben sollte oder nicht. „Die Wirtschaft lehne den Gedanken baldiger Neuwahlen ab. Auch in der Arbeiterschaft sei diese Stimmung sehr verbreitet. Bei dieser Sachlage halte er den Gedanken für sehr erwägenswert, die Neuwahlen bis zum Herbst zu verschieben. Auf jeden Fall, ob man nun zu Neuwahlen komme oder nicht, sei die Bindung breiterer Gruppen an das Reichskabinett erforderlich."

Anders als am letzten Tag der Regierungszeit Franz von Papens sprach sich jetzt kein Minister gegen den verfassungswidrigen Aufschub von Neuwahlen und damit gegen die Proklamation des Staatsnotstands aus. Lediglich Reichskommissar Gereke äußerte vorsichtige Bedenken und plädierte für den Versuch, „eine weitere Tolerierung durch den Reichstag zu erlangen". Reichsinnenminister Bracht betonte, „daß jedenfalls eins erreicht sei: eine Einheitsfront gegen das Kabinett bestehe nicht mehr". Finanzminister Graf Schwerin von Krosigk, der im November und Anfang Dezember 1932 einer der entschiedensten Gegner des Verfassungsbruchs gewesen war, unterstützte die Vertagung von Neuwahlen nunmehr ohne allen Vorbehalt.

Strittig war dagegen, ob eine Verbreiterung der Regierungsbasis wirklich notwendig war. Ernährungsminister von Braun bezweifelte, daß Strasser, wenn er ins Kabinett eintrete, einen größeren Anhang aus der NSDAP mit sich ziehen würde. Außenminister von Neurath äußerte die Befürchtung, daß man durch die Aufnahme von Parteivertretern „den Gedanken des Präsidialkabinetts verlasse und zu einem Parteienkabinett gelangen werde". Staatssekretär Meissner stimmte Neurath mit der Bemerkung ausdrücklich zu, er erblicke „in einem Verlassen des Gedankens des Präsidialkabinetts eine Gefahr für die Stellungnahme des Herrn Reichspräsidenten".

Der Reichskanzler dagegen gab sich seiner Sache sicher. Mit dem Reichspräsidenten habe er eingehend gesprochen, sagte er. Mit Hitler werde er sprechen, sei aber fest davon überzeugt, daß dieser nicht mehr an die Macht wolle. Neuerdings erstrebe Hitler nur noch das Amt des Reichswehrministers, das ihm Hindenburg jedoch nicht geben werde. Eine breite Basis, „vielleicht von Strasser bis zum Zentrum", sei für die Regierung notwendig. Auch Hugenberg müsse man gewinnen, da man sonst nicht auf die Gefolgschaft der Deutschnationalen rechnen könne. Daß eine parlamentarische Mehrheit für das Kabinett sich nur mit Hitler erreichen lasse, sei ihm, Schleicher, bewußt. „Man müsse jedoch auf einen allmählichen Umschwung in der Stimmung der Bevölkerung hoffen, der sich zugunsten des Kabinetts auswirken müsse. Dieser Umschwung sei nur durch Erfolge in der sachlichen Arbeit des Reichskabinetts zu erreichen."

Die grundsätzlichste Aussage Schleichers war die These, „man könne Politik gewissermaßen nicht im luftleeren Raum treiben". Im weiteren Verlauf der Aussprache kam er auf diesen Gedanken nochmals zurück, als er auf Neuraths Warnung vor einem Parteienkabinett erwiderte, „daß auf die Dauer in Deutschland nicht regiert werden könne, wenn man nicht eine breite Stimmung in der Bevölkerung für sich habe".

Als Termin für die Neuwahl des Reichstags schlug Bracht den 22. Oktober oder den 12. November 1933 vor. Popitz bezweifelte, daß es klug sei, sich sofort auf einen Neuwahltermin festzulegen, stieß damit aber auf den energischen Widerspruch des Innenministers. Man müsse den Zeitpunkt sogleich bekanntmachen, da andernfalls die Opposition dauernd auf die Bestimmung des Termins drängen und es als ihren Erfolg verbuchen werde, wenn die Regierung dem nachkomme. Justizminister Gürtner meinte, Württemberg und wohl auch Bayern würden dem Wahlaufschub zustimmen. Allerdings sei er skeptisch und glaube, daß die Situation im Herbst nicht viel anders sein werde als jetzt.

Die möglichen rechtlichen und politischen Folgen eines Aufschubs von Neuwahlen wurden, wenn das Protokoll den Verlauf der Sitzung richtig wiedergibt, am 16. Januar 1933 gar nicht mehr erörtert. Dasselbe galt von einer Alternative, die wahrscheinlich in der Wehrmachtsabteilung des

Reichswehrministeriums erarbeitet und dem Protokoll als Anlage beigefügt wurde: die „Nichtanerkennung eines Mißtrauensvotums und Bestätigung der Regierung durch den Reichspräsidenten". Das Mißtrauensvotum bringe nur eine negative Willensbildung des Reichstags zum Ausdruck, ohne positive Wege zu zeigen, hieß es in dem Text. „Da aber regiert werden muß, kann ein lediglich negatives Mißtrauensvotum nicht zum Sturz der Regierung führen. Diese wird vielmehr bestätigt, bis der Reichstag einen anderen positiven Vorschlag macht."

Den Nachteil dieses Verfahrens, daß der Reichstag „zum Fenster hinausreden und Agitationsentschlüsse fassen" könne, hielt der Gutachter für ungefährlich: Das Parlament habe ja „seine schwerste Kanone mit dem Mißtrauensvotum schon abgeschossen... Wirksam werden könnte die Tätigkeit des Reichstags erst, wenn er tatsächlich rechtsgültige Gesetze verabschieden würde. Das ist aber seine eigentliche Aufgabe, zu der er sich wieder zurückfinden muß. Sollte hierbei ein Konflikt mit der Regierung zu ernstlichen Schwierigkeiten führen, so bleibt dann immer noch der Weg zur Auflösung offen." Die vorgeschlagene Lösung entspreche auch den Grundzügen, nach denen eine Verfassungsreform wahrscheinlich verfahren müsse: „Beschränkung des Reichstags im wesentlichen auf die Legislative. Rechtswirksamkeit eines Mißtrauensvotums nur, wenn hinter ihm der positive Wille einer Mehrheit zu anderer Gestaltung der Politik steht."

Der Vorschlag, das Mißtrauensvotum einer „negativen Mehrheit" zu ignorieren, stellte, verglichen mit dem Aufschub von Neuwahlen oder einer Zwangsvertagung des Reichstags, nach Meinung des Autors „den verhältnismäßig geringsten Konflikt mit der Verfassung" dar. In der Tat schloß der Artikel 54, der den Reichskanzler und die Reichsminister an das Vertrauen des Reichstags band, nicht aus, daß eine nach einem Mißtrauensvotum zurückgetretene Regierung geschäftsführend weiteramtierte. Der Artikel sah auch keine zeitliche Befristung für ein solches Weiterleben nach dem parlamentarischen „Tod" vor.

Einer der bekanntesten deutschen Staatsrechtler, Carl Schmitt, hatte schon 1928 in seiner „Verfassungslehre" den Mißtrauensbeschluß einer nicht regierungsfähigen Reichstagsmehrheit einen „Akt bloßer Obstruktion" genannt und gefolgert, die Pflicht zum Rücktritt könne hier nicht bestehen, „jedenfalls dann nicht, wenn gleichzeitig die Auflösung des Reichstags angeordnet wird". Im Dezember 1932 gelangte der sozialdemokratische Jurist Ernst Fraenkel (wie vor ihm Carl Schmitt und Johannes Heckel, auf die er sich ausdrücklich berief) zu dem Schluß, daß der Reichstag als das Zentralorgan der Weimarer Verfassung zur Erfüllung seiner Pflichten so lange untauglich sei, als dort Kommunisten und Nationalsozialisten über eine Mehrheit verfügten. Um das „pflichtwidrige Parlament" daran zu hindern, die Staatsmaschine zum Stocken zu bringen und damit den Feinden der Verfassung den ersehnten Anlaß zum Staatsstreich zu liefern, schlug Fraenkel eine Änderung der Verfassung durch Volksentscheid vor. Demnach sollte ein Mißtrauensvotum des Parlaments gegen den Kanzler oder Minister die Rechtsfolge des Rücktritts nur dann haben, „wenn die Volksvertretung das Mißtrauensvotum mit einem positiven Vorschlag an den Präsidenten verbindet, eine namentlich präsentierte Persönlichkeit an Stelle des gestürzten Staatsfunktionärs zum Minister zu ernennen".

Politische Praktiker machten um die Jahreswende 1932/33 dem Reichskanzler Vorschläge, die auf die *faktische* Einführung eines konstruktiven Mißtrauensvotums, also eines Verfassungswandels ohne Verfassungsänderung, hinausliefen. Am 1. Dezember 1932 meinte der bayerische Bevollmächtigte beim Reich, Ministerialdirektor Sperr, im Gespräch mit Schleicher, „ein Mißtrauensvotum sei nicht das Entscheidende, man könne auch – was Papen wegen der Autoritätsminderung ablehnte – als geschäftsführendes Ministerium amtieren". Der Reichstagsabgeordnete und Vorsitzende des Christlich-Sozialen Volksdienstes, Wilhelm Simpfendörfer, gab dem Reichskanzler am 19. Januar 1933 in einer Unterredung den gleichen Hinweis.

Fünf Tage später untermauerte der Parlamentarier seine Empfehlung schriftlich. Eine negative Mehrheit habe kein Recht, sich über die Nichtbeachtung ihrer Beschlüsse zu beklagen, schrieb Simpfendörfer am 24. Januar an den Kanzler. Die Regierung werde nach Artikel 53 vom Reichspräsidenten ernannt und entlassen; Beschlüsse einer negativen Mehrheit müsse sie nur insofern ausführen, als sie die Durchführung verantworten könne. „Die Annahme eines Mißtrauensantrags durch eine rein negative Mehrheit darf also bei sinnvoller und verantwortungsbewußter Anwendung des parlamentarisch-demokratischen Systems und der Reichsverfassung nur die Bedeutung einer Demonstration eines unfähigen Mißvergnügens haben... Paßt der negativen Mehrheit dieser Zustand nicht, dann braucht sie sich nur um eine positive Mehrheit erfolgreich bemühen. Sie hat aber keinen Anspruch darauf, mit dem Narrenspiel negativer parlamentarischer Mehrheiten den Staat zugrunde richten zu dürfen."

Schleicher ging auf keinen der Vorschläge ein, die auf eine Krisenlösung unterhalb der Schwelle des offenen Staatsnotstands abzielten. Die Vertagung von Neuwahlen erschien ihm wohl als der Weg, der mit einem geringeren Autoritätsverlust für die Regierung verbunden war als ein Mißtrauensbeschluß des Reichstags. Die Abhängigkeit von einem zu konstruktiver Arbeit nicht fähigen Reichstag war aus seiner Sicht offenbar so untragbar, daß er seit Anfang 1933 auf eine rasche Entscheidung drängte: Wenn das Parlament zu erkennen gab, daß es zum Zusammenwirken mit der Regierung nicht willens war, sollte es sofort aufgelöst werden. Schleicher konnte zwar darauf pochen, daß seine Regierung weniger isoliert war als das vorangegangene Kabinett von Papen. Aber es war ganz ungewiß, ob Hindenburg ihm wirklich das zugestehen würde, was er Papen versprochen hatte: die Auflösung des Reichstags und den verfassungswidrigen Aufschub von Neuwahlen. Weil beides unsicher war, beruhte der Staatsnotstandsplan vom 16. Januar auf einer höchst brüchigen Grundlage.[15]

Wenige Tage nach der Kabinettssitzung war die Presse voll von Spekulationen über eine möglicherweise kurz bevorstehende Verhängung des Staatsnotstands. Am 19. Januar enthüllte Rudolf Breitscheid auf einer Vertreterversammlung der SPD in Berlin-Friedrichshain, was Schleicher ihm am 28. November über einen eventuellen Aufschub von Neuwahlen gesagt hatte. Der Vorsitzende der sozialdemokratischen Reichstagsfraktion erwähnte auch, was er dem Reichsminister geantwortet habe: Für die gesamte Arbeiterschaft werde ein solcher Schritt Veranlassung sein, mit allen ihr zur Verfügung stehenden gesetzlichen Mitteln gegen einen derartigen Verfassungsbruch vorzugehen. „Eine solche Provokation wird ohne Zweifel die stärksten Stürme hervorrufen."

Am 20. Januar glaubte der „Vorwärts" auch bereits den Anlaß zu kennen, den die Regierung suchte, um den Staatsnotstand zu proklamieren: Der Berliner Polizeipräsident Melcher hatte für Sonntag, den 22. Januar, einen Aufzug der Nationalsozialisten am Bülow-Platz, „mit Front gegen das Karl-Liebknecht-Haus", die Zentrale der KPD, zugelassen und eine kommunistische Gegendemonstration, ebenfalls am Bülow-Platz, verboten. Das sozialdemokratische Parteiorgan rechnete mit blutigen Zusammenstößen, die von der Regierung dann als Vorwand benutzt werden könnten, um die Abhaltung von Wahlen für unmöglich zu erklären. Doch die Eskalation der Gewalt blieb aus. Nachdem die Regierung, trotz einer persönlichen Intervention der Abgeordneten Torgler und Kasper bei Schleicher, das Verbot der kommunistischen Demonstration bestätigt hatte, rief die KPD ihre Anhänger zur Disziplin und Besonnenheit auf, und diese hielten sich an die Parole der Führung. Die kommunistische Kundgebung wurde auf den 25. Januar verschoben.[16]

Das Thema, das die deutsche Öffentlichkeit zu dieser Zeit am meisten beschäftigte, waren indes weder die Demonstrationen von Nationalsozialisten und Kommunisten noch der Staatsnotstand, sondern der Osthilfeskandal. Am 19. Januar enthüllte der Zentrumsabgeordnete Joseph Ersing, ein Sekretär der Christlichen Gewerkschaften, im Haushaltsausschuß des Reichstags Einzelheiten über den Mißbrauch öffentlicher Mittel für die Sanierung hochverschuldeter Rittergüter, namentlich in Ostpreußen. Wenn die Kreise hinter dem Reichslandbund, die vom ganzen deutschen Volk immer wieder gewaltige Summen erhalten hätten, eine solche Sprache führten wie unlängst gegenüber der Reichsregierung, sagte Ersing, dann müsse sich der Reichstag damit befassen. Und wenn die vom Reich gegebenen Gelder nicht zur Abdeckung von Schulden, sondern zum Ankauf von Luxusautos und Rennpferden und zu Reisen an die Riviera verwendet würden, dann müsse das Reich die Rückzahlung der Gelder verlangen. Die Kreise der Großgrundbesitzer seien bemüht, eine weitere parlamentarische Verhandlung der Osthilfefragen unmöglich zu machen. Deshalb werde hinter den Kulissen die stärkste Aktivität für eine sofortige Auflösung des Reichstags entfaltet.

Ersings Rede im Haushaltsausschuß fand auch deshalb so viel Beachtung, weil kurz zuvor der Name eines persönlichen Freundes des Reichspräsidenten in Pressemeldungen über die Osthilfe aufgetaucht war: Elard von Oldenburg-Januschau sollte bei der Zuteilung von öffentlichen Mitteln außerordentlich begünstigt worden sein. Zur gleichen Zeit wurden auch die näheren Umstände bekannt, unter denen Hindenburg 1927 in den Besitz seines Gutes Neudeck gelangt war. Das Eigentum an dem Anwesen, das er anläßlich seines 80. Geburtstags als Geschenk der deutschen Wirtschaft erhalten hatte, war auf den Namen seines Sohnes Oskar eingetragen worden, um diesem die Erbschaftssteuer zu ersparen. Das war zwar kein formeller Verstoß gegen geltendes Recht, aber doch eine Manipulation, die dem Ansehen des Staatsoberhauptes Schaden zufügte.[17]

Einen Tag nach dem spektakulären Auftritt Ersings beschloß der Ältestenrat des Reichstags, die Einberufung des Plenums vom 24. auf den 31. Januar zu verschieben, selbst aber sicherheitshalber am 27. Januar noch einmal zusammenzutreten. Die Initiative zur Vertagung des Plenums ging von den Nationalsozialisten aus, die ihren Vorstoß damit begründeten, daß die Regierung noch keinen Haushaltsentwurf vorgelegt habe. Das Zentrum, beunruhigt wegen der Staatsnotstandspläne des Kabinetts, wollte ebenfalls Zeit gewinnen, um doch noch eine parlamentarische Krisenlösung mit Einschluß der NSDAP zustande zu bringen. Während die Nationalsozialisten die Einberufung des Plenums am liebsten ganz dem Reichstagspräsidenten Göring überlassen hätten, befürwortete das Zentrum aber lediglich einen Aufschub von einer Woche. Da SPD und KPD auf dem ursprünglichen Termin, dem 24. Januar, beharrten, bildete der Vorschlag des Zentrums die mittlere Lösung, für die sich schließlich eine Mehrheit fand. Staatssekretär Planck fügte sich dem Beschluß, betonte aber namens der Reichsregierung, daß diese es nach wie vor im Interesse der politischen Beruhigung des Landes und seiner wirtschaftlichen Gesundung für dringend erforderlich halte, die politische Lage möglichst bald unzweideutig zu klären.[18]

Die Nationalsozialisten hatten allen Grund, einer Plenarsitzung des Reichstags aus dem Weg zu gehen. Denn nichts sollte den Fortgang der politischen Verhandlungen stören, die Hitler kurz nach der Lippewahl wieder aufnahm. Am 17. Januar hatte er eine Unterredung mit Hugenberg, die aber kein konkretes Ergebnis zeitigte: Der deutschnationale Parteiführer weigerte sich, im Fall einer gemeinsamen Regierungsbildung den Nationalsozialisten das preußische Innenministerium und damit die Kontrolle über die preußische Polizei zu überlassen. Tags darauf traf sich Hitler in Ribbentrops Dahlemer Villa mit Papen. Unter Berufung auf seinen Wahlerfolg verlangte der Führer der NSDAP nunmehr sehr viel entschiedener als am 4. Januar in Köln das Kanzleramt für sich. Doch auch wenn Papen von der Notwendigkeit dieser Lösung überzeugt gewesen wäre, gab es zu diesem Zeitpunkt nichts daran zu deuteln, daß Hindenburgs Haltung unverändert dieselbe war: Er lehnte die Übertragung der Kanzlerschaft an Hitler ab.

Währenddessen wurde die Position des Reichskanzlers immer schwächer. Am 21. Januar kündigte die deutschnationale Reichstagsfraktion dem Kabinett von Schleicher die offene Opposition an. Die Politik des Hinhaltens und Zauderns stelle alle Ansätze zu einer Besserung in Frage, hieß es in einer Entschließung, die dem Kanzler sofort übermittelt, aber erst am 24. Januar veröffentlicht wurde. Der Hauptvorwurf der DNVP lautete, die Wirtschaftspolitik der Regierung gleite immer deutlicher in „sozialistisch-internationale Gedankengänge" ab. „Eine besondere Gefahr bedeutet es, wenn man Gegensätze zwischen groß und klein, vor allem in der Landwirtschaft entstehen läßt und dadurch die Gefahr eines Bolschewismus auf dem flachen Lande hervorruft. Überall taucht der Verdacht auf, daß die jetzige Reichsregierung nichts anderes bedeuten werde als die Liquidation des autoritären Gedankens, den der Herr Reichspräsident mit der Berufung des Kabinetts Papen aufgestellt hatte, und die Zurückführung der deutschen Politik in das Fahrwasser, das dank dem Erstarken der nationalen Bewegung verlassen zu sein schien." Im Schlußsatz ihrer Resolution bekannten sich die Deutschnationalen „erneut" zu ihrer Überzeugung, „daß die Staats- und Wirtschaftskrise nur durch eine starke Staatsführung überwunden werden" könne.

Die Behauptung, Schleicher bereite dem „Bolschewismus auf dem flachen Lande" den Boden, war genauso demagogisch und widersinnig wie der Vorwurf, den die deutschnationale Reichstagsfraktion acht Monate zuvor gegen Brüning erhoben hatte: Seine Siedlungsverordnung sei „vollendeter Bolschewismus". Aber die Parole, die im Mai 1932 erfolgreich gewesen war, hatte auch jetzt wieder Aussichten, Hindenburg zu beeindrucken. Mit ihrer Entschließung vom 21. Januar schwenkte die DNVP auf die Linie ein, die der Reichslandbund schon zehn Tage früher bezogen hatte. Die Front der Gegner Schleichers war breiter und stärker geworden, und sie konnte hoffen, daß auch der Reichspräsident sich ihr bald offen anschließen würde.[19]

Am 22. Januar – einen Tag, nachdem die DNVP sich gegen Schleicher festgelegt hatte – fand im Hause Ribbentrops eine neue Begegnung zwischen Hitler und Papen statt. Sie hatte dadurch besonderes Gewicht, daß auch Staatssekretär Meissner und Oskar von Hindenburg sowie auf nationalsozialistischer Seite Göring und Frick daran teilnahmen. Hitler versicherte, daß in einer von ihm geführten Präsidialregierung bürgerliche Minister, sofern sie nicht ihren Parteien verantwortlich seien, reichlich vertreten sein könnten. Ähnlich äußerte sich Göring gegenüber Meissner. Papens Ausführungen ließen darauf schließen, daß er nunmehr bereit war, sich mit dem Posten des Vizekanzlers in einem Kabinett Hitler zu begnügen. Der wichtigste Teil des Treffens war ein langes Gespräch, das Hitler unter vier Augen mit dem Sohn des Reichspräsidenten führte. Auf der gemeinsamen Rückfahrt in die Wilhelmstraße gab Oskar von Hindenburg Meissner gegenüber zu erkennen, daß ihn Hitlers Darlegungen stark beeindruckt hatten. Der Führer der NSDAP war seinem Ziel ein gutes Stück nähergekommen.[20]

Als der Reichspräsident am folgenden Tag, dem 23. Januar, den Reichskanzler zu einer Unterredung empfing, war er durch seinen Sohn und Staatssekretär Meissner vom Verlauf der jüngsten Dahlemer Zusammenkunft bereits informiert. Schleicher trug ihm vor, worauf sich das Kabinett schon vor einer Woche verständigt hatte. Von der Sitzung des Reichstags, die nun voraussichtlich am 31. Januar stattfinden werde, sei ein Mißtrauensvotum gegen die Reichsregierung zu erwarten. „Er schlage deshalb vor, den Reichstag aufzulösen. Da aber eine Neuwahl des Reichstags die Lage nicht verändern würde, somit ein Notstand des Staates geschaffen würde, bliebe wohl nichts anderes übrig, als die Neuwahl auf einige Monate hinauszuschieben."

Hindenburg erwiderte laut amtlichem Protokoll, „daß er sich die Frage einer Auflösung des Reichstags noch überlegen wolle, dagegen die Hinausschiebung der Wahl über den in der Verfassung vorgesehenen Termin zur Zeit nicht verantworten könne. Ein solcher Schritt würde ihm von allen Seiten als Verfassungsbruch ausgelegt werden; ehe man sich zu einem solchen Schritt entschließt, müsse durch Befragen der Parteiführer festgestellt werden, daß diese den Staatsnotstand anerkennen und den Vorwurf eines Verfassungsbruches nicht erheben würden."

Damit war der Staatsnotstandsplan vom 16. Januar praktisch gescheitert. Mit Sicherheit waren es nicht nur verfassungsrechtliche Bedenken, die den Reichspräsidenten veranlaßten, Schleicher das zu verwehren, was er seinem Vorgänger zweimal, Ende August und Anfang Dezember 1932, zugestanden hatte: die Abweichung vom Artikel 25 der Verfassung, der die Frist für die Neuwahl des Reichstags regelte. Bei Hindenburgs Entscheidung wird eine Rolle gespielt haben, daß Schleicher selbst sich am 2. Dezember mit dem „Planspiel Ott" um den Nachweis bemüht hatte, daß die Proklamation des Staatsnotstands leicht zum Bürgerkrieg führen konnte. Dazu kam indes noch anderes, auch Persönliches, hinzu. Im Haushaltsausschuß des Reichstags gingen die Enthüllungen über den Osthilfeskandal weiter; in der Öffentlichkeit wurde in diesem Zusammenhang immer wieder auch der Name Hindenburg genannt, ohne daß der Reichskanzler sich schützend vor den Reichspräsidenten stellte. Adlige Gutsnachbarn wie der „alte Januschauer" drängten vor allem deswegen auf den Sturz Schleichers und die Kanzlerschaft Hitlers, und in derselben Absicht wirkte der Wehrkreiskommandeur in Ostpreußen, General von Blomberg, auf den Reichspräsidenten ein.

Doch es war eines, Schleicher fallen zu lassen, und ein anderes, Hitler zu ernennen. Als Papen am 23. Januar kurz nach Schleicher beim Reichspräsidenten erschien, um ihm vom gestrigen Abend im Hause Ribbentrop zu berichten, lehnte Hindenburg eine Kanzlerschaft Hitlers erneut ab. Die Nachfolge Schleichers sollte, sofern es nach dem Reichspräsidenten ging, Papen übernehmen. Papen selbst war vom Sinn dieses Vorhabens keineswegs überzeugt und suchte es Hindenburg wohl auch auszureden. Aber eine endgültige Absage erteilte er dem Reichspräsidenten am 23. Januar noch nicht.

Die Presse war am 24. Januar voll von Berichten über Staatsnotstandspläne der Regierung. Schleicher ließ zwar sogleich offiziell verlautbaren, er habe sich die Theorie des „staatlichen Notstandes" nicht zu eigen gemacht, und die Regierung werde bestrebt sein, alles zu tun, um die Verfassung aufrechtzuerhalten. Aber Glauben fand das Dementi nicht. Der Parteivorstand der SPD und der Vorstand der sozialdemokratischen Reichstagsfraktion erhoben am 25. Januar „schärfsten Protest gegen den Plan der Proklamierung eines sogenannten staatlichen Notstandsrechts". Die Verwirklichung dieses Plans würde auf einen Staatsstreich hinauslaufen, und das hieße einen rechtlosen Zustand schaffen, „gegen den jeder Widerstand erlaubt und geboten ist".

Als die beiden stellvertretenden Vorsitzenden des ADGB, Graßmann und Eggert, von Schleicher am 26. Januar zu einer Unterredung empfangen wurden, sprachen ihn beide auf die umlaufenden Gerüchte an, wonach die Regierung den Reichstag auflösen und Neuwahlen, entgegen den Bestimmungen der Verfassung, aufschieben wolle. Der Kanzler bestätigte, was er zwei Tage zuvor öffentlich bestritten hatte. Er habe dem Reichspräsidenten geraten, die „Führer der Wirtschaft", der Arbeiterorganisation wie der Unternehmerverbände, zu fragen, „ob sie nicht eine Vertagung der Neuwahlen bis zum November oder Oktober ds. Js. für besser hielten, als diese Neuwahl in der jetzigen Zeit durchzuführen. Und wenn die Führer der Wirtschaft die Frage bejahten, weil Neuwahlen in der Jetztzeit doch nichts am allgemeinen Größenverhältnis der Parteien änderten und ein arbeitsfähiger Reichstag nicht zu erwarten sei, dann könnten der Reichspräsident und die Regierung, unterstützt von der Wirtschaft, auf deren Kosten der Wahlkampf doch ausgetragen werde, ruhig die Neuwahlen so lange vertagen. Das sei doch ganz etwas anderes als ein Verfassungsbruch." Eggerts Antwort war für Schleicher alles andere als ermutigend. Sie lautete: „Wir wollen die Proklamierung eines Reichsnotstandes in keiner Form."

Nicht minder eindeutig war die Absage, die das Zentrum dem Staatsnotstandsplan erteilte. Am 26. Januar warnte der Parteivorsitzende, Prälat Kaas, den Reichskanzler in einem ausführlichen Brief vor einer „notstandsrechtlichen Verschiebung des Wahltermins". Schon bei seiner letzten Besprechung mit Schleicher – am 16. Januar – habe er, Kaas, sich mit Nachdruck „gegen die das gesamte Staatsrecht relativierenden Grundtendenzen von Carl Schmitt und seinen Gefolgsmännern" ausgesprochen. „Die Hinausdatierung der Wahl wäre ein nicht zu leugnender Verfassungsbruch, mit all den Konsequenzen rechtlicher und politischer Natur, die sich daraus ergeben müßten. Wer die Geschichte der innenpolitischen Entwicklung seit dem Sturz des Kabinetts Brüning rückschauend prüft und sachlich wertet, wird zu dem Ergebnis kommen müssen, daß von einem echten Staatsnotstand gar nicht geredet werden kann, sondern höchstens von dem Notstand eines Regierungssystems, das durch die Begehung eigener und durch die Duldung oder Ermunterung fremder Fehler in die heutige schwierige Lage in steigendem Tempo hineingeglitten ist."

Aus diesem Engpaß, so der Theologe und Jurist Kaas weiter, führe nicht der Verfassungsbruch heraus, sondern nur die ernsthafte und planvolle

Rückkehr zu Methoden, „welche die in der Verfassung ruhenden Möglichkeiten zur Herbeiführung tragfähiger Regierungskombinationen zu sinngemäßer Anwendung bringen". Vom Juristischen abgesehen, sei auch vom politischen und moralischen Standpunkt aus die verfassungswidrige Hinausschiebung des Wahltermins als ein „Abgleiten in unverantwortbare Möglichkeiten" zu bezeichnen. „Die Illegalität von oben wird die Illegalität von unten in einem Maße Auftrieb bekommen lassen, das unberechenbar ist. Meine politischen Freunde werden daher, wenn die Frage ihrer Beratung und Beschlußfassung unterbreitet werden sollte, ohne jeden Zweifel die Beschreitung solcher Wege ablehnen und verurteilen." Nicht nur der Reichskanzler wurde von dieser Auffassung des Zentrums in Kenntnis gesetzt. Auf Anregung Brünings und mit Zustimmung der Fraktion ließ Kaas dem Reichspräsidenten eine Abschrift des Briefes zustellen.

Die beiden großen demokratischen Parteien verhielten sich Ende Januar 1933 so, als werde die Republik mehr von Schleicher als von Hitler bedroht. Als die ernsteste Gefahr erschien ihnen die Verletzung *eines* Artikels der Weimarer Verfassung, nicht deren totale Beseitigung. Das Zentrum sagte seit langem offen, daß es in einer Kanzlerschaft Hitlers, wenn er sich denn auf eine parlamentarische Mehrheit stützen konnte und Verfassungstreue gelobte, eine demokratisch korrekte, wenn nicht die einzig legitime Krisenlösung sah. Die SPD hatte sich diesem Standpunkt bisher nicht angeschlossen. Aber wenn der Abgeordnete Siegfried Aufhäuser am 25. Januar im „Vorwärts" forderte, der Reichstag müsse „tagen und aktionsfähig werden, um das Mißtrauen des gesamten Volkes gegen die jetzige Reichsgewalt zum Ausdruck zu bringen", warb er damit um nationalsozialistische Unterstützung für den Kampf gegen Schleicher. Tatsächlich ließ die Kampagne gegen den Aufschub von Neuwahlen nur den Schluß zu, daß auch für die Sozialdemokraten eine auf legale Weise zustandegekommene Regierung Hitler ein kleineres Übel war als eine zeitweilige Diktatur Schleichers.[21]

Am 27. Januar schwirrte Berlin von Gerüchten über eine ganz andere Art von Diktatur: ein Kampfkabinett unter Führung Franz von Papens. „Entweder also der Faschingskanzler Hitler oder die Wiederkehr des Herrenreiters von Papen, dessen Kurs im Volke Stürme der Empörung und der Entrüstung hervorgerufen hat": Das waren nach Meinung des „Vorwärts" die beiden wahrscheinlichsten Alternativen zu Schleicher, mit dessen Sturz die Presse für die nächsten Tage rechnete. „Der Deutsche", das Organ der Christlichen Gewerkschaften, machte klar, was für ihn die schlimmste aller Möglichkeiten darstellte: „Nichts wäre unheilvoller als eine Rückkehr zum Papen-Kurs". Ein Hauptmotiv hinter solchen Plänen sei der Wunsch, weitere Enthüllungen über den Osthilfeskandal zu verhindern. Die „Hugenberg-Kreise" bemühten sich daher, den Reichspräsidenten für einen Staatsstreich zu gewinnen, was nichts Geringeres bedeute als den „Versuch, Hochverrat anzustiften".

Tatsächlich brachte Hugenberg am 27. Januar die Verhandlungen über eine „legale" Krisenlösung an den Rand des Scheiterns. Bei einem Treffen mit

Hitler widersprach er abermals dessen Absicht, den Posten des preußischen Innenministers mit einem Nationalsozialisten zu besetzen, und lehnte auch eine Forderung ab, auf die der Führer der NSDAP ebenfalls großen Wert legte, nämlich Neuwahlen zum Reichstag. Der Zusammenstoß zwischen den beiden Parteiführern war so heftig, daß Hitler ein für den gleichen Tag vereinbartes Gespräch mit Papen absagte.

Als Gewinn konnte Hitler immerhin verbuchen, daß sich mittlerweile Franz Seldte, der Erste Bundesführer des „Stahlhelm", auf seine Seite gestellt hatte. Noch wichtiger war, daß Papen die Erklärung der NSDAP, sie werde eine von dem früheren Kanzler geführte Diktaturregierung schärfstens bekämpfen, sehr ernst nahm und sich am Abend des 27. Januar gegenüber Ribbentrop nachdrücklicher als bisher auf die Leitung des Kabinetts durch Hitler festlegte. „Papen wird sich nun restlos klar, daß er jetzt unter allen Umständen Hitlers Kanzlerschaft durchsetzen muß und nicht wie bisher glauben darf, sich Hindenburg auf jeden Fall zur Verfügung halten zu müssen", notierte Ribbentrop. „Diese Erkenntnis Papens ist meines Erachtens der Wendepunkt der ganzen Frage. Papen ist am Sonnabend (28. Januar, H. A. W.) Vormittag für 10 Uhr bei Hindenburg angesagt."

Die Presse nahm von einem anderen Ereignis des 27. Januar Notiz: Der Ältestenrat des Reichstags beschloß, es bei der Einberufung des Plenums auf den 31. Januar zu belassen. Damit stand auch fest, daß der Reichstag der Regierung Schleicher, sofern sie dann noch im Amt war, das Mißtrauen aussprechen würde: Kommunisten und Sozialdemokraten hatten entsprechende Anträge, die Nationalsozialisten ihre Zustimmung angekündigt.

Die Schlagzeilen in den Morgenzeitungen des 28. Januar beherrschten aber wiederum Staatsstreichsgerüchte, die meist mit dem Namen Papen verknüpft waren. Deutschnationale Blätter forderten den Verfassungsbruch so unverhohlen, daß Otto Braun sich zu einem öffentlichen Appell an den Reichskanzler entschloß. Der preußische Ministerpräsident, der selbst noch Anfang Januar Schleicher unter bestimmten Bedingungen den Aufschub von Neuwahlen empfohlen hatte, schrieb jetzt in einem Offenen Brief an den Kanzler, die Berufung auf einen Staatsnotstand sei rechtlich unzulässig, und die Reichsregierung als Inhaberin der kommissarischen Staatsgewalt in Preußen sei verpflichtet, die öffentliche Befürwortung eines solchen Vorgehens als Vorbereitung zum Hochverrat verfolgen zu lassen.[22]

Am späten Vormittag des 28. Januar, gegen 11 Uhr 30, trat das Kabinett zusammen. Schleicher erklärte zu Beginn, die Reichsregierung werde nach seiner Auffassung am 31. Januar nur dann mit einer Regierungserklärung vor den Reichstag treten können, wenn der Reichspräsident ihm, dem Reichskanzler, die Auflösungsorder gebe. „Nach seiner Kenntnis der Dinge werde der Herr Reichspräsident dazu nicht bereit sein. Voraussichtlich werde der Herr Reichspräsident ihm, dem Reichskanzler, anheimstellen, ohne Auflösungsorder vor den Reichstag zu treten. Das sei aber nach seiner festen Überzeugung bei der jetzigen Situation völlig zwecklos. Eine parlamentarische Mehrheit stehe nicht hinter der Reichsregierung. Die Reichsregierung werde also nur das zwecklose Schauspiel einer sicheren Niederlage bieten. Ein Kampf mit dem Reichstag, zu dem er, der Reichskanzler, an sich durchaus bereit sein würde, sei bei der jetzigen Situation unmöglich."

Für die nächste Zukunft befürchte er das Schlimmste, sagte Schleicher weiter. „Die Schwierigkeiten würden vielleicht nicht so groß sein, wenn der Herr Reichspräsident sich bereit finden könnte, Hitler zum Reichskanzler zu ernennen. Dazu sei der Herr Reichspräsident nach seiner Kenntnis aber nach wie vor nicht entschlossen. So bleibe also nur die Bildung eines anders zusammengesetzten Präsidialkabinetts übrig, dem, nach ihm bisher gewordenen Nachrichten, von Papen und Hugenberg angehören sollten. Ein derartiges Kabinett könne, da es nun einmal die Stimmung der breiten Massen in stärkster Weise gegen sich haben werde, bald eine Staats- und Reichspräsidentenkrise zur Folge haben. Er wolle nachher dem Herrn Reichspräsidenten ganz offen hierüber seine Ansicht sagen. Wenn er, der Reichskanzler, wie zu erwarten sei, nicht die Auflösungsorder von dem Herrn Reichspräsidenten erhalten werde, wolle er dem Herrn Reichspräsidenten sogleich seinen und des gesamten Reichskabinetts Rücktrittsgesuch überreichen."

Nachdem Schleicher sich der vollen Zustimmung der Mitglieder seines Kabinetts versichert hatte, unterbrach er um 12 Uhr 10 die Sitzung, um mit dem Reichspräsidenten zu sprechen. Der Kanzler legte Hindenburg drei Möglichkeiten dar, die Krise zu überwinden: „1.) ein Mehrheitskabinett Hitler; das wäre an sich eine Lösung, doch glaube er nicht an dessen Zustandekommen; 2.) ein Minderheitskabinett Hitler; dieses entspräche aber nicht der bisherigen Haltung des Herrn Reichspräsidenten; 3.) die Beibehaltung der jetzigen Präsidialregierung; diese könne aber nur dann arbeiten, wenn sie das Vertrauen und die Vollmacht des Herrn Reichspräsidenten hinter sich habe." *Eine* Lösung schloß Schleicher mit Entschiedenheit aus. „Gegen eine Regierung auf der schmalen Basis der Deutschnationalen usw. ohne Nationalsozialisten wären 9/10 des deutschen Volkes; das würde zu revolutionären Erscheinungen und zu einer Staatskrise führen."

Auf eine Erörterung der von Schleicher skizzierten Möglichkeiten ließ Hindenburg sich gar nicht erst ein. Die Bitte des Reichskanzlers um die Auflösungsorder lehnte er mit knappen Worten ab: „Das kann ich bei der gegebenen Lage nicht. Ich erkenne dankbar an, daß Sie versucht haben, die Nationalsozialisten für sich zu gewinnen und eine Reichstagsmehrheit zu schaffen. Es ist leider nicht gelungen, und es müssen daher nun andere Möglichkeiten versucht werden."

Von der Anregung Schleichers, der Reichspräsident möge doch noch andere Kabinettsmitglieder anhören, wollte Hindenburg nichts wissen. Er sicherte dem Kanzler lediglich zu, daß er das Reichswehrministerium nicht einem Parteigänger Hitlers übertragen werde. In Gegenwart Schleichers wurde dann eine amtliche Verlautbarung über die Gesamtdemission des Kabinetts formuliert. Abschließend sprach Hindenburg dem Reichskanzler seinen Dank aus – wenn zutrifft, was Schleicher später Brüning berichtet hat, mit den Worten: „Ich danke Ihnen, Herr General, für alles, was Sie für das Vaterland getan haben. Nun wollen wir mal sehen, wie mit Gottes Hilfe der Hase weiterläuft."

Gegen 12 Uhr 35 kehrte Schleicher in das Kabinett zurück, erstattete Bericht und verlas das Protokoll über die Annahme des Rücktrittsgesuchs. Der Reichskanzler, so schrieb Finanzminister von Krosigk in sein Tagebuch, habe bei der Unterredung mit Hindenburg das Gefühl gehabt, daß er, Schleicher, „gegen eine Wand gesprochen habe, der alte Herr habe seine Argumente gar nicht in sich aufgenommen, sondern eine eingelernte Walze abgeleiert. Wir waren alle durch diesen Bericht tief erschüttert. Das Kabinett Schleicher nach zwei Monaten gestürzt durch Entziehung des Vertrauens des Reichspräsidenten."

Unmittelbar nach dem Rücktritt des Kabinetts von Schleicher erteilte der Reichspräsident dem früheren Reichskanzler von Papen den Auftrag, „durch Verhandlungen mit den Parteien die politische Lage zu klären und die vorhandenen Möglichkeiten festzustellen". Erläuternd hieß es dazu, Hindenburg habe Papen gegenüber den Wunsch ausgesprochen, dieser möge die Lösung „im Rahmen der Verfassung und in Übereinstimmung mit dem Reichstag" suchen. Wenig später verlautete, Papen habe noch am Nachmittag mit dem nationalsozialistischen Parteiführer Hitler Fühlung aufgenommen.

Obwohl die Presse seit Tagen mit dem Sturz Schleichers gerechnet hatte, wurden die amtlichen Mitteilungen vom 28. Januar doch allgemein als Sensation empfunden. Aufs höchste alarmiert äußerten sich noch am gleichen Tag die beiden Geschäftsführenden Präsidialmitglieder des Reichsverbandes der Deutschen Industrie und des Deutschen Industrie- und Handelstages, Ludwig Kastl und Eduard Hamm, in einem Brief an Staatssekretär Meissner. Die Erholung der Wirtschaft hänge von nichts mehr ab als vom Vertrauen auf politische Ruhe und Stabilität, hieß es in dem Schreiben. „Die fortgesetzten Beunruhigungen durch politische Krisen vernichten alle Keime der wirtschaftlichen Besserung und machen Arbeitsaufträge für die Zukunft unmöglich. Die politischen Schwierigkeiten dieser Zeit mit der geringstmöglichen politischen Beunruhigung unseres Volkes zu überwinden, scheint uns daher das wichtigste Gebot einer auf Arbeitsbeschaffung gerichteten Politik, verbunden mit einer klaren Aufzeigung der wirtschaftlichen Grundlinien der Staatsführung."

Der Vorsitzende des Reichsverbandes der Deutschen Industrie, Gustav Krupp von Bohlen und Halbach, der zu dieser Zeit einen Urlaub in der Schweiz verbrachte, bat Kastl am gleichen Tag telefonisch, Meissner nachdrücklich zu versichern, „daß er vollkommen auf meinem (Kastls, H. A. W.) Standpunkt steht und daß er die fortgesetzten politischen Krisen und insbesondere die gegenwärtige Krise für höchst verhängnisvoll für die ruhige Entwicklung der Wirtschaft ansieht. Nach seiner Auffassung sollte alles vermieden werden, was das Wirtschaftsleben neu beunruhigt." Der Sinn beider Botschaften war klar: Die Spitzenverbände der deutschen Industrie mißbilligten den Sturz Schleichers, und sie konnten keine Krisenlösung erkennen, die nicht für die „Wirtschaft" mit sehr viel größeren Risiken verbunden gewesen wäre als die Beibehaltung des bisherigen Kabinetts.

„In tiefer Sorge über die unser Volk beunruhigenden und bedrohenden politischen Gefahren" wandten sich am 28. Januar auch die meisten gewerkschaftlichen Spitzenverbände an den Reichspräsidenten. Die „Berufung einer sozialreaktionären und arbeiterfeindlichen Regierung" würde von der gesamten deutschen Arbeitnehmerschaft als eine Herausforderung empfunden werden, hieß es in einem Telegramm an Hindenburg, das vom Allgemeinen Deutschen Gewerkschaftsbund, dem Allgemeinen Freien Angestelltenbund, dem Gesamtverband der Christlichen Gewerkschaften, dem liberalen Gewerkschaftsring Deutscher Arbeiter-, Angestellten- und Beamtenverbände und dem freigewerkschaftlichen Allgemeinen Deutschen Beamtenbund unterzeichnet war. „Die Gewerkschaften erwarten, daß Sie, Herr Reichspräsident, allen unterirdischen Bestrebungen, die auf einen Staatsstreich hinzielen, Ihren entschiedenen Widerstand entgegensetzen und auf einer verfassungsmäßigen Lösung der Krise bestehen."

Eindeutiger als die Spitzenverbände der Unternehmer ließen damit die Richtungsgewerkschaften erkennen, was sie für das größte aller Übel hielten: die Berufung eines antiparlamentarischen, deutschnational geprägten Kampfkabinetts. Das Telegramm sprach es zwar nicht direkt aus, ließ es aber durchblicken: Eine verfassungsmäßige Lösung mit Hitler würde von der organisierten Arbeitnehmerschaft bei weitem nicht so einhellig verurteilt werden wie eine Kombination Papen-Hugenberg.

Auch der „Vorwärts" vertrat am Abend des 28. Januar eine Linie, die von der Stellungnahme der Gewerkschaftsverbände nicht wesentlich abwich. Mit Schleicher habe zwar nicht der reaktionäre Kurs, aber wenigstens die „Tobsuchtsperiode der Reaktion" aufgehört. „Der Sturz Schleichers ist ein *Alarmzeichen* allererster Ordnung. Er zeigt, daß der Weg zu einer *neutralen Beamtenregierung*, die in diesem Augenblick vielleicht die einzig verfassungsmäßige Möglichkeit wäre, *nicht* beliebt wird. Der andere Weg ist aber auch dann, wenn die Verfassungsmäßigkeit gewahrt bleibt, ein Weg des halsbrecherischen Experiments, des gefährlichsten Abenteuers. Auf dem anderen Weg kann die Verfassungsmäßigkeit nur gewahrt bleiben, wenn *für Hitler eine parlamentarische Mehrheit* geschaffen werden kann und wenn Garantie dafür geboten wird, daß Hitler verschwindet, sobald er diese Mehrheit verliert. Das heißt, eine Hitler-Hugenberg-Regierung ist verfassungsmäßig nur möglich, wenn *das Zentrum* ihr seinen Segen gibt."

Eine Reichsregierung mit Hitler an der Spitze war demnach nicht unter allen Umständen das größte aller Übel. Solange ein solches Kabinett eine parlamentarische Mehrheit hinter sich hatte und nicht gegen die Verfassung verstieß, konnte sich die Sozialdemokratie auf scharfe parlamentarische Opposition beschränken. Anders war die Lage, wenn eine solche Regierung über keinen ausreichenden Rückhalt im Reichstag verfügte. „Eine Harzburger Regierung *ohne* parlamentarische Mehrheit bedeutet Staatsstreich und Bürgerkrieg. Ihre Ernennung wäre ein Anschlag auf die Sicherheit des Staates... In dem Augenblick, in dem der Reichspräsident der sogenannten ‚nationalen Rechten' besondere Vollmachten erteilen wollte, würde für das ganze Reich *ein Zustand außerhalb der Verfassungs- und Gesetzmäßigkeit gegeben sein.*"

In der Redaktion des sozialdemokratischen Parteiorgans oder der Führung der SPD muß der Tenor dieses Artikels auf erheblichen Widerspruch gestoßen sein. Denn schon in seiner nächsten Ausgabe setzte der „Vorwärts" ganz andere Akzente. Das Blatt nannte Hitler den „Bandenführer gegen die deutsche Arbeiterbewegung", den „Chef des blutigen Faschismus, dessen Ziel die Zerschlagung der Demokratie, die Errichtung der faschistischen Diktatur" sei. Dann wog die Zeitung die Risiken eines Kabinetts Papen gegen die eines Kabinetts Hitler ab und kam zu dem Ergebnis: „Ein *Kabinett Hitler*, selbst wenn ihm das Zentrum durch seine Tolerierung eine parlamentarische Basis verschaffen wollte, würde *erst recht* ein *Kabinett der Provokation sein*! ... Ein Kabinett Hitler – das ist der Wille Hitlers – soll das *Sprungbrett für die faschistische Diktatur sein*!" Erste Forderung der Kreise um Papen und Hitler sei das Verbot der KPD und die Annullierung ihrer Mandate. „Gegen eine solche Ouvertüre der Illegalität der Regierung der Reaktion würde die gesamte Arbeiterschaft einmütig zusammenstehen, und ihr Kampf würde das Recht gegen offenen Rechtsbruch auf seiner Seite haben!"

Die sozialdemokratische Kampfansage gegen Hitler und Papen erschien am Morgen des 29. Januar, eines Sonntags. Für den frühen Nachmittag hatte die SPD zu einer Massenkundgebung unter dem Motto „Berlin bleibt rot!" im Lustgarten aufgerufen. Sie sollte die sozialdemokratische Antwort auf die Aufmärsche von NSDAP und KPD in den Tagen zuvor sein. Rund 100 000 Menschen folgten laut „Vorwärts" dem Ruf der SPD. Als die Demonstranten von der Versammlung zurückkehrten, wurden sie an mehreren Straßenkreuzungen von Kommunisten mit Schmährufen überschüttet. Die „Rote Fahne" forderte am gleichen Tag die Mitglieder von SPD und Freien Gewerkschaften auf, eine „Einheitsfront der Tat gegen den faschistischen Generalangriff" zu bilden. An die Führungen der sozialdemokratischen Organisationen richtete sich der Aufruf nicht. Ihnen warf die KPD vielmehr vor, sie seien dabei, dasselbe zu tun wie am 20. Juli 1932, nämlich „Klassenverrat" zu begehen.

Aus der bürgerlichen Mitte ergingen nach dem Sturz Schleichers abermals Mahnungen an den Reichspräsidenten, auf keinen Fall gegen die Verfassung zu verstoßen. Der bayerische Ministerpräsident Heinrich Held, ein Politiker der BVP, nannte es die Gewissenspflicht seiner Regierung, vor verfassungwidrigen Experimenten eindringlichst zu warnen, „da sie in den Abgrund führen und dem Radikalismus revolutionärer Massen einen erhöhten Antrieb und einen Schein der Berechtigung zur eigenen Illegalität geben würden". Die „Germania" wies für das Zentrum „nochmals mit äußerstem Ernste auf die moralische, verfassungsrechtliche und politische Unmöglichkeit" eines Verfassungsbruches und der „,Notstands-Diktatur' einer kleinen, auf den Stahlhelm und die Deutschnationalen beschränkten Schicht" hin. Die „Kölnische Volkszeitung" sah nur *eine* Lösung, die das Zentrum unterstützen könne: einen Versuch Hitlers, „eine Regierung mit parlamentarischem Rückhalt zustande zu bringen".[23]

Auch für die hohe Generalität war der schlimmste aller denkbaren Fälle ein rechtes Kampfkabinett ohne Rückhalt in den Massen. Kam es zum Staatsstreich einer Regierung Papen-Hugenberg, rechnete die Reichswehr mit Entwicklungen nach Art des „Planspiels Ott", also dem Bürgerkrieg. Eine neue Regierung Papen mußten die maßgeblichen Militärs schon deswegen für wahrscheinlich halten, weil Hindenburg noch am 26. Januar gegenüber dem Chef der Heeresleitung, General von Hammerstein, und dem Chef des Heerespersonalamtes, General von dem Bussche-Ippenburg, eine Kanzlerschaft Hitlers erneut kategorisch ausgeschlossen hatte – diesmal mit den Worten, „er dächte gar nicht daran, den österreichischen Gefreiten zum Wehrminister oder Reichskanzler zu machen". Eine Regierung Hitler erschien den Offizieren im Reichswehrministerium zwar ebenfalls als riskant. Aber Schleicher sprach nicht nur für seine Person, sondern für die Reichswehrführung insgesamt, wenn er am 28. Januar im Kabinett wie bei seinem letzten Gespräch mit Hindenburg die Parole ausgab, ein Reichskanzler Papen sei, verglichen mit einem Reichskanzler Hitler, die bei weitem größere Gefahr.

Tatsächlich war zu diesem Zeitpunkt noch offen, welcher der beiden Politiker die neue Regierung bilden würde. Papen behielt sich die „autoritäre" Lösung unter seiner Führung für den Fall vor, daß die „große" Lösung unter Hitler scheiterte. Am Nachmittag des 28. Januar sprach der frühere Kanzler mit Hitler und Hugenberg, am Abend mit Fritz Schäffer, dem Vorsitzenden der BVP. Schäffer lehnte die Mitwirkung an einem Kabinett von Papen ab und trat erneut, wohl auch im Namen des Zentrums, für eine echte parlamentarische Mehrheitsregierung unter Hitler ein – eine Option, an der indes weder Papen noch Hitler Interesse hatten.

Telefonisch nahm Papen auch mit Lutz Graf Schwerin von Krosigk Kontakt auf. An den bisherigen Finanzminister erging die Frage, ob er bereit sei, in einer Regierung Hitler mit Papen als Vizekanzler oder einem Kampfkabinett Papen-Hugenberg mitzuarbeiten, worauf Krosigk erwiderte, daß er nur für die erste Lösung zur Verfügung stehe. Im gleichen Sinn äußerten sich zwei weitere Mitglieder der Regierung Schleicher, nämlich Neurath und Eltz-Rübenach. Als Papen am Abend Hindenburg mitteilen konnte, daß bewährte konservative Politiker einem Kabinett Hitler das Gepräge geben würden, war der Reichspräsident beeindruckt. Erstmals zeigte er sich bereit, seine Bedenken gegen einen Reichskanzler Hitler fallenzulassen.

Am Abend des 28. Januar traf Hindenburg auch noch eine wichtige Personalentscheidung: Der Befehlshaber des Wehrkreises I, Ostpreußen, General von Blomberg, der sich zur Zeit als technischer Berater der deutschen Delegation bei der Abrüstungskonferenz in Genf aufhielt, sollte Schleichers Nachfolge als Reichswehrminister antreten, und zwar unabhängig davon, wer der nächste Reichskanzler werden würde. Am nächsten Morgen wies der Reichspräsident seinen Staatssekretär Meissner an, Blomberg telegrafisch nach Berlin zu beordern.

Am späten Vormittag des 29. Januar erschienen Hitler und Göring bei Papen zu einem langen Gespräch. Hitler benannte bei dieser Gelegenheit Wilhelm Frick für das Amt des Reichsinnenministers – ein Ressort, das für die Durchsetzung des nationalsozialistischen Machtanspruchs strategische Bedeutung hatte. Auf das Amt des Reichskommissars für Preußen verzichtete Hitler zugunsten des künftigen Vizekanzlers von Papen, nachdem dieser sich damit einverstanden erklärt hatte, daß Göring der für den Bereich des Innenministeriums zuständige Stellvertretende Reichskommissar wurde und damit die Kontrolle über die Polizei des größten deutschen Einzelstaates erhielt. Offen blieb bei dieser Unterredung, wie sich der Reichspräsident zu der nationalsozialistischen Forderung nach Auflösung und Neuwahl des Reichstags stellen würde.

Am Nachmittag traf sich Papen mit Hugenberg und den beiden Bundesführern des „Stahlhelm", Seldte und Duesterberg. Hugenberg stand unter dem Druck deutschnationaler Politiker wie Ewald von Kleist-Schmenzin und Otto Schmidt-Hannover, die für eine autoritäre Lösung eintraten und einen energischen Kampf gegen Hitler verlangten. Er selbst hatte starke Vorbehalte gegen die Neuwahlforderung der Nationalsozialisten, wobei grundsätzlicher Antiparlamentarismus und Angst vor einer Schwächung seiner Partei zusammenkamen. Doch auf der anderen Seite fand Hugenberg die Zusage Hindenburgs, ihm das erstrebte „Krisenministerium" für Wirtschaft und Landwirtschaft im Reich wie in Preußen zu übertragen, so verlockend, daß er seine grundsätzliche Bereitschaft zum Eintritt in ein Kabinett Hitler erklärte. Seldte befürwortete eine Regierung Hitler, in der ihm das Amt des Reichsarbeitsministers zufallen sollte. Eine endgültige Entscheidung konnte der „Stahlhelm" aber erst treffen, wenn Duesterberg seine Bedenken gegen eine Kanzlerschaft Hitlers zurückstellte – und das setzte voraus, daß sich die Nationalsozialisten für die Angriffe entschuldigten, die sie wegen seines jüdischen Großvaters gegen ihn gerichtet hatten.

Im weiteren Verlauf des Nachmittags sprach Göring ein zweites Mal bei Papen vor. Der Reichstagspräsident gewann den Eindruck, daß nunmehr „alles perfekt" sei, und erstattete Hitler, der im Hotel „Kaiserhof" wartete, Bericht. Eine Tagebucheintragung von Goebbels läßt den Schluß zu, daß Görings positives Urteil sich auch auf die Neuwahlfrage bezog. Was immer in dieser Hinsicht zwischen Papen und Hindenburg besprochen worden war: Mit einem Veto des Reichspräsidenten gegen eine Neuwahl des Reichstags rechneten die Nationalsozialisten am Nachmittag des 29. Januar nicht mehr. Für Hitler war das ein Faktor von ausschlaggebender Bedeutung: Um die Macht zu erobern, brauchte er ein Ermächtigungsgesetz, und das konnte er nur von einem Reichstag erwarten, in dem die NSDAP sehr viel stärker vertreten war als im jetzigen.

Was die Zusammensetzung des neuen Kabinetts anging, konnten Hitler und Papen ihrer Sache ebenfalls einigermaßen sicher sein. Alles spricht dafür, daß Papen den Reichspräsidenten noch am Nachmittag des 29. Januar entsprechend informiert hat. Die Ministerliste sah neben Hitler nur zwei nationalsozialistische Kabinettsmitglieder vor: Frick als Innenminister und Göring als Reichsminister ohne Geschäftsbereich, kommissarischen preußischen Innenminister und Reichskommissar für den Luftverkehr. Alle anderen Ministerposten sollten mit Politikern und Fachleuten der bürgerlichen Rechten besetzt werden, darunter drei Mitgliedern des bisherigen Kabinetts von Schleicher, nämlich Neurath, Krosigk und Eltz-Rübenach. Papen übernahm die Ämter des Vizekanzlers und des Reichskommissars für Preußen. Wer Justizminister werden würde, war noch offen und sollte vorerst offenbleiben, um etwaige „Koalitionsverhandlungen“ mit den katholischen Parteien nicht von vornherein als Farce erscheinen zu lassen.

In Berlin hielten sich am 29. Januar nichtsdestoweniger hartnäckige Gerüchte, es werde doch noch zu einem Kabinett Papen-Hugenberg ohne Beteiligung der NSDAP kommen. Auch Schleicher und Hammerstein teilten diese Einschätzung und versuchten, in letzter Stunde zu verhindern, was sie für die gefährlichste Lösung hielten. Der Chef der Heeresleitung suchte am Nachmittag Hitler auf, um herauszufinden, ob Hindenburg ernsthaft oder nur zum Schein mit ihm verhandle. Hammerstein bot Hitler einen Versuch an, die Dinge in seinem Sinn zu beeinflussen, und erkundigte sich, ob Hitler Bedenken dagegen habe, daß Schleicher als Reichswehrminister in einem Kabinett Hitler weiteramtiere – eine Frage, die Hitler verneinte.

Am Abend erschien Werner von Alvensleben, ein Mittelsmann zwischen Schleicher und Hitler, in der Wohnung von Goebbels am Reichskanzlerplatz, in der sich auch Hitler aufhielt. Der späte Besucher machte Äußerungen, die so klangen, als müsse stündlich mit einem Militärputsch gerechnet werden: Hindenburg habe vor, am folgenden Tag eine Minderheitsregierung Papen zu berufen, was die Reichswehr sich aber nicht gefallen lassen werde. Die Behauptungen entbehrten jeder realen Grundlage, aber Hitler ließ sofort Papen und Meissner informieren. Noch in der Nacht verbreitete sich das Gerücht, Schleicher und Hammerstein wollten die Potsdamer Garnison in Marsch setzen, um Vater und Sohn Hindenburg sowie Staatssekretär Meissner zu verhaften.

Die Falschmeldung trug dazu bei, die Bildung des Kabinetts Hitler zu beschleunigen. Als Blomberg am Morgen des 30. Januar auf dem Anhalter Bahnhof eintraf, wartete dort ein Adjutant Hammersteins auf ihn, der den General in das Reichswehrministerium in der Bendlerstraße bringen sollte. Das verhinderte im letzten Augenblick Oskar von Hindenburg, der ebenfalls auf den Bahnsteig geeilt war. Er veranlaßte Blomberg, sofort mit ihm in die Wilhelmstraße zum Reichspräsidenten zu fahren. Dort wurde er von Hindenburg über die angeblichen Putschpläne Schleichers und Hammersteins informiert und anschließend als neuer Reichswehrminister vereidigt. Da der Reichspräsident Reichsminister nur auf Vorschlag des Reichskanzlers ernennen durfte, war dieses Vorgehen ein glatter Verfassungsbruch.

Auch Papen war indessen nicht untätig geblieben. Am Morgen des 30. Januar sprach er in seinem Büro erneut mit Hugenberg, Schmidt-Hannover, Seldte und Duesterberg. Dabei äußerte er, falls das neue Kabinett nicht bis 11 Uhr vereidigt sei, drohe eine Militärdiktatur. Hugenberg machte jedoch klar, daß er die Neuwahlforderung der Nationalsozialisten nach wie vor ablehne, der Eintritt der Deutschnationalen in die Regierung also noch keineswegs feststehe. Dafür konnte bei den Gesprächen in Papens Büro in der Wilhelmstraße ein anderes Hindernis der Kabinettsbildung aus dem Weg geräumt werden: Hitler, der zusammen mit Göring ebenfalls zu Papen gerufen worden war, erklärte gegenüber Duesterberg, daß er die gehässigen Beleidigungen bedauere, die dem Zweiten Bundesführer des „Stahlhelm" durch die nationalsozialistische Presse zugefügt worden seien, und gab ihm sein Wort, daß er, Hitler, diese Beleidigungen nicht veranlaßt habe.

Gegen 10 Uhr 45, eine Viertelstunde vor dem zwischen Papen und Hindenburg vereinbarten Termin für die Vereidigung des neuen Kabinetts, begab sich die Gruppe, zu der sich mittlerweile auch Blomberg gesellt hatte, durch die Ministergärten in die Reichskanzlei in der Wilhelmstraße 77. Dort residierte seit dem Sommer 1932, während das Reichspräsidentenpalais in der Wilhelmstraße 73 renoviert wurde, Hindenburg. Die Vereidigung aber konnte noch nicht erfolgen, da es bislang keine Einigung in der umstrittenen Neuwahlfrage gab. Im Arbeitszimmer Meissners, wo sich die künftigen Kabinettsmitglieder versammelten, gerieten Hitler und Hugenberg über diesen Punkt so hart aneinander, daß die Regierungsbildung in letzter Minute zu platzen drohte. Hitler sah sich schließlich zu dem Versprechen genötigt, auch nach einer Neuwahl des Reichstags werde sich an der Zusammensetzung des Kabinetts nichts ändern, konnte damit aber den deutschnationalen Parteiführer nicht beeindrucken.

Daraufhin schaltete Papen sich ein: Hugenberg solle dem Wort eines deutschen Mannes trauen und seine Bedenken zurückstellen; bei den Neuwahlen könne man überdies einen starken Wahlblock aller konservativen Elemente bilden. Zuletzt, nachdem Meissner schon mehrfach gemahnt hatte, Hindenburg nicht länger warten zu lassen, verständigte man sich darauf, den Reichspräsidenten um die Auflösungsorder zu bitten. Papen nahm Hitler noch eine Zusage ab, an der Hugenberg gar nichts lag: Der künftige Reichskanzler versprach, unverzüglich mit Zentrum und BVP Verhandlungen über eine Verbreiterung des Regierungslagers aufzunehmen. Dann endlich betraten die Mitglieder des Kabinetts Hitler – ohne den erkrankten Eltz-Rübenach und den noch fehlenden Justizminister – das Amtszimmer Hindenburgs, um ihren Eid auf die Verfassung zu leisten. Anschließend hielt Hitler eine kurze Ansprache, in der er den Reichspräsidenten um Vertrauen für sich und sein Kabinett bat. Hindenburg schloß die kurze Zeremonie mit den Worten: „Und nun, meine Herren, vorwärts mit Gott!“[24]

Während in der Wilhelmstraße die Würfel über das Schicksal Deutschlands fielen, tagte im nahen Reichstagsgebäude der Parteivorstand der SPD zusammen mit Vertretern der sozialdemokratischen Reichstagsfraktion und des ADGB. In Vertretung des erkrankten Otto Wels warnte Rudolf Breitscheid vor jeder Aktionseinheit mit den Kommunisten und empfahl, „Entschlossenheit zu dokumentieren“. Andere Redner, darunter Paul Löbe und Friedrich Stampfer, verlangten dagegen Massenaktionen gegen ein inzwischen als wahrscheinlich geltendes Kabinett Hitler-Papen. Die Position Breitscheids wurde von Otto Braun, Rudolf Hilferding und dem stellvertretenden Vorsitzenden des ADGB, Wilhelm Eggert, unterstützt. Die Mehrheit neigte offensichtlich dem Standpunkt zu, den Eggert mit den Worten umriß: „Wenn Hitler und Papen zunächst auf verfassungsmäßigem Wege das Kabinett führen, sei dagegen nichts von Bedeutung zu machen.“

Auf die Nachricht von der Ernennung des Kabinetts Hitler reagierten Parteivorstand und Reichstagsfraktion der SPD mit einem Aufruf, der vor „undiszipliniertem Vorgehen einzelner Organisationen und Gruppen auf eigene Faust“ warnte und „Kaltblütigkeit, Entschlossenheit“ das Gebot der Stunde nannte. Breitscheid lehnte tags darauf im Parteiausschuß unter großer Zustimmung der Anwesenden, darunter Vertreter der Reichstagsfraktion und der „Eisernen Front“, außerparlamentarische Aktionen nochmals nachdrücklich ab. „Wenn Hitler sich zunächst auf dem Boden der Verfassung hält, und mag das hundertmal Heuchelei sein, wäre es falsch, wenn wir ihm den Anlaß geben, die Verfassung zu brechen... Wenn Hitler den Weg der Verfassung beschreitet, dann steht er an der Spitze einer Rechtsregierung, die wir bekämpfen können und müssen, mehr noch als die früheren, aber es ist eben eine verfassungsmäßige Rechtsregierung.“

Das Zentralkomitee der KPD hielt dagegen am 30. Januar die Stunde zum Losschlagen für gekommen und sprach erstmals seit dem „Preußenschlag“ vom 20. Juli 1932 die Führungen der Sozialdemokratischen Partei und der Gewerkschaften wieder direkt an. An ADGB, AfA-Bund, SPD und Christliche Gewerkschaften erging die Aufforderung, „gemeinsam mit den Kommunisten den Generalstreik gegen die faschistische Diktatur der Hitler, Hugenberg, Papen, gegen die Zerschlagung der Arbeiterorganisationen, für die Freiheit der Arbeiterklasse durchzuführen“.

Doch die proletarische Einheitsfront war am 30. Januar 1933 ein noch aussichtsloseres Unterfangen als am 20. Juli 1932. Angesichts von über 6 Millionen offiziell registrierten Arbeitslosen war ein längerer Generalstreik nicht durchzuführen; ein befristeter Generalstreik aber wäre von der neuen Regierung eher als Schwächezeichen denn als Demonstration der Stärke begriffen worden. Zudem war extrem unwahrscheinlich, daß die Kommunisten einem Aufruf zum Abbruch des Ausstands gefolgt wären. Nachdem die

„Rote Fahne" noch am 26. Januar den Vorschlag des „Vorwärts", SPD und KPD sollten sich auf einem „Nichtangriffspakt" verständigen, als „infame Verhöhnung des antifaschistischen roten Berlin" zurückgewiesen hatte, fehlte der kommunistischen Parole des gemeinsamen Abwehrkampfes die elementarste Voraussetzung: die Glaubwürdigkeit. SPD und Gewerkschaften mußten damit rechnen, daß die Kommunisten sofort zu jener revolutionären Gewalt greifen würden, auf die die Nationalsozialisten nur warteten, um ihrem Terror den Schein der Legitimation zu verschaffen. Ein Bürgerkrieg aber konnte nur mit einer blutigen Niederlage der Arbeiterorganisationen enden: Gegenüber dem, was die paramilitärischen Verbände der Rechten, die Polizei und die Reichswehr aufzubieten hatten, war die gespaltene Linke chancenlos.

Am Abend des 30. Januar gehörten die Straßen nicht nur in Berlin, sondern vielerorts in Deutschland Hitlers „braunen Bataillonen". Am folgenden Tag nahm der neue Reichskanzler jene Verhandlungen mit dem Zentrum auf, zu denen er sich Papen gegenüber verpflichtet hatte. Hitler führte die Gespräche nur zum Schein: Es ging ihm um den Nachweis, daß mit dem am 6. November 1932 gewählten Reichstag nicht regiert werden konnte. Das Zentrum hingegen war an einer echten Koalition mit der NSDAP nach wie vor interessiert und über die Ernennung Hitlers sehr viel weniger ungehalten als über die „reaktionäre" Zusammensetzung des Kabinetts. Hitlers Forderung, den Reichstag ein Jahr lang zu vertagen, mußte Kaas jedoch ablehnen. Damit lieferte er dem Kanzler den Vorwand, die Verhandlungen noch am 31. Januar für gescheitert zu erklären und die erste wichtige Entscheidung seines Kabinetts herbeizuführen: das Ersuchen an Hindenburg, den Reichstag aufzulösen. Am 1. Februar ergingen das entsprechende Dekret und eine weitere Verordnung des Reichspräsidenten, die als Wahltermin den 5. März 1933 bestimmte.

In der Absicht, die Weimarer Demokratie zu vernichten, hatte Hitler die Möglichkeiten, die ihm die Weimarer Verfassung bot, bis zum letzten ausgeschöpft. Die Legalitätstaktik, die er seiner Partei verordnete, war ungleich erfolgreicher als das offene Bekenntnis zur revolutionären Gewalt, dem er sich zehn Jahre zuvor verschrieben hatte und dem die andere totalitäre Partei, die KPD, nach wie vor huldigte. Mit seinem taktischen Legalismus entwaffnete Hitler die demokratischen Parteien, ja den Rechtsstaat selbst. Um den Rechtsstaat zu bewahren, hätten seine Verteidiger in der Endkrise von Weimar gegen den Buchstaben einer Verfassung verstoßen müssen, die gegen ihre eigene Geltung neutral war. Doch dem stand eine Haltung entgegen, die Ernst Fraenkel Ende 1932 als „Verfassungsfetischismus" angeprangert hat. Die Auslieferung des Staates an Hitler ist durch dieses Versagen nicht herbeigeführt, aber doch mit ermöglicht worden.[25]

Nachwort

Weimars Ort in der deutschen Geschichte

Der 30. Januar 1933 ist einer der großen Wendepunkte der Weltgeschichte. Mit der Machtübertragung an Hitler endete nicht nur die erste deutsche Republik; Deutschland hörte auf, das zu sein, was es schon lange vor 1918 gewesen war: ein Rechts- und Verfassungsstaat. Es folgte ein Unrechtsystem, dessen zerstörerische Politik mit innerer Logik in die Selbstzerstörung mündete. Da es den Deutschen nicht gelang, sich von Hitlers Herrschaft selbst zu befreien, stand an deren Ende der Untergang des ersten, von Bismarck geschaffenen deutschen Nationalstaates.

Die Frage, ob die Katastrophe aufzuhalten war, beschäftigt bis heute nicht nur die Historiker. Es gibt Antworten auf diese Frage, die mittlerweile zu Mythen geworden sind. Auf der politischen Linken hält sich etwa die Meinung, daß eine einige Arbeiterbewegung Weimar hätte retten können. Tatsächlich war die Spaltung der Arbeiterbewegung nicht nur eine schwere politische Belastung der ersten deutschen Republik, sondern zugleich auch eine ihrer historischen Vorbedingungen. Weimar beruhte, marxistisch gesprochen, auf einem „Klassenkompromiß" zwischen den gemäßigten Teilen von Arbeiterschaft und Bürgertum. Die marxistische Vorkriegssozialdemokratie lehnte einen solchen Kompromiß strikt ab. Wäre die Einheit der Partei nach 1914 nicht am Streit über die Kriegskredite zerbrochen, dann spätestens an einem Eintritt von Sozialdemokraten in ein Koalitionskabinett. Erst nachdem der Bruch mit der orthodoxen Linken vollzogen war, konnte die gemäßigte Mehrheit jene Zusammenarbeit mit der bürgerlichen Mitte beginnen, die die parlamentarische Demokratie von Weimar möglich machte.

Der Gegensatz zwischen Sozialdemokraten und Kommunisten war nicht taktischer, sondern grundsätzlicher Art. Die Kommunisten bejahten den gewaltsamen Umsturz und den Bürgerkrieg; für die Sozialdemokraten war das Nein zu revolutionärer Gewalt und zum Bürgerkrieg ein unabdingbarer Bestandteil ihres politischen Credos. Die Kommunisten bekannten sich zur Zerschlagung der Weimarer Demokratie und ihrer Ersetzung durch „Sowjetdeutschland"; die Sozialdemokraten verstanden sich als *die* staatserhaltende Partei der Weimarer Republik, und sie waren es seit 1930, als dieser Staat weniger denn je der ihre war, tatsächlich mehr denn je. Die Kommunisten vertraten in erster Linie die besonders notleidenden Teile der Arbeiterschaft, darunter die langfristig Arbeitslosen; die Sozialdemokraten sprachen vor allem für die beschäftigten und besser situierten Arbeiter, die, entgegen einem berühmten Wort von Marx und Engels, mehr zu verlieren hatten als ihre Ketten. Deshalb mußte die SPD stets politikfähig bleiben; sie war strukturell unfähig zur Fundamentalopposition von links – der Rolle, die von den Kommunisten besetzt wurde.

Hitler hat aus der Politik beider „marxistischer" Arbeiterparteien Nutzen gezogen. Rhetorik, Habitus und Taten der Kommunisten riefen im Bürgertum soziale Ängste hervor, die niemand so gekonnt auszubeuten verstand wie die Nationalsozialisten. Die Sozialdemokraten lieferten der NSDAP unfreiwillig Munition, weil sie bis zuletzt Brünings unpopuläre Politik stützten. Das verbesserte Hitlers Chancen, seine Partei als *die* große Oppositionsbewegung rechts von den Kommunisten und zugleich als volkstümliche Alternative zu beiden Spielarten des „Marxismus", der radikalen und der gemäßigten, zu präsentieren.

Die Stützung des Zentrumspolitikers Heinrich Brüning durch die Sozialdemokraten war dennoch kein politischer „Fehler", sondern Ausdruck eines Dilemmas, das man nicht anders als tragisch nennen kann. Die SPD tolerierte Brüning seit dem Oktober 1930 nicht nur, um eine Rechtsregierung im Reich zu verhindern, sondern weil sie andernfalls ihre Koalition mit Zentrum und Deutscher Staatspartei im republikanischen „Bollwerk" Preußen aufs Spiel gesetzt hätte. Wäre Brüning von den Sozialdemokraten gestürzt worden, würden diese sich den Vorwurf zugezogen haben, sie hätten das ungeschriebene Grundgesetz der Weimarer Republik, die Zusammenarbeit von SPD und bürgerlicher Mitte, aufgekündigt und damit den geschworenen Gegnern der Demokratie den Weg an die Macht geebnet.

Die SPD wäre nach einem Bruch mit Brüning wohl näher an die Kommunisten herangerückt. Aber die Folgen eines solchen Linksrucks waren absehbar: Die SPD hätte nicht nur, wo es das noch gab, ihre Koalitionen mit bürgerlichen Parteien und damit ihre staatlichen Machtpositionen aufgeben müssen, sie hätte einen erheblichen Teil ihrer Anhänger verloren, die sozialen Ängste in den Mittelschichten gewaltig gesteigert und auf diese Weise den Zustrom zum Nationalsozialismus noch verstärkt. Die Sozialdemokraten hätten jene Polarisierung bewirkt, die sie verhindern wollten, weil sie den Umschlag des latenten in den offenen Bürgerkrieg bedeuten konnte.

Die tiefsitzende Furcht vor dem Bürgerkrieg war auch der Hauptgrund, weshalb Sozialdemokraten und Freie Gewerkschaften am 20. Juli 1932 den „Preußenschlag" von Brünings Nachfolger, Franz von Papen, nicht mit einem Generalstreik und dem Aufruf zur Gewalt beantworteten. Ein Generalstreik war angesichts der Massenarbeitslosigkeit im Sommer 1932 ein aussichtsloses Unterfangen, und eine militärische Kraftprobe mit der Reichswehr und den paramilitärischen Verbänden der Rechten konnte nur mit einer blutigen Niederlage der republikanischen Kräfte enden. Eine gemeinsame Abwehr des „Preußenschlags" durch Sozialdemokraten und Kommunisten schied von vornherein aus: Die KPD hatte die Regierung Otto Braun bis zuletzt auf das schärfste bekämpft. Ein Appell an die eigenen Anhänger, gemeinsam mit den „Sozialfaschisten" für die Wiedereinsetzung dieses Kabinetts zu kämpfen, war für die Führung der Kommunisten folglich undenkbar.[1]

Auf einem etwas festerem Fundament als der Mythos von der proletarischen Einheitsfront, die Hitler den Weg an die Macht hätte verlegen können, steht die These von der „Selbstpreisgabe" der Weimarer Demokratie. Dieser, von manchen liberalen und einigen eher konservativen Autoren vertretenen Deutung zufolge wäre die parlamentarische Demokratie zu retten gewesen, hätten die demokratischen Kräfte mehr Einsicht und Kompromißfähigkeit bewiesen. In der Tat war der Bruch der Großen Koalition, der letzten parlamentarischen Mehrheitsregierung, Ende März 1930 kein zwangsläufiges Ereignis. Es war ein Fehler, daß die Sozialdemokraten sich damals nicht auf den Vorschlag einließen, den Streit um die Reform der Arbeitslosenversicherung in der Hauptsache zu vertagen. Sie hätten damit die Lebensdauer des Kabinetts Hermann Müller um einige Monate, wohl bis zum Herbst 1930, verlängern können.

Mehr freilich war damals schon nicht zu erwarten. Die rechte Flügelpartei der Großen Koalition, die Deutsche Volkspartei, wollte das Bündnis mit der Sozialdemokratie auflösen; Industrie und Großlandwirtschaft, die Reichswehrführung und die Kamarilla um Hindenburg strebten eine Machtverlagerung vom Parlament zum Reichspräsidenten an. Als „Demokraten" empfanden sich die Kräfte, die aktiv auf den Übergang zum Präsidialsystem hinarbeiteten, nicht. Sie, die vordemokratischen Machteliten, trugen ein erheblich höheres Maß an Verantwortung für das Auseinanderbrechen der Großen Koalition als Sozialdemokraten und Freie Gewerkschaften. Schon deshalb ist die Formel von der „Selbstpreisgabe einer Demokratie", bezogen auf das Frühjahr 1930, irreführend.[2]

Und doch hat die These einen berechtigten Kern, sobald man die Entwicklung der parlamentarischen Demokratie von Weimar insgesamt ins Auge faßt. Die häufigen Regierungskrisen hatten ihre Ursache regelmäßig darin, daß den Partnern eines Koalitionskabinetts die Pflege ihrer je eigenen Parteiidentität mehr bedeutete als das Erscheinungsbild der Regierung. Das galt vor allem für die letzte Große Koalition unter Hermann Müller, die immer wieder schwersten Zerreißproben ausgesetzt war. Fehlende Kompromißbereitschaft bedrohte aber nicht nur bestehende Koalitionen, sondern verhinderte auch mehr als einmal ihr Zustandekommen. Im Sommer 1926 etwa scheiterte eine Große Koalition vor allem daran, daß die Sozialdemokraten sich im Zuge des Volksentscheids zur Fürstenenteignung auf eine zeitweilige taktische Allianz mit den Kommunisten eingelassen hatten und danach nicht mehr die Kraft zur Verständigung mit den Mittelparteien aufbrachten. Wäre es damals zu einer Großen Koalition gekommen, hätte diese vielleicht das Problem lösen können, das das Kabinett Müller nach 1928 nicht zu bewältigen vermochte: die Sanierung der Staatsfinanzen.

Fatal waren auch die Folgen, als sich Ende November 1922 die wiedervereinigte Sozialdemokratie unter dem Druck der ehemaligen Unabhängigen weigerte, erstmals eine Große Koalition mit der DVP Gustav Stresemanns einzugehen. Eine Regierung auf breiter parlamentarischer Basis hätte wohl kaum eine derart abenteuerliche Politik betrieben wie das bürgerliche Minderheitskabinett Cuno, das Reichspräsident Ebert nach der Entscheidung seiner Parteifreunde berief. Deutschland mußte erst an den Rand der finanziellen, wirtschaftlichen und politischen Katastrophe geraten, bis schließlich im August des Krisenjahres 1923 doch noch eine Große Koalition unter Führung Stresemanns zustandekam. Die Erfahrungen, die die SPD während der zweieinhalb Monate gemeinsamen Regierens im Herbst 1923 machte, hatten dann allerdings den Effekt der Selbstabschreckung: Viereinhalb Jahre lang, bis zum Herbst 1928, beteiligte sich die größte demokratische Partei nicht mehr an Koalitionen im Reich.

Koalitionspolitik auf Reichsebene war deshalb so schwierig, weil die Verfassungsparteien – SPD, Zentrum, Deutsche Demokratische Partei – schon bei den ersten Reichstagswahlen im Juni 1920 die Mehrheit eingebüßt hatten, die ihnen im Januar 1919 bei der Wahl zur Verfassunggebenden Nationalversammlung zugefallen war. Eine Mehrheitsregierung war seitdem zunächst nur noch in Gestalt einer Großen Koalition mit Einschluß der ursprünglich monarchistischen DVP, seit 1924 dann auch in Form einer Rechtskoalition vom Zentrum bis zu den Deutschnationalen möglich. Die eine wie die andere Mehrheitsregierung war konfliktträchtig: Drohten Große Koalitionen an wirtschafts- und sozialpolitischen Streitfragen zu zerbrechen, so Rechtskabinette an Gegensätzen in der Außen- oder Kulturpolitik. Bürgerliche Minderheitsregierungen waren erst recht fragile Gebilde: Sie konnten sich nur behaupten, wenn sie von Nichtkoalitionsparteien, in der Regel den Sozialdemokraten, toleriert wurden.

Die Weimarer Republik wäre wohl kaum vierzehn Jahre alt geworden, hätte sich nicht Preußen nach 1920 zu einer Art republikanischem Musterstaat entwickelt. Hier machten Sozialdemokratie und bürgerliche Mitte über viele Jahre hinweg vergleichsweise einträchtig und erfolgreich gemeinsame Politik; hier formte sich mehr als irgendwo sonst eine republikanische Verwaltung heraus; hier wurden Gegner und Verächter der Demokratie so energisch bekämpft wie in kaum einem anderen deutschen Staat. Daß Preußen die Chance eines republikanischen Neuanfangs nutzte, hatte viel zu tun mit einer radikalen Veränderung des Wahlrechts im Gefolge des Umbruchs vom November 1918: Der Wechsel vom Dreiklassenwahlrecht zum allgemeinen, gleichen und direkten Wahlrecht erleichterte die Herausbildung einer neuen „politischen Klasse“. Im Reich, das „nur“ vom allgemeinen und gleichen Männerwahlrecht zu einem wirklich allgemeinen und gleichen Wahlrecht überging, war die Zäsur von 1918/19 in dieser Hinsicht sehr viel weniger tief und die Kontinuität in der Zusammensetzung der parlamentarischen Führungsschicht entsprechend groß.[3]

Der personellen Kontinuität entsprachen gewisse Kontinuitäten des politischen Verhaltens. Im November 1926 brachte Paul Levi, der längst in den Schoß der Sozialdemokratie zurückgekehrte frühere Vorsitzende der KPD, das „linke“ Verständnis vom richtigen Verhältnis zwischen Regierung und

Parlament auf klassische Weise zum Ausdruck: „Demokratie und Republik kennen nur zwei Dinge: eine Regierung, die regiert, und ein Parlament, dem die Regierung verantwortlich ist ... Regierung und Parlament müssen sich frei, offen und unabhängig gegenüberstehen: ihre Auseinandersetzung, unter Umständen ihr Kampf, ist das Leben der demokratischen Republik."[4]

Levi sprach von der demokratischen Republik, aber er dachte in den Kategorien der konstitutionellen Monarchie. Dort waren Regierung und Parlament voneinander unabhängig gewesen. In der parlamentarischen Demokratie dagegen hing die Regierung vom Vertrauen einer parlamentarischen Mehrheit ab. Nicht Parlament und Regierung standen sich gegenüber, sondern Regierungsmehrheit und parlamentarische Opposition.

In Deutschland mit seinen vielen Parteien, von denen keine die Mehrheit der Reichstagssitze innehatte, bedeutete das den Zwang zur Koalition. Wenn demokratische Marxisten wie Paul Levi diese Logik nicht akzeptieren wollten, standen sie freilich nicht nur in einer deutschen Tradition. Die Zweite Internationale hatte sich auf ihrem Amsterdamer Kongreß von 1900 in der „Resolution Kautsky" darauf festgelegt, daß Sozialisten an bürgerlichen Regierungen nur dann mitwirken durften, wenn es sich um einen „vorübergehenden und ausnahmsweisen Notbehelf in einer Zwangslage" handelte. Die französischen Sozialisten hielten sich, vom Zwischenspiel der „union sacrée" im Ersten Weltkrieg abgesehen, bis zur Volksfrontregierung von 1936 an diese Doktrin und lehnten Koalitionen mit bürgerlichen Parteien konsequent ab. Verglichen mit dieser Haltung, waren die deutschen Sozialdemokraten nach 1918 außerordentlich lernfähig und elastisch. Sie mußten es allerdings auch sein. Denn anders als im Frankreich der Dritten Republik war in Deutschland die parlamentarische Demokratie existentiell bedroht, wenn Sozialdemokraten und gemäßigte bürgerliche Parteien nicht mehr bereit oder fähig waren, miteinander zu koalieren.[5]

Die Schwierigkeiten, die viele linke Demokraten mit dem Staat von Weimar hatten, hingen eng mit seiner Entstehungsgeschichte zusammen. Was die Revolution von 1918/19 an den gesellschaftlichen Machtverhältnissen in Deutschland geändert hatte, blieb weit hinter den Erwartungen großer Teile der Arbeiterschaft zurück. Nicht erst im Rückblick schien es manchen Beobachtern so, daß damals die Weichen falsch gestellt worden waren. Wenige Monate nach der Machtübertragung an Hitler, am 23. September 1933, schrieb Rudolf Hilferding, der 1918 zu den Unabhängigen Sozialdemokraten gehört hatte, an einen anderen ehemaligen Unabhängigen Sozialdemokraten, Karl Kautsky: „Unsere Politik in Deutschland war seit 1923 sicher im Ganzen und Großen durch die Situation erzwungen und konnte nicht viel anders sein. In diesem Zeitpunkt hätte auch eine andere Politik kaum ein anderes Resultat gehabt. Aber in der Zeit von 1914 und erst recht von 1918 bis zum Kapp-Putsch war die Politik plastisch und in dieser Zeit sind die schlimmsten Fehler gemacht worden. Das haben wir damals gesagt und davon brauchen wir jetzt nichts zurückzunehmen." Vier Monate später war diese Auffassung der offizielle Standpunkt der Partei. In dem von Hilferding entworfenen „Prager Manifest" der Exil-SPD vom Januar 1934 hieß es zur Revolution von 1918/19: „Daß sie den alten Staatsapparat fast unverändert übernahm, war der schwere historische Fehler, den die während des Krieges desorientierte deutsche Arbeiterbewegung beging."[6]

Hilferdings Verdikt faßt zusammen, was seit den frühen sechziger Jahren zur nicht unbestrittenen, aber doch überwiegenden Auffassung der historischen Forschung zur deutschen Revolution von 1918/19 geworden ist. Die neue, durch eine Vielzahl von Studien gestützte Sicht löste eine andere, bis dahin herrschende Meinung ab, die ihren klassischen Ausdruck in Karl Dietrich Erdmanns Urteil aus dem Jahr 1955 gefunden hatte, es sei 1918/19 um eine klare Alternative gegangen, nämlich entweder „die soziale Revolution im Bündnis mit den auf eine proletarische Revolution hindrängenden Kräften oder die parlamentarische Republik im Bündnis mit den konservativen Kräften wie dem alten Offizierskorps". Eine jüngere Generation von Historikern argumentierte gegen Erdmann auf einer Linie, die bereits 1935 von dem unabhängigen Marxisten Arthur Rosenberg in seinem Buch „Geschichte der Deutschen Republik" abgesteckt worden war: Die wirkliche Alternative zur „Weimarer Lösung" habe schon deswegen nicht ein Arrangement mit den Kommunisten sein können, weil diese in den ersten Monaten nach Kriegsende und lange darüber hinaus noch keine Massenbasis hatten. Vielmehr sei es um grundlegende Änderungen der überkommenen Machtverhältnisse gegangen – um Änderungen, die mit Hilfe der anfangs überwiegend sozialdemokratisch orientierten Arbeiter- und Soldatenräte durchzusetzen gewesen wären, wenn die Führer der Mehrheitssozialdemokraten dies nur wirklich gewollt hätten.[7]

Die Revision der „Erdmann-These" wirkte aufklärend, ja befreiend. Seit die Forschung begonnen hatte, Handlungsspielräume und Alternativen der Revolutionsperiode herauszuarbeiten, ließ sich die Politik Eberts und Noskes nicht mehr pauschal als zwangsläufig rechtfertigen. Doch die Zerstörung des einen, in diesem Fall konservativen Mythos begünstigte unfreiwillig die Entstehung eines anderen, linken Gegenmythos, der sich im Zuge der Studentenbewegung von 1968 rasch ausbreitete: Er verklärte die Räte zu Trägern der wahren Demokratie und behauptete, eine wirkliche Revolution nach dem Ersten Weltkrieg hätte den Sieg des „deutschen Faschismus" und damit den Zweiten Weltkrieg unmöglich gemacht.

Die Vergröberung der revisionistischen Position trug dazu bei, daß sich in der Geschichtsschreibung mittlerweile so etwas wie eine „Revision der Revision" vollzogen hat. Die Rolle der Arbeiter- und Soldatenräte wird heute nüchterner gesehen als Mitte und Ende der sechziger Jahre. Die Räte konnten, so läßt sich die vorwiegende Meinung umreißen, eine energische Reformpolitik von „oben" wohl unterstützen, nicht aber selbst durchsetzen. Dezentralisiert und uneinheitlich, wie sie waren, hatten sie nie eine Chance, aus sich heraus ein überörtliches Entscheidungszentrum hervorzubringen.

Sie waren ein Notbehelf in der parlamentslosen Übergangsperiode und wollten meist auch gar nichts anderes sein. Anders als in den sechziger Jahren wird heute auch kaum noch von einem „dritten Weg" zwischen der Politik der Mehrheitssozialdemokraten um Friedrich Ebert und derjenigen der Kommunisten gesprochen. Es konnte 1918/19 nicht um irgendwelche Verbindungen zwischen dem parlamentarischen und dem Rätesystem gehen, sondern nur um gesellschaftliche Veränderungen, die die erstrebte parlamentarische Demokratie zu festigen versprachen.

Schärfer, als es die Revolutionsforschung der sechziger Jahre tat, betont die neuere Literatur die Grenzen, die einem politischen und gesellschaftlichen Umbruch in Deutschland 1918/19 gesetzt waren. Deutschland war ein hochindustrialisiertes Land mit dem für industrielle Gesellschaften typischen Bedarf an der Kontinuität öffentlicher Dienstleistungen. Deutschland war zudem, namentlich dank der frühzeitigen Einführung des allgemeinen, gleichen und direkten Männerwahlrechts – 1867 im Norddeutschen Bund und 1871 im Deutschen Reich –, ein teilweise demokratisches Land. Beide Tatsachen erklären, warum sich in Deutschland weder eine Umwälzung nach dem Muster der demokratischen Revolutionen des Westens noch eine nach dem Vorbild der russischen Oktoberrevolution vollziehen konnte – Revolutionen, die alle in noch überwiegend agrarischen Gesellschaften stattgefunden hatten. Möglich waren 1918/19 vorbeugende Strukturreformen: erste Schritte in Richtung auf eine Demokratisierung der Verwaltung, der Schaffung eines republikloyalen Militärwesens, der öffentlichen Kontrolle wirtschaftlicher Macht bis hin zur Vergesellschaftung des Montansektors. Nicht möglich war jener radikale Bruch mit der Vergangenheit, dessen es bedurft hätte, um die gesamte Erblast des kaiserlichen Obrigkeitsstaates abzuschütteln.[8]

Von diesem Befund aus stellt sich die Frage nach dem historischen Zusammenhang zwischen der Revolution von 1918/19 und der Machtübertragung an Hitler neu. Selbst wenn bei der Gründung der Republik all das geschehen wäre, was gemäßigte Unabhängige Sozialdemokraten wie Hilferding und Kautsky für erforderlich *und* möglich hielten, hätte das ein späteres Scheitern der Republik nicht ausgeschlossen. Von den alten Machteliten hat keine so früh, so aktiv und so erfolgreich an der Zerstörung der Weimarer Demokratie gearbeitet wie das ostelbische Junkertum. Die Enteignung des Rittergutsbesitzes wurde aber 1918/19 von keiner Seite betrieben, weder von den Volksbeauftragten noch von den Massen der Landarbeiter und Kleinbauern. Die Justiz, auch sie ein fester Rückhalt des alten Obrigkeitsstaates, stand in der Revolution ebensowenig zur Disposition, und dasselbe gilt von den deutschen Universitäten und Gymnasien.

In der Tat gehörten nicht nur einzelne Machteliten, sondern auch große Teile des gebildeten Bürgertums von Anfang an zu den Gegnern der jungen Demokratie. Wer diese Demokratie wollte, konnte wohl fordern, daß einzelne, offen illoyale Richter, Staatsanwälte und Beamte abgelöst wurden.

Aber für ein Revirement auf breiter Front fehlten erstens die personellen Ressourcen. Und zweitens hätte eine Kampfansage an ganze Berufsstände oder gar die „Bourgeoisie" insgesamt den Bürgerkrieg bedeutet, den nicht wollen konnte, wer eine Demokratie erstrebte. Infolgedessen mußte die Republik fürs erste mit einem Beamtentum leben, in dem die überzeugten Republikaner nur eine kleine Minderheit bildeten.[9]

Die Zeitgenossen hätten die Frage nach den Vorbelastungen des demokratischen Staates anders beantwortet, als die Historiker es aus dem Abstand vieler Jahrzehnte zu tun geneigt sind. Für die meisten Deutschen, die die Zeit von 1918 bis 1933 bewußt erlebten, lag über den vierzehn Jahren der ersten Republik nicht der Schatten des Kaiserreiches, sondern der von Versailles. Die Friedensbedingungen trafen die Deutschen auch deshalb so hart, weil das Koalitionskabinett Scheidemann bewußt darauf verzichtet hatte, die Öffentlichkeit in den Wochen zuvor über die tiefere Ursache des zu erwartenden Strafgerichts, die deutsche Verantwortung für den Kriegsausbruch, aufzuklären. Der Friedensvertrag verstieß gegen den Grundsatz des Selbstbestimmungsrechts der Völker; die Reparationen waren eine schwere Belastung der deutschen Wirtschaft; der Kriegsschuldartikel verzerrte, weil er nur von der Verantwortung der Mittelmächte und nicht der des russischen Zarenreiches sprach, die historische Wahrheit. Aber die Regierungen der Siegermächte standen unter dem Druck *ihrer* Völker, die keinen Anlaß sahen, einem ganz und gar nicht reuigen Sünder gegenüber Milde walten zu lassen. Dennoch war Versailles *kein* „Karthagofriede". Das Reich wurde amputiert, aber es blieb bestehen und hatte gute Aussichten, nach einiger Zeit wieder einen Platz unter den europäischen Großmächten einzunehmen.

Zu diesem Schluß kamen 1919 indes nur wenige Zeitgenossen. Vielmehr einte die Deutschen der Weimarer Jahre nichts so sehr wie die Weigerung, den Friedensvertrag hinzunehmen. Über Ziele und Mittel der Revision gingen die Meinungen allerdings weit auseinander. Die Sozialdemokraten und die bürgerliche Mitte, zu der, solange Stresemann Außenminister war, auch die Deutsche Volkspartei gehörte, setzten auf partielle und nichtmilitärische Korrekturen von Versailles und dachten dabei vor allem an die Änderung der deutsch-polnischen Grenze. Die radikale Rechte und die Kommunisten bekannten sich dagegen offen zum gewaltsamen Umsturz der Friedensordnung von 1919 insgesamt.

Was gegenüber der Außenwelt noch nicht geschehen konnte, wurde zunächst innerhalb Deutschland praktiziert: der Einsatz von Gewalt im Dienst der jeweils eigenen Sache. Im Innern gab es zwischen dem 9. November 1918 und dem Hitler-Putsch am 8./9. November 1923 keinen gültigen Waffenstillstand. Umsturzversuche gingen von links und rechts aus. Als erste griffen im Januar 1919 Revolutionäre Obleute und Kommunisten zu den Waffen, um die Wahl der Nationalversammlung zu verhindern und eine Entwicklung nach russischem Vorbild, in Richtung auf ein Rätesystem, durchzusetzen. Die radikale Linke spielte damit der radikalen Rechten den

Trumpf zu, ihre Gewalt als Gegengewalt ausgeben zu können. Die Freikorps, die bei der Niederschlagung aufständischer Kommunisten und Anarchisten eine entscheidende Rolle spielten, handelten zunächst in staatlichem Auftrag. Als sich die Reichsregierung im März 1920 unter dem Druck der Alliierten anschickte, die Freikorps aufzulösen, antworteten diese mit dem ersten großen Umsturzversuch von rechts, dem Kapp-Lüttwitz-Putsch. Diese Erfahrung hielt die Reichswehr aber nicht davon ab, auch weiterhin eng mit paramilitärischen Verbänden der radikalen Rechten zusammenzuarbeiten und so die vom Versailler Vertrag erzwungene Beschränkung auf ein Hunderttausend-Mann-Heer in gewissem Umfang zu durchkreuzen.

Ein Teil des staatlichen Machtapparates förderte damit ungewollt die Aushöhlung des staatlichen Anspruchs auf das Monopol legitimen physischen Zwanges. Ebenso ungewollt trugen die Alliierten durch die einseitige Abrüstung Deutschlands zur Militarisierung des öffentlichen Lebens in dem besiegten Land bei. Die Folgen überdauerten die bürgerkriegsähnlichen Konflikte des ersten Nachkriegsjahrfünfts. Auch in der Zeit danach behinderten paramilitärische Verbände der unterschiedlichsten Richtungen die Herausbildung einer „Zivilgesellschaft".

Die Anzeichen für eine gewisse Stabilisierung in Politik und Wirtschaft waren seit 1923/24 gleichwohl unverkennbar. Die Währungsreform gelang überraschend gut. Hindenburgs Wahl zum Reichspräsidenten im April 1925 machte die republikanische Staatsform für das konservative Deutschland erträglicher. Die Fundamentalopposition von rechts hatte in den mittleren Jahren der Republik keinen Massenanhang mehr, und die Anziehungskraft der Kommunisten war um vieles geringer als auf dem Höhepunkt der Nachkriegskrise im Sommer 1923.[10]

Auch außenpolitisch festigte sich seit 1924 die Position des Deutschen Reiches. Frankreich hatte den Kampf um die Hegemonie in Kontinentaleuropa, der in der Ruhrbesetzung gipfelte, *nicht* gewonnen und war nun zu einer Politik des friedlichen Ausgleichs mit Deutschland bereit. Die Sowjetunion verzichtete auf die Förderung von Revolutionierungsversuchen nach Art des mitteldeutschen Aufstands von 1921 und des „deutschen Oktober" von 1923 und konzentrierte sich auf den „Aufbau des Sozialismus in einem Lande". Die Vereinigten Staaten spielten eine aktive Rolle bei der Regelung der Reparationsfrage und ermöglichten durch Kredite den Wiederaufschwung der deutschen Wirtschaft.

Doch die Relativität der Stabilisierung war offenkundig und daher auch schon vielen Zeitgenossen bewußt. Deutschland ging aus der Kriegs- und Inflationszeit wirtschaftlich geschwächt hervor. Das Wachstum der deutschen Wirtschaft blieb in den mittleren zwanziger Jahren weit hinter dem der Weltwirtschaft zurück. Die Sparquote sank von 17% des Volkseinkommens im letzten Vorkriegsjahr auf 10% im Jahre 1926; die Industrieproduktion von 1913 konnte Deutschland nur 1928/29 überschreiten; das Ausfuhrvolumen von 1913 wurde nach dem Krieg von der deutschen Industrie nicht mehr erreicht. Überschüsse im Warenhandel erzielte Deutschland in der „Stabilisierungsphase" nur einmal, nämlich 1926. Für die Leistungsbilanz, die Warenhandel, Dienstleistungen sowie den Transfer von Zinsen und Dividenden zusammenfaßt, gilt dasselbe. Deutschland zahlte seit dem Krieg an Reparationen und Zinsen mehr, als es aus Auslandsguthaben einnahm. Erst der Überschuß bei Kapitalbewegungen, ermöglicht vor allem durch amerikanische Kredite, erlaubte den Ausgleich der Zahlungsbilanz und den Transfer der Reparationen.[11]

Die Zeit der relativen Stabilisierung kann also auch eine Zeit der relativen Stagnation, der konjunkturelle Aufschwung eine Scheinblüte genannt werden. Nichtsdestoweniger verhielten sich Reich, Länder und Gemeinden in ihrer Ausgabenpolitik häufig so, als könnten sie aus dem Vollen schöpfen. Die Unternehmerschaft, die schon am Ende der Inflationsperiode stark genug gewesen war, um eines ihrer zentralen Zugeständnisse vom November 1918, den Achtstundentag, weitgehend rückgängig zu machen, hatte also triftige Argumente, wenn sie die öffentlichen Hände immer wieder zu einer Kehrtwendung in Richtung Sparsamkeit aufforderte. Es blieb indes nicht beim Ruf nach einer solideren Finanzpolitik. Je mehr sich die Konjunkturlage verschlechterte, desto lauter verlangten die Interessenverbände von Industrie, Landwirtschaft und gewerblichem Mittelstand den Abbau des Weimarer Sozialstaates und die Abkehr von dem System, dem sie vorwarfen, daß es die Begehrlichkeit der Massen begünstige und die Produzenten benachteilige: der parlamentarischen Demokratie.

Die Weimarer Reichsverfassung von 1919 stellte das Instrumentarium für die Zurückdrängung des Parlaments in Form des Notverordnungsrechts des Reichspräsidenten nach Artikel 48 zur Verfügung. Ursprünglich als Antwort auf Situationen gedacht, in denen die öffentliche Sicherheit und Ordnung erheblich gestört oder gefährdet war, also ein echter Notstand vorlag, war der Artikel 48 schon unter Friedrich Ebert zu einem Mittel der beschleunigten Gesetzgebung in Krisenzeiten geworden und der Reichspräsident zum punktuellen Ersatzgesetzgeber aufgerückt. Unter Hindenburg wurde seit dem Sommer 1930 aus dem Regime der Notverordnungen ein Dauerzustand, und zu keiner Zeit dachte der zweite Reichspräsident daran, von der präsidialen „Reserveverfassung" zur parlamentarischen „Normalverfassung" zurückzukehren. Allerdings fehlte seit den Septemberwahlen von 1930, bei denen vor allem liberale und konservative Wähler in hellen Scharen zu den Nationalsozialisten übergelaufen waren, auch die parlamentarische Voraussetzung für eine solche Rückkehr, nämlich eine regierungsfähige Reichstagsmehrheit.

Im Frühjahr 1932 war der Massenzustrom zu den Nationalsozialisten bereits so stark, daß Hitler sich gute Chancen ausrechnen konnte, aus den Reichspräsidentenwahlen als Sieger hervorzugehen. Er hätte dieses Ziel auch erreicht, wäre es nicht Sozialdemokraten und Zentrum gelungen, ihre Anhänger für die Wiederwahl Hindenburgs zu mobilisieren. Den greisen

Reichspräsidenten störte es jedoch empfindlich, daß er seine zweite Amtszeit nicht der Rechten, sondern seinen ehemaligen Gegnern zu verdanken hatte. Ein anderes Ärgernis für Hindenburg und seine Kamarilla waren die gelegentlichen Zugeständnisse, die die Regierung Brüning den Sozialdemokraten machen mußte, um sich deren weitere Tolerierung zu sichern.

Um die Bindung an die Sozialdemokraten abzustreifen und die NSDAP – eine aus Hindenburgs Sicht zwar plebejische, aber immerhin „nationale" Bewegung – an den „Staat" heranzuführen, wurde Brüning am 30. Mai 1932 entlassen. Sein sehr viel weiter rechtsstehender Nachfolger Franz von Papen löste kurz darauf, einer Absprache mit Hitler nachkommend, den im September 1930 gewählten Reichstag auf. Ohne irgendeinen zwingenden Grund spitzte der Kreis um Hindenburg damit die Staatskrise dramatisch zu. Die Verselbständigung der Exekutivgewalt trat in ein neues Stadium: Hatte sich das Präsidialregime bisher parlamentarisch tolerieren lassen, so wandte es sich nunmehr offen gegen das Parlament.

Die Neuwahl vom 31. Juli 1932 führte zur negativen Mehrheit der beiden totalitären Parteien, der NSDAP und der KPD. Eine parlamentarische Krisenlösung war jetzt nur noch möglich, wenn die NSDAP, die nunmehr mit Abstand stärkste Partei, ihren totalitären Charakter aufgab und sich auf eine „schwarz-braune" Koalition mit Zentrum und Bayerischer Volkspartei einließ. Die beiden katholischen Parteien strebten einen solchen „Kompromiß" an, Hitler aber hatte daran kein Interesse. Er wollte sich nicht mit den normalen Rechten des Kanzlers eines parlamentarischen Koalitionskabinetts zufrieden geben, sondern beanspruchte die außerordentlichen Befugnisse des Chefs eines Präsidialkabinetts.

Dazu aber war Hindenburg nicht bereit. Die Nationalsozialisten waren ihm willkommen als „Juniorpartner" des Präsidialkabinetts von Papen, nicht jedoch als ausschlaggebender Träger der Regierungsgewalt. Am 13. August wies der Reichspräsident Hitlers Forderung nach dem Kanzleramt in brüsker Form zurück. Zweieinhalb Wochen später, am 30. August entschied sich der Reichspräsident für den Weg, den ihm der „Kabinettskern", bestehend aus Reichskanzler von Papen, Reichsinnenminister von Gayl und Reichswehrminister von Schleicher, vorschlug: die neuerliche Auflösung des Reichstags, den Aufschub von Neuwahlen über die verfassungsmäßige Frist von sechzig Tagen hinaus und damit die Verhängung des „übergesetzlichen" Staatsnotstands. Im Kabinett fand sich am 17. September jedoch keine Mehrheit für den Verfassungsbruch. Die Neuwahl des fünf Tage zuvor aufgelösten Reichstags wurde auf den 6. November 1932, den nach der Verfassung spätestmöglichen Termin, festgelegt.

Die Novemberwahlen beseitigten nicht die negative Mehrheit aus NSDAP und KPD, brachten aber den Nationalsozialisten starke Verluste und den Kommunisten einen deutlichen Zuwachs. In ebendiesem Zusammentreffen von eigener Niederlage und Erfolg der extremen Linken lag, so paradox es klingt, Hitlers letzte Chance, doch noch an die Macht zu kommen. Die Furcht, bei Neuwahlen im Winter 1932/33 könnten die Kommunisten noch stärker und die Nationalsozialisten noch schwächer werden, bewog Teile der alten Machteliten, darunter maßgebende Unternehmer der Schwerindustrie, auf ein Arrangement zwischen Hitler und Papen zu setzen. Papen selbst neigte wohl schon im November einer konservativ „eingerahmten" Kanzlerschaft Hitlers zu, ließ sich dann aber von Hindenburg doch auf die Staatsnotstandslösung verpflichten. Die Mehrheit des Kabinetts dagegen folgte der Linie des Reichswehrministers von Schleicher. Dieser wollte zunächst versuchen, der Regierung eine breitere gesellschaftliche Basis, womöglich in Form einer „Querfront" von den Gewerkschaften bis zu den Nationalsozialisten, zu verschaffen. Den Aufschub von Neuwahlen schloß Schleicher keineswegs aus. Aber die Entscheidung darüber sollte erst fallen, wenn der Massenrückhalt der Regierung so stark war, daß man nicht mehr befürchten mußte, durch die Proklamation des Staatsnotstands einen blutigen Bürgerkrieg auszulösen.

Nachdem Schleicher am 3. Dezember 1932 Papens Nachfolge als Reichskanzler angetreten hatte, bemühte er sich, sein Konzept in die Tat umzusetzen. Es gelang ihm, das Verhältnis zu den Gewerkschaften zu entspannen, aber die nationalsozialistische Bewegung vermochte er weder als Ganzes für sich zu gewinnen noch zu spalten. Er konnte auch nicht den Bruch mit den Agrariern verhindern, die seit dem 11. Januar 1933 offen seinen Sturz betrieben. Mindestens ebenso gefährlich war für ihn, daß sein Amtsvorgänger im Kanzleramt mit der Rückendeckung eines Teiles der Schwerindustrie auf ein „Duumvirat" Papen-Hitler hinarbeitete, das die Regierung Schleicher ablösen sollte.

Als das Kabinett am 16. Januar 1933 beschloß, Hindenburg um die Auflösung des Reichstags und den Aufschub von Neuwahlen bis zum Herbst 1933 zu bitten, fehlte für das Gelingen des Plans die wichtigste Voraussetzung: die Entschlossenheit des Reichspräsidenten, den Weg des Staatsnotstands zu gehen. Im Ringen um Hindenburg setzten sich im Januar 1933 jene durch, denen der alte Herr vertraute. Dazu gehörte Schleicher seit längerem nicht mehr, wohl aber adlige Rittergutsbesitzer aus dem Freundeskreis des Reichspräsidenten, sein Sohn Oskar, sein Staatssekretär Meissner und, nicht zuletzt, Franz von Papen. Dem „böhmischen Gefreiten" mißtraute Hindenburg zwar auch noch Ende Januar 1933. Aber da alle, auf deren Urteil der Reichspräsident Wert legte, ihm versicherten, daß Hitler an der Spitze eines überwiegend konservativen Kabinetts eine sehr viel weniger gefährliche Lösung sei als alle Staatsnotstandspläne, gab er schließlich nach.

Sowenig wie Hindenburg im Mai 1932 Brüning entlassen und Papen ernennen *mußte*, sowenig war er zum Kanzlerwechsel vom 30. Januar 1933 *gezwungen*. Er hätte auch Schleicher, der bei seinem letzten Gespräch mit dem Reichspräsidenten am 28. Januar gar nicht mehr den verfassungswidrigen Aufschub von Neuwahlen, sondern nur noch die Auflösung des Reichstags forderte, im Amt belassen oder einen Kanzler ernennen können, der politisch nicht polarisierend wirkte. Aber Hindenburg sah nur noch die Alternative eines von konservativen Kräften kontrollierten Kabinetts Hitler-Papen und eines deutschnational ausgerichteten Kampfkabinetts Papen-Hugenberg, also ausschließlich „rechte" Optionen. Seine politische Überzeugungen waren die des Milieus, dem er entstammte und auf das er hörte, nicht die der vielen Millionen sozialdemokratischer und katholischer Wähler, die ihn im April 1932, um eine Machtübernahme Hitlers zu verhindern, im Amt des Reichspräsidenten bestätigt hatten.

Weil dem so war, hatten die wirtschaftlich schwachen ostelbischen Rittergutsbesitzer in der Endkrise von Weimar mehr politischen Einfluß als die wirtschaftlich ungleich mächtigere Großindustrie. Nicht die Großunternehmer, sondern Vertreter des Junkertums verfügten über das Privileg des Zugangs zum Machthaber, dem Reichspräsidenten. Im Mai 1932 nutzte der Reichslandbund diese Chance, um im Bunde mit der Reichswehrführung und den Deutschnationalen Brüning zu Fall zu bringen. Erst die Entlassung Brünings und die Auflösung des 1930 gewählten Reichstags führten die Situation herbei, in der der Staatsnotstand als Krisenlösung erscheinen konnte.

Im Januar 1933 wurde Hindenburg abermals mit den Folgen seines eigenen Beitrags zur Zuspitzung der deutschen Staatskrise konfrontiert. Und wie acht Monate zuvor waren es wiederum die Großagrarier, die besonders massiv auf den Kanzlersturz drängten. Während die Spitzenverbände der Industrie Schleicher zu halten wünschten, betrieb der Reichslandbund seine Ablösung. Die Vertreter des Rittergutsbesitzes wußten, daß der Reichspräsident es dem Kanzler verargte, daß dieser ihn nicht gegen Vorwürfe im Zusammenhang mit dem Osthilfeskandal und den Steuermanipulationen bei der Schenkung des Gutes Neudeck an die Familie Hindenburg in Schutz nahm. Die Großagrarier hatten das größte Interesse, den Haushaltsausschuß des Reichstags daran zu hindern, sich weiterhin mit dem Mißbrauch von Staatsgeldern für hochverschuldete ostpreußische Güter zu befassen. So gesehen waren die Gründe, die beim Sturz Schleichers und der Machtübertragung an Hitler den Ausschlag gaben, banal. Aber sie waren zugleich ein Stück deutscher Sozialgeschichte. In keiner anderen hochindustriellen Gesellschaft hatte sich eine vorindustrielle Elite soviel politische Macht bewahren können wie die Junker im Deutschland der Weimarer Republik.

Die Machtübertragung an Hitler war kein *notwendiges* Resultat vorangegangener Wahlentscheidungen. Aber sie war nur *möglich*, weil die NSDAP am 31. Juli 1932 zur stärksten Partei aufgestiegen war und diesen Status trotz Stimmenverlusten am 6. November 1932 behauptet hatte. Hitler kam also nicht nur durch die Machenschaften von Machteliten, sondern auch dank der Massen, die nach wie vor hinter ihm standen, ins Kanzleramt.

Seit der Reichstagswahl vom 31. Juli 1932 gab es in der Tat nichts mehr daran zu deuteln, daß sich die Mehrheit der Deutschen gegen Weimar entschieden hatte. Mit Bekenntnissen zur Unverletzlichkeit der Verfassung war der Zustand der Verfassungslähmung nicht zu überwinden. Abweichungen von einzelnen Verfassungsartikeln waren unvermeidbar, wenn der Angriff der Verfassungsgegner abgeschlagen werden sollte. Die geringfügigste Abweichung wäre die Ignorierung von rein destruktiven Mißtrauensvoten gewesen. Aber weder die Präsidialkabinette Papen und Schleicher noch die großen demokratischen Parteien zogen das Rettungsmittel dieses „milden" Verfassungsbruchs ernsthaft in Erwägung.

Sehr viel problematischer war der Aufschub von Neuwahlen. Wenn eine Regierung Neuwahlen vertagte, um in der Zwischenzeit ein neues, autoritäres Regime zu errichten (wie das die Absicht Papens und seines Innenministers von Gayl war), stellte das einen Anschlag auf die Verfassung dar. Als die Regierung Schleicher sich im Januar 1933 für die Proklamation des Staatsnotstands entschied, ging es nicht mehr um eine autoritäre Verfassungsreform, sondern darum, in der parlamentslosen Zeit die Wirtschaft anzukurbeln und die totalitären Parteien wirksam zu bekämpfen. Eine Vertagung von Reichstagswahlen mit *dieser* Zielsetzung war anders zu bewerten als die Notstandspläne der vorangegangenen Regierung. Der Kabinettsbeschluß vom 16. Januar 1933 hätte einen Ausweg aus der Staatskrise eröffnen können – vorausgesetzt, dieser Versuch wäre vom Reichspräsidenten nachdrücklich unterstützt und von Verfassungsparteien und Gewerkschaften zumindest hingenommen worden.

Die Weigerung der demokratischen Kräfte, der ultima ratio des *defensiven Staatsnotstands* zuzustimmen, erklärt sich vordergründig aus ihrem traditionellen Legalismus. Der tiefere Grund dieses Legalismus war die Angst vor dem Bürgerkrieg. Deswegen galt im Januar 1933 ein deutschnationales Kampfkabinett Papen-Hugenberg bei fast allen Parteien und Verbänden als die mit Abstand gefährlichste Krisenlösung. Von diesem Kabinett, das neun Zehntel des deutschen Volkes gegen sich gehabt hätte, mußte man den Staatsstreich erwarten – und in seinem Gefolge den Aufstand der Massen. Aber auch von einer Proklamation des Staatsnotstands durch Schleicher befürchteten Sozialdemokraten, Zentrum und BVP – die letzten „Weimarer" Parteien, die noch über einen Massenanhang in der Wählerschaft verfügten – eine Zuspitzung der Krise bis hin zum Ausbruch des offenen Bürgerkriegs. Eine formal legale Machtübertragung an Hitler löste vergleichsweise weniger Angst aus. Insofern haben die Weimarer Verfassungsparteien mit ihrem grundsätzlichen Legalismus dazu beigetragen, daß das Kalkül aufging, das Hitler mit seinem taktischen Legalismus verfolgte.

Vermutlich wäre das Kabinett von Schleicher nach der Verhängung des Staatsnotstands zur Regierung einer verdeckten Militärdiktatur, die Reichswehr also zur eigentlichen Trägerin der Exekutivgewalt geworden. Mit massiven Protesten von Nationalsozialisten und Kommunisten war zu rechnen. Daß die Gewerkschaften zum Generalstreik gegen den „sozialen General" aufgerufen hätten, darf man hingegen ausschließen. Sozialdemokraten, katholische Parteien und liberale Presse hätten gegen den Aufschub von Neuwahlen bis zum Herbst 1933 Verwahrung eingelegt, aber gewiß keine Gewaltanwendung befürwortet. Ein Bürgerkrieg war unter diesen Umständen eher unwahrscheinlich.

Die faktische Militärdiktatur als letzte Rettung vor der Diktatur Hitlers: die Alternative zeigt, wohin es mit Weimar gekommen war. Seit Hindenburg 1925 erstmals in das höchste Staatsamt gewählt worden war, gab es keine Gewähr mehr dafür, daß der Reichspräsident sich im Ernstfall als Hüter des *Geistes* der Verfassung erweisen würde. Die parlamentarische Demokratie zerbrach fünf Jahre später daran, daß sie das Gros der Machteliten gegen sich und die demokratischen Parteien nicht mehr entschieden hinter sich hatte. Die anschließende Radikalisierung war eine zwangsläufige Reaktion auf die wirtschaftliche Depression und die Verselbständigung der Exekutivgewalt. Nicht zwangsläufig war die Machtübertragung an Hitler. Aber um die Katastrophe abzuwenden, die am 30. Januar 1933 begann, hätte es eines tragfähigen antitotalitären Konsenses zwischen der Präsidialmacht und der demokratischen Minderheit des Parlaments bedurft. Daß es dieses Mindestmaß an Übereinstimmung nicht gab, hat den Weg für Hitler frei gemacht.

Die Entwicklung, die Deutschland in den Jahren von 1918 bis 1933 nahm, weist einige Parallelen, aber auch auffallende Unterschiede zur Entwicklung anderer europäischer Länder im gleichen Zeitraum auf. Das parlamentarische System wurde nach dem Ersten Weltkrieg in vielen Staaten von Krisen erschüttert. Auch in den „alten" Demokratien West- und Nordeuropas gab es prekäre Mehrheitsverhältnisse und häufige Regierungskrisen, aber nirgendwo führten sie zur Abschaffung des parlamentarischen Systems. Anders war die Lage in den Ländern des östlichen Nord-, Mittel- und Südeuropa, von denen nur zwei, die Tschechoslowakei und Finnland, ihre Demokratien bewahren konnten. Alle anderen gingen in der Zwischenkriegszeit zu rechtsautoritären Regimen über. Dasselbe gilt für Portugal und, als Ergebnis des Bürgerkrieges der Jahre 1936 bis 1939, für Spanien. Das Vorbild der neuen autoritären Systeme war das faschistische Italien, das seit 1922 vorexerzierte, wie man eine labile Demokratie in eine stabile Diktatur verwandelt: durch radikalen Nationalismus, Führerkult, Einparteienherrschaft und die radikale Unterdrückung jedweder Opposition, vor allem der marxistischen Arbeiterorganisationen.

Keiner der Staaten, in denen sich während der Zwischenkriegszeit rechte Diktaturen durchsetzten, war hochindustrialisiert; alle waren sie noch überwiegend agrarisch geprägt. Das trifft, mit Abstrichen, auch für Italien zu, wo die Industrialisierung nur den Norden des Landes erfaßt hatte. Deutschland war das einzige hochentwickelte Industrieland, das im Verlauf der Weltwirtschaftskrise seine Demokratie aufgab und durch eine totalitäre Diktatur von rechts ersetzte – eine Diktatur, die „faschistisch" zu nennen nicht falsch und doch schon deshalb unzureichend ist, weil dem italienischen „Modell" ein so zentrales Wesensmerkmal des Nationalsozialismus wie der mörderische Rassenwahn fehlte.

Die Gründe der deutschen Sonderentwicklung reichen, wie wir gesehen haben, tief in die Vergangenheit zurück. In der Revolution von 1848 war der bürgerliche Liberalismus mit seinem Versuch gescheitert, gleichzeitig die Einheit und Freiheit Deutschlands herzustellen. Die Einheit kam in Gestalt von Bismarcks Reichsgründung. Aber von einer freiheitlichen Verfassung des Kaiserreichs konnte, da der Reichskanzler und seine Staatssekretäre dem Reichstag nicht verantwortlich waren, keine Rede sein. Die ungelöste Frage der Freiheit mußte daher 1918/19 erneut auf der Tagesordnung stehen.

Die parlamentarische Demokratie von Weimar war der Versuch, den Grundwiderspruch des Kaiserreichs, den Gegensatz zwischen wirtschaftlicher und kultureller Modernität auf der einen und der Rückständigkeit des politischen Systems auf der anderen Seite, aufzuheben. Deutschland sollte, indem es sich demokratisierte, auch politisch das Niveau Westeuropas erreichen. Die Wiederherstellung eines bürokratischen Obrigkeitsstaates unter Brüning markierte den Fehlschlag dieses Modernisierungsversuchs. Schon zu diesem Zeitpunkt konnte es kaum noch einen Zweifel geben, daß die Sozialdemokraten, denen 1918/19 die Macht unverhofft zugefallen war, an ihrer selbstgestellten Doppelaufgabe, der Verwirklichung einer politischen *und* sozialen Demokratie, ebenso gescheitert waren wie die Liberalen im Jahrhundert zuvor an der ihren.

Dem rückblickenden Betrachter drängt sich die Frage auf, ob es in beiden Fällen nicht neben subjektivem Versagen auch eine objektive Überforderung der freiheitlichen Kräfte Deutschlands gab. Die erfolgreichen Revolutionen Westeuropas hatten in etablierten Nationalstaaten stattgefunden; „Deutschland" bestand 1848 aus einer Vielzahl von Staaten, darunter den zwei Großmächten Preußen und Österreich. Der deutsche Liberalismus hat sich von seiner Niederlage in dieser Revolution nie mehr völlig erholt. Sein Arrangement mit dem Obrigkeitsstaat hatte Wirkungen, die das Kaiserreich überdauerten. Hinter den liberalen Parteien stand, anders als bei Sozialdemokratie oder Zentrum, kein festgefügtes „Milieu"; die Anziehungskraft nationalistischer Parolen auf ehedem liberale Wähler war so stark, daß beide liberale Parteien seit 1930 immer mehr zu Splittergruppen absanken.

Als Weimar in seine Endkrise eintrat, hatte die Sozialdemokratie einen ihrer Partner aus der parlamentarischen Gründungskoalition, den liberalen, also bereits verloren. Der andere Partner, das Zentrum, rückte immer mehr nach rechts und gab sich schließlich der Illusion hin, es sei seine Mission, die Nationalsozialisten in einer Koalition zu zähmen. Damit war die Isolierung der Sozialdemokraten komplett. Wenn es *eine* Hauptursache für das Scheitern Weimars gibt, liegt sie hier: Die Republik hatte ihren Rückhalt im Bürgertum weitgehend eingebüßt, und ohne hinreichend starke bürgerliche Partner konnte der gemäßigte Flügel der Arbeiterbewegung die Demokratie nicht retten.

So wie die Schwäche der demokratischen Kräfte weit zurückreichende Ursachen hatte, so auch die Stärke der schließlich siegreichen Partei. Der Nationalismus war ursprünglich eine Waffe des liberalen Bürgertums im

Kampf gegen die Dynastien, den Adel und die partikularstaatliche Zersplitterung Deutschlands, mithin ein Element der bürgerlichen Emanzipation, gewesen. Erst im Jahrzehnt nach der Reichsgründung wurde der Nationalismus von der politischen Rechten „entdeckt" und für den Kampf gegen die Linke aller Schattierungen nutzbar gemacht. Fortan hieß „national" sein in erster Linie anti-international sein. Einen solchen Funktionswandel vom „linken" zum „rechten", vom emanzipatorischen zum integralen Nationalismus gab es im späten 19. Jahrhundert nicht nur in Deutschland, sondern in vielen Ländern, darunter dem Mutterland des modernen Nationalismus, Frankreich. Aber nirgendwo ging die Entdemokratisierung und Entliberalisierung des Nationalismus so weit wie in Deutschland.

Der Bruch mit dem früheren, „fortschrittlichen" Nationalismus war in Deutschland deswegen so radikal, weil die demokratischen Wurzeln des Nationalismus hier schwächer waren als in Westeuropa. Der deutsche Nationalismus war entstanden im Kampf gegen die Fremd- und Vorherrschaft des napoleonischen Frankreich. Diese Erfahrung diskreditierte in den Augen vieler Deutschen auch die universalen Werte, mit denen sich der französische Nationalismus legitimierte: die Ideen von 1789. Da es einen deutschen Nationalstaat noch nicht gab, konnte sich der frühe deutsche Nationalismus auch nicht an einer eigenen, subjektiv als vorbildhaft empfundenen politischen Ordnung ausrichten. Er berief sich vielmehr auf vermeintlich objektive Größen wie Volk, Sprache und Kultur, die dem politischen Willen gleichsam vorgelagert waren. Von dieser „völkischen" Hypothek hat sich der deutsche Nationalismus nie ganz befreien können.

Hitlers extremer Nationalismus war nicht nur eine Antwort auf das Trauma des verlorenen Krieges und der nationalen Demütigung durch Versailles. Er diente zugleich der Überwölbung von Interessengegensätzen zwischen den unterschiedlichen Schichten, die sich hinter der Hakenkreuzfahne sammelten. Wenn Hitler der Furcht vor sozialem Abstieg das Versprechen des nationalen Wiederaufstiegs entgegenstellte, sprach er besonders die Mittelschichten an, die in der Großen Depression von solchen Ängsten verstärkt heimgesucht wurden. Vor allem aber war der extreme Nationalismus eine Gegenideologie zum marxistischen Internationalismus, gleichviel ob sozialdemokratischer oder kommunistischer Prägung. Durch diese Frontstellung befriedigte der Nationalismus der Nationalsozialisten ein Abgrenzungsbedürfnis nicht nur bürgerlicher Wähler, sondern auch „nationaler" Arbeiter. Der „Sozialismus" der NSDAP war längst so uminterpretiert worden, daß er nicht mehr eine Neuordnung der Eigentumsverhältnisse, sondern eine am Gemeinwohl orientierte Wirtschaftsgesinnung, den Abbau von überkommenen Privilegien und damit mehr soziale Gerechtigkeit meinte. Ein so verstandener „nationaler Sozialismus" trug einerseits antisozialistischen Vorbehalten im Bürgertum Rechnung; andererseits erlaubte er es der NSDAP, sich scharf von der „reaktionären" Spielart des bürgerlichen Nationalismus im Sinne Hugenbergs abzuheben.

Der radikale Antisemitismus der Nationalsozialisten sprach namentlich solche Gruppen an, die sich einer spezifischen jüdischen Konkurrenz ausgesetzt sahen: so die Einzelhändler, die seit Jahrzehnten gegen jüdische Warenhäuser ankämpften, und die Studenten, von denen viele die Juden auf dem Weg zur Vorherrschaft in den akademischen Berufen wähnten. Aber insgesamt dienten judenfeindliche Parolen mehr der Aktivierung der „alten Kämpfer" als der Wählerwerbung. Hitler hatte richtig erkannt, daß er mit antisemitischer Agitation nicht jene Massen gewinnen konnte, die er brauchte, wenn er die Macht auf legale Weise erobern wollte. In seinen Wahlkundgebungen und in den großen Wahlmanifesten der NSDAP von 1930 bis 1932 wurden daher Versailles und die „Novemberverbrecher", das internationale Bank- und Börsenkapital, der Marxismus und die bürgerlichen Parteien häufiger und schärfer angeprangert als die Juden.

An der anhaltenden Judenfeindschaft der Nationalsozialisten konnte es gleichwohl keinen Zweifel geben. Doch die politischen Linken neigten seit jeher dazu, den Antisemitismus als taktisches Manöver mißzuverstehen – als Versuch, die Massen vom Kampf gegen ihren tatsächlichen Gegner, das große Kapital, abzulenken. Infolgedessen unterschätzten Sozialdemokraten und Kommunisten die Gefahr, die den Juden drohte. Rechts von der Mitte war der Antisemitismus schon seit langem „salonfähig" geworden. Was Teile des Bürgertums irritierte, war die brutale Art und Weise, wie sich der Judenhaß der SA äußerte, nicht das Vorurteil gegenüber den Juden als solches. Wer die NSDAP wählte, war deswegen nicht notwendigerweise schon ein rabiater Judengegner, aber er nahm den Antisemitismus der Nationalsozialisten zumindest billigend in Kauf.

Der Zulauf zum Nationalsozialismus nach 1930 war *auch* eine Rebellion gegen den Versuch der Präsidialkabinette, das Rad der Geschichte zurückzudrehen. Seit sechs Jahrzehnten kannten die Deutschen das allgemeine Wahlrecht für Männer, und seit 1918 galt der Grundsatz, daß Regierungen des Vertrauens der Volksvertretung, also auch eines Rückhalts in der Bevölkerung, bedurften. Die Nationalsozialisten hatten die mehr schlecht als recht funktionierende parlamentarische Demokratie stets verhöhnt, aber erst als sie ab 1930 tatsächlich zur Farce geworden war und der Reichstag weniger zu sagen hatte als im konstitutionellen Kaiserreich, vermochten sie sich als Anwälte des entrechteten Volkes auszugeben. Hitler konnte an beides appellieren: an die verbreiteten Ressentiments gegenüber dem angeblich „undeutschen", von den Siegern oktroyierten parlamentarischen System *und* an den alten, seit Bismarcks Zeiten verbrieften Anspruch der Massen auf politische Teilhabe in Gestalt des allgemeinen Wahlrechts. Er profitierte, mit anderen Worten, nicht nur von der autoritären Tradition, sondern auch von der Teildemokratisierung vor 1918. Er war *der* Nutznießer der Widersprüche des deutschen Modernisierungsprozesses.

Hitler wollte eine Revolution, aber er hatte aus seinem Putsch von 1923 gelernt, daß dieses Ziel nicht gegen den Staatsapparat, sondern nur durch seine Indienstnahme zu erreichen war. Deshalb beschwor er die Legalität, über die seine Gefolgsleute sich tagtäglich hinwegsetzten. Deshalb spielte er den Hüter der Verfassung, die er zu vernichten gedachte. Er unterhielt die größte Bürgerkriegsarmee Deutschlands und konnte gerade deshalb darauf setzen, daß ihm nichts so sehr helfen würde wie die Furcht vor dem Bürgerkrieg. Da die Kommunisten den Bürgerkrieg offen propagierten, gaben sie den Nationalsozialisten die Möglichkeit, sich als Ordnungsfaktor zu präsentieren, der bereitstand, zusammen mit Polizei und Reichswehr einen gewaltsamen Umsturzversuch von links niederzuschlagen. Gleichzeitig konnte Hitler den Regierenden mit dem Bürgerkrieg für den Fall drohen, daß sie die Verfassung brachen, um ihm den Weg an die Macht zu verlegen.

Hitlers Pressionen wurden nicht als der Skandal empfunden, der sie waren. Paramilitärische Gewalt von links und rechts hatte das Gewaltmonopol des Staates seit langem ausgehöhlt und zu einer allgemeinen Abstumpfung gegenüber Exzessen in Wort und Tat geführt. Doch wenn zwei das gleiche taten, war es noch lange nicht dasselbe. Für eine gesellschaftliche Umwälzung nach sowjetischem Vorbild begeisterte und betätigte sich nur eine Minderheit; Gewaltanwendung von Kommunisten durfte daher außerhalb der eigenen Reihen kaum auf Beifall rechnen. Der militante Antikommunismus der Nationalsozialisten dagegen verfügte über einen breiten Rückhalt in Gesellschaft und Staatsapparat.

Während die extreme Linke zum Umsturz der bestehenden Verhältnisse aufrief, gaben sich die Nationalsozialisten zugleich als Bewahrer und Erneuerer der überkommenen Gesellschaft. Die neue politische Ordnung, die sie propagierten, sollte weder eine Parteienherrschaft wie Weimar noch ein autoritäres Regime im Sinne der Konservativen sein, sondern ein von der Zustimmung des ganzen Volkes getragener, plebiszitär legitimierter Führerstaat. Es war die relative Modernität dieses Herrschaftsentwurfs, die Hitlers Konzept von den Vorstellungen der traditionellen Rechten abhob und es ihnen überlegen machte. Seine „nationale Revolution" konnte er 1933 nur durchführen, weil er *beides* zu befriedigen versprach: das Bedürfnis nach Kontinuität *und* nach einem radikalen Neubeginn.[12]

Das „Dritte Reich" wurde zu jener „deutschen Katastrophe", von der Friedrich Meinecke 1946 im Rückblick sprach. Der Preis, den die Deutschen für die Politik der Nationalsozialisten zu bezahlen hatten, war eine der Ursachen dafür, daß 1945 zu einer viel tieferen Zäsur wurde als 1918. Die nationalsozialistische Diktatur wirkte und wirkt nach als das denkbar stärkste Argument für Demokratie und Freiheit, das die deutsche Geschichte bereithält. In der kollektiven Erinnerung der Deutschen nimmt damit der katastrophale Mißerfolg ihrer Revolution gegen die Demokratie eine ähnliche Rolle ein wie bei anderen Völkern die Erinnerung an eine erfolgreiche demokratische Revolution.

Nach dem „Zusammenbruch" von 1945 erhielt nur ein Teil Deutschlands, der westliche, nochmals die Chance, eine Demokratie aufzubauen. Das

Grundgesetz der Bundesrepublik Deutschland, das der Parlamentarische Rat 1948/49 erarbeitete, war ein Versuch, aus Weimar zu lernen. Nie wieder sollte es möglich sein, die demokratische Ordnung auf legalem Weg zu beseitigen, nie wieder sollte ein republikanisches Staatsoberhaupt die Rolle des Ersatzgesetzgebers übernehmen und das Parlament ausschalten können, nie wieder eine negative, nicht regierungsfähige Mehrheit das Recht haben, einen Kanzler zu stürzen. Der Parlamentarische Rat ersetzte daher die relativistische durch eine abwehrbereite Demokratie; er verlieh dem Amt des Bundespräsidenten eine überwiegend repräsentative Bedeutung; er führte das konstruktive Mißtrauensvotum ein, das mehr als jeder andere Verfassungsartikel dazu beitrug, aus der Bundesrepublik eine „Kanzlerdemokratie" zu machen. Und auch darin zog Bonn aus Weimar Konsequenzen, daß es die plebiszitäre Konkurrenz zur parlamentarischen Demokratie beseitigte und damit den Bundestag als Gesetzgebungsorgan stärkte.[13]

Die Unterschiede zwischen den Verfassungen von 1919 und 1949 erklären aber nur zum Teil, warum die zweite Demokratiegründung in Deutschland so viel erfolgreicher war als die erste. Der moralische Bruch mit dem vorangegangenen Regime, den nach 1945, anders als nach 1918, viele Deutschen vollzogen, ist ebenfalls nur eine von mehreren Ursachen dafür, daß „Bonn" nicht „Weimar" wurde. Mindestens ebenso wichtig waren gesellschaftliche Veränderungen bei den Führungsschichten. Durch den Verlust der deutschen Ostgebiete und die „Bodenreform" in der Sowjetischen Besatzungszone hörte eine alte Machtelite, die besonders aktiv gegen Weimar gekämpft hatte, das ostelbische Junkertum, zu bestehen auf. Die Schwerindustrie, vor 1933 ähnlich antidemokratisch eingestellt wie die Rittergutsbesitzer, spielte in der Bundesrepublik wirtschaftlich eine sehr viel weniger bedeutende Rolle als in der Weimarer Republik, und dank der paritätischen Mitbestimmung konnte sie auch politisch nicht in ihre eigenen Fußstapfen treten. Ein deutsches Militär gab es nach 1945 zunächst überhaupt nicht mehr. Als nach 1955 die Bundeswehr entstand, sorgten eine republikanische Wehrverfassung und eine strenge Auswahl des Offizierskorps dafür, daß sich nicht abermals ein „Staat im Staat" herausbildete.

Auch außen- und wirtschaftspolitisch unterschied sich die Situation der Bundesrepublik grundlegend von der Weimars. Das westliche Deutschland wurde im Zuge des „Kalten Krieges" rasch von den westlichen Alliierten rehabilitiert. Der Marshallplan war ein historisches Kontrastprogramm zu den Reparationen, die die Weimarer Republik schwer belastet und nach 1930 viel zur Verschärfung der sozialen und politischen Krise beigetragen hatten. Zu keiner Zeit mußte sich die „alte" Bundesrepublik einer Herausforderung wie der Großen Depression stellen.

Auf einen weiteren wichtigen Unterschied zwischen der ersten und der zweiten Republik hat bereits 1955 der Schweizer Publizist Fritz René Allemann in seinem Buch „Bonn ist nicht Weimar" aufmerksam gemacht: Anders als nach 1918 betrieb nach 1949 die gemäßigte Rechte, repräsentiert durch Adenauer und die Unionsparteien, eine Politik der supranationalen Integration, während die gemäßigte Linke in Gestalt der Sozialdemokratischen Partei unter Kurt Schumacher den nationalen Part übernahm und sich als Partei der deutschen Einheit profilierte. Die konservativen Demokraten setzten sich durch, weil ihre Politik die überzeugendere Antwort auf das Bedürfnis der Westdeutschen nach Sicherheit darstellte. Von innen war diese Sicherheit, anders als in Weimar, kaum noch bedroht. Dagegen gab es eine verbreitete und begründete Angst vor einer äußeren Bedrohung: dem Streben der Sowjetunion nach Ausweitung ihres Einfluß- und Herrschaftsbereiches. Diesem Sachverhalt trug die Politik der Westintegration sehr viel stärker Rechnung als eine betont nationale, auf dem Vorrang der Wiedervereinigung beharrende Politik.[14]

Der zweite deutsche Staat, die Deutsche Demokratische Republik, zog andere Schlußfolgerungen aus Weimar als die Bundesrepublik. Die erste deutsche Republik war der marxistisch-leninistischen Deutung zufolge aus einer bürgerlich-demokratischen Revolution hervorgegangen, die in gewissem Umfang mit proletarischen Mitteln und Methoden durchgeführt wurde. Der angebliche Klassenverrat der mehrheitssozialdemokratischen Führung ermöglichte es der Monopolbourgeoisie jedoch, ihre Herrschaftspositionen zu behaupten und auszubauen. Im Zuge der verschärften Krise des Kapitalismus nach 1929 betrieben die Spitzen der Monopolbourgeoisie dann laut SED-Historiographie die Ablösung der bürgerlichen Demokratie durch den Faschismus. Den „Faschismus an der Macht" interpretierten die ostdeutschen Historiker, entsprechend der seit Dezember 1933 gültigen Doktrin der Kommunistischen Internationale, als die „offene terroristische Diktatur der reaktionärsten, am meisten chauvinistischen, am meisten imperialistischen Elemente des Finanzkapitals" – eine Formel, die im Laufe der Jahre zwar zunehmend differenzierter ausgelegt, aber nichtsdestoweniger prinzipiell beibehalten wurde.

Die Machtübernahme des Faschismus wäre nach dieser Lesart nur durch eine rechtzeitige Klärung der Machtfrage zugunsten der Arbeiterklasse und ihrer Verbündeten zu verhindern gewesen. Daß diese Klärung nicht erfolgte, lag, so weiter die offizielle Geschichtsauffassung der DDR, an der Spaltung der Arbeiterklasse durch die sozialdemokratische Führung. Aus dieser Erfahrung galt es nach der Befreiung vom Faschismus die einzig richtige Konsequenz zu ziehen: Die Arbeiterklasse mußte sich in *einer* Partei vereinigen, die konsequent mit den Traditionen des sozialdemokratischen Opportunismus brach und sich in den Besitz der entscheidenden staatlichen und gesellschaftlichen Machtpositionen setzen. Da der westliche Imperialismus, unterstützt von den rechten sozialdemokratischen Führern, die Erfüllung dieser historischen Aufgabe im Westen Deutschlands fürs erste unmöglich machte, konnten die Lehren aus Weimar zunächst nur in dem Teil Deutschlands befolgt werden, der dank der solidarischen Hilfe der Sowjetunion dem Zugriff des Imperialismus entzogen blieb: in der DDR. Das waren die geschichtspolitischen Vorgaben, an denen sich die ostdeutsche Geschichtswissenschaft ausrichtete – zuletzt mit mancher Nuancierung im einzelnen, aber in den Grundzügen doch linientreu.[15]

In beiden deutschen Staaten blieb Weimar damit als politisches Bezugssystem lebendig, wobei Bundesrepublik und DDR die Diskontinuität betonten: Aus Weimar lernen hieß in aller Regel, es anders machen als Weimar. Die historische Forschung des Westens hat zwar auch die Errungenschaften der ersten Republik, zumal auf den Gebieten der Sozialpolitik, der neuen Wohnkultur und der Bildungsreform, und damit positive Kontinuitätsstränge herausgearbeitet. Aber angesichts des Scheiterns der Republik konnte sich aus alledem keine Erfolgsgeschichte ergeben, sondern nur ein Beitrag zur Differenzierung eines insgesamt negativen Gesamturteils.

Bis zur Vereinigung der beiden deutschen Staaten im Jahre 1990 war die Zeit der ersten Republik die einzige Phase der deutschen Geschichte, in der Deutschland zugleich eine Demokratie und ein Nationalstaat war. Die „alte" Bundesrepublik bezog, seit die Ostverträge die staatliche Teilung erträglicher gemacht hatten, ihr Selbstbewußtsein zunehmend aus dem Gefühl, eine „postnationale Demokratie unter Nationalstaaten" zu sein. Für das vereinigte Deutschland trifft diese Formel Karl Dietrich Brachers, eines der Pioniere der bundesdeutschen Weimarforschung, nicht mehr zu. Die neue größere Bundesrepublik ist wiederum eine Demokratie und ein – wenn auch nicht mehr klassischer, sondern europäisch und atlantisch eingebundener – Nationalstaat.[16]

In gewisser Weise rückt Weimar damit der Gegenwart näher. Die erste deutsche Republik ist nicht mehr bloß Vorgeschichte des „Dritten Reiches" und Kontrast zu seinen beiden Nachfolgestaaten, sondern im Positiven wie im Negativen Vorgeschichte der zweiten gesamtdeutschen Demokratie. Doch anders als Weimar ist die erweiterte Bundesrepublik keine ungelernte Demokratie mehr. Sie hat nicht nur die Weimarer, sondern auch die sehr viel erfolgreicheren Bonner Lehrjahre hinter sich. *Beide* Kapitel gehören zu dem Fundament an historischer Erfahrung, auf dem die Demokratie des vereinigten Deutschland aufbauen kann.

Anmerkungen

1. Das zwiespältige Erbe

1 Eduard Bernstein, Die deutsche Revolution, ihr Ursprung, ihr Verlauf und ihr Werk. 1. Band: Geschichte der Entstehung und ersten Arbeitsperiode der deutschen Republik (nur Bd. 1 erschienen), Berlin 1921, S. 172.

2 Richard Löwenthal, Bonn und Weimar: Zwei deutsche Demokratien, in: Heinrich August Winkler (Hg.), Politische Weichenstellungen im Nachkriegsdeutschland 1945–1953. Geschichte und Gesellschaft, Sonderheft 5, Göttingen 1979, S. 9–25 (11).

3 Detlef Lehnert, Sozialdemokratie und Novemberrevolution. Die Neuordnungsdebatte 1918/19 in der politischen Publizistik von SPD und USPD, Frankfurt 1983, S. 103.

4 Heinrich Ströbel, Die deutsche Revolution. Ihr Unglück und ihre Rettung, Berlin o. J. (Vorwort: 1920), S. 172.

5 Karl Kautsky, Brief an Franz Mehring vom 8. 7. 1893, zit. nach Dieter Grosser, Vom monarchischen Konstitutionalismus zur parlamentarischen Demokratie. Die Verfassungspolitik der deutschen Parteien im letzten Jahrzehnt des Kaiserreichs, Den Haag 1970, S. 33f.

6 M. Rainer Lepsius, Parteiensystem und Sozialstruktur: Zum Problem der Demokratisierung der deutschen Gesellschaft, in: Gerhard A. Ritter (Hg.), Die deutschen Parteien vor 1918, Köln 1973, S. 56–80.

7 Heinrich August Winkler, Vom linken zum rechten Nationalismus: Der deutsche Liberalismus in der Krise von 1878/79, in: ders., Liberalismus und Antiliberalismus. Studien zur politischen Sozialgeschichte des 19. u. 20. Jahrhunderts, Göttingen 1978, S. 36–51; Dieter Groh u. Peter Brandt, „Vaterlandslose Gesellen". Sozialdemokratie und Nation 1860–1990, München 1992.

8 Wolfgang Kruse, Krieg, Neuorientierung und Spaltung. Die politische Entwicklung der deutschen Sozialdemokratie 1914–1918 im Lichte der Vorstellungen ihrer revisionistisch-reformistisch geprägten Kritiker, in: IWK 23 (1987), Heft 1, S. 1–27.

9 Zusammenfassend: Susanne Miller, Burgfrieden und Klassenkampf. Die deutsche Sozialdemokratie im Ersten Weltkrieg, Düsseldorf 1974.

10 Fritz Fischer, Griff nach der Weltmacht. Die Kriegszielpolitik des kaiserlichen Deutschland 1914/18, Düsseldorf 1971^{4}; Dirk Stegmann, Bismarcks Erben. Parteien und Verbände in der Spätphase des Wilhelminischen Deutschland 1897–1918, Köln 1970; Wilhelm Ribhegge, Frieden für Europa. Die Politik der deutschen Reichstagsmehrheit 1917–18, Essen 1988.

11 Gerald D. Feldman, Army, Industry and Labor in Germany 1914–1918, Princeton 1966; ders., Eberhard Kolb u. Reinhard Rürup, Die Massenbewegungen der Arbeiterschaft in Deutschland am Ende des Ersten Weltkrieges (1917–1920), in: PVS 13 (1972), S. 84–105; Arthur Rosenberg, Entstehung der Weimarer Republik (1. Aufl. 1928), Frankfurt 1961, S. 178ff.

12 Erklärung des Parteivorstands der SPD zum Massenstreik (Februar 1918) in: Die Reichstagsfraktion der deutschen Sozialdemokratie 1898 bis 1918. Zweiter Teil, bearb. v. Erich Matthias u. Eberhard Pikart, Düsseldorf 1966, S. 364–372.

13 Peter Lösche, Der Bolschewismus im Urteil der deutschen Sozialdemokratie 1903–1920, Berlin 1967, S. 116–157; Jürgen Zaruski, Die deutschen Sozialdemokraten und

das sowjetische Modell. Ideologische Auseinandersetzung und außenpolitische Konzeption, München 1992, S. 39ff.; Uli Schöler, „Despotischer Sozialismus" oder „Staatssklaverei". Die theoretische Verarbeitung der sowjetrussischen Entwicklung in der Sozialdemokratie Deutschlands und Österreichs 1917–1929, 2 Bde., Münster 1990.

14 Die Zitate: Karl-Ludwig Ay, Die Entstehung einer Revolution. Die Volksstimmung in Bayern während des Ersten Weltkrieges, Berlin 1968, S. 101; Ernst Troeltsch, Spektator-Briefe. Aufsätze über die deutsche Revolution und die Weltpolitik 1918/22, Tübingen 1924, S. 10; Reichstagsfraktion (Anm. 12), S. 458. Zur sozialen Entwicklung während des Ersten Weltkrieges: Jürgen Kocka, Klassengesellschaft im Krieg. Deutsche Sozialgeschichte 1914–1918, Göttingen 1978².

15 Reichstagsfraktion (Anm. 12), S. 417–460 (das Zitat: 442).

16 Der Interfraktionelle Ausschuß 1917/18. Zweiter Teil, bearb. von Erich Matthias unter Mitwirkung von Rudolf Morsey, Düsseldorf 1959, S. 469–798.

17 Albrecht v. Thaer, Generalstabsdienst an der Front und in der OHL. Aus Briefen und Tagebuchaufzeichnungen 1915–1919, hg. v. Siegfried A. Kaehler, Göttingen 1958, S. 234f. (Äußerung Ludendorffs vom 1. 10. 1918).

18 Die Regierung des Prinzen Max von Baden, bearb. von Erich Matthias u. Rudolf Morsey, Düsseldorf 1962, S. 3–45; Philipp Scheidemann, Der Zusammenbruch, Berlin 1921, S. 174–176; Reichstagsfraktion (Anm. 12), S. 463–468; Das Kriegstagebuch des Reichstagsabgeordneten Eduard David 1914 bis 1918. In Verbindung mit Erich Matthias bearbeitet von Susanne Miller, Düsseldorf 1966, S. 285.

19 Wolfgang Sauer, Das Scheitern der parlamentarischen Demokratie, in: Eberhard Kolb (Hg.), Vom Kaiserreich zur Republik, Köln 1972, S. 77–99 (das Zitat: 84); Leonidas E. Hill, Signal zur Konterrevolution? Der Plan zum Vorstoß der deutschen Hochseeflotte am 30. Oktober 1918, in: VfZ 36 (1988), S. 114–129; Gerhard Paul Groß, Die Seekriegsführung der Kaiserlichen Marine im Jahre 1918, Frankfurt 1989, S. 390ff. Der Brief von Prinz Max an Wilhelm II. in: Regierung (Anm. 18), S. 359f.

20 Ebd., S. 439–443 (Scheidemann, Trimborn, Groeber; 31. 10.), 522f. (Wiemer, Ebert; 5. 11.), 561f. (Ebert, 6. 11.). Das Zitat aus dem „Vorwärts": Waffenstillstands- und andere Fragen, in: Vorwärts, Nr. 305, 5. 11. 1918.

21 Regierung (Anm. 18), S. 492 (Scheidemann, 4. 11.). Zusammenfassend zur Lage bei der Hochseeflotte: Wilhelm Deist, Die Politik der Seekriegsleitung und die Rebellion der Flotte Ende Oktober 1918, in: VfZ 14 (1966), S. 325–343.

22 Heinrich August Winkler, Von der Revolution zur Stabilisierung. Arbeiter und Arbeiterbewegung in der Weimarer Republik 1918–1924, Berlin 1985², S. 34–36, 59–61 (mit weiterer Lit.).

23 Harry Graf Kessler, Tagebücher 1918–1937, Frankfurt 1961, S. 18; Prinz Max von Baden, Erinnerungen und Dokumente. Neuausgabe, hg. von Golo Mann u. Andreas Burckhardt, Stuttgart 1968, S. 588.

24 Reichstagsfraktion (Anm. 12), S. 513f.; Prinz Max, Erinnerungen (Anm. 20), S. 567; Regierung (Anm. 18), S. 574–612; Schulthess' Europäischer Geschichtskalender. Neue Folge, 34. Jg. 1918, 1. Teil, München 1922, S. 422–431 (Erklärungen der SPD und Bericht der „B. Z. am Mittag").

25 Reichstagsfraktion (Anm. 12), S. 518–520; Prinz Max, Erinnerungen (Anm. 23), S. 596–600; Gerhard A. Ritter u. Susanne Miller (Hg.), Die deutsche Revolution 1918–1919. Dokumente, Hamburg 1975², S. 79f. (Aufruf Eberts vom 9. 11. 1918); Scheidemann, Zusammenbruch (Anm. 18), S. 205; Regierung (Anm. 18), S. 523 (Ebert, 5. 11.), 581 (Scheidemann, 7. 11.); Winkler, Von der Revolution (Anm. 22), S. 40–47.

2. Die gebremste Revolution

1 Gerhard A. Ritter u. Susanne Miller (Hg.), Die deutsche Revolution 1918–1919. Dokumente, Hamburg 1975[2], S. 77–79 (Ansprachen Scheidemanns und Liebknechts).

2 Heinz Hürten, Die Kirchen in der Novemberrevolution. Eine Untersuchung zur Geschichte der Deutschen Revolution 1918/19, Regensburg 1984; ders., Deutsche Katholiken 1918–1945, Paderborn 1992, S. 49ff.; Martin Greschat, Der deutsche Protestantismus im Revolutionsjahr 1918–19, Witten 1974; Kurt Nowak, Evangelische Kirche und Weimarer Republik. Zum politischen Weg des deutschen Protestantismus zwischen 1918 und 1932, Weimar 1988[2]; Jonathan C. R. Wright, „Über den Parteien". Die politische Haltung der evangelischen Kirchenführer 1918–1933 (engl. Orig.: Oxford 1974), Göttingen 1977; Gottfried Mehnert, Evangelische Kirche und Politik 1917–1919. Die politischen Strömungen im deutschen Protestantismus von der Julikrise 1917 bis zum Herbst 1919, Düsseldorf 1959; Karl-Wilhelm Dahm, Pfarrer und Politik. Soziale Position und politische Mentalität des deutschen evangelischen Pfarrerstandes zwischen 1918 und 1933, Opladen 1965; Jochen Jacke, Kirche zwischen Monarchie und Republik. Der preußische Protestantismus nach dem Zusammenbruch von 1918, Hamburg 1976.

3 Ritter/Miller (Hg.), Revolution (Anm. 1), S. 68–72 (Vorgänge in Spa am 9. 11. 1918), 80 (Aufruf Eberts vom 9. 11. 1918); Prinz Max von Baden, Erinnerungen und Dokumente. Neuausgabe, hg. von Golo Mann u. Andreas Burckhardt, Stuttgart 1968, S. 604; Ernst-Heinrich Schmidt, Heimatheer und Revolution 1918. Die militärischen Gewalten im Heimatgebiet zwischen Oktoberreform und Novemberrevolution, Stuttgart 1981, S. 306ff.

4 Eduard Bernstein, Die deutsche Revolution, ihr Ursprung, ihr Verlauf und ihr Werk. I. Band: Geschichte der Entstehung und ersten Arbeitsperiode der deutschen Republik, Berlin 1921, S. 32. Zum Verhältnis von MSPD und USPD: Hermann Müller-Franken, Die Novemberrevolution. Erinnerungen, Berlin 1928, S. 28.

5 Heinrich August Winkler, Von der Revolution zur Stabilisierung. Arbeiter und Arbeiterbewegung in der Weimarer Republik 1918–1924, Berlin 1985[2], S. 49–67. Zu den Biographien der Volksbeauftragten vgl. auch die Einleitung von Erich Matthias zu: Die Regierung der Volksbeauftragten. Eingeleitet von Erich Matthias. Bearbeitet von Susanne Miller unter Mitwirkung von Heinrich Potthoff, Düsseldorf 1969, Bd. 1, S. XXXI-XL. Zu den Arbeiter- und Soldatenräten u. a. Eberhard Kolb, Die Arbeiterräte in der deutschen Innenpolitik 1918–1919, Düsseldorf 1962[1].

6 Ulrich Kluge, Soldatenräte und Revolution. Studien zur Militärpolitik in Deutschland 1918/19, Göttingen 1975, bes. S. 82ff. Eine andere Bewertung der Absprache zwischen Ebert–Scheüch bei: Heinz Hürten u. Ernst-Heinrich Schmidt, Die Entstehung des Kabinetts der Volksbeauftragten. Eine quellenkritische Untersuchung, in: HJb 99 (1979), S. 255–267.

7 Richard Müller, Vom Kaiserreich zur Republik, Bd. 2: Die Novemberrevolution, Wien 1925, S. 12–15.

8 Ernst Troeltsch, Spektator-Briefe. Aufsätze über die deutsche Revolution und die Weltpolitik 1918/22, Tübingen 1924, S. 24.

9 Ritter/Miller (Hg.), Revolution (Anm. 1), S. 208f.

10 Susanne Miller, Die Bürde der Macht. Die deutsche Sozialdemokratie 1918–1920, Düsseldorf 1978, S. 104–115 (das Zitat: 107).

11 Eberhard Kolb, Internationale Rahmenbedingungen einer demokratischen Neuordnung in Deutschland 1918/19, in: Lothar Albertin u. Werner Link (Hg.), Politische Parteien auf dem Weg zur parlamentarischen Demokratie in Deutschland. Festschrift für Erich Matthias, Düsseldorf 1981, S. 147–176; Klaus Schwabe, Deutsche Revolution und Wilson-Friede, Düsseldorf 1971; Arno J. Mayer, Politics and Diplomacy of Peacemaking. Containment and Counterrevolution 1918–1919, New York 1971[2]; Harm Mögenburg, Die Haltung der britischen Regierung zur deutschen Revolution 1918/19, phil. Diss. Hamburg

1973; Henning Köhler, Novemberrevolution und Frankreich. Die französische Deutschlandpolitik 1917–1919, Stuttgart 1979; Peter Grupp, Deutsche Außenpolitik im Schatten von Versailles 1918–1920. Zur Politik des Auswärtigen Amts vom Ende des Ersten Weltkriegs und der Novemberrevolution bis zum Inkrafttreten des Versailler Vertrags, Paderborn 1988, S. 67ff.

12 Exemplarisch zur Kontroverse über die Handlungsspielräume von 1918/19 die beiden Beiträge zum Thema „Friedrich Ebert und das Problem der Handlungsspielräume in der deutschen Revolution 1918/19" von Reinhard Rürup (die Alternativen betonend) und Eckhard Jesse (auf äußere und innere Zwänge abhebend) in: Rudolf König u. a. (Hg.), Friedrich Ebert und seine Zeit. Bilanz und Perspektiven der Forschung, München 1990, S. 69–87, 89–110. Zusammenfassend zum Forschungsstand: Eberhard Kolb, Die Weimarer Republik, München 1988², S. 153–163.

13 Kolb, Arbeiterräte (Anm. 5), S. 185f.

14 Regierung (Anm. 5), S. LIV-LX.

15 Wolfgang Elben, Das Problem der Kontinuität in der deutschen Revolution. Die Politik der Staatssekretäre und der militärischen Führung von November 1918 bis Februar 1919, Düsseldorf 1965; Wolfgang Runge, Politik und Beamtentum im Parteienstaat. Die Demokratisierung der politischen Beamten in Preußen zwischen 1918 und 1933, Stuttgart 1965; Kolb, Arbeiterräte (Anm. 5), S. 262–281, 359–383; Winkler, Von der Revolution (Anm. 5), S. 72–75 (mit weiterer Lit.).

16 Ebd., S. 69–72; Kluge, Soldatenräte (Anm. 6), S. 206–250; Die Beschlüsse der Volksbeauftragten vom 11. u. 12. 12. 1918 in: Lothar Berthold u. Helmut Neef, Militarismus und Opportunismus gegen die Novemberrevolution. Das Bündnis der rechten SPD-Führung mit der Obersten Heeresleitung November und Dezember 1918. Eine Dokumentation, Berlin (O) 1978², S. 164–168.

17 Gerald D. Feldman, The Origins of the Stinnes-Legien-Agreement: A Documentation, in: IWK 9 (1973), Heft 19/20, S. 45–103; ders. u. Irmgard Steinisch, Industrie und Gewerkschaften 1918–1924. Die überforderte Zentralarbeitsgemeinschaft, Stuttgart 1985; Heinrich Potthoff, Gewerkschaften und Politik zwischen Revolution und Inflation, Düsseldorf 1979, S. 25ff.; Winkler, Von der Revolution (Anm. 5), S. 75–80.

18 Regierung (Anm. 5), Bd. 1, S. 104 (Beschluß vom 18. 11. 1918); Elben, Problem (Anm. 15), S. 81–87 (Zitat Müller: 87); Hans Schieck, Die Behandlung der Sozialisierungsfrage in den Monaten nach dem Staatsumsturz, in: Eberhard Kolb (Hg.), Vom Kaiserreich zur Weimarer Republik, Köln 1972, S. 138–164.

19 Heinrich Muth, Die Entstehung der Bauern- und Landarbeiterräte im November 1918 und die Politik des Bundes der Landwirte, in: VfZ 21 (1973), S. 1–38; Martin Schumacher, Land und Politik. Eine Untersuchung über politische Parteien und agrarische Interessen 1914–1923, Düsseldorf 1978; Jens Flemming, Landwirtschaftliche Interessen und Demokratie. Ländliche Gesellschaft, Agrarverbände und Staat 1890–1925, Bonn 1978, S. 252–265. Der Aufruf vom 12. 11. 1918 in: Dokumente und Materialien zur Geschichte der deutschen Arbeiterbewegung, Reihe II, Bd. 2, Berlin (O) 1957, S. 367f.

20 Rudolf Morsey, Die Deutsche Zentrumspartei 1917–1923, Düsseldorf 1966, S. 110–142; Müller, Bürde (Anm. 10), S. 215–218; Hürten, Kirchen (Anm. 2), S. 37ff.

21 Friedrich Ebert, Schriften, Aufzeichnungen, Reden, 2 Bände, Dresden 1926, Bd. 2, S. 127; Regierung (Anm. 5), Bd. I, S. 316–319; Kluge, Soldatenräte (Anm. 6), S. 231–244; Müller, Bürde (Anm. 10), S. 177f.

22 Winkler, Von der Revolution (Anm. 5), S. 100–109 (mit den Zitatnachweisen); Kluge, Soldatenräte (Anm. 6), S. 250–260; Wolfram Wette, Gustav Noske. Eine politische Biographie, Düsseldorf 1987, S. 333–368. Die Verhandlungen des ersten Rätekongresses in: Allgemeiner Kongreß der Arbeiter- und Soldatenräte Deutschlands. Vom 16. bis 21. Dezember 1918 im Abgeordnetenhaus zu Berlin, Berlin 1919. Zur Kritik des „reinen Rätesystems":

Gerhard A. Ritter, „Direkte Demokratie" und Rätewesen in Geschichte und Theorie, in: ders., Arbeiterbewegung, Parteien und Parlamentarismus, Göttingen 1976, S. 292–316.

23 Aus den Geburtsstunden der Weimarer Republik. Das Tagebuch des Obersten Ernst van den Bergh. Hg. v. Wolfram Wette, Düsseldorf 1991, S. 63–69 (Eintragungen vom 25. u. 27. 12. 1918); Karl-Heinz Luther, Die nachrevolutionären Machtkämpfe in Berlin, November 1918 bis März 1919, in: JGMO 8 (1959), S. 187–222; Arthur Rosenberg, Geschichte der Weimarer Republik. Neuausgabe, Frankfurt 1961, S. 43–49 (zu den Schildern bei der Beerdigung der Matrosen: 46); Kluge, Soldatenräte (Anm. 5), S. 260–270; Kolb, Arbeiterräte (Anm. 5), S. 209–216; Winkler, Von der Revolution (Anm. 5), S. 109–113.

24 Hermann Weber (Hg.), Der Gründungsparteitag der KPD. Protokoll und Materialien, Frankfurt 1969, S. 41 f. (Programm), 99 (R. Luxemburg); Rosenberg, Geschichte (Anm. 23), S. 51 f.

25 Richard Müller, Der Bürgerkrieg in Deutschland, Berlin 1925, S. 32 f.

26 Geburtsstunden (Anm. 23), S. 73–82 (Eintragungen vom 6. bis 12. 1. 1919); Kolb, Arbeiterräte (Anm. 5), S. 223–243; Winkler, Von der Revolution (Anm. 5), S. 120–133 (mit weiterer Lit.); Klaus Gietinger, Nachträge, betreffend Aufklärung der Umstände, unter denen Frau Dr. Rosa Luxemburg den Tod gefunden hat, in: IWK 28 (1992), Heft 3, S. 319–373; Noskes Ausspruch vom 7. 1. 1919 in: Gustav Noske, Von Kiel bis Kapp, Berlin 1920, S. 67. Zur Haltung des Zentralrats: Der Zentralrat der Deutschen Sozialistischen Republik, 19. 12. 1918–8. 4. 1919. Vom ersten zum zweiten Rätekongreß. Bearbeitet von Eberhard Kolb unter Mitwirkung von Reinhard Rürup, Leiden 1968, S. 201 bis 338.

27 Peter von Oertzen, Betriebsräte in der Novemberrevolution. Eine politikwissenschaftliche Untersuchung über Ideengehalt und Struktur der betrieblichen und wirtschaftlichen Arbeiterräte in der deutschen Revolution 1918/19, Düsseldorf 1963, bes. S. 109 ff.; Erhard Lucas, Ursachen und Verlauf der Bergarbeiterbewegung in Hamborn und im westlichen Ruhrgebiet 1918/19, in: Duisburger Forschungen 15 (1971), S. 1–119; Reinhard Rürup (Hg.), Arbeiter- und Soldatenräte im rheinisch-westfälischen Industriegebiet. Studien zur Geschichte der Revolution 1918/19, Wuppertal 1975.

28 Werner Liebe, Die Deutschnationale Volkspartei 1918–1924, Düsseldorf 1956; Anneliese Thimme, Flucht in den Mythos. Die Deutschnationale Volkspartei und die Niederlage von 1918, Göttingen 1969; Wolfgang Hartenstein, Die Anfänge der Deutschen Volkspartei 1918–1920, Düsseldorf 1962; Lothar Albertin, Liberalismus und Demokratie am Anfang der Weimarer Republik. Eine vergleichende Analyse der Deutschen Demokratischen Partei und der Deutschen Volkspartei, Düsseldorf 1972; Larry Eugene Jones, German Liberalism and the Dissolution of the Weimar Party System, 1918–1933, Chapel Hill 1988; Klaus Schönhoven, Die Bayerische Volkspartei 1924–1932, Düsseldorf 1972; Morsey, Zentrumspartei (Anm. 20). Die Gründungs- und Wahlaufrufe der bürgerlichen Parteien in: Ritter/Miller (Hg.), Revolution (Anm. 1), S. 296–319. Zum Wahlkampf allgemein: Detlef Lehnert, Propaganda des Bürgerkriegs? Politische Feindbilder in der Novemberrevolution als mentale Destabilisierung der Weimarer Demokratie in: ders. u. Klaus Megerle (Hg.), Politische Teilkulturen zwischen Integration und Polarisierung. Zur politischen Kultur in der Weimarer Republik, Opladen 1990, S. 61–101.

29 Miller, Bürde (Anm. 10), S. 457 f.; Schulthess' Europäischer Geschichtskalender. Neue Folge, 35. Jg. 1919, 1. Teil, München 1923, S. 7–10.

30 Klaus Hock, Die Gesetzgebung des Rates der Volksbeauftragten, Pfaffenweiler 1987; Ludwig Preller, Sozialpolitik in der Weimarer Republik, Düsseldorf 1978², S. 230–237; Winkler, Von der Revolution (Anm. 5), S. 89–91. Das Programm der Volksbeauftragten in: Regierung (Anm. 5), Bd. 1, S. 37 f.

31 Ebd., S. 166; Ritter/Miller (Hg.), Revolution (Anm. 1), S. 445–447; Miller, Bürde (Anm. 10), S. 188–203; Grupp, Außenpolitik (Anm. 11), S. 211–229.

32 Dietrich Orlow, Weimar Prussia 1918–1925. The Unlikely Rock of Democracy, Pittsburgh 1986; Hagen Schulze, Otto Braun oder Preußens demokratische Sendung. Eine Biographie, Frankfurt a. M. 1977; Horst Möller, Parlamentarismus in Preußen 1919–1932, Düsseldorf 1985. Die Äußerungen von Hirsch in: Schulthess 1919 (Anm. 29), 1. Teil, S. 20f.

33 Allgemeiner Kongreß (Anm. 22), Sp. 219.

3. Die bedrängte Mehrheit

1 Heinrich August Winkler, Von der Revolution zur Stabilisierung. Arbeiter und Arbeiterbewegung in der Weimarer Republik 1918–1924, Berlin 1985², S. 135–144; Gerhard A. Ritter, Kontinuität und Umformung des deutschen Parteiensystems 1918–1920, in: ders., Arbeiterbewegung, Parteien und Parlamentarismus, Göttingen 1976, S. 116–157; Gunther Hollenberg, Bürgerliche Sammlung oder sozialliberale Koalition? Sozialstruktur, Interessenlage und politisches Verhalten der bürgerlichen Schichten 1918 am Beispiel der Stadt Frankfurt am Main, in: VfZ 27 (1979), S. 392–430. Zu den bürgerlichen Parteien vgl. die in Anm. 2/28 genannte Lit.

2 Die Regierung der Volksbeauftragten. Eingeleitet von Erich Matthias. Bearbeitet von Susanne Miller unter Mitwirkung von Heinrich Potthoff, Düsseldorf 1969, Bd. 2, S. 225.

3 Eduard Bernstein, Die deutsche Revolution, ihr Ursprung, ihr Verlauf und ihr Werk. 1. Band: Geschichte der Entstehung und ersten Arbeitsperiode der deutschen Republik, Berlin 1921, S. 198 (Hervorhebungen im Original). Zur Koalitionsbildung: Winkler, Von der Revolution (Anm. 1), S. 144f.; Susanne Miller, Die Bürde der Macht. Die deutsche Sozialdemokratie 1918–1920, Düsseldorf 1978, S. 243–248; Rudolf Morsey, Die Deutsche Zentrumspartei 1917–1923, Düsseldorf 1966, S. 163–176; Larry Eugene Jones, German Liberalism and the Dissolution of the Weimar Party System, 1918–1933, Chapel Hill 1988, S. 30–43.

4 Über Ebert u. a. Peter-Christian Witt, Friedrich Ebert. Parteiführer, Reichskanzler, Volksbeauftragter, Reichspräsident, Bonn 1987. Zu Scheidemann und den Mitgliedern seines Kabinetts: Akten der Reichskanzlei (= AdR). Weimarer Republik. Das Kabinett Scheidemann, 13. Februar bis 20. Juni 1919, bearbeitet von Hagen Schulze, Boppard 1971, S. XXVI-XXXII; ferner: Horst Lademacher, Philipp Scheidemann, in: Wilhelm von Sternburg (Hg.), Die deutschen Kanzler von Bismarck bis Schmidt, Königstein 1985, S. 161–175.

5 Zit. bei Gerald D. Feldman, Wirtschafts- und sozialpolitische Probleme der deutschen Demobilmachung, in: Hans Mommsen u. a. (Hg.), Industrielles System und politische Entwicklung in der Weimarer Republik, Düsseldorf 1977, S. 618–636 (635).

6 Carl Severing, 1919–1920 im Wetter- und Watterwinkel, Bielefeld 1927, S. 20ff.; Thomas Alexander, Carl Severing. Sozialdemokrat aus Westfalen mit preußischen Tugenden, Bielefeld 1992, S. 108ff. Zur Sozialisierungsbewegung und den Betriebsräten u. a. Peter von Oertzen, Betriebsräte in der Novemberrevolution, Düsseldorf 1963¹; ders., Die großen Streiks der Ruhrbergarbeiterschaft im Frühjahr 1919, in: VfZ 6 (1958), S. 231–262; Winkler, Von der Revolution (Anm. 1), S. 159–178 (mit weiterer Lit.). Zu den Freikorps u. a.: Robert G. L. Waite, Vanguard of Nazism. The Free Corps Movement in Postwar Germany 1918–1923, New York 1952¹; Hagen Schulze, Freikorps und Republik 1918–1920, Boppard 1969.

7 Richard Müller, Der Bürgerkrieg in Deutschland, Berlin 1925, S. 152ff.; Karl-Heinz Luther, Die nachrevolutionären Machtkämpfe in Berlin, November 1918 bis März 1919, in: JGMO 8 (1959), S. 187–222; Otmar Jung, „Da gelten Paragraphen nichts, sondern da gilt lediglich der Erfolg...". Noskes Erschießungsbefehl während des Märzaufstandes in Berlin 1919 – rechtshistorisch betrachtet, in: MGM 45 (1989), S. 51–79; Miller, Bürde (Anm. 3), S. 263–266.

8 Schulthess' Europäischer Geschichtskalender. Neue Folge, 35. Jg. 1919, I. Teil, München 1923, S. 162f. (Aufruf des Zentralrats vom 7. 4. 1919). Zu den Münchner Räterepubli-

ken u. a.: Allan Michtell, Revolution in Bayern 1918/19. Die Eisner-Regierung und die Räterepublik (amerik. Original: Princeton, 1965), München 1967, S. 236–303 (das Zitat aus dem Aufruf des Vollzugsrats vom 13. 4. 1919: 279); Heinrich Hillmayr, Roter und weißer Terror in Bayern nach 1918, München 1974, S. 71–74; ders., Die Revolution in Bayern 1918–1919, Berlin (O) 1982; Michael Seligmann, Aufstand der Räte. Die erste bayerische Räterepublik vom 7. April 1919, Grafenau 1989; Peter Kritzer, Die bayerische Sozialdemokratie und die bayerische Politik in den Jahren 1918–1923, München 1969, bes. S. 82–117; Karl Heinrich Pohl, Kurt Eisner und die Räterepublik in München, in: Manfred Hettling u. a. (Hg.), Was ist Gesellschaftsgeschichte? Positionen, Themen, Analysen, München 1991, S. 225–236; Winkler, Von der Revolution (Anm. 1), S. 184–190. Über Johannes Hoffmann: Diethard Hennig, Johannes Hoffmann. Sozialdemokrat und Bayerischer Ministerpräsident, München 1990.

9 Zur Rolle der Münchner Räterepubliken in der antisemitischen Agitation u. a.: Trude Maurer, Ostjuden in Deutschland 1918–1933, Hamburg 1986, bes. S. 148 ff. Das Zitat aus dem Aufruf vom 9. 5. 1919: Schulthess 1919 (Anm. 8), I. Teil, S. 201.

10 Winkler, Von der Revolution (Anm. 1), S. 259 (mit weiterer Lit.). Zu Levi: Charlotte Beradt, Paul Levi. Ein demokratischer Sozialist in der Weimarer Republik, Frankfurt 1969.

11 Unabhängige Sozialdemokratische Partei Deutschlands. Protokoll über die Verhandlungen des außerordentlichen Parteitags vom 2.–6. 3. 1919, Berlin o. J. (ND in: Protokolle der Parteitage der Unabhängigen Sozialdemokratischen Partei Deutschlands, Bd. 1, 1917–1919, Glashütten 1975), S. 3 f. (Programmatische Kundgebung), 212 (Zetkin). Zur USPD u. a.: David Morgan, The Socialist Left and the German Revolution. A History of the German Independent Social Democratic Party, 1917–1922, Ithaca 1975.

12 Heinrich Potthoff, Gewerkschaften und Politik zwischen Revolution und Inflation, Düsseldorf 1979, S. 130–141; Eberhard Kolb, Die Arbeiterräte in der deutschen Innenpolitik 1918–1919, Düsseldorf 1962[1], S. 359–371; Hans-Joachim Bieber, Bürgertum in der Revolution. Bürgerräte und Bürgerstreiks 1918–1920, Hamburg 1993; Winkler, Von der Revolution (Anm. 1), S. 198–205, 294.

13 Ebd., S. 190–198 (die Zitate von Moellendorff: 193); AdR, Kabinett Scheidemann (Anm. 4), S. 295 (Denkschrift Schmidts), 303 (Denkschrift Gotheins).

4. Der unbewältigte Friede

1 Akten der Reichskanzlei (= AdR), Weimarer Republik. Das Kabinett Scheidemann, 13. Februar bis 20. Juni 1919, bearbeitet von Hagen Schulze, Boppard 1971, S. 85–91, 146–149; Schulthess' Europäischer Geschichtskalender. N.F., 35. Jahrgang 1919, I. Teil, München 1923, S. 545–554 (Weißbuch), 482–484 (Aussage Hindenburgs); Karl Kautsky, Wie der Weltkrieg entstand, Berlin 1919, S. 9. Zur Kriegsschulddiskussion u. a.: Ulrich Heinemann, Die verdrängte Niederlage. Politische Öffentlichkeit und Kriegsschuldfrage in der Weimarer Republik, Göttingen 1983; Wolfgang Jäger, Historische Forschung und politische Kultur in Deutschland. Die Debatte 1914–1980 über den Ausbruch des Ersten Weltkrieges, Göttingen 1984, S. 34 ff.; ferner: Heinrich August Winkler, Von der Revolution zur Stabilisierung. Arbeiter und Arbeiterbewegung in der Weimarer Republik 1918–1924, Berlin 1985[2], S. 206–208; Peter Grupp, Deutsche Außenpolitik im Schatten von Versailles 1918–1920. Zur Politik des Auswärtigen Amts vom Ende des Ersten Weltkriegs und der Novemberrevolution bis zum Inkrafttreten des Versailler Vertrags, Paderborn 1988, S. 86–111. Zur Dolchstoßlegende u. a. Friedrich Frhr. Hiller v. Gaertringen, Dolchstoß-Diskussion und Dolchstoß-Legende im Wandel von vier Jahrzehnten, in: ders. u. Waldemar Besson (Hg.), Geschichte und Gegenwartsbewußtsein. Festschrift für Hans Rothfels, Göttingen 1963, S. 122–160.

2 Zusammenfassend: Gerhard Schulz, Revolutionen und Friedensschlüsse 1917–1920,

München 1967, S. 217–239; Karl Dietrich Erdmann, Die Zeit der Weltkriege, 1. Teilband: Der Erste Weltkrieg und die Weimarer Republik (= Bruno Gebhardt, Handbuch der deutschen Geschichte, 9. Aufl., Bd. 4 (1), Stuttgart 1973, S. 198–211;, Eberhard Kolb, Die Weimarer Republik, München 1988², S. 23–35 (jeweils mit weiterer Lit.). Der Wortlaut der Friedensbedingungen: Die Friedensbedingungen der Alliierten und Assoziierten Regierungen (Übersetzung), Berlin 1919.

3 Schulthess 1919 (Anm. 1), 2. Teil, S. 522 (Brockdorff-Rantzau); Die Deutsche Nationalversammlung im Jahr 1919 in ihrer Arbeit für den Aufbau des neuen deutschen Volksstaates, hg. von Eduard Heilfron, Bd. 4, Berlin 1919, S. 2646 (Scheidemann), 2650 (Hirsch), 2716 (Fehrenbach); Winkler, Von der Revolution (Anm. 1), S. 217 (Erklärung des Vorstands der Zentralarbeitsgemeinschaft). Vgl. auch Fritz Dickmann, Die Kriegsschuldfrage auf der Friedenskonferenz von Paris 1919, München 1964; Leo Haupts, Deutsche Friedenspolitik 1918–19. Eine Alternative zur Machtpolitik des Ersten Weltkrieges, Düsseldorf 1976; Peter Krüger, Die Außenpolitik der Republik von Weimar, Darmstadt 1985, bes. S. 61–76; ders., Deutschland und die Reparationen 1918/19, Stuttgart 1973, bes. S. 161 ff.

4 AdR, Kabinett Scheidemann (Anm. 1), S. 315 f., 417–507. Zur Haltung der DDP: Jürgen C. Heß, „Das ganze Deutschland soll es sein!" Demokratischer Nationalismus in der Weimarer Republik am Beispiel der Deutschen Demokratischen Partei, Stuttgart 1978, S. 76–111. Zur Haltung des Auswärtigen Amts: Akten zur deutschen auswärtigen Politik (= ADAP) 1918–1945. Serie A: 1918–1925, Bd. II: 7. Mai bis 31. Dezember 1919, Göttingen 1984, S. 3–146.

5 Die SPD-Fraktion in der Nationalversammlung 1919–1920. Eingeleitet von Heinrich Potthoff. Bearbeitet von Heinrich Potthoff u. Hermann Weber, Düsseldorf 1986, S. 81–84; Rudolf Morsey, Die Deutsche Zentrumspartei 1917–1923, Düsseldorf 1966, S. 180–195. Zusammenfassend zum alliierten Ultimatum vom 16. 6. 1919: Schulthess 1919 (Anm. 1), 2. Teil, S. 559–582. Der Vertragstext in: Der Vertrag von Versailles. Der Friedensvertrag zwischen Deutschland und den Alliierten und Assoziierten Mächten nebst dem Schlußprotokoll und der Vereinbarung betr. die militärische Besetzung der Rheinlande, Berlin 1926.

6 ADAP (Anm. 4), Serie A, Bd. II, S. 120–126; Lothar Albertin, Liberalismus und Demokratie am Anfang der Weimarer Republik. Eine vergleichende Analyse der Deutschen Demokratischen Partei und der Deutschen Volkspartei, Düsseldorf 1972, S. 338–337; Morsey, Zentrumspartei (Anm. 5), S. 185 f.; SPD-Fraktion (Anm. 5), S. 91 f.; AdR, Kabinett Scheidemann (Anm. 1), S. LXI f.

7 Ebd., S. 454–464 (Aufzeichnung des preußischen Innenministeriums zu den Oststaatsplänen, 14. 6. 1919), 476–492 (Aufzeichnung Groeners über die Tage in Weimar vom 18.–20. 6. 1919); Horst Mühleisen, Annehmen oder Ablehnen? Das Kabinett Scheidemann, die Oberste Heeresleitung und der Vertrag von Versailles, in: VfZ 35 (1987), S. 419–481; Hagen Schulze, Der Oststaats-Plan von 1919, ebd., 18 (1970), S. 123–163; Wilhelm Ribhegge, August Winnig. Eine historische Persönlichkeitsanalyse, Bonn 1973, S. 115–231. Zum rheinischen Separatismus u. a.: Erwin Bischof, Rheinischer Separatismus 1918–1924. Hans Adam Dortens Rheinstaatsbestrebungen, Bern 1969; Karl Dietrich Erdmann, Adenauer in der Rheinlandpolitik nach dem Ersten Weltkrieg, Stuttgart 1966; Hans-Peter Schwarz, Adenauer. Der Aufstieg: 1876–1952, Stuttgart 1986, S. 202–229; Henning Köhler, Autonomiebewegung oder Separatismus? Die Politik der „Kölnischen Volkszeitung" 1918/19, Berlin 1974.

8 AdR, Die Weimarer Republik. Das Kabinett Bauer. 21. Juni 1919 bis 27. März 1920, bearbeitet von Anton Golecki, Boppard 1980, S. XXII-XLV. Zu Bauer: Martin Vogt, Gustav Adolf Bauer, in: Wilhelm von Sternburg (Hg.), Die deutschen Kanzler von Bismarck bis Schmidt, Königstein 1985, S. 177–190; Karlludwig Rintelen, Ein undemokratischer Demokrat: Gustav Bauer. Gewerkschaftsführer – Freund Eberts – Reichskanzler. Eine politische Biographie, Frankfurt 1993.

9 Gustav Noske, Von Kiel bis Kapp, Berlin 1920, S. 153; ders., Erlebtes aus Aufstieg und Niedergang einer Demokratie, Offenbach 1947, S. 107; Matthias Erzberger, Erlebnisse im Weltkrieg, Stuttgart 1920, S. 380–383; SPD-Fraktion (Anm. 5), S. 102–116 (Sitzungen vom 21.–23.6.1919); AdR, Kabinett Bauer (Anm. 8), S. 3–12 (Vortrag Groeners vom 23.6.1919); Aus den Geburtsstunden der Weimarer Republik. Das Tagebuch des Obersten Ernst van den Bergh. Hg. v. Wolfram Wette, Düsseldorf 1991, S. 91–113 (Eintragungen vom 13. bis 25.6.1919); Schulthess 1919 (Anm. 1), S. 247–265; Morsey, Zentrumspartei (Anm. 5), S. 188–192; Albertin, Liberalismus (Anm. 6), S. 344–354; Susanne Miller, Die Bürde der Macht. Die deutsche Sozialdemokratie 1918–1920, Düsseldorf 1978, S. 274–296.

10 Niederlage (Anm. 1), bes. S. 54ff. Bernsteins Rede: Protokoll über die Verhandlungen des Parteitages der Sozialdemokratischen Partei Deutschlands. Abgehalten in Weimar vom 10. bis 15. Juni 1919. Bericht über die 7. Frauenkonferenz, abgehalten in Weimar am 15. und 16. Juni 1919, Berlin 1919 (ND Glashütten 1973), S. 242–247. Zur Lage Deutschlands nach dem Versailler Frieden vgl. u. a. das differenzierte Urteil von Sebastian Haffner, Von Bismarck zu Hitler. Ein Rückblick, München 1987, S. 177ff. Zur französischen Reaktion auf den Vertrag von Versailles: Pierre Miquel, La Paix de Versailles et l'opinion publique française, Paris 1972.

5. Die hingenommene Verfassung

1 Hugo Preuß, Volksstaat oder verkehrter Obrigkeitsstaat?, in: ders., Staat, Recht und Freiheit. Aus 40 Jahren deutscher Politik und Geschichte, Hildesheim 1964, S. 365–368. Zur Entstehung der Weimarer Reichsverfassung u. a.: Reinhard Rürup, Kontinuität und Grundlagen der Weimarer Verfassung, in: Eberhard Kolb (Hg.), Vom Kaiserreich zur Weimarer Republik, Köln 1972, S. 218–243; Heinrich Potthoff, Das Weimarer Verfassungswerk und die deutsche Linke, in: AfS 12 (1972), S. 433–483; Sigrid Vestring, Die Mehrheitssozialdemokratie und die Entstehung der Reichsverfassung von Weimar 1918/1919, Münster 1987; Peter Steinbach, Sozialdemokratie und Verfassungsverständnis. Zur Ausbildung einer liberaldemokratischen Verfassungskonzeption in der Sozialdemokratie seit Mitte des 19. Jahrhunderts, Opladen 1983; Ernst Portner, Die Verfassungspolitik der Liberalen 1919, Bonn 1973; Dieter Grimm, Die Bedeutung der Weimarer Verfassung in der deutschen Verfassungsgeschichte, Heidelberg 1990; Hans Boldt, Die Weimarer Reichsverfassung, in: Karl-Dietrich Bracher u. a. (Hg.), Die Weimarer Republik 1918–1933, Düsseldorf 1987, S. 44–62; Ernst Rudolf Huber, Deutsche Verfassungsgeschichte seit 1789. Bd. V: Weltkrieg, Revolution und Reichserneuerung 1914–1919; Stuttgart 1978, bes. S. 1178–1205; Ulrich Kluge, Die deutsche Revolution 1918/19. Staat, Politik und Gesellschaft zwischen Weltkrieg und Kapp-Putsch, Frankfurt 1985, S. 159–180; Heinrich August Winkler, Von der Revolution zur Stabilisierung. Arbeiter und Arbeiterbewegung in der Weimarer Republik 1918–1924, Berlin 1985[2], S 227–242.

2 Gerhard Anschütz, Die Verfassung des Deutschen Reiches vom 11. August 1919, Berlin 1926[4], S. 89–105; Willibalt Apelt, Geschichte der Weimarer Verfassung, München 1964[2], S. 92–124; Gerhard Schulz, Zwischen Demokratie und Diktatur. Verfassungspolitik und Reichsreform in der Weimarer Republik, Bd. 1, Berlin 1963[1], S. 101–212; Enno Eimers, Das Verhältnis von Preußen und Reich in den ersten Jahren der Weimarer Republik (1918–1923), Berlin 1969.

3 Die SPD-Fraktion in der Nationalversammlung 1919–1920. Eingeleitet von Heinrich Potthoff. Bearbeitet von Heinrich Potthoff und Hermann Weber, Düsseldorf 1986, S. 43; Die Deutsche Nationalversammlung im Jahr 1919 in ihrer Arbeit für den Aufbau des neuen deutschen Volksstaates, hg. von Eduard Heilfron, Berlin 1919, Bd. 2, S. 925. Der Begriff „Parlaments-Absolutismus" in: Hugo Preuß, Das Verfassungswerk von Weimar, in: ders., Staat (Anm. 1), S. 426.

4 SPD-Fraktion (Anm. 3), S. 45. Zusammenfassend zu den Verfassungsberatungen über Volksbegehren und Volksentscheid: Reinhard Schiffers, Elemente direkter Demokratie im Weimarer Regierungssystem, Düsseldorf 1971, S. 117–154; zum Artikel 48: Christoph Gusy, Weimar – die wehrlose Republik? Verfassungsschutzrecht und Verfassungsschutz in der Weimarer Republik, Tübingen 1991, S. 46ff.

5 Nationalversammlung (Anm. 3), S. 4321f. Zum zweiten Rätekongreß: Winkler, Von der Revolution (Anm. 1), S. 201–203.

6 Ebd., S. 235–239 (mit weiterer Lit.).

7 Zusammenfassend dazu Anschütz, Verfassung (Anm. 2), S. 41–44.

8 SPD-Fraktion (Anm. 3), S. 121–136, 148f.; Wolfgang W. Wittwer, Die sozialdemokratische Schulpolitik in der Weimarer Republik, Berlin 1980, S. 85ff.; Rudolf Morsey, Die Deutsche Zentrumspartei 1917–1923, Düsseldorf 1966, S. 208–217; Günter Grünthal, Reichsschulgesetz und Zentrumspartei in der Weimarer Republik, Düsseldorf 1968, S. 36ff.; Apelt, Geschichte (Anm. 2), S. 329–337.

9 Davids Urteil in: Nationalversammlung (Anm. 3), Bd. 7, S. 453. Zum Problem der direkten Demokratie u. a.: Schiffers, Elemente (Anm. 4); Otmar Jung, Direkte Demokratie in der Weimarer Republik. Die Fälle „Aufwertung", „Fürstenenteignung", „Panzerkreuzerverbot" und „Youngplan", Frankfurt 1989. Am grundsätzlichsten immer noch: Ernst Fraenkel, Die repräsentative und die plebiszitäre Komponente im demokratischen Verfassungsstaat, in: ders., Deutschland und die westlichen Demokratien, Stuttgart 1968[3], S. 81–119.

10 Ebd., S. 113.

11 Hans Fenske, Wahlrecht und Parteiensystem, Frankfurt 1972, bes. S. 349ff. Zusammenfassend zu der von Ferdinand A. Hermens ausgelösten Wahlrechtsdiskussion: Eberhard Kolb, Die Weimarer Republik, München 1988[2], S. 165–167.

12 Carl Schmitt, Verfassungslehre, Berlin 1957[3], S. 28–36.

13 Ders., Legalität und Legitimität, Berlin 1932, S. 32, 50.

14 Hans Mommsen, Die verspielte Freiheit. Der Weg der Republik von Weimar in den Untergang 1918 bis 1933, Berlin 1989, bes. S. 70. Zusammenfassend: Grimm, Bedeutung (Anm. 1).

6. Die fehlgeschlagene Gegenrevolution

1 Akten der Reichskanzlei (= AdR). Weimarer Republik. Das Kabinett Bauer, 21. Juni 1919 bis 27. März 1920, bearbeitet von Anton Golecki, Boppard 1980, S. 92–97 (Kabinettssitzung vom 8. 7. 1919), 102–105 (Wissells Schreiben an Ebert vom 12. 7. 1919).

2 Klaus Epstein, Matthias Erzberger und das Dilemma der deutschen Demokratie (amerik. Original: Princeton 1959), Berlin 1962, S. 369–391 (die Zahlen: 373, 379); Rosemarie Leuschen-Seppel, Zwischen Staatsverantwortung und Klasseninteresse. Die Wirtschafts- und Finanzpolitik der SPD zur Zeit der Weimarer Republik unter besonderer Berücksichtigung der Mittelphase 1924–1928/29, Bonn 1981, S. 39–68; Carl-Ludwig Holtfrerich, Die deutsche Inflation 1914–1923. Ursachen und Wirkungen in internationaler Perspektive, Berlin 1981, S. 115–135; Peter-Christian Witt, Große Inflation und sozialer Wandel in Krieg und Inflation 1918–1924, in: Hans Mommsen u. a. (Hg.), Industrielles System und politische Entwicklung in der Weimarer Republik, Düsseldorf 1974[1], S. 395–426; ders., Staatliche Wirtschaftspolitik in Deutschland 1918–1923, in: Gerald D. Feldman u. a. (Hg.), Die deutsche Inflation. Eine Zwischenbilanz, Berlin 1982, S. 151–179.

3 Heinrich August Winkler, Von der Revolution zur Stabilisierung. Arbeiter und Arbeiterbewegung in der Weimarer Republik 1918–1924, Berlin 1985[2], S. 283–294; Susanne Miller, Die Bürde der Macht. Die deutsche Sozialdemokratie 1918–1920, Düsseldorf 1978,

S. 354–360; Heinrich Potthoff, Gewerkschaften und Politik zwischen Revolution und Inflation, Düsseldorf 1979, S. 141–158; Lothar Albertin, Liberalismus und Demokratie am Anfang der Weimarer Republik. Eine vergleichende Analyse der Deutschen Demokratischen Partei und der Deutschen Volkspartei, Düsseldorf 1972, S. 359f.

4 Winkler, Von der Revolution (Anm. 3), S. 253f. (zu der Kontroverse Hilferding-Stoecker), 254–257. Zur USPD zusammenfassend: David M. Morgan, The Socialist Left and the German Revolution. A History of the German Independent Social Democratic Party, 1917–1922, Ithaca 1975.

5 Zur KPD zusammenfassend Ossip K. Flechtheim, Die KPD in der Weimarer Republik, Frankfurt 1973[3]; zur KAPD: Hans Manfred Bock, Syndikalismus und Linkskommunismus von 1918–1923. Zur Geschichte und Soziologie der Freien Arbeiter-Union Deutschlands (Syndikalisten), der Allgemeinen Arbeiter-Union Deutschlands und der Kommunistischen Arbeiter-Partei Deutschlands, Meisenheim 1969.

6 Uwe Lohalm, Völkischer Radikalismus. Die Geschichte des Deutschvölkischen Schutz- und Trutzbundes 1919–1923, Hamburg 1970 (die Zitate: S. 189).

7 Werner Liebe, Die Deutschnationale Volkspartei 1918–1924, Düsseldorf 1956, S. 61–67 (65), 112–119 (115).

8 Francis L. Carsten, Reichswehr und Politik 1918–1933, Köln 1964, S. 57–89 (das Zitat: 68f.); Harold J. Gordon, Die Reichswehr und die Weimarer Republik (amerik. Original: Princeton 1957), Frankfurt 1959, S. 61–95 (sehr viel weniger kritisch als Carsten); Wolfram Wette, Gustav Noske. Eine politische Biographie, Düsseldorf 1987, S. 519–625; Hagen Schulze, Freikorps und Republik 1918–1920, Boppard 1969, S. 22–34, 125–201; Hanns Joachim W. Koch, Der deutsche Bürgerkrieg. Eine Geschichte der deutschen und österreichischen Freikorps 1918–1923, Berlin 1978, S. 123ff. (tendenziös-apologetisch); Eric D. Kohler, Revolutionary Pomerania, 1919–1920: A Study in Socialist Agricultural Polices and Civil-Military Relations, in: CEH 9 (1976), S. 250–293; Hagen Schulze, Otto Braun oder Preußens demokratische Sendung. Eine Biographie, Frankfurt 1977, S. 265–277; Martin Schumacher, Land und Politik. Eine Untersuchung über politische Parteien und agrarische Interessen 1914–1933, Düsseldorf 1978, S. 296–312; Jens Flemming, Landwirtschaftliche Interessen und Demokratie. Ländliche Gesellschaft, Agrarverbände und Staat 1890–1925, Bonn 1978, bes. S. 162–229.

9 Die SPD-Fraktion in der Nationalversammlung 1919–1920. Eingeleitet von Heinrich Potthoff. Bearbeitet von Heinrich Potthoff und Hermann Weber, Düsseldorf 1986, S. 180–189, 189–191 (Fraktionssitzungen vom 28. 10. u. 21. 11. 1919); Protokolle der Sitzungen des Parteiausschusses der SPD 1912–1921. Nachdruck, hg. v. Dieter Dowe, 2 Bde., Berlin 1980, Bd. 2, S. 699–754 (Sitzung vom 13. 12. 1919). Zu Noskes negativer Beurteilung des Republikanischen Führerbundes: Zwischen Revolution und Kapp-Putsch. Militär und Innenpolitik 1918–1920, bearbeitet von Heinz Hürten, Düsseldorf 1977, S. 177–179 (Erklärung Noskes vom 17. 7. 1919), 334f. (Befehl Noskes vom 12. 2. 1920). Zum Vorstehenden Winkler, Von der Revolution (Anm. 3), S. 246–250; Miller, Bürde (Anm. 3), S. 365–368; Heinz Hürten, Reichswehr und Ausnahmezustand. Ein Beitrag zur Verfassungsproblematik der Weimarer Republik in ihrem ersten Jahrfünft, Opladen 1977.

10 Epstein, Erzberger (Anm. 2), S. 392–417; Erich Eyck, Geschichte der Weimarer Republik, Bd. 1: Vom Zusammenbruch des Kaisertums bis zur Wahl Hindenburgs 1918–1925, Erlenbach 1956[4], S. 197–202; Schulthess' Europäischer Geschichtskalender. Neue Folge, 36. Jg., 1920, München 1924, Teil 1, S. 24 (Hirschfeld-Prozeß), 38–43 (Urteil vom 12. 3. 1920, Kommentar der Frankfurter Zeitung).

11 AdR, Kabinett Bauer (Anm. 1), S. 667f.

12 Zusammenfassend zur Vorbereitung des Putsches: Johannes Erger, Der Kapp-Lüttwitz-Putsch. Ein Beitrag zur deutschen Innenpolitik 1919/20, Düsseldorf 1967, S. 15–107. Zu den Einwohnerwehren: Gerhard Schulz, Zwischen Demokratie und Diktatur. Verfas-

sungspolitik und Reichsreform in der Weimarer Republik. Bd. I: Die Periode der Konsolidierung und der Revision des Bismarckschen Reichsaufbaus 1919–1930, Berlin 1963[1], S. 333–349; Erwin Könnemann, Einwohnerwehren und Zeitfreiwilligenverbände. Ihre Funktion beim Aufbau eines neuen imperialistischen Militärsystems (November 1918 bis 1920), Berlin (O) 1971; Wolfgang Benz, Süddeutschland in der Weimarer Republik. Ein Beitrag zur deutschen Innenpolitik 1918–1923, Berlin 1970, S. 271–298. Zur alliierten Haltung in der Kriegsverbrecherfrage: Schulthess 1920 (Anm. 10), Teil 2, S. 320f. (Note vom 13. 2. 1920).

13 Erger, Kapp-Lüttwitz-Putsch (Anm. 12), S. 139–149. Zu der umstrittenen Äußerung Seeckts: Hans Meier-Welcker, Seeckt, Frankfurt 1967, S. 261. Allgemein zum Kapp-Lüttwitz-Putsch: Aus den Geburtsstunden der Weimarer Republik. Das Tagebuch des Obersten Ernst van den Bergh. Hg. v. Wolfram Wette, Düsseldorf 1991, S. 123–147 (Eintragungen vom 15. 3. bis 11. 4. 1920).

14 Textkritisch zur Entstehung des Aufrufs Miller, Bürde (Anm. 3), S. 377–379; ferner Erger, Kapp-Lüttwitz-Putsch (Anm. 12), S. 193f.; Winkler, Von der Revolution (Anm. 3), S. 300f.; Gustav Noske, Erlebtes aus Aufstieg und Niedergang einer Demokratie, Offenbach 1947, S. 160. Zur Rolle Noskes: Wette, Noske (Anm. 8), S. 627–686.

15 Miller, Bürde (Anm. 3), S. 280f.; Potthoff, Gewerkschaften (Anm. 3), S. 26f.; Winkler, Von der Revolution (Anm. 3), S. 302–305; Erwin Könnemann u. Hans-Joachim Krusch, Aktionseinheit gegen Kapp-Putsch. Der Kapp-Putsch im März 1920 und der Kampf der deutschen Arbeiterklasse sowie anderer Werktätiger gegen die Errichtung der Militärdiktatur und für demokratische Verhältnisse, Berlin (O) 1972, S. 172ff. Die Erklärungen der KPD in: Dokumente und Materialien zur Geschichte der Deutschen Arbeiterbewegung (= DuM), Bd. 7/1, Berlin (O) 1966, S. 211–219. Zum Vorstehenden auch: Hans-Ulrich Ludewig, Arbeiterbewegung und Aufstand. Eine Untersuchung zum Verhalten der Arbeiterparteien in den Aufstandsbewegungen der früheren Weimarer Republik 1920–1923, Husum 1978, S. 86ff.

16 Erger, Kapp-Lüttwitz-Putsch (Anm. 12), S. 119–225; Winkler, Von der Revolution (Anm. 3), S. 305–309; Gerald D. Feldman, Big Business and the Kapp Putsch, in: CEH 4 (1971), S. 99–130; Albertin, Liberalismus (Anm. 3), S. 365–391; Wolfgang Hartenstein, Die Anfänge der Deutschen Volkspartei 1918–1920, Düsseldorf 1962, S. 149–190; Werner Liebe, Die Deutschnationale Volkspartei 1918–1924, Düsseldorf 1956, S. 51–60; Hartmut Schustereit, Linksliberalismus und Sozialdemokratie in der Weimarer Republik, Düsseldorf 1975, S. 77ff.; Rudolf Morsey, Die Deutsche Zentrumspartei 1917–1923, Düsseldorf 1966, S. 302–310.

17 Erger, Kapp-Lüttwitz-Putsch (Anm. 12), S. 324–363; Gabriele Krüger, Die Brigade Ehrhardt, Hamburg 1971, S. 61f.; Schulze, Freikorps (Anm. 8), S. 202ff.; Carsten, Reichswehr (Anm. 8), S. 89ff.; Gordon, Reichswehr (Anm. 8), S. 96–147. Kapps Erklärung vom 17. 3. 1920 in: Erwin Könnemann u. a. (Hg.), Arbeiterklasse siegt über Kapp und Lüttwitz, 2 Bde., Berlin (O) 1971, Bd. I, S. 167f.

18 Ebd., S. 175–177. Zur Entstehung des Neunpunkteprogramms: Potthoff, Gewerkschaften (Anm. 3), S. 267–287.

19 Könnemann u. a. (Hg.), Arbeiterklasse (Anm. 17), Bd. I, S. 179–195; AdR, Kabinett Bauer (Anm. 1), S. 710–725; Die Gewerkschaften in den Anfangsjahren der Republik 1919–1923. Bearbeitet von Michael Ruck (= Quellen zur Geschichte der deutschen Gewerkschaftsbewegung im 20. Jahrhundert), Köln 1985, S. 143–156.

20 Otto Geßler, Reichswehrpolitik in der Weimarer Zeit, Stuttgart 1958, S. 130f.; Welcker, Seeckt (Anm. 13), S. 273–281; Friedrich von Rabenau, Seeckt. Aus seinem Leben 1918–1936, Leipzig 1940, S. 228–230. Zu Hermann Müller: Martin Vogt, Hermann Müller, in: Wilhelm von Sternburg (Hg.), Die deutschen Kanzler von Bismarck bis Schmidt, Königstein 1985, S. 191–206.

21 Miller, Bürde (Anm. 3), S. 399–401; Dietrich Orlow, Preußen und der Kapp-Putsch, in: VfZ 26 (1978), S. 191–236; ders., Weimar Prussia 1918–1925. The Unlikely Rock of Democracy, Pittsburgh 1986, bes. S. 115–154; Horst Möller, Parlamentarismus in Preußen 1919–1932, Düsseldorf 1985, S. 331–339; Wolfgang Runge, Politik und Beamtentum im Parteienstaat. Die Demokratisierung der politischen Beamten in Preußen zwischen 1918 und 1933, Stuttgart 1965, S. 120–146; Eberhard Pikart, Berufsbeamtentum und Parteienstaat, in: ZfP (N. F.) 7 (1960), S. 225–240; ders., Preußische Beamtenpolitik 1918–1933, in: VfZ 6 (1958), S. 119–137; Hans-Karl Behrend, Zur Personalpolitik des Preußischen Ministeriums des Innern. Die Besetzung der Landratsstellen in den östlichen Provinzen 1919–1933, in: JGMO 6 (1957), S. 173–214; Schulze, Braun (Anm. 8), S. 290–301; Wilhelm Ribhegge, August Winnig. Eine historische Persönlichkeitsanalyse, Bonn 1973, S. 226ff.; Thomas Alexander, Carl Severing. Sozialdemokrat aus Westfalen mit preußischen Tugenden, Bielefeld 1992, S. 125ff.

22 Schulthess 1920 (Anm. 10), Teil 1, S. 57–59; Schulz, Demokratie (Anm. 12), S. 328–333; Karl Schwend, Bayern zwischen Monarchie und Diktatur. Beiträge zur bayerischen Frage in der Zeit von 1918 bis 1933, München 1954, S. 143–151; Hans Fenske, Konservativismus und Rechtsradikalismus in Bayern nach 1918, Bad Homburg 1969, S. 91ff.; Klaus Schönhoven, Die Bayerische Volkspartei 1924–1932, Düsseldorf 1972, S. 38f.

23 George Eliasberg, Der Ruhrkrieg von 1920, Bonn 1974; Erhard Lucas, Märzrevolution im Ruhrgebiet, März/April 1920, Bd. 1, Frankfurt 1970; ders., Märzrevolution 1920. Der bewaffnete Arbeiteraufstand im Ruhrgebiet in seiner inneren Struktur und in seinem Verhältnis zu den Klassenkämpfen in den verschiedenen Regionen des Reiches (= Bd. 2 von: ders., Märzrevolution im Ruhrgebiet), Frankfurt 1973; Gerhard Colm, Beitrag zur Geschichte und Soziologie des Ruhraufstands vom März-April 1920, Essen 1921 (die Zahlen zur gewerkschaftlichen und parteipolitischen Zugehörigkeit der bewaffneten Kämpfer: S. 49); Winkler, Von der Revolution (Anm. 3), S. 324ff. (zur Zahl der bewaffneten Kämpfer: S. 325).

24 Ebd., S. 327ff. Der Text des Bielefelder Abkommens bei: Carl Severing, 1919/1920 im Wetter- und Watterwinkel, Bielefeld 1927, S. 178–180.

25 AdR, Weimarer Republik. Das Kabinett Müller I, 27. März bis 21. Juni 1920, bearbeitet von Martin Vogt, Boppard 1971, S. 3–6; Severing, 1919/1920 (Anm. 24), S. 181–200 (191); Alexander, Severing (Anm. 21), S. 118ff.; Werner T. Angress, Weimar Coalition and Ruhr Insurrection, March-April 1920: A Study of Government Policy, in: JMH 29 (1957), S. 1–20; Winkler, Von der Revolution (Anm. 3), S. 331–335.

26 Ebd., S. 335f.; Klaus Theweleit, Männerphantasien, 2 Bde., Reinbek 1980, Bd. I, S. 87–94. Bemerkenswert einfühlsam gegenüber den Freikorps: Schulze, Freikorps (Anm. 8), S. 304–318. Zur Besetzung des Maingaus: AdR, Kabinett Müller I (Anm. 25), S. XXXVIII-XL.

27 Gerald D. Feldman, Eberhard Kolb, Reinhard Rürup, Die Massenbewegungen der Arbeiterschaft in Deutschland am Ende des Ersten Weltkriegs, in: PVS 18 (1978), S. 353–439; Wolfgang J. Mommsen, Die deutsche Revolution 1918–1920. Politische Revolution und soziale Protestbewegung, in: GG 4 (1978), S. 362–391.

28 Dazu u. a. Ludewig, Arbeiterbewegung (Anm. 15), S. 126ff.; Potthoff, Gewerkschaften (Anm. 3), S. 280ff.; Miller, Bürde (Anm. 3), S. 406ff.

29 AdR, Kabinett Müller I (Anm. 25), S. 31–34 (Chefbesprechung vom 6. 4. 1920), 131–134 (Erlaß Seeckts vom 18. 4. 1920); Carsten, Reichswehr (Anm. 8), S. 99–111; Heinz Hürten, Der Kapp-Putsch als Wende. Über Rahmenbedingungen der Weimarer Republik seit dem Frühjahr 1920, Opladen 1989, bes. S. 34ff.; ders., Reichswehr (Anm. 9), S. 30ff.

30 Eyck, Geschichte (Anm. 10), Bd. I, S. 218f.; Heinrich Hannover u. Elisabeth Hannover-Drück, Politische Justiz 1918–1933, Frankfurt 1966, S. 76–94; Erhard Lucas, Märzrevolution 1920, Bd. 3: Verhandlungsversuche und deren Scheitern; Gegenstrategien von

Regierung und Militär, die Niederlage der Aufstandsbewegung, der weiße Terror, Frankfurt 1978, S. 409.

31 Peter Wulf, Die Auseinandersetzungen um die Sozialisierung der Kohle in Deutschland 1920/21, in: VfZ 25 (1977), S. 46–98.

32 Könnemann, Einwohnerwehren (Anm. 12), S. 289–332; Schulz, Demokratie (Anm. 12), Bd. 1, S. 333–363; Fenske, Konservativismus (Anm. 22), S. 76–112; David Clay Large, The Politics of Law and Order. A History of the Bavarian Einwohnerwehr 1918–1921, Philadelphia 1980; James M. Diehl, Paramilitary Politics in Weimar Germany, Bloomington 1977.

33 Winkler, Von der Revolution (Anm. 3), S. 343–364. Das Zitat von Anton Erkelenz in: ders., Lehren aus der Wahl, in: Die Hilfe 26 (1920), S. 406f. Zu Fehrenbach: Peter Wulf, Konstantin Fehrenbach, in: Sternburg (Hg.), Kanzler (Anm. 20), S. 207–216; zur Kabinettsbildung: AdR, Weimarer Republik. Das Kabinett Fehrenbach 25. Juni 1920 bis 4. Mai 1921, bearbeitet von Peter Wulf, Boppard 1972, S. VIII-XXI.

34 Paul Szende, Die Krise der mitteleuropäischen Revolution. Ein massenpsychologischer Versuch, in: ASS 47 (1920/21), S. 337–375; Charles S. Maier, Recasting Bourgeois Europe. Stabilization in France, Germany, and Italy in the Decade after World War I, Princeton 1975; Adam B. Ulam, Expansion and Coexistence: The History of Soviet Foreign Policy, 1916–67, New York 1968, S. 76–111; Winkler, Von der Revolution (Anm. 3), S. 367–370.

35 Gerhard Wagner, Deutschland und der polnische Krieg 1920, Wiesbaden 1979. Das Zitat aus der Denkschrift Seeckts in: Carsten, Reichswehr (Anm. 8), S. 78f.

7. Die vertagte Krise

1 Peter Czada, Ursachen und Folgen der großen Inflation, in: Harald Winkel (Hg.), Finanz- und wirtschaftspolitische Fragen der Zwischenkriegszeit, Berlin 1973, S. 9–43 (41f.).

2 Gerald D. Feldman, The Political Economy of Germany's Relative Stabilization during the 1921/22 World Depression, in: ders. (Hg.), Die deutsche Inflation. Eine Zwischenbilanz, Berlin 1982, S. 180–206; Carl Ludwig Holtfrerich, Amerikanischer Kapitalexport und Wiederaufbau der deutschen Wirtschaft 1919–1923 im Vergleich zu 1924–1929, in: Michael Stürmer (Hg.), Die Weimarer Republik. Belagerte Civitas, Königstein 1980, S. 131–157; ders., Die deutsche Inflation 1914–1923. Ursachen und Folgen in internationaler Perspektive, Berlin 1980, bes. S. 279ff.; Heinrich August Winkler, Von der Revolution zur Stabilisierung. Arbeiter und Arbeiterbewegung in der Weimarer Republik 1918–1924, Berlin 1985[2], S. 374–392 (mit weiterer Literatur).

3 Holtfrerich, Inflation (Anm. 2), S. 135–154 (bes. 149). Die These vom Inflationskonsens in: Charles S. Maier, Die deutsche Inflation als Verteilungskonflikt: Soziale Ursachen und Wirkungen im internationalen Vergleich, in: Otto Büsch u. Gerald D. Feldman (Hg.), Historische Prozesse der deutschen Inflation 1914 bis 1924, Berlin 1978, S. 329–342. Zur Kritik der neueren, teilweise die französische Politik apologetisch behandelnden Literatur zum Reparationsproblem: Peter Krüger, Das Reparationsproblem der Weimarer Republik in fragwürdiger Sicht. Kritische Überlegungen zur neuesten Forschung, in: VfZ 29 (1981), S. 21–47.

4 Franz Eulenburg, Die sozialen Wirkungen der Währungsverhältnisse, in: JNSS 122, 3. Folge: 67 (1924), S. 748–994; Werner Abelshauser, Verelendung der Handarbeiter? Zur sozialen Lage der deutschen Arbeiter in der großen Inflation der frühen zwanziger Jahre, in: Hans Mommsen u. Winfried Schulze (Hg.), Vom Elend der Handarbeit. Probleme der historischen Unterschichtenforschung, Stuttgart 1986, S. 445–476; Andreas Kunz, Vertei-

lungskampf oder Interessenkonsens? Einkommensentwicklung und Sozialverhalten von Arbeitnehmergruppen in der Inflationszeit 1914–1924, in: Feldman (Hg.), Inflation (Anm. 2), S. 347–384; ders., Civil Servants and the Politics of Inflation in Germany 1914–1924, Berlin 1986; Merith Niehuss, Arbeiterschaft in Krieg und Inflation. Soziale Schichtung und Lage der Arbeiter in Augsburg und Linz 1910 bis 1925, Berlin 1985; Winkler, Von der Revolution (Anm. 2), S. 377ff. (zur Nivellierung der Einkommen: 379–383).

5 Dietmar Petzina u. Werner Abelshauser, Zum Problem der relativen Stagnation der deutschen Wirtschaft in den zwanziger Jahren, in: Hans Mommsen u. a. (Hg.), Industrielles System und politische Entwicklung in der Weimarer Republik, Düsseldorf 1974[1], S. 57–84 (65); Wolfram Fischer, Die Weimarer Republik unter den weltwirtschaftlichen Bedingungen der Zwischenkriegszeit, ebd., S. 26–50; Knut Borchardt, Zwangslagen und Handlungsspielräume in der großen Wirtschaftskrise der frühen dreißiger Jahre: Zur Revision des überlieferten Geschichtsbildes, in: ders., Wachstum, Krisen und Handlungsspielräume der Wirtschaftspolitik. Studien zur Wirtschaftsgeschichte des 19. und 20. Jahrhunderts, Göttingen 1982, S. 165–182; Rolf Wagenführ, Die Industriewirtschaft. Entwicklungstenzen der deutschen und internationalen Industrieproduktion 1860–1932, in: VfK, Sonderheft 31, Berlin 1933, S. 21–46.

6 Zusammenfassend: Akten der Reichskanzlei (= AdR), Weimarer Republik. Das Kabinett Fehrenbach, 25. Juni 1920 bis 4. Mai 1921, bearbeitet von Peter Wulf, Boppard 1972, S. XXXIV-XLIV (mit Einzelbelegen); Peter Krüger, Die Außenpolitik der Weimarer Republik, Darmstadt 1985, S. 103–127 (mit weiterer Literatur).

7 Schulthess' Europäischer Geschichtskalender. Neue Folge, 36. Jg., 1920, München 1924, Teil 1, S. 235–237; AdR, Kabinett Fehrenbach (Anm. 6), S. XLIV-XLIX (mit Einzelbelegen); Gerhard Schulz, Zwischen Demokratie und Diktatur. Verfassungspolitik und Reichsreform in der Weimarer Republik. Bd. I: Die Periode der Konsolidierung und der Revision des Bismarckschen Reichsaufbaus 1919–1930, Berlin 1963[1], S. 333–363; Ernst Rudolf Huber, Deutsche Verfassungsgeschichte seit 1789. Bd. VII: Ausbau, Schutz und Untergang der Weimarer Republik, Stuttgart 1984, S. 133ff., 158ff., 175ff. Zu den Einwohnerwehren auch die in Anm. 6/12 u. 32 genannte Literatur.

8 Protokoll über die Verhandlungen des außerordentlichen Parteitags in Halle. Vom 12. bis 17. Oktober 1920 (Rechte), Berlin o. J. (Neudruck: Protokolle der Parteitage der Unabhängigen Sozialdemokratischen Partei Deutschlands, Bd. 3: Glashütten 1976), S. 4. Zu den Urwahlen und zum Parteitag in Halle: Robert F. Wheeler, USPD und Internationale. Sozialistischer Internationalismus in der Zeit der Revolution, Frankfurt 1975, S. 246–258; ders., Die 21 Bedingungen und die Spaltung der USPD im Herbst 1920. Zur Meinungsbildung der Basis, in: VfZ 23 (1975), S. 117–154.

9 Bericht über den 5. Parteitag der Kommunistischen Partei Deutschlands (Selektion der Kommunistischen Internationale) vom 1. bis 3. November 1920 in Berlin, Berlin 1921, S. 74–76. Zum Vorstehenden zusammenfassend: Winkler, Von der Revolution (Anm. 2), S. 502–513; Ossip K. Flechtheim, Die KPD in der Weimarer Republik, Hamburg 1986[4], S. 122ff.

10 Sigrid Koch-Baumgarten, Aufstand der Avantgarde. Die Märzaktion der KPD 1921, Frankfurt 1986, S. 114f.; Stefan Weber, Die Märzaktion 1921 in Mitteldeutschland – Putsch oder Provokation?, in: Beiträge zur Geschichte der Arbeiterbewegung 32 (1991), S. 147–159; Marie-Luise Goldbach, Karl Radek und die deutsch-sowjetischen Beziehungen 1918–1923, Bonn 1973, S. 85–94.

11 Koch-Baumgarten, Aufstand (Anm. 10), S. 141–156 (das Zitat aus der „Roten Fahne“: 154); Willy Brandt u. Richard Löwenthal, Ernst Reuter. Ein Leben für die Freiheit, München 1957, S. 153; Werner T. Angress, Die Kampfzeit der KPD 1921–1923 (amerik. Original: Princeton 1963), Düsseldorf 1973, S. 61–174; Hans-Ulrich Ludewig, Arbeiterbewegung und Aufstand. Eine Untersuchung zum Verhalten der Arbeiterparteien in den

Aufstandsbewegungen der frühen Weimarer Republik 1920–1923, Husum 1978, S. 90ff., 190ff.; Winkler, Von der Revolution (Anm. 2), S. 511–516.

12 Koch-Baumgarten (Anm. 10), S. 209, 298f., 316.

13 Winkler, Von der Revolution (Anm. 2), 517–537.

14 Vgl. dazu die Hinweise bei Koch-Baumgarten (Anm. 10), S. 110f., 131f., 309.; ferner: Otto-Ernst Schüddekopf, Linke Leute von rechts. Die nationalrevolutionären Minderheiten und der Kommunismus in der Weimarer Republik, Stuttgart 1960, S. 121–135.

15 Schulthess' Europäischer Geschichtskalender. Neue Folge, 37. Bd. 1921, München 1926, Teil 1, S. 107f., 148–153; Teil 2, S. 281; Huber, Verfassungsgeschichte, Bd. VII (Anm. 7), S. 185f.

16 Schulthess 1921 (Anm. 15), Teil 2, S. 264–267 (Londoner Ultimatum), 299 (amerikanische Note vom 3. 5. 1921); AdR, Kabinett Fehrenbach (Anm. 6), S. XLIIff., LXVIIIff., S. 661–664; Krüger, Außenpolitik (Anm. 6), S. 127ff.

17 AdR, Weimarer Republik. Die Kabinette Wirth I und II. 10. Mai 1921 bis 26. Oktober 1921, 26. Oktober 1921 bis 22. November 1922. 2 Bde. Bd. 1: Mai 1921 bis März 1922, bearbeitet von Ingrid Schulze-Bidlingmaier, Boppard 1973, S. XIX-XXIV; Ingrid Schulze-Bidlingmaier, Joseph Wirth, in: Wilhelm von Sternburg (Hg.), Die deutschen Kanzler von Bismarck bis Schmidt, Königstein 1985, S. 217–230; Ernst Laubach, Die Politik der Kabinette Wirth 1921/22, Lübeck 1968, S. 9–31.

18 Verhandlungen des Reichstags. Stenographische Berichte, Bd. 349, S. 3629f., 3651–3654.

19 Laubach, Politik (Anm. 17), S. 50–55.

20 AdR, Kabinette Wirth (Anm. 17), Bd. 1, S. 35–37; Huber, Verfassungsgeschichte, Bd. VII (Anm. 7), S. 200–203; David Clay Large, The Politics of Law and Order: A History of the Bavarian Einwohnerwehr, 1918–1921, Philadelphia 1980, S. 73ff.; Wilhelm Högner, Die verratene Republik. Geschichte der deutschen Gegenrevolution, München 1958, S. 99ff.

21 Zusammenfassend: Huber, Verfassungsgeschichte, Bd. VII (Anm. 7), S. 22–27, 202f.

22 AdR, Kabinette Wirth (Anm. 17), Bd. 1, S. 7–13 (Denkschrift Schmidts vom 19. 5. 1921), 88–90 (Kabinettssitzung vom 24. 6. 1921), 91–97 (Denkschrift des Reichsfinanzministeriums vom 27. 6. 1921); Laubach, Politik (Anm. 17), S. 61–69. Zum Wiesbadener Abkommen: ebd., S. 73–79.

23 Ludwig Thoma, Sämtliche Beiträge aus dem „Miesbacher Anzeiger" 1920/21. Kritisch ediert und kommentiert von Wilhelm Volkert, München 1989, S. 278, 286, 341. Zu Thoma: Gertrud M. Rösch, Ludwig Thoma als Journalist. Ein Beitrag zur Publizistik des Kaiserreichs und der frühen Weimarer Republik, Frankfurt 1989.

24 Schulthess 1921 (Anm. 15), Teil 1, S. 198f., 253; Huber, Verfassungsgeschichte, Bd. VII (Anm. 7), S. 208f.; Klaus Epstein, Matthias Erzberger und das Dilemma der deutschen Demokratie (amerik. Original: Princeton 1959), Berlin 1962, S. 428ff. (die Zitate aus der „Kreuz-Zeitung" u. der „Oletzkoer Zeitung": 433). Das Zitat aus dem „Berliner Lokalanzeiger" in: Gotthard Jasper, Der Schutz der Republik. Studien zur staatlichen Sicherung der Demokratie in der Weimarer Republik 1922–1930, Tübingen 1963, S. 36. Zur „Organisation Consul": Emil Gumbel, „Verräter verfallen der Feme". Opfer, Mörder, Richter 1919–1929, Berlin 1929, S. 43ff.; ders., Verschwörer, Beiträge zur Geschichte und Soziologie der deutschen nationalistischen Geheimbünde seit 1918, Berlin 1924, S. 76ff.; ders., Vier Jahre politischer Mord, Berlin 1922[5].

25 RGBl. 1921, II, S. 1239f., 1249–1252, 1271f.; AdR, Kabinette Wirth (Anm. 17), Bd. 1, S. 216–218 (Ministerratssitzung vom 29. 8. 1921); Christoph Gusy, Weimar – die wehrlose Republik? Verfassungsschutzrecht und Verfassungsschutz in der Weimarer Republik, Tübingen 1991, S. 128ff.; Jasper, Schutz (Anm. 24), S. 36f.

26 Ebd., S. 43ff.; Huber, Verfassungsgeschichte, Bd. VII (Anm. 7), S. 209ff.; Laubach,

Politik (Anm. 17), S. 79ff.; Schulz, Demokratie (Anm. 7), S. 364ff. Zu Bayern auch die in Anm. 6/22 genannte Literatur.

27 Ernst Rudolf Huber, Deutsche Verfassungsgeschichte seit 1789, Bd. VI: Die Weimarer Reichsverfassung, Stuttgart 1981, S. 749–752; Hagen Schulze, Otto Braun oder Preußens demokratische Sendung. Eine politische Biographie, Frankfurt 1977, S. 330ff.; Dietrich Orlow, Weimar Prussia 1918–1925. The Unlikely Rock of Democracy, Pittsburgh 1986, S. 77ff.

28 Protokoll über die Verhandlungen des Parteitags der Sozialdemokratischen Partei Deutschlands, abgehalten in Görlitz vom 18. bis 24. September 1921, Berlin 1921 (ND Berlin 1973), S. V-VI (Programm), 182 (Bernstein). Zur Koalitionsdiskussion in der SPD: Alfred Kastning, Die deutsche Sozialdemokratie zwischen Koalition und Opposition 1919–1923, Paderborn 1970, S. 64ff.; Winkler, Von der Revolution (Anm. 2), S. 450ff. Zum Görlitzer Programm und seinem Echo: ebd., S. 434ff. Tucholskys Gedicht erschien unter dem Pseudonym „Theobald Tiger" und der Überschrift „Gefühlskritik" in: Die Weltbühne, 17. Jg. (1921), Nr. 39, 23. Sept., S. 312. Eine leicht veränderte Fassung in: Kurt Tucholsky, Gesammelte Werke, 3 Bde., Reinbek 1960, Bd. 1, S. 827f. – Zur Haltung der DVP gegenüber einer Großen Koalition 1920: AdR, Kabinett Fehrenbach (Anm. 6), S. XIIf.

29 AdR, Kabinette Wirth (Anm. 17), Bd. 1, S. 368–373, 375–378, 383–386; Peter Wulf, Hugo Stinnes. Wirtschaft und Politik 1918–1924, Stuttgart 1979, S. 266–293; Laubach, Politik (Anm. 17), S. 84ff.; Larry Eugene Jones, German Liberalism and the Dissolution of the Weimar Party System, 1918–1933, Chapel Hill 1988, S. 141ff.

30 AdR, Kabinette Wirth (Anm. 17), Bd. 1, S. 330–344; Schulthess 1921 (Anm. 15), S. 296–307; Laubach, Politik (Anm. 17), S. 97–107; Lothar Albertin, Die Verantwortung der liberalen Parteien für das Scheitern der Großen Koalition im Herbst 1921, in: HZ 205 (1967), S. 566–627; Rudolf Morsey, Die Deutsche Zentrumspartei; 1917–1923, Düsseldorf 1966, S. 415–423.

31 Zusammenfassend: Laubach, Politik (Anm. 17), S. 115–172.

32 AdR, Kabinette Wirth (Anm. 17), Bd. 2, S. 683–689 (Ministerrat beim Reichspräsidenten vom 5.4.1922); Akten zur Deutschen auswärtigen Politik 1918–1945 (= ADAP), Serie A: 1918–1925, Bd. VI: 1. März bis 31. Dezember 1922, Göttingen 1988, bes. S. 78–82, 84f., 116f., 120–136 (deutsch-sowjetische Beziehungen im März u. April 1922). Die Zitate von Wirth in: Martin Walsdorff, Westorientierung und Ostpolitik, Stresemanns Rußlandpolitik in der Locarno-Ära, Bremen 1971, S. 31; Laubach, Politik (Anm. 17), S. 285f. Zum Vertrag von Rapallo und den deutsch-sowjetischen Beziehungen insgesamt: ebd., S. 107ff., 180ff.; Krüger, Außenpolitik (Anm. 6), S. 151ff.; ders., A Rainy Day, April 16, 1922: Rapallo Treaty and the Cloudy Perspective for German Foreign Policy, in: Carole Fink u.a. (Hg.), Genoa, Rapallo, and European Reconstruction in 1922, Cambridge 1991, S. 49–64.; Herbert Helbig, Die Träger der Rapallo-Politik, Göttingen 1958; Theodor Schieder, Die Probleme des Rapallo-Vertrags. Eine Studie über die deutsch-russischen Beziehungen 1922–1926, Köln 1956; ders., Die Entstehungsgeschichte des Rapallo-Vertrags, in: HZ 204 (1967), S. 545–609; Karl Dietrich Erdmann, Deutschland, Rapallo und der Westen, in: VfZ 11 (1963), S. 105–165; Lionel Kochan, Rußland und die Weimarer Republik (engl. Orig. Cambrigde 1954), Düsseldorf 1957; Gerald Freund, Unholy Alliance. Russian-German Relations from the Treaty of Brest-Litowsk to the Treaty of Berlin, London 1957; Hermann Graml, Die Rapallopolitik im Urteil der westdeutschen Forschung, in: VfZ 18 (1970), S. 366–391; Alfred Anderle, Die deutsche Rapallopolitik. Deutsch-sowjetische Beziehungen 1922–1929, Berlin (O) 1962; Fritz Klein, Die diplomatischen Beziehungen Deutschlands zur Sowjetunion 1917–1932, Berlin (O) 1952; Günter Rosenfeld, Sowjetrußland und Deutschland 1917–1922, Berlin (O) 1960[1], S. 355ff.

33 Zusammenfassend: Francis L. Carsten, Reichswehr und Politik 1918–1933, Köln

1964, S. 141–157 (mit weiterer Literatur); ders., Die Reichswehr und Sowjetrußland, 1920–1933, in: Österreichische Osthefte 5 (1963), S. 445–463; Manfred Zeidler, Reichswehr und Rote Armee 1930–1933, in: Deutschland und das bolschewistische Rußland von Brest-Litowsk bis 1941, Berlin 1991, S. 25–47.

34 Schieder, Entstehung (Anm. 32), S. 596; Jacques Bariéty, Les relations franco-allemandes après la première guerre mondiale, 10 novembre 1918–10 janvier 1925. De l'exécution à la négociation, Paris 1977, S. 86–120 (bes. 96); Renata Bournazel, Rapallo, ein französisches Trauma (frz. Orig.: Paris 1974), Köln 1976, S. 160ff.

35 AdR, Kabinette Wirth (Anm. 17), Bd. 2, S. 710–712 (Kabinettssitzung vom 18. 4. 1922 in Genua); Laubach, Politik (Anm. 17), S. 216f.

36 Ebd., S. 214f.; Winkler, Von der Revolution (Anm. 2), S. 466f.; Jürgen Zaruski, Die deutschen Sozialdemokraten und das sowjetische Modell. Ideologische Auseinandersetzung und außenpolitische Konzeptionen 1917–1933, München 1992, S. 155ff.; ferner: Harmut Pogge von Strandmann, Großindustrie und Rapallopolitik, in: HZ 222 (1976), S. 265–341.

37 AdR, Kabinette Wirth (Anm. 17), Bd. 2, S. 791–822, 828–841; Laubach, Politik (Anm. 17), S. 228–236.

38 AdR, Kabinette Wirth (Anm. 17), Bd. 2, S. 822f. (Äußerung Brauns in der Chefbesprechung vom 24. 5. 1922); Jasper, Schutz (Anm. 24), S. 57; Werner Liebe, Die Deutschnationale Volkspartei 1918–1924, Düsseldorf 1956, S. 62ff. (das Zitat von Henning: S. 159).

39 Walther Rathenau, Der Kaiser, u. a. in: ders., Schriften und Reden, Frankfurt 1964, S. 235–272 (249); Jasper, Schutz (Anm. 24), S. 57; Harry Graf Kessler, Walther Rathenau. Sein Leben und Werk, Wiesbaden 1928[1]; Ernst Schulin, Walther Rathenau. Repräsentant, Kritiker und Opfer seiner Zeit, Göttingen 1979; Tilmann Buddensieg u. a., Ein Mann vieler Eigenschaften. Walther Rathenau und die Kultur der Moderne, Berlin 1990.

40 Gumbel, „Verräter" (Anm. 24), S. 70ff.; ders., Verschwörer (Anm. 24), S. 48ff.; Martin Sabrow, Der Rathenaumord. Rekonstruktion einer Verschwörung gegen die Republik von Weimar, München 1994, S. 122ff.

41 Winkler, Von der Revolution (Anm. 2), S. 427f.

42 Schulthess 1922 (Anm. 38), S. 75–79; Verhandlungen (Anm. 18), Bd. 356, S. 5058.

43 RGBl. 1922, II, S. 521f. Dazu Jasper, Schutz (Anm. 24), S. 66–69; Gusy, Weimar (Anm. 25), S. 134ff. Zur Außerkraftsetzung der Verordnung vom 28. 9. 1921: Huber, Verfassungsgeschichte, Bd. VII (Anm. 7), S. 224.

44 Zusammenfassend: Jasper, Schutz (Anm. 24), S. 92–100, 189–210; Gusy, Weimar (Anm. 25), S. 139ff.; Laubach, Politik (Anm. 17), S. 263–269. Zur politischen Justiz: Heinrich u. Elisabeth Hannover, Politische Justiz 1918–1933, Frankfurt 1966; Ralph Angermund, Deutsche Richterschaft 1919–1945, Frankfurt 1990.

45 Schulthess 1922 (Anm. 38), S. 100; Huber, Verfassungsgeschichte, Bd. VI (Anm. 27), S. 987ff., 1009ff.; allgemein: Michael H. Kater, Studentenschaft und Rechtsradikalismus in Deutschland 1918–1933. Eine sozialgeschichtliche Studie zur Bildungskrise in der Weimarer Republik, Hamburg 1975; Wolfgang Kreutzberger, Studenten und Politik 1918–1933. Der Fall Freiburg im Breisgau, Göttingen 1972; Christian Jansen, Professoren und Politik. Politisches Denken und Handeln der Heidelberger Hochschullehrer 1914–1935, Göttingen 1992; Heike Ströle-Bühler, Studentischer Antisemitismus in der Weimarer Republik. Eine Analyse der Burschenschaftlichen Blätter 1918 bis 1933, Frankfurt 1991; Ulrich Herbert, „Generation der Sachlichkeit". Die völkische Studentenbewegung der frühen Zwanziger Jahre in Deutschland, in: Frank Bajohr u. a. (Hg.), Zivilisation und Barbarei, Hamburg 1992, S. 115–144; Hartmut Titze, Hochschulen, in: Handbuch der deutschen Bildungsgeschichte, Bd. V, 1919–1945. Die Weimarer Republik und die nationalsozialistische Diktatur, München 1989, S. 209–239.

46 Kurt Nowak, Evangelische Kirche und Weimarer Republik. Zum politischen Weg

des deutschen Protestantismus zwischen 1918 und 1932, Weimar 1981, S. 118; Jonathan R. C. Wright, „Über den Parteien“. Die politische Haltung der evangelischen Kirchenführer 1918–1933 (engl. Orig.: Oxford 1974), Göttingen 1977, S. 66, 84; Morsey, Zentrumspartei (Anm. 30), S. 401 ff. (Münchener Katholikentag 1922). Zum Münchner Katholikentag auch: Schulthess 1922 (Anm. 38), S. 106–108.

47 AdR, Kabinette Wirth (Anm. 17), Bd. 2, S. 923 f. (Kabinettssitzung vom 1. 7. 1922), 950 (Kabinettssitzung vom 11. 7. 1922); Schulthess 1922 (Anm. 38), S. 102 (Erklärung Eberts zum 11. 8. 1922); Jasper, Schutz (Anm. 24), S. 227 ff. Zu den Schulen u. a.: Christoph Führ, Zur Schulpolitik der Weimarer Republik. Die Zusammenarbeit von Reich und Ländern im Reichsschulausschuß (1919–1923) und im Ausschuß für das Unterrichtswesen (1924–1933), Weinheim 1970; Bernhard Zymek, Schulen, in: Handbuch, Bd. 5 (Anm. 45), S. 155–208. Zum geplanten Nationalfeiertag: Fritz Schellack, Nationalfeiertage in Deutschland von 1871 bis 1945, Frankfurt 1990, S. 157 ff., sowie Detlef Lehnert u. Klaus Megerle (Hg.), Politische Identität und nationale Gedenktage. Zur politischen Kultur in der Weimarer Republik, Opladen 1989. Zur Einführung des Deutschlandliedes als Nationalhymne: Ursula Mader, Wie das „Deutschlandlied“ Nationalhymne wurde. Aus der Ministerialakte „Nationallied“, in: ZfG 38 (1990), S. 1088–1100.

48 AdR, Kabinette Wirth (Anm. 17), Bd. 2, S. 908–912 (Parteiführerbesprechung vom 28. 6. 1922); Schulthess 1922 (Anm. 38), S. 88 f., 96; Morsey, Zentrumspartei (Anm. 30), S. 463 f.; Kastning, Sozialdemokratie (Anm. 28), S. 105 ff.; Winkler, Von der Revolution (Anm. 2), S. 458, 498.

49 Ebd., S. 486 ff., 524 ff.

50 Zusammenfassend: Liebe, Deutschnationale Volkspartei (Anm. 38), S. 62–73.

51 AdR, Kabinette Wirth (Anm. 17), Bd. I, S. IXL-XLVII, LVII-LXI, 855–880 (Kabinettssitzungen vom 13. 6. 1922); Laubach, Politik (Anm. 17), S. 234–243, 286 f.; Holtfrerich, Inflation (Anm. 2), S. 15 (Wechselkurse), 189, 288; Wulf, Stinnes (Anm. 29), S. 324–329; Winkler, Von der Revolution (Anm. 2), S. 393–397, 415 f.

52 Ebd., S. 398 f.; George W. F. Hallgarten, Hitler, Reichswehr und Industrie. Zur Geschichte der Jahre 1918–1933, Frankfurt 1962², S. 45–55; Wulf, Stinnes (Anm. 29), S. 433 ff.

53 AdR, Kabinette Wirth (Anm. 17), Bd. 2, S. 1154–1171; Schulthess 1922 (Anm. 38), S. 136–139; Laubach, Politik (Anm. 17), S. 298–314; Winkler, Von der Revolution (Anm. 2), S. 499–501, 553; Kastning, Sozialdemokratie (Anm. 28), S. 105–111. Über Cuno: Hermann-Josef Rupieper, Wilhelm Cuno, in: Sternburg (Hg.), Deutsche Kanzler (Anm. 17), S. 231–242.

8. Die vermiedene Katastrophe

1 Alfred Kastning, Die deutsche Sozialdemokratie zwischen Koalition und Opposition 1919–1923, Paderborn 1970, S. 110; Heinrich August Winkler, Von der Revolution zur Stabilisierung. Arbeiter und Arbeiterbewegung in der Weimarer Republik 1918–1924, Berlin 1985², S. 553 f.

2 Jacques Bariéty, Les relations franco-allemandes après la première guerre mondiale, Paris 1977, S. 91 ff; ders., Die französische Politik in der Ruhrkrise, in: Klaus Schwabe (Hg.), Die Ruhrkrise 1923. Wendepunkt der internationalen Beziehungen nach dem Ersten Weltkrieg, Paderborn 1984, S. 11–27; Klaus Schwabe, Großbritannien und die Ruhrkrise, ebd. S. 53–87; Jean-Claude Favez, Le Reich devant l'occupation franco-belge de la Ruhr en 1923, Genf 1969, S. 47–59; Denise Artaud, Die Hintergründe der Ruhrbesetzung 1923. Das Problem der interalliierten Schulden, in: VfZ 27 (1979), S. 241–259; Ernst Laubach, Die Politik der Kabinette Wirth 1921/22, Lübeck 1968, S. 263; Hermann J. Rupieper, The Cuno Government and Reparations 1922–1923. Politics and Economics, Den Haag 1979,

S. 13ff.; Werner Link, Die amerikanische Stabilisierungspolitik in Deutschland 1921–1932, Düsseldorf 1970, S. 136ff. Zum Vorstehenden auch: Schulthess' Europäischer Geschichtskalender, Neue Folge, 39. Jg., 1923, München 1928, S. 399–402.

3 Ebd., S. 8f.; Verhandlungen des Reichstags. Stenographische Berichte, Bd. 357, S. 9473–9439; Günter Arns, Die Linke in der SPD-Reichstagsfraktion im Herbst 1923, in: VfZ 22 (1974), S. 191–203; Michael Ruck, Die freien Gewerkschaften im Ruhrkampf 1923, Köln 1986, S. 61ff.; Heinrich Potthoff, Gewerkschaften und Politik zwischen Revolution und Inflation, Düsseldorf 1979, S. 317ff.; Hans Spethmann, Zwölf Jahre Ruhrbergbau, 4 Bde., Berlin 1928ff., Bd. 4, S. 11ff., 212–238.

4 Akten der Reichskanzlei (= AdR), Weimarer Republik, Das Kabinett Cuno, 22. November 1922 bis 12. August 1923, bearbeitet von Karl-Heinz Harbeck, Boppard 1968, S. 186–191 (Besprechung mit den Gewerkschaften, 23. 1. 1923); Carl Severing, Mein Lebensweg, 2 Bde., Köln 1950, Bd. 2, S. 115–118; Francis L. Carsten, Reichswehr und Politik 1918–1933, Köln 1964, S. 174f.; Robert G. L. Waite, Vanguard of Nazism. The Free Corps Movement in Postwar Germany 1918–1923, New York 1969², S. 239ff.

5 Schulthess 1923 (Anm. 2), S. 10f. Zum Aufstieg der NSDAP und Hitlers Politik während der Ruhrbesetzung u. a. Werner Maser, Die Frühgeschichte der NSDAP. Hitlers Weg bis 1924, Frankfurt 1965, S. 365ff.; Georg Franz-Willing, Ursprung der Hitlerbewegung, 1919–1922, Preußisch Oldendorf 1974²; ders., Krisenjahr der Hitlerbewegung 1923, Preußisch Oldendorf 1975; Dietrich Orlow, The History of the Nazi Party 1919–1933, Pittsburgh 1969, S. 11ff.

6 Michael Ruck, Bollwerk gegen Hitler? Arbeiterschaft, Arbeiterbewegung und die Anfänge des Nationalsozialismus, Köln 1988; Karl-Egon Lönne, Faschismus als Herausforderung. Die Auseinandersetzung der „Roten Fahne" und des „Vorwärts" mit dem italienischen Faschismus 1920–1933, Köln 1981; Wolfgang Wippermann, Zur Analyse des Faschismus. Die sozialistischen und kommunistischen Faschismustheorien 1921–1945, Frankfurt 1981; Winkler, Von der Revolution (Anm. 1), S. 547f., 570f., 581f.

7 Ebd., S. 561–572; Werner T. Angress, Die Kampfzeit der KPD 1921–1923 (amerik. Orig.: Princeton 1963), Düsseldorf 1973, S. 315ff.; Otto Wenzel, Die Kommunistische Partei Deutschlands im Jahre 1923, phil. Diss. (MS), FU Berlin 1955, S. 69ff. Der Aufruf der KPD vom 22. 1. 1923 in: Dokumente und Materialien zur Geschichte der deutschen Arbeiterbewegung (= DuM), Bd. 7/2, Berlin (O) 1966, S. 210–213.

8 Ernst Rudolf Huber, Deutsche Verfassungsgeschichte seit 1789, Bd. VI: Die Weimarer Reichsverfassung, Stuttgart 1981, S. 439f., Bd. VII: Ausbau, Schutz und Untergang der Weimarer Republik, Stuttgart 1984, S. 288–290. Zur Sitzung des Bundesausschusses des ADGB am 17./18. 4. 1923: Quellen zur Geschichte der deutschen Gewerkschaften, Bd. 2: Die Gewerkschaften in den Anfangsjahren der Republik 1919–1923. Bearbeitet von Michael Ruck, Köln 1985, S. 810–838 (817f.).

9 Die Zahlen nach: Zahlen zur Geldentwertung in Deutschland 1914 bis 1923. Sonderhefte zu Wirtschaft und Statistik 5 (1925), Nr. 1, S. 5f.; Carl-Ludwig Holtfrerich, Die deutsche Inflation 1914–1923. Ursachen und Wirkungen in internationaler Perspektive, Berlin 1980, S. 64f. Vgl. weiter Gerald D. Feldman, Iron and Steel in the German Inflation 1916–1923, Princeton 1977, S. 346–393; ders. u. Heidrun Homburg, Industrie und Inflation. Studien und Dokumente zur Politik der deutschen Unternehmer 1916–1923, Hamburg 1977, S. 129–159; Paul Wentzcke, Ruhrkampf, Einbruch und Abwehr im rheinisch-westfälischen Industriegebiet, 2 Bde., Berlin 1930ff., Bd. 1, S. 267ff.

10 Schulthess 1923 (Anm. 2), S. 65f., 105f.; AdR, Kabinett Cuno (Anm. 4), S. 334–341, 377–383, 550f.; Wentzcke, Ruhrkampf (Anm. 9), Bd. 2, S. 122ff.; Spethmann, Zwölf Jahre (Anm. 3), Bd. 4, S. 264–276; Winkler, Von der Revolution (Anm. 1), S. 566–568; Ruck, Gewerkschaften (Anm. 3), S. 307; Carsten, Reichswehr (Anm. 4), S. 174–183; Manfred Franke, Albert Leo Schlageter. Der erste Soldat des 3. Reiches. Die Entmythologisierung eines Helden, Köln 1981.

11 Protokoll der Konferenz der Erweiterten Exekutive der Kommunistischen Internationale. Moskau, 12.–23. Juni 1923, Hamburg 1922 (ND) Mailand 1967, S. 147, 240–245. Der Aufruf der KPD vom 17. 5. 1923 in: DuM, Bd. 7/2 (Anm. 7), S. 315–324. Die Zitate von Fischer und Remmele in: Angress, Kampfzeit (Anm. 7), S. 374–376. Vgl. dazu Otto-Ernst Schüddekopf, Linke Leute von rechts. Nationalismus in Deutschland von 1918–1933, Stuttgart 1960, S. 139–164; Louis Dupeux, „Nationalbolschewismus" in Deutschland 1919–1933. Kommunistische Strategie und konservative Dynamik (frz. Orig.: Paris 1979), München 1985, S. 178ff.

12 Schüddekopf, Linke Leute (Anm. 11), S. 149ff.; Marie-Luise Goldbach, Karl Radek und die deutsch-sowjetischen Beziehungen 1918–1923, Bonn 1973, J. 121ff.; E. H. Carr, The Interregnum 1923–1924 (= A History of Soviet Russia, Bd. 4), New York 1954, S. 162f. Zur deutschen Note vom 2. 5. 1923 und den Antworten der Alliierten: Rupieper, Cuno Government (Anm. 2), S. 147ff. Material hierzu in: Akten zur Deutschen Auswärtigen Politik 1918–1945 (= ADAP), Serie A: 1918–1925, Bd. VII: 1. Januar bis 31. Mai 1923, Göttingen 1989, S. 525ff.

13 AdR, Kabinett Cuno (Anm. 4), S. 508–513 (Schreiben des RDI), 537–539 (Schreiben der Gewerkschaften); Peter Wulf, Hugo Stinnes. Wirtschaft und Politik 1918–1924, Stuttgart 1979, S. 384ff.; Rupieper, Cuno Government (Anm. 2), S. 155ff.; Winkler, Von der Revolution (Anm. 1), S. 575ff.

14 Ebd., S. 577; Rupieper, Cuno Government (Anm. 2), S. 60ff.; Potthoff, Gewerkschaften (Anm. 3), S. 336ff.

15 AdR, Kabinett Cuno (Anm. 4), S. 682–688 (Denkschrift vom 27. 7. 1923). Das Zitat aus dem besetzten Gebiet: Winkler, Von der Revolution (Anm. 1), S. 88. Die Zahlen: Zahlen (Anm. 9), S. 5f. (Großhandelspreise und Dollarkurs), Holtfrerich, Inflation (Anm. 9), S. 65 (schwebende Schuld), 230 (Löhne). Zur Lage der Arbeiter u. a.: Klaus Tenfelde, Proletarische Provinz. Radikalisierung und Widerstand in Penzberg/Oberbayern 1900 bis 1945, München 1982, S. 135ff.; zu den Bauern: Robert G. Moeller, Winners as Losers in the German Inflation: Peasant Protest over the Controlled Economy 1920–1923, in: Gerald D. Feldman u. a. (Hg.), Die deutsche Inflation. Eine Zwischenbilanz, Berlin 1982, S. 225–288; Jonathan Osmond, German Peasant Farmers in War and Inflation 1914–1924: Stability or Stagnation?, ebd., S. 289–307. Ferner: Martin H. Geyer, Teuerungsprotest, Konsumentenpolitik und soziale Gerechtigkeit während der Inflation: München 1920–1923, in: AfS 30 (1990), S. 381–225.

16 Arthur Rosenberg, Geschichte der Weimarer Republik, Neuausgabe, Frankfurt 1961, S. 136. Zu den Zahlen: Winkler, Von der Revolution (Anm. 1), S. 593.

17 Lore Heer-Kleinert, Die Gewerkschaftspolitik der KPD in der Weimarer Republik, Frankfurt 1983, S. 214ff.; Wenzel, Kommunistische Partei (Anm. 7), S. 133ff.; Angress, Kampfzeit (Anm. 7), S. 384ff.; Klaus Dettmer, Arbeitslose in Berlin. Zur politischen Geschichte der Arbeitslosenbewegung zwischen 1918 und 1923, phil. Diss., FU Berlin 1977, S. 212ff.

18 DuM, Bd. 7/2 (Anm. 7), S. 364–367 (Aufruf der KPD vom 11. 7. 1923), 373–377 (Aufruf vom 25. 7. 1923 zum Antifaschistentag) 378–381 (Erklärung der Zentrale vom 31. 7. 1923), 384–400 (Resolution des Zentralausschusses vom 5./6. 8. 1923); Angress, Kampfzeit (Anm. 7), S. 396ff. Zur Perspektive des revolutionären Krieges gegen Frankreich bei Radek: Schüddekopf, Linke Leute (Anm. 11), S. 156. Zu den bayerischen Direktoriumsplänen: Franz-Willing, Krisenjahr (Anm. 5), S. 116ff.

19 Winkler, Von der Revolution (Anm. 1), S. 599f.

20 Ebd., S. 586f., 600f. Der Weimarer Beschluß der Linken vom 29. 7. 1923 in: Friedrich Purlitz (Hg.), Deutscher Geschichtskalender 39 (1923), Bd. 1 (Inland), Leipzig o. J., S. 169f. Der Beschluß der SPD-Reichstagsfraktion vom 11. 8. 1923 in: DuM Bd. 7/2 (Anm. 7), S. 403. Zur Reaktion der Regierung Cuno und der bürgerlichen Parteien: AdR, Kabi-

nett Cuno (Anm. 4), S. 733–743. Zur Entwicklung in der SPD: Kastning, Sozialdemokratie (Anm. 1), S. 113.

21 AdR, Kabinett Cuno (Anm. 4), S. 695 f. (zum Artikel der „Germania"), 738–746 (Parteiführerbesprechungen vom 12. 8. 1923); Wulf, Stinnes (Anm. 13), S. 443 f.

22 Aus der umfangreichen Literatur: Anneliese Thimme, Henry A. Turner, Stresemann. Republikaner aus Vernunft (amerik. Orig.: Princeton 1963), Berlin 1968; Wilhelm von Sternburg, Gustav Stresemann, in: ders. (Hg.), Die deutschen Kanzler von Bismarck bis Schmidt, Königstein 1985, S. 243–272.

23 Zur Kabinettsbildung: AdR, Weimarer Republik. Die Kabinette Stresemann I u. II. 13. August bis 6. Oktober 1923, 6. Oktober bis 30. November 1923, 2 Bde., bearbeitet von Karl Dietrich Erdmann u. Martin Vogt, Boppard 1978, S. XXIff.

24 Schulthess 1923 (Anm. 2), S. 153; Verhandlungen (Anm. 3), Bd. 361, S. 11871–11873; Kastning, Sozialdemokratie (Anm. 1), S. 114ff.; Arns, Linke (Anm. 3), S. 195; ders., Regierungsbildung und Koalitionspolitik in der Weimarer Republik 1919–1924, phil. Diss., Tübingen 1971, S. 138ff.

25 DuM, Bd. 7/2, S. 407–409; Angress, Kampfzeit (Anm. 7), S. 407ff.; Winkler, Von der Revolution (Anm. 1), S. 603 f.

26 AdR, Kabinette Stresemann (Anm. 23), Bd. 1, S. 11–17 (Bericht Hamms), 284–289 (Bericht aus dem Ruhrgebiet). Zum Fechenbach-Prozeß vgl. Hermann Schueler, Auf der Flucht erschossen. Felix Fechenbach 1894–1933. Eine Biographie, Köln 1981, S. 171ff.

27 AdR, Kabinette Stresemann (Anm. 23), Bd. 1, S. 164 (Hilferding), 318 (Elberfelder Konferenz); Gewerkschaften (Anm. 8), S. 923 (Entschließung des ADGB). Dazu Ruck, Gewerkschaften (Anm. 3), S. 445 f.; Winkler, Von der Revolution (Anm. 1), S. 605–608.

28 Zahlen (Anm. 9), S. 10, 35.

29 AdR, Kabinette Stresemann (Anm. 23), Bd. 1, S. 23–29 (Besprechung vom 18. 8. 1923).

30 Ebd., S. LXXVIff. (mit Einzelbelegen). Dazu Claus-Dieter Krohn, Helfferich contra Hilferding. Konservative Geldpolitik und die sozialen Folgen der deutschen Inflation, in: VSWG 62 (1975), S. 62–92; Rosemarie Leuschen-Seppel, Zwischen Staatsverantwortung und Klasseninteresse. Die Wirtschafts- und Finanzpolitik der SPD zur Zeit der Weimarer Republik, unter besonderer Berücksichtigung der Mittelphase 1924–1928/29, Bonn 1981, S. 93ff.; Martin Vogt, Rudolf Hilferding als Finanzminister im ersten Kabinett Stresemann, in: Otto Büsch u. Gerald D. Feldman (Hg.), Historische Prozesse der deutschen Inflation 1914–1924, Berlin 1987, S. 127–158; Paul Beusch, Währungszerfall und Währungsstabilisierung, Berlin 1928; Winkler, Von der Revolution (Anm. 1), S. 608–612.

31 AdR, Kabinette Stresemann (Anm. 23), Bd. 1, S. 75–83 (Kabinettssitzung vom 23. 8. 1923), 319–325 (Kabinettssitzung vom 20. 9. 1923), 334–345 (Besprechungen mit Vertretern des besetzten Gebiets vom 24. 9. 1923), 349–361 (Besprechungen mit den Ministerpräsidenten und Parteiführern vom 25. 9. 1923), 361–372 (Ministerrat vom 25. 9. 1923); Schulthess 1923 (Anm. 2), S. 177f. (Aufruf vom 26. 9. 1923), 282 (britische Erklärung vom 19. 3. 1923). Zum Vorstehenden auch Werner Weidenfeld, Die Englandpolitik Gustav Stresemanns. Theoretische und praktische Außenpolitik, Mainz 1972, S. 173ff.; Michael-Olaf Maxelon, Stresemann und Frankreich. Deutsche Politik der Ost-West-Balance, Düsseldorf 1972, S. 136ff.

32 Gustav Stresemann, Vermächtnis. Der Nachlaß in drei Bänden. Bd. 1, Berlin 1932, S. 132f. (Notiz über ein Telefonat mit Knilling vom 27. 9. 1923); Purlitz 1923 (Anm. 20), Bd. 1, S. 111–113 (bayerische Verlautbarungen); Karl Schwend, Bayern zwischen Monarchie und Diktatur. Beiträge zur bayerischen Frage in der Zeit von 1918 bis 1933, München 1954, S. 215ff.

33 AdR, Kabinette Stresemann (Anm. 23), Bd. 1, S. 380–385 (Kabinettssitzung vom 27. 9. 1923), 410–415 (Kabinettssitzung vom 30. 9. 1923), S. 432–436 (Bericht des Vertreters der Reichsregierung in Bayern, Staatssekretär Haniel, vom 1. 10. 1923), Bd. 2, S. 1181ff. (Mate-

rialsammlung Lieber). Die Artikel des „Völkischen Beobachters" in: Ernst Deuerlein (Hg.). Der Hitler-Putsch. Bayerische Dokumente zum 8./9. November 1923, Stuttgart 1968, S. 74ff.

34 Hans Meier-Welcker, Seeckt, Frankfurt 1967, S. 376ff.; Wulf, Stinnes (Anm. 13), S. 452ff.; George W. F. Hallgarten, Hitler, Reichswehr und Industrie. Zur Geschichte der Jahre 1918–1933, Frankfurt 1962², S. 11–44 (ebd. S. 63f., der Bericht Houghtons über sein Gespräch mit Stinnes vom 15.9.1923).

35 AdR, Kabinette Stresemann (Anm. 23), Bd. 2, S. 1176f., 1203–1210 (Materialsammlung Lieber: Gespräche mit Seeckt und Entwürfe für Regierungsprogramm und Regierungserklärung Seeckts); Bd. 1, S. 410–415 (Kabinettssitzung vom 30.9.1923). Zur Rolle Seeckts auch: Meier-Welcker, Seeckt (Anm. 34), S. 390–393; Carsten, Reichswehr (Anm. 4), S. 183–193; Eberhard Kessel, Seeckts politisches Programm, in: Im Spiegel der Geschichte. Festschrift für Max Braubach, Münster 1964, S. 887–914; Heinz Hürten, Reichswehr und Ausnahmezustand. Ein Beitrag zur Verfassungsproblematik der Weimarer Republik in ihrem ersten Jahrfünft, Opladen 1977, S. 33f.

36 Winkler, Von der Revolution (Anm. 1), S. 619–622; Angress, Kampfzeit (Anm. 7), S. 418ff.; Walter Fabian, Klassenkampf um Sachsen. Ein Stück Geschichte 1918–1930, Löbau 1930, S. 154ff.; Harold J. Gordon, Die Reichswehr und Sachsen 1923, in: Wehrwissenschaftliche Rundschau 11 (1961), S. 677–692; Helmut Gast, Die proletarischen Hundertschaften als Organe der Einheitsfront im Jahre 1923, in: ZfG 4 (1956), S. 439–465.

37 Angress, Kampfzeit (Anm. 7), S. 426–441; Wenzel, Kommunistische Partei (Anm. 7), S. 175–188; Hans-Ulrich Ludewig, Arbeiterbewegung und Aufstand. Eine Untersuchung zum Verhalten der Arbeiterparteien in den Aufstandsbewegungen der frühen Weimarer Republik 1920–1923, Husum 1978, S. 200–206; Carr, Interregnum (Anm. 12), S. 201ff.; Georg von Rauch, Lenin und die „verpaßte Revolution" in Deutschland, in: The Annals of the Ukrainian Academy of Arts and Sciences in the United States, New York 6 (1961), S. 26–41; Goldbach, Radek (Anm. 12), S. 127ff.; Willian Korey, Zinoviev on the German Revolution of October 1923. A Case Study of a Bolschevik Attitude to Revolutions Abroad, in: John Shelton Curtiss (Hg.), Essays in Russian and Soviet History. In Honor of Geroid Tanquary Robinson, Leiden 1963, S. 253–269; Dietrich Möller, Stalin und der „deutsche Oktober" 1923, in: JGO (NF) 13 (1965), S. 212–225. Als zeitgenössische und spätere Quellen u. a.: Boris Bajanow, Stalin – Der rote Diktator, Berlin 1931, S. 122–131; Die Lehren der deutschen Ereignisse. Das Präsidium des Exekutivkomitees der Kommunistischen Internationale zur deutschen Frage (Januar 1924), Hamburg 1924; August Thalheimer, 1923: Eine verpaßte Revolution? Die deutsche Oktoberlegende und die wirkliche Geschichte von 1923, Berlin 1931; Ruth Fischer, Stalin und der deutsche Kommunismus. Der Übergang zur Konterrevolution (amerik. Orig.: Cambridge/Mass. 1948), Frankfurt o. J. (1950), S. 371–394; Hermann Weber (Hg.), Unabhängige Kommunisten. Der Briefwechsel zwischen Heinrich Brandler und Isaac Deutscher 1949–1967, Berlin 1982, S. 6ff., 179ff., 255ff., 264f.

38 AdR, Kabinette Stresemann (Anm. 3), Bd. 1, S. 418–422 (Kabinettssitzung vom 1.10.1923), 436–444 (Parteiführerbesprechung vom 2.10.1923); Schulthess 1923 (Anm. 2), S. 184; Purlitz 1923 (Anm. 20), Bd. 2, S. 98; Wentzcke, Ruhrkampf (Anm. 9), Bd. 2, S. 165ff.; Spethmann, Zwölf Jahre (Anm. 3), Bd. 4, S. 216–238; Erwin Bischof, Rheinischer Separatismus 1918–1924. Hans Adam Dorstens Rheinstaatsbestrebungen, Bern 1969, S. 123ff.; Wenzel, Kommunistische Partei (Anm. 7), S. 207–211; Alexander Graf Stenbock-Fermor, Meine Erlebnisse als Bergarbeiter, Stuttgart 1929, S. 173ff.

39 AdR, Kabinette Stresemann (Anm. 23), S. 415f. (Beschluß von Unna); Wulf, Stinnes (Anm. 13), S. 425–452; Feldman, Iron (Anm. 9), S. 393ff.; ders. u. Irmgard Steinisch, Die Weimarer Republik zwischen Sozial- und Wirtschaftsstaat. Die Entscheidung gegen den Achtstundentag, in: AfS 18 (1978), S. 353–439 (bes. 388ff.); Spethmann, Zwölf Jahre (Anm. 3), Bd. 3, S. 181f., 378f.; Paul Osthold, Die Geschichte des Zechenverbandes 1908–1933. Ein Beitrag zur deutschen Sozialgeschichte, Berlin 1934, S. 353ff.

40 AdR, Kabinette Stresemann (Anm. 23), Bd. 1, S. 410–415 (Kabinettssitzung vom 30. 9. 1923), 417–431 (Ministerrat vom 1. 10. 1923), 436–446 (Parteiführerbesprechungen vom 2. 10. 1923), 454–462 (Kabinettssitzungen vom 3. 10. 1923); Die Protokolle der Reichstagsfraktion der Deutschen Zentrumspartei 1920–1925, bearb. v. Rudolf Morsey u. Karsten Ruppert, Mainz 1981, S. 482–485 (Fraktionssitzung vom 2./3. 10. 1923); Günter Arns, Die Krise des Weimarer Parlamentarismus im Frühherbst 1923, in: Der Staat 8 (1969), S. 180–216; Winkler, Von der Revolution (Anm. 1), S. 627–636 (mit weiteren Literaturangaben).

41 AdR, Kabinette Stresemann (Anm. 23), Bd. 1, S. 484f. (Koalitionsbesprechung vom 5. 10. 1923), Bd. 2, S. 543f. (Kabinettssitzung vom 11. 10. 1923), 559f. (Kabinettssitzung vom 12. 10. 1923); Protokolle (Anm. 40), S. 486–498 (Fraktionssitzungen des Zentrums, 4.–11. 10. 1923); Stresemann, Vermächtnis (Anm. 32), Bd. 1, S. 145f., 157f.; Winkler, Von der Revolution (Anm. 1), S. 638f., 674, 684–689; Huber, Verfassungsgeschichte (Anm. 8), Bd. 7, S. 356–364; Arns, Krise (Anm. 40), S. 212ff.; ders., Linke (Anm. 3), S. 191–203.

42 Huber, Verfassungsgeschichte (Anm. 8), Bd. 7, S. 364–373; Franz-Willing, Krisenjahr (Anm. 5), S. 118ff.; Deuerlein (Hg.), Hitler-Putsch (Anm. 33), S. 81ff.; Schwend, Bayern (Anm. 32), S. 223ff.; Harold J. Gordon jr., Hitler-Putsch 1923. Machtkampf in Bayern 1923–1924 (amerik. Original: Princeton 1972), Frankfurt 1971, S. 222ff.; Meier-Welcker, Seeckt (Anm. 34), S. 393ff. Zur Ausweisung von Ostjuden aus Bayern: Trude Maurer, Ostjuden in Deutschland 1918–1933, Hamburg 1986, S. 405–416; Reiner Pommerin, Die Ausweisung von „Ostjuden" aus Bayern 1923. Ein Beitrag zum Krisenjahr der Weimarer Republik, in: VfZ 34 (1986), S. 311–340. Ein Augenzeugenbericht zur Ausweisung von Juden aus München vom 31. 10. 1923 in: AdR, Kabinette Stresemann (Anm. 23), Bd. 2, S. 926–933.

43 Ebd. Bd. 2, S. 612–614 (Kabinettssitzung vom 17. 10. 1923), 640–650 (Bericht des Reichskommissars für Überwachung der öffentlichen Ordnung vom 19. 10. 1923); Das Krisenjahr 1923. Militär und Innenpolitik 1922–1924, bearbeitet von Heinz Hürten, Düsseldorf 1980, S. 93 (Müllers Schreiben an die sächsische Regierung vom 15. 10. 1923). Zum Vorstehenden: Winkler, Von der Revolution (Anm. 1), S. 649–652; Wenzel, Kommunistische Partei (Anm. 7), S. 203ff.; Angress, Kampfzeit (Anm. 7), S. 464ff.

44 Ebd., S. 476ff.; Wenzel, Kommunistische Partei (Anm. 7), S. 223ff.; Winkler, Von der Revolution (Anm. 1), S. 653ff.; Richard A. Comfort, Revolutionary Hamburg. Labor Politics in the Early Weimar Republic, Stanford 1966, S. 120ff.; Lothar Danner, Ordnungspolizei Hamburg: Betrachtungen zu ihrer Geschichte 1918–1933, Hamburg 1958, S. 67ff. Aus der Sicht von Beteiligten: Thalheimer, 1923 (Anm. 37), S. 26; Karl Retzlaw (= Karl Gröhl), Spartakus. Aufstieg und Niedergang. Erinnerungen eines Parteiarbeiters, Frankfurt 1971, S. 280ff.

45 AdR, Kabinette Stresemann (Anm. 23), Bd. 2, S. 638–640 (Kabinettssitzung vom 19. 10. 1923), 853–859 (Kabinettssitzung vom 27. 10. 1923), 860–862 (Ultimatum Stresemanns), 868f. (Antwort Zeigners); Purlitz 1923 (Anm. 20), S. 284–287; Schulthess 1923 (Anm. 2), S. 200–206; Fabian, Klassenkampf (Anm. 36), S. 171f.; Donald B. Pryce, The Reich Government versus Saxony, 1923: The Decision to Intervene, in: CEH 10 (1977), S. 112–147; Winkler, Von der Revolution (Anm. 1), S. 655–658 (mit weiterer Lit.).

46 Hürten, Reichswehr (Anm. 35), S. 36ff. Zum Bericht Dittmanns und den Verhandlungen zwischen der Reichs- und der sächsischen SPD: Winkler, Von der Revolution (Anm. 1), S. 657f.

47 AdR, Kabinette Stresemann (Anm. 23), Bd. 2, S. 869 (Vermerk Stresemanns vom 28. 10. 1923), 870–874 (Parteiführerbesprechung vom 29. 10. 1923), 870–874 (Parteiführerbesprechung vom 29. 10. 1923), 935–938 (Kabinetssitzung vom 1. 11. 1923), 944–947 (Besprechung der bürgerlichen Kabinettsmitglieder vom 2. 11. 1923), 948–952 (Ministerbesprechung vom 2. 11. 1923), 954 (Rücktrittserklärung der sozialdemokratischen Minister vom 2. 11. 1923); Protokolle (Anm. 40), S. 498–502 (Fraktionssitzung des Zentrums vom

4.11.1923); Stresemann, Vermächtnis (Anm. 23), Bd. 1, S. 189–194; Linksliberalismus in der Weimarer Republik. Die Führungsgremien der Deutschen Demokratischen Partei und der Deutschen Staatspartei 1918–1933. Eingeleitet von Lothar Albertin, bearb. von Konstanze Wegner, Düsseldorf 1980, S. 502f. (Koch-Weser, 11.11.1923). Zu den Beratungen innerhalb der SPD: Winkler, Von der Revolution (Anm. 1), S. 658–669; Kastning, Sozialdemokratie (Anm. 1), S. 122–128. Zum Vergleich der Krisen um Bayern und Sachsen: Gerald D. Feldman, Bayern und Sachsen in der Hyperinflation 1922/23, in: HZ 238 (1984), S. 569–609.

48 AdR, Kabinette Stresemann (Anm. 23), Bd. 2, S. 966–968 (Ministerbesprechung vom 5.11.1923), 1990f. (Materialsammlung Lieber, 24.10.1923), 1211–1215 (Entwurf eines Briefes u. Brief von Seeckt an Kahr, 2./5.11.1923), 1215–1217 (Briefwechsel Seeckt-Wiedfeldt); Otto Geßler, Reichswehrpolitik in der Weimarer Zeit, Stuttgart 1958, S. 299; Stresemann, Vermächtnis (Anm. 12), Bd. 1, S. 195–201; Meier-Welcker, Seeckt (Anm. 34), S. 393–409; Turner, Stresemann (Anm. 22), S. 134f.; Roland Thimme, Stresemann und die Deutsche Volkspartei 1923–1925, Lübeck 1961, S. 22ff.; Günter Arns, Friedrich Ebert als Reichspräsident, in: Theodor Schieder (Hg.), Beiträge zur Geschichte der Weimarer Republik, Beiheft 1 der HZ, 1971, S. 1–30.

49 AdR, Kabinette Stresemann (Anm. 23), Bd. 1, S. LXXff. (mit Einzelbelegen); Link, Stabilisierungspolitik (Anm. 2), S. 136ff.; Dan P. Silverman, Reconstructing Europe after the Great War, Cambridge/Mass. 1982, S. 145ff.; Bariéty, Relations (Anm. 2), S. 263ff.; Stephen A. Schuker, The End of French Predominance in Europe. The Financial Crisis of 1924 and the Adoption of the Dawes Plan, Chapel Hill 1976, S. 31ff.; Peter Krüger, Die Außenpolitik der Republik von Weimar, Darmstadt 1985, S. 218ff.

50 Schulthess 1923 (Anm. 2), S. 201, 203f.; Bariéty, Relations (Anm. 2), S. 21; Diethard Hennig, Johannes Hoffmann. Sozialdemokrat und Bayerischer Ministerpräsident, München 1990, S. 479ff.; allgemein zum rheinischen Separatismus: Bischof, Separatismus (Anm. 38).

51 AdR, Kabinette Stresemann (Anm. 23), Bd. 2), S. 662–673 (Kabinettssitzung vom 20.10.1923), 709–713 (Ministerbesprechung vom 24.10.1923), 761–836 (Hagener Konferenz vom 25.10. 1923); Karl Dietrich Erdmann, Adenauer in der Rheinlandpolitik nach dem Ersten Weltkrieg, Stuttgart 1966, S. 71–78; Hans Peter Schwarz, Adenauer. Der Aufstieg: 1876–1952, Stuttgart 1986, S. 258–290.

52 Deuerlein (Hg.), Hitler-Putsch (Anm. 33), S. 308–321; Gordon, Hitler-Putsch (Anm. 42), S. 244–327; Hanns-Hubert Hofmann, Der Hitlerputsch. Krisenjahre deutscher Geschichte 1920–1924, München 1961, S. 158–226; Meier-Welcker, Seeckt (Anm. 34), S. 405–409; Carsten, Reichswehr (Anm. 4), S. 205f.; Hürten, Reichswehr (Anm. 35), S. 38f.; Huber, Verfassungsgeschichte (Anm. 8), Bd. 7, S. 402–415. Zur Reaktion der Reichsregierung: AdR, Kabinette Stresemann (Anm. 23), Bd. 2, S. 997f. (Telegramm an die Länderregierungen vom 8./9.11.1923), 998f. (Kabinettssitzung vom 9.11.1923). Zur Beratung am 8./9.11.1923 auch Severing, Lebensweg (Anm. 4), Bd. 2, S. 446f.

53 Huber, Verfassungsgeschichte (Anm. 8), Bd. 6, S. 153f., 816ff., Bd. 7, S. 385f., 416–419.

54 AdR, Kabinette Stresemann (Anm. 23), Bd. 1, S. LXXXff., Bd. 2, S. 578–580 (Kabinettssitzung vom 15.10.1923), 986–990 (Kabinettssitzung vom 7.11.1923), 1042–1055, 1057–1060, 1110–1124 (Sitzungen von Reichskabinett, beteiligten Ländern und Fünfzehnerausschuß über Fragen des besetzten Gebietes vom 13.11.1923). Zum Personalabbau: Andreas Kunz, Stand versus Klasse: Beamtenschaft und Gewerkschaften im Konflikt um den Personalabbau 1923/24, in: GG 8 (1982), S. 55–86; ders., Civil Servants and the Politics of Inflation in Germany, 1914–1924, Berlin 1986, S. 370ff. Zusammenfassend zur Währungsreform vom Nobember 1923: Holtfrerich, Inflation (Anm. 9), S. 298ff.

55 AdR, Kabinette Stresemann, Bd. 1, S. LIXff. (mit Einzelbelegen); Wulf, Stinnes

(Anm. 13), S. 393–425; Bariéty, Relations (Anm. 2), S. 241–246, 276ff.; Spethmann, Zwölf Jahre (Anm. 3), Bd. 3, S. 198–239; Ludwig Zimmermann, Frankreichs Ruhrpolitik von Versailles zum Dawesplan, Göttingen 1971, S. 247ff.

56 AdR, Kabinette Stresemann (Anm. 23), Bd. 2, S. 1130–1136 (Kabinettssitzung vom 19. 11. 1923), 1162 (Kabinettssitzung vom 22. 11. 1923); Stresemann, Vermächtnis (Anm. 32), Bd. 1, S. 245 (Äußerungen Eberts und Stresemanns); Protokolle (Anm. 40), S. 502–504 (Fraktionssitzungen des Zentrums vom 19. u. 22. 11. 1923); Schulthess 1923 (Anm. 2), S. 218–222; Verhandlungen (Anm. 3), Bd. 361, S. 12292–12294 (Abstimmung vom 23. 11. 1923); Friedrich Stampfer, Die vierzehn Jahre der ersten deutschen Republik, Hamburg 1953[3], S. 384; Kastning, Sozialdemokratie (Anm. 1), S. 128–166; Turner, Stresemann (Anm. 22), S. 131; Thimme, Stresemann (Anm. 48), S. 20ff.

57 AdR, Weimarer Republik. Die Kabinette Marx I und II. 30. November 1923 bis 3. Juni 1924. 3. Juni 1924 bis 15. Januar 1925, 2 Bde., bearbeitet von Günter Abramowski, Boppard 1973, Bd. 1, S. VIIff.; Kastning, Sozialdemokratie (Anm. 1), S. 133f.; Meier-Welcker, Seeckt (Anm. 34), S. 412ff. Über Wilhelm Marx: Ulrich von Hehl, Wilhelm Marx 1863–1946, Mainz 1987; ders., Wilhelm Marx, in: Sternburg (Hg.), Kanzler (Anm. 22), S. 273–293.

58 Holtfrerich, Inflation (Anm. 9), S. 195 (Arbeitslosigkeit); Zahlen (Anm. 9), S. 41. Zur sozialen Entwicklung allgemein und dem Mitgliederverlust der Gewerkschaften: Winkler, Von der Revolution (Anm. 1), S. 646ff., 711f.

59 Verhandlungen (Anm. 3), Bd. 361, S. 12259 (Geßler, 23. 11.–1923); AdR, Kabinette Stresemann (Anm. 23), Bd. 2, S. 1130–1136 (Kabinettssitzung vom 19. 11. 1923).

60 Stresemann, Vermächtnis (Anm. 32), Bd. 1, S. 246, 287.

9. Die prekäre Stabilisierung

1 Franz Eulenburg, Die sozialen Wirkungen der Währungsverhältnisse, in JNS 122 [3. Folge, 67] 1924. S. 748–794 (789). Zum Vorstehenden auch: Heinrich August Winkler, Mittelstand, Demokratie und Nationalsozialismus. Die politische Entwicklung von Handwerk und Kleinhandel in der Weimarer Republik, Köln 1972, S. 28f., 76ff.; ders., Von der Revolution zur Stabilisierung. Arbeiter und Arbeiterbewegung in der Weimarer Republik 1918–1924, Berlin 1985[2], S. 388ff. (mit weiterer Lit.).

2 Ebd. S. 694ff.; Erich Eyck, Geschichte der Weimarer Republik, 2 Bde., Bd. 1: Vom Zusammenbruch des Kaisertums bis zur Wahl Hindenburgs, Erlenbach 1962[4], 389ff.; Friedrich Karl Kübler, Der deutsche Richter und das demokratische Gesetz. Versuch einer Deutung aus richterlichen Selbstzeugnissen, in: Archiv für die civilistische Praxis 162 [N. F.: 42] (1963), S. 104–128.

3 Winkler, Von der Revolution (Anm. 1), S. 711ff.

4 Akten der Reichskanzlei (= AdR), Weimarer Republik. Die Kabinette Marx I und II. 30. November 1923 bis 3. Juni 1924. 3. Juni 1924 bis 15. Januar 1925, bearbeitet von Günter Abramowski, Boppard 1973, S. 1–37 (Kabinettssitzungen u. Ministerbesprechungen vom 1. bis 4. 12. 1923); Ernst Rudolf Huber, Deutsche Verfassungsgeschichte seit 1789, Bd. VII: Ausbau, Schutz und Untergang der Weimarer Republik, Stuttgart 1984, S. 447–454; Alfred Kastning, Die deutsche Sozialdemokratie zwischen Koalition und Opposition 1919–1923, Paderborn 1970, S. 134–136; Winkler, Von der Revolution (Anm. 1), S. 679f.

5 Gerald D. Feldman u. Irmgard Steinisch, Die Weimarer Republik zwischen Sozial- und Wirtschaftsstaat. Die Entscheidung gegen den Achtstundentag, in: AfS 18 (1978), S. 353–439; Irmgard Steinisch, Arbeitszeitverkürzung und sozialer Wandel. Der Kampf um die Achtstundenschicht in der deutschen und amerikanischen Eisen- und Stahlindustrie 1880–1929, Berlin 1986; Winkler, Von der Revolution (Anm. 1), S. 681ff. Zur Schlich-

tungsverordnung und zum Schlichtungswesen allgemein: Johannes Bähr, Staatliche Schlichtung in der Weimarer Republik. Tarifpolitik, Korporatismus und industrieller Konflikt zwischen Inflation und Deflation 1919–1932, Berlin 1989, S. 72ff. Zur Arbeitszeitverlängerung bei den Beamten: AdR, Kabinette Marx I/II (Anm. 4), (Anm. 4), Bd. I, S. 105 (Kabinettssitzung vom 14. 12 1923).

6 Gerald D. Feldman u. Irmgard Steinisch, Industrie und Gewerkschaften 1918–1924. Die überforderte Zentralarbeitsgemeinschaft, Stuttgart 1985, bes. s. 124ff.; Winkler, Von der Revolution (Anm. 1), S. 711 ff.

7 Peter Christian Witt, Inflation, Wohnungszwangswirtschaft und Hauszinssteuer. Zur Regelung von Wohnungsbau und Wohnungsmarkt in der Weimarer Republik, in: Lutz Niethammer (Hg.), Wohnen im Wandel. Beiträge zur Geschichte des Alltags in der bürgerlichen Gesellschaft, Wuppertal 1979, S. 385–407; Ludwig Preller, Sozialpolitik in der Weimarer Republik, Düsseldorf 1978², S. 332ff.

8 Eyck, Geschichte (Anm. 2), Bd. 1, S. 381 ff.; Claus-Dieter Krohn, Stabilisierung und ökonomische Interessen. Die Finanzpolitik des Deutschen Reiches 1923–1927, Düsseldorf 1974, S. 36ff.; Karl-Bernhard Netzband und Paul Widmaier, Finanz- und Wirtschaftspolitik in der Ära Luther 1923–128, Basel 1964, S. 137ff.

9 AdR, Kabinette Marx I/II (Anm. 4), Bd. I, S. XXXIIf. (mit weiteren Belegen), 39–45 (Gemeinsame Sitzung des Reichskabinetts und des Preußischen Staatsministeriums vom 5. 12. 1923); Karl Dietrich Erdmann, Adenauer in der Rheinlandpolitik nach dem Ersten Weltkrieg, Stuttgart 1966, S. 156ff.; Hans-Peter Schwarz, Adenauer. Der Aufstieg: 1876–1952, Stuttgart 1986, S. 278ff.

10 AdR, Kabinette Marx I/II (Anm. 4), Bd. I, S. XIVf., 378f. (Vereinbarung vom 14. 2. 1924), 400–403 (Brief des Bayerischen Staatsministeriums an Reichskanzler Marx vom 23. 2. 1924), 406–409 (Ministerbesprechung vom 26. 2. 1924); Huber, Verfassungsgeschichte (Anm. 4), Bd. 7, S. 469–478.

11 Friedrich Purlitz (Hg.), Deutscher Geschichtskalender 40 (1924), 1. Band (Inland), Leipzig o. J., S. 296–299 (Urteil im Hitler-Prozeß); Bernd Steger, Der Hitlerprozeß und Bayerns Verhältnis zum Reich 1923/24, in: VfZ 25 (1977), S. 441–466; Otto Gritschneder, Bewährungsfrist für den Terroristen Adolf H. Der Hitler-Putsch und die bayerische Justiz, München 1990. Vgl. auch die in den Anm. 8/42 u. 52 genannte Lit. zum Hitler-Putsch.

12 AdR, Kabinette Marx I/II (Anm. 4), Bd. I, S. XIIIf.; Das Krisenjahr 1923. Militär und Innenpolitik 1922–1924, bearbeitet von Heinz Hürten, Düsseldorf 1980, S. XVIIf.; Heinz Hürten, Reichswehr und Ausnahmezustand. Ein Beitrag zur Verfassungsproblematik der Weimarer Republik in ihrem ersten Jahrfünft, Opladen 1977, S. 47f.; Michael Geyer, Der zur Organisation erhobene Burgfrieden, in: Klaus-Jürgen Müller und Eckhardt Opitz (Hg.), Militär und Militarismus in der Weimarer Republik, Düsseldorf 1978, S. 15–100 (bes. 32ff.); Huber, Verfassungsgeschichte (Anm. 4), Bd. 7, S. 478ff.

13 AdR, Kabinette Marx I/II (Anm. 4), Bd. I, S. XIVf., 406–409 (Ministerbesprechung vom 26. 2. 1924); Huber, Verfassungsgeschichte (Anm. 4), Bd. 7, S. 482–484.

14 AdR, Kabinette Marx I/II (Anm. 4), Bd. I, S. XVII (mit Einzelbelegen).

15 Bericht über die Verhandlungen des 9. Parteitages der Kommunistischen Partei Deutschlands (Sektion der Kommunistischen Internationale). Abgehalten in Frankfurt am Main vom 7. bis 10. April 1924, Berlin 1924, S. 372ff.; Dokumente und Materialien zur Geschichte der deutschen Arbeiterbewegung (= DuM), Bd. 8, Berlin (O) 1975, S. 59–78; Winkler, Von der Revolution (Anm. 1), S. 701–711.

16 Die Zitate nach: Winkler, Mittelstand (Anm. 1), S. 159. Zu den bayerischen Landtagswahlen: Schulthess' Europäischer Geschichtskalender. Neue Folge, 40. Jg., 1924, München 1927, S. 28. Zur NSDAP nach dem Hitler-Putsch: Dietrich Orlow, The History of the Nazi Party: 1919–1933, Pittsburgh 1969, S. 46ff.; Harold J. Gordon jr., Hitlerputsch 1923. Machtkampf in Bayern 1923–1924 (amerik. Orig.: Princeton 1972), Frankfurt 1971, S. 473ff.

17 Otmar Jung, Direkte Demokratie in der Weimarer Republik. Die Fälle „Aufwertung", „Fürstenenteignung", „Panzerkreuzerverbot" und „Youngplan", Frankfurt 1989, S. 15 ff.; Werner Liebe, Die Deutschnationale Volkspartei 1918–1924, Düsseldorf 1956, S. 76ff.; Roland Thimme, Stresemann und die Deutsche Volkspartei 1923–1925, Lübeck 1961, S. 50–60 (hier die Zitate der Nationalliberalen Vereinigung und der Erklärung des DVP-Parteitags); Larry Eugene Jones, German Liberalism and the Dissolution of the Weimar Party System, 1918–1933, Chapel Hill 1988, S. 213 ff. Das Zitat von Vögler in: Veröffentlichungen des Reichsverbandes der Deutschen Industrie, Heft 21, Berlin 1924, S. 35.

18 Winkler, Von der Revolution (Anm. 1), S. 696ff. Die Zitate: Große Koalition in Sachsen, in: Vorwärts, Nr. 5, 4. 1. 1924; Charlotte Beradt, Paul Levi. Ein demokratischer Sozialist in der Weimarer Republik, Frankfurt 1969, S. 78 (Zitat Levis); Vorwärts, Nr. 82, 18. 2. 1924 (Zitat Wels'). Zu Levi und der von ihm herausgegebenen Korrespondenz „Sozialistische Politik und Wirtschaft": Hans-Ulrich Ludewig, Die „Sozialistische Politik und Wirtschaft". Ein Beitrag zur Linksopposition in der SPD 1923 bis 1928, in: IWK 17 (1981), Heft 1, S. 14–41. Allgemein zur SPD-Linken und zum Sachsenkonflikt: Dietmar Klenke, Die SPD-Linke in der Weimarer Republik. Eine Untersuchung zu den regionalen organisatorischen Grundlagen und zur politischen Praxis und Theoriebildung des linken Flügels der SPD in den Jahren 1922–1923, 2 Bde., Münster 1983, bes. Bd. 1, S. 366ff., Bd. 2, S. 611 ff.

19 Linksliberalismus in der Weimarer Republik. Die Führungsgremien der Deutschen Demokratischen Partei und der Deutschen Staatspartei 1918–1933. Eingeleitet von Lothar Albertin, bearb. von Konstanze Wegner in Verbindung mit Lothar Albertin, Düsseldorf 1980, S. 306 (Sitzung des Parteiausschusses vom 27. 1. 1924); Verhandlungen des Reichstags. Stenographische Berichte, Bd. 361, S. 12 533 (Koch-Weser), 12 597f. (Kaas).

20 Schulthess 1924 (Anm. 16), S. 402–406 (zum Dawes-Gutachten); Werner Link, Die amerikanische Stabilisierungspolitik in Deutschland 1921–1932, Düsseldorf 1970, S. 201 ff.; Eckhard Wandel, Die Bedeutung der Vereinigten Staaten von Amerika für das deutsche Reparationsproblem 1924–1929, Tübingen 1971; Carl-Ludwig Holtfrerich, Amerikanischer Kapitalexport und Wiederaufbau der deutschen Wirtschaft 1919–1923 im Vergleich zu 1924–1929, in: Michael Stürmer (Hg.), Die Weimarer Republik. Belagerte Civitas, Königstein 1980, S. 131–157; Stephen A. Schuker, The End of French Predominance in Europe. The Financial Crisis of 1924 and the Adoption of the Dawes Plan, Chapel Hill 1976, S. 171 ff.; Charles S. Maier, The Two Postwar Eras and the Condition for Stability in Twentieth-Century Western Europe, in AHR 86 (1981), S. 327–352.

21 E. H. Carr, The Interregnum 1923–1924 (= A History of Soviet Russia, Bd. 4), New York 1954, S. 243 ff.; ders., Socialism in One Country 1924–1926, 3 Bde., London 1958 ff., Bd. 3, S. 21 ff.; Stephen White, Britain and the Bolshevik Revolution: A Study in the Politics of Diplomacy, 1920–1924, New York 1979; Isaac Deutscher, Stalin. Eine politische Biographie (engl. Orig.: London 1961), S. 411 ff.; Leonard Shapiro, Die Geschichte der Kommunistischen Partei der Sowjetunion (engl. Orig.: London 1960), Frankfurt 1962, S. 375 ff.; Adam B. Ulam, Expansion and Coexistence. The History of Soviet Foreign Policy, 1917–1967, New York 1969[3], S. 154 ff.

22 Zusammenfassend und mit weiterer Lit.: Paul Kluke, Großbritannien und das Commonwealth in der Zwischenkriegs- und Nachkriegszeit, in: Theodor Schieder (Hg.), Europa im Zeitalter der Weltmächte (= ders. [Hg.], Handbuch der europäischen Geschichte, Bd. 7), Stuttgart, 1. Teilband, S. 353–437 (bes. 371 ff.); Rudolf von Albertini, Frankreich vom Frieden von Versailles bis zum Ende der Vierten Republik 1919–1958, ebd., S. 438–480 (bes. 442 f.).

23 Schulthess 1924 (Anm. 16), S. 30f. (Erklärungen des Alldeutschen Verbandes vom 27. 4. und der Reichsregierung vom 27. 4. 1924); Liebe, Deutschnationale Volkspartei (Anm. 17), S. 76f.; DuM, Bd. 8 (Anm. 15), S. 78–83. Zum Echo auf den Dawes-Plan in der SPD: Der Sachverständigenbericht überreicht, in: Vorwärts, Nr. 170, 9. 4. 1924; Anneh-

men oder ablehnen?, ebd., Nr. 171, 10.4.1924. Zum Wahlkampf allgemein: Elfi Bendikat u. Detlef Lehnert, „Schwarzweißrot gegen Schwarzrotgold". Identifikation und Abgrenzung parteipolitischer Teilkulturen im Reichstagswahlkampf des Frühjahrs 1924, in: Detlef Lehnert u. Klaus Megerle (Hg.), Politische Teilkulturen zwischen Integration und Polarisierung. Zur politischen Kultur in der Weimarer Republik, Opladen 1990, S. 102–142.

24 Eine ausführliche Analyse der Reichstagswahl vom 4. Mai 1924 in: Heinrich August Winkler, Der Schein der Normalität. Arbeiter und Arbeiterbewegung in der Weimarer Republik 1924–1930, Berlin 1987[2], S. 177–188. Vgl. weiter Charles S. Maier, Recasting Bourgeois Europe. Stabilization in France, Germany, and Italy in the Decade after World War I, Princeton 1975, S. 450–455; Thomas Childers, The Nazi Voter. The Social Foundations of Fascism in Germany, 1919–1933, Chapel Hill 1983, S. 50ff.; Jürgen Falter, Hitlers Wähler, München 1991, S. 67ff. – Zur Wirtschaftspartei: Martin Schumacher, Mittelstandsfront und Republik. Die Wirtschaftspartei – Reichspartei des deutschen Mittelstandes 1919–1933, Düsseldorf 1972.

25 AdR, Kabinette Marx I/II (Anm. 4), Bd. I, S. XVIIIIf.; Michael Stürmer, Koalition und Opposition in der Weimarer Republik 1924–1928, Düsseldorf 1967, S. 38ff.; Peter Haungs, Reichspräsident und parlamentarische Kabinettsregierung. Eine Studie zum Regierungssystem der Weimarer Republik in den Jahren 1924 bis 1929, Köln 1968, S. 74ff.; Liebe, Deutschnationale Volkspartei (Anm. 17), S. 76ff.

26 Sozialdemokratischer Parteitag 1924. Protokoll mit dem Bericht der Frauenkonferenz, Berlin 1924 (ND: Glashütten 1974), S. 83 (Müller: Hervorhebung im Original) 99 (Dißmann), 138 (Abstimmung), 204 (Antrag Müller).

27 Klaus Schönhoven, Die Bayerische Volkspartei 1924–1932, Düsseldorf 1972, S. 92–97.

28 AdR, Kabinette Marx I/II (Anm. 4), Bd. 2, S. 992–995 (Kabinettssitzung vom 21.8.1924); Winkler, Schein (Anm. 24), S. 190.

29 AdR, Kabinette Marx I/II (Anm. 4), Bd. I, S. XXXVI (mit Einzelbelegen), Bd. 2, S. 1006f. (Erklärung der Reichsregierung zur Kriegsschuldfrage); Peter Krüger, Die Außenpolitik der Republik von Weimar, Darmstadt 1985, S. 237ff.; Schuker, End (Anm. 20), S. 295ff. (das Zitat von MacDonald: 383); Rolf E. Lüke, Von der Stabilisierung zur Krise, Zürich 1958, S. 55ff.

30 Stenographische Berichte (Anm. 19), Bd. 381, S. 1087, 1125–1333; AdR, Kabinette Marx I/II (Anm. 4), Bd. 2, S. 1004–1006 (Kabinettssitzung vom 28.8.1924), 1006f. (Erklärung zur Kriegsschuldfrage vom 29.8.1924); Schulthess 1924 (Anm. 16), S. 65–77; Liebe, Deutschnationale Volkspartei (Anm. 17), S. 86–88, 168–170.

31 AdR, Kabinette Marx I/II (Anm. 4), Bd. 1, S. XLII (mit Einzelbelegen); Schulthess 1924 (Anm. 16), S. 80; Stürmer, Koalition (Anm. 25), S. 49–73; allgemein: Dieter Gessner, Agrarverbände in der Weimarer Republik. Wirtschaftliche und soziale Voraussetzungen agrarkonservativer Politik vor 1933, Düsseldorf 1976; Heinrich Becker, Handlungsspielräume der Agrarpolitik in der Weimarer Republik zwischen 1923 und 1929, Stuttgart 1990.

32 Das Material hierzu in: AdR, Kabinette Marx I/II (Anm. 4), S. 1074–1133; Schulthess 1924 (Anm. 16), S. 91–99; dazu Stürmer, Koalition (Anm. 25), S. 73ff.; Winkler, Schein (Anm. 24), S. 192–195; Liebe, Deutschnationale Volkspartei (Anm. 17), S. 95ff.; Thimme, Stresemann (Anm. 17), S. 87ff.; Henry A. Turner jr., Stresemann – Republikaner aus Vernunft (amerik. Orig.: Princeton 1963), Berlin 1968, S. 165ff.

33 Preller, Sozialpolitik (Anm. 7), S. 153 (Lohnentwicklung); Winkler, Schein (Anm. 24), S. 29 (Arbeitslosigkeit), 58 (Arbeitszeit), 211ff. (Gewerkschaftspolitik).

34 Schulthess 1924 (Anm. 16), S. 59f. (Weimarer Reichskonvent der Nationalsozialistischen Freiheitsbewegung). Zur KPD: Winkler, Schein (Anm. 24), S. 208, 462ff.; zu den nationalsozialistischen Gruppen: Orlow, History (Anm. 16), S. 46ff. (jeweils mit weiterer Lit.).

35 Liebe, Deutschnationale Volkspartei (Anm. 17), So. 88–99 (die Zitate aus den Aufru-

fen vom 21. u. 29. 10. 1924: 95, 97). Das Zitat aus einem deutschnationalen Flugblatt in: Winkler, Mittelstand (Anm. 1), S. 132.

36 Sozialdemokratischer Parteitag (Anm. 26), S. 140f.; Purlitz 1924 (Anm. 11), 228–231; Winkler, Schein (Anm. 24), S. 200–202; Klenke (Anm. 18), Bd. 1, S. 397ff., Bd. 2, S. 611ff.

37 Ausführlicher zum Wahlergebnis: Winkler, Schein (Anm. 24), S. 216–223. Als zeitgenössische Analysen: Ernst Hamburger, Parteienbewegung und gesellschaftliche Umschichtung, in: Die Gesellschaft 2 (1925/I), S. 341–353; Anton Erkelenz, Der Stand des politischen Barometers, in: Die Hilfe 30 (1924), S. 442–445.

38 AdR, Kabinette Marx I/II (Anm. 4), Bd. 1, S. XLVIIff., Bd. 2, S. 1122–1124 (Ministerbesprechung vom 16. 10. 1924), 1218–1221 (Ministerbesprechung vom 10. 12. 1924), 1231–1234 (Ministerbesprechung vom 19. 12. 1924), 1277f. (Ministerbesprechung vom 6. 1. 1925); AdR, Weimarer Republik. Die Kabinette Luther I und II. 15. Januar 1925 bis 20. Januar 1926. 20. Januar 1926 bis 17. Mai 1926, bearb. v. Karl-Heinz Minuth, Boppard 1977, Bd. I, S. XIXff.; Schulthess 1924 (Anm. 16), S. 116; Schulthess' Europäischer Geschichtskalender. Neue Folge, 41. Jg., 1925, München 1926, S. 6f.; Die Protokolle der Reichstagsfraktion der Deutschen Zentrumspartei 1920–1925. Bearb. v. Rudolf Morsey u. Karsten Ruprecht, Mainz 1981, S. 545–551 (Sitzungen vom 17. 12. 1924 bis 9. 1. 1925); Stürmer, Koalition (Anm. 25), S. 82ff.; Karl Georg Zinn, Hans Luther, in: Wilhelm von Sternburg (Hg.), Die deutschen Kanzler von Bismarck bis Schmidt, Königstein 1985, S. 295–309.

39 Luthers verschämter Bürgerblock, in: Vorwärts, Nr. 20, 13. 1. 1925; Stenographische Berichte (Anm. 19), Bd. 384, S. 91–95 (Luther), 98–108 (Breitscheid).

40 AdR, Kabinette Luther (Anm. 38), Bd. I, S. XLVIff.; Krohn, Stabilisierung (Anm. 8), S. 148ff.; Netzband u. Widmaier, Währungs- und Finanzpolitik (Anm. 8), S. 241ff.; Jung, Direkte Demokratie (Anm. 17), S. 17ff.; Winkler, Schein (Anm. 24), S. 246ff.; Stürmer, Koalition (Anm. 25), S. 91ff.; Rosemarie Leuschen-Seppel, Zwischen Staatsverantwortung und Klasseninteresse. Die Wirtschafts- und Finanzpolitik der SPD zur Zeit der Weimarer Republik unter besonderer Berücksichtigung der Mittelphase 1924–1928/29, Bonn 1981, S. 131ff.; Otto Pirlet, Der politische Kampf um die Aufwertungsgesetzgebung nach dem Ersten Weltkrieg, Diss. rer. pol., Köln 1959.

41 Schulthess 1924 (Anm. 16), S. 110–113; Karl Brammer, Der Prozeß des Reichspräsidenten, Berlin 1925; Gotthard Jasper, Der Magdeburger Prozeß, in: Friedrich Ebert 1871/1971, Bonn 1971, S. 109–120; Wolfgang Birkenfeld, Der Rufmord am Reichspräsidenten. Zu Grenzformen des politischen Kampfes gegen die frühe Weimarer Republik 1919–1925, in: AfS 5 (1965), S. 453–500; Eyck, Geschichte (Anm. 2), Bd. I, S. 432ff.; Winkler, Schein (Anm. 24), S. 229ff. Zum Barmat-Skandal: Karlludwig Rintelen, Ein undemokratischer Demokrat. Gustav Bauer. Gewerkschaftsführer – Freund Friedrich Eberts – Reichskanzler. Eine politische Biographie, Frankfurt 1993, S. 235ff. Zum Berliner Munitionsarbeiterstreik von 1918 vgl. oben Kapitel 1 (S. 20f.).

42 Friedrich Purlitz (Hg.), Deutscher Geschichtskalender 41 (Berlin 1925), Bd. 1 (Inland), Leipzig o. J., S. 1f.; Ein Sohn des Volkes. Führer in schwerster Zeit, in: Vorwärts, Nr. 101, 28. 2. 1925 (Hervorhebung im Original). Zum Ausschluß aus dem Sattlerverband: Friedrich Stampfer, Die vierzehn Jahre der ersten deutschen Republik, Hamburg 1953[3], S. 439. Vgl. weiter Winkler, Schein (Anm. 24), S. 231f.

43 Peter-Christian Witt, Friedrich Ebert. Parteiführer, Reichskanzler, Volksbeauftragter, Reichspräsident, Bonn 1987; Waldemar Besson, Friedrich Ebert. Verdienst und Grenze, Göttingen 1963; Hans Mommsen, Friedrich Ebert als Reichspräsident, in: ders., Arbeiterbewegung und Nationale Frage, Göttingen 1979, S. 296–317; Günter Arns, Friedrich Ebert als Reichspräsident, in: Theodor Schieder (Hg.), Beiträge zur Geschichte der Weimarer Republik. AZ, Beiheft 1, München 1981, S. 1–3. Zum Artikel 48: Gerhard Schulz, Artikel 48 in politisch-historischer Sicht, in: Ernst Fraenkel (Hg.), Der Staatsnotstand, Berlin 1965, S. 39–71. Zur Kritik Otto Brauns: Hagen Schulze, Otto Braun oder

Preußens demokratische Sendung. Eine Biographie, Frankfurt 1977, S. 457f. Das Zitat von Remmele in: Stenographische Berichte (Anm. 19), Bd. 384, S. 940.

44 Ausführlicher zum Wahlergebnis vom 29. 3. 1925: Winkler, Schein (Anm. 24), S. 234–236.

45 Purlitz 1925 (Anm. 42), Bd. I, S. 225–243; Stampfer, Vierzehn Jahre (Anm. 42), S. 451; Schulze, Braun (Anm. 43), S. 473f.; Ulrich von Hehl, Wilhelm Marx 1863–1946. Eine politische Biographie, Mainz 1987, S. 326ff.; Herbert Hömig, Das preußische Zentrum in der Weimarer Republik, Mainz 1979, S. 127ff.; Karsten Ruppert, Im Dienst am Staat von Weimar. Das Zentrum als regierende Partei in der Weimarer Demokratie 1923–1930, Düsseldorf 1992, S. 109ff.; Horst Möller, Parlamentarismus in Preußen 1919–1932, Düsseldorf 1985, S. 356ff.

46 Andreas Dorpalen, Hindenburg in der Geschichte der Weimarer Republik (amerik. Orig.: Princeton 1964), Berlin 1966, S. 68ff.; John W. Wheeler-Bennett, Der hölzerne Titan. Paul von Hindenburg (engl. Orig.: London 1967), S. 266ff.; Walter Görlitz, Hindenburg. Ein Lebensbild, Bonn 1953, S. 248ff.; Wolfgang Ruge, Hindenburg. Porträt eines Militaristen, Berlin (O) 1977, S. 197ff.; Noel D. Cary, The Making of the Reich President, 1925: German Conservatism and the Nomination of Paul von Hindenburg, in: CEH 23 (1990), S. 179–204.

47 Schönhoven, Bayerische Volkspartei (Anm. 27), S. 123ff.; Hanns-Jochen Hauss, Die erste Volkswahl des deutschen Reichspräsidenten. Eine Untersuchung ihrer verfassungspolitischen Grundlagen, ihrer Vorgeschichte und ihres Verlaufs unter besonderer Berücksichtigung des Anteils Bayerns und der Bayerischen Volkspartei, Kallmünz 1965; John Zeender, The German Catholics and the Presidential Election of 1925, in: JMH 35 (1963), S. 366–381; Karl Holl, Konfessionalität, Konfessionalismus und demokratische Republik. Zu einigen Aspekten der Reichspräsidentenwahl von 1925, in: VfZ 17 (1969), S. 254–275. Die Erklärung der KPD in: DuM, Bd. 8 (Anm. 15), S. 130–133.

48 Ausführlich zum zweiten Wahlgang: Winkler, Schein (Anm. 24), S. 239–243 (mit weiterer Lit.); Falter, Hitlers Wähler (Anm. 24), S. 123ff. Das Zitat aus dem „Vorwärts“: Nr. 196a, 27. 4. 1925.

49 In der Reihenfolge der Zitate: Es lebe die Republik!, in: FZ, Nr. 309, 27. 4. 1925; Hindenburg Präsident der deutschen Republik, in: BTB Nr. 197, 27. 4. 1925; Hindenburg von Thälmanns Gnaden, in: Vorwärts, Nr. 196a, 27. 4. 1925; Heinrich Mann, Geistige Führer zur Reichspräsidentenwahl, in: Deutsche Einheit 7 (1925), S. 633–635 (hier die Ausführungen von Heinrich Mann); Ernst Feder, Der Retter, ebd., Nr. 198, 28. 4. 1925 (hier der MacMahon-Vergleich); Der Präsident der Minderheit, in: Vorwärts, Nr. 197, 27. 4. 1925; Hindenburgs Wahlsieg, in: BTB, Nr. 198, 28. 4. 1925 (Hervorhebungen im Original); Harry Graf Kessler, Tagebücher 1918–1937, Frankfurt 1961, S. 441f.

50 Zur evangelischen Kirche u. a. Jonathan C. R. Wright, „Über den Parteien“. Die politische Haltung der evangelischen Kirchenführer 1918–1933 (engl. Orig.: Oxford 1974), Göttingen 1977, S. 86ff.; Kurt Nowak, Evangelische Kirche und Weimarer Republik. Zum politischen Weg des deutschen Protestantismus zwischen 1918 und 1932, Weimar 1988², S. 160ff. Zu den Reaktionen auf den Sieg Hindenburgs auch: Peter Fritzsche, Presidential Victory and Popular Festivity in Weimar Germany: Hindenburg's 1925 Election, in: CEH 23 (1990), S. 205–224; ders., Rehearsals for Facism. Populism and Political Mobilization in Weimar Germany, New York 1990, S. 154ff.

10. Die gespaltene Gesellschaft

1 Graf Alexander Stenbock-Fermor, Meine Erlebnisse als Bergarbeiter, Stuttgart 1927, S. 120, 125. Zum Begriff des „Lagers": Oskar Negt u. Alexander Kluge, Öffentlichkeit und Erfahrung. Zur Organisationsanalyse von bürgerlicher und proletarischer Öffentlichkeit, Frankfurt 1972. – Das wichtigste Material der Volks- und Berufszählung von 1925 liegt vor in: Statistik des Deutschen Reichs, Bd. 402, I-III: Volks-, Berufs- und Betriebszählung vom 16. Juni 1925. Berufszählung: Die berufliche und soziale Gliederung der Bevölkerung des Deutschen Reichs, Berlin 1927ff.

2 Erich Fromm, Arbeiter und Angestellte am Vorabend des Dritten Reiches. Eine sozialpsychologische Untersuchung. Bearb. u. hg. von Wolfgang Bonß, Stuttgart 1980, bes. S. 121–195. Dazu Heinrich August Winkler, Der Schein der Normalität. Arbeiter und Arbeiterbewegung in der Weimarer Republik 1924–1930, Berlin 1988[2], S. 146ff. (mit weiterer Literatur). Das Zitat aus dem „Vorwärts" (Nr. 237, 20. 5. 1927) nach: Christoph Rülcker, Arbeiterkultur und Kulturpolitik im Blickwinkel des „Vorwärts" 1918–1928, in: AfS 14 (1974), S. 115–156 (128). Zur Stellung der Frauen in der Arbeiterbewegung u. a. Karen Hagemann, Frauenalltag und Männerpolitik. Alltagsleben und gesellschaftliches Handeln von Arbeiterfrauen in der Weimarer Republik, Bonn 1990.

3 Dieter Langewiesche, Zur Freizeit des Arbeiters. Bildungsbestrebungen und Freizeitgestaltung österreichischer Arbeiter im Kaiserreich und in der Ersten Republik, Stuttgart 1979, S. 386f. (hier das Zitat); ders., Politik – Gesellschaft – Kultur. Zur Problematik von Arbeiterkultur und kulturellen Arbeiterorganisationen in Deutschland nach dem Ersten Weltkrieg, in: AfS 22 (1982), S. 359–402; ders., Freizeit und „Massenbildung". Zur Ideologie und Praxis in der Weimarer Republik, in: Gerhard Huck (Hg.), Sozialgeschichte der Freizeit. Untersuchungen zum Wandel der Alltagskultur in Deutschland, Wuppertal 1980, S. 223–247; Hartmann Wunderer, Arbeitervereine und Arbeiterparteien. Kultur- und Massenorganisationen in der Arbeiterbewegung (1890–1933), Frankfurt 1980; Peter Lösche, Einführung zum Forschungsprojekt „Solidargemeinschaft und Milieu". Sozialistische Kultur- und Freizeitorganisationen in der Weimarer Republik, in: Franz Walter, Sozialistische Akademiker- und Intellektuellenorganisationen in der Weimarer Republik (= Solidargemeinschaft und Milieu: Sozialistische Kultur- und Freizeitorganisationen in der Weimarer Republik, Bd. 1), Bonn 1990, S. 9–25; ders. u. Franz Walter, Zwischen Expansion und Krise. Das sozialdemokratische Arbeitermilieu, in: Detlef Lehnert u. Klaus Megerle (Hg.), Politische Teilkulturen zwischen Integration und Polarisierung. Zur politischen Kultur in der Weimarer Republik, Opladen 1990, S. 161–186; Willy L. Guttsman, Workers' Culture in Weimar Germany. Between Tradition and Commitment, New York 1990; Winkler, Schein (Anm. 2), S. 120ff. (mit weiterer Literatur). Zusammenfassend: Gerhard A. Ritter (Hg.), Arbeiterkultur, Königstein 1979; Klaus Schönhoven, Reformismus und Radikalismus. Gespaltene Arbeiterbewegung im Weimarer Sozialstaat, München 1989.

4 Joseph Joos, Ergebnisse der Umfrage über die gegenwärtige seelische Lage der katholischen Arbeiter in Deutschland, in: Mitteilungen an die Arbeiterpräsides. Hg. von der Diözesanleitung der katholischen Arbeitervereine der Diözese Köln 4 (1926), S. 34–43. Dazu Birgit Sack, Zentrum und Fürstenenteignung. Eine Studie zu den Erosionsprozessen im politischen Katholizismus in den Jahren der relativen Stabilisierung, Magisterarbeit (MS), Freiburg 1990. Zu den katholischen Arbeitervereinen: Jürgen Aretz, Katholische Arbeiterbewegung und Nationalsozialismus. Der Verband katholischer Arbeiter- und Knappenvereine Westdeutschlands 1923–1945, Mainz 1978; zu Joos: Oswald Wachtling, Joseph Joos. Journalist, Arbeiterführer, Zentrumspolitiker. Politische Biographie 1878–1933, Mainz 1974. Zu den christlichen Gewerkschaften: Michael Schneider, Die christlichen Gewerkschaften 1894–1933, Bonn 1982; William L. Patch, jr., Christian Trade Unions in the Politics of the Weimar Republic, 1918–1933. The Failure of Corporate Capitalism, New

Haven 1985. Vgl. auch Helga Grebing, Zentrum und katholische Arbeiterschaft 1918–1933. Ein Beitrag zur Geschichte des Zentrums in der Weimarer Republik, phil. Diss. (MS), FU Berlin 1953.

5 Winkler, Schein (Anm. 2), S. 108 ff. Zu den liberalen Arbeitern: Hans Georg Fleck, Soziale Gerechtigkeit durch Organisationsmacht und Interessenausgleich. Ausgewählte Aspekte zur Geschichte der sozialliberalen Gewerkschaftsbewegung in Deutschland (1868/69 bis 1933), in: Erich Matthias u. Klaus Schönhoven (Hg.), Solidarität und Menschenwürde. Etappen der deutschen Gewerkschaftsgeschichte von den Anfängen bis zur Gegenwart, Bonn 1984, S. 63–106. Zu den deutschnationalen Arbeitern: Amrei Stupperich, Volksgemeinschaft oder Arbeitersolidarität. Studien zur Arbeitnehmerpolitik in der Deutschnationalen Volkspartei 1918–1933, Göttingen 1982. Zu den „Gelben": Klaus Mattheier, Die Gelben. Nationale Arbeiter zwischen Wirtschaftsfrieden und Streik, Düsseldorf 1973.

6 Jürgen Kocka, Zur Problematik der deutschen Angestellten 1914–1933, in: Hans Mommsen u. a. (Hg.), Industrielles System und politische Entwicklung in der Weimarer Republik, Düsseldorf 1974[1], S. 792–811 (die Zahlen zur organisatorischen Entwicklung: 799); Hans Speier, Die Angestellten vor dem Nationalsozialismus. Ein Beitag zum Verständnis der deutschen Sozialstruktur 1918–1933, Göttingen 1977; Heinz-Jürgen Priamus, Angestellte und Demokratie. Die nationalliberale Angestelltenbewegung in der Weimarer Republik, Stuttgart 1979; Iris Hamel, Völkischer Verband und nationale Gewerkschaft. Der Deutschnationale Handlungsgehilfen-Verband 1893–1933, Frankfurt 1967; Ulf Kadritzke, Angestellte – Die geduldigen Arbeiter. Zur Soziologie und sozialen Bewegung der Angestellten, Frankfurt 1975; Michael Prinz, Vom neuen Mittelstand zum Volksgenossen. Die Entwicklung des sozialen Status des Angestellten von der Weimarer Republik bis zum Ende der NS-Zeit, München 1986. Aus der zeitgenössischen Literatur u. a. Siegfried Kracauer, Die Angestellten. Aus dem neuesten Deutschland (1929), in: ders., Schriften, Bd. I, Frankfurt 1971, S. 205–304; Emil Lederer, Die Neuschichtung des Proletariats und die kapitalistischen Zwischenschichten vor der Krise (1929), in: ders., Kapitalismus, Klassenstruktur und Probleme der Demokratie in Deutschland 1910–1940, Göttingen 1979, S. 172–185.

7 Andreas Kunz, Civil Servants and the Politics of Inflation in Germany, 1914–1924, Berlin 1986 (zu den Mitgliederzahlen: S. 134 f.); ders., Stand versus Klasse: Beamtenschaften und Gewerkschaften im Konflikt um den Personalabbau 1923/24, in: GG 8 (1982), S. 55–86; Klaus Sühl, SPD und öffentlicher Dienst in der Weimarer Republik. Die öffentlich Bediensteten in der SPD und ihre Bedeutung für die sozialdemokratische Politik 1918–1933, Berlin 1988; Heinrich Potthoff, Freie Gewerkschaften 1918–1933. Der Allgemeine Deutsche Gewerkschaftsbund in der Weimarer Republik, Düsseldorf 1987, S. 28–30.

8 Heinrich August Winkler, Mittelstand, Demokratie und Nationalsozialismus. Die politische Entwicklung von Handwerk und Kleinhandel in der Weimarer Republik, Köln 1972, bes. S. 100 ff.; ders., Vom Protest zur Panik: Der gewerbliche Mittelstand in der Weimarer Republik, in: ders., Zwischen Marx und Monopolen. Der deutsche Mittelstand vom Kaiserreich zur Bundesrepublik Deutschland, Frankfurt 1991, S. 38–51; Martin Schumacher, Mittelstandsfront und Republik. Die Wirtschaftspartei – Reichspartei des deutschen Mittelstandes 1919 bis 1933, Düsseldorf 1972; Heinz-Gerhard Haupt, Mittelstand und Kleinbürgertum in der Weimarer Republik. Zu Problemen und Perspektiven ihrer Erforschung, in: AfS 26 (1986), S. 217–238; Rudy Koshar, Cult of Associations? The Lower Middle Classes in Weimar Germany, in: ders. (Hg.), Splintered Classes. Politics and the Lower Middle Classes in Interwar Europe, New York 1990, S. 31–54.

9 Dieter Gessner, Agrarverbände in der Weimarer Republik. Wirtschaftliche und soziale Voraussetzungen agrarkonservativer Politik vor 1933, Düsseldorf 1976, bes. S. 28 ff.; Heide Barmeyer, Andreas Hermes und die Organisationen der deutschen Landwirtschaft. Christ-

liche Bauernvereine, Reichslandbund, Grüne Front, Reichnährstand, 1928–1933, Stuttgart 1971; Jens Flemming, Landwirtschaftliche Interessen und Demokratie. Ländliche Gesellschaft, Agrarverbände und Staat 1980–1925, Bonn 1978. Vgl. auch den Überblick bei Hans-Peter Ullmann, Interessenverbände in Deutschland, Frankfurt 1988, S. 144ff.

10 Moritz Julius Bonn, Das Schicksal des deutschen Kapitalismus, Berlin 1930[3], S. 55; Bernd Weisbrod, Schwerindustrie in der Weimarer Republik. Interessenpolitik zwischen Stabilisierung und Krise, Wuppertal 1978; Hans Mommsen, Soziale Kämpfe im Ruhrbergbau nach der Jahrhundertwende, in: ders. u. Ulrich Borsdorff (Hg.), Glück auf, Kameraden! Die Bergarbeiter und ihre Organisationen in Deutschland, Köln 1979, S. 249–272.

11 Ullmann, Interessenverbände (Anm. 9), S. 133ff.; Reinhard Neebe, Großindustrie, Staat und NSDAP 1930–1933. Paul Silverberg und der Reichsverband der Deutschen Industrie in der Krise der Weimarer Republik, Göttingen 1981, S. 35ff.; Ulrich Nocken, Interindustrial Conflicts and Alliances in the Weimar Republic. Experiments in Societal Corporatism, Ph. D. Dissertation, Berkeley 1979. Zur Rationalisierung und zum Rationalisierungskonsens allgemein: Winkler, Schein (Anm. 2), bes. S. 32ff., 62ff. (mit weiterer Literatur); als Fallstudie: Heidrun Homburg, Rationalisierung und Industriearbeit. Das Beispiel des Siemens-Konzerns Berlin 1900–1939, Berlin 1991.

12 Heinrich August Winkler, Die deutsche Gesellschaft der Weimarer Republik und der Antisemitismus, in: Bernd Martin u. Ernst Schulin (Hg.), Die Juden als Minderheit in der Geschichte, München 1981[2], S. 271–289; Michael H. Kater, Studentenschaft und Rechtsradikalismus in Deutschland 1918–1933. Eine sozialgeschichtliche Studie zur Bildungskrise in der Weimarer Republik, Hamburg 1975, bes. S. 145ff.; Hans Mommsen, Die Auflösung des Bürgertums seit dem späten 19. Jahrhundert, in: Jürgen Kocka (Hg.), Bürger und Bürgerlichkeit im 19. Jahrhundert, Göttingen 1987, S. 288–315; Charles E. McClelland, The German Experience of Professionalization. Modern Learned Professions and their Organizations from the Early Nineteenth Century to the Hitler Era, Cambridge 1991; Fritz K. Ringer, Die Gelehrten. Der Niedergang der deutschen Mandarine 1890–1933 (amerik. Orig.: Cambrigde/Mass. 1969), Stuttgart 1983; Christian Jansen, Professoren und Politik. Politisches Denken und Handeln der Heidelberger Hochschullehrer 1914–1934, Göttingen 1992, bes. S. 189ff.; Konrad H. Jarausch, The Unfree Professions. German Lawyers, Teachers, and Engineers, 1900–1950, New York 1990; ders., Die Not der geistigen Arbeiter: Akademiker in der Berufskrise 1918–1933, in: Werner Abelshauser (Hg.), Die Weimarer Republik als Wohlfahrtsstaat. Zum Verhältnis von Wirtschafts- und Sozialpolitik in der Industriegesellschaft. VSWG, Beiheft 81, Stuttgart 1987, S. 280–299.

13 Johannes Schauff, Das Wahlverhalten der deutschen Katholiken im Kaiserreich und in der Weimarer Republik. Untersuchungen aus dem Jahre 1928. Hg. u. eingel. von Rudolf Morsey, Mainz 1975, S. 47f., 66, 75f., 115, 140, 201; Johannes Horstmann, Katholiken und Reichstagswahlen 1920–1933. Ausgewählte Aspekte mit statistischem Material, in: Jahrbuch für christliche Sozialwissenschaften 26 (1985), S. 63–95; ders., Katholiken, Reichspräsidentenwahlen und Volksentscheide, ebd. 27 (1986), S. 61–93; Siegfried Weichlein, Sozialmilieu und Politische Kultur in Weimar. Hessische Kreise im Vergleich, phil. Diss. (MS), Freiburg 1992, S. 136ff.; Karl Rohe, Wahlen und Wählertraditionen in Deutschland. Kulturelle Grundlagen deutscher Parteien und Parteiensysteme im 19. und 20. Jahrhundert, Frankfurt 1992, S. 121ff.

14 Schauff, Wahlverhalten (Anm. 13), S. 127f.; Günter Dehn, Proletarische Jugend. Lebensgestaltung und Gedankenwelt der großstädtischen Proletarierjugend, Berlin o. J. (1930), bes. S. 21ff.; Winkler, Schein (Anm. 2), S. 156f. – Zur Kirchenaustritts- und der organisierten Freidenkerbewegung: Jochen-Christoph Kaiser, Arbeiterbewegung und organisierte Religionskritik. Proletarische Freidenkerverbände in Kaiserreich und Weimarer Republik, Stuttgart 1981, bes. S. 37ff., 130ff.; Wunderer, Arbeitervereine (Anm. 3), S. 55ff., 142ff.

15 Zur Segmentierung der deutschen Gesellschaft in „sozialmoralische Milieus“: M. Rainer Lepsius, Parteiensystem und Sozialstruktur: Zum Problem der Demokratisierung der deutschen Gesellschaft, in: Gerhard A. Ritter (Hg.), Die deutschen Parteien vor 1918, Köln 1973, S. 56–80; ders., Extremer Nationalismus. Strukturbedingungen vor der nationalsozialistischen Machtergreifung, Stuttgart 1966; Lehnert/Megerle (Hg.), Teilkulturen (Anm. 3); dies., Identitäts- und Konsensprobleme in einer fragmentierten Gesellschaft – Zur Politischen Kultur in der Weimarer Republik, in: Dirk Berg-Schlosser u. Jakob Schissler (Hg.), Politische Kultur in Deutschland. Bilanz und Perspektiven der Forschung. PVS, Sonderheft 18, Opladen 1987, S. 80–95.

16 Ausführlicher hierzu Winkler, Schein (Anm. 2), S. 120ff. (mit weiterer Literatur); ferner Siegfried Reck, Arbeiter nach der Arbeit. Sozialhistorische Studien zu den Wandlungen des Arbeiteralltags, Lahn-Gießen 1977; Huch (Hg.), Sozialgeschichte (Anm. 3).

17 Hendrik de Man, Zur Psychologie des Sozialismus. Neuausgabe (auf Grund des Textes der 2. Aufl. von 1927), Bonn 1976, bes. S. 181ff.; ders., Verbürgerlichung des Proletariats?, in: Neue Blätter für den Sozialismus 1 (1930), Nr. 2 (März), S. 106–118; Max Victor, Verbürgerlichung des Proletariats und Proletarisierung des Mittelstandes. Eine Analyse der Einkommensumschichtung nach dem Kriege, in: Die Arbeit 8 (1931), S. 1731; Hans Speier, Verbürgerlichung des Proletariats?, in: Magazin der Wirtschafts 7/1 (1931), S. 289–304; Theodor Geiger, Zur Kritik der Verbürgerlichung, in: Die Arbeit 8 (1931), S. 534–553; ders., Die Klassengesellschaft im Schmelztiegel, Köln 1949. Der Begriff „nivellierte Mittelstandsgesellschaft“ bei Helmut Schelsky, Gesellschaftlicher Wandel, in: Offene Welt 4 (1956), S. 62–75. Zur Debatte um die „Verbürgerlichung“ ferner Winkler, Schein (Anm. 2), S. 160ff.; ders., Der Weg in die Katastrophe. Arbeiter und Arbeiterbewegung in der Weimarer Republik 1930–1933, Bonn 1990², S. 100ff.

18 Detlev J. K. Peukert, Jugend zwischen Krieg und Krise. Lebenswelten von Arbeiterjungen in der Weimarer Republik, Köln 1987, bes. S. 37ff., 167ff., 251ff.; Winkler, Weg (Anm. 17), S. 46ff. (jeweils mit weiterer Literatur).

19 Ders., Schein (Anm. 2), S. 360ff.; Werner Kindt (Hg.), Dokumentation der Jugendbewegung, Bd. 3: Die deutsche Jugendbewegung 1920 bis 1933. Die bündische Zeit, Köln 1974; Felix Raabe, Die Bündische Jugend. Ein Beitrag zur Geschichte der Weimarer Republik Stuttgart 1961; Erich Eberts, Arbeiterjugend 1904–1945. Sozialistische Erziehungsgemeinschaft – Politische Organisation, Frankfurt 1979.

20 James M. Diehl, Paramilitary Politics in Weimar Germany, Bloomington 1977; Hans-Joachim Mauch, Nationalsozialistische Wehrorganisationen in der Weimarer Republik. Zur Entwicklung und Ideologie des „Paramilitarismus“, Frankfurt 1982; Bernd Weisbrod, Gewalt in der Politik. Zur politischen Kultur in Deutschland zwischen den beiden Weltkriegen, in: GWU 43 (1992), S. 391–405; Volker R. Berghahn, Der Stahlhelm. Bund der Frontsoldaten 1918–1935, Düsseldorf 1966; Karl Rohe, Das Reichsbanner Schwarz-Rot-Gold. Ein Beitrag der Geschichte und Struktur der politischen Kampfverbände zur Zeit der Weimarer Republik, Düsseldorf 1966; Kurt Finker, Geschichte des Roten Frontkämpferbundes, Berlin (O) 1981; Rolf Geißler, Dekadenz und Heroismus. Zeitroman und völkisch-nationalsozialistische Literaturkritik, Stuttgart 1964; Norbert Elias, Kriegsbejahende Literatur der Weimarer Republik (Ernst Jünger), in: ders., Studien über die Deutschen. Machtkämpfe und Habitusentwicklung im 19. u. 20. Jahrhundert, Frankfurt 1989, S. 274–281; ders., Die Zersetzung des staatlichen Gewaltmonopols in der Weimarer Republik, ebd., S. 282–294. Zu den Freikorps vgl. die in den Anm. 3/6 und 6/8 genannte Literatur.

21 Zur Altersstruktur und zum Frauenanteil bei den Arbeiterparteien: Winkler, Schein (Anm. 2), S. 346ff., 445ff. Zum Wahlverhalten der Frauen bes. Schauff, Wahlverhalten (Anm. 13), S. 64ff. Zusammenfassend: Sigmund Neumann, Die Parteien der Weimarer Republik. Neuausgabe der 1. Aufl. von 1932 (unter dem Titel „Die politischen Parteien in Deutschland“), Stuttgart 1965.

22 Ludwig Thoma, Sämtliche Beiträge aus dem „Miesbacher Anzeiger“ 1920/21. Kritisch ediert u. kommentiert von Wilhelm Volkert, München 1989, S. 51–53 (52f.).

23 Peter Gay, Die Republik der Außenseiter. Geist und Kultur in der Weimarer Zeit: 1918–1933 (amerik. Orig.: New York 1968), Frankfurt 1970 (das Zitat: S. 23); Walter Laqueur, Weimar. Die Kultur der Republik (engl. Orig.: London 1974), Frankfurt 1976; John Willett, Die Weimarer Jahre. Eine Kultur mit gewaltsamem Ende (engl. Orig.: London 1984), Stuttgart 1986; ders., Explosion der Mitte. Kunst und Politik 1917–1933 (engl. Orig.: London 1978), München 1981; Bärbel Schrader u. Jürgen Schebera, Die „goldenen“ zwanziger Jahre. Kunst und Kultur der Weimarer Republik, Leipzig 1987; Leonard Reinisch (Hg.), Die Zeit ohne Eigenschaften. Eine Bilanz der zwanziger Jahre, Stuttgart 1961; Jost Hermand u. Frank Trommler, Die Kultur der Weimarer Republik, Frankfurt 1976; Bruno E. Werner, Die Zwanziger Jahre. Von Morgen bis Mitternachts, München 1963; Detlev J.K. Peukert, Die Weimarer Republik. Krisenjahre der Klassischen Moderne, Frankfurt 1987.

24 Zusammenfassend: Winkler, Schein (Anm. 2), S. 699ff. Zu Münzenberg: Babette Gross, Willy Münzenberg. Eine politische Biographie, Stuttgart 1967. Zum Verhältnis von Juden umd Sozialismus u. a.: Donald L. Niewyk, Socialist, Anti-Semite and Jew. German Social Democracy Confronts the Problem of Anti-Semitism, Baton Rouge 1971. Über die Juden im politischen Leben der Weimarer Repblik allgemein: ders., The Jews in Weimar Germany, Manchester, 1980; Ernest Hamburger, Jews, Democracy, and Weimar Germany, New York 1972.

25 Kurt Tucholsky, Berlin und die Provinz, in: ders., Gesammelte Werke, Bd. II: 1925–1928, Reinbek 1960, S. 1072–1075. Zur „Weltbühne“: Istvan Deak, Weimar Germany's Left-Wing Intellectuals. A Political History of the „Weltbühne“ and Its Circle, Berkeley 1968.

26 Schrader/Schebera, „Goldene“ zwanziger Jahre (Anm. 23), S. 165. Zum Bauhaus und der Architektur der „neuen Sachlichkeit“: Norbert Huse, „Neues Bauen“ 1918 bis 1933. Moderne Architektur in der Weimarer Republik, München 1975; Friedhelm Kröll, Das Bauhaus 1919–1933, Düsseldorf 1974.

27 Martin Heidegger, Sein und Zeit (1927[1]), Tübingen 1957[8], S. 127; Carl Schmitt, Die geistesgeschichtliche Lage des heutigen Parlamentarismus, Berlin (1923[1]), 1926[2], S. 8. Zur Demokratiekritik von rechts allgemein: Kurt Sontheimer, Antidemokratisches Denken in der Weimarer Republik. Die politischen Ideen des deutschen Nationalismus zwischen 1918 und 1933, München 1962; spezieller Christian Graf v. Krockow, Die Entscheidung. Eine Untersuchung über Ernst Jünger, Carl Schmitt und Martin Heidegger, Stuttgart 1958. Zur intellektuellen Rechten auch Jeffrey Herf, Reactionary Modernism. Technology, Culture, and Politics in Weimar and the Third Reich, Cambridge 1984.

28 Adolf Hitler, Warum mußte ein 8. November kommen?, in: Deutschlands Erneuerung 8 (1924), S. 199–207 (207; Hervorhebung im Original).

29 Der Große Herder, 4. Aufl., Bd. 1, Freiburg 1926, S. 725. Dazu Winkler, Gesellschaft (Anm. 12), S. 279. Zur Rezeption des italienischen Faschismus: Klaus-Peter Hoepke, Die deutsche Rechte und der italienische Faschismus. Ein Beitrag zum Selbstverständnis und zur Politik von Gruppen und Verbänden der deutschen Rechten, Düsseldorf 1968.

30 Thomas Mann, Betrachtungen eines Unpolitischen (1918), in: Stockholmer Gesamtausgabe der Werke Thomas Manns, Bd. 11, Frankfurt 1956; ders., Von deutscher Republik (1922), ebd., Bd. 2: Reden und Aufsätze, Frankfurt 1965, S. 9–52; Kampf um München als Kulturzentrum. Sechs Vorträge von Thomas Mann, Heinrich Mann, Leo Weismantel, Walter Courvoisier und Paul Renner. Mit einem Vorwort von Thomas Mann, München 1926, S. 9; Friedrich Meinecke, Republik, Bürgertum und Jugend (1925), in: ders., Werke, Bd. 2: Politische Schriften und Reden, Darmstadt 1958, S. 369–383 (376); ders., Die deutschen Universitäten und der heutige Staat (1926), ebd., S. 402–413 (410, 413). Zu Thomas

Manns politischer Rolle: Kurt Sontheimer, Thomas Mann und die Deutschen, Frankfurt 1965²; zu Meinecke: Waldemar Besson, Friedrich Meinecke und die Weimarer Republik, in: VfZ 7 (1959), S. 113–129; Harm Klueting, „Vernunftrepublikanismus" und „Vertrauensdiktatur": Friedrich Meinecke in der Weimarer Republik, in: HZ 242 (1986), S. 69–98.

11. Die konservative Republik

1 Akten der Reichskanzlei (= AdR), Weimarer Republik. Die Kabinette Luther I und II. 15. Januar 1925 bis 20. Januar 1926. 20. Januar 1926 bis 17. Mai 1926, bearb. v. Karl-Heinz Minuth, 2 Bde., Boppard 1977, Bd. 1, S. XXIVff. Zur Vorgeschichte der Locarno-Verträge und zur Sicherheitsfrage u. a.: Peter Krüger, Die Außenpolitik der Republik von Weimar, Darmstadt 1985, S. 259ff.; Klaus Megerle, Deutsche Außenpolitik 1925. Ansatz zu aktivem Revisionismus, Bern 1974; Jon Jacobson, Locarno Diplomacy. Germany and the West, 1925–1929, Princeton 1972; Michael Salewski, Entwaffnung und Militärkontrolle in Deutschland 1919–1927, München 1966.

2 AdR, Kabinette Luther (Anm. 1), Bd. 1, S. 310–314 (Ministerrat beim Reichspräsidenten am 5. 6. 1925); Jürgen Spenz, Die diplomatische Vorgeschichte des Beitritts Deutschlands zum Völkerbund 1924–1926. Ein Beitrag zur Außenpolitik der Weimarer Republik, Göttingen 1960, S. 33ff.; Erich Matthias, Die deutsche Sozialdemokratie und der Osten 1914–1945, Tübingen 1954, S. 49ff., 60ff.; Peter Pistorius, Rudolf Breitscheid 1874–1944. Ein biographischer Beitrag zur deutschen Parteiengeschichte, phil. Diss. Köln 1971, S. 263ff.; Michael Salewski, Das Weimarer Revisionssyndrom, in: Aus Politik und Zeitgeschichte. Beilage zur Wochenzeitung „Das Parlament" B2/1980, S. 14–25.

3 Akten zur Deutschen Auswärtigen Politik 1918–1945 (= ADAP). Aus dem Archiv des Auswärtigen Amts. Serie B: 1925–1933, Bd. II, 1: Dezember 1925 bis Juni 1926. Deutschlands Beziehungen zur Sowjet-Union, zu Polen, Danzig und den Baltischen Staaten, Göttingen 1967, S. 363–365. Dazu Helmut Lippelt, „Politische Sanierung". Zur deutschen Politik gegenüber Polen 1925/26, in: VfZ 19 (1971), S. 323–373; Karl-Dietrich Erdmann, Gustav Stresemann: The Revision of Versailles and the Weimar Parliamentary System. German Historical Institute London: The 1980 Annal Lecture, London o. J.

4 Schulthess' Europäischer Geschichtskalender 66 (1925), München 1929, S. 154; Friedrich Purlitz (Hg.), Deutscher Geschichtskalender 41 (1925), 1. Bd. (Inland), Leipzig o. J., S. 315f.; AdR, Kabinette Luther (Anm. 1), Bd. 1, S. XXXVI.

5 Dirk Stegmann, Deutsche Zoll- und Handelspolitik 1924/25–1929 unter besonderer Berücksichtigung agrarischer und industrieller Interessen, in: Hans Mommsen u. a. (Hg.), Industrielles System und politische Entwicklung in der Weimarer Republik, Düsseldorf 1974¹, S. 499–593; Dieter Gessner, Agrarverbände in der Weimarer Republik, Wirtschaftliche und soziale Voraussetzungen agrarkonservativer Politik vor 1933, Düsseldorf 1976, S. 47ff.; Heinrich Becker, Handlungsspielräume der Agrarpolitik in der Weimarer Republik zwischen 1923 und 1929, Stuttgart 1990, S. 330ff.; Heidrun Holzbach, Das „System Hugenberg". Die Organisation bürgerlicher Sammlungspolitik vor dem Aufstieg der NSDAP, Stuttgart 1981, S. 180ff.; Karl Heinrich Pohl, Weimars Wirtschaft und die Außenpolitik der Republik 1924–1926. Vom Dawes-Plan zum Internationalen Eisenpakt, Düsseldorf 1979, S. 135ff.

6 Heinrich August Winkler, Der Schein der Normalität. Arbeiter und Arbeiterbewegung in der Weimarer Republik 1924–1930, Berlin 1987², S. 255–259; Klaus E. Rieseberg, Die SPD in der „Locarno-Krise" Oktober/November 1925, in: VfZ 30 (1982), S. 130–161. Das Zitat aus dem Parteiorgan: Der Sieg des Friedens, in: Vorwärts, Nr. 250, 17. 10. 1925.

7 AdR, Kabinette Luther (Anm. 1), S. LIVf. (mit Einzelbelegen); Michael Stürmer, Koalition und Opposition in der Weimarer Republik 1924–1928, Düsseldorf 1967, S. 132ff.

(hier auch, S. 288–290, Meissners Krisenszenario im Wortlaut); Peter Haungs, Reichspräsident und parlamentarische Kabinettsregierung. Eine Studie zum Regierungssystem der Weimarer Republik in den Jahren 1924 bis 1929, Köln 1968, S. 94ff.; Winkler, Schein (Anm. 6), S. 259ff.

8 Ebd., S. 265ff.; Stürmer, Koalition (Anm. 7), S. 148ff., sowie AdR, Kabinette Luther (Anm. 1), S. LXIV (mit Einzelbelegen).

9 Zusammenfassend: Ulrich Schüren, Der Volksentscheid zur Fürstenenteignung 1926. Die Vermögensauseinandersetzungen mit den depossedierten Landesherren als Problem der deutschen Innenpolitik unter besonderer Berücksichtigung der Verhältnisse in Preußen, Düsseldorf 1978; Winkler, Schein (Anm. 6), S. 270ff. – Als Apologie der plebiszitären Demokratie: Otmar Jung, Direkte Demokratie in der Weimarer Republik. Die Fälle „Aufwertung", „Fürstenenteignung", „Panzerkreuzerverbot" und „Youngplan", Frankfurt 1989. Vgl. auch ders., Volksgesetzgebung. Die „Weimarer Erfahrungen" aus dem Fall der Vermögensauseinandersetzungen zwischen Freistaaten und ehemaligen Fürsten, Hamburg 1991. Zum Zentrum und der Haltung der katholischen Wähler: Karsten Ruppert, Im Dienst am Staat von Weimar. Das Zentrum als regierende Partei in der Weimarer Demokratie 1923–1930, Düsseldorf 1992, S. 210ff.; Birgit Sack, Zentrum und Fürstenenteignung. Eine Studie zu den Erosionsprozessen im politischen Katholizismus in den Jahren der relativen Stabilisierung, Magisterarbeit (MS), Freiburg 1990; Johannes Horstmann, Katholiken, Reichspräsidentenwahlen und Volksentscheide, in: Jahrbuch für christliche Sozialwissenschaften 27 (1986), S. 61–93.

10 ADAP, Bd. II/1 (Anm. 3), S. XXV (mit Einzelbelegen); Martin Walsdorff, Westorientierung und Ostpolitik. Stresemanns Rußlandspolitik in der Locarno-Ära, Bremen 1971, S. 157ff., 240–246; Krüger, Außenpolitik (Anm. 1), S. 315ff.

11. Spenz, Vorgeschichte (Anm. 2), S. 125ff.; Walsdorff, Westorientierung (Anm. 10), S. 176ff.; Ulrich Hochschild, Sozialdemokratie und Völkerbund. Die Haltung der SPD und S. F. I. O. zum Völkerbund von dessen Gründung bis zum deutschen Beitritt (1919–1926), Karlsruhe 1982, S. 214ff. Das Zitat in: Von Versailles nach Genf. Eine weltgeschichtliche Wende, in: Vorwärts, Nr. 426, 10. 9. 1926.

12 Krüger, Außenpolitik (Anm. 1), S. 356ff.; Clemens A. Wurm, Die französische Sicherheitspolitik in der Phase der Umorientierung 1924–1926, Frankfurt 1979, S. 392ff.; Hagen Schulze, Weimar. Deutschland 1917–1933, Berlin 1982, S. 281ff.; Hans Mommsen, Die verspielte Freiheit. Der Weg der Republik von Weimar in den Untergang 1918 bis 1933, Berlin 1989, S. 221f.

13 Veröffentlichungen des Reichsverbandes der Deutschen Industrie, Heft 32, Berlin 1926, S. 55f., 64f.; Dirk Stegmann, Die Silverberg-Kontroverse 1926. Unternehmerpolitik zwischen Reform und Restauration, in: Hans-Ulrich Wehler (Hg.), Sozialgeschichte Heute. Festschrift für Hans Rosenberg zum 70. Geburtstag, Göttingen 1974, S. 594–610; Reinhard Neebe, Großindustrie, Staat und NSDAP 1930–1933. Paul Silverberg und der Reichsverband der Deutschen Industrie in der Krise der Weimarer Republik, Göttingen 1981, S. 35ff.; Bernd Weisbrod, Schwerindustrie in der Weimarer Republik. Interessenpolitik zwischen Stabilisierung und Krise, Wuppertal 1978, S. 276ff.; Winkler, Schein (Anm. 6), S. 510ff.

14 Schleichers Denkschrift in: Thilo Vogelsang, Reichswehr, Staat und NSDAP, Stuttgart 1962, S. 409–413. Dazu wie zum Wechsel von Seeckt zu Heye zusammenfassend: Francis L. Carsten, Reichswehr und Politik 1918–1933, Köln 1964, S. 267–287.

15 Akten der Reichskanzlei (= AdR), Weimarer Republik. Die Kabinette Marx III und IV. 17. Mai 1926 bis 29. Januar 1927. 29. Januar 1927 bis 29. Juni 1928., 2 Bde., bearb. v. Günter Abramowski, Boppard 1988, Bd. 1, S. 318f., 322f. (Ministerbesprechungen vom 10. u. 11. 11. 1926); Margaret F. Stieg, The 1926 German Law to Protect Youth against Trash and Dirt: Moral Protectionism in a Democracy, in: CEH 23 (1990), S. 22–56; Stürmer, Koalition (Anm. 7), S. 166ff.; Winkler, Schein (Anm. 6), S. 295ff.

16 Sowjetgranaten für Reichswehrgeschütze, in: Vorwärts, Nr. 573, 5.12.1926; AdR, Kabinette Marx III/IV (Anm. 15), Bd. 1, S. 440–462 (Ministerbesprechungen, Kabinettssitzungen, Parteiführerbesprechungen, 13.–16.12.1926); Verhandlungen des Reichstags. Stenographische Berichte, Bd. 391, S. 8576–8586 (Scheidemann); Stürmer, Koalition (Anm. 7), S. 176ff.; Winkler, Schein (Anm. 6), S. 298ff.; Carsten, Reichswehr (Anm. 14), S. 276ff.; Hans W. Gatzke, Russo-German Military Collaboration during the Weimar Republic, in: AHR 63 (1958), S. 565–597; Henry A. Turner, jr., Stresemann – Republikaner aus Vernunft (am. Orig.: Princeton 1963), Berlin 1968, S. 217ff.; Jürgen Zaruski, Die deutsche Sozialdemokratie und das sowjetische Modell. Ideologische Auseinandersetzung und außenpolitische Konzeptionen 1917–1923, München 1992, S. 198ff.

17 AdR, Kabinette Marx III/IV (Anm. 15), Bd. 1, S. XLVff. (mit Einzelbelegen); Josef Becker, Zur Politik der Wehrmachtsabteilung in der Regierungskrise 1926/27. Zwei Dokumente aus dem Nachlaß Schleicher, in: VfZ 14 (1966), S. 69–78 (77); Stürmer, Koalition (Anm. 7), S. 182–190, 299–303; Haungs, Reichspräsident (Anm. 7), S. 79–100. Zur Rolle der Parteien: Manfred Dörr, Die Deutschnationale Volkspartei 1925–1928, Marburg 1964, S. 265ff.; Die Protokolle der Reichstagsfraktion und des Fraktionsvorstandes der Deutschen Zentrumspartei 1926–1933, bearb. v. Rudolf Morsey, Mainz 1969, S. 79–100 (Vorstands- u. Fraktionssitzungen 16.12.1926–3.2.1927).

18 Das Zitat aus der „Germania" nach: Die Parteiführer beim Reichspräsidenten, in: Vorwärts Nr. 7, 5.1.1927. Zum Vorstehenden: Winkler, Schein (Anm. 6), S. 305ff.; Gerhard Schulz, Deutschland am Vorabend der Großen Krise (= Zwischen Demokratie und Diktatur. Verfassungspolitik und Reichsreform in der Weimarer Republik, Bd. II), Berlin 1987, S. 266f.

19 AdR, Kabinette Marx III/IV (Anm. 15), Bd. 1, S. XLVff. (mit Einzelbelegen); Haungs, Reichspräsident (Anm. 7), S. 208ff.; Stürmer, Koalition (Anm. 7), S. 213ff.; Gotthard Jasper, Der Schutz der Republik. Studien zur staatlichen Sicherung der Demokratie in der Weimarer Republik 1922–1930, Tübingen 1963, S. 162ff., 277ff.; Geßner, Agrarverbände (Anm. 5), S. 83ff.; Stegmann, Zoll- und Handelspolitik (Anm. 5), S. 504ff.; Winkler, Schein (Anm. 6), S. 307ff. Zum Konflikt um die Deutsche Studentenschaft: Ernst Rudolf Huber, Deutsche Verfassungsgeschichte seit 1789, Bd. VI: Die Weimarer Reichsverfassung, Stuttgart 1981, S. 1013ff.; Erich Wende, C. H. Becker, Mensch und Politiker. Ein biographischer Beitrag zur Kulturgeschichte der Weimarer Republik, Stuttgart 1959, S. 252ff.

20 AdR, Kabinette Marx III/IV (Anm. 15), Bd. 1, S. LXVff. (mit Einzelbelegen); Ludwig Preller, Sozialpolitik in der Weimarer Republik, Düsseldorf 1978². S. 350f.; Stürmer, Koalition (Anm. 7), S. 203ff.; Winkler, Schein (Anm. 6), S. 59 (Arbeitszeitdaten), 310f.

21 AdR, Kabinette Marx III/IV (Anm. 15), Bd. 1, S. LXVII (mit Einzelbelegen); Preller, Sozialpolitik (Anm. 20), S. 369ff.; Winkler, Schein (Anm. 6), S. 311ff.; Stürmer, Koalition (Anm. 7), S. 210ff.; Gerhard A. Ritter, Der Sozialstaat. Entstehung und Entwicklung im internationalen Vergleich, München 1989, S. 110ff.; Walter Bogs, Die Sozialversicherung in der Weimarer Demokratie, München 1981; Karl Christian Führer, Arbeitslosigkeit und die Entstehung der Arbeitslosenversicherung in Deutschland 1902–1927, Berlin 1990, S. 170ff. Zur konjunkturellen Situation u.a.: Wolfram Fischer, Deutsche Wirtschaftspolitik 1918–1945, Opladen 1968³, S. 43f.

22 AdR, Kabinette Marx III/IV (Anm. 15), Bd. 2, S. 935–937 (Besprechung mit Vertretern der Christlichen Gewerkschaften), 29.9.1927; Heinrich Köhler, Lebenserinnerungen des Politikers und Staatsmannes 1878–1949, hg. v. Josef Becker, Stuttgart 1964, S. 251–164; Protokolle (Anm. 17), S. 154–166 (Fraktionssitzungen des Zentrums, 17.10.–14.12.1927); Rudolf Morsey, Brünings Kritik an der Reichsfinanzpolitik 1919–1929, in: Erich Hassinger u.a. (Hg.), Geschichte, Wirtschaft, Gesellschaft. Festschrift für Clemens Bauer, Berlin 1974, S. 359–373; Ruppert, Dienst (Anm. 9), S. 274ff.; Haungs, Reichspräsident (Anm. 7), S. 217ff.; Winkler, Schein (Anm. 6), S. 314ff.

23 Schulthess' Europäischer Geschichtskalender 68 (1927), München 1928, S. 489–507 (Memorandum Gilberts vom 20. 10. und Köhlers Antwort vom 5. 11. 1927); AdR, Kabinette Marx III/IV (Anm. 15), Bd. 1, S. LXXVIIIff. (mit Einzelbelegen); Eigene oder geborgte Währung. Vortrag des Reichsbankpräsidenten Hjalmar Schacht, Berlin 1927; Winkler, Schein (Anm. 6), S. 408ff., S. 513ff. (mit weiterer Lit.); Karl-Heinrich Hansmeyer (Hg.), Kommunale Finanzpolitik in der Weimarer Republik, Stuttgart 1973.

24 Knut Borchardt, Wirtschaftliche Ursachen des Scheiterns der Weimarer Republik, in: ders., Wachstum, Krisen, Handlungsspielräume der Wirtschaftspolitik. Studien zur Wirtschaftsgeschichte des 19. u. 20. Jahrhunderts, Göttingen 1982, S. 183–205; ders., Die „Krise vor der Krise". Zehn Jahre Diskussion über die Vorbelastungen der Wirtschaftspolitik Heinrich Brünings in der Weltwirtschaftskrise (Münchner Wirtschaftswissenschaftliche Beiträge, Nr. 89–25), München 1989. Zum Zusammenhang von Reparationen und amerikanischen Krediten u. a.: Stephen A. Schuker, American „Reparations" to Germany 1919–1933: Implications for the Third-World Debt Crisis, Princeton 1988; William C. McNeil, American Money and the Weimar Republic. Economics and Politics on the Eve of the Great Depression, New York 1986. Zu den wirtschaftlichen Rahmenbedingungen und zur Währungspolitik allgemein: Gerd Hardach, Weltmarktorientierung und relative Stagnation. Währungspolitik in Deutschland 1924–1931, Berlin 1976.

25 AdR, Kabinette Marx III/IV (Anm. 15), Bd. 2, S. 1094–1098 (Denkschrift des RDI vom 23. 11. 1927), 1099–1103 (Besprechung des Präsidiums des RDI mit Mitgliedern der Reichsregierung am 24. 11. 1927). Dazu Gerhard Schulz, Zwischen Demokratie und Diktatur. Verfassungspolitik und Reichsreform in der Weimarer Republik. Bd. I: Die Periode der Konsolidierung und der Revision des Bismarckschen Reichsaufbaus 1919–1930, Berlin 1963[1], S. 574ff.

26 Winkler, Schein (Anm. 6), S. 466ff. (mit weiterer Lit.). Zu Naphtalis, vom Hamburger Kongreß des ADGB im September 1928 gebilligtem Konzept: Fritz Naphtali, Wirtschaftsdemokratie. Ihr Wesen, Weg und Ziel, Berlin 1928 (Neudruck: Frankfurt 1968 u. ö.).

27 Heinrich August Winkler, Von der Revolution zur Stabilisierung. Arbeiter und Arbeiterbewegung in der Weimarer Republik 1918–1924, Berlin 1985[2], S. 684ff. (685); ders., Schein (Anm. 6), S. 472ff., 557f.; Gerald D. Feldman u. Irmgard Steinisch, Die Weimarer Republik zwischen Sozial- und Wirtschaftsstaat. Die Entscheidung gegen den Achtstundentag, in: AfS 18 (1978), S. 353–439 (bes. 411f.); zusammenfassend: Johannes Bähr, Staatliche Schlichtung in der Weimarer Republik. Tarifpolitik, Korporatismus und industrieller Konflikt zwischen Inflation und Deflation 1919–1932, Berlin 1989, S. 72ff.

28 Winkler, Schein (Anm. 6), S. 338f. (Hilferding), 472ff. (Haltung des ADGB); Bähr, Schlichtung (Anm. 27), S. 117ff. (Wirkungen der Zwangsschlichtung), 204 (Arbeit Nordwest); Weisbrod, Schwerindustrie (Anm. 13), S. 352ff. Zur Kontroverse um die „überhöhten" Löhne außer den in Anm. 24 zitierten Arbeiten von Borchardt: Carl-Ludwig Holtfrerich, Zu hohe Löhne in der Weimarer Republik? Bemerkungen zur Borchardt-These, in: GG 10 (1984), S. 122–141; Dieter Petzina, Was there a Crisis before the Crisis? The State of the German Economy in the 1920s, in: Jürgen Baron von Kruedener (Hg.), Economic Crisis and Political Collapse. The Weimar Republic 1924–1933, New York 1990, S. 1–19; Albrecht Ritschl, Zu hohe Löhne in der Weimarer Republik?, ebd. 16 (1990), S. 375–402. Zu der von Borchardt ausgelösten Debatte über die „Krankheit" der Weimarer Wirtschaft zusammenfassend: Eberhard Kolb, Die Weimarer Republik, München 1988[2], S. 182ff.

29 Robert A. Brady, The Rationalization Movement in German Industry. A Study in the Evolution of Economic Planning, Berkeley 1933; Gunnar Stollberg, Die Rationalisierungsdebatte 1908–1933. Freie Gewerkschaften zwischen Mitwirkung und Gegenwehr, Frankfurt 1981; Heidrun Homburg, Rationalisierung und Industriearbeit. Das Beispiel des Siemens-Konzerns Berlin 1900–1939, Berlin 1991; Wolfgang Zollitsch, Arbeiter zwischen Weltwirtschaftskrise und Nationalsozialismus. Ein Beitrag zur Sozialgeschichte der Jahre 1928 bis 1936, Göttingen 1990, S. 19ff.; Winkler, Schein (Anm. 6), S. 32ff., 62ff.

30 AdR, Kabinette Marx III/IV (Anm. 15), Bd. 2, S. 856–858 (Ministerbesprechung vom 13.7.1927), 1310–1312 (Parteiführerbesprechung vom 15.2.1928); Winkler, Schein (Anm. 6), S. 316ff.; Stürmer, Koalition (Anm. 7), S. 225ff.; Günter Grünthal, Reichsschulgesetz und Zentrumspartei in der Weimarer Republik, Düsseldorf 1968, S. 196ff.; Ellen L. Evans, The Center Wages *Kulturpolitik*: Conflict in the Marx-Keudell-Cabinet of 1927, in: CEH 2 (1969), S. 139–158; dies., The German Center Party 1870–1933. A Study in Political Catholicism, Carbondale 1981. S 316ff.; Ruppert, Dienst (Anm. 9), S. 287ff.

31 AdR, Kabinette Marx III/IV (Anm. 7), Bd. 2, S. 1321f. (Ministerbesprechung vom 17.2.1928), 1322–1324 (Parteiführerbesprechung vom 17.2.1928), 1324–1326 (Besprechung mit Vertretern von SPD und DDP am 17.2.1924), 1327–1329 (Ministerbesprechungen vom 18.2.1928), 1330–1332 (Besprechung mit Vertretern der Opposition vom 18.2.1928), 1332f. (Parteiführerbesprechung vom 18.2.1928), 1385f. (Kabinettssitzung vom 26.3.1928). Zur verfassungspolitischen Dimension der Krise: Schulz, Deutschland (Anm. 18), S. 264ff.

32 Wolfgang Wacker, Der Bau des Panzerkreuzers „A" und der Reichstag, Tübingen 1959, S. 33ff.; Werner Rahn, Marinerüstung und Innenpolitik einer parlamentarischen Demokratie – das Beispiel des Panzerschiffes A 1928, in: Die deutsche Marine. Historisches Selbstverständnis und Standortbestimmung, Herford 1983, S. 53–72; Jost Dülffer, Weimar, Hitler und die Marine. Reichspolitik und Flottenbau 1920–1939, Düsseldorf 1973, S. 94ff.; Michael Geyer, Aufrüstung oder Sicherheit. Die Reichswehr in der Krise der Machtpolitik 1924–1936, Wiesbaden 1980, S. 198ff.; Winkler, Schein (Anm. 6), S. 533f. – Zu den Hintergründen des Rücktritts von Geßler, darunter dem Skandal um die verschleierte Finanzierung der „Phoebus-Film-Gesellschaft" durch die Reichswehr: Carsten, Reichswehr (Anm. 14), S. 311ff. Zu Groener: Johannes Hürter, Wilhelm Groener. Reichswehrminister am Ende der Weimarer Republik (1928–1932), München 1993.

33 Ernst Thälmann, „Klare Front!", in: Rote Fahne, 1.4.1928, wieder abgedruckt in: ders., Reden und Aufsätze, 2 Bde., Bd. 1: 1919–1928, Frankfurt 1972, S. 566–575. Zur Bolschewisierung der KPD allgemein: Hermann Weber, Die Wandlung des deutschen Kommunismus. Die Stalinisierung der KPD in der Weimarer Republik, 2 Bde., Frankfurt 1969. Zum Sachsenkonflikt und zur SPD: Winkler, Schein (Anm. 6), S. 327ff., S. 533f.

34 Linksliberalismus in der Weimarer Republik. Die Führungsgremien der Deutschen Demokratischen Partei und der Deutschen Staatspartei 1918–1933. Eingeleitet von Lothar Albertin. Bearbeitet von Konstanze Wegner in Verbindung mit Lothar Albertin, Düsseldorf 1980, S. 443–452 (Sitzung des Parteiausschusses vom 29.4.1928). Zur DVP und Stresemann: Turner, Stresemann (Anm. 16), S. 225ff. Zusammenfassend zu den liberalen Parteien: Larry Eugene Jones, German Liberalism and the Dissolution of the Weimar Party System, 1918–1933, Chapel Hill 1988, S. 291ff. Zur DVP: Holzbach, System (Anm. 5), S. 220ff. Zum Zentrum vgl. die in Anm. 30 genannte Lit. Zum Wahlkampf auch Wolfgang Ruge, Weimar – Republik auf Zeit, Berlin (O) 1982², S. 193f.

35 Dietrich Orlow, The History of the Nazi Party: 1919–1933, Pittsburgh 1969, S. 68ff.; Wolfgang Horn, Führerideologie und Parteiorganisation in der NSDAP (1919–1933), Düsseldorf 1972, S. 209ff.; Mommsen, Freiheit (Anm. 12), S. 321ff. Zur Agrarkrise: Geßner, Agrarverbände (Anm. 5), S. 83ff.

12. Die Preisgabe des Parlamentarismus

1 Zusammenfassend zum Wahlergebnis: Heinrich August Winkler, Der Schein der Normalität. Arbeiter und Arbeiterbewegung in der Weimarer Republik, Berlin 1988², S. 521–527 (mit weiterer Lit.). Zu den Erfolgen der NSDAP in Dithmarschen: Rudolf Heberle, Landbevölkerung und Nationalsozialismus. Eine soziologische Untersuchung

der politischen Willensbildung in Schleswig-Holstein 1918–1932, Stuttgart 1963, S. 48ff. (58).

2 Akten der Reichskanzlei (= AdR). Weimarer Republik. Das Kabinett Müller II, 28. Juni 1928 bis 27. März 1930, 2 Bde., bearb. v. Martin Vogt, Boppard 1970, Bd. 1, S. VIIIff.; Otto Braun, Von Weimar zu Hitler, New York 1940[2], S. 245ff.; Hagen Schulze, Otto Braun oder Preußens demokratische Sendung, Frankfurt 1977, S. 539ff.; Peter Haungs, Reichspräsident und parlamentarische Kabinettsbildung. Eine Studie zum Regierungssystem der Weimarer Republik in den Jahren 1924–1929, Köln 1968, S. 146ff.; Winkler, Schein (Anm. 1), S. 528ff. Zum Panzerkreuzer „A“: Wolfgang Wacker, Der Bau des Panzerschiffs „A“ und der Reichstag, Tübingen 1959, S. 90ff.

3 AdR, Kabinett Müller II (Anm. 2), Bd. 1, S. 1 (Verhandlungen über die Regierungsbildung, 12.–14. 6. 1928); Gustav Stresemann, Vermächtnis. Der Nachlaß in drei Bänden, Bd. 3, Berlin 1933, S. 298f.; Die Protokolle der Reichstagsfraktion und des Fraktionsvorstandes der Deutschen Zentrumspartei 1926–1933, bearb. v. Rudolf Morsey, Mainz 1969, S. 207–226 (Fraktionssitzungen, 8.–28. 6. 1928); Erich Eyck, Geschichte der Weimarer Republik, 2 Bde., Erlenbach 1962[3], Bd. 2; S. 206ff.; Jürgen Blunck, Der Gedanke der Großen Koalition in den Jahren 1923–1928, phil. Diss. (MS), Kiel 1961, S. 256ff.; Haungs, Reichspräsident (Anm. 2), S. 151; Winkler, Schein (Anm. 1), S. 536–541.

4 AdR, Kabinett Müller II (Anm. 2), Bd. 1, S. 60–64 (Ministerbesprechung vom 10. 8. 1928; Auszug aus dem Tagebuch Koch-Wesers); Wacker, Bau (Anm. 2), S. 100; Winkler, Schein (Anm. 1), S. 541f.

5 Verhandlungen des Reichstags. Stenographische Berichte, Bd. 423, S. 358–361 (Lemmer), 361–367 (Wirth); Wacker, Bau (Anm. 2), S. 128–140 (hier auch das Zitat aus der Vossischen Zeitung); Winkler, Schein (Anm. 1), S. 542ff.; Gustav Adolf Caspar, Die sozialdemokratische Partei und das deutsche Wehrproblem in den Jahren der Weimarer Republik, Frankfurt 1959, S. 78ff.

6 Julius Leber, Ein Mann geht seinen Weg. Schriften, Reden und Briefe, Frankfurt 1952, S. 180f.; Dorothea Beck, Julius Leber. Sozialdemokrat zwischen Reform und Widerstand, Berlin 1983, S. 72ff. Das Zitat von Hilferding: Winkler, Schein (Anm. 1), S. 553.

7 Ebd., S. 557–572 (das Zitat aus der Frankfurter Zeitung: 561); Ernst Fraenkel, Der Ruhreisenstreit 1928–1929 in historisch-politischer Sicht, in: Ferdinand A. Hermens u. Theodor Schieder (Hg.), Staat, Wirtschaft und Politik in der Weimarer Republik. Festschrift für Heinrich Brüning, Berlin 1967, S. 97–117; Ursula Hüllbüsch, Der Ruhreisenstreit in gewerkschaftlicher Sicht, in: Hans Mommsen u. a. (Hg.), Industrielles System und politische Entwicklung in der Weimarer Republik, Düsseldorf 1974, S. 271–289; Gerald D. Feldman u. Irmgard Steinisch, Notwendigkeiten und Grenzen sozialstaatlicher Intervention. Eine vergleichende Fallstudie des Ruhreisenstreits in Deutschland und des Generalstreiks in England, in: AfS 20 (1980), S. 57–117; Bernd Weisbrod, Schwerindustrie in der Weimarer Republik. Interessenpolitik zwischen Stabilisierung und Krise, Wuppertal 1978, S. 415ff.; Michael Schneider, Auf dem Weg in die Krise. Thesen und Materialien zum Ruhreisenstreit 1928/29, Wentorf b. Hamburg 1974.

8 AdR, Kabinett Müller II (Anm. 2), Bd. 1, S. XIVff. (mit Einzelbelegen). Zum Vorstehenden zusammenfassend: Peter Krüger, Die Außenpolitik der Republik von Weimar, Darmstadt 1985, bes. S. 428ff. Die Genfer Regelung vom September 1928 als Zäsur übertreibend: Franz Knipping, Deutschland, Frankreich und das Ende der Locarno-Ära 1928–1931. Studien zur internationalen Politik in der Anfangsphase der Weltwirtschaftskrise, München 1987, S. 34ff.

9 John A. Leopold, Alfred Hugenberg. The Radical Nationalist Campaign against the Weimar Republic, New Haven 1977, S. 45ff.; Heidrun Holzbach, Das „System Hugenberg“. Die Organisation bürgerlicher Sammlungspolitik vor dem Aufstieg der NSDAP, Stuttgart 1981, S. 240ff.; Friedrich Freiherr Hiller von Gaertringen, Die Deutschnationale

Volkspartei, in: Erich Matthias u. Rudolf Morsey (Hg.), Das Ende der Parteien 1933, Düsseldorf 1960, S. 543–652 (bes. 544ff.).

10 Rudolf Morsey, Die Deutsche Zentrumspartei, ebd., S. 281–453 (bes. 283ff.; das Zitat: 291); Ellen L. Evans, The German Center Party 1870–1933. A Study in Political Catholicism, Carbondale 1981, S. 348ff.; Karsten Ruppert, Im Dienst am Staat von Weimar. Das Zentrum als regierende Partei in der Weimarer Demokratie 1923–1930, Düsseldorf 1992, S. 335ff.

11 AdR, Kabinett Müller II (Anm. 2), Bd. 1, S. 382–384, 396–400 (Aufzeichnungen von Staatssekretär Pünder über Koalitionsgespräche vom 24. 1. u. 30. 1. 1929), 408–411 (Politische Aussprache vom 6. 2. 1929); Protokolle (Anm. 3), S. 258–269 (Sitzungen von Vorstand und Fraktion des Zentrums zwischen 19. 1. u. 8. 2. 1929); Schulze, Braun (Anm. 2), S. 551f.; Herbert Hömig, Das preußische Zentrum in der Weimarer Republik, Mainz 1979, S. 179ff.; Winkler, Schein (Anm. 1), S. 573ff.

12 Ebd., S. 576 (Müller: Hervorhebung im Original); Stresemann, Vermächtnis (Anm. 3), Bd. 3, S. 428–433.

13 AdR, Kabinett Müller II (Anm. 2), Bd. 1, S. 524–530 (Ministerbesprechung vom 7. 4. 1929), 531–540 (Politische Besprechungen vom 8. u. 9. 4. 1929), 540–543 (Kabinettssitzung vom 10. 4. 1929), 543 (Politische Besprechung vom 10. 4. 1929); Ilse Maurer, Reichsfinanzen und Große Koalition. Zur Geschichte des Reichskabinetts Müller (1928–1930), Bern 1973, S. 59ff.; Rosemarie Leuschen-Seppel, Zwischen Staatsverantwortung und Klasseninteresse. Die Wirtschafts- und Finanzpolitik der SPD zur Zeit der Weimarer Republik unter besonderer Berücksichtigung der Mittelphase 1924–1928/29, Bonn 1981, S. 217ff.; Rainer Meister, Die große Depression. Zwangslagen und Handlungsspielräume der Wirtschafts- und Finanzpolitik in Deutschland 1929–1932, Regensburg 1991, S. 63ff.; Winkler, Schein (Anm. 1), S. 577ff.

14 AdR, Kabinett Müller II (Anm. 2), Bd. 1, S. XXVf. (mit Einzelbelegen); Martin Vogt, Die Entstehung des Youngplans dargestellt vom Reichsarchiv 1931–1933, Boppard 1970; Werner Link, Die amerikanische Stabilisierungspolitik in Deutschland 1921–1923, Düsseldorf 1970, S. 438ff.; Wolfram Fischer, Deutsche Wirtschaftspolitik 1918–1945, Opladen 1968³, S. 26ff.; Krüger, Außenpolitik (Anm. 8), S. 476ff.

15 Schulthess' Europäischer Geschichtskalender, 70. Bd., 1929, München 1930, S. 152–154; Weisbrod, Schwerindustrie (Anm. 7), S. 292ff.; Volker R. Berghahn, Der Stahlhelm, Bund der Frontsoldaten 1918–1935, Düsseldorf 1966, S. 115ff.; Dietrich Orlow, The History of the Nazi Party: 1919–1933, Pittsburgh 1969, S. 173ff.

16 Winkler, Schein (Anm. 1), S. 661ff.; Hermann Weber, Die Wandlung des Deutschen Kommunismus. Die Stalinisierung der KPD in der Weimarer Republik, 2 Bde., Frankfurt 1969, Bd. 1, S. 195ff.; Siegfried Bahne, „Sozialfaschismus" in Deutschland. Zur Geschichte eines politischen Begriffs, in: IRSH 10 (1965), S. 211–245. Zusammenfassend zur ultralinken Wende: Thomas Weingartner, Stalin und der Aufstieg Hitlers. Die Deutschlandpolitik der Sowjetunion und der Kommunistischen Internationale 1929–1934, Berlin 1970, S. 70ff.

17 Thomas Kurz, „Blutmai". Sozialdemokraten und Kommunisten im Brennpunkt der Berliner Ereignisse von 1929, Bonn 1988 (mit weiterer Lit.); Léon Schirmann, Blutmai Berlin 1929. Dichtungen und Wahrheit, Berlin 1992; Chris Bowlby, Blutmai 1929: Police, Parties and Proletarians in a Berlin Confrontation, in: The Historical Journal 29 (1986), S. 137–317; Eve Rosenhaft, Beating the Fascists? The German Communists and Political Violence 1929–1933, Cambridge 1983ff., S. 33ff.; Werner Boldt, Pazifisten und Arbeiterbewegung. Der Berliner Blutmai 1929, in: Gerhard Kraiker u. Dirk Grathoff (Hg.), Carl v. Ossietzky und die politische Kultur der Weimarer Republik, Oldenburg 1991, S. 117–224; Winkler, Schein (Anm. 1), S. 671ff. (auch zur Haltung der SPD).

18 AdR, Kabinett Müller II (Anm. 2), Bd. 1, S. 643–645 (Ministerbesprechung vom 6. 5. 1929); Kurt G. P. Schuster, Der Rote Frontkämpferbund 1924–1929. Beiträge zur Geschichte eines politischen Kampfbundes, Düsseldorf 1975, S. 225ff.; Kurt Finker, Ge-

schichte des Roten Frontkämpferbundes, Berlin (O) 1981, S. 203 ff.; Gotthard Jasper, Der Schutz der Republik. Studien zur staatlichen Sicherung der Demokratie in der Weimarer Republik 1922–1929, Tübingen 1963, S. 171 ff.; Thomas Alexander, Carl Severing. Sozialdemokrat aus Westfalen mit preußischen Tugenden, Bielefeld 1992, S. 172 ff.

19 Protokoll der Verhandlungen des 12. Parteitags der Kommunistischen Partei Deutschlands (Sektion der Kommunistischen Internationale), Berlin-Wedding, 9. bis 16. Juni 1929, Berlin 1929 (ND: Frankfurt 1972), S. 49; Weber, Wandlung (Anm. 16), Bd. 1, S. 223 ff. (zur Parteikrise von 1928: 199 ff.); Kurz, „Blutmai" (Anm. 17), S. 111 ff.; James Wickham, Working Class Movement and Working Class Life: Frankfurt am Main during the Weimar Republic, in: Social History 8 (1983), S. 315–343; Eve Rosenhaft, Organizing the „Lumpenproletariat": Cliques and Communists in Berlin during the Weimar Republic, in: Richard J. Evans (Hg.), The German Working Class 1888–1933. The Politics of Everyday Life, London 1982, S. 174–219; Winkler, Schein (Anm. 1), S. 679 ff.

20 AdR, Kabinett Müller II (Anm. 2), Bd. 1, S. XLIX ff. (mit Einzelbelegen); Helga Timm, Die deutsche Sozialpolitik und der Bruch der Großen Koalition im März 1930, Düsseldorf 1952[1], S. 108 ff. (hier auch die Zahlen zur Arbeitslosigkeit); Winkler, Schein (Anm. 1), S. 589 ff.

21 Schulthess 1929 (Anm. 15), S. 179 f. (Reaktionen zum Tod Stresemanns).

22 Otmar Jung, Plebiszitärer Durchbruch 1929? Zur Bedeutung von Volksbegehren und Volksentscheid gegen den Youngplan für die NSDAP, in: GG 15 (1989), S. 489–510; ders., Direkte Demokratie in der Weimarer Republik. Die Fälle „Aufwertung", „Fürstenenteignung", „Panzerkreuzerverbot" und „Youngplan", Frankfurt 1989, S. 109 ff.; Hiller v. Gaertringen, Deutschnationale Volkspartei (Anm. 9), S. 544 ff.; Leopold, Hugenberg (Anm. 9), S. 55 ff.; Orlow, History (Anm. 15), S. 173 ff.; Eyck, Geschichte (Anm. 3), Bd. 2, S. 279 ff.; Winkler, Schein (Anm. 1), S. 736 ff.

23 Schulthess 1929 (Anm. 15), S. 174 (Fall Sklarek), 194, 199, 220 (Wahlen); Eyck, Geschichte (Anm. 3), Bd. 2, S. 316; Friedrich Stampfer, Die vierzehn Jahre der ersten deutschen Republik, Hamburg 1947[3], S. 538 f.

24 Karl Dietrich Bracher, Die Auflösung der Weimarer Republik. Eine Studie zum Problem des Machtverfalls in der Demokratie, Villingen 1964[4], S. 147 f. (AStA-Wahlen); Michael H. Kater, Studentenschaft und Rechtsradikalismus in Deutschland 1918–1933. Eine sozialgeschichtliche Studie zur Bildungskrise in der Weimarer Republik, Hamburg 1974, bes. S. 147 ff., 218 f., 288 (Studentenzahlen); Anselm Faust, Der Nationalsozialistische Deutsche Studentenbund. Studenten und Nationalsozialismus in der Weimarer Republik, 2 Bde., Düsseldorf 1973; Heinrich August Winkler, Die deutsche Gesellschaft in der Weimarer Republik und der Antisemitismus, in: Bernd Martin u. Ernst Schulin (Hg.), Die Juden als Minderheit in der Geschichte, München 1981[1], S. 271–289.

25 Schulthess 1929 (Anm. 15), S. 165 (Bombenanschlag vom 1. 9.); Gerhard Stoltenberg, Die politischen Stimmungen im Schleswig-Holsteinischen Landvolk 1918–1933, Düsseldorf 1962, S. 125 ff.; Heberle, Landbevölkerung (Anm. 1), S. 156 ff.; sowie als literarischer Niederschlag: Hans Fallada, Bauern, Bonzen und Bomben, Berlin 1931; Ernst von Salomon, Die Stadt, Berlin 1932.

26 Fischer, Wirtschaftspolitik (Anm. 14), S. 43 (Konjunkturdaten); Ludwig Preller, Sozialpolitik in der Weimarer Republik, Düsseldorf 1978[2], S. 167 (Arbeitslosendaten).

27 John Kenneth Galbraith, The Great Crash 1929, Boston 1961[3], bes. S. 93 ff.; Charles P. Kindleberger, Die Weltwirtschaftskrise 1929–1939 (amerik. Orig.: London 1973), München 1972[2]; Wilhelm Treue (Hg.), Deutschland in der Weltwirtschaftskrise in Augenzeugenberichten, Düsseldorf 1967[2], S. 63 ff.; Winkler, Schein (Anm. 1), S. 727 ff.

28 AdR, Kabinett Müller II (Anm. 2), Bd. 1, S. LVII ff. (mit Einzelbelegen); Martin Vogt, Die Stellung der Koalitionsparteien zur Finanzpolitik 1928–1930, in: Mommsen u. a. (Hg.), Industrielles System (Anm. 7), S. 439–462; Hildemarie Dieckmann, Johannes Po-

pitz. Entwicklung und Wirksamkeit in der Zeit der Weimarer Republik, Berlin 1960, S. 86ff.; Maurer, Reichsfinanzen (Anm. 13), S. 101ff.; Leuschen-Seppel, Staatsverantwortung (Anm. 13), S. 224ff.; Meister, Große Depression (Anm. 13.), S. 76ff.; Winkler, Schein (Anm. 1), S. 738ff.

29 Ebd., S. 750ff. (hier die Zitatnachweise).

30 Max Seydewitz, Das unannehmbare Finanzprogramm der Regierung, in: KK 3 (1929), Nr. 24 (15. 12), S. 744–741; Paul Levi, Zeitgenosse Schacht, ebd., S. 741–743; Winkler, Schein (Anm. 1), S. 764ff.

31 Aufstieg oder Niedergang? Deutsche Wirtschafts- und Finanzreform 1929. Eine Denkschrift des Präsidiums des Reichsverbandes der Deutschen Industrie, Berlin 1929, S. 45f.; Weisbrod, Schwerindustrie (Anm. 7), S. 466ff. (die Zitate von Reusch und Silverberg: 467); Reinhard Neebe, Großindustrie, Staat und NSDAP 1930–1933. Paul Silverberg und der Reichsverband der Deutschen Industrie in der Krise der Weimarer Republik, Göttingen 1981, S. 53ff.; Michael Grübler, Die Spitzenverbände der Wirtschaft und das erste Kabinett Brüning. Vom Ende der Großen Koalition 1929/30 bis zum Vorabend der Bankenkrise 1931, Düsseldorf 1982, S. 49ff. Zum freigewerkschaftlichen Programm der Wirtschaftsdemokratie: Fritz Naphtali, Wirtschaftsdemokratie. Ihr Wesen, Weg und Ziel, Neuausgabe, Frankfurt 1968².

32 AdR, Kabinett Müller II (Anm. 2), Bd. 1, S. XXXIVff. (mit Einzelbelegen); Gerhard Schulz, Staatliche Stützungsmaßnahmen in den deutschen Ostgebieten, in: Hermens/Schieder (Hg.), Staat (Anm. 7), S. 140–203); Dieter Hertz-Eichenrode, Politik und Landwirtschaft in Ostpreußen. Untersuchung eines Strukturproblems in der Weimarer Republik, Köln 1969, bes. S. 278ff.; Winkler, Schein (Anm. 2), S. 755ff.

33 Heinrich Brüning, Memoiren 1918–1934, Stuttgart 1970, S. 145–152; Erasmus Jonas, Die Volkskonservativen 1928–1933. Entwicklung, Struktur und Standort und staatspolitische Zielsetzung, Düsseldorf 1965, S. 186–188 (Niederschrift über die Unterredung Hindenburgs-Westarp, 18. 3. 1929); Otto Meissner, Staatssekretär unter Ebert, Hindenburg, Hitler, Hamburg 1950, S. 188.

34 Politik und Wirtschaft in der Krise 1930–1932. Quellen zur Ära Brüning. Eingeleitet von Gerhard Schulz. Bearb. v. Ilse Maurer u. Udo Wengst unter Mitwirkung von Jürgen Heideking, 2 Bde., Düsseldorf 1980, Bd. 1, S. 15–18 (Hindenburgs u. Meissners Gespräch mit Westarp vom 15. 1. 1930); Rudolf Morsey, Neue Quellen zur Vorgeschichte der Reichskanzlerschaft Brünings, in: Hermens/Schieder (Hg.), Staat (Anm. 7), S. 207–231; Heinrich Muth, Quellen zu Brüning, in: GWU 14 (1963), S. 221–236; Tilman P. Koops, Heinrich Brünings „Politische Erfahrungen" (zum ersten Teil der Memoiren), ebd. 24 (1973), S. 197–221.

35 AdR, Kabinett Müller II (Anm. 2), Bd. 1, S. XXVIIff. (mit Einzelbelegen); Winkler, Schein (Anm. 1), S. 767ff.

36 Protokolle (Anm. 3), S. 375–378 (Sitzungen des Vorstands der Zentrumsfraktion am 27./28. 1. 1930); AdR, Kabinett Müller (Anm. 2), Bd. 2, S. 1402–1405 (Kabinettssitzung vom 30. 1. 1920); Winkler, Schein (Anm. 1), S. 775f.

37 Politik (Anm. 34), Bd. 1, S. 33f. (Besprechung vom 24. 1. 1930), 41–43 (Brief Gilsas an Reusch vom 5. 2. 1930; Hervorhebungen jeweils im Original).

38 Politik (Anm. 34), Bd. 1, S. 55f. (Rundschreiben industrieller Spitzenverbände vom 27. 2. 1930), 61f. (Brünings Aufzeichnung über das Gespräch mit Hindenburg vom 1. 3. 1930); Protokolle (Anm. 3), S. 400–402 (Sitzung des Fraktionsvorstands des Zentrums vom 5. 3. 1930 mit Brünings Schätzung der Kräfteverhältnisse in der DVP); Bundesarchiv Koblenz, Nl. Moldenhauer, Nr. 3, Ministerzeit, Bl. 5 (Moldenhauers Schätzung).

39 AdR, Kabinett Müller II (Anm. 2), Bd. 2, S. 1535–1539 (Ministerbesprechung vom 5. 3. 1930, 1550–1554 (Ministerbesprechung vom 7. 3. 1930); Politik (Anm. 34), Bd. 1, S. 76 (Erklärung der industriellen Spitzenverbände vom 7. 3. 1930); Hjalmar Schacht, Das Ende

der Reparationen, Oldenburg 1931, S. 117–120; Grübler, Spitzenverbände (Anm. 31), S. 85f.; Winkler, Schein (Anm. 1), S. 786ff.

40 AdR, Kabinett Müller II (Anm. 2), Bd. 1, S. LXVf. (mit Einzelbelegen); Winkler, Schein (Anm. 1), S. 790ff.

41 Politik (Anm. 34), Bd. 1, S. 87f. (Gilsa an Reusch, 18. 3. 1930), 91f. (Briefwechsel Schleicher-Meissner, 18./19. 3. 1930; Hervorhebungen im Original). Hindenburgs agrarpolitischer Appell vom 18. 3. 1930 in: AdR, Kabinett Müller II (Anm. 2), Bd. 2, S. 1580–1582.

42 Schulthess' Europäischer Geschichtskalender, 71. Bd. (1930), München 1931, S. 83–86 (DVP-Parteitag); Politik (Anm. 34), Bd. 1, S. 82f. (Moldenhauers Brief an Duisberg vom 10. 3. 1930), 86 (Telegramm Duisbergs an Moldenhauer vom 14. 3. 1930), 95 (Aufzeichnung des Legationsrats Redlhammer für Curtius vom 20. 3. 1930); Winkler, Schein (Anm. 1), S. 797ff.

43 AdR, Kabinett Müller II (Anm. 2), Bd. 2, S. 1594–1598 (Parteiführerbesprechung vom 25. 3. 1930), S. 1600–1602 (Parteiführerbesprechung vom 26. 3. 1930), 1602–1604 (Parteiführerbesprechung vom 27. 3. 1930, 10 Uhr); Protokolle (Anm. 3), S. 423 (Sitzung des Vorstands der Zentrumsfraktion vom 26. 3. 1930); Winkler, Schein (Anm. 1), S. 799ff.

44 AdR, Kabinett Müller II (Anm. 2), Bd. 2, S. 1608–1610 (Ministerbesprechung vom 27. 3. 1930, 17 u. 19 Uhr). Zu den Beratungen bei SPD und DVP: Winkler, Schein (Anm. 1), S. 805ff.

45 Eine unheilvolle Entscheidung, in: Frankfurter Zeitung, Nr. 232–234, 28. 3. 1930; Rudolf Hilferding, Der Austritt aus der Regierung, in: Die Gesellschaft 7 (1930/I), S. 385–392.

46 Winkler, Schein (Anm. 1), S. 796f. (zum Verhältnis Reich-Thüringen im März 1930); ferner Günter Neliba, Wilhelm Frick. Der Legalist des Unrechtstaates. Eine politische Biographie, Paderborn 1992, S. 57ff.

47 Die Gewerkschaften von der Stabilisierung bis zur Weltwirtschaftskrise 1924–1930. Bearbeitet von Horst-A. Kukuck u. Dieter Schiffmann (= Quellen zur Geschichte der deutschen Gewerkschaftsbewegung im 20. Jahrhundert, Bd. 3/II), Köln 1986, S. 1378–1381 (Besprechung der Vorstände des ADGB und des AfA-Bundes mit dem Partei- und Fraktionsvorstand der SPD am 21. 1. 1930); Winkler, Schein (Anm. 1), S. 771ff.

48 Ders., Mußte Weimar scheitern? Das Ende der ersten Republik und die Kontinuität der deutschen Geschichte, München 1991, S. 31f.

13. Die Ausschaltung der Massen

1 Hermann Pünder, Politik in der Reichskanzlei. Aufzeichnungen aus den Jahren 1928–1932, Stuttgart 1961, S. 126. Zur Person Brünings: Akten der Reichskanzlei (= AdR), Weimarer Republik. Die Kabinette Brüning I u. II. 30. März 1930 bis 10. Oktober 1931; 10. Oktober 1931 bis 1. Juni 1932, 3 Bde., bearb. v. Tilman Koops, Boppard 1982–1990, Bd. I, S. XXII; Detlef Junker, Heinrich Brüning, in: Wilhelm v. Sternburg (Hg.), Die deutschen Kanzler von Bismarck bis Schmidt, Königstein 1985, S. 311–323. Aus der umfangreichen Diskussion über Brünings Politik u. a.: Hans Mommsen, Heinrich Brünings Politik als Reichskanzler: Das Scheitern eines politischen Alleingangs, in: Karl Holl (Hg.), Wirtschaftskrise und liberale Demokratie. Das Ende der Weimarer Republik und die gegenwärtige Situation, Göttingen 1978, S. 16–45; Gerhard Schulz, Erinnerungen an eine mißlungene Restauration. Heinrich Brüning und seine Memoiren, in: Der Staat 11 (1972), S. 61–81; ders., Von Brüning zu Hitler. Der Wandel des politischen Systems in Deutschland 1930–1933 (= Zwischen Demokratie und Diktatur. Verfassungspolitik und Reichsreform in der Weimarer Republik, Bd. III), Berlin 1992, S. 1ff.; Werner Conze, Brünings Politik unter dem Druck der großen Krise, in: HZ 199 (1964), S. 529–550; ders., Die Reichsverfas-

sungsreform als Ziel der Politik Brünings, in: Der Staat 10 (1972), S. 209–217; ders., Brüning als Reichskanzler. Eine Zwischenbilanz, in: HZ 214 (1972), S. 310–334; Karl Dietrich Bracher, Brünings unpolitische Politik und die Auflösung der Weimarer Republik, in: VfZ 19 (1972), S. 113–123; Rudolf Morsey, Zur Entstehung, Authentizität und Kritik von Brünings „Memoiren 1918–1934", Opladen 1974.

2 AdR, Kabinette Brüning (Anm. 1), Bd. 1, S. 1–4 (Brief Schieles an Brüning vom 29. 3. 1929); Schulthess' Europäischer Geschichtskalender, 71. Bd. (1930), München 1931, S. 93 f.; Verhandlungen des Reichstags. Stenographische Berichte, Bd. 427, S. 4728–4730 (Brüning); Heinrich Brüning, Memoiren 1918–1934, Stuttgart 1970, S. 161–168; Heinrich August Winkler, Der Weg in die Katastrophe. Arbeiter und Arbeiterbewegung in der Weimarer Republik 1930–1933, Bonn 1990², S. 123 ff.

3 AdR, Kabinette Brüning (Anm. 1), Bd. 1, S. XXXI ff. (mit Einzelbelegen); Winkler, Weg (Anm. 2), S. 134 f., 158 ff.; Schulz, Von Brüning (Anm. 1), S. 41 ff.

4 Stenographische Berichte (Anm. 2), Bd. 428, S. 6401 (Breitscheid); Schulthess 1930 (Anm. 2), S. 172 (Verlautbarung Hindenburgs); AdR, Kabinette Brüning (Anm. 1), Bd. 1, S. 326–329 (Aufzeichnung Pünders über eine Unterredung Brünings mit Hugenberg u. Oberfohren am 17. 7. 1930); Brüning, Memoiren (Anm. 2), S. 180 f. (von Pünders Bericht stark abweichend und als Quelle unzuverlässig); Politik und Wirtschaft in der Krise 1930–1932. Quellen zur Ära Brüning. Eingeleitet von Gerhard Schulz. Bearbeitet von Ilse Maurer u. Udo Wengst unter Mitwirkung von Jürgen Heideking, 2 Bde., Düsseldorf 1980, S. 286–299 (Fraktionssitzungen der DNVP am 17. 7. 1930); Rainer Meister, Die große Depression. Zwangslagen und Handlungsspielräume der Wirtschafts- und Finanzpolitik in Deutschland 1929–1932, Regensburg 1991, S. 171 ff.; Winkler, Weg (Anm. 2), S. 165 ff.

5 Stenographische Berichte (Anm. 2), Bd. 428, S. 6501–6505 (Landsberg), 6505–6508 (Wirth), 6508 f. (Oberfohren), 6509–6513 (Koenen), 6513–6517 (Dietrich), 6517 (Westarp), 6523 (Brüning, Löbe), 6524–6527 (Abstimmung); Schulthess 1930 (Anm. 2), S. 174–182 (Reichstagssitzung, Notverordnung vom 26. 7. 1930); AdR, Kabinette Brüning (Anm. 1), Bd. 1, S. 329–331 (Ministerbesprechungen vom 18. 7. 1930), 333–341 (Ministerbesprechungen vom 24./25. 7. 1930). Zur verfassungsrechtlichen Problematik der Notverordnungen vom Juli 1930: Ernst Rudolf Huber, Deutsche Verfassungsgeschichte seit 1789, Bd. VII: Ausbau, Schutz und Untergang der Weimarer Republik, Stuttgart 1984, S. 761 ff.

6 Zusammenfassend dazu Winkler, Weg (Anm. 2), S. 135 ff., 173 ff.

7 Schulthess 1930 (Anm. 2), S. 132 (Umbesetzungen im AA), 147 (sächsische Landtagswahlen), 159 f. (Aufruf von Reichspräsident und Reichsregierung vom 1. 7. zur Befreiung der Rheinlande), 460–468 (Memorandum Briands vom 17. 5.), 469–472 (deutsche Antwort vom 11. 7.); AdR, Kabinette Brüning (Anm. 1), Bd. 1, S. 280–283 (Ministerbesprechung vom 8. 7. 1930). Einzelbelege zur Außenpolitik in den Anfängen der Ära Brüning: ebd., S. LXX ff.; Akten zur deutschen auswärtigen Politik 1918–1945 (=ADAP), Serie B: 1925–1933, Bd. XV: 1. Mai bis 30. September 1930, Göttingen 1980. Zu den deutsch-französischen Beziehungen im Jahr 1930: Hermann Hagspiel, Verständigung zwischen Deutschland und Frankreich? Die deutsch-französische Außenpolitik der zwanziger Jahre im innenpolitischen Kräftespiel beider Länder, Bonn 1987, S. 436 ff.; Franz Knipping, Deutschland, Frankreich und das Ende der Locarno-Ära 1928–1931. Studien zur internationalen Politik in der Anfangsphase der Weltwirtschaftskrise, München 1987, S. 141 ff. Zusammenfassend: Peter Krüger, Die Außenpolitik der Republik von Weimar, Darmstadt 1985, S. 507 ff. (mit weiterer Lit.).

8 Reinhard Frommelt, Paneuropa oder Mitteleuropa. Einigungsbestrebungen im Kalkül deutscher Wirtschaft und Politik 1925–1933, Stuttgart 1977, bes. S. 73 ff.; Krüger, Außenpolitik (Anm. 7), bes. S. 531 ff. (jeweils mit weiterer Lit.). Zum deutsch-polnischen Handelsvertrag: AdR, Kabinette Brüning (Anm. 1), Bd. 1, S. LXXIX f. (mit Einzelbelegen).

9 Schulthess 1930 (Anm. 2), S. 182–184 (Gründung der Deutschen Staatspartei), 184 f.

(Tagung des Parteivorstands des Zentrums). Dazu Rudolf Morsey, Die Deutsche Zentrumspartei, in: Erich Matthias und Rudolf Morsey (Hg.), Das Ende der Parteien 1933, Düsseldorf 1960[1], S. 281–453 (bes. 291 ff.); Erich Matthias u. Rudolf Morsey, Die Deutsche Staatspartei, ebd., S. 31–97 (bes. 31 ff.); Larry Eugene Jones, German Liberalism and the Dissolution of the Weimar Party System, 1918–1933, Chapel Hill 1988, S. 366 ff. Zu jüdischen Irritationen angesichts des Zusammengehens der DDP mit den Jungdeutschen: Linksliberalismus in der Weimarer Republik. Die Führungsgremien der Deutschen Demokratischen Partei und der Deutschen Staatspartei 1918–1933. Eingeleitet von Lothar Albertin. Bearbeitet von Konstanze Wegner in Verbindung mit Lothar Albertin, Düsseldorf 1980, S. 562–578 (Sitzung des Parteiausschusses vom 30. 7. 1930).

10 Schulthess 1930 (Anm. 2), S. 181 (Gründung der Konservativen Volkspartei), 185–187 (Sammlungsbemühungen der DVP), 191 f. (Wahlaufruf vom 18. 8.); Larry E. Jones, Sammlung oder Zersplitterung? Die Bestrebungen zur Bildung einer neuen Mittelpartei in der Endphase der Weimarer Republik 1930–1933, in: VfZ 25 (1977), S. 265–304; ders., Liberalism (Anm. 9), S. 374 ff.

11 Wählerinnen und Wähler der deutschen Republik!, in: Vorwärts, Nr. 335, 20. 7. 1930; Programmerklärung zur nationalen und sozialen Befreiung des deutschen Volkes, u. a. in: Hermann Weber (Hg.), Der deutsche Kommunismus. Dokumente, Köln 1963, S. 58–65; Ossip K. Flechtheim, Die KPD in der Weimarer Republik, Frankfurt 1973[3], S. 274 ff.; Winkler, Weg (Anm. 2), S. 180 ff. (mit weiterer Lit.).

12 Winkler, Weg (Anm. 2), S. 148 ff.; Józef Wieszt, KPD-Politik in der Krise 1928–1932. Zur Geschichte und Problematik des Versuchs, den Kampf gegen den Faschismus mittels Sozialfaschismusthese und RGO-Politik zu führen, Frankfurt 1976, S. 234 ff.; Die Generallinie. Rundschreiben des Zentralkomitees der KPD an die Bezirke 1929–1933. Eingeleitet von Hermann Weber. Bearbeitet von Hermann Weber unter Mitwirkung von Johann Wachtler, Düsseldorf 1981, S. XXII ff.; Gerhard Paul, Aufstand der Bilder. Die NS-Propaganda vor 1933, Bonn 1990, S. 90 ff. Das Zitat von Alfred Rosenberg: ders., Geistige Bankrotterklärung des Marxismus: KPD stiehlt die Losungen des Nationalsozialismus, in: Völkischer Beobachter, Nr. 204, 28. 8. 1930.

13 Otto-Ernst Schüddekopf, Linke Leute von rechts. Die nationalrevolutionären Minderheiten und der Kommunismus in der Weimarer Republik, Stuttgart 1960, S. 317 ff.; Louis Dupeux, „Nationalbolschewismus" 1918–1933: Kommunistische Strategie und konservative Dynamik (franz. Orig.: Paris 1976), München 1985, S. 393 ff.; Patrick Moreau, Nationalsozialismus von links. Die „Kampfgemeinschaft Revolutionärer Nationalsozialisten" und die „Schwarze Front" Otto Strassers 1930–1935, Stuttgart 1985, S. 30 ff.

14 Winkler, Weg (Anm. 2), S. 185 f. (mit Einzelbelegen).

15 Die umfangreiche Lit. zusammenfassend: Jürgen W. Falter, Hitlers Wähler, München 1991, S. 98 ff.; ferner: Thomas Childers, The Nazi Voter. The Social Foundations of Fascism in Germany, 1919–1933, Chapel Hill 1983, S. 119 ff.; Richard F. Hamilton, Who Voted for Hitler?, Princeton 1982, bes. S. 309 ff.; Jerzy Holzer, Parteien und Massen. Die politische Krise in Deutschland 1928–1930, Wiesbaden 1974, S. 64 ff. Zum Wahlergebnis vom 14. 9. 1930: Winkler, Weg (Anm. 2), S. 189 ff.

16 Theodor Geiger, Die Panik im Mittelstand, in: Die Arbeit 7 (1930), S. 637–654; Heinrich August Winkler, Mittelstand, Demokratie und Nationalsozialismus. Die politische Entwicklung von Handwerk und Kleinhandel in der Weimarer Republik, Köln 1972, S. 157 ff.; ders., Klassenbewegung oder Volkspartei? Zur Programmdiskussion in der Weimarer Sozialdemokratie 1920–1925, in: GG 8 (1982), S. 9–54.

17 Ders., Mittelstandsbewegung oder Volkspartei? Zur sozialen Basis der NSDAP, in: Wolfgang Schieder (Hg.), Faschismus als soziale Bewegung. Deutschland und Italien im Vergleich, Göttingen 1978[2], S. 97–118; ders., Mittelstand (Anm. 16), S. 166 ff.; Rainer Zitelmann, Hitler. Selbstverständnis eines Revolutionärs, Stuttgart 1990[3], bes. S. 205 ff.; M.

Rainer Lepsius, Extremer Nationalismus. Strukturbedingungen vor der nationalsozialistischen Machtergreifung, Stuttgart 1964.

18 Zusammenfassend zur Entwicklung der soziokulturellen Milieus, namentlich des sozialdemokratischen und des katholischen, in der Spätphase der Weimarer Republik: Siegfried Weichlein, Sozialmilieus und Politische Kultur in Weimar. Hessische Kreise im Vergleich, phil. Diss. (MS), Freiburg 1992; Detlef Lehnert u. Klaus Megerle (Hg.), Politische Teilkulturen zwischen Integration und Polarisierung. Zur politischen Kultur in der Weimarer Republik, Opladen 1990; Peter Lösche, Einführung zum Forschungsprojekt „Solidargemeinschaft und Milieu. Sozialistische Kultur- und Freizeitorganisationen in der Weimarer Republik", in: Franz Walter, Sozialistische Akademiker- und Intellektuellenorganisationen in der Weimarer Republik (Solidargemeinschaft und Milieu: Sozialistische Kultur- und Freizeitorganisationen in der Weimarer Republik, Bd. 1), Bonn 1990, S. 9–88.

19 Schulthess 1930 (Anm. 2), S. 200 (Austritt der Volksnationalen Reichsvereinigung aus der Deutschen Staatspartei am 7. 10. 1930; Linksliberalismus (Anm. 9), S. 597–614 (Sitzung des Vorstands der Deutschen Staatspartei vom 16. 10. 1930). Zur Haltung des jüdischen Bürgertums u. a.: Kurt Löwenstein, Die innerjüdische Reaktion auf die Krise der deutschen Demokratie, in: Werner E. Mosse (Hg.), Entscheidungsjahr 1932. Zur Judenfrage in der Endphase der Weimarer Republik, Tübingen 1965, S. 349–405; Ernest Hamburger u. Peter Pulzer, Jews as Voters in the Weimar Republic, in: Leo Baeck Institute Year Book 30 (1985), S. 3–66; Heinrich August Winkler, Die deutsche Gesellschaft der Weimarer Republik und der Antisemitismus, in: Bernd Martin u. Ernst Schulin (Hg.). Die Juden als Minderheit in der Geschichte, München 1982², S. 271–289.

20 Thomas Mann, Deutsche Ansprache. Ein Appell an die Vernunft (1930), in: ders., Gesammelte Werke, Bd. 12, Berlin 1965, S. 533–553 (553); Kurt Sontheimer, Thomas Mann und die Deutschen, Frankfurt 1965², S. 76ff.

21 Braun zur politischen Lage, in: Vorwärts. Nr. 433, 16. 9. 1930; Winkler, Weg (Anm. 2), S. 206f.

22 Pünder, Politik (Anm. 1), S. 58f. (Tagebucheintragung vom 14. 9. 1930 zur Haltung Hindenburgs); IfZ, München, Tagebuch Hans Schäffer, Aufzeichnung vom 18. 9. 1930; Winkler, Weg (Anm. 2), S. 208f.

23 AdR, Kabinette Brüning (Anm. 1), Bd. 1, S. 427f. (Vermerk Pünders über ein Gespräch mit dem Geschäftsführenden Präsidiumsmitglied des RDI, Kastl, vom 15. 9. 1930), 447–449 (Kabinettssitzung vom 25. 9. 1930); Politik (Anm. 4), Bd. 1, S. 393–397 (Rede Kastls in der Vorstandssitzung des RDI vom 19. 9. 1930); Michael Grübler, Die Spitzenverbände der Wirtschaft und das erste Kabinett Brüning. Vom Ende der Großen Koalition 1929/30 bis zum Vorabend der Bankenkrise 1931. Eine Quellenstudie, Düsseldorf 1982, S. 209ff.; Peter Bucher, Der Reichswehrprozeß. Der Hochverrat der Ulmer Reichswehroffiziere 1929/30, Boppard 1967; Francis L. Carsten, Reichswehr und Politik 1918–1967, Köln 1964, S. 341ff.; Thilo Vogelsang, Reichswehr, Staat und NSDAP. Beiträge zur deutschen Geschichte, Stuttgart 1962, S. 90ff.

24 Max Seydewitz, Der Sieg der Verzweiflung, in: KK 4 (1930), Nr. 18 (15. 9.), S. 545–550; Winkler, Weg (Anm. 2), S. 207ff.; Dietmar Klenke, Die SPD-Linke in der Weimarer Republik. Eine Untersuchung zu den regionalen organisatorischen Grundlagen und zur politischen Praxis und Theoriebildung des linken Flügels der SPD in den Jahren 1922–1932, 2 Bde., Münster 1983, Bd. 1, S. 204ff.

25 IfZ, München, Tagebuch Hans Schäffer, Aufzeichnung vom 18. 9. 1930; Pünder, Politik (Anm. 1), S. 62.

26 Brüning, Memoiren (Anm. 2), S. 191–197; Pünder, Politik (Anm. 1), S. 62–65; Gottfried Reinhold Treviranus, Das Ende von Weimar. Heinrich Brüning und seine Zeit, Düsseldorf 1968, S. 162; Schulz, Von Brüning (Anm. 1), S. 179ff.; ders., Reparationen und

Krisenprobleme nach dem Wahlsieg der NSDAP 1930. Betrachtungen zur Regierung Brüning, in: VSWG 67 (1980), S. 200–222.

27 AdR, Kabinette Brüning (Anm. 1), Bd. 1, S. 466–475 (Kabinettssitzung u. Ministerbesprechung vom 29. 9. 1930); Für Republik und Arbeiterrecht. Entschließung der sozialdemokratischen Reichstagsfraktion, in: Vorwärts, Nr. 465, 4. 10. 1930; Winkler, Weg (Anm. 2), S. 214ff.

28 Otto Braun, Von Weimar zu Hitler, Hamburg 1949², S. 179f.; Stenographische Berichte (Anm. 2), Bd. 444, S. 17–22 (Brüning), 48–56 (Müller), 56–65 (Strasser), 65–72 (Pieck), 183–194, 202–217 (Abstimmungen).

29 Winkler, Weg (Anm. 2), S. 244ff.; Eberhard Kolb, Die sozialdemokratische Strategie in der Ära des Präsidialkabinetts Brüning – Strategie ohne Alternative?, in: Ursula Büttner (Hg.), Das Unrechtsregime. Internationale Forschung über den Nationalsozialismus. Festschrift für Werner Jochmann, 2 Bde., Hamburg 1986, Bd. 1, S. 157–176; Wolfram Pyta, Gegen Hitler und für die Republik. Die Auseinandersetzung der deutschen Sozialdemokratie mit der NSDAP in der Weimarer Republik, Düsseldorf 1989, bes. S. 203ff.; Rainer Schäfer, SPD in der Ära Brüning: Tolerierung oder Mobilisierung? Handlungsspielräume und Strategien sozialdemokratischer Politik 1930–1932, Frankfurt 1990, bes. S. 65ff.

30 AdR, Kabinette Brüning (Anm. 1), Bd. 1, S. 663–670 (Kabinettssitzung vom 30. 11. 1930); Politik (Anm. 4), Bd. 1, S. 477 (Brünings Rede vor dem RDI vom 27. 11. 1930).

31 Zusammenfassend: Winkler, Weg (Anm. 2), S. 265ff.

32 Ferien vom Reichstag, in: Vorwärts, Nr. 583, 13. 12. 1930; E. H. (= Ernst Heilmann), Frick und Flick, in: DFW 2 (1930), Nr. 49 (7. 12.), S. 1–4; Erziehung zur Demokratie, in: Vorwärts, Nr. 591, 18. 12. 1930.

33 AdR, Kabinette Brüning (Anm. 1), Bd. 1, S. 584–587 (Ministerbesprechung vom 30. 10. 1930), 605–613 (Brief Groeners an Brüning vom 10. 11. 1930), 751–754 (Ministerbesprechung vom 19. 12. 1930); Protokolle der Reichstagsfraktion und des Fraktionsvorstands der Deutschen Zentrumspartei 1926–1933. Bearb. v. Rudolf Morsey, Mainz 1969, S. 499–503 (Sitzung des Vorstands der Zentrumsfraktion vom 12. 12. 1930); Winkler, Weg (Anm. 2), S. 273ff.

34 Schulthess' Europäischer Geschichtskalender 72 (1931), München 1932, S. 25f., 37–39; Stenographische Berichte (Anm. 2), Bd. 444, S. 860–872 (namentliche Abstimmung), 873f. (Stöhr [NSDAP]); Brüning, Memoiren (Anm. 2), S. 255ff.; Pünder, Politik (Anm. 1), S. 87f.; Winkler, Weg (Anm. 2), S. 288f.

35 Ebd., S. 289ff.; Klenke, SPD-Linke (Anm. 24), Bd. 1, 210ff.

36 Stenographische Berichte (Anm. 2), Bd. 445, S. 1855f. (Brüning); Brüning, Memoiren (Anm. 2), S. 260f.; Winkler, Weg (Anm. 2), S. 295ff.

37 Ebd., S. 309ff.; Eve Rosenhaft, Beating the Fascists? Communists and Political Violence, 1929–1933, Cambridge 1983, S. 9ff.; Nancy Jo Aumann, From Legality to Illegality: The Communist Party of Germany in Transition, 1930–1933. Ph. D. Dissertation (Microfilm), University of Wisconsin, Madison 1982, S. 261ff.; Siegfried Bahne, Die KPD und das Ende von Weimar. Das Scheitern einer Politik 1932–1935, Frankfurt 1976, S. 21; Johann Wachtler, Zwischen Revolutionserwartung und Untergang. Die Vorbereitung der KPD auf die Illegalität in den Jahren 1926–1933, Frankfurt 1983, S. 58ff.; Conan Fischer, The German Communists and the Rise of Nazism, Basingstoke 1991, S. 138ff.; Peter Longerich, Die braunen Bataillone. Geschichte der SA, München 1989, S. 153ff.; Imre Lazar, Der Fall Horst Wessel, Stuttgart 1980; Detlef Peukert, Die „Wilden Cliquen" in den zwanziger Jahren, in: Wilfried Breyvogel (Hg.), Autonome und Widerstand. Zur Theorie und Geschichte des Jugendprotestes, Essen 1983, S. 66–77. Zur Notverordnung vom 28. 3. 1931: Christoph Gusy, Weimar – die wehrlose Republik? Verfassungsschutzrecht u. Verfassungsschutz in der Weimarer Republik, Tübingen 1991, S. 193ff.

38 Schulthess 1931 (Anm. 34), S. 102f. (Rücktritt Fricks); Richard Bessel, Political Violence and the Rise of Nazism. The Storm Troopers in Eastern Germany 1925–1934, New Haven 1984, S. 62ff.; Dietrich Orlow, The History of the Nazi Party, 1919–1933, Pittsburgh 1969, S. 216ff.; Longerich, Braune Bataillone (Anm. 37), S. 110ff.

39 Die Wirtschaftslage im April 1931, in: GZ, Nr. 17, 25.4. 1931; Die Wirtschaftslage im Mai 1931, ebd., Nr. 21, 23. 5. 1931. Zur wirtschaftlichen Erholung im Frühjahr 1931: Harold James, Deutschland in der Weltwirtschaftskrise 1924–1936 (engl. Orig.: Oxford 1986), Stuttgart 1988, S. 285ff.

40 AdR, Kabinette Brüning (Anm. 1), Bd. 2, S. 925–928 (Besprechung Brüning-Dietrich vom 6. 3. 1931), 1017f. (Aufzeichnung über ein Gespräch Pünders mit Breitscheid u. Hertz am 20.4. 1931), 1020–1030 (Ministerbesprechungen vom 23. u. 25.4.1931), 1038–1040 (Unterredung Brünings mit Breitscheid, Hilferding u. Hertz vom 29.4. 1931), 1061f. (Vermerk Pünders vom 8. 5. 1931 über ein Gespräch Brünings mit Braun), 1080f. (Vermerk Pünders über ein Gespräch Brünings mit Severing vom 18. 5. 1931).

41 Ebd., S. 1053–1059 (Besprechung vom 7. 5. 1931), 1144–1148 (Ministerbesprechung vom 30. 5. 1931); Winfried Gosmann, Die Stellung der Reparationsfrage in der Außenpolitik der Kabinette Brüning, in: Josef Becker u. Klaus Hildebrand (Hg.), Internationale Beziehungen in der Weltwirtschaftskrise 1929–1933, München 1980, S. 237–263; Winfried Glashagen, Die Reparationspolitik Heinrich Brünings 1930–1931. Studien zum wirtschafts- und außenpolitischen Entscheidungsprozeß in der Auflösungsphase der Weimarer Republik, 2 Bde., phil. Diss., Bonn 1980, Bd. 1, S. 377ff.

42 AdR, Kabinette Brüning (Anm. 1), Bd. 2, S. 952–955 (Ministerbesprechung vom 16. 3. 1931), 969–971 (Ministerbesprechung vom 18. 3. 1931); Schulthess 1931 (Anm. 34), S. 88–90 (Erklärung der Reichsregierung zur Zollunion vom 21. 3. 1931); Julius Curtius, Sechs Jahre Minister der Deutschen Republik, Heidelberg 1948, S. 188ff.; Brüning, Memoiren (Anm. 2), S. 263f.; F. G. Stambrook, The German-Austrian Customs Union Project of 1931: A Study of German Methods and Motives, in: Journal of Central European Affairs 21 (1961/62), S. 15–44; Stanley Suval, The Anschluss Question in the Weimar Era. A Study of Nationalism in Gemany and Austria, 1918–1932, Baltimore 1974, S. 146ff.; Harro Molt, „... Wie ein Klotz inmitten Europas". „Anschluß" und Mitteleuropa in der Weimarer Republik 1925–1931, Frankfurt 1986, S. 65ff.; Holm Sundhausen, Die Weltwirtschaftskrise im Donau-Balkan-Raum und ihre Bedeutung für den Wandel der deutschen Außenpolitik unter Brüning, in: Wolfgang Benz u. Hermann Graml (Hg.), Aspekte deutscher Außenpolitik im 20. Jahrhundert. Gedenkschrift für Hans Rothfels, Stuttgart 1976, S. 120–164; Dörte Doering, Deutsch-österreichische Außenhandelsverflechtung während der Weltwirtschaftskrise, in: Hans Mommsen u. a. (Hg.), Industrielles System und politische Entwicklung in der Weimarer Republik, Düsseldorf 1974[1], S. 514–530; Hans Paul Höpfner, Deutsche Südosteuropapolitik in der Weimarer Republik, Frankfurt 1983, S. 259ff.; Hans-Jürgen Schröder, Die deutsche Südosteuropapolitik und die Reaktion der angelsächsischen Mächte 1929–1933/34, in: Becker u. Hildebrand (Hg.), Internationale Beziehungen (Anm. 41), S. 343–360; Edward W. Bennett, Germany and the Diplomacy of the Financial Crisis; 1931, Cambridge/Mass. 1962, S. 40ff.; Frommelt, Paneuropa (Anm. 8), S. 80ff.; Krüger, Außenpolitik (Anm. 7), S. 523ff.; Schulz, Von Brüning (Anm. 1), S. 298ff.

43 Carlo Mierendorff, Tolerieren – und was dann?, in: SMH (1931/I), S. 315–318; Winkler, Weg (Anm. 2), S. 300ff. Zu Mierendorff: Richard Albrecht, Der militante Sozialdemokrat: Carlo Mierendorff 1897 bis 1943. Eine Biographie, Berlin 1987.

44 Sozialdemokratischer Parteitag in Leipzig 1931 vom 31. Mai bis 5. Juni im Volkshaus. Protokoll, Berlin 1931, S. 108–114 (Sollmann); Winkler, Weg (Anm. 2), S. 324ff.

14. Die Politik der Depression

1 Schulthess' Europäischer Geschichtskalender, 72. Bd. (1931), München 1932, S. 120f. („Tributaufruf"); RGBl. 1931, I, S. 279–314 (Notverordnung vom 5.6.); Akten der Reichskanzlei (= AdR), Weimarer Republik. Die Kabinette Brüning I und II. 30. März 1930 bis 10. Oktober 1931, 10. Oktober 1931 bis 1. Juni 1932, 3 Bde., bearb. v. Tilman Koops, Boppard 1982–1990, Bd. 1, S. XXXff. (mit Einzelbelegen); Rainer Meister, Die große Depression. Zwangslagen und Handlungsspielräume der Wirtschafts- und Finanzpolitik in Deutschland 1929–1932, Regensburg 1991, S. 218ff.; Heinrich August Winkler, Der Weg in die Katastrophe. Arbeiter und Arbeiterbewegung in der Weimarer Republik 1930–1933, Bonn 1990[2], S. 338ff. Zum Freiwilligen Arbeitsdienst: Henning Köhler, Arbeitsdienst in Deutschland. Pläne und Verwirklichungsformen bis zur Einführung der Arbeitsdienstpflicht im Jahre 1935, Berlin 1967; Wolfgang Benz, Vom Freiwilligen Arbeitsdienst zur Arbeitsdienstpflicht, in: VfZ 16 (1968), S. 317–346; Volker R. Berghahn, Der Stahlhelm. Bund der Frontsoldaten 1918–1935, Düsseldorf 1966, S. 231ff.

2 Schulthess 1931 (Anm. 1), S. 134f.; Winkler, Weg (Anm. 1), S. 340ff.

3 Heinrich Brüning, Memoiren 1918–1934, Stuttgart 1970, S. 278ff.; Julius Curtius, Sechs Jahre Minister der Deutschen Republik, Heidelberg 1948, S. 213ff.; AdR, Kabinette Brüning (Anm. 1), Bd. 2, S. 1178–1181 (Ministerbesprechung vom 3.6.1931), 1187–1191 (Ministerbesprechung vom 11.6.1931); Schulthess 1931 (Anm. 1), S. 328–331; Edward W. Bennett, Germany and the Diplomacy of the Financial Crisis, 1931, Cambridge/Mass. 1962, 100ff.; Wolfgang J. Helbich, Die Reparationen in der Ära Brüning. Zur Bedeutung des Young-Plans für die deutsche Politik 1930 bis 1932, Berlin 1962, S. 64ff.

4 Brüning, Memoiren (Anm. 3), S. 285ff.; Politik und Wirtschaft in der Krise 1930–1932. Quellen zur Ära Brüning. Eingeleitet von Gerhard Schulz. Bearbeitet von Ilse Maurer u. Udo Wengst unter Mitwirkung von Jürgen Heideking, 2 Bde., Düsseldorf 1980, Bd. 1, S. 650–654 (Tagebuchaufzeichnung Luthers vom 11.6.1931); AdR, Kabinette Brüning (Anm. 1), Bd. 2, S. 1187–1191 (Ministerbesprechung vom 11.6.1931); Karl-Erich Born, Die deutsche Bankenkrise 1931. Finanzen und Politik, München 1967, S. 64ff. (Zahlen zur Kündigung von Auslandskrediten u. zur Devisenabgabe der Reichsbank im Juni: 67f., 71); Harold James, The Reichsbank and Public Finance in Germany 1924–1933: A Study of the Politics of Economics during the Great Depression, Frankfurt 1985, S. 173ff.; Gerhard Schulz, Von Brüning zu Hitler. Der Wandel des politischen Systems in Deutschland 1930–1933 (= Zwischen Demokratie und Diktatur. Verfassungspolitik und Reichsreform in der Weimarer Republik, Bd. III), Berlin 1992, S. 384ff.; Winkler, Weg (Anm. 1), S. 342ff.

5 Politik (Anm. 4), Bd. 1, S. 666–669 (Aufzeichnung Dingeldeys vom 13.6.1931); Schulthess 1931 (Anm. 1), S. 136f.; Brüning, Memoiren (Anm. 3), S. 286ff.; Winkler, Weg (Anm. 1), S. 344ff. (mit weiteren Belegen).

6 AdR, Kabinette Brüning (Anm. 1), Bd. 2, S. 1194–1198 (Besprechung mit Gewerkschaftsvertretern am 15.6.1931), 1198–1211 (Besprechungen mit Parteiführern am 15.6.1931); Politik (Anm. 4), Bd. 1, S. 681–683 (Fraktionssitzung der DVP vom 16.6.1931); Die Gewerkschaften in der Endphase der Republik 1930–1933. Bearb. v. Peter Jahn unter Mitarbeit von Detlef Brunner (= Quellen zur Geschichte der deutschen Gewerkschaftsbewegung im 20. Jahrhundert, Bd. 4), Köln 1988, S. 326–331 (Sitzung des Bundesvorstands des ADGB am 17.6.1931); Brüning, Memoiren (Anm. 3), S. 287–289 (mit gewissen Ungenauigkeiten hinsichtlich der Hertz gegenüber geäußerten Drohung, die Preußenkoalition aufzukündigen); Schulthess 1931 (Anm. 1), S. 140–142); Hermann Pünder, Politik in der Reichskanzlei 1929–1932. Hg. v. Thilo Vogelsang, Stuttgart 1961, S. 100 (Hervorhebung im Original); Winkler, Weg (Anm. 1), S. 347ff.

7 Mahnruf an die Partei, in: Klassenkampf 5 (1931), Nr. 13 (1.7.), S. 384f.; Rudolf Hilferding, In Krisennot, in: Die Gesellschaft 8 (1931/2), S. 1–8 (1).

8 Schulthess 1931 (Anm. 1), 145–148 (Hoovers Botschaft, Rede Brünings), 155 (Aufruf vom 7.7.1931), 490–500 (Ringen um das Hoover-Moratorium); AdR, Kabinette Brüning (Anm. 1), Bd. 2, 132–135 (Ministerbesprechung vom 23. 6. 1931); Politik (Anm. 4), Bd. 1, S. 714–718 (Aufzeichnung Schäffers vom 20. 6. 1931), 718–720 (Aufzeichnung über Luthers Telefonat mit der Bank von England vom 20. 6. 1931); Born, Bankenkrise (Anm. 4), S. 73 ff. (mit Zahlen zu den Devisenverlusten); Bennett, Germany (Anm. 3), S. 113 ff.; Werner Link, Die amerikanische Stabilisierungspolitik in Deutschland 1921–1932, Düsseldorf 1970, S. 500 ff.; Schulz, Von Brüning (Anm. 4), S. 410 ff.

9 AdR, Kabinette Brüning (Anm. 1), Bd. 1, S. L ff. (mit Einzelbelegen); Born, Bankenkrise (Anm. 4), S. 114 ff.; Harold James, Deutschland in der Weltwirtschaftskrise 1924–1936 (engl. Orig.: Oxford 1986), Stuttgart 1988, S. 283 ff.; Carl-Ludwig Holtfrerich, Auswirkungen der Inflation auf die Struktur des deutschen Kreditgewerbes, in: Gerald D. Feldman (Hg.), Die Nachwirkungen der Inflation auf die deutsche Geschichte 1924–1933, München 1985, S. 187–209; Gerd Hardach, Währungskrise 1931: Das Ende des Goldstandards in Deutschland, in: Harald Winkel (Hg.), Finanz- und wirtschaftspolitische Fragen der Zwischenkriegszeit, Berlin 1973, S. 121–133; Winkler, Weg (Anm. 1), S. 366 ff.

10 Schulthess 1931 (Anm. 1), S. 501–514; AdR, Kabinette Brüning (Anm. 1), Bd. 1, S. LXXVI; Brüning, Memoiren (Anm. 3), S. 362–366; Born, Bankenkrise (Anm. 4), S. 142 ff.; Schulz, Von Brüning (Anm. 4), S. 457 ff.; Susanne Wegerhoff, Die Stillhalteabkommen 1931–33. Internationale Versuche zur Privatschuldenregelung unter den Bedingungen des Reparations- und Kriegsschuldensystems, phil. Diss., München 1982, bes. S. 98 ff.

11 Brüning, Memoiren (Anm. 3), S. 327 ff.; Pünder, Politik (Anm. 6), S. 70 ff.; Akten zur Deutschen Auswärtigen Politik (=ADAP) 1918–1945, Serie 13: 1925–1933, Bd. XVIII: 1. Juli bis 15. Oktober 1931, Göttingen 1982, S. 162–168 (Aufzeichnung des Ministerialdirektors Dieckhoff vom 28. 7. 1931); Documents on British Foreign Policy. Second Series, Vol. II: 1931, London 1947, S. 233–237 (Gespräch zwischen MacDonald, Henderson, Brüning u. Curtius vom 28. 7. 1931); AdR, Kabinette Brüning (Anm. 1), Bd. 2, S. 1421–1425 (Ministerbesprechung vom 25. 7. 1931), 1453 f. (Gespräch Brünings mit Sackett vom 29. 7. 1931); Helbich, Reparationen (Anm. 3), S. 68 ff.; Born, Bankenkrise (Anm. 4), S. 134 ff.

12 AdR, Kabinette Brüning (Anm. 1), Bd. 2, S. 1470–1477 (Brief deutscher Industrieller an Brüning vom 30. 7. 1931), 1563–1510 (Ministerbesprechung vom 3. 8. 1931); IfZ, München, Tagebuch Hans Schäffer, 3. 8. 1931; Reinhard Neebe, Großindustrie, Staat und NSDAP 1930–1933. Paul Silverberg und der Reichsverband der Deutschen Industrie in der Krise der Weimarer Republik, Göttingen 1981, S. 111 ff.; Gottfried Plumpe, Die I. G. Farbenindustrie AG. Wirtschaft, Technik und Politik 1904–1945, Berlin 1990, S. 513 ff.; Knut Borchardt, Das Gewicht der Inflationsangst in den wirtschaftspolitischen Entscheidungsprozessen während der Weltwirtschaftskrise, in: Feldman (Hg.), Auswirkungen (Anm. 9), S. 233–260; ders. u. Hans Otto Schötz (Hg.), Wirtschaftspolitik in der Krise. Die (Geheim-) Konferenz der Friedrich-List-Gesellschaft im September 1931 über Möglichkeiten und Folgen einer Kreditausweitung, Baden-Baden 1991; ders., Wirtschaftspolitische Beratung in der Krise: Die Rolle der Wissenschaft, in: Heinrich August Winkler unter Mitwirkung von Elisabeth Müller-Luckner (Hg.), Die deutsche Staatskrise 1930–1933. Handlungsspielräume und Alternativen, München 1992, S. 107–130.; Schulz, Von Brüning (Anm. 4), S. 509 ff.

13 Politik (Anm. 4), Bd. 1, S. 76 f. (Brief Gilsas an Reusch vom 16. 7. 1931; Hervorhebung im Original); AdR, Kabinette Brüning (Anm. 1), Bd. 2, S. 1411 f. (Brief des Reichslandbundes an Hindenburg vom 22. 7. 1931).; Bernd Weisbrod, Die Befreiung von den „Tariffesseln". Deflationspolitik als Krisenstrategie der Unternehmer in der Ära Brüning, in: GG 11 (1985), S. 295–325.

14 Schulthess 1931 (Anm. 1), S. 153, 178 f.; Brüning in Paris, in: Prawda, 18. 7. 1931, deutsch in: Internationale Pressekorrespondenz 11 (1931), Nr. 71 (21. 7.); Roter Volksent-

scheid am 9. August, in: Rote Fahne, Nr. 147, 24.7.1931; Die Generallinie. Rundschreiben des Zentralkomitees der KPD an die Bezirke 1929–1933. Eingel. v. Hermann Weber. Bearb. v. Hermann Weber unter Mitwirkung v. Johann Wachtler, Düsseldorf 1981, S. 110–120; Thomas Weingartner, Stalin und der Aufstieg Hitlers. Die Deutschlandpolitik der Sowjetunion und der Kommunistischen Internationale 1919–1934, Berlin 1970, S. 85ff.; Winkler, Weg (Anm. 1), S. 385ff.; Berghahn, Stahlhelm (Anm. 1), S. 158ff.; Hans-Peter Ehni, Bollwerk Preußen? Preußen-Regierung, Reich-Länder-Problem und Sozialdemokratie 1928–1932, Bonn 1975, S. 198ff.; Horst Möller, Parlamentarismus in Preußen 1919–1932, Düsseldorf 1985, S. 315ff.

15 Herbert Wehner, Zeugnis, Köln 1982, S. 41f.; Margarete Buber-Neumann, Von Potsdam nach Moskau. Stationen eines Irrwegs, Stuttgart 1957, S. 257ff.; dies., Kriegsschauplätze der Weltrevolution. Ein Bericht aus der Praxis der Komintern 1919–1943, Stuttgart 1967, S. 311ff. (wonach nicht Neumann, sondern Walter Ulbricht, der „Polleiter" des Bezirks Berlin-Brandenburg der KPD, für die Tat verantwortlich war); Eve Rosenhaft, Beating the Fascists? Communists and Political Violence, 1929–1933, Cambridge 1983, S. 113f.; Geschichte der deutschen Arbeiterbewegung, 8 Bde., Bd. 4: Von 1924 bis Januar 1933, Berlin (O), S. 308; Winkler, Weg (Anm. 1), S. 391ff. (mit weiterer Lit.).

16 AdR, Kabinette Brüning (Anm. 1), Bd. 2, S. 1562f. (Brief Groeners an Wirth vom 14.8. 1931), 1624–1636 (Rundschreiben Wirths vom 29.8.1931), 1770f. (Ministerbesprechung vom 30.9.1931); Staat und NSDAP 1930–1932. Quellen zur Ära Brüning. Eingel. v. Gerhard Schulz, bearb. v. Ilse Maurer u. Udo Wengst, Düsseldorf 1977, S. 203–206 (Konferenz der Innenminister in Berlin vom 26.9.1931); Franz Feuchtwanger, Der militärpolitische Apparat der KPD in den Jahren 1928–1935. Erinnerungen, in: IWK 17 (1981), Heft 4, S. 485–533; Johann Wachtler, Zwischen Revolutionserwartung und Untergang. Die Vorbereitung der KPD auf die Illegalität in den Jahren 1929–1933, Frankfurt 1983, S. 93ff.; Carola Stern, In den Netzen der Erinnerung. Lebensgeschichte zweier Menschen, Reinbek 1986, S. 81f.

17 Staat (Anm. 16), S. 189f. (Brief Röhms an Schleicher vom 24.3.1931), 190 (Brief Schleichers an Röhm von Ende März 1931), 197f. (Brief Groeners an Brüning von September 1931), 199–206 (Besprechung Severings mit den preußischen Oberpräsidenten u. Regierungspräsidenten vom 23.9.1931); Thilo Vogelsang, Reichswehr, Staat und NSDAP. Beiträge zur deutschen Geschichte 1930–1932, Stuttgart 1962, S. 118ff.

18 Protokoll der Verhandlungen des 14. Kongresses der Gewerkschaften Deutschlands (4. Bundestag des Allgemeinen Deutschen Gewerkschaftsbundes). Abgehalten in Frankfurt a.M. vom 31. August bis 4. September 1931, Berlin 1931, S. 74 (Leipart), 336 (Brandes).

19 Hanno Drechsler, Die Sozialistische Arbeiterpartei Deutschlands (SAPD). Ein Beitrag zur Geschichte der Arbeiterbewegung am Ende der Weimarer Republik, Meisenheim 1964, S. 82ff. (das Zitat von Brandt: 168f.); Dietmar Klenke, Die SPD-Linke in der Weimarer Republik. Eine Untersuchung zu den regionalen organisatorischen Grundlagen und zur politischen Praxis und Theoriebildung des linken Flügels der SPD in den Jahren 1922–1932, 2 Bde., Münster 1983, Bd. 1, S. 242ff.; Karl Hermann Tjaden, Struktur und Funktion der „KPD-Opposition" (KPO). Eine organisationssoziologische Untersuchung zur „Rechts"-Opposition im deutschen Kommunismus zur Zeit der Weimarer Republik, Meisenheim 1964, S. 282; Ulrich Heinemann, Linksopposition in der Sozialdemokratie und die Erfahrungen der SAP in der Weimarer Republik, in: Enzo Colotti (Hg.), L'internazionale operaia e sozialista tra le due guerre. Annali 23 (1983/84), S. 497–525; Winkler, Weg (Anm. 1), S. 399–408 (mit den Zitaten und Zahlen). Zur Deutschen Friedensgesellschaft: Friedrich-Karl Scheer, Die Deutsche Friedensgesellschaft (1892–1933). Organisation, Ideologie, politische Ziele. Ein Beitrag zur Geschichte des Pazifismus in Deutschland, Frankfurt 1981[1]. Zur politischen Entwicklung Willy Brandts vor 1933: Willy Brandt, Links und frei. Mein Weg 1930–1950, Hamburg 1982, bes. S. 54ff.

20 AdR, Kabinette Brüning (Anm. 1), Bd. 2, S. 1642–1651 (Besprechung Brünings mit

Vertretern der SPD vom 1.9.1931), 1660–1662 (Besprechung Brünings mit Vertretern der SPD am 7.9.1931), 1772f. (Ministerbesprechung vom 30.9.1931); Politik (Anm. 4), Bd. 2, S. 944f. (Brief Reusch' an Kastl vom 9.6.1931, Hervorhebung im Original); Rudolf Tschirbs, Tarifpolitik im Ruhrbergbau 1918 bis 1933, Berlin 1986, S. 409ff.; Winkler, Weg (Anm. 1), S. 414ff. (das Zitat aus der Deutschen Bergwerks-Zeitung: 420).

21 AdR, Kabinette Brüning (Anm. 1), Bd. 2, S. 1723–1731 (Ministerbesprechung vom 24.9.1931), 1781–1786 (Ministerbesprechung vom 2.10.1931); Brüning, Memoiren (Anm. 3), S. 366ff.; Schulthess 1931 (Anm. 1), S. 334–337, 342–344; Jürgen Schiemann, Die deutsche Währung in der Weltwirtschaftskrise 1929–1933. Währungspolitik und Abwertungskontroverse unter den Bedingungen der Reparationen, Hamburg 1979, S. 178ff.; James, Reichsbank (Anm. 4), S. 287ff.

22 AdR, Kabinette Brüning (Anm. 1), Bd. 2, S. 1735f. (Ministerbesprechung vom 24.9.1931), 1740f. (Ministerbesprechung vom 25.9.1931); Schulthess 1931 (Anm. 1), S. 215–223; Winkler, Weg (Anm. 1), S. 424ff.; Schulz, Von Brüning (Anm. 4), S. 517ff.

23 Schulthess 1931 (Anm. 1), S. 563–565, 573f.; Politik (Anm. 4), Bd. 2, S. 941–943 (Brief Dingeldeys an Curtius vom 4.9.1931); AdR, Kabinette Brüning (Anm. 1), Bd. 2, S. 1796–1801 (Ministerbesprechung vom 3.10.1931), 1815f. (Ministerbesprechung vom 7.10.1931), Curtius, Sechs Jahre (Anm. 3), S. 201–209; Brüning, Memoiren (Anm. 3), S. 371–425); Die Deutschnationalen und die Zerstörung der Weimarer Republik. Aus dem Tagebuch von Reinhold Quaatz 1928–1933. Hg. v. Hermann Weiß u. Paul Hoser, München 1989, S. 143–145 (Tagebucheintrag vom 27.8.1931), 149–153 (Brief Hugenbergs an Oldenburg-Januschau vom 29.8.1931); Lothar Döhn, Politik und Interesse. Die Interessenstruktur der Deutschen Volkspartei, Meisenheim 1970, S. 200f., 440f.

24 Schulthess 1931 (Anm. 1), S. 223f.; AdR, Kabinette Brüning (Anm. 1), Bd. 1, S. LXXXVIf.; Karl Dietrich Bracher, Die Auflösung der Weimarer Republik. Eine Studie zum Problem des Machtverfalls in der Weimarer Republik, Villingen 1964[4], S. 415ff.; Winkler, Weg (Anm. 1), S. 431.; Schulz, Von Brüning (Anm. 4), S. 548ff.

25 Schulthess 1931 (Anm. 1), S. 223–229; Ursachen und Folgen. Vom deutschen Zusammenbruch 1918 und 1945 bis zur staatlichen Neuordnung Deutschlands in der Gegenwart. Hg. u. bearb. von Herbert Michaelis u. Ernst Schraepler, Bd. 8: Die Weimarer Republik. Das Ende des parlamentarischen Systems: Brüning-Papen-Schleicher, 1930–1933, Berlin 1963, S. 367–369 (Auszüge aus der Rede Schachts); Politik (Anm. 4), Bd. 2, S. 1031 (Brief Gilsas an Reusch vom 9.10.1931), 1039–1044 (Briefe Gilsas vom 12.10. u. Blanks vom 13.10.1931 an Reusch); Brüning, Memoiren (Anm. 3), S. 425–430; Berghahn, Stahlhelm (Anm. 1), S. 179ff.; Bracher, Auflösung (Anm. 24), S. 407ff.; Neebe, Großindustrie (Anm. 12), S. 99ff.; Henry A. Turner, Die Großunternehmer und der Aufstieg Hitlers (amerik. Orig.: New York 1985), Berlin 1985, S. 215ff.; Winkler, Weg (Anm. 1), S. 431ff.; Schulz, Von Brüning (Anm. 4), S. 554ff.

26 Es geht ums Ganze!, in: Vorwärts, Nr. 478, 12.10.1931; Die Harzburger Inflationsfront, ebd., Nr. 479, 13.10.1931. Zur Reichstagsdebatte und den Abstimmungen: Brüning, Memoiren (Anm. 3), S. 443f.; Martin Schumacher, Mittelstandsfront und Republik. Die Wirtschaftspartei – Reichspartei des deutschen Mittelstandes 1919–1933, Düsseldorf 1972, S. 177ff.; Schulz, Von Brüning (Anm. 4), S. 560ff.; Winkler, Weg (Anm. 1), S. 434ff. Zur Inflationsdebatte im Herbst 1931: Borchardt, Gewicht (Anm. 12), S. 247ff.; Gerhard Schulz, Inflationstrauma, Finanzpolitik und Krisenbekämpfung in den Jahren der Wirtschaftskrise, 1930–1933, in: Feldman (Hg.), Nachwirkungen (Anm. 9), S. 261–296.

27 AdR, Kabinette Brüning (Anm. 1), Bd. 2, S. 1723–1728 (Ministerbesprechung vom 24.9.1931); Schulthess 1931 (Anm. 1), S. 229f., 244f., 256–261; Brüning, Memoiren (Anm. 3), S. 456–460; Winkler, Weg (Anm. 1), S. 436ff.; Schulz, Von Brüning (Anm. 4), S. 613ff.

28 Schulthess 1931 (Anm. 1), S. 253, 262f.; Die Blutpläne von Hessen, in: Vorwärts, Nr. 554, 26.11.1931; Brüning, Memoiren (Anm. 3), S. 463ff.; Carl Severing, Mein Lebensweg,

2 Bde., Köln 1950, Bd. 2, S. 311ff., 371f.; Vogelsang, Reichswehr (Anm. 17), S. 139; Bracher, Auflösung (Anm. 24), S. 431ff.; Schulz, Von Brüning (Anm. 4), S. 604ff.; Martin Loiperdinger, „Das Blutnest vom Boxheimer Hof". Die antifaschistische Agitation der SPD in der hessischen Hochverratsaffäre, in: Eike Hennig (Hg.), Hessen contra Hakenkreuz. Studien zur Durchsetzung der NSDAP in Hessen, Frankfurt 1983, S. 433–468.

29 Heinz Jäger (= Walter Kreiser), Windiges aus der deutschen Luftfahrt, in: Weltbühne 25/1 (1929), S. 402–407; Cuno Horkenbach (Hg.), Das Deutsche Reich von 1918 bis heute, Jg. 1931, Berlin o. J., S. 362, 365; Heinrich Hannover u. Elisabeth Hannover-Drück, Politische Justiz in der Weimarer Republik, Frankfurt 1966[1], S. 191; Axel Eggebrecht, Volk ans Gewehr. Chronik eines Berliner Hauses 1930–1934, Berlin 1980[2], S. 170ff.

30 Brüning, Memoiren (Anm. 3), S. 390f., 464f.; IfZ, München, Tagebuch Hans Schäffer, 20. 11. 1931; Vogelsang, Reichswehr (Anm. 17), S. 135ff.; Schulthess 1931 (Anm. 1), S. 268f.; Josef Becker, Brüning, Prälat Kaas und das Problem einer Regierungsbeteiligung der NSDAP 1930–1932, in: HZ 196 (1962), S. 74ff.; William Lewis Patch jr., Christian Trade Unions in the Politics of the Weimar Republic, 1918–1933. The Failure of Corporate Pluralism, New Haven 1985, S. 205; Iris Hamel, Völkischer Verband und nationale Gewerkschaft. Der Deutschnationale Handlungsgehilfen-Verband 1893–1933, Frankfurt 1967, S. 249f.

31 Brüning, wehr dich!, in: Vorwärts, Nr. 571, 6. 12. 1931; AdR, Kabinette Brüning (Anm. 1), Bd. 3, S. 2085f. (Brief Webers an Brüning vom 7. 12. 1931); Staat (Anm. 16), S. 237–239 (Auszüge aus Brünings Rede vom 8. 12. 1931); Schulz, Von Brüning (Anm. 4), S. 587ff. (auch zu den internen Spannungen in der Deutschen Staatspartei).

32 AdR, Kabinette Brüning (Anm. 1), Bd. 3, S. 2054–2057 (Ministerbesprechung vom 4. 12. 1931), 2061–2068 (Ministerbesprechung vom 5. 12. 1931), 2069–2074 (Ministerbesprechung vom 6. 12. 1931), 2074–2078 (Ministerbesprechung vom 7. 12. 1931); Schulthess 1931 (Anm. 1), S. 266; Brüning, Memoiren (Anm. 1), S. 474ff.; Hans Luther, Vor dem Abgrund 1930–1933. Reichsbankpräsident in Krisenzeiten, Berlin 1964, S. 156f., 244ff.; Brünings Echo, in: Vorwärts, Nr. 576, 9. 12. 1931; Politik (Anm. 4), Bd. 2, S. 1167–1169 (Rundschreiben des RDI vom 11. 12. 1931); Winkler, Weg (Anm. 1), S. 454ff.; Schulz, Von Brüning (Anm. 4), S. 599ff., 626ff.; Meister, Große Depression (Anm. 1), S. 235ff.

33 Schulthess 1931 (Anm. 1), S. 272f., 515–530; Schulthess' Europäischer Geschichtskalender, 73. Bd. (1932), München 1933, S. 396–398; Cuno Horkenbach (Hg.), Das Deutsche Reich von 1918 bis heute. Jg. 1932, Berlin 1933, S. 27–30; AdR, Kabinette Brüning (Anm. 1), Bd. 1, S. LXXVIIf. (mit Einzelbelegen), Bd. 3, S. 2139–2151 (Besprechungen vom 5.–7. 1. 1932), 2152f. (Vermerk Pünders vom 8. 1. 1932); Politik (Anm. 4), Bd. 2, S. 1203–1206 (Presseäußerung Brünings zur Reparationsfrage); Pünder, Politik (Anm. 6), S. 111 (Aufzeichnung vom 11. 1. 1932); Klaus Megerle, Weltwirtschaftskrise und Außenpolitik. Zum Problem der Kontinuität der deutschen Politik in der Endphase der Weimarer Republik, in: Jürgen Bergmann (Hg.), Geschichte als politische Wissenschaft, Stuttgart 1979, S. 116–140.; Schulz, Von Brüning (Anm. 4), S. 647ff.

34 Winkler, Weg (Anm. 1), S. 464ff.

35 Quellen (Anm. 6), S. 478–486 (Sitzungen des Bundesvorstands des ADGB vom 3. u. 10. 2. 1932), 487–515 (Sitzung des Bundesausschusses des ADGB vom 15./16. 2. 1932); Gerhard Colm, Wege aus der Weltwirtschaftskrise, in: Die Arbeit 8 (1931), S. 815–834; Hans Arons, Erwiderung, ebd., S. 834–839; Gerhard Colm, Schlußwort, ebd., S. 839f. (hier das Zitat); Wladimir Woytinski, Wann kommt die aktive Wirtschaftspolitik?, ebd. 9 (1932), S. 11–31; ders., Stormy Passage. A Personal History Through Two Russian Revolutions to Democracy and Freedom: 1905–1960, New York 1961, S. 462ff.; Michael Schneider, Das Arbeitsbeschaffungsprogramm des ADGB. Zur gewerkschaftlichen Politik in der Endphase der Weimarer Republik, Bonn 1975, S. 225ff.; Robert A. Gates, The Economic Policies of the German Free Trade Unions and the German Social Democratic Party, 1930–1933, Ph. D. Dissertation (Microfilm), University of Oregon 1970, S. 221ff.; ders.,

Von der Sozialpolitik zur Wirtschaftspolitik? Das Dilemma der deutschen Sozialdemokratie in der Krise 1929–1933, in: Hans Mommsen u. a. (Hg.), Industrielles System und politische Entwicklung in der Weimarer Republik, Düsseldorf 1974[1], S. 206–225; Wolfgang Zollitsch, Einzelgewerkschaften und Arbeitsbeschaffung: Zum Handlungsspielraum der Arbeiterbewegung in der Spätphase der Weimarer Republik, in: GG 8 (1982), S. 87–115; Michael Held, Sozialdemokratie und Keynesianismus. Von der Weltwirtschaftskrise bis zum Godesberger Programm, Frankfurt 1982, S. 114ff.; Eberhard Heupel, Reformismus und Krise. Zur Theorie und Praxis von SPD, ADGB und AfA-Bund in der Weltwirtschaftskrise 1929–1932/33, Frankfurt 1981, S. 227ff.; Winkler, Weg (Anm. 1), S. 494ff.; Schulz, Von Brüning (Anm. 4), S. 639ff.

36. AdR, Kabinette Brüning (Anm. 1), Bd. 3, S. 2241f., 2246–2248 (Besprechungen zum Wagemann-Plan vom 28. u. 29. 1. 1932), 2276–2278 (Denkschrift des Reichswirtschaftsministeriums vom 5. 2. 1932), 2288–2290 (Ressortbesprechung vom 12. 2. 1932), 2318–2322 (Chefbesprechung vom 20. 2. 1932); Politik (Anm. 4), Bd. 2, S. 1240–1242 (Aufzeichnung Luthers vom 28. 1. 1932), 1243–1245 (Brief Schäffers an Wagemann vom 28. 1. 1932), 1245–1248 (Aufzeichnungen Luthers vom 29. 1. 1932), 1313–1317 (Aufzeichnungen Schäffers vom 4. 3. 1932); Brüning, Memoiren (Anm. 3), S. 503f.; Luther, Abgrund (Anm. 32), S. 244ff.; Ernst Wagemann, Geld- und Kreditreform, Berlin 1932; Schulthess 1932 (Anm. 33), S. 22f., 19f.; Helmut Marcon, Arbeitsbeschaffungspolitik der Regierung Papen und Schleicher. Grundsteinlegung für die Beschäftigungspolitik im Dritten Reich, Bern 1974, S. 63ff.; Michael Wolffsohn, Industrie und Handwerk im Konflikt mit staatlicher Wirtschaftspolitik? Studien zur Politik der Arbeitsbeschaffung 1930–1934, Berlin 1977, S. 66ff.; Henning Köhler, Arbeitsbeschaffung, Siedlung und Reparationen in der Schlußphase der Regierung Brüning, in: VfZ 17 (1969), S. 276–307; Werner Jochmann, Brünings Deflationspolitik und der Untergang der Weimarer Republik, in: Dirk Stegmann u. a. (Hg.), Industrielle Gesellschaft und politisches System. Festschrift f. Fritz Fischer, Bonn 1978, S. 97–112; Borchardt, Beratung (Anm. 12), S. 107ff.; ders., Gewicht (Anm. 12), S. 233ff.; Rudolf Regul, Der Wagemann-Plan, in: Der Keynesianismus, 3 Bde., Heidelberg 1976ff., Bd. 3, S. 421–447; Wilhelm Grotkopp, Die große Krise. Lehren aus der Überwindung der Wirtschaftskrise 1929/32, Düsseldorf 1954, S. 173ff.; Gerhard Kroll, Von der Weltwirtschaftskrise zur Staatskonjunktur, Berlin 1958, bes. S. 194ff.; George Garvy, Keynes and the Economic Activists in Pre-Hitler Germany, in: Journal of Political Economy 83 (1975), S. 391–404; James, Reichsbank (Anm. 4), S. 292ff.; Manfred Pohl, Die Finanzierung der Russengeschäfte zwischen den beiden Weltkriegen. Die Entwicklung der zwölf großen Rußlandkonsortien, Frankfurt 1975; Winkler, Weg (Anm. 1), S. 506ff.; Schulz, Von Brüning (Anm. 4), S. 640ff.

37 IfZ München, Anlagen zum Tagebuch Hans Schäffer: Die Haushaltslage am 28. Februar 1932; AdR, Kabinette Brüning (Anm. 1), Bd. 1, S. LXXXIIIf. (mit Einzelbelegen); Brüning, Memoiren (Anm. 3), S. 491f.; Schulthess 1932 (Anm. 33), S. 23f., 450–453; Sten Nadolny, Abrüstungsdiplomatie 1932/33. Deutschland auf der Genfer Konferenz im Übergang von Weimar zu Hitler, München 1978, S. 90ff.; Eckhard Wandel, Hans Schäffer. Steuermann in wirtschaftlichen und politischen Krisen, Stuttgart 1974, S. 221ff.; Schulz, Von Brüning (Anm. 4), S. 692ff. (vor allem zur Abrüstungsfrage); Winkler, Weg (Anm. 1), S. 507f.

15. Die Logik des kleineren Übels

1 Heinrich Brüning, Memoiren 1918–1934, Stuttgart 1970, S. 500f.; Akten der Reichskanzlei (= AdR), Weimarer Republik. Die Kabinette Brüning I und II. 30. März 1930 bis 10. Oktober 1931, 10. Oktober 1931 bis 1. Juni 1932, 3 Bde., bearb. v. Tilman Koops, Boppard 1982–1990, Bd. 1, S. LVIIIf. (mit Einzelbelegen); Hermann Pünder, Politik in der

Reichskanzlei. Aufzeichnungen aus den Jahren 1929–1932, Stuttgart 1961, S. 134f.; Erich Matthias, Hindenburg zwischen den Fronten. Zur Vorgeschichte der Reichspräsidentenwahlen von 1932, in: VfZ 8 (1960), S. 75–84; Thilo Vogelsang, Reichswehr, Staat und NSDAP. Beiträge zur deutschen Geschichte 1930–1932, Stuttgart 1962, S. 147ff.; Heinrich August Winkler, Der Weg in die Katastrophe. Arbeiter und Arbeiterbewegung in der Weimarer Republik 1930–1933, Bonn 1990², S. 479ff.; Gerhard Schulz, Von Brüning zu Hitler. Der Wandel des politischen Systems in Deutschland 1930–1933 (= Zwischen Demokratie und Diktatur. Verfassungspolitik und Reichsreform in der Weimarer Republik, Bd. III), Berlin 1992, S. 704ff.

2 Brüning, Memoiren (Anm. 1), S. 453f.; Die Deutschnationalen und die Zerstörung der Weimarer Republik. Aus dem Tagebuch von Reinhold Quaatz 1928–1933. Hg. v. Hermann Weiß u. Paul Hoser, München 1989, S. 168–179 (Tagebucheintrag vom 14. 1. 1932 mit Material zur Verlängerung der Amtszeit Hindenburgs); John Wheeler-Bennett, Der hölzerne Titan. Paul von Hindenburg (engl. Orig.: London 1967), Tübingen 1969, S. 363f.; Andreas Dorpalen, Hindenburg in der Geschichte der Weimarer Republik (amerik. Orig.: Princeton 1964), Berlin 1966, S. 248ff.

3 AdR, Kabinette Brüning (Anm. 1), Bd. 3, S. 2227–2232 (Aufzeichnung Pünders über die Wahl des Reichspräsidenten vom 27. 1. 1932), 2278–2282 (Vermerke Pünders vom 6. u. 8. 2. 1932); Politik und Wirtschaft in der Krise 1930–1932. Quellen zur Ära Brüning. Eingel. v. Gerhard Schulz. Bearb. v. Ilse Maurer u. Udo Wengst unter Mitwirkung von Jürgen Heideking, 2 Bde., Düsseldorf 1980, Bd. 2, S. 1302–1306 (Rundschreiben des „Stahlhelm" vom 24. 2. 1932); Schulthess' Europäischer Geschichtskalender, 73. Bd. (1932), München 1933, S. 43f.; Cuno Horkenbach (Hg.), Das Deutsche Reich von 1918 bis heute, Jg. 1932, Berlin 1933, S. 43f., 56f., 62; Vogelsang, Reichswehr (Anm. 1), S. 151ff. sowie 431–440 (Aufzeichnungen Sahms); Volker R. Berghahn, Der Stahlhelm. Bund der Frontsoldaten 1918–1935, Düsseldorf 1966, S. 195ff.; ders., Die Harzburger Front und die Kandidatur Hindenburgs für die Präsidentschaftswahlen 1932, in: VfZ 13 (1965), S. 64–82; Rudolf Morsey, Hitler als braunschweigischer Regierungsrat, ebd. 8 (1960), S. 419–448.

4 Schulthess 1932 (Anm. 3), S. 9–11 (Denkschrift Hitlers), 20 (Erlaß Groeners); AdR, Kabinette Brüning (Anm. 1), Bd. 3, S. 2215–2218 (Brief Brünings an Hitler vom 22. 1. 1932); Rüpelspiele, in: Vorwärts, Nr. 39, 24. 1. 1932; Der Groener-Erlaß, ebd., Nr. 65, 9. 2. 1932; Otto-Ernst Schüddekopf, Das Heer und die Republik. Quellen zur Politik der Reichswehrführung 1918 bis 1933, Hannover 1955, S. 330–340 (Quellen zur Krise um Groeners Erlaß); Verhandlungen des Reichstags. Stenographische Berichte, Bd. 446, S. 2245–2252 (Goebbels), 2254 (Schumacher), 2323–2333 (Brüning); Brüning, Memoiren (Anm. 1), S. 529f.

5 Schlagt Hitler!, in: Vorwärts, Nr. 97, 27. 2. 1932; Braun für Hindenburg, ebd. Nr. 117, 10. 3. 1932; Schulthess 1932 (Anm. 3), S. 55f. (Rede Hindenburgs), 58f. (Rede Brünings); Brüning, Memoiren (Anm. 1), S. 528ff.; Otto Braun, Von Weimar zu Hitler, New York 1940², S. 371; Hagen Schulze, Otto Braun oder Preußens demokratische Sendung. Eine Biographie, Frankfurt 1977, S. 719f.; Friedrich Stampfer, Die vierzehn Jahre der ersten deutschen Republik, Hamburg 1953³, S. 611.

6 Zusammenfassend: Winkler, Weg (Anm. 1), S. 519ff.

7 Otto Dietrich, Mit Hitler in die Macht. Persönliche Erlebnisse mit meinem Führer, München 1934, S. 62; Die Tagebücher von Joseph Goebbels. Sämtliche Fragmente. Hg. von Elke Fröhlich, Teil I: Aufzeichnungen 1924–1941, Bd. 2: 1. 10. 1931–31. 12. 1936, München 1987, S. 140f.; Wolfgang Horn, Führerideologie und Parteiorganisation in der NSDAP (1919–1933), Düsseldorf 1972, S. 348f.

8 Zu den Präsidentschaftswahlen, in: RF, Nr. 56, 15. 3. 1932; Resolution des Zentralkomitees der KPD, ebd., Nr. 65, 27. 3. 1932; Winkler, Weg (Anm. 1), S. 521 (zu Stalins Devise: 491ff.).

9 An die Partei, in: Vorwärts, Nr. 129, 17.3.1932; Staat und NSDAP 1930–1932. Quellen zur Ära Brüning. Eingel. v. Gerhard Schulz. Bearb. v. Ilse Maurer u. Udo Wengst, Düsseldorf 1977, S. 299 (Groeners Brief an Severing vom 23.3.1932), 301–304 (Brief des bayerischen Innenministeriums an das Reichsinnenministerium vom 5.4.1932), 304–309 (Konferenz der Innenminister vom 5.4.1932); AdR, Kabinette Brüning (Anm. 1), Bd. 3, S. 2403 f. (Brief Stützels an Groener vom 30.3.1932), 2417–2419 (Brief Pünders an Brüning vom 6.4.1932); Vogelsang, Reichswehr (Anm. 1), S. 162 f., 445–449 (Aufzeichnung des Regierungsrats Lengrießer über die Konferenz der Innenminister vom 5.4.1932); Horkenbach 1932 (Anm. 3), S. 79 f., 86 f, 100 f.; Waldemar Besson, Württemberg und die Deutsche Staatskrise 1928–1933. Eine Studie zur Auflösung der Weimarer Republik, Stuttgart 1959, S. 393–396 (Aufzeichnung des Gesandten Bosler zur Konferenz der Innenminister vom 5.4.1932); Winkler, Weg (Anm. 1), S. 522 ff.

10 Dokumente des Hochverrats, in: Vorwärts Nr. 160, 10.4.1932; Carl Severing, Mein Lebensweg, 2 Bde., Köln 1950, Bd. 2, S. 327 ff.; Staat (Anm. 9), S. 308–312 (Brief des Oberregierungsrats Erbe an Dingeldey vom 9.4.1932; AdR, Kabinette Brüning (Anm. 1), Bd. 3, S. 2426–2429 (Groeners Denkschrift vom 10.4.1932), 2437–2440 (Aufzeichnung Pünders vom 13.4.1932); Pünder, Politik (Anm. 1), S. 117 (Tagebucheintrag vom 10.4.1932); Dorothea Groener-Geyer, General Groener. Soldat und Staatsmann, Frankfurt 1955, S. 291 ff.; Hans-Peter Ehni, Bollwerk Preußen? Preußen-Regierung, Reich-Länder-Problem und Sozialdemokratie 1928–1932, Bonn 1975, S. 239 ff.; Winkler, Weg (Anm. 1), S. 523 ff.

11 Horkenbach 1932 (Anm. 3), S. 76, 83, 85 (Stellungnahmen von Stahlhelm und DNVP); Landbund für Hitler!, in: Vorwärts, Nr. 141, 24.3.1932; Politik (Anm. 3), Bd. 2, S. 1384 f. (Brief Blanks an Reusch vom 15.4.1932), 1385 f. (Brief Reusch' an Blank vom 17.4.1932); Schulz, Von Brüning (Anm. 1), S. 732 ff.; Kurt Koszyk, Paul Reusch und die „Münchner Neuesten Nachrichten“, in: VfZ 20 (1972), S. 75–103; Henry A. Turner, Die Großunternehmer und der Aufstieg Hitlers (amerik. Orig.: New York 1985), Berlin 1985, S. 259 ff., 290 ff.; Reinhard Neebe, Großindustrie, Staat und NSDAP 1930–1933. Paul Silverberg und der Reichsverband der Deutschen Industrie in der Krise der Weimarer Republik, Göttingen 1981, S. 120 ff.; Gottfried Plumpe, Die I. G. Farbenindustrie AG. Wirtschaft, Technik und Politik 1904–1945, Berlin 1990, S. 535 f.; Dieter Gessner, Agrarverbände in der Weimarer Republik. Wirtschaftliche und soziale Voraussetzungen agrarkonservativer Politik vor 1933, Düsseldorf 1976, S. 260 ff.

12 Dietrich, Hitler (Anm. 7), S. 65 ff.; Goebbels, Tagebücher (Anm. 7), S. 150–152; Ernst Thälmann, Letzter Appell, in: RF, Nr. 75, 8.4.1932; Schulthess 1932 (Anm. 3), S. 63 (Rede Brünings in Karlsruhe vom 4.4.1932); Brüning, Memoiren (Anm. 1), S. 536 ff.

13 Zusammenfassend: Winkler, Weg (Anm. 1), S. 528 ff., sowie Jürgen W. Falter, The Two Hindenburg Elections of 1925 and 1932: A Total Reversal of Voter Coalitions, in: CEH 23 (1990), S. 225–241.

14 E. H. (= Ernst Heilmann), Unüberwindlich, in: DFW 4 (1932), Nr. 16 (17.4.), S. 1–4 (Hervorhebungen im Original); Winkler, Weg (Anm. 1), S. 531 f.

15 Brüning, Memoiren (Anm. 1), S. 540 ff.; AdR, Kabinette Brüning (Anm. 1), Bd. 3, S. 2429 f. (Kabinettssitzung vom 12.4.1932), 2433–2436 (Ministerbesprechung vom 13.4.1932); Vogelsang, Reichswehr (Anm. 1), S. 452–454 (Aufzeichnungen Groeners); Staat (Anm. 9), S. 318 f. (Mitteilung des preußischen Innenministeriums zur Durchführung des SA-Verbots vom 20.4.1932); Horkenbach 1932 (Anm. 3), S. 110–113; Gerhard Schulz, Aufstieg des Nationalsozialismus. Krise und Revolution in Deutschland, Frankfurt 1975, S. 676 ff.; Peter Longerich, Die braunen Bataillone. Geschichte der SA, München 1989, S. 153 ff.

16 Horkenbach 1932 (Anm. 3), S. 111 f., 114–117, 131; Politik (Anm. 3), Bd. 2, S. 1383 (Brief Hindenburgs an Groener vom 15.4.1932); 1402 f. (Briefwechsel zwischen Hindenburg und Groener vom 22.4.1932); AdR, Kabinette Brüning (Anm. 1), Bd. 3, S. 2456–2462

(Brief Pünders an Brüning vom 18.4.1932), 2483–2485 (Ministerbesprechung vom 3.5.1932); Brüning, Memoiren (Anm. 1), S.544f.; Vogelsang, Reichswehr (Anm. 1), 175–180, 230ff. sowie 454f. (Aufzeichnungen Groeners), 459–466 (Niederschrift aus dem Büro des Reichspräsidenten vom 10.6.1932); Erich Matthias, Die Sozialdemokratische Partei Deutschlands, in: ders. u. Rudolf Morsey (Hg.), Das Ende der Parteien 1933, Düsseldorf 1966[1], S. 101–278 (bes. 219); Karl Rohe, Das Reichsbanner Schwarz-Rot-Gold. Ein Beitrag zur Geschichte und Struktur der politischen Kampfverbände zur Zeit der Weimarer Republik, Düsseldorf 1966, S.417ff.; Jochen-Christoph Kaiser, Arbeiterbewegung und organisierte Religionskritik. Proletarische Freidenkerverbände in Kaiserreich und Weimarer Republik, Stuttgart 1981, S.316f.; Winkler, Weg (Anm. 1), S.534ff. – Zu Hindenburgs Erwartungen hinsichtlich der Reparationskonferenz vgl. u.a. Deutschnationale (Anm. 2), S. 172 (Aufzeichnung vom 8.1.1932).

17 Horst Möller, Parlamentarismus in Preußen 1919–1932, S.386ff.; Dietrich Orlow, Weimar Prussia 1925–1933. The Illusion of Strength, Pittsburgh 1991, S.208f.; Ehni, Bollwerk (Anm. 10), S.244f.; Schulze, Braun (Anm. 5), S.726f.; Winkler, Weg (Anm. 1), S.542f.; Schulz, Von Brüning (Anm. 1), S.770ff.

18 Schulthess 1932 (Anm. 3), S.69; Werner Stephan, Die Parteien nach den großen Frühjahrswahlkämpfen. Die Analyse der Wahlziffern des Jahres 1932, in: Zeitschrift für Politik 22 (1933), S.110–118; Alfred Milatz, Das Ende der Parteien im Spiegel der Wahlen 1930 bis 1933, in: Matthias/Morsey (Hg.), Ende (Anm. 16), S.743–793 (bes. 766ff.).

19 Ernst Rudolf Huber, Deutsche Verfassungsgeschichte seit 1789, Bd. 6: Die Weimarer Reichsverfassung, Stuttgart 1981, S.788, 794, 822f., 841f., Bd.7: Ausbau, Schutz und Untergang der Weimarer Republik, Stuttgart 1984, S.863ff.; Schulz, Von Brüning (Anm. 1), S.487ff.

20 Schulthess 1932 (Anm. 3), S.69; Landtag ohne Mehrheit!, in: Vorwärts, Nr. 193, 25.4.1932; Stampfer, Vierzehn Jahre (Anm. 5), S.617ff. (das Zitat: 629); Braun, Von Weimar (Anm. 5), S.374; „Gebt den Nationalsozialisten Verantwortung!“, rät Severing, in: Frankfurter Zeitung, Nr. 316, 28.4.1932; Carl Severing, Der Weg der Pflicht. Bemerkungen zur Preußenfrage, in: Vorwärts, Nr. 202, 30.4.1932 (Hervorhebung im Original); ders., Lebensweg (Anm. 10), Bd.2, S.333f. (teilweise verschleiernd); E.H. (= Ernst Heilmann), Was wird aus Preußen?, in: DFW 4 (1932), Nr. 19 (8.5.), S.3–7; Schulze, Braun (Anm. 5), S.725; Matthias, Sozialdemokratische Partei (Anm. 16), S.127ff.; Ehni, Bollwerk (Anm. 10), S.246; Winkler, Weg (Anm. 1), S.547ff.; Richard Breitman, German Socialism and Weimar Democracy, Chapel Hill 1981, S.178ff.; Thomas Alexander, Carl Severing. Sozialdemokrat aus Westfalen mit preußischen Tugenden, Bielefeld 1992, S.194f.

21 An alle deutschen Arbeiter!, in; RF, Nr. 89, 26.4.1932; Zum Wahlausgang, ebd.; Kampfmai gegen Hunger, Krieg, Faschismus, ebd., Nr. 93, 30.4.1932; Die Generallinie. Rundschreiben des Zentralkomitees der KPD an die Bezirke 1929–1933. Eingel. v. Hermann Weber. Bearb. v. Hermann Weber unter Mitwirkung von Johann Wachtler, Düsseldorf 1981, S. XLVI, LXXXIVf.; Siegfried Bahne, Die KPD und das Ende von Weimar. Das Scheitern einer Politik 1932–1935, Frankfurt 1976, S.23; Jószef Wieszt, KPD-Politik in der Krise 1928–1932. Zur Geschichte und Problematik des Versuchs, den Kampf gegen den Faschismus mittels Sozialfaschismusthese und RGO-Politik zu führen, Frankfurt 1976, S.329ff.; Thomas Weingartner, Stalin und der Aufstieg Hitlers. Die Deutschlandpolitik der Sowjetunion und der Kommunistischen Internationale 1929–1934, Berlin 1970, S.119ff.; Günter Hortzschansky u.a., Ernst Thälmann. Eine Biographie, Berlin (O) 1979, S.564f.; Winkler, Weg (Anm. 1), S.553ff.

22 Brüning, Memoiren (Anm. 1), S.567ff.; Die Protokolle der Reichstagsfraktion und des Fraktionsvorstands der Deutschen Zentrumspartei 1926–1933. Bearb. v. Rudolf Morsey, Mainz 1969, S.566–568 (Erklärung Brünings vor dem Vorstand der Zentrumsfraktion am 9.5.1932); Horkenbach 1932 (Anm. 3), S.151f. (Hitlers Erklärung vom 19.5.1932);

Schulz, Aufstieg (Anm. 15), S. 668ff.; Herbert Hömig, Das preußische Zentrum in der Weimarer Republik, Mainz 1979, S. 257f.; Vogelsang, Reichswehr (Anm. 1), S. 189f.; Gerhard Ritter, Carl Goerdeler und die deutsche Widerstandsbewegung, Stuttgart 1955², S. 46ff.

23 Brüning, Memoiren (Anm. 1), S. 544ff., 556ff.; Wilhelm Deist, Brüning, Herriot und die Abrüstungsgespräche in Bessinge, in: VfZ (1957), S. 265–272; Sten Nadolny, Abrüstungsdiplomatie 1932/33. Deutschland auf der Genfer Konferenz im Übergang von Weimar zu Hitler, München 1978, S. 136ff.; Michael Geyer, Abrüstung oder Sicherheit? Die Reichswehr in der Krise der Machtpolitik 1924–1936, Wiesbaden 1980, S. 266ff.

24 AdR, Kabinette Brüning (Anm. 1), Bd. 3, S. 2474f. (Brief Warmbolds an Hindenburg vom 28. 4. 1932), 2482 (Ministerbesprechung vom 2. 5. 1932); Brüning, Memoiren (Anm. 1), S. 556, 566f.; Horkenbach 1932 (Anm. 3), S. 140; Turner, Großunternehmer (Anm. 11), S. 282.

25 Goebbels, Tagebücher (Anm. 7), S. 165 (Eintrag vom 8. 5. 1932); Brüning, Memoiren (Anm. 1), S. 586f.; Vogelsang, Reichswehr (Anm. 1), S. 461f. (Aufzeichnung aus dem Büro des Reichspräsidenten vom 10. 6. 1932); Politik (Anm. 3), Bd. 2, S. 1445f. (Aufzeichnung Meissners vom 9. 5. 1932 über die Besprechung zwischen Hindenburg u. Brüning); Deutschnationale (Anm. 2), S. 189 (Quaatz' Aufzeichnung vom 6. 5. 1932); Pünder, Politik (Anm. 1), S. 118f. (Aufzeichnung vom 9. 5. 1932); Werner Conze, Zum Sturz Brünings, in: VfZ 1 (1953), S. 261–288.

26 Stenographische Berichte (Anm. 4), Bd. 446, S. 2510–2521 (Strasser), 2536–2545 (Göring), 2545–2550 (Groener), 2593–2602 (Brüning), 2685, 2688 (Löbe), 2689–2695 (namentliche Abstimmungen); Goebbels, Tagebücher (Anm. 7), S. 166f.; Pünder, Politik (Anm. 1), S. 120f.; Brüning, Memoiren (Anm. 1), S. 585f.; Vogelsang, Reichswehr (Anm. 1), S. 456 (Aufzeichnungen Groeners); Horkenbach 1932 (Anm. 3), S. 142–148. Zu Strassers Rede: Avraham Barkai, Das Wirtschaftssystem des Nationalsozialismus. Der historische und ideologische Hintergrund 1933–1936, Köln 1977, S. 31ff.; Udo Kissenkoetter, Gregor Strasser und die NSDAP, München 1978, S. 83ff. Zu den Vorfällen um Klotz: Stampfer, Vierzehn Jahre (Anm. 5), S. 583ff. Zu Goebbels' Kampagne gegen Weiß: Dietz Bering, Kampf um Namen. Bernhard Weiß gegen Joseph Goebbels, Stuttgart 1992.

27 Brüning, Memoiren (Anm. 1), S. 558f.; Pünder, Politik (Anm. 1), S. 122f. (Aufzeichnungen vom 15. 3. 1932); Vogelsang, Reichswehr (Anm. 1), S. 462f. (Aufzeichnung aus dem Büro des Reichspräsidenten vom 10. 6. 1932); Horkenbach 1932 (Anm. 3), S. 148; Groener geht und bleibt, in: Vorwärts, Nr. 222, 13. 5. 1932; Schulthess 1932 (Anm. 3), S. 88f. (Zitat aus der „Frankfurter Zeitung"); Goebbels, Tagebücher (Anm. 7), S. 168.

28 AdR, Kabinette Brüning (Anm. 1), Bd. 3, S. 2525–2527 (Ministerbesprechung vom 17. 5. 1932), 2527f. (Chefbesprechung vom 18. 5. 1932), 2528–2530 (Ministerbesprechung vom 18. 5. 1932), 2544–2550 (Ministerbesprechung vom 20. 5. 1932), 2551–2558 (Ministerbesprechung vom 21. 5. 1932), 2565–2568 (Ministerbesprechung vom 23. 5. 1932); Brüning, Memoiren (Anm. 1), S. 572ff.; Winkler, Weg (Anm. 1), S. 566ff.

29 AdR, Kabinette Brüning (Anm. 1), Bd. 1, S. XCIVff. (mit Einzelbelegen); Bd. 3, S. 2501–2506 (Brief Schlange-Schöningens an Pünder vom 9. 5. 1932 mit Verordnungsentwurf), 2544–2550 (Ministerbesprechung vom 20. 5. 1932); Politik (Anm. 3), Bd. 2, S. 1462f. (Aufzeichnung des Regierungsrats Passarge vom 20. 5. 1932), 1463–1466 (Begründung des Verordnungsentwurfs); Heinrich Muth, Agrarpolitik und Parteipolitik im Frühjahr 1932, in: Ferdinand A. Hermens u. Theodor Schieder (Hg.), Staat, Wirtschaft und Politik in der Weimarer Republik. Festschrift für Heinrich Brüning, Berlin 1967, S. 317–360; Udo Wengst, Schlange-Schöningen, Ostsiedlung und die Demission der Regierung Brüning, in: GWU 30 (1979), S. 538–551; Gessner, Agrarverbände (Anm. 11), S. 242ff.; Schulz, Von Brüning (Anm. 1), S. 591ff., 800ff.

30 Schulthess 1932 (Anm. 3), S. 89f. (Kommuniqué vom 21. 5. 1932); Pünder, Politik

(Anm. 1), S. 124f. (Aufzeichnung vom 21. 5. 1932); Politik (Anm. 3), Bd. 2, S. 1486–1496 (Brief Gayls an Hindenburg vom 24. 5. 1932), 1496 (Brief Kalckreuths an Hindenburg vom 24. 5. 1932), 1497–1499 (Briefe Meissners an Gayl und Schlange-Schöningen vom 26. 5. 1932); Conze, Sturz (Anm. 25), S. 275 ff.; Bruno Buchta, Die Junker und die Weimarer Republik. Charakter und Bedeutung der Osthilfe in den Jahren 1928–1933, Berlin (O) 1959, S. 136ff.

31 Pünder, Politik (Anm. 1), S. 126 (Hervorhebungen im Original); Brüning, Memoiren (Anm. 1), S. 593–596; Deutschnationale (Anm. 2), S. 189 (Aufzeichnung Quaatz' über ein Gespräch mit Meissner am 6. 5. 1932); Vogelsang, Reichswehr (Anm. 1), S. 464 (Aufzeichnung aus dem Büro des Reichspräsidenten vom 10. 6. 1932); Otto Meissner, Staatssekretär unter Ebert-Hindenburg-Hitler, Hamburg 1950, S. 221 ff.; AdR, Kabinette Brüning (Anm. 1), Bd. 3, S. 2512–2514 (Gespräch Brünings mit François-Poncet vom 13. 5. 1932), 2575–2577 (Reparationspolitische Besprechung vom 27. 5. 1932).

32 Ebd., S. 768 (Entschließung der DNVP-Reichstagsfraktion); Politik (Anm. 3), Bd. 2, S. 1499–1506 (Materialien zum Rücktrittsangebot Schlanges vom 27. 5. 1932); Hans Schlange-Schöningen, Am Tage danach, Hamburg 1946, S. 68 ff.

33 Pünder, Politik (Anm. 1), S. 127–131; Brüning, Memoiren (Anm. 1), S. 597–602 (Hervorhebungen jeweils im Original); ders., Ein Brief, in: Deutsche Rundschau 70 (1947), S. 1–12; AdR, Kabinette Brüning (Anm. 1), Bd. 3, S. 2585–2587 (Ministerbesprechung vom 30. 5. 1932); Schulze, Von Brüning (Anm. 1), S. 859ff.

34 Zur Verteidigung der Preußenkoalition durch den Zentrumsvorsitzenden, Prälat Kaas, gegenüber der DNVP: Deutschnationale (Anm. 2), S. 145 f. (Brief Quaatz' an Hugenberg vom 29. 8. 1931).

35 Linksliberalismus in der Weimarer Republik. Die Führungsgremien der Deutschen Demokratischen Partei und der Deutschen Staatspartei 1918–1932. Eingel. v. Lothar Albertin. Bearb. v. Konstanze Wegner in Verbindung mit Lothar Albertin, Düsseldorf 1980, S. 717–726 (719); Politik (Anm. 3), Bd. 2, S. 1469f. (Brief Oldenburg-Januschaus an Gayl vom 21. 5. 1932; Hervorhebungen jeweils im Original); Vogelsang, Reichswehr (Anm. 1), S. 464 (Aufzeichnung aus dem Büro des Reichspräsidenten vom 10. 6. 1932).

36 Zur Kontroverse um Brünings Wirtschaftspolitik u. a.: Knut Borchardt, Zwangslagen und Handlungsspielräume in der großen Weltwirtschaftskrise der frühen dreißiger Jahre: Zur Revision des überlieferten Geschichtsbildes, in: ders., Wachstum, Krisen, Handlungsspielräume der Wirtschaftspolitik. Studien zur Wirtschaftsgeschichte des 19. u. 20. Jahrhunderts, Göttingen 1982, S. 165–182, ders., Wirtschaftliche Ursachen des Scheiterns der Weimarer Republik, ebd., S. 183–205; ders., die „Krise vor der Krise". Zehn Jahre Diskussion über die Vorbelastungen der Wirtschaftspolitik Heinrich Brünings in der Weltwirtschaftskrise. Münchner Wirtschaftswissenschaftliche Beiträge, Nr. 89–25, München 1989; Carl-Ludwig Holtfrerich, Zu hohe Löhne in der Weimarer Republik? Bemerkungen zur Borchardt-These, in: GG 10 (1984), S. 122–141; ders., Alternativen zu Brünings Wirtschaftspolitik in der Weltwirtschaftskrise?, in: HZ 235 (1982), S. 605–631; Harold James, Gab es eine Alternative zur Wirtschaftspolitik Brünings?, in: VSWG 70 (1983), S. 523–541; Gottfried Plumpe, Wirtschaftspolitik in der Weltwirtschaftskrise. Realität und Alternativen, in: GG 11 (1985), S. 326–357; Peter-Christian Witt, Finanzpolitik als Verfassungs- und Gesellschaftspolitik des Deutschen Reiches 1930–1932, in: GG 8 (1982), S. 386–414; Ian Kershaw (Hg.), Weimar: Why Did German Democracy Fail?, London 1990; Jürgen Baron von Kruedener (Hg.), Economic Crisis and Political Collapse: The Weimar Republic 1924–1933, New York 1990.

37 Zum Streit um die historische Bewertung Brünings außer der in Kap. 13, Anm. 1, zitierten Lit. u. a.: Josef Becker, Heinrich Brüning und das Scheitern der konservativen Alternative, in: APZ 1980, Nr. 22, S. 3–17; Udo Wengst, Heinrich Brüning und die „konservative Alternative". Kritische Anmerkungen zu neuen Thesen über die Endphase der

Weimarer Republik, ebd., Nr. 50, S. 19–26; Josef Becker, Geschichtsschreibung im historischen Optativ? Zum Problem der Alternativen im Prozeß der Auflösung einer Republik wider Willen, ebd., S. 27–36.

16. Die Drohung des Bürgerkrieges

1 Die Tagebücher von Joseph Goebbels. Sämtliche Fragmente, hg. v. Elke Fröhlich, Teil I: Aufzeichnungen 1924–1941, Bd. 2: 1. 10. 1931–31. 12. 1936, München 1987, S. 173; Franz von Papen, Der Wahrheit eine Gasse, München 1952, S. 182ff.; ders., Vom Scheitern einer Demokratie 1930–1933, Mainz 1968, S. 187ff.; Akten der Reichskanzlei (= AdR), Weimarer Republik. Das Kabinett von Papen. 1. Juni 1932 bis 3. Dezember 1932, 2 Bde., bearb. v. Karl-Heinz Minuth, Boppard 1989, Bd. 1, S. XIXff.; Thilo Vogelsang, Reichswehr, Staat und NSDAP. Beiträge zur deutschen Geschichte 1930–1932. Stuttgart 1962, S. 199ff.; Gerhard Schulz, Von Brüning zu Hitler. Der Wandel des politischen Systems in Deutschland 1930–1933 (= Zwischen Demokratie und Diktatur. Verfassungspolitik und Reichsreform in der Weimarer Republik, Bd. III), Berlin 1992, S. 863ff.; Karl Dietrich Bracher, Die Auflösung der Weimarer Republik. Eine Studie zum Problem des Machtverfalls in der Demokratie, Villingen 1964[4], S. 517ff.; Jürgen A. Bach, Franz von Papen in der Weimarer Republik. Aktivitäten in Politik und Presse 1918–1932, Düsseldorf 1977; Thomas Trumpp, Franz von Papen, der preußisch-deutsche Dualismus und die NSDAP in Preußen. Ein Beitrag zur Vorgeschichte des 20. Juli 1932, Tübingen 1963; Ulrike Hörster-Philipps, Konservative Politik in der Endphase der Weimarer Republik. Die Regierung Franz von Papen, Köln 1982.

2 Schulthess' Europäischer Geschichtskalender, 73. Bd. (1932), München 1933, S. 92–94; Cuno Horkenbach (Hg.), Das Deutsche Reich von 1918 bis heute, Jg. 1932, Berlin 1933, S. 160; Vogelsang, Reichswehr (Anm. 1), S. 204f. (Unterredungen Hindenburgs am 30./31. 5. 1932), 458f. (Aktennotiz Meissners); Die Protokolle der Reichstagsfraktion und des Fraktionsvorstands der Deutschen Zentrumspartei 1926–1933. Bearb. v. Rudolf Morsey, Mainz 1969, S. 572–576 (Sitzungen der Zentrumsfraktion und ihres Vorstands vom 1. 6. 1932); AdR, Kabinett v. Papen (Anm. 1), Bd. 1, S. 6f. (Erklärung Papens vom 2. 6. 1932); Heinrich Brüning, Memoiren 1918–1934, Stuttgart 1970, S. 607ff.; Hermann Pünder, Politik in der Reichskanzlei. Aufzeichnungen aus den Jahren 1929–1932, Stuttgart 1961, S. 131–133 (Aufzeichnung vom 31. 5. 1932); Otto Meissner, Staatssekretär unter Ebert-Hindenburg-Hitler, Hamburg 1950, S. 230ff.; Papen, Wahrheit (Anm. 1), S. 182ff.; Goebbels, Tagebücher (Anm. 1), S. 177f. (Aufzeichnungen vom 30. u. 31. 5. 1932); Rudolf Morsey, Die Deutsche Zentrumspartei, in: Erich Matthias u. Rudolf Morsey (Hg.). Das Ende der Parteien 1933, Düsseldorf 1960[1], S. 281–453 (bes. 306ff.).

3 AdR, Kabinett v. Papen (Anm. 1), Bd. 1, S. XXIIff.; AdR, Weimarer Republik, Kabinett von Schleicher. 3. Dezember 1932 bis 30. Januar 1933, bearb. v. Anton Golecki, Boppard 1986, S. XXIf. (jeweils mit weiterer Lit.); Magnus Frhr. v. Braun, Von Ostpreußen bis Texas, Stollhamm 1955, S. 208ff.; nur bedingt brauchbar, weil stark apologetisch: Karl v. Plehwe, Reichskanzler von Schleicher. Weimars letzte Chance gegen Hitler, Esslingen 1983, bes. 184ff.

4 Schulthess 1932 (Anm. 2), S. 94–99 (Reaktionen der Parteien, Auflösung des Reichstags); AdR, Kabinett v. Papen (Anm. 1), Bd. 1, S. 13f. (Regierungserklärung Papens), 223–236 (Eingabe des DIHT vom 15. 7. 1932); Politik und Wirtschaft in der Krise 1930–1932. Quellen zur Ära Brüning. Eingel. v. Gerhard Schulz. Bearb. v. Ilse Maurer u. Udo Wengst unter Mitwirkung von Jürgen Heideking, 2 Bde., Düsseldorf 1980, Bd. 2, S. 1525–1527 (Erklärung der zurückgetretenen Regierung Brüning vom 6. 6. 1932); Papens Kriegserklärung, in: Der Abend. Spätausgabe des Vorwärts, Nr. 260, 4. 6. 1932. Zur Haltung der Industrie: Reinhard Neebe, Großindustrie, Staat und NSDAP 1930–1932. Paul

Silverberg und der Reichsverband der Deutschen Industrie in der Krise der Weimarer Republik, Göttingen 1981, S. 127ff.; Henry A. Turner, Die Großunternehmer und der Aufstieg Hitlers (amerik. Orig.: New York 1985), Berlin 1985, S. 282ff.

5 Pünder, Politik (Anm. 2), S. 137; Heinrich August Winkler, Der Weg in die Katastrophe. Arbeiter und Arbeiterbewegung in der Weimarer Republik 1930–1933, Bonn 1990², S. 626ff.

6 Denkschrift über die Notlage der Arbeiterschaft. Gesamtverband der christlichen Gewerkschaften Deutschlands, Berlin 1932, S. 6f., 10; Alexander Graf Stenbock-Fermor, Deutschland von unten. Reisen durch die proletarische Provinz (1. Aufl. Stuttgart 1931), Luzern 1980², S. 141f. (zu den „Laubenkolonien"); Wilhelm Treue (Hg.), Deutschland in der Weltwirtschaftskrise in Augenzeugenberichten, Düsseldorf 1967, S. 251f. (Zitat aus der „Vossischen Zeitung"); Helga Kiesewetter, Die Not arbeitsloser Familien auf der Landstraße, in: Soziale Berufsarbeit 13 (1933), Nr. 2 (Februar), S. 13–17; Helmut Lehmann, Deutsches Volkselend. Auch eine Statistik, in: Die Tat 23 (1931), Nr. 4 (Juli), S. 317–319; Ruth Weiland, Die Kinder der Arbeitslosen. Mit einem Vorwort von Gertrud Bäumer, Eberswalde 1933, bes. S. 29ff.; A. Busemann u. H. Harder, Die Wirkung väterlicher Arbeitslosigkeit auf die Schulleistung der Kinder, in: Zeitschrift für Kinderforschung 40 (1932), S. 89–100; Gertrud Staewen-Ordemann, Menschen in Unordnung. Die proletarische Wirklichkeit im Arbeiterschicksal der ungelernten Großstadtjugend, Berlin 1930; Detlef Peukert, Jugend zwischen Krieg und Krise. Lebenswelten von Arbeiterjungen in der Weimarer Republik, Köln 1987; ders., Die „Wilden Cliquen" in den zwanziger Jahren, in: Wilfried Breyvogel (Hg.), Autonomie und Widerstand. Zur Theorie und Geschichte des Jugendprotestes, Essen 1983, S. 66–77; Winkler, Weg (Anm. 5), S. 33ff. (die Zahlen zur Arbeitslosigkeit bei den Jugendlichen: 48).

7 Ebd., S. 584ff.; Siegfried Bahne, die Erwerbslosenpolitik der KPD in der Weimarer Republik, in: Hans Mommsen u. Winfried Schulze (Hg.). Vom Elend der Handarbeit. Probleme historischer Unterschichtenforschung, Stuttgart 1981, S. 477–496 (die Zahlen: 489ff., das Zitat der sächsischen Bezirksleitung: 490f.); ders., Die KPD und das Ende von Weimar. Das Scheitern einer Politik 1932–1935, Frankfurt 1976, S. 15–21; Conan J. Fischer, Unemployment and Left-Wing Radicalism in Weimar Germany 1930–1933, in: Peter D. Stachura (Hg.), Unemployment and the Great Depression in Weimar Germany, Houndsmills 1986, S. 209–225; Rose-Marie Huber-Koller, Die kommunistische Erwerbslosenbewegung in der Endphase der Weimarer Republik, in: Gesellschaft. Beiträge zur Marxschen Theorie (1977), S. 89–40; Wolfgang Zollitsch, Arbeiter zwischen Wirtschaftskrise und Nationalsozialismus. Ein Beitrag zur Sozialgeschichte der Jahre 1928 bis 1936, Göttingen 1990, bes. S. 158ff.

8 Hitlerstaat als Elendsanstalt, in: Vorwärts, Nr. 277, 15. 6. 1932; Massendemonstrationen! Proteststreiks!, in: RF, Nr. 131, 16. 6. 1932; Gewerkschaftsvertreter beim Reichsarbeitsminister, in: GZ, Nr. 26, 25. 6. 1932. Die Zahlen nach: Ludwig Preller, Sozialpolitik in der Weimarer Republik, Düsseldorf 1978², S. 166f.

9 AdR, Kabinett v. Papen (Anm. 1), Bd. 1, S. 63–68 (Besprechung der süddeutschen Staats- und Ministerpräsidenten mit dem Reichspräsidenten am 12. 6. 1932), 85–88 (Aufzeichnung Plancks vom 15. 6. 1932 über Besprechungen mit dem bayerischen und dem württembergischen Gesandten), 99–107 (Ministerbesprechung vom 18. 6. 1932), 109–115 (Ministerbesprechung vom 21. 6. 1932), 141–153 (Ministerbesprechung vom 25. 6. 1932), 153–155 (Brief Gayls an die Landesregierungen vom 28. 6. 1932); Staat und NSDAP. Quellen zur Ära Brüning. Eingel. v. Gerhard Schulz. Bearb. v. Ilse Maurer u. Udo Wengst, Düsseldorf 1977, S. 326–332 (Sitzung der Vereinigten Ausschüsse des Reichsrats vom 11. 6. 1932); Horkenbach 1932 (Anm. 2), S. 182f. (Länderminister bei Hindenburg), 195–216 (Aufhebung des SA-Verbots und politische Ausschreitungen); Vogelsang, Reichswehr (Anm. 1), S. 214ff.; Schulz, Von Weimar (Anm. 1), S. 890ff.

10 Otto Braun im Urlaub, in: Der Abend. Spätausgabe des Vorwärts, Nr. 264, 7.6.1932; Otto Braun, Von Weimar zu Hitler, New York 1940², S. 396f.; AdR, Kabinett v. Papen (Anm. 1), Bd. 1, S. 22f. (Brief Papens an Kerrl vom 6.6.1932), 24–27 (Besprechung Papens mit Hirtsiefer und Klepper am 7.6.1932), 41f. (Brief Hirtsiefers an Papen vom 7.6.1932), 52–59 (Besprechung der Reichsregierung mit Ministerpräsidenten u. Finanzministern am 11.6.1932), 59–61 (Besprechung mit den Vereinigten Reichsausschüssen am 11.6.1932), 63–69 (Besprechung der süddeutschen Staats- u. Ministerpräsidenten bei Hindenburg am 12.6.1932); Staat (Anm. 9), S. 326–332 (Sitzung der Vereinigten Reichsratsausschüsse am 11.6.1932); Horkenbach 1932 (Anm. 2), S. 176 (preußische Notverordnung vom 8.6.1932); Carl Severing, Mein Lebensweg, 2 Bde., Köln 1950, Bd. 2, S. 339ff.; Morsey, Zentrumspartei (Anm. 2), S. 311; Herbert Hömig, Das preußische Zentrum in der Weimarer Republik, Mainz 1979, S. 260ff.; Hagen Schulze, Otto Braun oder Preußens demokratische Sendung. Eine Biographie, Frankfurt 1977, S. 736f.; Dietrich Orlow, Weimar Prussia 1925–1955. The Illusion of Strength, Pittsburgh 1991, S. 212ff.

11 AdR, Kabinett v. Papen (Anm. 1), Bd. 1, S. 109–115 (Ministerbesprechung vom 21.6.1932), 141–153 (Ministerbesprechung vom 25.6.1932); Preußen contra Reich vor dem Staatsgerichtshof. Stenogrammbericht der Verhandlungen vor dem Staatsgerichtshof in Leipzig vom 10. bis 14. u. vom 17. Oktober 1932, Berlin 1933, S. 110 (Telegramm Gayls an den Vertreter des Reiches, Ministerialdirektor Gottheiner vom 11.10.1932), 221f. (Erklärung Severings), 296 (Erklärung Gayls); Horkenbach 1932 (Anm. 2), S. 212f. (Unterredung Gayl-Severing, Pressemeldungen, Dementi Severings); Severing, Lebensweg (Anm. 10), Bd. 2, S. 339ff.; Schulz, Von Papen (Anm. 1), S. 882ff.; Winkler, Weg (Anm. 5), S. 629ff.; Trumpp, Papen (Anm. 1), S. 102; Hans-Peter Ehni, Bollwerk Preußen? Preußen-Regierung, Reich-Länder-Problem und Sozialdemokratie 1928–1932, Bonn 1975, S. 260; Thomas Alexander, Carl Severing. Sozialdemokrat aus Westfalen mit preußischen Tugenden, Bielefeld 1992, S. 197ff.

12 Papen ausgetreten, in: Vorwärts, Nr. 253, 1.6.1932; AdR, Kabinett v. Papen (Anm. 1), Bd. 1, S. 133–140 (Deutsch-französische Besprechung in Lausanne am 24.6.1932), 141–153 (Ministerbesprechung vom 25.6.1932), 175–178 (Ministerbesprechung vom 5.7.1932), 180f. (Brief Papens an MacDonald vom 4.7.1932), 181–183 (Ministerbesprechung vom 5.7.1932), 186–190 (Ministerbesprechung vom 7.7.1932), 195–204 (Ministerbesprechung vom 11.7.1932); Akten zur Deutschen Auswärtigen Politik (= ADAP) 1918–1945. Serie B: 1925–1933, Bd. 20: 1. März bis 15. August 1932, Göttingen 1983, S. 229–461; Documents on British Foreign Policy, 1919–1939. Second Series, London 1947ff., Bd. 3, S. 188–446; Schulthess 1932 (Anm. 2), S. 399–416; Horkenbach 1932 (Anm. 2), S. 231–235; Papen, Wahrheit (Anm. 1), S. 198ff.; Schulz, Von Brüning (Anm. 1), S. 906ff.; Wilhelm Deist, Schleicher und die deutsche Abrüstungspolitik im Juni/Juli 1932, in: VfZ 7 (1959), S. 163–176.

13 Horkenbach 1932 (Anm. 2), S. 235 (Presseecho); Verständigung siegt, in: Vorwärts, Nr. 310–319, 9.7.1932; Winkler, Weg (Anm. 5), S. 635f.

14 Nieder mit dem Pakt von Lausanne, in: RF, Nr. 153, 9.7.1932; Herbert Wehner, Zeugnis, Köln 1982, S. 47 (zum Telegramm Knorins); Die Generallinie. Rundschreiben des Zentralkomitees der KPD an die Bezirke 1929–1933. Eingel. v. Hermann Weber. Bearb. v. Hermann Weber unter Mitwirkung von Johann Wachtler, Düsseldorf 1981, S. 526–534 (Rundschreiben des Sekretariats vom 14.7.1932; Hervorhebungen im Original); Winkler, Weg (Anm. 5), S. 558ff. (Antifaschistische Aktion), 616ff. (Einheitsfronttaktik, Aufruf Einsteins u.a., Haltung der SPD); Reiner Tosstorff, „Einheitsfront" und/oder „Nichtangriffspakt" mit der KPD, in: Wolfgang Luthardt (Hg.), Sozialdemokratische Arbeiterbewegung und Weimarer Republik. Materialien zur gesellschaftlichen Entwicklung 1927–1933, 2 Bde., Frankfurt 1978, Bd. 2, S. 206–258. Zur kommunistischen Reaktion auf Lausanne: Thomas Weingartner, Stalin und der Aufstieg Hitlers. Die Deutschlandpolitik

der Sowjetunion und der Kommunistischen Internationale 1929–1934, Berlin 1970, S. 139ff.; Karlheinz Niclauss, Die Sowjetunion und Hitlers Machtergreifung. Eine Studie über die deutsch-russischen Beziehungen der Jahre 1929–1935, Bonn 1966, S. 59ff.

15 Zusammenfassend: Winkler, Weg (Anm. 5), S. 639ff. (zum ZK-Beschluß vom 10. 11. 1931 gegen den individuellen Terror: 441ff.); weiter Richard Dee Wernette, Political Violence and German Elections: 1930 and July 1932, Ph. D. Diss., University of Michigan (Microfilm) 1974, S. 136ff.; Richard Bessel, Political Violence and the Rise of Nazism. The Storm-Troopers in Eastern Germany 1925–1934, New Haven 1984, S. 74ff. (zu Ohlau: 85ff.); Eve Rosenhaft, Beating the Fascists? The German Communists and Political Violence 1929–1933, Cambridge 1983. Zu den Zahlen der politischen Toten: Preußen (Anm. 11), S. 14f.

16 AdR, Kabinett v. Papen (Anm. 1), Bd. 1, S. 192f. (Brief Winterfelds an Papen vom 8. 7. 1932), 204–206 (Ministerbesprechung vom 11. 7. 1932), 209–213 (Ministerbesprechung vom 13. 7. 1932), 213–217 (Ministerbesprechung vom 13. 7. 1932), 237–240 (Ministerbesprechung vom 16. 7. 1932), 246f. (Aufzeichnung Wiensteins vom 19. 7. 1932); Horkenbach 1932 (Anm. 2), S. 240 (Erlaß u. Erklärung Severings vom 12. 7. 1932); Preussen (Anm. 11), S. 24, 37, 45 (zum Gespräch Abeggs mit Torgler u. Kasper); AsD Bonn, Nl. C. Severing, Mappe 60 (Material zum gleichen Gespräch); Christoph Graf, Politische Polizei zwischen Demokratie und Diktatur. Die Entwicklung der preußischen Polizei vom Staatsschutzorgan der Weimarer Republik zum Geheimen Staatspolizeiamt des Dritten Reiches, Berlin 1983, S. 54ff.; Winkler, Weg (Anm. 5), S. 646ff.

17 AdR, Kabinett v. Papen (Anm. 1), Bd. 1, S. 248–256 (Bericht des Regierungspräsidenten Abegg an Severing vom 19. 7. 1932); Wolfgang Kopitzsch, Der „Altonaer Blutsonntag", in: Arno Herzig u. a., Arbeiter in Hamburg. Unterschichten, Arbeiter und Arbeiterbewegung seit dem ausgehenden 18. Jahrhundert, Hamburg 1983, S. 509–516; Anthony McElligott, Street and Politics in Hamburg, 1932–3, in: History Workshop 16 (1983), S. 83–90; Peter Leßmann, Die preußische Schutzpolizei in der Weimarer Republik. Streifendienst und Straßenkampf, Düsseldorf 1989, S. 358ff.; Winkler, Weg (Anm. 5), S. 650ff.

18 Albert Grzesinski, Im Kampf um die deutsche Republik (geschrieben 1933; MS im BA Koblenz), S. 289; Severing, Lebensweg (Anm. 10), Bd. 2, S. 347f.; Anpassung oder Widerstand? Aus den Akten des Parteivorstands der deutschen Sozialdemokratie 1932/33. Hg. u. bearb. v. Hagen Schulze, Bonn 1975, S. 3–14 (5f., Aufzeichnung Wels', wahrscheinlich vom Januar 1933; Hervorhebungen jeweils im Original); Hans J. L. Adolph, Otto Wels und die Politik der deutschen Sozialdemokratie 1894–1939. Eine politische Biographie, Berlin 1971, S. 240ff.; Winkler, Weg (Anm. 5), S. 654ff.

19 AdR, Kabinett v. Papen (Anm. 1), Bd. 1, S. 241–245 (Brief Kerrls an Papen vom 18. 7. 1932), 245f. (Brieftelegramm Hitlers an Papen vom 18. 7. 1932); Goebbels, Tagebücher (Anm. 1), S. 207 (Eintrag vom 19. 7. 1932); Severing, Lebensweg (Anm. 10), Bd. 2, S. 347f.

20 Hände weg von Preußen!, in: Vorwärts, Nr. 337, 20. 7. 1932; IISG Amsterdam, Nl. A. Grzesinski, Nr. 2045 (Aufzeichnung vom 20. 7. 1932); Ludwig Biewer, Der Preußenschlag vom 20. Juli 1932. Ursachen, Ereignisse, Folgen und Wertung, in: Blätter für deutsche Landesgeschichte 119 (1983), S. 159–172; Rudolf Morsey, Zur Geschichte des „Preußenschlags" am 20. 7. 1932, in: VfZ 9 (1961), S. 430–439; Gerhard Schulz, „Preußenschlag" oder Staatsstreich? Neues zum 20. Juli 1932, in: Der Staat 17 (1978), S. 553–581; Orlow, Weimar Prussia (Anm. 10), S. 225ff.; Erich Matthias, Die Sozialdemokratische Partei Deutschlands, in: Matthias/Morsey (Hg.), Ende (Anm. 2), S. 101–278 (bes. 127ff.); Winkler, Weg (Anm. 5), S. 656ff. (mit weiterer Lit.).

21 AdR, Kabinett v. Papen (Anm. 1), Bd. 1, S. 257–259 (Amtl. Protokoll der Besprechung mit den preußischen Ministern in der Reichskanzlei am 20. 7. 1932), 259–262 (Aufzeichnungen Hirtsiefers u. Severings über die Besprechung in der Reichskanzlei am 20. 7. 1932), 263 (Brief Brauns an Papen vom 20. 7. 1932), 263f. (Brief der Preußischen

Staatsregierung an den Reichskanzler vom 20.7.1932), 265f. (Ministerbesprechung vom 20.7.1932), 267–272 (Aufzeichnung Plancks vom 20.7.1932); Bracher, Auflösung (Anm. 1), S.735–737 (Aufzeichnung Heimannsbergs von 1957); Winkler, Weg (Anm. 5), S.658ff.

22 Anpassung (Anm. 18), S.9–11 (Aufzeichnung von Wels); Die Gewerkschaften in der Endphase der Republik 1930–1933. Bearb. v. Peter Jahn unter Mitarbeit von Detlev Brunner (= Quellen zur Geschichte der deutschen Gewerkschaftsbewegung im 20. Jahrhundert, Bd.4), Köln 1988, S.625f. (Aufruf der gewerkschaftlichen Spitzenverbände vom 20.7.1932); In die Partei!, in: Vorwärts, Nr. 339, 21.7.1932; Berlin in Erregung, ebd.; Höchste Kampfbereitschaft, ebd.; Steigert den Kampf! Beschluß der Sozialdemokratischen Partei, ebd., Nr. 340, 21.7.1932; Die Antifaschistische Aktion. Dokumentation u. Chronik. Mai 1932 bis Januar 1933. Hg. u. eingel. v. Heinz Karl u. Erika Kücklich, Berlin (O) 1965, S.193f. (Appell des ZK der KPD vom 20.7.1932); Brief Ernst Fraenkels an Karl Dietrich Erdmann vom 31.7.1973, in: Karl Dietrich Erdmann, Die Zeit der Weltkriege (= Bruno Gebhardt, Handbuch der deutschen Geschichte, Bd.4/1), Stuttgart 1973, S.326f.; Bracher, KPD (Anm. 7), S.22ff.; Winkler, Weg (Anm. 5), S.669ff.

23 Severing, Lebensweg (Anm. 10), Bd.2, S.352; Horkenbach 1932 (Anm. 2), S.250f. (Papens Rundfunkrede vom 20.7.1932); Goebbels, Tagebücher (Anm. 1), S.208; Heinz Kühn, Widerstand und Emigration. Die Jahre 1928–1945, Hamburg 1980, S.49.

24 Karl Rohe, Das Reichsbanner Schwarz-Rot-Gold. Ein Beitrag zur Geschichte und Struktur der politischen Kampfverbände zur Zeit der Weimarer Republik, Düsseldorf 1966, S.365ff.; Ludwig Dierske, War eine Abwehr des „Preußenschlags" vom 20.7.1932 möglich?, in: Zeitschrift für Politik 17 (1970), S.197–245; Hsi Huey Liang, Die Berliner Polizei in der Weimarer Republik (amerik. Orig.: Berkeley, 1970), Berlin 1976, S.171ff.; Arnold Brecht, Vorspiel zum Schweigen. Das Ende der deutschen Republik, Wien 1948, S.99f.; Winkler, Weg (Anm. 5), S.671ff. (zu den „unsichtbaren Arbeitslosen": 23f.).

25 Carlo Mierendorff, Sommer der Entscheidungen, in: SMH 76 (1932/II), S.655–660 (656); E. H. (= Ernst Heilmann), Hindenburg gegen die Nazidiktatur, in: DFW 4 (1932), Nr. 34 (21.8.), S.1–4 (2f.); A. G. (= Arkadij Gurland), Tolerierungsscherben – und was weiter?, in: Marxistische Tribüne 2 (1932), Nr. 12 (15.6.), S.351–356 (352f.); Winkler, Weg (Anm. 5), S.678ff. – Zu einer möglichen „antinationalsozialistischen" Dimension des Preußenschlags: Johann Wilhelm Brügel/Norbert Frei, Berliner Tagebuch 1932–1932, Aufzeichnungen des tschechoslowakischen Diplomaten Camill Hoffmann, in: VfZ 36 (1988), S.131–183 (148f.). Änliche Überlegungen stellte Hans Schäffer an: IfZ München, Tagebuch Hans Schäffer, Eintragungen vom 20.–22.7.1932.

26 Zum Vergleich republikanischer Stabilität in Preußen und im Reich: Hagen Schulze, Stabilität und Instabilität in der politischen Ordnung von Weimar. Die sozialdemokratischen Parlamentsfraktionen im Reich und in Preußen, in: VfZ 26 (1978), S.419–432.

27 Barone ernennen Barone!, in: Vorwärts, Nr. 471, 6.10.1932. Zusammenfassend zu den Säuberungen: Wolfgang Runge, Politik und Beamtentum im Parteienstaat. Die Demokratisierung der politischen Beamten in Preußen zwischen 1918 und 1933, Stuttgart 1965, S.237ff. (die Zahlen: 237, 239). Ferner: Ernst Rudolf Huber, Deutsche Verfassungsgeschichte seit 1789, Bd.7: Ausbau Schutz und Untergang der Weimarer Republik. Stuttgart 1984, S.1028ff.; Ehni, Bollwerk (Anm. 11), S.276ff.

28 AdR, Kabinett v. Papen (Anm. 1), Bd.1, S.290 (Brief des württembergischen Staatspräsidenten Bolz an Hindenburg vom 21.7.1932), 294 (Brief des hessischen Staatspräsidenten Adelung an Hindenburg vom 22.7.1932), 295–313 (Länderkonferenz in Stuttgart am 23.7.1932); Schulz, Von Brüning (Anm. 1), S.933ff.; Wolfgang Benz, Papens „Preußenschlag" und die Länder, in: VfZ 18 (1970), S.321–338; Waldemar Besson, Württemberg und die deutsche Staatskrise 1928–1933. Eine Studie zur Auflösung der Weimarer Republik, Stuttgart 1959, S.294ff.

29 Horkenbach 1932 (Anm. 2), S.256–260 (Entscheidung des Staatsgerichtshofs vom

25.7.1932, Pressestimmen, Aufhebung des Belagerungszustands); Preußen (Anm. 1), S. 487–491 (Entscheidung des Staatsgerichtshofes); Keine einstweilige Verfügung, in: Vorwärts, Nr. 347, 25.7.1932; Schulz, Von Brüning (Anm. 1), S. 943 f. (zum Wirtschaftlichen Sofortprogramm der NSDAP); Avraham Barkai, Das Wirtschaftsprogramm des Nationalsozialismus. Der historische und ideologische Hintergrund 1933–1936, Köln 1977, S. 37ff.; Winkler, Weg (Anm. 5), S. 637ff. (zum „Umbau der Wirtschaft"). Zum Wahlkampf der NSDAP auch Gerhard Paul, Aufstand der Bilder. Die NS-Propaganda vor 1933, Bonn 1990, S. 100ff.

30 Gewerkschaften (Anm. 22), S. 634f. (Vereinbarung Plancks mit dem ADGB vom 29.7.1932), 635–640 (Besprechung im Büro des ADGB am 30.7.1932 über die Verhandlungen mit der Reichsregierung; Hervorhebung im Original), 641–643 (Tagebuchaufzeichnung Hans Schäffers vom 10.8.1932), 643–646 (Sitzung des Bundesvorstands des ADGB vom 3.8.1932); Winkler, Weg (Anm. 5), S. 713 ff. (mit weiterer Lit.).

31 Ebd., S. 683 ff. Die umfangreiche wahlsoziologische Lit. zusammenfassend: Jürgen W. Falter, Hitlers Wähler, München 1991. Weiter: Karl Rohe, Wahlen und Wählertraditionen in Deutschland, Frankfurt 1992, S. 140ff. Zur Befestigung des katholischen und des sozialdemokratischen Milieus nach 1930: Siegfried Weichlein, Sozialmilieus und Politische Kultur in Weimar. Hessische Kreise im Vergleich, phil. Diss. (MS), Freiburg 1992, bes. S. 555 ff.

32 Schulthess 1932 (Anm. 2), S. 136f. (Interview Papens, Terrorakte); Horkenbach 1932 (Anm. 2), S. 279–282 (politische Gewalttaten); Goebbels, Tagebücher (Anm. 1), S. 212f. (Eintragung vom 1.8.1932); Peter Longerich, Die braunen Bataillone. Geschichte der SA, München 1989, S. 156ff.; Bessel, Violence (Anm. 15), S. 88ff.; Winkler, Weg (Anm. 5), S. 698f.

33 AdR, Kabinett v. Papen (Anm. 1), Bd. 1, S. 374–377 (Ministerbesprechung vom 9.8.1932); Horkenbach 1932 (Anm. 2), S. 283; Richard Bessel, The Potempa Murder, in: CEH 10 (1977), S. 241–254; ders., Violence (Anm. 15), S. 91f.; Longerich, Braune Bataillone (Anm. 32), S. 157f.; Paul Kluke, Der Fall Potempa, in: VfZ 5 (1957), S. 279–297.

34 Thilo Vogelsang, Zur Politik Schleichers gegenüber der NSDAP 1932, in: VfZ 6 (1958), S. 86–118 (der Brief vom 30.1.1934: 89f.); ders., Reichswehr (Anm. 1), S. 256ff.; Goebbels, Tagebücher (Anm. 1), S. 215–221 (Eintragungen vom 5.10.8.1932); Walter Hubatsch, Hindenburg und der Staat. Aus den Papieren des Generalfeldmarschalls und Reichspräsidenten von 1878 bis 1934, Berlin 1966, S. 335–338 (Aufzeichnung Meissners vom 11.8.1932); AdR, Kabinett v. Papen (Anm. 1), Bd. 1, S. 377–386 (Ministerbesprechung vom 10.8.1932, mit Auszügen aus dem Tagebuch von Hans Schäffer); Schulz, Von Brüning (Anm. 1), S. 945 ff.

35 Horkenbach 1932 (Anm. 2), S. 284 (Gayls Verfassungsrede vom 11.8.1932); Schulthess 1932 (Anm. 2), S. 140f. (Verhandlungen mit Hitler am 13.8.1932), 141 (Erlaß Brachts vom 18.8.1932); Goebbels, Tagebücher (Anm. 1), S. 222–224; AdR, Kabinett v. Papen (Anm. 1), Bd. 1, S. 386–390 (Sitzung der [Kommissarischen] Preußischen Regierung vom 12.8.1932), 391 f. (Aufzeichnung Meissners über die Besprechung Hindenburgs mit Hitler vom 13.8.1932; Hervorhebung im Original), 393–396 (Aufzeichnung Hitlers vom 13.8.1932), 396f. (Brief Plancks an Hitler vom 14.8.1932), 398–407 (Ministerbesprechung vom 15.8.1932); Pünder, Politik (Anm. 2), S. 138–143 (Aufzeichnungen vom 13.–18.8.1932, unter Verwendung von Informationen Plancks); Vogelsang, Reichswehr (Anm. 1), S. 262ff.; Schulz, Von Brüning (Anm. 1), S. 963 ff.

36 Horkenbach 1932 (Anm. 2), S. 290f. (Beuthener u. Brieger Urteile), 307 (Begnadigung); Schulthess 1932 (Anm. 2), S. 141 (Hitlers Telegramm und Aufruf, amtliche Mitteilung der Reichsregierung); AdR, Kabinett v. Papen (Anm. 1), Bd. 1, S. 474–479 (Besprechung beim Reichspräsidenten in Neudeck vom 30.8.1932), 491–500 (Sitzung der [kommissarischen] Preußischen Regierung vom 2.9.1932); Goebbels, Tagebücher (Anm.

1), S. 230f. (Eintragungen vom 23. u. 25.8.1932); Preußen (Anm. 11), S. 44 (Auszug aus dem Artikel von Goebbels); Das Echo von Beuthen, in: Vorwärts, Nr. 396, 23.8.1932); Begnadigung zu Zuchthaus?, in: Frankfurter Zeitung, Nr. 629/630, 24.8.1932; Kluke, Fall Potempa (Anm. 33), S. 279–297; Bessel, Potempa Murder (An. 33), S. 241–254; Heinrich Hannover u. Elisabeth Hannover-Drück, Politische Justiz 1918–1933, Frankfurt 1966, S. 301ff.; Huber, Verfassungsgeschichte (Anm. 27), Bd. 7, S. 1064ff. (auch zur Amnestierung der Mörder von Potempa im März 1933); Winkler, Weg (Anm. 5), S. 700ff.

37 AdR, Kabinett v. Papen (Anm. 1), Bd. 1, S. 433–435 (Brief des Präsidenten des Reichslandbundes, Graf Kalckreuth, an Papen vom 22.8.1932), 436–444 (Besprechung mit dem RDI vom 25.8.1932), 445–450 (Ministerbesprechungen vom 25. u. 26.8.1932), 453f. (Brief Papens an Kalckreuth vom 26.8.1932), 457–463 (Ministerbesprechung vom 27.8.1932), 480–490 (Ministerbesprechung vom 31.8.1932), 500–509 (Ministerbesprechung vom 3.9.1932); Schulthess 1932 (Anm. 2), S. 144–149 (Rede Papens in Münster vom 28.8.1932); Die weltwirtschaftliche Konjunktur, in: Vierteljahrshefte für Konjunkturforschung 7 (1932), Heft 2, Teil A, S. 60–87 (62);Günter Plum, Gesellschaftsstruktur und politisches Bewußtsein in einer katholischen Region 1918–1933. Untersuchung am Beispiel des Regierungsbezirks Aachen, Stuttgart 1972, S. 301–304 (Brief des schwerindustrienahen Publizisten August Heinrichsbauer an Gregor Strasser vom 20.9.1932); Heinrich August Winkler, Unternehmerverbände zwischen Ständeideologie und Nationalsozialismus, in: ders., Liberalismus und Antiliberalismus. Studien zur politischen Sozialgeschichte des 19. u. 20. Jahrhunderts, Göttingen 1979, S. 175–194 (191f.); Turner, Großunternehmer (Anm. 4), S. 331ff.; Neebe, Großindustrie (Anm. 4), S. 127ff.; Michael Wolffsohn, Industrie und Handwerk im Konflikt mit staatlicher Wirtschaftspolitik? Studien zur Politik der Arbeitsbeschaffung 1930–1934, Berlin 1977, S. 78ff.; Helmut Marcon, Arbeitsbeschaffungspolitik der Regierungen Papen und Schleicher. Grundsteinlegung für die Beschäftigungspolitik im Dritten Reich, Bonn 1974, S. 130ff.; Hörster-Philipps, Konservative Politik (Anm. 1), S. 301ff. Zur Aufhebung der Zwangsschlichtung: Johannes Bähr, Staatliche Schlichtung in der Weimarer Republik. Tarifpolitik, Korporatismus und industrieller Konflikt zwischen Inflation und Deflation 1919–1932, Berlin 1989, S. 328ff.

38 AdR, Kabinett v. Papen (Anm. 1), Bd. 1, S. XXIXff. (mit Einzelbelegen u. weiteren Quellenhinweisen); Schulthess 1932 (Anm. 2), S. 473–475 (deutsche Note vom 29.8.1932); Vogelsang, Reichswehr (Anm. 1), S. 294ff.; Sten Nadolny, Abrüstungsdiplomatie 1932/33. Deutschland auf der Genfer Konferenz im Übergang von Weimar zu Hitler, München 1978, S. 156ff.; Edward W. Bennett, German Rearmament and the West, 1932–1933, Princeton 1979, S. 176ff.

39 AdR, Kabinett v. Papen (Anm. 1), Bd. 1, S. 474–479 (Besprechung beim Reichspräsidenten am 30.8.1932; Hervorhebung im Original); Carl Schmitt, Legalität und Legitimität, Berlin 1932, bes. S. 88ff.; Johannes Heckel, Diktatur, Notverordnungsrecht, Verfassungsnotstand mit besonderer Rücksicht auf das Budgetrecht, in: Archiv des öffentlichen Rechts, N.F. 22 (1932), S. 257–338 (260, 310f.); Eberhard Kolb/Wolfram Pyta, Die Staatsnotstandsplanung unter den Regierungen Papen und Schleicher, in: Heinrich August Winkler unter Mitarbeit von Elisabeth Müller-Luckner (Hg.), Die deutsche Staatskrise 1930–1933. Handlungsspielräume und Alternativen, München 1992, S. 153–179; Dieter Grimm, Verfassungserfüllung – Verfassungsbewahrung – Verfassungsauflösung. Positionen der Staatsrechtslehre in der Staatskrise der Weimarer Republik, ebd., S. 181–197; Heinrich Muth, Carl Schmitt in der deutschen Innenpolitik des Sommers 1932, in: Theodor Schieder (Hg.), Beiträge zur Geschichte der Weimarer Republik. Beiheft 1 der HZ, München 1971, S. 75–147; Ernst Rudolf Huber, Carl Schmitt in der Reichskrise der Weimarer Endzeit, in: Helmut Quaritsch (Hg.), Complexio Oppositorum. Über Carl Schmitt, Berlin 1988, S. 33–50; ders., Verfassungsgeschichte (Anm. 27), Bd. 7, S. 1073ff.

40 Brüning, Memoiren (Anm. 1), S. 622–655; Goebbels, Tagebücher (Anm. 1),

S. 230–233 (Eintragungen vom 25.–29. 8. 1932); Horkenbach 1932 (Anm. 2), S. 296 (Koalitionsverhandlungen); Protokolle (Anm. 2), S. 581–584 (Sitzungen des Fraktionsvorstands und der Fraktion des Zentrums am 29. 8. 1932); Oswald Wachtling, Josef Joos. Journalist, Arbeiterführer, Zentrumspolitiker. Politische Biographie 1878–1933, Mainz 1974, S. 162ff.; Jürgen Aretz, Katholische Arbeiterbewegung und Nationalsozialismus. Der Verband katholischer Arbeiter- und Knappenvereine Westdeutschlands 1923–1945, Mainz 1978, S. 57ff.; Detlef Junker, Die Deutsche Zentrumspartei und Hitler 1932/33, Stuttgart 1969, S. 86ff.; Hömig, Preußisches Zentrum, (Anm. 10), S. 269ff.; Morsey, Zentrumspartei (Anm. 2), S. 315ff.; Michael Schneider, Die christlichen Gewerkschaften 1894–1933, Bonn 1982, S. 704ff.; William L. Patch, jr., Christian Trade Unions in the Weimar Republic 1918–1933. The Failure of „Corporate Pluralism", New Haven 1985, S. 188ff.; Iris Hamel, Völkischer Verband und nationale Gewerkschaft. Der Deutschnationale Handlungsgehilfen-Verband 1893–1933, Frankfurt 1967, S. 253ff.; Larry E. Jones, Between the Fronts: The German National Union of Commercial Employees from 1928 to 1933, in: JMH 48 (1978), S. 462–482; Heinz-Jürgen Priamus, Angestellte und Demokratie. Die nationalliberale Angestelltenbewegung in der Weimarer Republik, Stuttgart 1979, S. 197ff.; Udo Kissenkoetter, Gregor Straßer und die NSDAP, Stuttgart 1978, S. 145ff.; Winkler, Weg (Anm. 5), S. 722f. (zur Haltung der SPD); Schulz, Von Brüning (Anm. 1), S. 268ff.

17. Der Aufschub des Staatsnotstands

1 Verhandlungen des Reichstags. Stenographische Bericht, Bd. 454, S. 1–3 (Zetkin), 6–9 (Wahl des Präsidiums), 10 (Göring); Die Protokolle der Reichstagsfraktion und des Fraktionsvorstands der Deutschen Zentrumspartei 1926–1933. Bearb. v. Rudolf Morsey, Mainz 1969, S. 584f. (Fraktionssitzung vom 30. 8. 1932); Schulthess' Europäischer Geschichtskalender, 73. Bd. (1932), München 1933, S. 151–157; Cuno Horkenbach (Hg.), Das Deutsche Reich von 1918 bis heute. Jg. 1932, Berlin 1933, S. 300; Akten der Reichskanzlei (= AdR), Weimarer Republik. Das Kabinett von Papen. 1. Juni 1932 bis 3. Dezember 1932. 2 Bde., bearb. v. Karl-Heinz Minuth, Boppard 1989, Bd. 2, S. 527–529 (Empfang des Reichstagspräsidiums bei Hindenburg am 9. 9. 1932). Zu den Verordnungen vom 4./5. 9. 1932 und der Reaktion der Gewerkschaften: Heinrich August Winkler, Der Weg in die Katastrophe. Arbeiter und Arbeiterbewegung in der Weimarer Republik 1930–1933, Bonn 1990², S. 726ff.

2 Schulthess 1932 (Anm. 1), S. 158 (Erklärung Schleichers); Die Tagebücher von Joseph Goebbels, hg. v. Elke Fröhlich, Teil I: Aufzeichnungen 1924–1941, Bd. 2: 1. 10. 1931 bis 31. 12. 1936, München 1987, S. 238–240 (Eintragungen vom 8.–10. 9. 1932); Edgar von Schmidt-Pauli, Hitlers Kampf um die Macht. Der Nationalsozialismus und die Ereignisse des Jahres 1932, Berlin o. J. (1933), S. 138ff.; Heinrich Brüning, Memoiren 1918–1934, Stuttgart 1970, S. 625f.; Protokolle (Anm. 1), S. 585–589 (Sitzungen des Fraktionsvorstandes und der Fraktion des Zentrums vom 12. 9. 1932); Thilo Vogelsang, Reichswehr, Staat und NSDAP. Beiträge zur deutschen Geschichte 1930–1932, Stuttgart 1962, S. 274ff.; Rudolf Morsey, Die Deutsche Zentrumspartei, in: Erich Matthias u. Rudolf Morsey (Hg.), Das Ende der Parteien 1933, Düsseldorf 1960¹, S. 281–453 (bes. 320ff.); Detlef Junker, Die Deutsche Zentrumspartei und Hitler 1932/33. Ein Beitrag zur Problematik des politischen Katholizismus, Stuttgart 1969, S. 86ff.

3 Stenographische Berichte (Anm. 1), Bd. 454, S. 13f. (Torgler), 14–16 (Göring), 17–21 (namentliche Abstimmung); Goebbels, Tagebücher (Anm. 2), S. 241f. (Eintragungen vom 12./13. 9. 1932); Die Deutschnationalen und die Zerstörung der Weimarer Republik. Aus dem Tagebuch von Reinhold Quaatz 1928–1933. Hg. von Hermann Weiß u. Paul Hoser, München 1989, S. 203 (Aufzeichnung vom 12. 9. 1932); Schulthess 1932 (Anm. 1),

S. 158–162; AdR, Kabinett v. Papen (Anm. 1), Bd. 2, S. 543–546 (Ministerbesprechung vom 12.9.1932), S. 650–713 (Sitzung des „Überwachungsausschusses" vom 27.9.1932); Ernst Rudolf Huber, Deutsche Verfassungsgeschichte seit 1789, Bd. 7: Ausbau, Schutz und Untergang der Weimarer Republik, Stuttgart 1984, S. 1092ff.; Gerhard Schulz, Von Brüning zu Hitler. Der Wandel des politischen Systems in Deutschland 1930–1933 (= Zwischen Demokratie und Diktatur. Verfassungspolitik und Reichsreform in der Weimarer Republik, Bd. III), Berlin 1992, S. 993ff.; Karl Dietrich Bracher, Die Auflösung der Weimarer Republik. Eine Studie zum Problem des Machtverfalls in der Demokratie, Villingen 1964[4], S. 627ff.

4 AdR, Kabinett v. Papen (Anm. 1), Bd. 2, S. 546–561 (Rundfunkrede Papens vom 12.9.1932); Walther Schotte, Der neue Staat, Berlin 1932; Edgar J. Jung, Die Herrschaft der Minderwertigen, ihr Zerfall und ihre Ablösung durch ein Neues Reich, Berlin 1927[1] (1930[3]); Armin Mohler, Die Konservative Revolution in Deutschland 1918–1932. Grundriß ihrer Weltanschauungen, Stuttgart 1950; Kurt Sontheimer, Antidemokratisches Denken in der Weimarer Republik. Die politischen Ideen des deutschen Nationalismus zwischen 1918 und 1933. München 1962, bes. S. 180ff.; ders., Der Tatkreis, in: VfZ 7 (1959), S. 229–260; Klaus Fritzsche, Politische Romantik und Gegenrevolution. Fluchtwege in der Krise der bürgerlichen Gesellschaft. Das Beispiel des „Tat-Kreises", Frankfurt 1976; Ebbo Demandt, Von Schleicher zu Springer. Hans Zehrer als politischer Publizist, Mainz 1971, bes. S. 84ff.; Hans Mommsen, Regierung ohne Parteien. Konservative Pläne zum Verfassungsumbau am Ende der Weimarer Republik, in: Heinrich August Winkler unter Mitwirkung von Elisabeth Müller-Luckner (Hg.), Die deutsche Staatskrise 1930–1933. Handlungsspielräume und Alternativen, München 1992, S. 1–18.

5 AdR, Kabinett v. Papen (Anm. 1), Bd. 2, S. 480–490 (Ministerbesprechung vom 31.8.1932), 513–516 (Besprechung Papens mit Gereke vom 5.9.1932), 719–729 (Ministerbesprechung vom 29.9.1932); Axel Schildt, Militärdiktatur mit Massenbasis? Die Querfrontkonzeption der Reichswehrführung um General von Schleicher am Ende der Weimarer Republik, Frankfurt 1981, S. 109ff.; Peter Hayes, „A Question Mark with Epauletees"? Kurt von Schleicher and Weimar Politics, in: JMH 52 (1980), S. 35–65; Joachim Petzold, Alternative zur faschistischen Diktatur? Die Regierungskonzeption des Generals Kurt von Schleicher, in: Militärgeschichte 22 (1983), S. 16–31; Schulz, Von Brüning (Anm. 3), S. 975; Winkler, Weg (Anm. 1), S. 717ff.

6 AdR, Kabinett v. Papen (Anm. 1), Bd. 2, S. 537–542 (Ministerbesprechung vom 12.9.1932), 794–801 (Brief u. Memorandum Schleichers vom 17.10.1932); Anpassung oder Widerstand? Aus den Akten des Parteivorstands der deutschen Sozialdemokratie 1932/33. Hg. u. bearb. v. Hagen Schulze, Bonn 1975, S. 72–94 (Wehrsportdebatte im Parteiausschuß am 10.11.1932); Vogelsang, Reichswehr (Anm. 2), S. 285ff.; Karl Rohe, Das Reichsbanner Schwarz-Rot-Gold. Ein Beitrag zur Geschichte und Struktur der politischen Kampfverbände zur Zeit der Weimarer Republik, Düsseldorf 1966, S. 448ff.; Helga Gotschlich, Zwischen Kampf und Kapitulation. Zur Geschichte des Reichsbanners Schwarz-Rot-Gold, Berlin (O) 1987, S. 138ff.; Winkler, Weg (Anm. 1), S. 718ff., 736ff., 788ff. (mit weiterer Lit.).

7 AdR, Kabinett v. Papen (Anm. 1), Bd. 1, S. 398–407 (Ministerbesprechung vom 15.8.1932), Bd. 2, S. 537–542 (Ministerbesprechung vom 12.9.1932), 719–729 (Ministerbesprechung 29.9.1932); Schulthess 1932 (Anm. 1), S. 476–479; Vogelsang, Reichswehr (Anm. 2), S. 280ff.; Michael Geyer, Aufrüstung oder Sicherheit. Die Reichswehr in der Krise der Machtpolitik 1924–1936, Wiesbaden 1980, S. 280ff.; Edward W. Bennett, German Rearmament and the West, 1932–1933, Princeton 1979, S. 202ff.

8 AdR, Kabinett v. Papen (Anm. 1), Bd. 2, S. 576–585 (Ministerbesprechung vom 14.9.1932), 593–600 (Ministerbesprechung vom 17.9.1932); Huber, Verfassungsgeschichte (Anm. 3), Bd. 7, S. 1106ff.; Vogelsang, Reichswehr (Anm. 2), S. 280ff.

9 AdR, Kabinett v. Papen (Anm. 1), Bd. 1, S. XLIff. (mit Einzelbelegen); Schulthess 1932 (Anm. 1), S. 171 (Rede Warmbolds vom 27. 9. 1932), 189 (Protest des RDI vom 27. 10. 1932), 193 (Kabinettsbeschlüsse vom 3. 11. 1932).

10 AdR, Kabinett v. Papen (Anm. 1), Bd. 2, S. 754–764 (Papens Münchner Rede vom 12. 10. 1932), 820–828 (Gayls Berliner Rede vom 28. 10. 1932); Winkler, Weg (Anm. 1), S. 539ff.

11 Preußen contra Reich vor dem Staatsgerichtshof. Stenogrammbericht der Verhandlungen vor dem Staatsgerichtshof in Leipzig vom 10. bis 14. und vom 17. Oktober 1932, Berlin 1933, S. 492–517; Was bedeutet das Urteil?, in: Vorwärts, Nr. 504, 25. 10. 1932 (Hervorhebungen im Original); AdR, Kabinett v. Papen (Anm. 1), Bd. 2, S. 808 (Besprechung vom 27. 10. 1932 über das Urteil des Staatsgerichtshofes), 809–813 (Sitzung der kommissarischen preußischen Staatsregierung vom 27. 10. 1932), 813–819 (Ministerbesprechung vom 28. 10. 1932), 828–831 (Sitzung der kommissarischen preußischen Staatsregierung vom 28./29. 10. 1932); 831–834 (Besprechung Papens und Brauns bei Hindenburg am 29. 10. 1932), 835–837 (Sitzung der kommissarischen preußischen Staatsregierung vom 1. 11. 1932), 836f. (Brief Brachts an Ministerialdirektor Brecht vom 1. 11. 1932), 858–860 (Brief Brachts an Brecht vom 2. 11. 1932), 872–876 (Brief Brauns an Hindenburg vom 3. 1. 1932), 884f. (Besprechung vom 7. 11. 1932), 885–889 (Brief Brauns an Hindenburg vom 7. 11. 1932), 907–911 (Besprechung vom 10. 11. 1932); Schulthess 1932 (Anm. 1), S. 184–189 (Leipziger Urteil u. Stellungnahme der preußischen Regierung vom 25. 10. 1932), 193 (Erklärung der preußischen Staatsminister u. Gegenerklärung der Reichsregierung vom 3. 11. 1932); Otto Braun, Von Weimar zu Hitler, New York 1940[2], S. 763ff.; Hagen Schulze, Otto Braun oder Preußens demokratische Sendung. Eine Biographie, Frankfurt 1977, S. 763ff. (hier auch das Zitat aus dem „8-Uhr-Abendblatt"); Hans-Peter Ehni, Bollwerk Preußen? Preußen-Regierung, Reich-Länder-Problem und Sozialdemokratie 1928–1932, Bonn 1975, S. 271ff.; Vogelsang, Reichswehr (Anm. 2), S. 304ff.; Huber, Verfassungsgeschichte (Anm. 3), Bd. 7, S. 1128ff.; Schulz, Von Brüning (Anm. 3), S. 1000ff.; Winkler, Weg (Anm. 1), S. 761ff.

12 Gemeinsame Proklamation der Kommunisten Deutschlands und Frankreichs für die Nichtigkeitserklärung des Versailler Vertrags, in: Inprekorr 12 (1932), Nr. 90 (28. 10.), S. 2869f.; Gegen den imperialistischen Krieg, gegen das Versailler System! – Für den proletarischen Internationalismus! Kampfrede des Genossen Thälmann in Paris, ebd., Nr. 91 (1. 11.), S. 2899f.; Rede des Genossen Thorez in der Pariser Thälmann-Versammlung, ebd., Nr. 92 (4. 11.), S. 2941f.; Fort mit Versailles!, in: RF, Nr. 195, 26. 10. 1932; XII. Plenum des Exekutivkomitees der Kommunistischen Internationale (September 1932). Thesen und Resolutionen, Moskau 1932, S. 6f., 9, 11 (Thesen zum Referat Kuusinens); Winkler, Weg (Anm. 1), S. 754ff. (mit weiterer Lit.). – Zum „neuen Völkerbundspakt" über Österreich, das Lausanner Protokoll vom 15. 7. 1932 über eine Anleihe, die Österreich nur unter der Auflage erhielt, keine wirtschaftliche Gemeinsamkeit mit dem Deutschen Reich anzustreben: Schulthess 1932 (Anm. 1), S. 243, 408.

13 Winkler, Weg (Anm. 1), S. 765ff. (mit weiterer Lit.); Klaus Rainer Röhl, Fünf Tage im November. Kommunisten, Sozialdemokraten und Nationalsozialisten und der BVG-Streik vom November 1932 in Berlin, in: Diethart Kerbs u. Henrick Stahr (Hg.), Berlin 1932. Das letzte Jahr der ersten deutschen Republik. Politik, Symbole, Medien, Berlin 1992, S. 161–177. Die Zitate: Goebbels, Tagebücher (Anm. 2), S. 267–271 (Eintragungen vom 2. [richtig: 3.] bis 4. 11. 1932); Protest, in: Vorwärts, Nr. 522, 4. 11. 1932; SA-Putsch in Schöneberg, ebd., Nr. 523, 5. 11. 1932; zu Papens Rede: Schulthess 1932 (Anm. 1), S. 194–196; Letzter Appell, in: DAZ, Nr. 521, 5. 11. 1932.

14 Zusammenfassend zum Wahlergebnis: Winkler, Weg (Anm. 1), S. 774ff. (mit weiterer Lit.). Zu Berlin auch: Richard F. Hamilton, Who Voted for Hitler?, Princeton 1982, S. 89ff. Zur Rolle des Rundfunks: Hans Bausch, Der Rundfunk im politischen Kräftespiel der Weimarer Republik, Tübingen 1956, S. 85ff.

15 Marx stärker als Hitler, in: Vorwärts Nr. 526, 7. 11. 1932; Anpassung (Anm. 6), S. 55 (Böchel), 71 (Wels); E. H. (= Ernst Heilmann), Auf dem richtigen Weg, in: DFW 4 (1932), Nr. 46 (13. 11.), S. 1–5; Horkenbach 1932 (Anm. 1), S. 372–374 (Stellungnahmen von Zentrum, DNVP, NSDAP u. Rede Papens vom 8. 11. 1932); Wahlsieg der KPD im Feuer der Streikkämpfe (Erklärung des ZK der KPD), in: Inprekorr 12 (1932), Nr. 94 (11. 11.), S. 3025–3027; Die „Prawda" zu den Ereignissen der Reichstagswahlen in Deutschland, ebd., S. 3027f.

16 AdR, Kabinett v. Papen (Anm. 1), Bd. 2, S. 901–907 ((Ministerbesprechung vom 9. 11. 1932), 937f. (Brief Kepplers an Schroeder vom 13. 11. 1932); Schulthess 1932 (Anm. 1), S. 198 (Empfang Papens durch Hindenburg am 10. 11. 1932); Eberhard Czichon, Wer verhalf Hitler zur Macht? Zum Anteil der deutschen Industrie an der Zerstörung der Weimarer Republik, Köln 1967, S. 64–72 (Material zur Eingabe an Hindenburg; der Brief selbst: 69–71), 73 (Information Dr. Scholz für Bracht zur Tagung des Langnam-Vereins vom 26. 11. 1932); Henry A. Turner, Jr., Die Großunternehmer und der Aufstieg Hitlers (amerik. Orig.: New York 1985), Berlin 1985, S. 358ff.; Reinhard Neebe, Großindustrie, Staat und NSDAP 1930–1933. Paul Silverberg und der Reichsverband der Deutschen Industrie in der Krise der Weimarer Republik, Göttingen 1981, S. 167f.; Gottfried Plumpe, Die I. G. Farbenindustrie AG. Wirtschaft, Technik und Politik 1904–1945, Berlin 1991, S. 538ff.; Heinrich Muth, Das „Kölner Gespräch" am 4. Januar 1933, in: GWU 37 (1986), S. 463–480, 529–541.

17 Bundesarchiv Koblenz, Nr. 1342: Nachlaß J. Wirth: Brief Wirths an Breitscheid vom 14. 11. 1932. Ich verdanke den Hinweis auf das Schreiben Gerald D. Feldman.

18 Anpassung (Anm. 6), S. 23f., 45 (Wels), 32f. (Severing), 41 (Hilferding), 47 (Breitscheid); Kampfansage an Papen, in: Vorwärts, Nr. 533, 11. 11. 1932; Winkler, Weg (Anm. 1), S. 786ff. Zu Hilferdings Haltung im Sommer 1932: ebd., S. 724f.

19 AdR, Kabinett v. Papen (Anm. 1), Bd. 2, S. 944f. (Gespräch Papens mit Kaas u. Joos vom 16. 11. 1932), 951f. (Gespräch Papens mit Schäffer vom 16. 11. 1932), 952–956 (Brief Hitlers an Papen vom 16. 11. 1932), 956–963 (Ministerbesprechung vom 17. 11. 1932), 964–972 (Ministerbesprechung vom 18. 11. 1932); Unsere Antwort an Papen, in: Vorwärts, Nr. 541, 16. 11. 1932; Schulthess 1932 (Anm. 1), S. 201f. (Erklärung des Zentrums vom 16. 11. 1932); Protokolle (Anm. 1), S. 595–597 (Sitzung des Vorstands der Zentrumsfraktion vom 19. 11. 1932); Morsey, Zentrumspartei (Anm. 2), S. 329ff.; Junker, Zentrumspartei (Anm. 2), S. 112ff.; Klaus Schönhoven, Zwischen Anpassung und Ausschaltung. Die Bayerische Volkspartei in der Endphase der Weimarer Republik 1932/33, in: HZ 224 (1977), S. 340–378.

20 AdR, Kabinett v. Papen (Anm. 1), Bd. 2, S. 973f. (Unterredung Hindenburgs mit Hugenberg vom 18. 11. 1932), 975–977 (Unterredung Hindenburgs mit Kaas vom 18. 11. 1932), 977–979 (Unterredung Hindenburgs mit Dingeldey vom 18. 11. 1932), 984–986 (Unterredung Hindenburgs mit Hitler vom 19. 11. 1932), 987f. (Unterredung Hindenburgs mit Schäffer von 19. 11. 1932), 988–982 (Unterredung Hindenburgs mit Hitler vom 21. 11. 1932), 992–994 (Brief Meissners an Hitler vom 22. 11. 1932), 994–998 (Brief Hitlers an Meissner vom 23. 11. 1932), 998–1000 (Brief Meissners an Hitler vom 24. 11. 1932); Die Deutschnationalen (Anm. 2), S. 211–213 (Tagebuchaufzeichnung Quaatz' vom 19. 11. 1932); Heinrich Brüning, Memoiren 1918–1934, Stuttgart 1970, S. 634ff.; Protokolle (Anm. 1), S. 595–597 (Sitzung des Vorstands der Zentrumsfraktion vom 19. 11. 1932); Schulthess 1932 (Anm. 1), S. 203–213; Horkenbach 1932 (Anm. 2), S. 383–394; Volker Hentschel, Weimars letzte Monate. Hitler und der Untergang der Republik, Düsseldorf 1978, S. 67ff.; Vogelsang, Reichswehr (Anm. 2), S. 318ff.; Winkler, Weg (Anm. 1), S. 791ff.

21 AdR, Kabinett v. Papen (Anm. 1), Bd. 2, S. 1013–1022 (Ministerbesprechung vom 25. 11. 1932), 1023–1025 (Besprechung Hindenburgs mit Kaas vom 25. 11. 1932),

1025–1027 (Tagebuchaufzeichnungen Hans Schäffers und Krosigks vom 26. u. 27. 11. 1932), 1029–1031 (Tagebuchaufzeichnung Krosigks vom 29. 11. 1932); Goebbels, Tagebücher (Anm. 1), S. 284–286 (Aufzeichnungen vom 23. bis 28. 11. 1932); Die Gewerkschaften in der Endphase der Republik 1930–1933. Bearb. v. Peter Jahn unter Mitarbeit von Detlev Brunner (= Quellen zur Geschichte der deutschen Gewerkschaftsbewegung im 20. Jahrhundert, Bd. 4), Köln 1988, S. 766–770 (Besprechung im Vorstandsbüro des ADGB über ein Gespräch mit Schleicher am 28. 11. 1932), 770–773 (Brief Leiparts an Schleicher vom 29. 11. 1932), 773–778 (Sitzung des Bundesvorstands des ADGB vom 29. 11. 1932); ABI Berlin, ADGB-Restakten, NB 112: Verhandlungen mit der Reichsregierung (Vertrauliche Aufzeichnung Breitscheids vom 28. 11. 1932 über ein Gespräch mit Schleicher [hier auch Schleichers Schilderung des Gesprächs bei Hindenburg vom 26. 11. 1932]); Schleicher verhandelt mit den Parteiführern, in: Vorwärts, Nr. 559, 27. 11. 1932; Schleicher verhandelt, ebd., Nr. 560, 28. 11. 1932; Richard Breitmann, German Socialism and General Schleicher, in: CEH 9 (1976), S. 352–388 (bes. 367ff.); Winkler, Weg (Anm. 1), S. 793ff.

22 Kabinett Schleicher?, in: Vorwärts, Nr. 561, 29. 11. 1932; Alarmierende Gerüchte, ebd., Nr. 562, 29. 11. 1932; Papen nicht!, ebd., Sturm in den Betrieben, ebd. (Hervorhebungen jeweils im Original); Gewerkschaften (Anm. 21), S. 773f. (Sitzung des Bundesvorstands vom 29. 11. 1932); Winkler, Weg (Anm. 1), S. 796ff.

23 Theodor Leipart, Die Kulturaufgaben der Gewerkschaften. Vortrag in der Aula der Bundesschule in Bernau am 14. Oktober 1932, Berlin 1932, S. 3, 16–20; Ernst Jünger, Der Arbeiter. Herrschaft und Gestalt, Hamburg 1932[1]. Zur Bernauer Rede u. zu ihrem Echo: Peter Jahn, Gewerkschaften in der Krise. Zur Politik des ADGB in der Ära der Präsidialkabinette 1930 bis 1933, in: Erich Matthias u. Klaus Schönhoven (Hg.), Solidarität und Menschenwürde. Etappen der deutschen Gewerkschaftsgeschichte von den Anfängen bis zur Gegenwart, Bonn 1984, S. 233–253 (bes. 251f.); Winkler, Weg (Anm. 1), S. 746ff. (mit weiterer Lit.).

24 AdR, Kabinett v. Papen (Anm. 1), Bd. 2, S. 901–907 (Ministerbesprechung vom 9. 11. 1932), 1029–1031 (Tagebuchaufzeichnung Krosigks vom 29. 11. 1932), 1034f. (Brief Hitlers an Meissner vom 30. 11. 1932); Schulthess 1932 (Anm. 1), S. 214; Goebbels, Tagebücher (Anm. 1), S. 286–291 (Aufzeichnungen vom 27. 11. bis 1. 12. 1932); Schmidt-Pauli, Hitlers Kampf (Anm. 2), S. 182ff.; Udo Kissenkoetter, Gregor Straßer und die NSDAP, Stuttgart 1978, 162ff.; Vogelsang, Reichswehr (Anm. 2), S. 329ff.

25 AdR, Kabinett v. Papen (Anm. 1), Bd. 2, S. 1029–1031 (Tagebuchaufzeichnung Krosigks vom 29. 11. 1932), 1035f. (Ministerbesprechung vom 2. 12. 1932), 1036–1038 (Tagebuchaufzeichnung Krosigks vom 2. 12. 1932), 1039f. (Ministerbesprechung vom 3. 12. 1932); Ernst-Rudolf Huber (Hg.), Dokumente zur deutschen Verfassungsgeschichte, Bd. 3: Dokumente der Novemberrevolution und der Weimarer Republik 1918–1933, Stuttgart 1966, S. 561–563 (Aufzeichnung über das „Kriegsspiel"), 563f. (Aufzeichnungen Meissners vom 1. u. 2. 12. 1932); Franz von Papen, Der Wahrheit eine Gasse, München 1952, S. 243–252 (die Zitate Hindenburgs: 250f.); ders., Vom Scheitern einer Demokratie 1930–1933, Mainz 1968, S. 308–314; Vogelsang, Reichswehr (Anm. 2), S. 332ff., 482–484 (Aufzeichnung des bayerischen Bevollmächtigten Sperr vom 1. 12. 1932 über Gespräche mit Meissner, Schleicher u. Papen), 484 (Vortragsnotiz Otts vom 2. 12. 1932); ders., Zur Politik Schleichers gegenüber der NSDAP 1932, in: VfZ 6 (1958), S. 86–118 (bes. 104ff.); Wolfram Pyta, Vorbereitungen für den militärischen Ausnahmezustand unter Papen/Schleicher, in: MGM 51 (1992), S. 385–428; Hans Otto Meissner u. Harry Wilde, Die Machtergreifung. Ein Bericht über die Technik des nationalsozialistischen Staatsstreichs, Stuttgart 1958, S. 124ff.; Hentschel, Weimars letzte Monate (Anm. 20), S. 71ff.; Winkler, Weg (Anm. 1), S. 798ff.

18. Die Auslieferung des Staates

1 Akten der Reichskanzlei (= AdR), Weimarer Republik. Das Kabinett von Schleicher, 3. Dezember 1932 bis 30. Januar 1933, bearb. von Anton Golecki, Boppard 1986, S. XIXff. (mit Einzelbelegen); Cuno Horkenbach (Hg.), Das Deutsche Reich von 1918 bis heute. Jg. 1932, Berlin 1933, S. 407–410 (Kabinettsbildung u. Pressestimmen); Hitlers Betrauung notwendig, in: DAZ, Nr. 546, 21. 11. 1932; Unsere Meinung, ebd., Nr. 567, 3. 12. 1932; B. Steinemann, Die Schleicher-Regierung, in: Inprekorr 12 (1932), Nr. 102 (6. 12.), S. 3243f.; IISG Amsterdam, Nachlaß K. Kautsky, K D XII: Brief Hilferdings an Kautsky vom 1. 12. 1932; Rudolf Breitscheid, Papen erledigt, in: Vorwärts, Nr. 569, 3. 12. 1932; Paul Löbe, An der Wende!, ebd., Nr. 573, 6. 12. 1932; Gegen Schleicher!, ebd., Vertagung?, ebd.; E. H. (= Ernst Heilmann), Das Unzulängliche, in: DFW 4 (1932), Nr. 51 (18. 12.), S. 1–5; Hans J. L. Adolph, Otto Wels und die Politik der deutschen Sozialdemokratie 1894–1939. Eine politische Biographie, Berlin 1971, S. 250; Heinrich August Winkler, Der Weg in die Katastrophe. Arbeiter und Arbeiterbewegung in der Weimarer Republik 1930–1933, Bonn 1990², S. 810ff.

2 Verhandlungen des Reichstags. Stenographische Berichte, Bd. 455, S. 1f. (Litzmann), 6–11 (Wahl des Präsidiums), 16f. (Anträge zur Tagesordnung), 112–118 (namentliche Abstimmungen vom 9. 12. 1932); AdR, Kabinett v. Schleicher (Anm. 1), S. LVI (mit Einzelbelegen zum Amnestiegesetz), 22–24 (Ministerbesprechung vom 7. 12. 1932); Kurz und gut!, in: Vorwärts, Nr. 581, 10. 12. 1932 (Hervorhebungen im Original); Horkenbach 1932 (Anm. 1), S. 411–415; Schulthess' Europäischer Geschichtskalender, 73. Bd. (1932), München 1933, S. 215–220; Karl Dietrich Bracher, Die Auflösung der Weimarer Republik. Eine Studie zum Problem des Machtverfalls in der Demokratie, Villingen 1964⁴, S. 678ff.; Gerhard Schulz, Von Brüning zu Hitler. Der Wandel des politischen Systems in Deutschland 1930–1933 (= Zwischen Demokratie und Diktatur. Verfassungspolitik und Reichsreform in der Weimarer Republik, Bd. III), Berlin 1992, S. 1040f.; Christoph Gusy, Weimar – die wehrlose Republik? Verfassungsschutzrecht u. Verfassungsschutz in der Weimarer Republik, Tübingen 1991, S. 239ff.; Winkler, Weg (Anm. 1), S. 816ff.

3 Die Tagebücher von Joseph Goebbels, hg. v. Elke Fröhlich, Teil I: Aufzeichnungen 1924–1941, Bd. 2: 1. 10. 1932–31. 12. 1936, München 1987, S. 292–301 (Eintragungen vom 5. bis 11. 12. 1932); Horkenbach 1932 (Anm. 1), S. 412–415; Schulthess 1932 (Anm. 2), S. 220; Udo Kissenkoetter, Gregor Straßer und die NSDAP, Stuttgart 1978, S. 170ff.; Günter Neliba, Wilhelm Frick. Der Legalist des Unrechtsstaates. Eine politische Biographie, Paderborn 1992, S. 66ff.; Karl von Plehwe, Reichskanzler Kurt von Schleicher. Weimars letzte Chance gegen Hitler, Esslingen 1983, S. 251ff.; Thilo Vogelsang, Reichswehr, Staat und NSDAP. Beiträge zur deutschen Geschichte 1930–1932, Stuttgart 1962, S. 340ff.; Dietrich Orlow, The History of the Nazi Party: 1919–1933, Pittsburgh 1969, S. 287ff.; Axel Schildt, Militärdiktatur mit Massenbasis? Die Querfrontkonzeption der Reichswehrführung um General von Schleicher am Ende der Weimarer Republik, Frankfurt 1981, S. 159ff.

4 Thilo Vogelsang, Neue Dokumente zur Geschichte der Reichswehr 1930–1933, in: VfZ 2 (1954), S. 397–436 (die Rede Schleichers vor den Gruppen- und Wehrkreisbefehlshabern: 426–428); AdR, Kabinett v. Schleicher (Anm. 1), S. 35–37 (Empfang einer Abordnung des Gesamtverbandes der Christlichen Gewerkschaften bei Hindenburg am 8. 12. 1932); Leipart über Schleicher, in: Frankfurter Zeitung, Nr. 909/910, 6. 12. 1932; Die Gewerkschaften in der Endphase der Republik 1930–1933. Bearb. v. Peter Jahn unter Mitarbeit von Detlev Brunner (= Quellen zur Geschichte der deutschen Gewerkschaftsbewegung im 20. Jahrhundert, Bd. 4), Köln 1988, S. 780–787 (Sitzung des Bundesvorstands des ADGB vom 8. 12. 1932); Winkler, Weg (Anm. 1), S. 817ff.

5 AdR, Kabinett v. Schleicher (Anm. 1), S. 101–117 (Rundfunkrede Schleichers vom

15. 12. 1932), 141–145 (Ministerbesprechung vom 21. 12. 1932; hier auch die Zitate aus dem „Deutschen" u. die Proteste von Freien Gewerkschaften, RDI und RLB); Horst Gies, NSDAP und landwirtschaftliche Organisationen in der Endphase der Weimarer Republik, in: VfZ 15 (1967), S. 341–376; Winkler, Weg (Anm. 1), S. 826ff.

6 Schulthess 1932 (Anm. 2), S. 231 f. (Verordnung des Reichspräsidenten u. Beschluß des Ältestenrates vom 19. 12. 1932); AdR, Kabinett v. Schleicher (Anm. 1), S. 152f. (Sitzung des Ausschusses für Arbeitsbeschaffung vom 21. 12. 1932), 156–162 (Rundfunkrede Gerekes vom 23. 12. 1932); Das Arbeitsbeschaffungsprogramm der Reichsregierung, in GZ, Nr. 53, 31. 12. 1932; Unternehmer gegen Arbeitsbeschaffung, in: Vorwärts, Nr. 605, 24. 12. 1932; Fritz Tarnow, Auf falscher Bahn! Liebesgaben für Unternehmer, ebd.; Heinrich August Winkler, Unternehmerverbände zwischen Ständeideologie und Nationalsozialismus, in: ders., Liberalismus und Antiliberalismus. Studien zur politischen Sozialgeschichte des 19. u. 20. Jahrhunderts, Göttingen 1979, S. 175–194 (193 f.); Reinhard Neebe, Großindustrie. Staat und NSDAP 1930–1933. Paul Silverberg und der Reichsverband der Deutschen Industrie in der Krise der Weimarer Republik, Göttingen 1981, S. 148 ff.; Helmut Marcon, Arbeitsbeschaffungspolitik der Regierungen Papen und Schleicher. Grundsteinlegung für die Beschäftigungspolitik im Dritten Reich, Bern 1974, S. 253 ff.; Michael Wolffsohn, Industrie und Handwerk im Konflikt mit staatlicher Wirtschaftspolitik? Studien zur Politik der Arbeitsbeschaffung 1930–1934, Berlin 1977, S. 98 ff.

7 AdR, Kabinett v. Schleicher (Anm. 1), S. 89–101 (Ministerbesprechung vom 14. 12. 1932); Akten zur Deutschen Auswärtigen Politik 1918–1945 (= ADAP). Serie B: 1925–1933, Bd. XXI, 16. August 1932 bis 29. Januar 1933, Göttingen 1983, S. 458–461 (Telegramm Neuraths an das Auswärtige Amt vom 11. 12. 1932); Edward W. Bennett, German Rearmament and the West, 1932–1933, Princeton 1979, S. 262; Sten Nadolny, Abrüstungsdiplomatie 1932/33. Deutschland auf der Genfer Konferenz im Übergang von Weimar zu Hitler, München 1978, S. 189 ff.

8. ADAP (Anm. 7), Serie B, Bd. XXI, S. 481 f. (Aufzeichnung des Ministerialdirektors Marcks auf Grund von Mitteilungen Schleichers über sein Gespräch mit Litwinow am 19. 12. 1932); Papenregierung ohne Papen (Artikel der „Prawda" vom 6. 12. 1932), in: Inprekorr 12 (1932), Nr. 103 (9. 12.), S. 3286 f.; Bahnt den sozialistischen Ausweg!, in: RF, Nr. 1, 1. 1. 1933; Thomas Weingartner, Stalin und der Aufstieg Hitlers. Die Deutschlandpolitik der Sowjetunion und der Kommunistischen Internationale 1929–1934, Berlin 1970, S. 100f. (zur Haltung Brünings), 182 ff. (zur Entwicklung unter der Kanzlerschaft Schleichers); Karlheinz Niclauss, Die Sowjetunion und Hitlers Machtergreifung. Eine Studie über die deutsch-russischen Beziehungen der Jahre 1929–1935, Bonn 1966, S. 70 ff.; ders., Stalin und Hitlers Machtergreifung, in: Deutschland und das bolschewistische Rußland von Brest-Litowsk bis 1941, Berlin 1991, S. 49–67.

9 Schulthess' Europäischer Geschichtskalender, 74. Bd. (1933), München 1934, S. 3 f. (Hitlers Neujahrsartikel), 5 f. (Kölner Gespräch vom 4. 1. 1933 mit Presseecho und den Erklärungen Papens, Hitlers und Schroeders); Goebbels, Tagebücher (Anm. 3), S. 331 f. (Eintragung vom 10. 1. 1933); Kissenkoetter, Straßer (Anm. 3), S. 205 f. (Aussage Elbrechters von 1945); Gottfried Reinhold Treviranus, Das Ende von Weimar. Heinrich Brüning und seine Zeit, Düsseldorf 1968, S. 355 f.; Franz von Papen, Der Wahrheit eine Gasse, München 1952, S. 253 ff.; ders., Vom Scheitern einer Demokratie 1930–1933, Mainz 1968, S. 329 ff.; Eberhard Czichon, Wer verhalf Hitler zur Macht? Zum Anteil der deutschen Industrie an der Zerstörung der Weimarer Republik, Köln 1967, S. 77–79 (Eidesstattliche Erklärung Kurt v. Schroeders vom 21. 7. 1947); Henry A. Turner, Die Großunternehmer und der Aufstieg Hitlers (amerik. Orig.: Oxford 1985), Berlin 1985, S. 378 ff.; Neebe, Großindustrie (Anm. 6), S. 171 ff.; Heinrich Muth, Das „Kölner Gespräch" am 4. Januar 1933, in: GWU 37 (1986), S. 463–480, 529–541; Hans Otto Meissner u. Harry Wilde, Die Machtergreifung. Ein Bericht über die Technik des nationalsozialistischen Staatsstreichs, Stuttgart 1958, S. 148 ff.; Gotthard

Jasper, Die gescheiterte Zähmung. Wege zur Machtergreifung Hitlers 1930–1934, Frankfurt 1986, S. 120f.; Volker Hentschel, Weimars letzte Monate. Hitler und der Untergang der Republik, Düsseldorf 1978, S. 88ff.; Bracher, Auflösung (Anm. 2), S. 689ff.

10 Schulthess 1933 (Anm. 9), S. 7f. (Unterredung Schleichers mit Papen vom 9. 1. 1933 u. amtliches Kommuniqué); Papen, Wahrheit (Anm. 9), S. 260f.; ders., Scheitern (Anm. 9), S. 343ff.; Otto Meissner, Staatssekretär unter Ebert – Hindenburg – Hitler, Hamburg 1950, S. 261f.; Meissner/Wilde, Machtergreifung (Anm. 9), S. 157f.

11 AdR, Kabinett v. Schleicher (Anm. 1), S. 221 (Anm. 5 zu den Kontakten zwischen Schleicher und Strasser u. zum Empfang Strassers durch Hindenburg); Schulthess 1933 (Anm. 9), S. 6f. (zum Gespräch zwischen Schleicher u. Braun am 6. 11.); Otto Braun, Von Weimar zu Hitler, New York 1940[2], S. 436ff.; Hagen Schulze, Otto Braun oder Preußens demokratische Sendung. Eine Biographie, Frankfurt 1977, S. 773ff.; Kissenkoetter, Straßer (Anm. 3), S. 191f.; Meissner/Wilde, Machtergreifung (Anm. 9), S. 151; Winkler, Weg (Anm. 1), S. 829f. (zur Datierung des Empfangs Strassers bei Hindenburg), 830f. (zum Gespräch zwischen Schleicher u. Braun).

12 AdR, Kabinett v. Schleicher (Anm. 1), S. 206–208 (Empfang des Präsidiums des Reichslandbundes durch Hindenburg am 11. 1. 1933), 208–214 (Besprechung Schleichers, Brauns und Warmbolds mit Vertretern des Reichslandbundes unter Vorsitz Hindenburgs am 11. 1. 1933 nebst Erklärungen von Reichslandbund u. Reichsregierung vom 11. 1. 1933), 218–220 (Brief Darrés an Schleicher vom 13. 1. 1933; Hervorhebungen im Original); Schulthess 1933 (Anm. 9), S. 11–14 (Konflikt zwischen Reichsregierung und Reichslandbund); Vogelsang, Reichswehr (Anm. 3), S. 358ff.; Gies, NSDAP (Anm. 5), S. 341–376; Dieter Gessner, Agrarverbände in der Weimarer Republik. Wirtschaftliche und soziale Voraussetzungen agrarkonservativer Politik vor 1933, Düsseldorf 1976, S. 242ff.

13 AdR, Kabinett v. Schleicher (Anm. 1), S. LII (mit Einzelbelegen); Schulthess 1933 (Anm. 9), S. 5 (Sitzung des Ältestenrats vom 4. 1.), 12f. (Erklärung des RDI vom 12. 1.); Reichstag erst am 24. Januar, in: Vorwärts, Nr. 7, 5. 1. 1933; Vogelsang, Reichswehr (Anm. 3), S. 363 (zu DVP u. Deutscher Staatspartei); Friedrich Frhr. Hiller von Gaertringen, Die Deutschnationale Volkspartei, in: Erich Matthias und Rudolf Morsey (Hg.), Das Ende der Parteien 1933, Düsseldorf 1960[1], S. 543–652 (bes. 566ff.).

14 Joachim von Ribbentrop, Zwischen London und Moskau. Erinnerungen und letzte Aufzeichnungen, Leoni 1953, S. 37–39; Goebbels, Tagebücher (Anm. 3), S. 331–339 (Aufzeichnungen vom 10.–16. 1. 1933); Schulthess 1933 (Anm. 9), S. 20; Jutta Ciolek-Kümper, Wahlkampf in Lippe. Die Wahlkampfpropaganda der NSDAP zur Landtagswahl am 15. Januar 1933, München 1976 (die Zitate aus dem „Lippischen Kurier": S. 278); Alfred Milatz, Das Ende der Parteien im Spiegel der Wahlen 1930 bis 1933, in: Matthias/Morsey (Hg.), Ende (Anm. 13), S. 743–793 (788f.); Vogelsang, Reichswehr (Anm. 3), S. 357f.; Henry A. Turner, Jr., Hitlers Weg zur Macht: Der Januar 1933 (amerik. Orig.: Reading 1996), München 1997, S. 97.

15 AdR, Kabinett v. Schleicher (Anm. 1), S. 230–243 (Ministerbesprechung vom 16. 1. 1933), 297–300 (Brief Simpfendörfers an Schleicher vom 24. 1. 1933); Carl Schmitt, Verfassungslehre. Berlin 1957[3], S. 345; Ernst Fraenkel, Verfassungsreform und Sozialdemokratie, in: Die Gesellschaft 9 (1932/II), S. 486–500; Vogelsang, Reichswehr (Anm. 3), S. 482–484 (Gespräch Sperrs mit Schleicher vom 1. 12. 1932); Ernst Rudolf Huber, Deutsche Verfassungsgeschichte seit 1789, Bd. VII: Ausbau, Schutz und Untergang der Weimarer Republik, Stuttgart 1984, S. 1227ff.; Winkler, Weg (Anm. 1), S. 835ff.

16 Ebd., S. 837f. (mit Einzelbelegen).

17 Schulthess 1933 (Anm. 9), S. 21–24 (Sitzung des Haushaltsausschusses vom 18./19. 1.); Kavalierskrach um Gut Neudeck, in: Vorwärts, Nr. 4, 3. 1. 1933; Magnus Frhr. v. Braun, Von Ostpreußen bis Texas. Erlebnisse u. zeitgeschichtliche Betrachtungen eines Ostdeutschen, Stollhamm 1955, S. 225ff.; ders., Weg durch vier Zeitepochen. Vom ost-

preußischen Gutsleben der Väter bis zur Weltraumforschung des Sohnes, Limburg 1965, S. 223ff.; Wolfgang Weßling, Hindenburg, Neudeck und die deutsche Wirtschaft, in: VSWG 64 (1977), S. 41–73; Bruno Buchta, Die Junker und die Weimarer Republik. Charakter und Bedeutung der Osthilfe in den Jahren 1928–1933, Berlin (O) 1959, S. 149ff.

18 Schulthess 1933 (Anm. 9), S. 20 (Gespräch zwischen Schleicher und Kaas vom 16. 1. 1933), 24f. (Sitzung des Ältestenrates); Detlef Junker, Die Deutsche Zentrumspartei und Hitler 1932/33. Ein Beitrag zur Problematik des politischen Katholizismus in Deutschland, Stuttgart 1969, S. 120ff.

19 Ribbentrop, Zwischen London (Anm. 14), S. 37ff.; Schulthess 1933 (Anm. 9), S. 21 (Unterredungen Hitlers mit Hugenberg am 17. 1. u. Papen am 18. 1.), 25f. (Pressefassung der Entschließung der DNVP-Reichstagsfraktion, 24. 1.); AdR, Kabinett v. Schleicher (Anm. 1), S. 282f. (Mitteilung der DNVP an Schleicher vom 21. 1. 1933); Die Deutschnationalen und die Zerstörung der Weimarer Republik. Aus dem Tagebuch von Reinhold Quaatz 1928–1933. Hg. v. Hermann Weiß u. Paul Hoser, München 1989, S. 223–227 (Eintragungen vom 17. bis 25. 1. 1933); Vogelsang, Reichswehr (Anm. 3), S. 367f.; Hiller v. Gaertringen, Deutschnationale Volkspartei (Anm. 13), S. 569.

20 Ribbentrop, Zwischen London (Anm. 14), S. 38f.; Papen, Wahrheit (Anm. 9), S. 265f.; ders., Scheitern (Anm. 9), S. 369 (den Ablauf jeweils verschleiernd); Goebbels, Tagebücher (Anm. 3), S. 349f. (Eintragung vom 25. 1. 1933); Meissner, Staatssekretär (Anm. 10), S. 263ff.; Meissner/Wilde, Machtergreifung (Anm. 9), S. 161ff.; Vogelsang, Reichswehr (Anm. 3), S. 371f.

21 AdR, Kabinett v. Schleicher (Anm. 1), S. 284f. (Empfang Schleichers bei Hindenburg am 23. 1. 1932), 300–304 (Aktennotiz Eggerts über eine Unterredung mit Schleicher vom 26. 1. 1933), 304f. (Brief Kaas' an Schleicher vom 26. 1. 1933), 320–323 (Tagebuchaufzeichnungen v. Krosigks über die Zeit vom 23. bis 28. 1. 1933); Papen, Wahrheit (Anm. 9), S. 267; Schulthess 1933 (Anm. 9), S. 27 (Dementi Schleichers vom 24. 1. 1933); Staatsstreich-Pläne, in: Vorwärts, Nr. 39, 24. 1. 1933; Siegfried Aufhäuser, Reichstag, arbeite! ebd., Nr. 41, 25. 1. 1933; Gegen reaktionäre Staatsstreichpläne, ebd., Nr. 43, 26. 1. 1933 (Erklärung des Parteivorstands u. der Reichstagsfraktion der SPD vom 25. 1. 1933); Die Protokolle der Reichstagsfraktion u. des Fraktionsvorstands der Deutschen Zentrumspartei 1926–1933. Bearb. v. Rudolf Morsey, Mainz 1969, S. 608f. (Sitzung der Zentrumsfraktion vom 26. 1. 1933); Rudolf Morsey, Die Deutsche Zentrumspartei, in: Matthias/Morsey (Hg.), Ende (Anm. 13), S. 281–453 (337f.); Junker, Zentrumspartei (Anm. 18), S. 122f.; Vogelsang, Reichswehr (Anm. 3), S. 372ff.; Winkler, Weg (Anm. 1), S. 842, 847f.; Ernst Rudolf Huber, Carl Schmitt in der Reichskrise der Weimarer Endzeit, in: Helmut Quaritsch (Hg.), Complexio Oppositorum. Über Carl Schmitt, Berlin 1988, S. 33–50.

22 Schulthess 1933 (Anm. 9), S. 28 (Sitzung des Ältestenrats vom 27. 1.); Cuno Horkenbach (Hg.), Das Deutsche Reich von 1918 bis heute, Jg. 1933, Berlin o. J., S. 25–27 (Pressestimmen vom 28. 1. 1933); AdR, Kabinett v. Schleicher (Anm. 1), S. 311f. (Brief O. Brauns an Schleicher vom 28. 11. 1933); Ribbentrop, Zwischen London (Anm. 14), S. 40f.; Goebbels, Tagebücher (Anm. 3), S. S. 352f.; Kamarilla am Werk!, in: Vorwärts, Nr. 45, 27. 1. 1933; Dienstag Reichstag, ebd., Nr. 47, 28. 1. 1933; Warnung vor dem Staatsstreich!, ebd.; „Reichskanzler Hindenburg". Christliche Gewerkschaften warnen (Auszüge aus dem Artikel des „Deutschen"), ebd.; „Staatsnotstand" ist Hochverrat. Otto Braun an den Reichskanzler, ebd., Nr. 48, 28. 1. 1933; Spiel mit der Präsidentenkrise?, in: Tägliche Rundschau, Nr. 23, 27. 1. 1933; Hiller v. Gaertringen, Deutschnationale Volkspartei (Anm. 13), S. 569ff.; Vogelsang, Reichswehr (Anm. 3), S. 379f.; Volker R. Berghahn, Der Stahlhelm. Bund der Frontsoldaten 1918–1935, Düsseldorf 1966, S. 245ff.

23 AdR, Kabinett v. Schleicher (Anm. 1), S. 306–310 (Ministerbesprechung vom 28. 1. 1933), 310f. (Empfang Schleichers bei Hindenburg am 28. 1. 1933), 313 (Brief Kastls u. Hamms sowie Auszug aus Kastls zweitem Brief an Meissner vom 28. 1. 1933), 314

(Eingabe der Gewerkschaftsverbände an Hindenburg vom 28. 1. 1933), 315 (Aide-Memoire Heldts vom 28. 1. 1933), 316–319 (Tagebuchaufzeichnungen v. Krosigks über die Zeit vom 23. bis 28. 1. 1933); Schulthess 1933 (Anm. 9), S. 28–30; Heinrich Brüning, Memoiren 1918–1934, Stuttgart 1970, S. 645; Schleicher zurückgetreten!, in: Vorwärts, Nr. 48, 28. 1. 1933; Das rote Berlin marschiert!, ebd., Nr. 49, 29. 1. 1933 (Hervorhebungen jeweils im Original); Unsere Antwort, ebd., Nr. 50, 30. 1. 1933; Einheitsfront gegen den faschistischen Generalangriff, in: RF, Nr. 25, 29. 1. 1933; Junker, Zentrumspartei (Anm. 18), S. 125 f. (Zitate aus der „Germania“ u. der „Kölnischen Volkszeitung“ vom 29. 1. 1933); Klaus Schönhoven, Zwischen Anpassung und Ausschaltung. Die Bayerische Volkspartei in der Endphase der Weimarer Republik 1932/33, in: HZ 224 (1977), S. 340–378 (bes. 362 f.); Turner, Großunternehmer (Anm. 9), S. 381 ff.; Neebe, Großindustrie (Anm. 6), S. 151 f.; Vogelsang, Reichswehr (Anm. 3), S. 382 ff.; Winkler, Weg (Anm. 1), S. 851 ff.

24 AdR, Kabinett v. Schleicher (Anm. 1), S. 320–323 (Tagebuchaufzeichnungen Krosigks über die Zeit vom 29. bis 30. 1. 1933); Schulthess 1933 (Anm. 9), S. 30–32 (Ereignisse vom 30. 1. 1933); Goebbels, Tagebücher (Anm. 3), S. 353–359 (Eintragungen vom 29. bis 31. 1. 1933); Papen, Wahrheit (Anm. 9), S. 269 ff.; ders., Vom Scheitern (Anm. 9), S. 377 ff.; Meissner, Staatssekretär (Anm. 10), S. 268 ff.; Bracher, Auflösung (Anm. 2), S. 733 f. (Aufzeichnung Hammersteins vom 28. 1. 1935; hier das Zitat Hindenburgs vom 26. 1. 1933); Theodor Duesterberg, Der Stahlhelm und Hitler, Wolfenbüttel 1949, S. 38 ff.; Otto Schmidt-Hannover, Umdenken oder Anarchie. Männer, Schicksale, Lehren, Göttingen 1959, S. 328 ff.; Ewald v. Kleist-Schmenzin, Die letzte Möglichkeit. Zur Ernennung Hitlers zum Reichskanzler am 30. Januar 1933, in: Politische Studien 10 (1959), S. 89–92; Bodo Scheurig, Ewald von Kleist-Schmenzin. Ein Konservativer gegen Hitler, Oldenburg 1968, S. 118 ff.; Berghahn, Stahlhelm (Anm. 22), S. 246 ff.; Hiller v. Gaertringen, Deutschnationale Volkspartei (Anm. 13), S. 571 ff.; Larry E. Jones, „The Greatest Stupidity of My Life“: Alfred Hugenberg and the Formation of the Hitler Cabinet, January 1933, in: JCH 27 (1992), S. 63–87; Vogelsang, Reichswehr (Anm. 3), S. 384 ff. (zur Vereidigungszeremonie: 400); Klaus-Jürgen Müller, Das Heer und Hitler. Armee und nationalsozialistisches Regime 1933–1940, Stuttgart 1969, S. 35 ff.; Meissner/Wilde, Machtergreifung (Anm. 9), S. 176 ff.; Hentschel, Weimars letzte Monate (Anm. 9), S. 95 ff.; Winkler, Weg (Anm. 1), S. 857 ff.

25 Anpassung oder Widerstand? Aus den Akten des Parteivorstands der deutschen Sozialdemokratie 1932/33. Hg. u. bearb. v. Hagen Schulze, Bonn 1975, S. 131–136 (Sitzung des Parteivorstands mit Vertretern der Reichstagsfraktion u. des ADGB am Vormittag des 30. 1. 1933), 145 f. (Breitscheid im Parteiausschuß am 31. 1. 1933); Nichtangriffspakt!, in: Vorwärts, Nr. 42, 25. 1. 1933; Arbeitendes Volk! Republikaner!, ebd., Nr. 51, 31. 1. 1933; SPD-„Nichtangriffspakt“ Angriffspakt gegen die Werktätigen, in: RF, Nr. 22, 26. 1. 1933; Aufruf der KPD vom 30. 1. 1930, in: Die Antifaschistische Aktion. Dokumentation u. Chronik Mai 1932 bis Januar 1933. Hg. u. eingel. v. Heinz Karl u. Erika Kücklich, Berlin (O) 1965, S. 354–356; AdR, Die Regierung Hitler. Teil I: 1933/34, Bd. 1: 30. Januar 1933 bis 31. August 1935, bearb. v. Karl-Heinz Minuth, Boppard 1983, S. 5–10 (Ministerbesprechungen vom 31. 1. u. 1. 2. 1933); Schulthess 1933 (Anm. 9), S. 32–37 (Verhandlungen Hitlers mit dem Zentrum); Rudolf Morsey, Hitlers Verhandlungen mit der Zentrumsführung am 31. Januar 1931. Dokumentation, in: VfZ 9 (1961), S. 182–194; Protokolle (Anm. 21), S. 611–615 (Sitzungen von Fraktion u. Fraktionsvorstand des Zentrums vom 31. 1. u. 1. 2. 1933); Brüning, Memoiren (Anm. 23), S. 647 f.; Junker, Deutsche Zentrumspartei (Anm. 18), S. 156 ff.; Morsey, Deutsche Zentrumspartei (Anm. 21), S. 339 ff.; Reiner Tosstorff, „Einheitsfront“ und/oder Nichtangriffspakt mit der KPD, in: Wolfgang Luthardt (Hg.), Arbeiterbewegung und Weimarer Republik. Materialien zur gesellschaftlichen Entwicklung 1927–1933, 2 Bde., Frankfurt 1978, Bd. 2, S. 219–258; Winkler, Weg (Anm. 1), S. 867 ff. (mit weiterer Lit.). Das Zitat von Fraenkel in: ders., Verfassungsreform (Anm. 15), S. 491.

Nachwort:
Weimars Ort in der deutschen Geschichte

1 Aus der Lit. zur Kritik an der sozialdemokratischen Politik in der Endphase der Weimarer Republik u. a.: Hans-Dieter Kluge, Verhältnis von SPD und Parlamentarismus: Koalition, Tolerierung, Opposition, in: Wolfgang Luthardt (Hg.), Sozialdemokratische Arbeiterbewegung und Weimarer Republik. Materialien zur gesellschaftlichen Entwicklung 1927–1933, 2 Bde., Frankfurt 1978, Bd. 2, S. 9–82; Eberhard Heupel, Reformismus und Krise. Zur Theorie u. Praxis von SPD, ADGB u. AfA-Bund in der Weltwirtschaftskrise 1929–1932/33, Frankfurt 1981; Andreas Dorpalen, SPD und KPD in der Endphase der Weimarer Republik, in: VfZ 31 (1983), S. 77–107; Bärbel Hebel-Kunze, SPD und Faschismus. Zur politischen u. organisatorischen Entwicklung der SPD 1932–1935, Frankfurt 1977; Manfred Scharrer (Hg.), Kampflose Kapitulation – Arbeiterbewegung 1933, Reinbek 1984. Zur Kritik an dieser Literatur u. a.: Arnold Sywottek, Einheit der Arbeiterklasse zur Rettung der Weimarer Republik? Zur Kritik eines Mythos, in: Ursula Büttner (Hg.), Das Unrechtsregime. Ideologie, Herrschaftssystem, Wirkung in Europa. Festschrift für Werner Jochmann, 2 Bde., Hamburg 1986, Bd. 1, S. 132–155.

2 Zur These von der „Selbstpreisgabe einer Demokratie" u. a.: Karl-Dietrich Erdmann u. Hagen Schulze (Hg.), Weimar. Selbstpreisgabe einer Demokratie, Düsseldorf 1980; Hagen Schulze, Weimar. Deutschland 1917–1933, Berlin 1982, S. 314 f.; Werner Conze, Die Krise des Parteienstaates in Deutschland 1929/30, in: HZ 178 (1954), S. 47–83; Erich Eyck, Geschichte der Weimarer Republik, 2 Bde., Erlenbach 1962[3], Bd. 2, S. 314 f. Sehr viel differenzierter: Karl Dietrich Bracher, Die Auflösung der Weimarer Republik. Eine Studie zum Problem des Machtzerfalls in der Demokratie, Villingen 1964[4], S. 296 ff.

3 Zum Vergleich zwischen Preußen und Reich besonders Hagen Schulze, Die sozialdemokratischen Parlamentsfraktionen im Reich und in Preußen 1918–1933, in: VfZ 26 (1978), S. 419–432.

4 Paul Levi, Die „stille" Koalition, in: SPW 4 (1926), Nr. 46 (19. 11.).

5 Zum Vorstehenden: Heinrich August Winkler, Klassenkampf versus Koalition. Die französischen Sozialisten und die Politik der deutschen Sozialdemokraten 1928–1933, in: GG 17 (1991), S. 182–219 (das Zitat aus der Resolution Kautsky: 183).

6 IISG Amsterdam, Nl. Karl Kautsky D XII, S. 661 (Brief Hilferdings an Kautsky vom 23. 9. 1933); Dieter Dowe u. Kurt Klotzbach (Hg.), Programmatische Dokumente der deutschen Sozialdemokratie, Berlin 1984[2], S. 229 (Prager Manifest).

7 Karl Dietrich Erdmann, Die Geschichte der Weimarer Republik als Problem der Wissenschaft, in: VfZ 3 (1955), S. 1–19 (7); Arthur Rosenberg, Entstehung und Geschichte der Weimarer Republik. Hg. u. eingel. v. Kurt Kersten, Frankfurt 1983. Zur Revision des Bildes von der Revolution seit den sechziger Jahren u. a.: Eberhard Kolb, Die Arbeiterräte in der deutschen Innenpolitik 1918–1919, Düsseldorf 1962[1]; Peter v. Oertzen, Betriebsräte in der Novemberrevolution, Düsseldorf 1963[1]; Ulrich Kluge, Soldatenräte und Revolution. Studien zur Militärpolitik in Deutschland 1918/19, Göttingen 1975; Reinhard Rürup, Probleme der Revolution in Deutschland 1918/19, Wiesbaden 1968.

8 Zum neueren Diskussionsstand: Heinrich August Winkler, Die Sozialdemokratie und die Revolution von 1918/19. Ein Rückblick nach 60 Jahren, Berlin 1980[2]; ders., Die Revolution von 1918/19 und das Problem der Kontinuität in der deutschen Geschichte, in: HZ 250 (1990), S. 303–319; ders., Die „neue Linke" und der Faschismus: Zur Kritik neomarxistischer Theorien über den Nationalsozialismus, in: ders., Revolution, Staat, Faschismus. Zur Revision des Historischen Materialismus, Göttingen 1978, S. 65–117; Wolfgang J. Mommsen, Die deutsche Revolution 1918–1920, in: GG 4 (1978), S. 362–391; Susanne Miller, Die Bürde der Macht. Die deutsche Sozialdemokratie 1918–1920, Düsseldorf 1978; Reinhard Rürup, Demokratische Revolution und „Dritter Weg". Die deutsche Revolution

von 1918/19 in der neueren wissenschaftlichen Diskussion, in: GG 9 (1983), S. 278–301; Ulrich Kluge, Die deutsche Revolution 1918/19. Staat, Politik und Gesellschaft zwischen Weltkrieg und Kapp-Putsch, Frankfurt 1985; Eberhard Kolb, Die Weimarer Republik, München 1988[2], S. 153 ff.; Richard Löwenthal, Vom Ausbleiben der Revolution in Industriegesellschaften, in: HZ 232 (1981), S. 1–24; Horst Möller, Die Weimarer Republik in der zeitgeschichtlichen Perspektive der Bundesrepublik Deutschland während der fünfziger und frühen sechziger Jahre: Demokratische Tradition und NS-Ursachenforschung, in: Ernst Schulin unter Mitwirkung von Elisabeth Müller-Luckner (Hg.), Deutsche Geschichtswissenschaft nach dem Zweiten Weltkrieg (1945–1965), München 1969, S. 157–180.

9 Wolfgang Elben, Das Problem der Kontinuität in der deutschen Revolution. Die Politik der Staatssekretäre und der militärischen Führung von November 1918 bis Februar 1919, Düsseldorf 1965; Wolfgang Runge, Politik und Beamtentum im Polizeistaat. Die Demokratisierung der politischen Beamten in Preußen zwischen 1918 und 1933, Stuttgart 1965; Kolb, Arbeiterräte (Anm. 7), passim; Wolfgang Zollitsch, Adel und adlige Machteliten in der Endphase der Weimarer Republik. Standespolitik und agrarische Interessen, in: Heinrich August Winkler unter Mitwirkung von Elisabeth Müller-Luckner (Hg.), Die deutsche Staatskrise 1930–1933. Handlungsspielräume und Alternativen, München 1992, S. 239–256.

10 Michael Salewski, Das Weimarer Revisionssyndrom, in: APZ 30 (1980), B 2, S. 14–25; James M. Diehl, Paramilitary Politics in Weimar Germany, Bloomington 1977; Hans-Joachim Mauch, Nationalistische Wehrorganisationen in der Weimarer Republik. Zur Entwicklung und Ideologie des „Paramilitarismus", Frankfurt 1982; Bernd Weisbrod, Gewalt in der Politik. Zur politischen Kultur in Deutschland zwischen den beiden Weltkriegen, in: GWU 43 (1992), S. 391–405; Richard Bessel, Politische Gewalt und die Krise der Weimarer Republik, in: Lutz Niethammer u. a., Bürgerliche Gesellschaft in Deutschland. Historische Einblicke, Fragen, Perspektiven, Frankfurt 1990, S. 383–395; ders., Militarismus im innenpolitischen Leben der Weimarer Republik: Von den Freikorps zur SA, in: Klaus-Jürgen Müller u. Eckardt Opitz (Hg.), Militär und Militarismus in der Weimarer Republik, Düsseldorf 1978, S. 193–222; Norbert Elias, Die Zersetzung des staatlichen Gewaltmonopols in der Weimarer Republik, in: ders., Studien über die Deutschen. Machtkämpfe und Habitusentwicklung im 19. u. 20. Jahrhundert, Frankfurt 1989, S. 282–294.

11 Rolf Wagenführ, Die Industriewirtschaft. Entwicklungstendenzen der deutschen und internationalen Industrieproduktion 1860 bis 1932. Vierteljahrshefte zur Konjunkturforschung, Sonderheft 31, Berlin 1933, S. 29 ff.; Wolfram Fischer, Deutsche Wirtschaftspolitik 1918–1945, Opladen 1968[3]; Dietmar Petzina, Die deutsche Wirtschaft in der Zwischenkriegszeit, Wiesbaden 1977.

12 Zusammenfassend zum Vorstehenden: Gerald D. Feldman, The Weimar Republic: A Problem of Modernization?, in: AfS 26 (1986), S. 1–26; ders., Der 30. Januar 1933 und die politische Kultur von Weimar, in: Winkler (Hg.), Deutsche Staatskrise (Anm. 9), S. 263–276; Ian Kershaw, Der 30. Januar 1933: Ausweg aus der Staatskrise und Anfang des Staatsverfalls, ebd., S. 275–282; Heinrich August Winkler, Deutschland vor Hitler. Der historische Ort der Weimarer Republik, in: Walter H. Pehle (Hg.), Der historische Ort des Nationalismus. Annäherungen, Frankfurt 1990, S. 11–30; ders., Wandlungen des deutschen Nationalismus, in: Merkur 33 (1979), Heft 377, S. 963–973; ders., Die deutsche Gesellschaft der Weimarer Republik und der Antisemitismus, in: Bernd Martin u. Ernst Schulin (Hg.), Die Juden als Minderheit in der Geschichte, München 1981[1], S. 271–289; M. Rainer Lepsius, Extremer Nationalismus. Strukturbedingungen vor der nationalsozialistischen Machtergreifung, Stuttgart 1966, bes. S. 9–18. Zur Aushöhlung des staatlichen Gewaltmonopols: Elias, Zersetzung (Anm. 10), bes. S. 285 f.

13 Friedrich Meinecke, Die deutsche Katastrophe. Betrachtungen und Erinnerungen, Wiesbaden 1947[3]; Friedrich Karl Fromme, Von der Weimarer Verfassung zum Bonner Grundgesetz, Tübingen 1960.

14 Fritz René Allemann, Bonn ist nicht Weimar, Köln 1956, S. 274. Zusammenfassend zum Vorstehenden: Heinrich August Winkler, Nationalismus, Nationalstaat und nationale Frage in Deutschland seit 1945, in: ders. u. Hartmut Kaelble (Hg.), Nationalismus, Nationalitäten, Supranationalität, Stuttgart 1993, S. 12–33.

15 Hierzu bes. Wolfgang Ruge, Weimar. Republik auf Zeit, Berlin (O), 1982², S. 307ff.; Geschichte der deutschen Arbeiterbewegung, Bd. 4: Von 1924 bis Januar 1933, Berlin (O) 1966; Heinz Niemann u. a., Geschichte der deutschen Sozialdemokratie 1917–1945, Berlin (O) 1982; Grundriß der Geschichte der deutschen Arbeiterbewegung, Berlin (O) 1963⁴; Stefan Doernberg, Kurze Geschichte der DDR, Berlin (O) 1968³; Rolf Badstübner u. a., Geschichte der Deutschen Demokratischen Republik, Berlin (O) 1981. Zur Faschismusformel der Komintern u. a.: Theo Pirker (Hg.), Komintern und Faschismus 1920–1940. Dokumente zur Geschichte und Theorie des Faschismus, Stuttgart 1965, bes. S. 187.

16 Karl Dietrich Bracher, Politik und Zeitgeist. Tendenzen der siebziger Jahre, in: ders. u. a., Republik im Wandel 1969–1974. Die Ära Brandt (= Geschichte der Bundesrepublik Deutschland, Bd. V/1), Stuttgart 1986, S. 285–406 (406).

Abkürzungsverzeichnis

ABI	August-Bebel-Institut
ADAP	Akten zur Deutschen Auswärtigen Politik
ADGB	Allgemeiner Deutscher Gewerkschaftsbund
AdR	Akten der Reichskanzlei
AfA	Arbeitsgemeinschaft freier Angestelltenverbände
AfA-Bund	Allgemeiner freier Angestelltenbund
AfS	Archiv für Sozialgeschichte
AHR	American Historical Review
APZ	Aus Politik und Zeitgeschichte
ASS	Archiv für Sozialwissenschaft und Sozialpolitik
AStA	Allgemeiner Studentenausschuß
BA	Bundesarchiv
BVG	Berliner Verkehrs-Gesellschaft
CEH	Central European History
Danatbank	Darmstädter und Nationalbank
DAZ	Deutsche Allgemeine Zeitung
DDP	Deutsche Demokratische Partei
DFW	Das Freie Wort
DNVP	Deutschnationale Volkspartei
DuM	Dokumente und Materialien zur Geschichte der deutschen Arbeiterbewegung
EKKI	Exekutivkomitee der Kommunistischen Internationale
GdA	Gewerkschaftsbund der Angestellten
Gedag	Gesamtverband Deutscher Angestelltengewerkschaften
Gefu	Gesellschaft zur Förderung gewerblicher Unternehmungen
GG	Geschichte und Gesellschaft
GWU	Geschichte in Wissenschaft und Unterricht
GZ	Gewerkschafts-Zeitung
HZ	Historische Zeitschrift
IfZ	Institut für Zeitgeschichte
IISG	Internationales Institut für Sozialgeschichte
Inprekorr	Internationale Pressekorrespondenz
IRSH	International Review of Social History
IWK	Internationale wissenschaftliche Korrespondenz zur Geschichte der deutschen Arbeiterbewegung
JCH	Journal of Contemporary History
JGMO	Jahrbuch für Geschichte Mittel- und Ostdeutschlands
JGO	Jahrbücher für Geschichte Osteuropas
JMH	Journal of Modern History
JNS	Jahrbücher für Nationalökonomie und Statistik
KAG	Kommunistische Arbeitsgemeinschaft
KAPD	Kommunistische Arbeiterpartei Deutschlands
KK	Klassenkampf
KPD	Kommunistische Partei Deutschlands
KPO	Kommunistische Partei (Oppositon)

Langnam-verein	Verein zur Wahrung der gemeinsamen wirtschaftlichen Interessen in Rheinland und Westfalen
M-Apparat	Militärapparat [der KPD]
MGM	Militärgeschichtliche Mitteilungen
MICUM	Mission Interalliée de Contrôle des Usines et des Mines
MSPD	Mehrheitssozialdemokratische Partei Deutschlands
ND	Neudruck
NEP	Neue Ökonomische Politik
N.F.	Neue Folge
NSBO	Nationalsozialistische Betriebszellen-Organisation
NSDAP	Nationalsozialistische Deutsche Arbeiterpartei
O.C.	Organisation Consul
OHL	Oberste Heeresleitung
Orgesch	Organisation Escherich
PVS	Politische Vierteljahresschrift
RDI	Reichsverband der Deutschen Industrie
RF	Rote Fahne
RFB	Roter Frontkämpfer-Bund
RGBl.	Reichsgesetzblatt
RGO	Revolutionäre Gewerkschafts-Opposition
RLB	Reichslandbund
SA	Sturmabteilung
SAPD	Sozialistische Arbeiterpartei Deutschlands
SM	Sozialistische Monatshefte
SPD	Sozialdemokratische Partei Deutschlands
SPW	Sozialistische Politik und Wirtschaft
SS	Schutzstaffel
USPD	Unabhängige Sozialdemokratische Partei Deutschlands
VfZ	Vierteljahreshefte für Zeitgeschichte
VKPD	Vereinigte Kommunistische Partei Deutschlands
WTB-Plan	Woytinski-Tarnow-Baade-Plan
ZAG	Zentral-Arbeitsgemeinschaft der industriellen und gewerblichen Arbeitgeber- und Arbeitnehmerverbände Deutschlands
ZfP	Zeitschrift für Politik

Personenregister